山东省“十五”科技攻关计划项目

巧用海动力输沙建设黄河口双导堤工程技术研究

李殿魁　杨玉珍　程义吉　杨作升　李希宁　王厚杰　等编著

黄河水利出版社

内容提要

本书深入分析了世界大河河口治理及黄河口摆动与整治的历史经验，提出了在黄河口潮流界以下河段巧用海动力输沙、建设向海延伸的双导堤工程以长期稳定黄河入海流路的科学创意。采用三维水动力数学模型，模拟了黄河口泥沙输运过程及不同工程方案影响下外海域潮流场及沉积动力学过程；同时，根据工程区地质、水文、气象等条件，通过多方案比选并进行海动力冲击试验，设计了利用水力插板桩组合坝技术建设导堤工程的技术方案。

本书可运用于黄河口工程治理，也可为河口城市建设、油田勘探开发、防洪减灾等方面的工程决策提供技术支撑，对于推动黄河三角洲经济社会发展和维系黄河健康生命都具有重要应用价值。

图书在版编目（CIP）数据

巧用海动力输沙建设黄河口双导堤工程技术研究/李殿魁等编著.—郑州：黄河水利出版社，2007.1

ISBN 978-7-80734-185-7

Ⅰ.巧…　Ⅱ.李…　Ⅲ.黄河－河口－海洋动力学－水力输沙－海上导堤－研究　Ⅳ.U656.2

中国版本图书馆 CIP 数据核字（2007）第 006239 号

出 版 社：黄河水利出版社

地址：河南省郑州市金水路 11 号　　邮政编码：450003

发行单位：黄河水利出版社

发行部电话：0371-66026940　　传真：0371-66022620

E-mail:hhslcbs@126.com

承印单位：河南省瑞光印务股份有限公司

开本：787 mm × 1 092 mm　1/16

印张：30.5　　插页：4

字数：710 千字　　印数：1—1 500

版次：2007 年 1 月第 1 版　　印次：2007 年 1 月第 1 次印刷

书号：ISBN 978-7-80734-185-7/U · 20　　定价：108.00 元

由 2005 年 2 月 2 日、6 日获取的 SPOT 5 数据合成的黄河口遥感影像

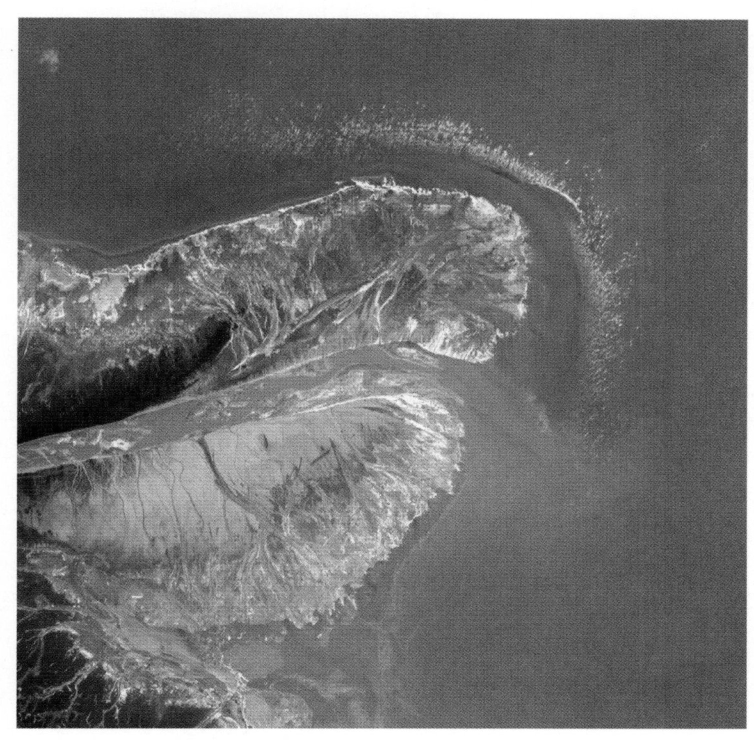

空间分辨率为 2.5m 的黄河口沙嘴部分，河口摆动漫流的痕迹清晰可见

（以上遥感影像为东营市国土资源局提供）

2003年5月，山东省政协副主席、项目负责人李殿魁（左一）
与河务工作者一起踏勘黄河口拦门沙（杨玉珍　摄）

2006年10月15日，山东省科技厅组织召开了《巧用海动力输沙建设黄河口双导堤工程技术研究》项目鉴定会。上图左起：山东省科技厅厅长姜代晓，中国科学院院士、鉴定委员会副主任胡敦欣，山东省政协副主席王修智，中国工程院院士、鉴定委员会主任韩其为，项目总负责人李殿魁，山东黄河河务局局长袁崇仁

项目总负责人李殿魁向项目成果鉴定委员会做项目总结报告

山东省政协副主席王修智（前排中）及省有关部门领导接见项目鉴定委员会全体专家和项目组部分成员

2005年10月，项目组研究人员考察黄河口（阮士旺　摄）

项目承担单位与人员

项 目 名 称 巧用海动力输沙建设黄河口双导堤工程技术研究

承 担 单 位 山东省政协

东营市黄河口泥沙研究所

黄河水利委员会黄河河口研究院

中国海洋大学河口海岸带研究所

山东黄河勘测设计研究院

项目总负责人 李殿魁

项目总论撰写 李殿魁

课题研究人员

第一课题 杨玉珍 庄会江 刘 鹏 李 丽

王玉臻 黄建杰

第二课题 程义吉 由宝宏 王维文 周 丹

第三课题 杨作升 王厚杰 毕乃双 李国刚

季有俊

第四课题 李希宁 杨春林 李洪书 马德龙

王永刚 廖展强 高 峰 刘卫芳

于晓龙 王小冬 杜瑞香 韩名乾

李新建 常 锋 董 伟

目　录

第三课题 黄河口海上双导堤工程数学模型研究

第四课题　黄河口海上双导堤工程设计与投资

总 论

《巧用海动力建设黄河口双导堤工程技术研究》是“八五”国家重大科技攻关《延长黄河口清水沟流路行水年限的研究》科研课题的继续，是“工程导流，疏浚破门，巧用潮汐，定向入海”治理河口的系统方法在感潮段以上取得成功后，尽快推向感潮段以下，实现河口长期稳定的海上工程技术，是稳定黄河口这一达到“国际领先水平”的科技成果在河口海域的工程化，是根治黄河下游、实现黄河长期稳定必须采取的重大战略工程措施。这一课题要达到黄河口长期稳定的目标，适应黄河三角洲开发和黄河经济带发展的需要，符合黄河自身科技发展的方向，符合东营市规划建设的需要，符合世界大河发展的共同规律。

一、黄河口长期稳定是历史发展的必然

（一）黄河三角洲开发的时代需要

稳定黄河口，是黄河三角洲开发、胜利油田发展、东营市兴起的基础和前提，是黄河口地区经济发展的紧迫需要，是科技治黄的发展方向和沿黄人民的共同渴望，是本课题研究要达到的明确目标。

20世纪80年代，我国改革开放的东风激活了黄河三角洲开发。首先，这里的中国大油田—胜利油田活跃起来，响亮地提出“建设第二大油田”的奋斗目标，引起了党和国家的高度重视。时任中共中央总书记的胡耀邦题词“建设第二个大庆，献给开国四十周年！”黄河口是胜利油田的主产区，河口的摆动对胜利油田的发展干扰很大，油田的发展强烈要求河口稳定；山东省为了配合胜利油田的发展，促进黄河三角洲开发，于1983年经国务院批准，成立了东营市。新生的东营市急需选址建设，但因黄河口频繁摆动的影响，长期找不到合适的市址。于是，东营市党政机关在胜利油田的胜利宾馆办公，长达4年之久。面对这种情况，东营市急切盼望黄河口稳定。

黄河口摆动与胜利油田发展和东营市选址的尖锐矛盾，迫使山东省和石油部通过当时任国务院副总理、石油部部长的余秋里和康世恩，向水利部正式提出黄河口稳定30年的要求，并且郑重承诺，如果水利部能够做到，石油部每年愿投资1亿元治理河口。为此，水利部于1984年5月在东营市召开专题论证会，与会专家经过长时间讨论 ，结果得出不可能做到的结论。

1986年5月，我从烟台调东营工作，碰到的第一个问题就是东营市的选址建设问题，而这个问题又是由黄河口稳定决定的，对当时的东营市领导来讲是一个无法回避、必须正确解决的问题。这时，黄河东营修防处的主任工程师王锡栋同志第一个向我反映，经过治理，黄河口可以稳定30年以上。我认真听取了他的意见，深入研究他的建议，并广

泛调查黄河口附近的海域情况，认识到稳定黄河口的关键在于正确认识和充分利用海动力的输沙作用，初步看到了治理河口、稳定河口30年的希望。

1988年3月份，七届全国人大一次会议期间，当时国家计委分管农业工作的副主任刘中一，约我到他办公室，当面对我说“你们山东要求开发黄河三角洲，你要回答我两个问题：第一，黄河口能否稳定？第二，淡水能否解决？这两个问题讲不清楚，国家无法下决心”。我明确回答了刘中一主任提出的两个问题。在人民治黄成就的基础上，采取综合措施治理黄河口，河口可以稳定30年以上；30年以后经济发展了，科技进步了，国力增强了，黄河口可以稳定更长的时间。黄河口的淡水资源更没问题，自然降水量650mm以上，而且雨热同期；我们已建设了1亿m^3以上的大水库，还计划建更多的水库，存蓄黄河水，也存蓄当地自然降水，开发黄河三角洲，建设东营市，淡水没有问题。在这种情况下，刘中一终于同意我的意见并决定在东营搞黄河三角洲开发试验项目，每年投资3 000万元，暂定3年。有了国家计委对于搞黄河三角洲开发试验区的明确表态，我又从国家财政部争取到黄淮海平原粮棉基地建设资金3 000万元；同时，通过国家人民银行行长李贵鲜同志争取到低息农业贷款3 000万元，由此东营市拥有了开发黄河三角洲的第一桶资金，为拉开黄河三角洲开发的大幕提供了资金保证。

鉴于当时黄河自1976年由刁口河流路改道清水沟流路已行水10年，按传统的治黄观点，已到了应该摆动的时限，当时也确实出现了摆动的迹象。进入20世纪80年代后，黄河口年年有灾，年年动用济南部队解救被河口洪水围困的石油工人，特别是在1987年一年两灾，冬季黄河在流量为230m^3/s时发生凌汛，夏季黄河在流量为2 750m^3/s时发生洪汛，两次均动用济南空军直升飞机解救石油工人。于是黄河主管部门着力推动黄河口改道北汊，即改道当时刚刚建成的孤东油田北部黄河水利委员会（以下简称黄委会）预定的黄河流路，而且还形成了“两部一委”（水利部、石油部、黄委会）的红头文件，时任黄委会副主任的杨庆安携红头文件来到东营贯彻落实。如果按文件要求改道，国家刚刚建成的主力油田—孤东油田就要被冲毁，胜利油田坚决抵制这一方案。东营市政府支持胜利油田的合理要求，提出工程治理、继续使用清水沟流路的正确主张。最终杨庆安收回成文，同意继续稳定黄河清水沟流路。于是，在1988年开始了始无前例的“由政府出政策，胜利油田出资金，黄河主管部门出办法”三结合的黄河口治理试验工程。黄委会的这一正确决策，为黄河三角洲的开发和东营市的兴起提供了基础条件。

这次河口试验工程取得了多项重大成就。①提高了防洪标准。1987年发生了夏季（2 750m^3/s）、冬季（230m^3/s）洪凌两灾，到1988年出现了6次洪峰，而且一次比一次大，第六次洪峰达5 660m^3/s，此时的水位还比第一次洪峰2 780 m^3/s时河口同一水位低0.13m。②初步总结出治理河口的基本方法，即“工程导流，疏浚破门，巧用潮汐，定向入海，达到河口畅、下游顺、全局稳。”③看到河口稳定30年的前景。经过连续5年的治理，做到了保证河口3 000m^3/s独流畅泄入海，基本恢复了清水沟流路的青春状态，证明了束水攻沙和巧用海动力治理河口的重大作用，使主管部门清楚地看到了清水沟流路可以稳定30年的前景，从而大大增加了搞好东营市东城规划建设、开发黄河三角洲的信心。④在这个基础上，推动国家批准了黄河口一期治理工程。⑤《延长黄河口清水沟流路行水年限的研究》列入国家“八五”重大科技攻关项目。

（二）水利科技发展的划时代需要

在中国漫长的历史发展过程中，黄河流域曾长期是中国的经济重心，黄河治理几乎是每个朝代的第一水利要务。中国科技治水的进程、水利科学的发展水平大都可以从治黄工作中反映出来。认真研究这一过程，可以清楚地反映出我国的治黄、治水方略有明显的阶段性，从量的积累到质的飞跃，从而形成了科技治黄不同的历史分期。时至今日，中国治黄事业已经历经了大约5 000年，其中有四次飞跃。

第一，以障治水（黄）时代。

这次飞跃发生在中华民族文明发展的初期，人们由本能的“择丘岭而处之”发展为以共工氏为代表的“壅防百川”，人们由消极逃避洪水，转向积极地堆土设围防治洪水。这是我们祖先对自然重力作用下的水体避高就下自然规律的第一次成功运用，是治理水患技术的重大突破，适应了当时原始状态下生产力发展水平的需要。这种方式一直维持到大禹父亲“鲧障洪水”的失败而告终。鲧的失败不仅是个人的失败，而是以障治水时代的结束，反映出这种单纯堆土设障防治水灾的办法已不能适应那时生产力发展的需要，这是人类历史一段漫长的发展过程。鲧思想闭塞，因循守旧，墨守成规，没能做到与时俱进、开拓创新，导致治水（黄）的失败并遭杀身之祸。

第二，以疏治水（黄）时代。

大禹受命于舜，倾心治水(黄)，认真接受前人包括他父亲以障治水失败的教训，“以水为师”，认识到水乃流体，避高就下是其基本规律，只堵不疏，解决不了问题，必须采取侧堵下疏、堵疏结合的办法“疏导百川”，人工河道的概念从此产生。此举开以疏治水之先河，取得治水治黄的重大成功。这是对水体运动自然规律的又一次正确运用，是在原来治水方法逆向思维的基础上，开堵疏结合、人控河道排洪的新时代。这种方式治水效果大为提高，有力地推动了社会经济的发展，由此确立了大禹在中国水利史上的地位。但其治黄方式，仍停留在“线治”，即河道治水的层面上，而且很不彻底。“禹王播九河”，就是说，他只把黄河治到九流入海。可以想见，一到汛期，黄河下游、鲁北地区仍是一片汪洋。直到“春秋”时期，齐国管仲“遏八流于一道”，把黄河推到天津海域独流入海，才开始了真正意义的黄河。从此鲁北平原大为改善，使齐国大获农林渔盐之利，为桓公成就霸业奠定了经济基础，也为黄河孕育中华民族创造了基本的水利条件。

从此，中国的水利科学迅速发展，特别是在春秋战国时期，适应各国自立、祖国统一战争的双重需要，不仅思想活跃，形成了百家争鸣的局面，也有力地推动了水利科学特别是建造运河工程的发展，相继建成了吴国的邗沟和菏水、楚国的芍陂、魏国的鸿沟、赵国的郑国渠、秦国的都江堰和灵渠，形成了黄淮海平原的运河网和沟通我国南北的交通水系，创造了我国水利建设第一次历史性的辉煌。

第三，以洫治水（黄）时代。

我国古代就孕育出“沟洫”治水思想，经过长期发展，至明代，周用深刻全面阐述“沟洫论”，可以说是从理论上开全流域治河的新时代。周用总结出“黄河徙决于夏月者十之六七，秋月十之四五，冬月盖无几焉？”由此提出沟洫治河的新方法，“夫天下之水莫大于河，天下有沟洫，天下皆容水之地，黄河何所不容？天下皆修沟洫，天下皆治水之人，黄河何所不治？”这标志着治理黄河已由“线治”拓展到“面治”，由河道本身的治理发展至全流域治理了。至此，我国对黄河的治理方式已发展至“堵”、“疏”、“洫”三字治河。这无疑是治河理论的又一次大的飞跃，反映出对黄河的认识较过去更全面、更深刻。这期间最伟大的水利工程是建成了戴村坝——南旺闸，实现了以汶济运，京杭大运河经过山东省全程通航，标志着我国的水利事业已发展到历史的巅峰。从此，中国封建社会逐步进入停滞时期，整个治黄事业也只是在“防洪保运”的范围内被动应付，沟洫治水被沦为空洞的议论，并未认真实行。直到近代水利科学的先驱李仪祉先生为此奋斗一生，亦因社会条件的限制，未见到大的成效。只有在新中国成立之后，声势浩大的人民治黄才做尽了堵（筑千里大堤）、疏（疏浚整治千里河道）、洫（大规模的流域拦蓄封育）陆上治黄的文章。人民治黄的开拓者王化云同志将自己一生的治黄经验总结为“拦”（拦水拦沙）、“用”（用水用沙）、“调”（调水调沙）、“排”（排水排沙）四字，这是在陆上河段做尽了重力治黄文章的精彩总结。历史的经验证明，当原来的治河理论内涵用尽，既不能满足社会经济发展需要、也不能解决河流自身矛盾的时候，理论本身就必然会有新的发展。显然，人民治黄的丰富实践和新时代发展的需要呼唤治黄理论的新飞跃。让我们不胜遗憾的是，20世纪50年代主观浪漫治水思想的影响、苏联专家教条主义错误的指导和“文革”的破坏，使一代治水大师王化云同志失去了完成这一飞跃的机遇。结果在投入巨大、付出巨大、成就很大的同时，也给后人留下了河口频繁摆动、缺水断流、高堤悬河的险情，推迟了黄河三角洲的开发，制约了沿黄经济的发展，影响了发展黄河经济带的信心，更有甚者，导致经济界取消了黄河经济带。

由于黄河历史的洪水灾害严重，新中国成立之初，整个黄河流域无任何拦蓄措施。针对这种情况，为了有利于黄河泄洪，国家对黄河下游的治理采取了坚筑两岸堤防的重大措施，实行黄、淮、海流域分治。这一重大措施适合当时的情况，收到了预期的效果，取得了半个世纪黄河岁岁安澜的伟大成就。但从全局长远看，却造成了孤立黄河、分割山东的负面影响。黄河、淮河、海河分治，分割了山东水利的整体优势，使其失去了三者优势互补、矛盾自消的基础条件，积累下我们目前所面临的黄河缺水断流、河床淤积抬高的大问题。

历史的经验和最新科技成果都告诉我们，大河治理的方略是由大河的实际情况和主要矛盾决定的，大河各区段的治理方法是由各区段的具体情况和特殊规律决定的，是通过对治河力度的正确认识和优化组合形成的。而当前我们面临的黄河实际是：从社会条件讲，人民治黄的伟大成就，已改变了黄河下游的主要矛盾，因而面临治理方式的战略性转移；而自然条件仍是发源于高山，流经峡谷、高原、平原，最后注入渤海。而流入大海（即河口）的河段是情况复杂、多学科交叉、科技含量密集、非常关键的一段，是既蕴藏着清除河口泥沙巨大的自然海动力、又存在某些制约因素的一段。没有对这一段深刻的研究，没有对这一段河海交汇特殊区段泥沙随河、随海以及二者结合运动规律、携沙能力的深刻研究、正确认识，就没有对黄河的全面了解，也就不可能制订出符合黄河实际、满足时代要求、实现河口稳定、进而根除黄河水患的方案来。因此，加强黄河河口研究，揭示其海动力与输沙规律，成为当代治黄重大而关键的科技课题。

第四，以海治水（黄）时代。

“八五”国家重点科技攻关项目“黄河治理与水资源开发利用”增列专题《延长黄河

口清水沟流路行水年限的研究》，系统研究了渤海的动力规律，揭示了黄河在清水沟流路的条件下，莱州湾流场增强，有利于黄河泥沙向深海运移的总趋势以及河口海动力输沙的具体规律，开始了以海治黄的良好开端。

力的种类决定治黄的方式和可以达到的治黄目标。堵、疏、洫三种治黄方式所用的力，从本质上讲都是地球引力所产生的重力，以及由此产生的水体运动避高就下、降水广布的规律。河流的携沙能力是由河道比降、流量和截面三要素决定的。河流到达河口，融入大海，比降消失，河道自身携沙能力也随之消失，这是多泥沙黄河口淤积、河口摆动的根本原因。所以只靠重力治黄的传统观点和方法，解决不了黄河口稳定问题。在这种情况下，欲使黄河适应现代生产力的发展，实现其河口长期稳定，必须寻找和发现新的治黄动力，这种力就是渤海海动力，主要表现为波浪、海流、风暴急流。渤海动力是由天体引潮力、渤海湾形状和特殊的气候条件形成的，是巨大、可持续的。正确认识和充分利用河口海动力，就可以把河口泥沙运走，永远保持河口畅顺和稳定，这是现代科技治理黄河口的基本理论依据。“八五”国家重点科技攻关项目《延长黄河口清水沟流路行水年限的研究》深刻阐述了这一结论，以中国工程院院士韩其为为主任委员、中国科学院院士胡敦欣为副主任委员的国家鉴定委员会的鉴定结论，给予该课题高度评价，称“本课题对各种海洋动力的输沙作用进行了科学的分析和研究，指出黄河口附近的海洋动力环境正朝着有利于黄河泥沙向外海输送的方向发展，首次揭示了黄河口泥沙向外海输送的重要规律，随着黄河口沙嘴延伸，附近海域海动力不断增强，输送黄河口泥沙的有效动力增加，对稳定黄河口现行入海流路和延长行河年限，具有重要作用。”鉴定委员会一致认为“该课题总体上达到国际领先水平”。

从深层次哲学层面上讲，自然科学与社会科学是相通的。哲学和社会科学早已发现，生产力决定生产方式和社会形态。所以，人与畜力，只能创造出农耕社会，这已为亚洲、欧洲、非洲共同漫长的农耕社会所证实。英国人瓦特发明蒸汽机后，这种新的生产力很快把人类社会推进到工业社会；电力的发现和应用，又很快把人类社会推进到信息社会。在军事领域也呈现相同的规律，人的臂力，只能造出弓箭；火药发明后，则可造出火枪和地雷；原子能的发明，又可以造出原子弹和氢弹；一般以汽油为动力的飞机，只能在地球引力内的空气中飞行；研究出高能化学燃料后，则可造出卫星和航天飞机，自由翱翔于茫茫太空。

1988年我提出的利用海动力治理黄河口的正确主张，立刻付诸实施，开始了史无前例的黄河口治理工程，很快取得成功，总结出完整的河口治理办法。1991年11月1日，我向李鹏总理汇报“巧用海动力”治理黄河口的情况后，他明确肯定“我赞成东营市市长的意见，固住河口是一大创举，山东解决了黄河口稳定问题是了不起的”。从此，关于科技治黄的理论研究发展很快，利用海动力治理河口、稳定河口的理论逐步引起学术界和国家领导人的重视，“河口摆动论”、“河口相对稳定论”发展为“固住河口论”的大势开始形成。

1984年，中国科学院地理研究所指出“利用海动力治理黄河口具有重大的理论和实践意义”。1988年我参加世界泥沙北京会议，发表了《论渤海动力与黄河口治理》一文，引起中外水利专家的重视，美国首席与会专家闫本琦先生书面评价“你的理论是正确的，措施是有效的，你应该得到国家的嘉奖”！1989年，处在耄耋之年的王化云同志指出“现在有人提出用海动力治理河口，这个意见值得重视，今后应加强研究”。反映出一代治黄大师直到晚年仍然保持着科技治黄的高度敏感。1994年，时任黄委会主任的綦连安同志来信，称我为“黄河书记”，“黄河有了你这位书记，为黄河的根治带来了希望”。2002年，温家宝总理陪同朱镕基总理视察黄河口，在东营读到《延长黄河口清水沟流路行水年限的研究》一书，对东营市领导和国务院的随行人员说“这本书的观点是正确的”。

显然，这是科技治黄的第四次飞跃。其主要特点是，把海动力作为治理河口的主要动力，黄河入海流路具体地点和方向的选择、工程措施的设计，都围绕海动力展开，从而完成了黄河口治理由陆地向海洋的飞跃，由传统治黄的“堵、疏、沚”三字治黄向“堵、疏、沚、海”四字科技治黄的飞跃；由单纯重力治黄向重力和海动力复合式治黄的飞跃；由陆地区段治黄，发展为陆海统治的全程治黄的飞跃。这为制订完整的、符合黄河全程实际、符合当代社会经济发展需要的黄河根治方案指明了方向，奠定了理论基础。

我们在治理黄河口的实践和学习研究历代治黄方略的基础上，逐步形成了“三约束”理论，“巧用海动力”治理黄河口是“三约束”理论的重要内容。以此为指导，根据现行河口的海动力规律，筑双导堤把入海射流引向东北方向，并且固定在东北方向上，把河口的海流、潮汐、风暴潮浪等自然力通通耦合为黄河口的输沙动力，就可以把河口的泥沙搬走，达到河口畅、下游顺、全局稳。为了提高河口的安全系数，力求做到万无一失，我们又提出了“一主一副，双流定河”的工程布局，即清水沟流路是主要流路，利用双导堤固定；刁口河流路为副，是辅助流路，在西河口建设高位分洪工程，在特大洪水的情况下，分流杀势，确保河口安全，从而构成完整的、充分发挥海动力作用的、可适应黄河河口长期稳定的清水沟流路工程。

（三）黄河自身发展的必然趋势

黄河自身的发展同样证明了海动力治理河口的理论是正确的，研究黄河摆动的全过程就一目了然。古黄河北到天津、南到江淮，在25万km²的黄淮海平原上摆动，公元前602年（周定王五年），由天津流路即禹王故道改道沧州；公元11年（王莽三年），改道千乘（利津）；东汉王景以此为基础，疏导治河，使河道基本稳定近千年，是有史以来稳定时间最久的一条河道；后至公元1128年（南宋建炎二年），东京留守杜充，为阻止金兵南犯，掘河南流，形成江淮流路；至公元1855年（清咸丰五年），黄河在河南铜瓦厢决口，夺大清河入海，形成现在的流路。1938年（民国27年），蒋介石为阻止日寇沿陇海铁路西进，武力扒河，使黄河又一度南流，至1947年（民国36年）堵死花园口口门，黄河重回故道，从此黄河终于稳定在自己的最佳归宿。

公元1855年以后黄河在黄河三角洲上摆动，开始以宁海为顶点，北到套儿河，南到支脉沟，在渤海海域的大范围摆动；后来在刁口河流路、清水沟流路之间M2无潮点两边的小范围摆动，现在稳定在清水沟流路。深入研究黄河有史以来的流路变迁资料，发现黄河流路的变迁有以下明显的规律。

（1）渤海是黄河流路的自然选择。黄河有史记载的2 608年的历史中，虽然有两次主流南行江淮737年的历史，但两次南流江淮流路都是出自军事斗争的需要，非黄河自身自然的选择，黄河自然的选择是渤海。对此，早在清代就有人认识这一规律，乾隆年间孙家淦曾上书"北有大清之畅，南有泰山之固，天造地设，无有善于此者"。

(2) 黄河河口在渤海摆动规律的总趋势是由北向南，逐步稳定在利津海域，即汉代王景选定的千乘流路。这条流路行河时间最长，史称"王景治黄，千年无河患，为李唐盛世的出现奠定了基础"。所以，现代治黄的先行者李仪祉先生明确指出"王景治黄，必有大规划"。成功的大规划必然建立在自然规律基础上，对此，现代地质学家戴英生做了深刻的阐述："沉降平原型裂谷河，一旦脱离裂谷而行河于隆升构造带，纵使不遗余力地治理，也难以维护河道的长治久安，黄河南流徐淮之所以河患不已，根源在于违背了黄河为裂谷河的自然习性。"黄河现行流路其下游基本置于济阳坳陷，所以可以实现长期稳定的目标。

(3) 黄河下游变迁的历史清楚地证明，其摆动的频率和稳定的时间除受水沙条件影响外，还受到社会条件的强烈制约。据统计，从西汉文帝十二年到清道光二十年的2 008年中，有316年黄河发生洪水灾害，平均6.5年一个洪水年；从清道光二十一年到民国27年（1949年）的98年中，就有64年发生洪灾，平均不到两年就发生一次；而自1949年即新中国成立后至现在，未发生过一次黄河伏汛洪灾，凌汛灾害亦少。据统计，公元1875～1949年，凌汛决溢28年，平均不足2.6年就一次；而新中国成立56年，只在开国之初的1955年以前发生过两次。可见社会制度、社会发展水平和正确的治黄措施决定着黄河的安澜、稳定，那种自然因素决定着黄河灾害的观点是不准确的。历史的事实、人民治黄的伟大成就证明了这一规律。

(4) 黄河千乘（利津）流路的摆动范围，围绕M_2无潮点展开，而且幅度越来越小，反映出最终长期稳定的总趋势。黄河稳定在此，中国的江河分布最合理。南摆，黄、淮合流必加重淮河流域的水灾；北摆，黄、海合流，必加重海河流域的水灾，而且缺乏海动力的牵引，行河时间必然短。只有在此，前有M_2无潮点的海动力牵引（输沙能力强），左右大河分布合理，有利于以黄河为主统一规划黄淮海平原的水系，有利于沿黄经济的发展，有利于社会力量的支持，才具备长期稳定的基础条件。

(5) 黄河河口摆动范围的逐步缩小，直到长期固定，与黄河三角洲开发以及整个黄河流域特别是黄淮海大平原社会经济发展大局的需要完全一致。中国经济发展的战略腹地——黄淮海平原的经济发展，孕育出伟大的中华民族；中华民族又为黄河的稳定不断创造条件，这就是摆在我们面前的黄河历史辩证法。

(6) 现在保证黄河口稳定的陆上条件已基本形成，这包括已建成的黄河下游上宽下窄的堤防体系，标准化堤防建成后，两堤之间的总面积约5 000km^2，动态库容约400亿m^3（按平均水深8m计）；小浪底水库建成后，以上静态总库容575亿m^3，彻底解决了开国之初黄河上游无拦蓄能力、洪水直泄下游的被动局面。这一切为黄河口的稳定、满足沿黄地区社会经济发展的需要奠定了坚实基础，创造了很好的条件。

(7) 长期稳定黄河口陆上工程向海上延伸的理论准备已经完成。"八五"国家重大科技攻关项目《延长黄河口清水沟流路行水年限的研究》已得出河口向东北方向延长有利于河口输沙的宏观科学结论；提出了"一主一副，双流定河"、建设西河口高位分洪工程、筑双导堤工程，导流向东北方向入海的完整的工程方案。本课题又进一步从微观上论证了在建设河口双导堤、进一步加强堤头海动力的条件下，确保河口畅顺的可行性及其相应的工程技术方案。其具体方向是：整个双导堤工程指向东北方向，南长北短、南高北低，堤距500m。南堤在流量为3 000m^3/s时不溢流，北堤在流量为2 000m^3/s时不溢流；逐步做到南堤至−10m等深线，北堤至−5m等深线，以充分利用东北向风暴激流把双导堤内的少量淤沙卷走，保持河道畅顺，并且可以形成比较稳定的航道，形成一定吨位的河口海港。同时，使泥沙向孤东大堤运移，有利于孤东大堤的防护；双导堤南边则可依托右堤造陆，实现新滩油田海油陆采。

(8) 在西河口建设高位分洪工程，落实“一主一副，双流定河”的河口工程布局，为长期稳定黄河口安装“安全阀”。西河口高位分洪工程、河口双导堤工程共同组成河口长期稳定的工程体系。河口的长期稳定必然带动黄河下游河势的长期稳定，现在黄河下游正在进行的标准化堤防建设必然发展为标准化河道建设，这是已经展现在我们面前的人民治黄、根治黄河下游的一幅十分清晰的图画。

（四）河口稳定是世界大河发展的共同规律

考察世界大河的情况，凡从平原地区入海的大河，河口都有一个伴随社会经济发展由摆动向稳定发展的共同过程。美国的密西西比河原来沿墨西哥湾东西摆动达几千公里，造成了一个很大的沿海贫困带。对河口能否稳定，美国国会进行了长时间的辩论，直到19世纪末，美国著名作家马克·吐温还认为“密西西比河口摆动是上帝的意志，非人力可为”。20世纪初，西奥多·罗斯福当选为美国总统，认识到河口稳定有利于河口三角洲的开发，有利于河口经济发展，于是通过国会调动陆军工程兵团治理密西西比河口，负责工程治理的海军上尉詹姆斯·艾兹在实践中认识到河口的入海方向与墨西哥湾海流的方向垂直时输沙能力显著提高，于是把河口入海方向向东偏转36° 30′，使河流方向与潮流方向垂直，一举成功，获得12.5m深的河口航道，由此推动了新奥尔良港的兴起，推动了密西西比河河口的开发以及沿河经济带的发展和一批沿河城市的振兴，成为支持美国取得第二次世界大战胜利的重要经济基地。

莱茵河在荷兰海岸也有很长的摆动历史，甚至成为国土狭小的荷兰立国的一大威胁。荷兰人在治理莱茵河、马斯河、斯海尔德河三河的过程中，积累了丰富的治水经验。二战之后，抓住了欧洲复兴、经济快速发展的时机，实施享誉世界的大型海、河治理工程，如“须德海工程”、“三角洲计划”以及三角洲计划大河工程、莱茵河三角洲治理工程，稳定了三河河口，使不利因素转化为有利因素，有力推动了区域经济发展，在欧洲战后复苏时期创造了“荷兰奇迹”。法国是欧洲大陆国家，为解决塞纳河河口摆动问题，法国最早进行稳定河口的研究，河口异重流、最大浑浊带的概念以及在稳定河口中的应用首先在法国展开，并逐步传到美洲和非洲，对河口的治理发挥了重要的指导作用。我国20世纪30年代陈吉余教授首先在长江口进行了这方面的研究；中国海洋大学教授杨作升先生在80年代初对黄河口的异重流和浑浊带的现象进行了研究。我们及时把这一研究成果用于黄河口治理的试验工程，取得了黄河口治理的重大突破。黄河口的稳定符合世界大河河口的共同发展规律。

我国经验治黄所坚持的顶点下移、计划改道，所依据的重力治黄的理论早已过时，所以事倍功半，使河口摆动成为当地经济发展的阻力，也使黄河三角洲成为世界大河三角洲最落后的地区。将海动力与重力结合，海流、潮汐、风暴潮与河动力结合治理河口，事半功倍，可以为当地经济发展创造条件，开辟道路，使其成为当地经济发展的牵动力量、当地经济社会发展的龙头。自1988年东营市政府力主黄河口稳定、积极开展工程治理黄河口的试验、争取到国家黄河口治理一期工程以来，该地区的社会经济发展迅速走向快车道。众所周知，东营市原是一个荒凉的小村庄，肯定黄河口可以长期稳定后，在短短20年内，就发展成为一座现代化的城市，2005年GDP达到1 166亿元，社会保障机制超常发展，东营人民幸福安康，已成为山东省最富裕的地区之一，充分显示了黄河口稳定对开发建设黄河三角洲的基础性保障作用。这一切，事实清楚地摆在我们面前，催促我们弃旧图新，自主创新，积极探索黄河下游治理的新路子，创造黄河三角洲和沿黄经济发展的时代辉煌！对此任何怀疑犹豫都是治黄思想落后于科技治黄实际的反映，都会给黄河三角洲开发、沿黄经济的发展造成不同形式的干扰，成为黄河三角洲和沿黄经济带在新时代崛起的阻力，这是专业治黄工作者、黄河主管部门和沿黄各级领导应该注意到的问题。

综上所述，黄河口稳定是黄河历史发展的必然，我们必须把现代治理黄河口的目标确定为长期稳定现行流路，为此我们进行了“巧用海动力建设黄河口双导堤工程技术课题的研究”。该课题分总论和四大专题，总论由我撰写，四大专题分别由相应的研究机构和著名专家分工承担。其中，四大课题分别是：①黄河口稳定与我国经济社会发展；②黄河口治理工程实践和效果分析；③黄河口海上双导堤工程数学模型研究；④黄河口海上双导堤工程设计与投资。

二、四课题共塑黄河口双导堤工程

第一课题“黄河口稳定与我国经济社会发展”由东营市黄河口研究所所长杨玉珍研究员承担。

本课题从世界著名大河河口的治理与其三角洲经济的发展、从黄河流路稳定与中华民族的振兴、从黄河口稳定与黄河三角洲开发三个层面上进行了深入系统的分析，说明了河口治理、河口稳定与区域、流域经济发展的关系。

在第一个层次中，以美国治理密西西比河河口和荷兰治理莱茵河河口为例进行分析。美国通过治理密西西比河河口获得稳定的12.5m的深水航道，推动了新奥尔良市的兴起，带动了密西西比河三角洲的开发，形成了美国著名的“工业走廊”，使其由美国的落后贫穷地区变成了富裕文明地区，成了美国的经济支柱地区。荷兰通过治理莱茵河、马斯河、斯海尔德河，实施大型海河工程建设，如“须德海工程”、“三角洲计划”、莱茵河三角洲治理工程等，有力地推动了河口经济的发展，由此形成的鹿特丹港很快发展成世界第一大港，创造了举世闻名的荷兰奇迹。

第二个层次，从黄河治理、流路稳定与中华民族振兴的关系，分析了黄河口稳定的重要性。大禹治水实现了黄河口的第一次长期稳定，促进了原始生产力的发展；汉王景治黄，实现了黄河第二次长期稳定，促进了封建生产力的发展，创造了汉唐盛世，形成了稳定的中华民族。

第三个层次，黄河口的稳定为黄河三角洲开发、胜利油田的发展、东营市的兴起创造了条件。从20世纪80年代中叶提出并坚持黄河口可以长期稳定后，东营市社会经济、城市建设迅速发展，由山东最落后的地区一跃成为山东比较发达的地区。对海动力的深刻研究和在治理黄河口中的应用，已使黄河口的稳定成为历史发展的必然，我们必须把长期稳定黄河口作为黄河口治理的战略目标确定下来，以此带动黄河三角洲开发和东营市的兴起，推动黄河经济带的发展，使其成为中国现代经济发展的支柱地区。

第二课题“黄河口治理工程实践和效果分析”由黄河口管理局总工程师、黄河口治理研究院院长程义吉高级工程师承担。

黄河口治理试验工程以来，较为系统地实施了黄河口一期治理、黄河清8出汊、黄河口门疏浚试验、黄河口导流堤建设四项，收到了明显的稳定河口的作用。

黄河口一期治理工程经国家批准，在黄河口治理试验工程的基础上，于1995～2000年实施，主要目标是：根据黄河治理与油田开发统筹兼顾的原则，在西河口10 000m³/s、防洪水位12m（大沽高程，下同）的情况下，使清水沟流路继续行河30年以上。主要工程：北大堤延长工程，北汊引河工程，南防洪堤加固及延长工程，清7以下堵串工程，北大堤防护工程以及相应的管理、通讯系统建设。黄河口一期治理工程提高了河口过水能力，为稳定清水沟河口流路发挥了作用。

黄河口清8出汊工程是黄河口治理的重要措施之一，是对黄河入海射流主轴向南偏移、偏离东北方向的工程的校正。工程于1996年5月实施，在清8断面以上950m处开挖引河，长5.88km、底宽150m、深1～1.3m，出汊后河道入海长度缩短16km，在当年有利的洪水条件下，引发河道溯源冲刷38km。

黄河挖沙固堤和口门疏浚工程，该工程由河口挖沙固堤及口门疏浚试验工程两部分组成，总投资4 412.12万元。依据观测结果对比分析相近河段的冲刷情况，可以发现挖河工程起到了减少河道淤积的作用，挖河固堤效果明显，二次工程共加固堤防长度24.8km、宽80～100m。国民经济评价分析结果表明，社会折现率大于12，在经济上是合理的。

黄河口导流堤工程是在河口径流潮波区段主槽两岸按中常洪水标准修筑的束水工程，主要用来改变河床边界条件，增大主流流速，达到束水攻沙的目的。经几次调整，把导流堤的标准调整为堤宽12m、堤高2m、临背边坡1∶3，共建导流堤34.6km，其中右岸17.7km，左岸16.9km，堤距1 550～2 880m。该工程收到束水攻沙、冲刷河槽、保持河道的单一顺直，提高了河道排洪排沙能力，明显增强了河道的稳定性，并展现出双导堤向海上延伸的必要性。

第三课题“黄河口海上双导堤工程数学模型研究”由中国海洋大学杨作升教授、王厚杰博士承担。

国家“八五”科技攻关课题《延长黄河口清水沟流路行水年限的研究》已从宏观上研究了渤海动力的规律以及对输送黄河口泥沙的作用。本课题用数学模型的手段从微观上研究在构建双导堤的条件下，河口流场状况以及对输送河口泥沙的影响。本专题通过收集多年的河口区域地形资料和河口区域的水文泥沙观测资料，利用GIS制图技术，对河口拦门沙演化过程动力机制进行了系统研究，在此基础上运用三维数学模型对河口双导堤工程不同实施方案（流量条件、气象条件、双导堤结构）下河口区域的流场变化、河口泥沙输送过程及双导堤的工程效应进行了较为全面的比较研究。在这个基础上，对河口双导堤工程的效应做出评价，并提出以下建议：

(1) 在流量为3 000m³/s的条件下，双导堤能起到很好的束水攻沙作用，河口泥沙通过双导堤后，随涨落潮流向其两侧输送，在其两侧弱流区沉积；北侧导堤缩短一半，有利于河口泥沙向北输送，向南的输送减弱，这有利于在孤东大堤外沉积，有利于孤东大堤的保护；北侧堤坝去掉，涨潮时的口门区域的壅水效果明显，径流流速减弱，泥沙易在河道淤积，落潮时径流快速疏散，容易造成泥沙就地沉降，不利于将河口泥沙输送到远离河口的区域。

(2) 在流量为300m³/s、特别是在东北大风与低流量组合的条件下，不论是在涨潮时段还是在落潮时段，河口泥沙都很难向海排放，导致堤内淤积、堤外侵蚀。在黄河三角洲冬季无风的情况下，双导堤的工程效应与预期效应相差较大，在黄河三角洲冬季东北大风作用下，在双导堤南高北低的条件下，可使风暴急流形成卷沙效应，把淤积泥沙带走，保持口门畅通。即使在最不利的情况下，对导堤内可能造成的淤积，亦容易进行机械清理疏浚。

推荐导堤结构：东北方向，双导堤南长(至－10m等深线)、北短(至－5m等深线)，南高(按行水流量3 000m³/s的相应水位设计)、北低(按行水流量2 000 m³/s的相应水位设计)，间距500m 。上端与陆上导堤相接，形成喇叭状的纳潮库。

第四课题“黄河口海上双导堤工程设计与投资”由山东黄河河务局副总工程师李希宁教授级高级工程师、山东黄河勘察设计院总工杨春林高级工程师承担。

根据第三课题河口研究的微观成果和推荐的双导堤结构、具体的工程布局，根据黄河口的工作环境、气候、地质条件，按照三级工程等级设计河口双导堤工程，并进行工程投资估算。

1. 导流堤结构设计

导流堤分为4段，根据每一段的具体情况，考虑导流堤时采用不同的适宜方案。

(1) 将原有导流堤按原标准向下延伸，与高潮线以下的导流堤相衔接，双导堤堤距500m，原导堤河宽1～2km，总体上呈喇叭口状，有利于在高潮时纳潮蓄水，潮落时集中水流冲刷拦门沙，起到纳潮冲沙的作用。左岸从汊3断面开始向下修堤，长度约5.5km，右岸自汊2断面向下修筑，长度约6km。

(2) 高潮线—低潮线。该段长度约5km，潮差0.3m，滩面平坦，高潮线以上为原导流堤，交通方便，土石方施工条件好，堤顶宽5m，边坡为1∶2.5，可用土石结构。

(3) 低潮线—－2m等深线。该段长度2.5km，属浅水区，传统的施工方式很难适应该段的实际情况，经分析，拟定以下方案：①充沙长管袋修做围堰，组合水力冲填方案；②堆石坝方案；③面板堆石坝方案；④安快坝修做围堰，组合水力充填方案；坝型布置为坝顶宽5m，边坡1∶2.5。

(4) －2m等深线至南堤（右堤）－10m等深线，北堤（左堤）至－5m等深线，右堤长度2.63km，水深较大，施工难度大，初步拟定三个方案：①插板桩；②浮运沉井；③半圆顶立式混合坝。

根据结构计算、稳定分析及工程造价，对双导堤各种方案进行技术、经济分析比较，推荐以下工程布局方案：高潮线至低潮线之间采用修筑土坝结合土工格栅，外坡采用混凝土预制块护坡；低潮线至 -2m 等深线之间采用充沙长管袋筑坝，模袋混凝土护坡，深水区 -2m 等深线至 -10m 等深线之间采用插板桩坝。

2. 工程量与投资估算

双导堤主要工程量：高潮线以上导流坝建筑土方 51.48 万 m^3；高潮线至低潮线土方工程量 48.75m^3，混凝土护坡工程量为 2.57 万 m^3，根石护坡固脚工程量为 2.28 万 m^3；低潮线至 -2m 等深线土方工程量为 7.35 万 m^3，模袋混凝土护坡工程量是 2.07 万 m^3，根石护脚工程量为 1.14 万 m^3；-2m 等深线至 -10m 等深线插板桩工程量为 5.68 万 m^3，工程总投资 57 692.23 万元。

三、把黄河口双导堤工程推向国家决策

（1）现代科技治黄的成果已清楚地证明，黄河现行清水沟流路是最佳流路，建设河口双导堤工程和西河口高位分洪工程，是巧用海动力治理河口、长期稳定黄河现行流路的工程保证，是根治黄河下游必须完成的战略工程，是经验治黄转向科技治黄的重要标志。有关方面尽快统一认识，协调行动，坚定信心，一致努力，突破现行体制障碍，把这一事关黄河治理大局和东营市发展大局的问题尽快推向国家决策。如何越过体制障碍，这是山东省政府、黄委会、山东黄河河务局应该正视并且认真研究的问题，是国务院领导应该切实关注、尽快解决的问题。

（2）特事特办，专题报告，是黄河口一期治理工程推向国家决策的基本经验。黄河口一期治理工程（1995～2000 年）是在我国改革开放的大潮推动下，迫于当时黄河河口危险形势的压力、适应经济发展的紧迫需要，在水利部、黄委会领导的支持下，学习中央创办特区的经验，特事特办，采取了特殊办法办成的。其基本方法是：根据河口治理的需要，由东营市政府、黄河主管部门向黄委会写出立项报告，然后山东省发改委、东营市政府、黄河主管部门共同努力，在国家计委立项，专题研究，专项审核；再由山东省政府专题报告国务院批准。根据这一经验，可以由东营市政府在两大专题（《延长黄河口清水沟流路行水年限的研究》、《巧用海动力建设黄河口双导堤工程技术研究》）的基础上，向省政府写出进行黄河口二期治理工程的报告，由省政府向国务院写出同一内容的专题报告，由国务院直接批准。黄河口一期治理工程（1995～2000 年）就是这样批准的。据此，黄河口二期工程亦应走此路子。

（3）抓机遇，大力推动。2006 年是黄河由江淮流路改道山东 151 周年，是人民治黄 60 周年、山东黄河河务局成立 60 周年、黄河口稳定 30 周年。抓住这个难得的机遇，大力推动，巧妙运作，加大人民治黄成就和治理黄河口、稳定黄河口的宣传力度，抓住这一河口科研成果，就一定可以把建设黄河口双导堤的科技治黄工程迅速推向国家决策。

（4）发展“三结合”治理黄河口的基本经验，创新结合的形式，共同推动，切实搞好河口的治理工作。黄委会应根据现实情况的变化，主动发展三结合治理黄河口的经验，切实把建设黄河口双导堤工程和西河口高位分洪工程列入“十一五”计划。

东营市是黄河三角洲的中心城市和主人，应该主动履行黄河口稳定的政府责任。黄河口稳定在清水沟流路的东北方向上，不仅对黄河最有利，而且最有利于黄河三角洲的生产力布局：东营港、孤东油田、自然保护区、东城、广利港、广南水库（天鹅湖）、小

清河河口、羊角沟港，各得其所，和谐互映，对东营市的长远发展最为有利。对此应排除一切干扰，坚持到底。

黄河口的长期稳定，为胜利油田的发展提供了长期安定的环境，对胜利油田最有利。要在这个前提下，做好依托河口工程，做好油田开发和海堤防护工程。双导堤工程指向东北方向，而且做到南长北短、南高北低，使河口泥沙有利于向孤东海堤方向运移，为海堤的防护创造有利条件；也可以依托右导堤即南长堤加速造陆，变海上新滩油田为陆上开采，稳定黄河口现行流路与开发新滩油田完全统一起来。

伴随上游水土保持、南水北调三线调水工程的实施和科技治黄的发展，黄河下游的治理方式必然实现重大战略转移，由孤立黄河、分割山东转向解放黄河、整合山东，由丢弃山东洪水转向巧用山东洪水；由水沙失衡转向水沙相对平衡；由高堤悬河转向相对地下河，直到绝对地下河。有关部门将会很快认识到利用南四湖、沂沭河为黄河增水，是根治黄河下游的捷径。只要科学设计、正确改造济梁运河，加固南四湖、东平湖，建设鲁南运河，把山东南流之水大部流向黄河，黄河下游的问题便可彻底解决，这是黄河最终必走的道路！任何怀疑、忧虑而不加深研究、妄下结论都将阻碍科技治黄的进程，影响山东水问题的解决。

黄河口治理的成功，将为黄河三角洲的开发创造条件，将为黄河经济带在新时代的崛起开辟道路，将为沿黄城市发展做出贡献，将大大提高中国水利在世界上的地位、山东水利在中国的地位。山东水利界、治黄界应团结起来，为黄河下游的根治共同努力！

（李殿魁）

第一课题

黄河口稳定与我国经济社会发展

课题承担单位　东营市黄河口泥沙研究所

课 题 负 责 人　杨玉珍

主要完成人员　杨玉珍　庄会江　刘　鹏
李　丽　王玉臻　黄建杰

第一章　河口稳定与河口三角洲经济发展

河口稳定，大河三角洲发展成为国家的经济支柱地区，是一般规律，国内外概莫能外；黄河特殊，就是特在河口摆动。为了解决这个问题，适应社会发展，我们于“八五”期间对此进行了科技攻关研究，得出了“通过工程措施黄河口可以稳定百年”的重要结论。为了分阶段落实科研攻关成果，进行了“巧用海动力输沙建设黄河口双导堤工程技术研究”。

由于河口三角洲都具有依河傍海的区位优势，因此从世界范围看，除去冰天雪地的高纬度地区，几乎所有的大江大河的入海三角洲，均通过实施稳定河口等治理措施，建成了相对发展繁荣的经济区。如美国的密西西比河、荷兰的莱茵河、德国的易北河、埃及的尼罗河、泰国的湄南河以及我国的长江、珠江等大河三角洲都是如此。由于这些三角洲地区，内有大河水源和广阔腹地可资经济、社会发展，外连浩瀚海洋，可以通达四方，因而这种天然的开放格局又造就了诸如新奥尔良、鹿特丹、汉堡、开罗、曼谷、上海、广州等现代工业港口城市。上述大河河口的治理及其三角洲发展的历史轨迹对我国正在崛起的黄河三角洲具有重要的启示作用，本章仅从世界著名的大河河口治理工程中选择密西西比河、莱茵河为实例予以考察、研究。

第一节　密西西比河河口治理经验

对于密西西比河的治理，我国水利界多次派出考察团赴美国路易斯安那州进行考察。本课题组主要成员亦几次组织世界河口治理考察团，分赴欧洲、北美、南美等地，对世界著名大河河口进行实地考察，现就密西西比河河口治理的考察心得，结合相关“考察报告”综述于下。

一、密西西比河概况

（一）流域概况

密西西比河源于明尼苏达州（Minnesote），向南流入墨西哥湾，全长约6 262km，是美国最大的河流，也是世界第四大河，流域面积约323万km^2，占美国总面积的41%，有一部分在加拿大境内。其主要支流有密苏里河（Missouri R.）、俄亥俄河（Ohio R.），下游河口段坡度平缓，海轮可直达距墨西哥湾395km的巴吞鲁日（Baton Rouge），该河的河口大港——新奥尔良（New Orleans）距墨西哥湾182km。

密西西比河在治理之前，洪水经常在下游泛滥成灾，较大的洪水发生在1912年、1913年、1927年等年份，其中1927年是历史上最大的洪水，密西西比河下游淹没土地达67 000km²，死百余人，估计工农业生产损失达十多亿美元。1928年美国国会通过了防洪法案，1929年在维克斯堡（Vicksbarg）成立水稻试验站，协助密西西比河委员会（Mississippi River Commission）进行水稻试验。此后在支流上建造了一系列枢纽工程和控制水土流失工程，减轻了密西西比河中上游的水土流失，使密西西比河下游的输沙总量显著减少，1949年以来实测年输沙总量的变化如表1−1所示。

表1−1　　密西西比河年输沙总量

水文年	年输沙总量（亿t）	水文年	年输沙总量（亿t）
1950	5.48	1965	2.03
1951	5.75	1966	1.74
1952	4.08	1967	1.11
1953	2.12	1968	1.55
1954	1.07	1969	1.55
1955	2.11	1970	1.48
1956	1.61	1971	1.81
1957	2.91	1972	1.52
1958	3.25	1973	2.27
1959	2.30	1974	1.97
1960	3.18	1975	1.64
1961	2.31	1976	1.15
1962	2.64	1977	0.80
1963	1.00	1978	0.72
1964	1.21	1979	1.94

密西西比河下游在阿肯色（Arkansas）实测流量为62 000m³/s，为提高防洪标准，设计洪水为77 100m³/s,相当于百年一遇。在与红河(Red River)联结的老河(Old River)分洪17 600m³/s；摩根扎分洪道(Morganza Floodway)分洪17 000m³/s，这两股流由阿特察法拉亚河（Atchafalaya River）流入墨西哥湾。以下无支流汇入，故巴吞鲁日的设计分洪流量已减为42 500m³/s,在新奥尔良上游约40km处又由邦尼卡雷溢洪道(Bonnet Carre Flood−Spillway)分洪6 500m³/s至彭查伦湖(Lake Pontchartrain)，通过新奥尔良市的设计洪峰流量降为36 000m³/s。密西西比河采取上述水沙的控制，既降低了洪峰流量和年输沙总量，又提高枯水流量，对密西西比河的治理提供了有利的条件。

（二）河口概况

密西西比河河口是弱潮河口，枯季潮差约0.45m，但风暴潮的潮差可达1.8m，潮区界上潮至巴吞鲁日上游约22km。新奥尔良的平均潮差0.25～0.30m，潮型曲线很对称，涨潮历时接近，洪水时期潮汐作用很小，可忽略不计。

枯水期盐水自河口上溯可达分汊口上游215km，影响新奥尔良市（距分汊口160km）的供水。盐水楔的端部可达分汊口。洪水时期盐水楔端部退至导堤口。

自新奥尔良市至分汊口166km长河段，河道顺直，无明显的放宽率，平均河宽约760m，深泓的水深达21.5m。但自威尼斯（Venice）至分汊口以下分为3个水道，呈鸟足状分汊，其中阿洛脱（Pass A′ loutre）水道最大，长约24km，沿东北方向流入墨西哥湾；西南水道次之，最长35km；南水道最短，长约23.5km。据1950年洪水期实测流量分配各为410 000ft❶^3/s、354 000ft^3/s和166 000ft^3/s。各水道进口处有拦门沙，治理前自然水深仅2.7m，有较强的沿岸流，净流速约为0.45m/s，其流向是由东向西。密西西比河河口的泥沙主要来自流域，枯季含沙量很小，但1～7月洪水季节，悬沙输沙量大，底沙亦多，据估计，底沙约为悬沙输沙量的25%。盐水楔端部退至导堤口3.2km地段后阻挡了底沙的向海移动并促使悬沙的落淤，以致在导堤口外盐水楔部上下移动的一定范围内大量落淤，这是洪水季节拦门沙地区严重淤积的原因。估计自公元1898年以来，密西西比河河口三角洲每年向外延伸30多m。

（三）河口三角洲概况

自然地理概念的密西西比河三角洲，于5 000～6 000年前开始发育，当时的海平面即接近现在的海面高程。河流在路易斯安那州反复蚀退、推进至少达7次之多，而每重复一次这一过程，通过泥沙的大量沉积，即形成新的河口三角洲。像所有的冲积河流一样，密西西比河蜿蜒通过其山谷河段，冲蚀其河道，而汛期又将其重新淤高。在适宜条件下，环形河道冲开而形成新的河道，并渐渐地发育形成新的河环，这一过程不断地重复进行。

大约公元15世纪，一个向西游荡的河环——后被称为牛轭湖的弯曲，侵入雷德河河道，促使侵入点下游雷德河河道发育，进而形成今天的阿特察法拉亚河。当第一批欧洲定居者到达这块土地时，发现雷德河在牛轭湖弯曲处完全注入密西西比河。而在牛轭湖弯曲下游几英里处，阿特察法拉亚河分流而出。通过以密西西比河水系与雷德河、阿特察法拉亚河的相互袭夺和长期冲积，形成了水源丰富、资源富饶的密西西比河河口三角洲（见图1–1）。

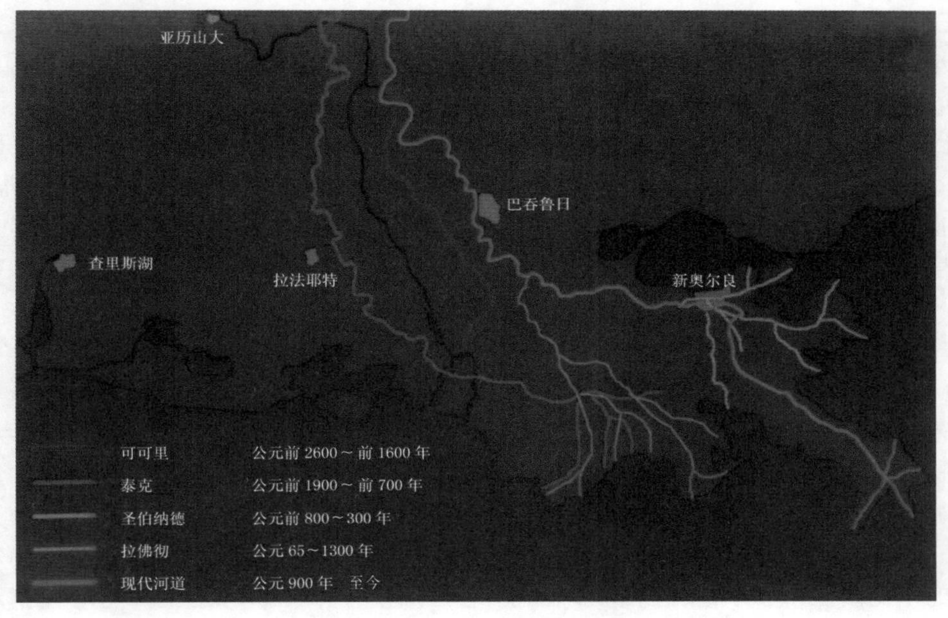

图1–1　密西西比河三角洲的流路演变

❶1ft=0.304 8m。

对于经济地理概念的密西西比河三角洲，为了方便对经济、社会与自然历史资料的统计与分析，这里采纳以路易斯安那州（以下简称路州）作为密西西比河三角洲经济区的提法。路州位于美国南方密西西比河下游，东邻密西西比州，西界得克萨斯州，北抵阿肯色州，南濒墨西哥湾；陆地面积113 271km^2；居全美各州的第31位；首府巴吞鲁日。

1994年路州人口为431.5万，居全美各州第21位，其中白人占66.0%、黑人占30.8%、西裔占2.2%、亚裔占1%。

路州属大陆亚热带气候。冬季平均气温15℃，夏季气温21～32℃，春、秋两季温暖宜人。年降水量127cm。

路州自然资源丰富，拥有美国已探明石油储量的15%、天然气储量的25%；盐产量和纯度均居全美首位，年开采量1 200t。

路州的亚热带气候和密西西比河下游平原肥沃的土壤为农业发展提供了良好的条件，路州1/3的陆地面积为农田，盛产甘蔗、土豆（全美第二大产地）、稻米（全美第三大产地）、棉花（全美第五大产地）和大豆等。畜牧养殖业也较发达。水产丰富，水产养殖业规模在全美是最大的。捕鱼量占全美的26%，居全美第二位。森林面积590hm^2，占全州土地面积的47%，主要经济林是美国生长最快的温室地松和火炬松，是美国木材、纸制品、木板等的主要原料产地之一。

由于美国在密西西比河河口治理、密西西比河流路稳定方面的历史成就，路州的发展环境大为改善。该州的主要经济支柱是石油、天然气、采矿业和石油加工业，天然气产量居全美第二位，占全美总产量的1/4；石油及石油提炼产品居美国第三位，年生产150亿加仑汽油。海上勘探及相关的服务业发达，是全美最早在海岸钻井出产石油及天然气的地区。石化产品产量占全美总产量的25%。路州国民收入的40%来自采矿和石化工业。农业产值约占路州总产值的13%。

路州的对外贸易主要是出口石化产品和谷物。路州的交通运输业发展较快，公路四通八达，铁路全长5 700km；大的机场有7个，66个公共航空设施，161个私人机场；达到世界水平的主要港口有南路易斯安那港、新奥尔良港、巴吞鲁日港和查尔斯港。路州年船运总量4.5亿t，居全美第一位。

二、密西西比河河口的工程治理

（一）西南水道早期的治理

密西西比河河口治理始于19世纪30年代（见图1-2），公元1836年至1837年对西南水道的治理中，曾企图不用任何整治工程单纯用链斗式挖泥船开辟拦门沙航道，但一遇风暴，挖槽即被淤平，甚难维护。1852年为适应运输业发展的需要，在西南水道又开挖了一条深5.5m、宽90多米的拦门沙航道，但挖成后一年即淤平。后来又在西南水道口门的东侧修建一条导堤，但因堤身单薄，修建后不久为风暴所毁。当时也曾用扰动疏浚的方法以维护5.5m深的挖槽，但扰动疏浚一停即淤，仍难维护。此外，也有人主张从新奥尔良开挖一条运河用船闸与墨西哥湾联结。总之，在这时期如何增加西南水道的水深议论纷纷，众说不一。

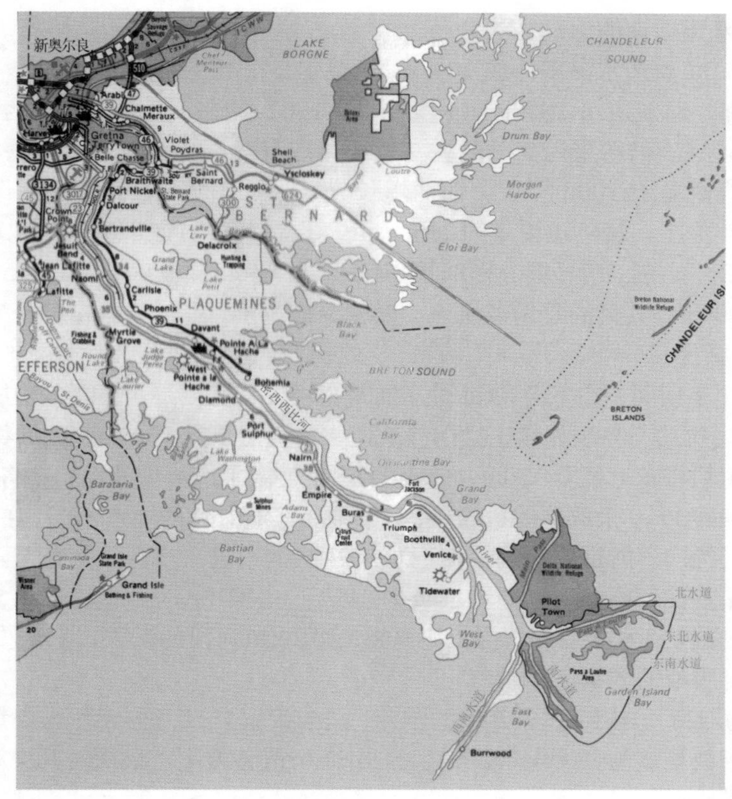

图 1–2　密西西比河河口形势图

（二）南水道的治理

西南水道治理经各种尝试失败以后转向治理南水道，但是究竟用整治方案还是采用开挖运河和筑闸的方案，人们展开了激烈的争论。海军上尉詹姆斯 · 艾兹（James B. Eads）研究了欧洲的先进经验，用导流堤整治与疏浚相结合、以整治为主的治理原则，对南水道进行了详细的测验研究，然后于公元1875年提出了用双导堤整治南水道、辅以适当疏浚的方案，得到国会的批准，从而结束了多年的争论。艾兹方案设计航道60m宽、8m深，中泓水深9.2m，1879年就达到了设计标准。为使挖槽不被淤积，艾兹又拟订了为期20年的维护计划，在维护过程中遇到的最大困难是拦门沙航道，一直到维护期满前的几年中，才找到了一种巧用墨西哥湾海动力的办法，即把口外拦门沙航道的轴线向东偏转36° 30′，使河流方向与潮流方向垂直，终于有效地维护住了拦门沙航道。这是因为导堤口外墨西哥湾有较强的由东向西的沿岸流，使洪水期流域来沙出导堤口后遇盐水而迅速落淤的拦门沙部位略微偏西，拦门沙航道东偏36° 30′ 后可以避开严重淤积的部位，并促使海动力将其余泥沙带入墨西哥湾。艾兹的维护期限于1901年为止，此后南水道基本上不需疏浚便可自行维护一条宽140m、深9.0m的航道。但南水道的航行条件比较困难的部位有两处，一处为导堤口，因宽度较小，洪水期出口流速较大，加上因沿岸流由东向西，较小马力的船舶要转向36° 30′ 有困难；另一处是分流口，有较强的旋涡，有时会对船舶的航行带来危险。

（三）西南水道后期的治理

在南水道9.0m航道水深整治成功以后，新奥尔良市的工商业迅速发展，同时船舶吃水深度不断增加，对航道水深提出进一步要求，1902年国会批准了开发西南水道取得10.5m水深的计划。仍然采用艾兹的方法，即用双导堤约束水流结合疏浚，修筑两条平行的导堤，堤距是1 100m。东、西两堤长分别为6 400m和4 600m，于1904年开始动工，1908年完工，每年疏浚量约226万m^3，但拦门沙航道水深只有6.0m。

1911～1912年，东、西导堤分别加长890m和1 040m，并在下游11km河段加筑丁坝，宽度缩至900m，其目的是增加流速、以减少疏浚量，但结果因口门分流量的减少，仍未达到预期的目的。

1917～1921年期间，在下游8km段又加筑格坝，将宽度缩至740m，并将导堤延长300m，下口向内折曲与格坝相接。拦门沙航道水深仍然不足10.5m。此后将下游13km河段进一步用丁坝将宽度缩至530m，并吸取25年前南水道治理的经验，将口外拦门沙航道轴线向东偏转35°，采取这些措施后，终于取得了10.5m的航道水深。在1937～1959年期间，为减轻拦门沙航道的疏浚，在下游3.2km河段进一步将河宽缩至430m，并在分汊口采取措施不使西南水道的分流量减少，以后一般年份，都可维持10.5m水深。但毕竟宽度约束过甚，大水年引起口门上游10km至16km河段的淤积，必须采取疏浚才能维护，这是值得吸取的教训。

1955年，为取得西南水道12.20m的水深，国会拨款57.1万美元作为规划研究费用。采取现场测验与模型试验密切配合，先后提出21个改善方案，最后对其中第14、17两方案通过模型试验进行了详细研究。第14方案是在分汊口下游27km以下增加河线变曲度，将导堤口出口泥沙导向西侧。过去整治成功的实际试验和模型试验结果都证明第14方案是有效的，第17方案虽有效果但投资较大。最后是采用了第14方案，工程实施以后效果良好，维护12.2m水深的费用并不大于原来维护10.5m水深的费用(见图1–3)。

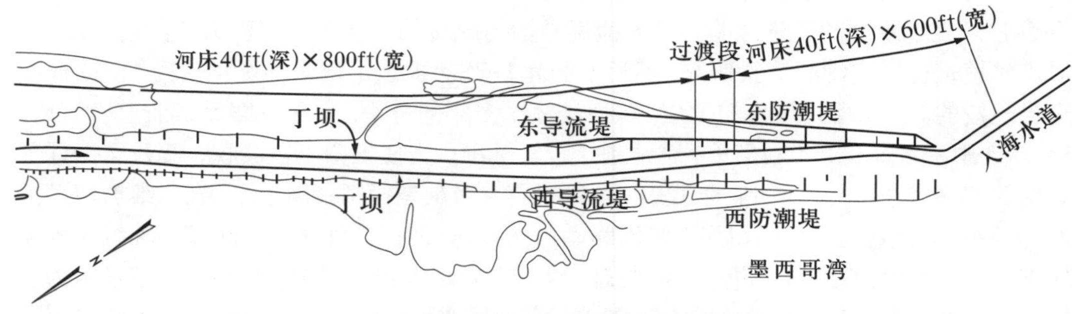

图1–3　密西西比河西南水道导堤工程示意图

（四）分汊口的治理

在南水道和西南水道治理过程中存在一个很重要的问题是如何控制各水道的分流量。艾兹在治理南水道时为增加南水道的分流量，曾在西南水道及阿洛脱水道筑潜坝以限流，但无明显效果；1910年，为了增加西南水道的分流量将潜坝拆除，也无变化。美国有经验的工程师认为，分汊水道中各水道的长度及河床阻力是决定其分流量的主要因素。但分汊口以上干流的主流向对各分汊水道的水量分配有影响，因此1918年在毕洛汤(Pilottown)下游密西西比河干流的左岸筑了五条丁坝，使主流挑离阿洛脱水道而导向西南水道以抵消西南水道口缩窄所造成的影响。以增加西南水道的分流量，工程实施后的结果表明有效果。1923年将丁坝加长，使干流河宽由1 400m缩为1 220m，这些工程完成后西南水道平均洪季分流量增加了7 200m³/s。

1935～1936年，在原有丁坝的上游再加筑丁坝，并使河面进一步缩窄至980m，以抵消西南水道下游端宽度由535m缩至432m所造成的影响。

在西南水道与南水道之间的鱼嘴工程建于1923～1924年，目的是减弱南水道而增加西南水道的分流量，但并未达到预期的目的，在阿洛脱水道分流量减少之后，南水道的分流量增加而西南水道保持不变。由此可见，河口用鱼嘴式分流工程控制分流量是徒然的。

（五）进一步增加航道水深的计划

密西西比河河口航道水深的增加使新奥尔良港的货运量急剧上升(见表1–2)。

表1–2　　新奥尔良港的货运量

年份	年货运总量（万t）
1916	750
1944	2 400
1955	4 400
1970	13 800
1978	19 600
1980	22 800

航道水深达到10.5m和12.2m之后，使新奥尔良港的货运量出现两次飞跃(见表1–2)。目前，通过密西西比河河口航道进出新奥尔良和巴吞鲁日两港的总货物吞吐量已达2.85亿t，位居美国各大港口之首。预计2040年货物吞吐量将达42 700万t。现在航道水深已不能适应，正在研究开辟16.50m水深航道的计划，使10万t级的海轮直达巴吞鲁日。

研究工作第一步是对13.7m、15.0m和18.2m水深的深水航道进行综合经济比较研究，论证结果认为以上三种方案均不理想，16.50m深水航道最经济、效益最大。根据初步规划估计，工程总投资为4.95亿美元，预计三年完成，估计每年平均投资约为1.58亿美元，而每年的效益估计为15.02亿美元。投资与效益之比是1∶9.5，每年所得效益超过投资数13.4亿美元。

要取得16.5m的水深，在现在整治工程基础上以疏浚为主，要浚深15个浅段，另有64个过江油管和18个过江电缆要移动位置。而顾虑最大的是，航道水深增加以后盐水的入侵亦将加强，必然使河口两岸工农业以及城市用水遭受损失。针对这些问题各方正在进行研究，先由新奥尔良分部进行一元的分析计算，以满足可行性研究的要求。此外，航道增深以后必然引起生态环境的变化，这也引起了有关方面的注意，争论较多，有待进一步加强研究。

三、实施奥德河防洪控制工程，稳定密西西比河入海流路

（一）奥德河的由来及其作用

在久远的历史上，密西西比河与雷德河、阿特察法拉亚河是相互连通或互为分洪河

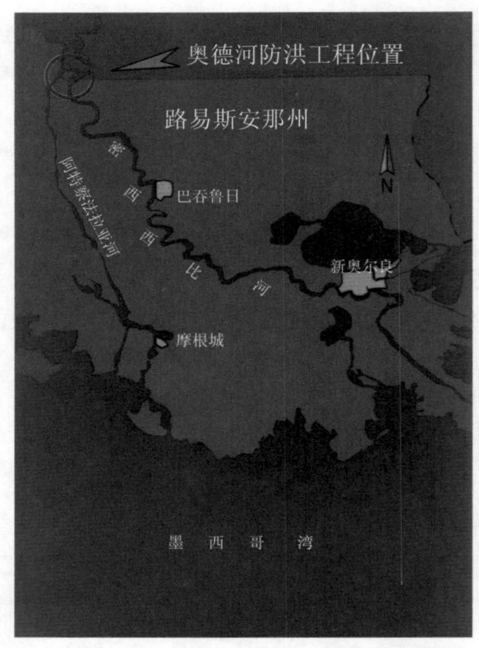

图 1–4　奥德河防洪控制工程位置示意图

道（见图 1–4）。1931 年，著名的蒸汽机船长、斯里沃河裁弯工程的实施者亨利 · M · 斯里沃中尉，在密西西比河牛轭湖弯曲段狭窄处开挖出一段新河道（见图 1–5），密西西比河抛弃老河道，改走新河道，由此牛轭湖弯曲的上部渐次淤塞，而牛轭湖弯曲的下部则继续保持原样，与雷德河、阿特察法拉亚河及密西西比河相连，这一下部河段即奥德河（见图 1–6）。

至此，雷德河不再流入密西西比河，而是流向阿特察法拉亚河，奥德河将该河与密西西比河相连。密西西比河部分水流则通过奥德河向西流入阿特察法拉亚河。然而，在雷德河高水位时，水流则由奥德河倒流入密西西比河。这样，奥德河将雷德河与密西西比河紧密地连接在一起。

多年以来，阿特察法拉亚河的源头曾经被一巨大的类似于木排、长达 30mile[❶]（英里）的泥沙沉积物所阻塞，虽然先期的定居者们几经努力，但都没有将其搬走。公元1839 年，路易斯安那州开始清除这一泥沙沉积物，并获得成功，自此，阿特察法拉亚河成为可通航的河道。

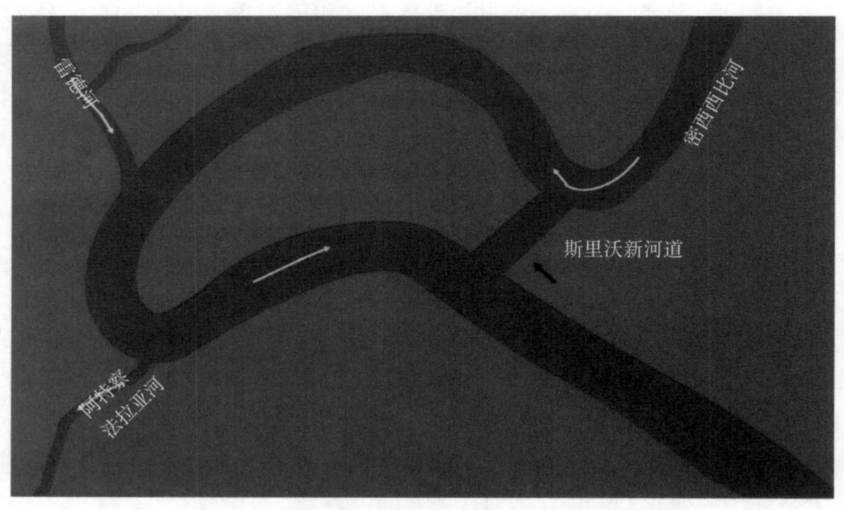

图 1–5　斯里沃在牛轭湖弯曲段开挖的新河道

❶ 1mile=1.609km。

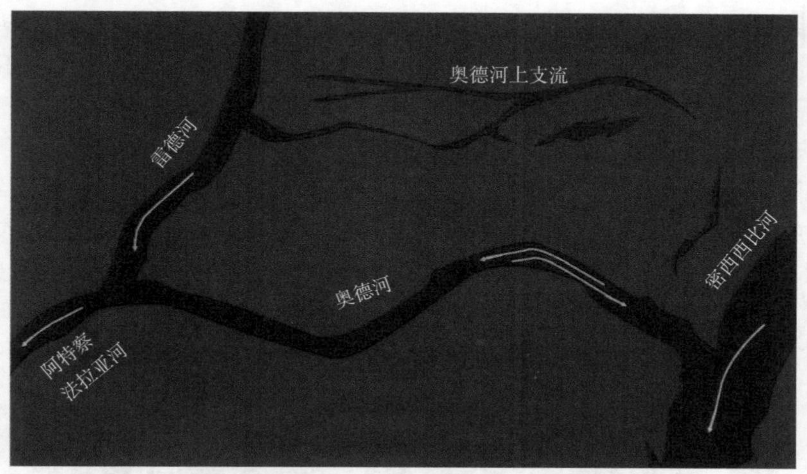

图 1–6　与雷德河、阿特察法拉亚河及密西西比河相连的奥德河

（二）密西西比河自然改道的趋势及其严重后果

清除泥沙沉积物淤塞后，阿特察法拉亚河的宽深都发生了显著的变化，使得其从密西西比河的分流越来越大。同 315mile 长的密西西比河流路相比，阿特察法拉亚河只有 142mile 长，是密西西比河汇入墨西哥湾的一条捷径。到 1951 年，有明显的迹象表明，如果不采取特殊的人工整治措施，密西西比河将会袭夺阿特察法拉亚河，从而使其成为密西西比河主河道。

如果密西西比河改道，高浓度咸水不仅会注入河口湾，而且也会给路易斯安那州南部地区带来灾难性的后果。在该地区沿河两岸，许多大公司建有价值上亿美元的石油化工厂、精炼厂、谷物装卸机械制造厂、化石燃料厂以及核电厂，这些工厂的生产大部分依赖于淡水资源。而且，河道改道，将会使巴吞鲁日下游包括新奥尔良在内的许多城市失去淡水资源。同时，如密西西比河改道，不仅阿特察法拉亚河流域不能承受密西西比河的日常流量，而且各大工厂的迁移费用，以及由此引起的经济、社会大动荡，都会令人难以承受；此外，河流改道后，将会使自密西西比河上游的国土心脏地区至巴吞鲁日、新奥尔良之间的通航设计水深遭到严重的破坏，并需调整阿特察法拉亚河道，需花费上亿美元沿阿特察法拉亚河两岸新建、增建许多防洪控制工程，而这又必然会带来巨额的经济负担。

针对此种情况，时不我待，必须迅速采取决断措施。1953 年，密西西比河管理委员会在一份报告中提出，必须在奥德河上修建防洪控制建筑物，以控制阿特察法拉亚河从密西西比河的分流。

（三）奥德河防洪控制工程的实施

美国陆军工程兵团的工程设计师提出了一项计划，在奥德河上筑坝及修建两座控制建筑物，一座建筑物随时使用，而另一座建筑物则只在洪水季节使用。此外，应建一座通航闸，以保证密西西比河、阿特察法拉亚河的航运。在奥德河上所修筑的防洪控制建筑物，应使密西西比河、阿特察法拉亚河保持一定的分流分沙比，即近似于 1950 年所发生的天然分流分沙比（70∶30）。

位于华盛顿特区的总工程师办公室采纳了这一建议，并通过陆军参谋部提交给议会。1954年12月3日，议会通过并批准了奥德河防洪控制建筑物工程。该工程于1955年始建，4年后基本完成。全部工程于1962年竣工，总投资6 700万美元。

1955年，在新奥尔良花费1 500万美元建造了分洪闸及溢洪堰工程。该工程于1959年开工，并开挖新渠道与密西西比河、雷德河连通，1962年开始启用。1963年，在位于分洪闸下游11mile处的奥德河上，建成了通航闸，总投资为1 500万美元。该通航闸宽75ft（英尺），长1 185ft。同时，在奥德河天然河道上筑坝防止密西西比河从此改道（见图1—7）。

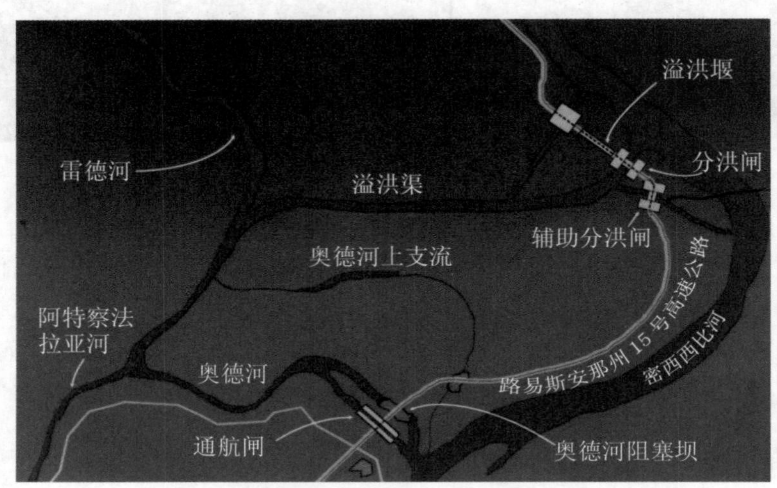

图1—7 奥德河防洪控制工程建筑物平面示意图

（四）奥德河防洪控制工程稳定河势的作用及其维修加固

1972年冬至1973年春，中部平原地区、密西西比河流域及俄亥俄州山谷地区的持续大暴雨，使得密西西比河各支流水位普遍超过防洪水位。1973年春季，密西西比河的洪峰多次达到高潮，狂怒的洪水像脱缰的野马，任意地肆虐着这条大河及其各支流。

通过奥德河的洪峰之高，令人毛骨悚然。尽管如此，分洪闸还是经受住了这一考验。这次大洪水与1950年的洪水大体相近，但是，由于天然条件的改变，密西西比河河道已没有能力宣泄这样大的洪水。而阿特察法拉亚河由于河道刷深，水流速度加快，则可以宣泄较以往大得多的洪水。

分洪闸的设计目的，就是为调节水流，这一点无疑是做到了。但是，1973年春季，狂暴的洪水严重冲刷了分洪闸的基础，并将其南端67ft高的混凝土导流墙冲垮，并在分洪闸上游90ft高的钢结构支撑地基上，冲出一个50ft宽的大洞。为了防止分洪闸倒塌，行洪期间即对坍塌处进行了紧急修复。洪水过后，对倒塌的导流墙，以岩石替代混凝土结构进行了修复。对闸底基础，实施水泥浆灌注加固，同时，改进闸门操作运行方式，以保证水流均匀变化，尽量减低冲刷所造成的危害。

工程研究表明，尽管分洪闸一部分遭到严重破坏，但是其余部分还是坚固可靠的，而且通过一系列的修复措施，情况还会进一步得到改善。对分洪闸及溢洪堰的彻底修复工程于1981年才全部完成。

1974年、1975年及1979年，洪水连续对人工牛轭湖河道进行了无情的冲击。虽然分洪闸在进行修复加固以后，在正常操作情况下运行良好，但是1973年的大洪水对分洪闸基础的损害还是深重的。

分洪闸的设计载压能力，可以承受密西西比河与阿特察法拉亚河37ft高的水位差，但经1973年的洪水冲击以后，工程专家们决定此水位差不应超过22ft。

为了保证70∶30的分流比，依据三条河流（雷德河、阿特察法拉亚河、密西西比河）的不同水位情况，分洪闸上、下游的水位差应保持在4～19ft之间。水位差越大，分洪闸体所承受的动水压力也越大。

（五）修建辅助分洪闸及水电站

应该说，对分洪闸及溢洪堰的修复加固工作并不是十全十美的。为此，新奥尔良地方当局建议，增建一座辅助分洪闸，协调分洪闸运行，以减少分洪闸的压力。该建议获得批准，工程于1981年动工兴建、1986年竣工，总耗资为20 600万美元。

如今，辅助分洪闸与分洪闸协同运行，大大提高了工程效益及安全系数。为防止水流调节或闸门操作可能带来的意外事故，辅助分洪闸与分洪闸的运行操作必须严格按照操作规则进行。增建辅助分洪闸，不仅恢复了奥德河的过流能力，而且使其更接近于原设计标准。奥德河上的这些防洪控制建筑物，不仅具有分洪防洪和防止密西西比河流路摆动的作用，而且为阿特察法拉亚河流域提供了丰富的淡水资源。阿特察法拉亚河流域是美国的最后一块原始森林地。该地区广袤的森林及依赖于沼泽地生活的野生动植物，皆离不开丰富的淡水资源。

1977年，维多利亚市市长悉尼·A·默雷·乔为满足本地区日益增长的用电需求，进行了建设水电站可行性调查研究工作，这样就促成了世界上最大的预制水电站的诞生。

该电站装机容量193MW，耗资52 000万美元，始建于1985年，站址位于奥德河分洪闸上游。在地基开挖及其他建筑物构筑的同时，电站厂房的主体结构在新奥尔良的阿温得尔·石卜亚兹进行预制，然后，将这12层楼高、重达25 000t的预制件，由其构筑地沿密西西比河向上，长途跋涉208mile运抵目的地。这一命名为默雷迈克的庞然大物，是迄今为止经由密西西比河通过巴吞鲁日城的最大的航运货物。

该电站与奥德河上的分洪闸协同运行，充分利用密西西比河与阿特察法拉亚河的水位差进行水力发电。通过电站的发电水流量，依据密西西比河、阿特察法拉亚河及雷德河等三条河的水位情况每日进行调节，以保持一定的分流比，这样就兼顾了分洪、航运及生态环境三者效益的均衡。

四、密西西比河河口治理及防洪控制工程的重大历史作用

（一）通过实施以导流堤整治为主、疏浚为辅的河口航道工程，使人类在治理大河河口的技术上实现了重大突破

美国的密西西比河河口及航道治理自公元1875年国会批准南水道9.2m水深计划开始，迄今已有100多年的历史，期间多次经历了工程治理遭受强大自然力破坏的失败记录，但最终以与其综合国力相适应的工程投入和采纳代表最先进治河技术水平的规划方

案，使得河口及航道治理不断取得新进展。

密西西比河是弱潮河口，洪水季节潮汐的影响甚微，可以忽略不计，墨西哥湾的含沙量不大，河口地区的泥沙主要来自流域。洪季盐淡水于口门附近混合，使洪水挟带的悬移泥沙加速落淤，底沙移动亦较滞缓，从而形成拦门沙，在这种情况下，如单纯依靠疏浚很难维护河口及航道畅通，密西西比河河口西南水道早期治理的失败就是这一原因。故西南水道后期的治理吸取南水道治理成功的经验，采用双导堤作为坝根，在导堤之间筑丁坝约束水流增加流速，结合适当疏浚取得了所需水深。其辅助措施是在分汊口上游左岸用丁坝挑流，增加西南水道的分流量以抵消口门约束后的影响。在口门以外因墨西哥湾有较强由东向西的沿岸流而使拦门沙淤积部位略偏西侧，因而将拦门沙航道轴线向东偏转35°以避开洪季因盐淡水混合而造成严重淤积的部位，并借墨西哥湾的海动力带走部分泥沙。这些重要的工程措施使密西西比河河口拦门沙航道水深取得了从5.5m到9.2m、再到10.5m、最后达到12.2m水深的突破性成就，由此带来的航运业振兴并有力地推进了三角洲及其腹地的经济发展，为人类治理大河河口树立了具有时代意义的典范。

（二）通过提高河口工程的综合经济效益，造就了新奥尔良这一重要的工业港口城市

密西西比河河口通海航道水深的确定，主要根据新奥尔良港运输量发展的需要，但如单纯考虑新奥尔良港的货物吞吐量则只有密西西比河河口总货物吞吐量的一半，航道治理的经济效益不会很高。因而美国陆军工程师团下决心整治了新奥尔良至巴吞鲁日之间的十大浅滩，使海轮可直达巴吞鲁日港，并充分利用两港之间水路运输的方便，在两岸开设各种工厂，使货运量急剧上升，目前新奥尔良港区的货运量不过1.4亿t，而新奥尔良至巴吞鲁日两岸各厂的货运量加上巴吞鲁日港的货运量亦达1.4亿t以上，从而使通过密西西比河河口的总货运量达到2.85亿t，这就大大提高了密西西比河河口航道治理的综合经济效益。

货运量的密集所带来的经济发展使新奥尔良崛起为美国第一大港，并成为路易斯安那州最大城市。该市北临庞恰特雷恩湖，距河口170多公里。市区面积4 550km²，其中水面积占45.3%，人口49.7万(1990年)。大市区包括奥尔良、杰斐逊等4县，面积7 661km²，人口约占全州人口的30%。

流经市区的密西西比河呈新月形弯曲，故有“新月城”的别名。这里水道纵横，地势低洼；平均海拔仅1.5m，不少地方低于海平面。沿河筑有209km长的防洪堤坝，由112个泵站组成的排水系统，通过泄水道分水引入庞恰特雷恩湖。亚热带湿润气候，7月平均气温27.7℃，1月平均气温11.6℃，年降水量1 440mm。城市邻近地区石油、天然气、硫磺、盐矿丰富，盛产木材和棉花、甘蔗、稻米等。

新奥尔良是整个密西西比河流域的出海门户，与中、南美洲贸易联系密切。港区主要分布于密西西比河和庞恰特雷恩湖的运河沿岸，码头泊位总长40余公里。20世纪60年代建成密西西比河直通墨西哥湾水道，供远洋海轮使用，使港口的入海距离缩短60多公里。1982年货物吞吐量1.71亿t，居全美各港口之首。该港口以转口贸易为主，港区内设对外贸易带，占地7.6hm²，进口货物可免税在此储存、加工或展览。该市是7条铁路干线的交会点，连通洛杉矶、芝加哥、纽约等大城市。水陆联运方便，是三角洲地区高速公路网的枢纽。多座大桥跨越密西西比河两岸。著名的庞恰特雷恩湖堤坝长达39km，沟通市区与湖北岸的联系。新奥尔良有1个国际机场和2个国内机场。

新奥尔良是美国南方的主要工业城市，集中全州1/4的工厂企业，有纺织、食品、木材加工、炼油、石油化工、化学等工业部门；是全国重要的造船和宇航工业基地，阿冯尔达船厂和生产火箭、宇航设备的米乔德厂是最大的企业。建有州内最大的零售、批发和金融中心。旅游业兴盛，在城市经济中的地位仅次于运输业。

新奥尔良市文化教育事业发达，市内博物馆众多；有新奥尔良大学、图拉内大学等高等学府以及可容纳7万多观众的路易斯安那体育馆；具有音乐传统，为爵士音乐的诞生地，有多个音乐团体和剧场、音乐厅等。一年一度具有法国传统的忏悔火曜日盛况空前，吸引数以百万计的国内外游客。

市中心区主要在密西西比河东岸。老城“法国区”具有欧洲古城风貌。“法国区”以西，隔运河大街是新城行政和商业区，州、市主要行政办公机构组成市政中心建筑群。运河大街和圣查尔斯大街是新城最繁华的商业街，前者南部耸立着33层的国际贸易商业大楼。普伊德拉斯大街两侧，高层建筑林立，有许多银行、办公大楼和旅馆。新奥尔良崛起为路易斯安那州的中心城市。

（三）重视全流域规划治理与河口整治工程的相互影响作用，推进了密西西比河三角洲的崛起和全流域的经济发展

美国自1928年国会通过防洪法案以后，整个流域分为干流和小支流三级全面规划，分别控制，在1973年大洪水时三角洲地区基本免受灾害；在下游则一方面加固堤防，同时利用其有利的地理条件进行分洪，使通过新奥尔良市的洪峰流量限制在36 000m^3/s以下。密西西比河流域采取上述措施以后，不仅使洪峰降低而且年输沙总量由5.0亿t降为1亿～2亿t。奥德河防洪控制工程的建设和加固则确保了密西西比河入海流路的稳定，为该三角洲带来了良好的发展环境，使之成为整个密西西比河流域的出海口和龙头地区，促使密西西比河成为美国内河交通的大动脉。干支流通航里程总长2.59万km，其中水深在2.74m以上的航道9 700km（含干流通航里程长约3 478km）。经伊利诺伊等运河，可与五大湖——圣劳伦斯海路相通；从河口新奥尔良港经墨西哥湾沿岸水道，向西可至墨西哥边境，向东可至佛罗里达半岛南端，构成江河湖海相连、航道四通八达的现代化水运网，年货运量高达5.86亿t(1981年)。沿岸主要港口有圣路易斯、孟菲斯、巴吞鲁日、新奥尔良等。下游河道蜿蜒，河口处三角洲每年向海伸展约100m，形成了远远伸入海区的鸟足状三角洲，总面积约达2.6万km^2。

没有哪一条河流像密西西比河那样，对美国的发展和扩张起到如此巨大的作用。早在公元1705年，第一批货物从早期的印第安地区（现为印第安那州和俄亥俄州）沿河顺流而下，拉开了美国内河运输的序幕。19世纪初，蒸汽船的发明带动了内河航运的革命，给古老的内河运输注入了生机，使其恢复了青春和活力。第一艘航行在密西西比河上的机动船就叫“新奥尔良”号。经过密西西比河河口及其航道的治理和全流域的统筹规划、加快发展，使得整个密西西比河流域人口稠密、经济发达，尤其是下游地区，工厂林立，商业繁荣，形成了著名的美国“工业走廊”。

现在，美国北部到南部，已形成了以五大湖、伊利运河、密西西比河主干以及其众多支流、田纳西—汤比格比运河、墨西哥湾岸内水道和东部圣劳伦斯河等构架出的规模宏大的北美内河航道网！密西西比河上游及其四大主要支流伊利诺斯河、俄亥俄河、田纳西河、阿肯色河全部实现了渠化，建设通航梯级100多个，船闸130多座，下游重点是浚深航道，同时开挖人工运河，使各大河流相互沟通，在美国东部形成了密西西比河干流和支流直达、江河湖海沟通的水运网，为美国经济的繁荣和综合国力的强盛建立了不可磨灭的功勋。

当然，当我们将密西西比河三角洲的繁荣作为正面"典型"予以引述的同时，也应当看到这里发生的只偏重于经济发展、忽视环境安全而引起的严重后果。2005年9月29日，一场墨西哥湾的飓风"卡特里娜"带来的风暴与洪水一夜之间就摧毁了新奥尔良这座世界驰名的城市。这使我们认识到，仅仅依靠复杂的大坝系统维系城市的安全是远远不够的。由于在经济开发中蚕食了为大地补充淤泥的自然河道，湿地作为城市的缓冲带遭到了很大破坏，同时过分地开采支撑着地表的石油等地下资源更带来地面的沉降，这一切使新奥尔良这座繁华的城市在飓风面前不堪一击，从一座世界名城猝然蜕变为"不可持续发展的典型"。这一惨痛教训是需要我们深刻汲取的。

第二节　莱茵河三角洲的工程治理

莱茵河三角洲西面北海，东连欧洲大陆腹地，地势低洼，是莱茵河、马斯河、斯海尔德河等多条河流的泥沙沉积区和入海通道，又是大西洋北部海流的频繁侵蚀地带。河流动力与海洋动力交互叠置，导致洪水肆虐，流路滚动，形成了极其险恶的地域水环境，给在此立国的荷兰人带来了严重的生存威胁，因此荷兰人必须长期与无情的水灾做斗争。而近代欧洲工业革命时期荷兰王国综合国力的提高，又为大规模治理水灾提供了强大的资本和技术支撑，荷兰人民顽强抵御水灾的奋斗精神和显赫业绩在人类抗灾史上写下了辉煌的篇章，其经验值得我们认真研究和借鉴。

一、莱茵河三角洲治理的自然及社会背景

（一）莱茵河三角洲概况

莱茵河三角洲位于欧洲大陆的西北部，西边和北边面临北海。实际上是欧洲的三条大河——莱茵河、马斯河、斯海尔德河共同冲积而成的三角洲。拿破仑在描述荷兰时曾说："没有什么比我的帝国的大河所形成的冲积三角洲再大的了。"的确，如果把由莱茵河向北分流的艾塞尔河的洪泛区也计算在内，其面积可达到41 160km²。这一面积接近荷兰王国的全部国土面积。因此，不论从自然地理或经济地理的概念说，荷兰与莱茵河三角洲都是基本重合的（见图1–8）。

荷兰王国史称"尼德兰"(Niederlande)，意为"低地之国"，有1/4的国土处于海平面之下，只有东南方与德国、比利时交界处的法尔塞山（Vaalserberg）地势较高，海拔也才只有321m，　荷兰的国土总面积为41 526km²。

在漫长的地质时期，注入这一低地的多条大河不断改变流路，泛滥沉积。在暴雨或

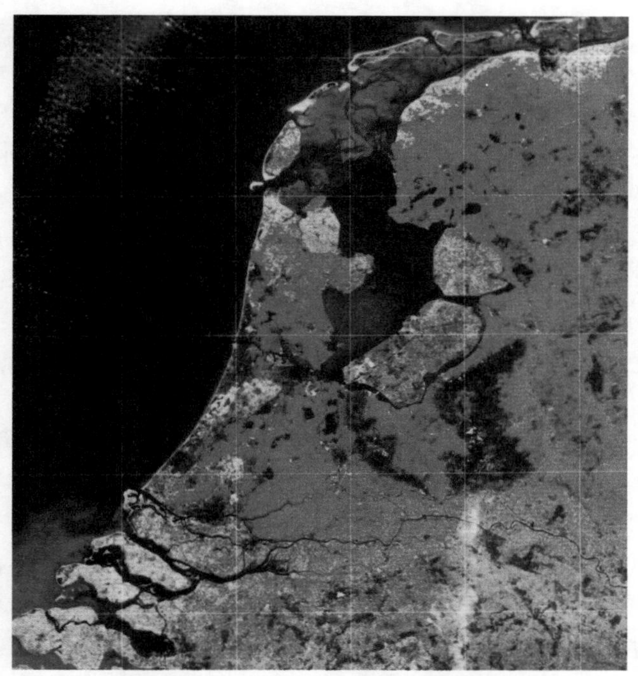

图 1-8　莱茵河三角洲卫星遥感影像图

高山积雪融化季节，则出现河水猛涨、洪水肆虐的局面。而荷兰的西海岸又是一个海潮、风暴潮的多发地区，强大的海流与多条河流的洪水交汇叠置，冲、拉出多条喇叭口形的海湾，形成了割裂西南部海岸的大型水道，如哈灵弗列特水道、布鲁威斯水道、东斯海尔德水道、西斯海尔德水道等（见图1-9）。在5 000年前第一批移民发现这一三角洲并在此定居之后，就一直处在高水位洪水的威胁之中。

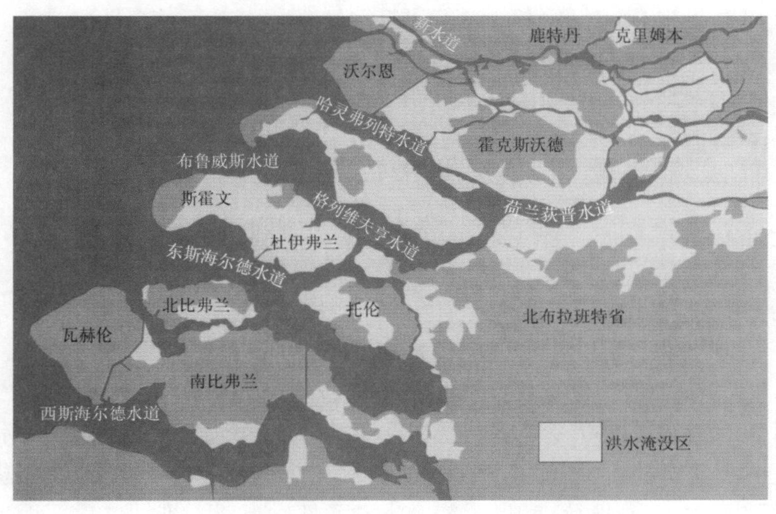

图 1-9　荷兰西部海岸海湾与水道形势图

但是，莱茵河三角洲良好的地理位置和气候条件又吸引着人们对这一领地的开拓与征服。由于受北大西洋暖流的影响，这里属温带型海洋性气候，其日温差与年温差都不大。沿海的平均温度夏天为16℃，冬天为3℃，内陆的平均温度则分别为17℃和2℃。尽管春季降雨略少于秋季，但一年四季的雨量分配相当均匀，年均降水量约为760mm。这些条件均非常适合人类居住。同时，由于这里背负欧洲大陆腹地，是北大西洋航路和欧陆出海通道的交叉点，数世纪以来，大部分中欧、西欧及其他地区的货运顺三大河流西出、东进，带来了整个欧洲的繁荣。16世纪、17世纪的荷兰人正是利用这一得天独厚的区位优势，以海运和海外贸易起家，配以先行发展的炮舰船队，通过海外不等价交换和殖民掠夺，完成了资本的原始积累，成为煊赫一时的“海上马车夫”。资本主义工业革命则进一步将荷兰推上了西方强国的行列。当时的阿姆斯特丹成为世界海上航路中心和垄断海外贸易运输的世界第一大港。

明显的地理优势和巨大的经济利益，正是召唤人们去战胜险恶环境的动力之源，人与自然之间利与害的剧烈碰撞导演出了惊天动地的历史话剧。

（二）早期的防潮治水工程

荷兰人治水的历史可以追溯到公元纪年前后。今天可以找到的最古老的荷兰水利史文献是一个名叫普里尼（Pling）的人留下的文字记录，古代的弗里斯兰人曾筑土为台，洪水发生时就登台避水。后来的“海墙”——原始的堤坝代替了土台。这种环形堤坝上有一个门，当洪水来临时则将其严密关闭，以保护村庄不受洪水侵袭。从有文字记载的历史考察，荷兰的一些重大水利工程要晚于中国的都江堰（公元前256年），更晚于约公元前22世纪末期的大禹治水，但按全世界最早向外国输出水利技术的国家论，荷兰人开创了历史的先河；同时按人均拥有的水利工程量和筑堤围垦面积论，荷兰无论在历史上或在当代均属世界之最。

由于洪水淹没范围较广和频率较高，荷兰人的排水工程亦很发达，在蒸汽动力出现以前的世纪里，荷兰人巧妙地利用风能作为大规模排水工程的动力。据考证，荷兰第一座用于排水的风车建于公元1414年，17世纪风车抽水技术有了革命性的进步。公元1808年在南比弗兰岛（Zuid Beveland）开垦威廉敏娜浮地时，首次采用蒸汽机作为排水动力。18世纪和19世纪，荷兰人的筑坝技术、排水技术、抵御河流洪水技术均臻于成熟。

二、莱茵河三角洲的大规模工程治理

20世纪以来，随着工程技术的进步，莱茵河三角洲的水土资源开发与整治进入一个新的阶段。最著名的是“须德海工程”、“三角洲计划”以及三角洲计划大河工程。

（一）须德海工程

须德海工程(见图1－10)的设想最初是由一个名叫亨德里克·史蒂文（Hendrik Stevin）的人在公元1667年提出来的。须德海是北荷兰省西部与弗里斯兰省之间的一个大海湾。荷兰人在过去的200多年里已经在沿海地区成功地进行过多次围海造田，如果实施须德海工程，获得的新土地面积将大大超过荷兰历史上围垦的土地面积总和。19世纪以后，这个设想进一步具体化。20世纪初发生的两件大事对于推动这项工程最后付诸于实施发挥了关键作用。一件事是1914年爆发的第一次世界大战；另一件事是1916年发生的一次台风，须德海沿岸的大片土地被海潮淹没。两个事件的直接后果是对生产特别

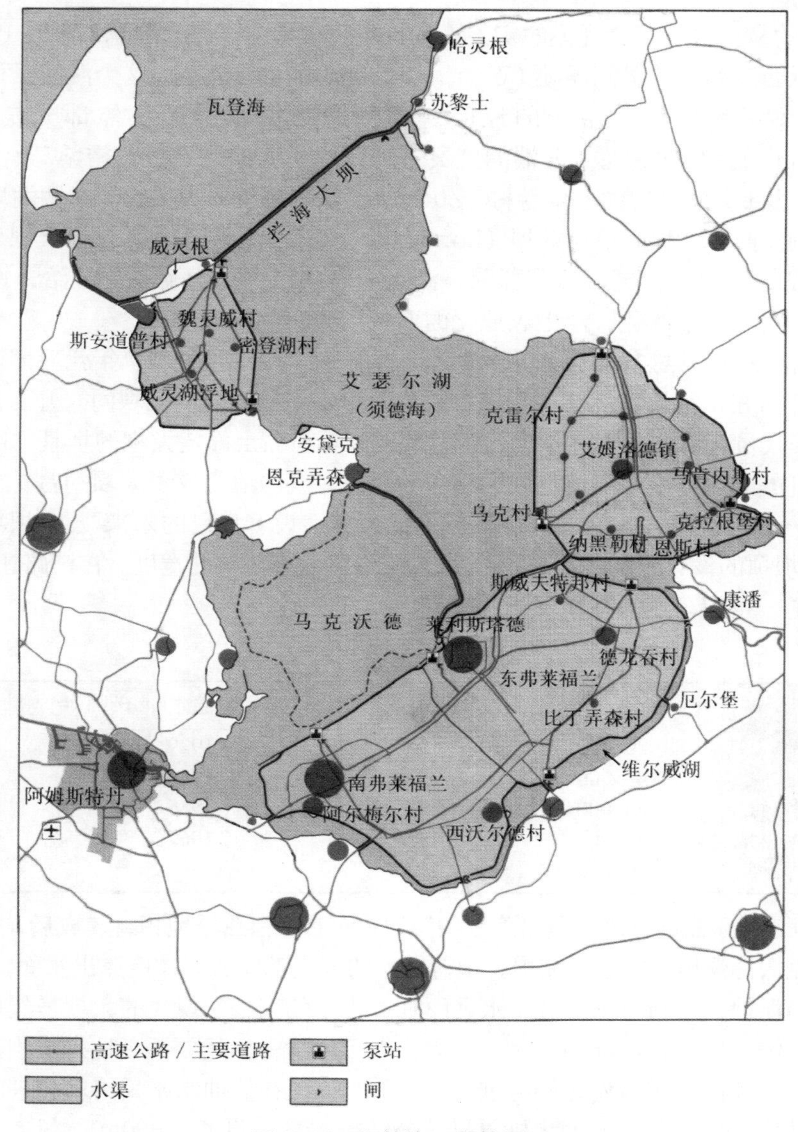

图1–10　须德海工程简图

是农业生产的破坏，造成粮食极度短缺。荷兰人深感土地资源不足对国家经济安全造成的威胁。于是，战后政府正式再次提出了须德海的拦海计划。

根据政府的规划，这个计划的目标有三个。第一，修筑一条32km长的大坝，将须德海与北海之间的水道截断，荷兰的海岸线将缩短300km，使国家遭受海潮的威胁大大减轻，须德海变成一个大型湖泊；第二，在坝内继续筑堤排水围垦出5块浮地，经开垦将获得20.5万 hm^2 新的农用土地；第三，坝内将逐渐自然淡化，围垦后保留一片面积为12万 hm^2 的淡水湖，不仅为农业和工业生产提供丰富可靠的水源，而且海水对北荷兰和弗里斯兰两省土地的渗透和碱化作用也将大大减缓。

在工程正式开始之前，荷兰人在北荷兰省的北部须德海海滨的一个叫安黛克

(Andijk）的村庄进行了小规模的实验工程，实验结果非常令人满意。于是1927年在安黛克浮地以西开始了威灵湖浮地（Wieringermeerpolder）工程，这个浮地工程为实施须德海的主体工程提供了宝贵的经验。须德海拦海工程的主体部分是拦海大坝(Afsluitdijk)。从北荷兰省北端的魏灵格岛开始，向西北经过布雷桑岛（Breesand Bank)，到达弗里斯兰省的苏黎赫村（Zurich)。以布雷桑岛为中心的东西两段大坝各修建一个船闸。西段大坝叫洛伦兹坝（Lorentz)，由10个水闸组成。拦海大坝建成后，须德海将变成一个湖泊，更名叫艾瑟湖。湖水不断从周围的河流得到补给，原来的海水抽回大海，湖水逐渐淡化，浮地农业化的准备工作由此大大缩短。

须德海工程设计总共修建5块浮地（见表1–3），从20世纪20年代后期开始，工程指挥部便开始在布雷桑岛上储备建筑材料。1930年东、西两个大坝同时开工。在修建过程中，工程人员将海底的泥沙抽出，然后再用砾石和黏土修建大坝的坝基。1932年工程进入最关键的时刻，施工人员克服了汹涌的海涛，成功地完成了大坝的合龙。大坝合龙处建起了一个纪念碑，碑文是："生气勃勃的民族建设着自己的未来"。大坝坝顶高出海面7.5m，坝顶的设计预留了足够铺设两条铁路和一条公路的宽度。在铁路还未铺设前，坝顶铺设了一条四车道的高速公路。

表1–3　　须德海工程获得的土地

浮地名称	面积（hm^2）	工程开始时间(年份)	堤坝完成时间(年份)	完成排水时间(年份)
威灵湖浮地	20 000	1927	1929	1930
东北浮地	48 000	1937	1940	1942
东弗莱福兰浮地	54 000	1950	1956	1957
南弗莱福兰浮地	43 000	1959	1967	1968
马克沃德浮地	40 000	1957		

威灵湖浮地、东北浮地、东弗莱福兰浮地、南弗莱福兰浮地相继建成后，规划中的浮地只有马克沃德浮地只完成东堰堤，须待所有的堰堤都完成后才能露出水面。

现代的浮地仍然与过去一样，永远面临着排水的问题。现代的大坝虽然早已从技术上解决了渗漏的问题，但坝内雨水、融雪、生活污水等仍然要不断地排出坝外，因此抽水站仍然是浮地的基本设施。但与过去不同的是，现在的抽水站采用了先进的大功率柴油机或电动机。功率最大的抽水机单机每分钟排水量达到了3 000m^3，效率是过去的风车和蒸汽抽水机远不能比拟的。

另外，过去还曾长时间讨论过围垦瓦登海的问题。据地质专家考证，远古时期瓦登海也是陆地的一部分，西弗利西亚群岛原来是沿海的沙丘。这部分土地的土壤多为沙质土，经过海潮长期的冲刷，逐渐流失，最后形成了现在的瓦登海。当须德海工程进行以前就有人提出了这个雄心勃勃的设想：将这个群岛的各个岛屿之间筑上堤坝，便可以将瓦登海完全封闭起来，然后将水抽出，便可以得到更多的土地。

由于这些岛屿相互间的距离只有几公里，因此实现这个计划就荷兰目前的海洋工程技术水平来说并不是不可能做到的。但自20世纪60年代以来，这个计划受到越来越多的人的反对。由于荷兰经济结构的变化，生态观念的增强，人们对于围海造地的观念开始发生变化。对于荷兰的国计民生来说，农用土地已经不再像过去那样重要了。越来越

瓦登海

突出的问题是住房用地问题、饮用水的问题、休憩场所问题和生活的环境质量问题。由于环境问题日益关系到人类的生活质量，在规划任何大型工程时，人们都要考虑其对生态和环境可能产生的影响。生物学家和生态保护组织特别关心瓦登海的命运，因为这片海域是欧洲最重要的鸟类栖息地之一。它是候鸟从北极到南欧、非洲，甚至南极的迁徙路线的重点歇脚地。据统计，这里可看到几百种候鸟，如北极鹅、绒鸭、反嘴鹬、蛎鹬等。这片海域还是有名的驾帆、滑水和垂钓的场所。因此，围垦瓦登海的设想引起了人们强烈的反对。在经过激烈的辩论后，这个人类历史上规模最大的围海造地计划最后被放弃了。

（二）三角洲计划

马斯河和莱茵河三角洲历来是洪患的重灾区。18世纪、19世纪荷兰人在上游地区修建泄洪区、河水改道工程和分流工程，并加高了下游防洪大堤，使三角洲地区洪灾大大减少。但是，在出现特大海潮风暴的年份，猛涨的河水加上倒灌的海潮还是会漫过堤坝，给这个地区带来巨大的生命财产损失。

1953年2月1日，大海向这片土地发起了一次毁灭性的袭击。春潮与风暴同期而至，淹没了荷兰西南的大部分地区。这场灾难导致数百人丧生，使三角洲计划成为一个刻不容缓的项目。水灾过去14个月后，三角洲委员会向政府提交了一份报告，再次重申了以围合荷兰西南部诸海湾作为根治三角洲水患的工程方案。这个工程方案有三个优越性：①海岸线将大大缩短，各拦海大坝加起来总长为30km，其防洪效能将替代并高于几百公里的原有海岸护堤；②原有的沿河护堤经修复加固后将发挥第二道防线的作用，增加防洪的保险系数；③万一出现特大风暴再次使海平面升高，紧急加高30km的拦海大坝要比加高几百公里的护堤容易得多。除了直接效益，封闭三角洲各水道出海口方案的间接效益也十分明显。拦海工程完成后，莱茵河和马斯河的河水将转向鹿特丹下游的新水路，使鹿特丹地区和新水路工业区的淡水供应量大大增加；三角洲所有的出海口都变成淡水湖，不仅改善农业灌溉条件，也将有效地防止农田盐碱化；大坝群建成后，将形成一条连接三角洲所有主要岛屿的公路网，结束各岛与城镇之间相互隔绝的状况，大大促进这一地区工农业经济和社会的发展。

1958年荷兰议会讨论通过了“三角洲工程法”，标志着三角洲体系工程正式启动。这个工程计划封闭三角洲除新水路和西斯海尔德河口以外的所有入口。新水路是鹿特丹港船只进出口，西斯海尔德水道是比利时重要港口安特卫普的船只出入口。

这个体系主体工程包括修建拦海大坝，挖凿运河，修整水道，加固护堤及其他配套工程。要修建的拦海大坝有11个（见图1–11）。

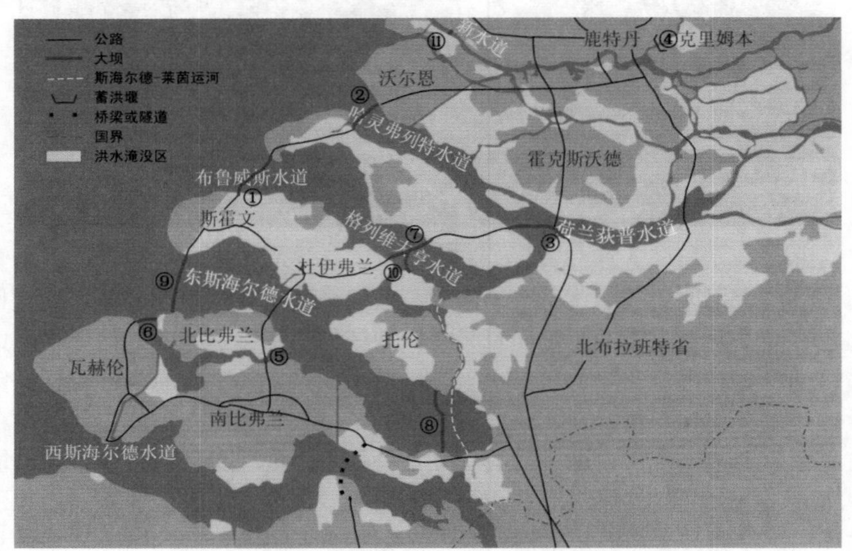

图1–11　马斯河和莱茵河三角洲工程概图

①布鲁威斯大坝；②哈灵弗列特大坝；③伏尔克拉克大坝；④荷兰艾瑟尔河防风暴潮坝；⑤桑德克雷克大坝；⑥维尔斯坝；⑦格列维夫亨大坝；⑧欧斯特大坝；⑨东斯海尔德大坝；⑩菲利普大坝；⑪新水路防海潮大坝

（1）布鲁威斯大坝（Brouwers Dam）。连接胡雷岛与斯霍文岛，封闭格列维夫亨河道（Grevelingen）。

（2）哈灵弗列特大坝（Haringfliet Dam）。连接胡雷岛与沃尔恩岛，封闭哈灵弗列特河道。

（3）伏尔克拉克大坝（Volkerak Dam）。连接霍克斯沃德岛（Hoekse Waard）、胡雷岛和北布拉班特省，封闭荷兰狄普河道。

（4）荷兰艾瑟尔河防风暴潮坝。位于鹿特丹以东的荷兰艾瑟尔河克里姆本(Krimpen)处。

（5）桑德克雷克大坝（Zandkreek Dam）。在北比弗兰岛（Noord Beveland）东南端，连接北比弗兰岛与瓦赫伦岛，是一个小型坝。

（6）维尔斯坝（Veerse Dam）。在北比弗兰岛西端，也是一条连接北比弗兰岛与瓦赫伦岛的大坝。

（7）格列维夫亨大坝（Grevelingen Dam）。连接胡雷岛和斯霍文岛，封闭格列维夫亨河道的上段。

(8) 欧斯特大坝 (Oester Dam)。这个大坝将东斯海尔德水道东部的河湾封闭起来形成一个淡水湖——马基托兹姆湖 (Markiezaats)，并保护北布拉班特省西部城市伯亨欧祖姆不受风暴潮侵袭。

(9) 东斯海尔德大坝 (Oesterscheldekering)。连接斯霍文岛和北比弗兰岛，封闭东斯海尔德河道的下段，是三角洲工程中最长、技术最复杂的大坝。

(10) 菲利普大坝 (Philips Dam)。连接胡雷岛与南岸的圣菲利普斯，这个大坝北端与格列维夫亨大坝北段相接。

(11) 新水路防海潮大坝。最初的规划没有包括这个大坝，最后为保险起见，还是在新水流出海口修建了这个大坝，以增加保险系数。

三角洲体系工程在技术上十分复杂。首先，三角洲地区河道纵横交错，许多河道发挥着重要的航运作用，既要考虑到拦海大坝完工后海潮和内河洪水对这些水道带来新的压力，又要考虑保证航运的畅通。其次拦海大坝工程规模宏大，动工前就预料到会遇到许多意想不到的技术难题，由于无前例可循，工程规划者决定各大坝工程采取先小后大，先易后难的顺序。首先在荷兰艾瑟尔河 (Hollandse Ijssel) 下段修建了一个活动拦河坝，该坝在紧急情况下可完全关闭以防止海水进入，而平时南来北往的船只可以经大坝的船闸通行。大坝还作为桥梁便利了两岸的交通。这一工程完成于1958年，是三角洲体系工程中第一个完工的项目。第二个动工的大坝是桑德克雷克大坝，竣工于1960年，维尔斯大坝竣工于1961年，这两个大坝将北比弗兰岛和瓦赫伦岛之间的水道两端封闭起来，将海岸线缩短了50km，形成了维尔斯湖。1965年格列维夫亨大坝竣工。1971年哈灵弗列特大坝建成。哈灵弗列特大坝是整个工程最关键的部分之一，因为莱茵河几乎一半的河水以及马斯河的全部河水原来都经过这个河道排入大海。大坝完成后，大部分的河水就改道经鹿特丹进入新水路了。与这个大坝位置相当的布鲁维大坝1972年竣工。1985年建成了菲利普大坝。1986年东斯海尔德大坝完工。东斯海尔德大坝是整个三角洲工程中最大、技术难度最高的大坝。

东斯海尔德大坝工程

在船坞中预制的钢筋混凝土桥墩

按原来的规划东斯海尔德大坝本应该是全封闭的，将在坝内形成淡水湖。但是为了保护东斯海尔德水道这个重要的贝类和鸟类栖息地，工程委员会对原计划作了重大修改，将大坝方案改为开放式钢筋混凝土大坝，平时将闸门开启，让潮汐自由进出。为保护生态环境，工程付出了费用成倍增加的代价。

东斯海尔德大坝总长3 000多米，有65个预制混凝土桥墩，其中包括三个进潮水道。这65个桥墩之间安装了62个滑动式钢闸门。平时闸门全部打开，潮水可以自由进出。每当出现可能危及坝内各岛屿及沿岸安全的风暴和高潮位时，全部闸门将关闭，将潮水挡在大坝之外，以保护三角洲地区人民生命财产的安全。

钢筋混凝土墩最大干体重量1.8万t，预先在沙尔（Schaar）预制船坞中制成。这个船坞体积巨大，占地达1km^2，形状像一个矩形水盆，四周是高墙，里面的水已抽干。船坞用墙隔成4个坞室，钢筋混凝土桥墩就在这4个坞室浇制。当各个坞室的桥墩都完成后，就打开船坞闸门，把海水放进来，使坞室水深达13～17m，足够装载浮吊的大船的吃水深度。浮吊将桥墩逐个提起并由大船拖至大坝的设计位置。每个桥墩自身有9 000t的浮力，浮吊的提升力为1万t，因此足够将1.8万t的桥墩提升起来，并拖曳到施工地点。由于大坝坝基线河床深浅不一，各桥墩高度有所差别。最高的桥墩高达38.75m，相当于12层的楼房高度。最矮的桥墩也有30.25m高，桥墩的底部采取了沉箱式结构，里面是空的。当运至设计位置时，沉箱内就灌满沙石，使之牢牢地坐在坝基里。一个桥墩从浇制到安装在坝基的周期是一年半。桥墩工程启动后，每两个星期开始制作一个新桥墩，因此在以后的工程中随时都有30多个桥墩在浇制中，每个桥墩都处于不同的施工阶段。如此巨大的工程量使得浇制桥墩的船坞变成了一个巨大的露天混凝土预制工厂，从1979年3月到1983年初，每天的混凝土搅拌量达到45万m^{3}之多。

运输安装这些庞然大物的技术难度前所未有。设计要求将每个1.8万t重的钢筋混凝土预制件，或者说将一座10层的高楼，从起伏不定的波涛中运到施工地点，并安装在预定的位置上。预定的位置水深30m，两墩距离45m，误差不得超过几厘米。运装桥墩的船名为“奥斯特号”(Oystrea)，俯视呈马蹄铁型。马蹄铁船身的上边是两个门型吊车。吊车的1万t升力加上桥墩自身9 000t浮力足以使桥墩吊浮在两个船体之间。“奥斯特号”吃水12m，发动机动力为6 615kW，4个螺旋桨中，两个安装在船头，两个安装在船尾，这样船体在船坞中能够进退自如（见图1–12）。在长距离的运输中，还要靠两艘拖轮助力推顶。“奥斯特号”将桥墩拖带到安装地点进行安装作业时，还要在另一艘施工船“马科马号”(Macoma）的帮助下进行系留和定位。桥墩下沉到安装位置后，混凝土灌注车从桥墩顶部通过桥墩中特殊的管道向桥墩下的地基浇灌混凝土。地基工程结束后，再向这个桥墩下部的空室灌注砂石。要把桥墩牢牢地安装在海底，还要对海底施行一系列复杂的基础工程，包括钻桩、铺垫等。

图1–12　“奥斯特号”大船拖运巨型桥墩示意图

东斯海尔德大坝的设计与施工在许多方面都达到了世界领先位置。施工工程中充分利用了以往同类工程的技术和经验，并摸索创造了大量新技术。这些新技术已开始用于荷兰和其他工程项目，并输出供其他国家的海洋工程使用。1986年10月4日，荷兰女王贝娅特丽克丝参加了大坝竣工典礼，主持仪式并亲自揿动按钮开启闸门，正式启用东斯海尔德的风浪屏障。

三角洲体系工程的最后一个项目，是位于胡克范荷兰镇（Hoek van Holland）近欧洲门户新水路防海潮大坝，于1997年5月10日宣布竣工。这一大坝上装有两扇巨型铰链大门。在正常情况下闸门保持开启状态，以保证往来船舶畅通无阻，但潮水一旦高于正常海平面3m、风暴巨涛奔涌而来时，闸门就会自动关闭。这样就能封住360m宽的水道，以保护鹿特丹及其附近百万人民免遭洪患。至此，三角洲计划的系列工程历时44年宣布全部结束。

（三）三角洲计划大河工程

莱茵河与其支流瓦尔河（Waal）与艾瑟尔河（Ijssel)、马斯河以及斯海尔德河一起，承担着很大部分来自瑞士、德国、法国和比利时的降水经荷兰境内输送入海的任务。如果长时间地大量降雨，或者山上的积雪融化，这些河流的水位就会上升。有时候可能导致漫溢泛洪，危及民众安全。1993年和1995年就发生了这种情形，当时马斯河在林堡省（Linburg）漫溢，洪水泛滥，造成众多百姓被迫离开家园。在瓦尔河与马斯河穿过的荷兰中部与东部，1995年2月甚至不得不宣布进入高水位紧急状态。当时不能肯定某处堤坝是否能长期承受高水位的压力。如果堤坝决口，围圩内的水位可能上涨若干米，那么20万以上的人口以及大量的牲畜就必须疏散。该事件发生后，国家和省级政府以及各水域管辖区很快就开始联合实施三角洲计划大河工程，全力以赴加速现存堤坝的加固，并开始在林堡省修建堤防工程。此外，还要拓宽和挖深马斯河。为了加速工程的进展，1995年3月国会为此专门通过一项特殊法案，允许跳过一些审批程序，以保证工程可以尽快上马。尽管工程的速度非常关键，但同时还要最大程度地保护生态环境、风景区和历史文物，不得以牺牲它们为代价。从最现代的“三角洲计划大河工程”可以看出，已与过去时代的那种与大自然抗争的惊天动地的行动计划不同，转化为力求与大自然相协调、更倾向于生态环境保护、政策与谋划更细腻、更科学、更综合的系统工程，因而其工程的计划与实施也就具有更重要的参考价值。这里试从五个方面探讨这一大河工程的内容和特点。

1. 防洪工程

在由欧洲大陆流向荷兰的三条大河中，莱茵河是最长的一条。它发源于瑞士，流域面积18.5万km^2，其中2.5万km^2在荷兰境内，来自9个国家的雨水和融雪充盈着莱茵河，在卢比斯河段，多年平均流量达2 300m^3/s。莱茵河进入荷兰后分汊为两条河道，靠南的一条叫瓦尔河(Waal)，绵延向西进入南荷兰省与马斯河交汇。靠北的一条在阿纳姆市又分汊为二，一条继续向西，上段叫下莱茵河（Neder—Rijn），下段叫莱克河（Lek），均汇入北海；另一条转向北流，叫艾瑟尔河（Ijssel），进入西北的艾瑟尔湖（须德海）。

另两条大河马斯河与斯海尔德河都起源于法国，流经比利时，从南部进入莱茵河三角洲，流入北海。

1993～1995年，马斯河与莱茵河都涨至最高水位。1993年马斯河排水量创历史最高，达3 120m^3/s，大约有1万人被疏散；1995年莱茵河的卢比斯河段流量接近12 000m^3/s，是有记载以来的第二高水位，约有20万人从河流附近疏散。这两次洪灾的主要原因是该流域段1993～1994年、1994～1995年冬季暖湿气候的影响，北海上空的低气压导致两河流域形成极度暴雨天气。但据历史记录显示，这样的洪水并非罕见，同样的洪水在公元1824～1825年、1844～1845年、1918～1919年、1925～1926年、1982～1983年也发生过。过去的年代曾进行了大规模的堤坝、挡水堰、泄洪闸建设，调整和稳定流路等工程，但在现代仍有时要发生严重的洪灾威胁。这引起了人们更缜密的思考，并谋划从更长远、更综合的视角来处理防洪问题。

首先在法制与政策上，荷兰政府在面临洪水时采取积极措施，制定了《三角洲防御法案》，以迎战罕见的大洪水。该法案规定，要在1997年1月前加固约长160km的堤防，剩余的160km的加固工程接续完成。同时倡导工程互补的指导思想，如加固堤防需要大量土方，而各种自然开发工程又会产生大量的冗余土方无处堆放，为此要促使围堤工程与自然开发形成互补态势；为有利于行洪还应给大河留出更多的空间，包括拓宽主河道、降低滩面高程、清除行洪障碍等。新一轮的大规模堤防加固行动又引发了新的自然开发课题，促使政府制定新的资金投入政策。1998年初，欧盟提出了新开发补助制度，对调动各方积极性、加速工程进度、实现科学的土地开发产生了积极的作用。

其次要根据各地区可承受风险的差异确定不同的防洪标准。如在低洼地和人口密集的城市地区，洪水出现概率必须达到万年一遇；土地利用效益较低的沿河地区的安全标准应按平均1 250年一遇来设定。

三是重视运用政府机制与现代技术。对于体现最高水位的设计水力载荷（DHL），DHL值由运输部门、公共事业和水管理部门每5年估算一次，这是堤防加高加固和料物储备等信息的来源，一些机构如公共事业总理事会和水治理委员会负有法定的防洪义务。在荷兰的治水工程中，德尔弗特水利实验室发挥着重要作用，它以对水方案高超的设计能力享誉全世界。

德尔弗特水利实验室的物理模型实验室

对于莱茵河排水能力的设计，水管理部门提出的要求是应超过1 250年一遇的防洪标准（见图1−13）。但遗憾的是，卢比斯河段排水量测量数据仅能追溯到不足100年，在设计排水量发生频率为1 250年一遇的条件下，这些数据是远远不够的。为解决这一问题，一种被叫做随机降水发生器的特殊计算机模型正在荷兰皇家气象研究院（KNMI）进行开发。这种模型能够模拟莱茵河流域几千年的降雨情况，使之获得比实测资料涵盖更长时间的相关数据。该模型还能模拟与降水过程相关的最大排水量，为此，该机构正在建立大容量的数据库，从而为洪水的各种自然发生过程提供信息。在各种数据计算的基础上建立的洪水预警系统已经运行，一般情况下，水流信息和洪水警报通过当地广播、电视向全社会发布。

四是重视国际多边协调的重要作用。防洪的首创精神不仅仅局限于河流下游，流域各国均应参与其中。目前的国际行动计划已经启动，该计划旨在使莱茵河与马斯河流域高洪水位引起的损失最小化。在这一计划指导下，高水位的洪峰会被流域大的滞水区和

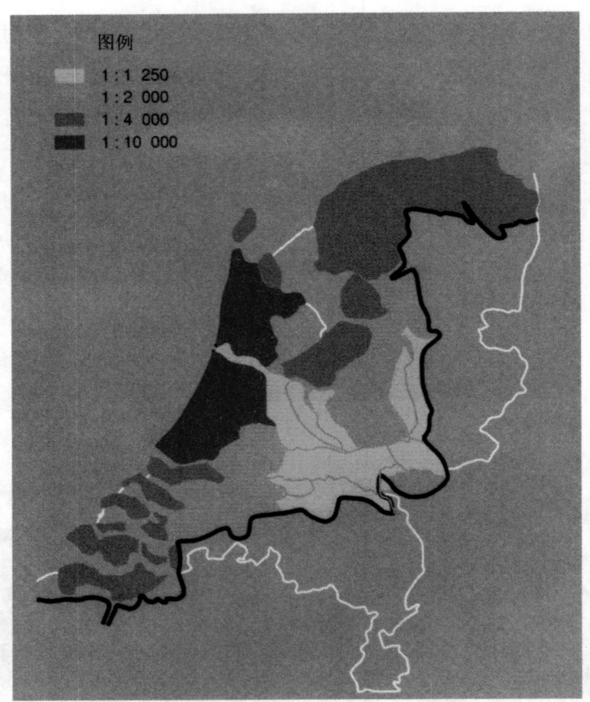

图 1—13　莱茵河三角洲分区防洪标准

河流巨大的泄洪能力所削减。该计划还提出了减少洪灾损失的补偿办法等。同时，由该计划支持的气候变化对洪峰的影响、河流景观规划、土地利用与河流工程研究等科技项目亦正在进行中。

总之，新的大河防洪工程反映了注重科学、注重信息、注重综合措施与多边协调作用的时代特色。

2. 航道整治

航道畅通所带来的巨大经济利益是荷兰实施大规模防洪工程的原动力之一。在未来的年代，荷兰内陆水道每艘船的载量将会有很大的提高，大的集装箱可能成为最普遍的运输方式，为此河流的航道需要改进，以便提高运输的速度、安全性和大型船只的适航性，由此三角洲计划大河工程中的瓦尔河与马斯河现代化改造工程已开始上马。

到 2005 年，荷兰公共事业理事会及水管理部门将投资 3 亿欧元对瓦尔河进行改造，使之成为欧洲最繁忙的内陆航道。瓦尔河工程在河流治理与管理方面都具有高度的创新性，如拓宽弯道的河道底部建设、延伸航道的防波堤封闭工程都是史无前例的创举。其航道的宽深将适应通行两条 6 个载重单元的大型驳船和双箱货船。为此，河槽在低水位时也足以保持 170m 的宽度和 2.8m 的深度。同时，改造的瓦尔河还将提供额外的安全停泊港，这些港口将沿主河道每 30km 设置一个，以避免将航船停泊在繁忙的航道里。政府还打算建设遥感雷达站，以监测和管理瓦尔河的弯道，避免船舶事故的发生。

马斯河航线的现代化改造工程（MOMARO）旨在使其航道适合大型船只的通航，工程涉及到壅高水位、增加航道深度、顺直弯道、整治工程结构等方面的计划，最终目标是使马斯河全线能够通行190m长和11.4m宽的大型船体，该尺寸是双体驳船的典型标准。人们期望2010年完工的马斯河航线现代化改造工程将使该河的航运能力大大增强。

3. 污染治理

由于欧洲工业的高速发展和内河航运量的大规模扩张，河流污染曾是最难处理的课题。如二战后德国经济发展迅速，鲁尔地区的煤矿为其经济恢复提供了动力资源，而工农业生产的供排水都依赖莱茵河，造成河水水质的持续恶化，周边生态环境遭到极度破坏。20世纪70年代是莱茵河污染最严重的时期，离河几公里就能闻到化学污染物散发的浓烈“苯酚”气味。据资料记载，从德国美因河与莱茵河交汇口到科隆的约200km的河段中，河水中氧的含量基本为零，鱼类几乎完全灭绝，莱茵河不再有其美丽的光环，被人称为“欧洲下水道”。随着新时代人们环保意识的提高，莱茵河污染进入长期有效治理阶段。1995年，各国通过莱茵河流域的“污水控制计划”之后，瑞士、法国、德国、卢森堡和荷兰等国成立了国际莱茵河治理委员会，通过了《莱茵河行动纲领》，制定了治理需达到的目标，即近期有害物质排入量减少50%，建立全流域报警系统，严禁向河内倾倒含毒物质，恢复河流原有生物，采取国家投资、企业集资和提高水费等办法，筹集一大批资金，建立城市污水处理中心及各种净化污水的设施。通过委员会及其下属机构的一致努力，拆除了一些影响航运、排水和行洪的非法建筑物，草皮护坡取代了水泥砌筑的护岸，沿岸各国彻底查处并堵塞了污染源，又对排污水进行了净化处理，大力整治了河流的重金属污染问题，使莱茵河的美丽风光和优良生态环境重新展现在人们面前。

4. 生物保护

为在治理河流污染的同时恢复和改善生态环境，莱茵河沿岸各国联合签署了《生态环境保护公约》，从莱茵河整体角度提出了恢复自然植被、洁净河岸、保护堤防等条款。《生态环境保护公约》颁布后，流域生态逐渐好转。莱茵河治理政策的一个鲜明的特征就是从保护自然和与自然和谐相处的角度来规范人们的行为和生活方式。作为对这些政策的响应，学校、自然开发组织、政府机构及各类俱乐部等都有许多志愿者担当林地的保护者，他们从修建的望塔中监视着整片林地，保护着树林中的鸟窝，一些稀有的珍禽和野兽开始出没于林地，给这里带来神秘而无穷的吸引力。通过改造堤坝并建立过鱼通道，确保了鱼类的洄游。大马哈鱼从北海沿莱茵河上溯700km，到达了德国莱茵河的支流——北威州的Sieg河。莱茵河周围的无脊椎动物的种类和密度也都在增加，25%～30%的生物种类从外流域迁徙到莱茵河。人们还进一步认识到，河流生态的恢复应建立在生态系统自我更新的基础上，而不是依靠人类持续不断的干预活动。很多动植物需要有足够的迁移条件，小的、与世隔绝的种类将陷入近亲繁殖或灭绝的危险。但如果一个物种是一个连贯的生态网络的一部分，它们就能够生存下来，人类应让出合理的空间使生态群落实现合理的自然迁徙。这种生态网络的概念在荷兰境内的生态系统中正在得到很好的贯彻。

5. 旅游开发

三角洲计划大河工程还非常重视对河流沿岸自然风光的保护。莱茵河在欧洲版图上占有极其重要的位置，从科布伦茨到阿纳姆之间的200km河段是莱茵河最值得游览的地方，这里两岸峭壁林立，峰回路转，有大片的种植园和零星闪现的古城堡，教堂周围点缀着村庄，还有关于莱茵河的动人传说。美丽的风光和蕴涵着深厚文化底蕴的历史遗迹展示着欧洲的繁荣和文明。秀丽的美因兹城是古罗马人在几千年前种植葡萄的地方，如今这里每年的7～8月都将举办隆重的葡萄酒节。一座古老的罗马式教堂矗立在中央火车站附近，典型的建筑风格和布局展示着欧洲人的才能和智慧，还有雄伟壮丽的八角塔建于罗马时代的鼎盛时期，许多遗迹大部分是中世纪遗留的建造物。游船经过几个大沙洲以后，就到了种植大面积葡萄的植物园，在狭长的小路上，有许多小酒屋供应着各种葡萄酒，这里到处可以闻到醉人的酒香。游人稍坐片刻，喝上一杯葡萄酒，可以尽情享受到莱茵河的浪漫情调。为了维护和再造各类自然风光，有价值的措施还包括创建二级河槽、将农业耕地转化为自然栖息地、恢复洪水区的森林、允许河道内堆积沙丘等，这些生态治理措施为莱茵河自然风光增添了无穷的魅力。

三、莱茵河三角洲工程推动区域发展的典型示范意义

莱茵河三角洲处在欧洲大陆向西倾斜的低洼地和多河下梢，海河洪水重叠，多条行水流路或分汊、或串并、或冲决漫溢，造成大环境灾害频发的不稳定局面。但是荷兰人通过几个世纪以来与洪水斗争的艰苦探索，终于在20世纪完成了须德海工程、三角洲计划等人类历史上的治水创举，成为世界大河河口大规模、高效益治理工程的典范。

（一）直接推动了荷兰王国经济社会发展

1. 在西欧快速发展时期创造了“荷兰奇迹”

荷兰本土资源匮乏，国内市场狭小，自然灾害频仍，因此荷兰曾依靠其较发达的航运业致力于向海外扩张。随着殖民地国家的相继独立，荷兰的农业、纺织业渐次萎缩，造船业以及远洋航运有关产业也逐渐迁移到海外低成本国家。进入20世纪后，荷兰人下决心根治河口洪水并对莱茵河三角洲进行综合整治，取得了重大成就，荷兰经济开始进入一个长期增长阶段，人均收入和居民生活条件不断改善，经济结构不断优化，表现在工业以及后来的服务业在国民经济中的比重逐渐增长，农业产值在绝对增长的情况下，在国民经济中的比重相对下降，再加上荷兰政府采取一系列参与国际市场竞争的开放政策，综合国力不断提升，出现了战后荷兰经济的“黄金时代”。20世纪五六十年代是整个西欧的快速发展期，西欧国家与美国的劳动生产率差距大大缩小，而这一时期荷兰的经济增长速度一直处于西欧国家前列，从1951年到1963年GDP年增长达到4.4%。须德海工程在五六十年代相继获得了大量土地，政府对向新浮地移民给予了高额津贴，在浮地建立的新农场规模都比较大，多数可达到12～18hm²，这对推动荷兰农业现代化发挥了巨大作用。从1963年到1973年，荷兰GDP增长上升到5.5%，这一速度被称为“荷兰奇迹”。

2. 有力地促进了港口建设和航运业的发展

过去，鹿特丹港靠自然河道入海，由于三角洲河床不稳，经常改道，使鹿特丹港至北海口约30km的直线航距最长迂回达150多公里，甚至还出现过出海通道淤塞、中断航运的情况。公元1866～1872年，荷兰花费6年时间凿穿海岸沙丘，建成从鹿特丹到荷兰角全长33km、深15m的人工新航道，1885年再度加深，由此一劳永逸，新航道使鹿特丹港获得了北海众多海港中的特殊地位，莱茵河沿岸水运物资的3/4都是经鹿特丹港实现河海转接，被称为“欧洲门户”，将欧洲内陆和沿莱茵河经济区，特别是位于其上游的德国鲁尔重工业区，牢牢锁定为自己的经济腹地，鹿特丹港发展为世界第

一大港[1]。

鹿特丹港鸟瞰

3. 造就了新的国土整治模式——荷兰城市圈

荷兰西部海岸的大规模整治和莱茵河流路稳定工程使荒凉的西部洼地成长为现代化的城市圈。

城市圈——Randstadt，在荷兰是一个特定概念，“Rand”意为边缘，是指荷兰四大城市阿姆斯特丹、鹿特丹、海牙和乌德勒支在西海岸的边缘地带圈成的东西最长70km、南北最宽60km，面积约3 800km^{2}的一个区域，这个区域包括近90个中小城市和乡镇。因四大中心城市位于这个周长约170km的圈型区域外边缘，各环抱着宽20～40km不等的“绿心”，即集约化经营的郊区农作带和绿化带，状如开口朝向东南的马蹄铁而得城市圈之名。城市圈系荷兰经济之精华，位于荷兰西部，包括南北荷兰和乌德勒支三省，荷兰GDP和财政收入的60%出于此区，除了四大中心城市外，还有沿海钢铁城艾默伊登、古老的大学城莱顿、三河河口港多德雷赫特、世界最大的鲜花批发交易市场阿尔斯梅尔镇、海滨度假胜地北韦克，等等。经济结构的情况是，进口原材料和出口制成品这些高附加值和精加工产业、特种商品农业（花卉和蔬菜）是支柱产业，内河航运网为交通干线，对外贸易和第三产业高度发达。荷兰人认为，该区域的生命系于“绿心”，城镇之间、乡镇之间，如果无绿心间隔，城市圈就失去了生机。 这个拥有多层级“绿心”的现代城市圈成为世界上“全国土开发模式”的典范。

（二）拉动莱茵河流域城市产业带的形成

三角洲计划和三角洲计划大河工程促进了莱茵河流域的综合整治，航运业的高速发展繁荣拉动了沿岸国家的经济发展，形成了人口密集的城市产业带。

1. 化工产业带

以世界“欧洲门户”鹿特丹为中心，沿莱茵河河口段绵延50km，形成“莱茵梦地”

[1] 据法国《世界报》2005年1月10日报道：2004年12月30日，管理鹿特丹庞大港口设施的国有企业Havenbedrijf公司领导人不得不承认，鹿特丹港已将世界领先的位置让给了新加坡港和上海港。新加坡港该年的货运量为3.9亿t，上海港为3.8亿t，鹿特丹港为3.54亿t。

(Rheinmunde) 石化产业带，主要生产合成橡胶、人造树脂、化纤原料、塑料、农药、化肥、油漆、颜料，以及日用精细化工产品；在德国，以三大化工巨头——拜耳、巴斯夫和赫希斯特公司为骨干，沿莱茵河干支流形成的沿河化工产业带；以及在瑞士桑多兹公司大本营所在地巴塞尔的化工区，都是重要的国际石化和化工生产基地。

2. 钢铁、冶金和机械等制造业产业带

莱茵河畔，有鲁尔重工业区，号称“欧洲工业心脏”，前西德92个钢铁工厂，60个集中在莱茵河沿岸；欧洲最大的公共交通车辆制造基地曼海姆也在莱茵河边。莱茵河沿岸的工业产值占全德国经济总量的50%左右。

3. 山水旅游产业带

从“德国之角”科布伦茨向西到马克思故居特利尔的摩泽尔河景区带；科布伦茨向南到宾根68km九曲回肠的莱茵峡谷旅游带，加上海涅《落泪岩》(Lorerei) 对凄美传说的艺术渲染，这一带成为品佳酿、探幽古的旅游热线；德国、瑞士和奥地利三国接壤的波澄湖 (Bodensee)，以及与之相连的瑞士沙夫豪森莱茵瀑布，既是莱茵河源的蓄水池和周边地区的饮用水源，更因阿尔卑斯山终年皑皑雪峰影映的538km^{2}的湖面，而成为不可多得的旅游度假胜地。

4. 发达的工业、贸易和航运业促进了金融、保险、信息服务等第三产业的发展

美因河畔的法兰克福是莱茵河支流美因河产业带的中心城市，欧洲金融中心和航空枢纽，欧洲中央银行、德国联邦银行和三大银行总部所在地，世界各主要国家的大银行也都在这里开设分行或办事机构。在荷兰鹿特丹，服务业占就业总数的70%以上。作为国际货物集散中心，鹿特丹还成为国际粮食、棉花、木材、热带水果和矿物油等大宗商品交易中心，国贸大厦商贾云集，仅大型批发公司就超过200个。各种交易需要信息及时准确，鹿特丹据此又成为信息港。阿姆斯特丹成为荷兰的金融交易中心。

从卫星云图看世界，瞬息万变的滚滚风云包围着这个“小小寰球”，海潮、飓风、暴雨、洪水……被看做不可抗拒的自然力量。莱茵河三角洲作为欧洲大陆西部边缘的弹丸之地，却由荷兰人完成了一系列规模宏大、气势雄伟、历史跨度漫长的抵御强大自然力的行动，被世界各国公认为治水工程的典范。荷兰人民勇于奋斗、自强不息的精神已成为地球人的共同财富。密西西比河、莱茵河的河口治理经验，典型地反映了河口稳定决定着三角洲的繁荣、而三角洲的发展又推进大河流域乃至国家民族振兴的普遍规律。

第二章　黄河口稳定与中华民族振兴

据有关史前地质考察资料，在黄河形成之初，现在的华北大平原尚被众多的内陆湖盆和巨大海浸所占据，孕育中的黄河在其上中游实现袭夺连通后，东出晋陕、晋豫大峡谷的谷口即为黄河口，由此展开了漫长的摆动造陆过程。由于黄河的起源与中华大地人类的起源大体上是同步的，因此黄河口的摆动造陆一面不断为华夏民族的先民们提供生存与发展之地，一面又给他们带来铺天盖地的洪水灾难，因而华夏民族的形成是与黄河带来的大恩泽和大劫难相融合的。兴许，正是有了人与大自然紧密扭结在一起的历程，才萌生了中国人“天人合一”的元典文化。

第一节　黄河口的自然摆动规律与人类社会的反制行为

在人类因生产力极度低下而完全依赖于大自然的时期，黄河口及其入海流路不断复演着一条“自然摆动规律”。而当人类稍有力量与自然抗争时，就开始了改变这一规律发生的边界条件的行动，以至有了“堕高堙庳”、“疏川导滞”、修建堤防等治河工程。如果说，黄河摆动是一条自然规律的话，那么人类一再不许黄河摆动也应当是一条社会规律。这一积极行动有力地起到了延缓摆动发生的客观效果，其努力方向就是使黄河流路由短暂稳定向长期稳定转变，从而为人的发展与民族振兴提供广阔的安全空间。

一、黄河作为一条统一大河的形成时期，完全处于自然摆动状态，它在持续填充内陆湖盆的同时，绕泰山南北分别注入黄海和渤海，逐渐塑造出莽莽华北大平原

在极其漫长的地质时代中，河流是一个短暂的自然现象。无数古河道、古三角洲和古沼泽被沉埋在地层深处或抬升于高山之巅。据地质学家推论，黄河的胚胎孕育期发生在晚早更新世（距今150万年至115万年），诞生成长期在中更新世（距今115万年至10万年），而黄河形成现在形式的统一大河仅有1万年左右的历史。

在第三纪和第四纪的早更新世，华北—塔里木古陆块上有许多古湖盆，河流以其为归宿。到第四纪，随着西部高原的上升，整个大陆由西向东的地势高差日趋扩大，形成明显的高、中、低三级阶梯地形。西部地区气候变得干燥寒冷，湖泊逐渐淤积萎缩，河流开始溯源侵蚀而连通。

晚早更新世古黄河尚未全部串通。上游段由扎陵湖、鄂陵湖一带向东流入古若尔盖湖，中游段由河曲向南穿过一系列小型湖泊，流入古汾渭湖盆，但由于山岭阻挡，未与华北平原中古湖沟通。当时每个湖盆都成为当地河系的发育中心，逐步孕育着内陆湖盆

河系，其中有的河流渐渐扩展成为大河的前身，因此这个阶段是大河胚胎发育期。在长达105万年的中更新世，是黄河发育史上一个极为重要的历史阶段，即由若干独立的古湖盆水系逐步发展成一条统一的古黄河的过渡时期，可以称为黄河诞生成长期(见图2–1)。距今10万年至1万年间的晚更新世，系大河流域内古水文网发育的历史性转折期。古河流仍继续不断地溯源侵蚀，终于全线拉通，形成一条贯通入海的大河。距今10 000年至3 000年的早、中全新世，是古黄河水系大发展的年代。河水上下游贯通，独立的古湖盆干涸，沼泽盐碱地消失，在肥沃的湖积平原上，植物茂盛，动物繁衍，特别是人类的活动使黄河流域充满生机。

根据古地理学家们的研究，当黄河切穿山岭，贯通湖盆，全河开始倾注平原时，由于无法穿越前面的山东丘陵，只能在其两侧绕行。山东丘陵是最早升出水面的古陆的一部分。丘陵南北两侧平原汇合于西、大海包围于东的这种形势，更衬托出此处群山之巍峨。

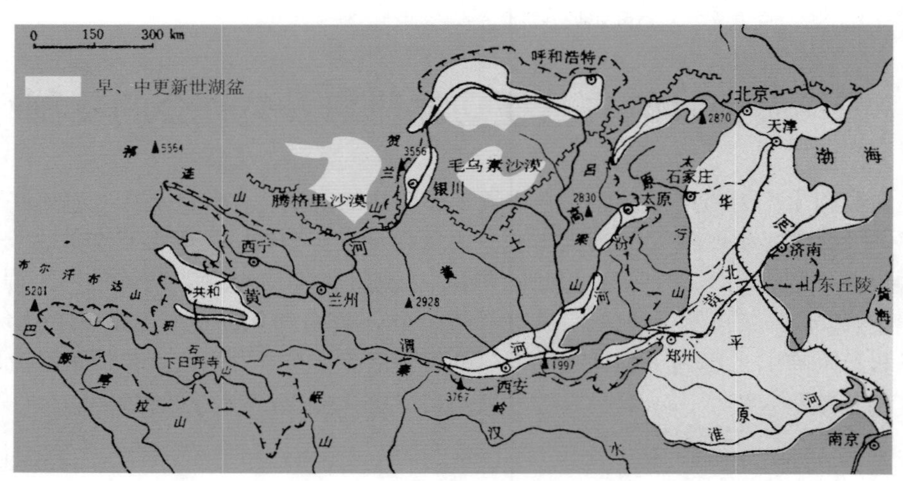

图 2–1　黄河流域早、中更新世湖盆及近代水系分布略图（据戴英生图件改绘）

出现这种形势，是因为山东丘陵上升的时候，旁边的平原却在下沉，这种沉降曾使海水淹没到太行山麓，太行山与嵩山之间，成为当时陆上的一条巨大洪流即黄河前身的入海口；它和太行山东侧其他众多入海的洪流带来大量泥沙淤积，于是才有了今天的华北大平原，山东丘陵也不再孤悬海外了。宋代的沈括对此已有认识，在《梦溪笔谈》中作了很有科学意义的记述："予奉使河北，遵太行而北，山崖之间，往往衔螺蚌壳及石子如鸟卵者，横亘石壁如带。此皆昔之海滨，今东距海已近千里。所谓大陆者，皆浊泥所湮耳。尧殛鲧于羽山，旧说在东海中，今乃在平陆。凡大河、漳水、滹沱、涿水、桑乾之类，悉是浊流。今关、陕以西，水行地中，不减百余尺，其泥岁东流，皆为大陆之土，此理必然。"沈括看出了河流带去泥沙填海为陆这种外力地质作用的存在，但他尚未认识到，如果不是还存在引起地面升降的内力地质作用，也不可能有今天的华北平原。

可以说，是大自然造就了黄河，黄河又在自然摆动规律的支配下与内力地质作用一起造就了古代黄河三角洲，也就是现在的华北大平原（见图2–2）。

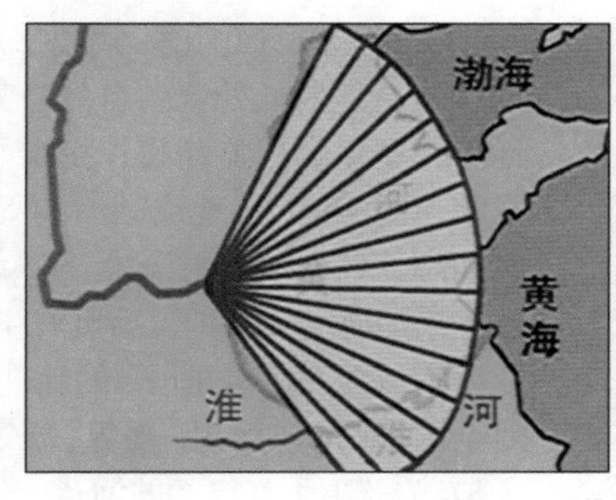

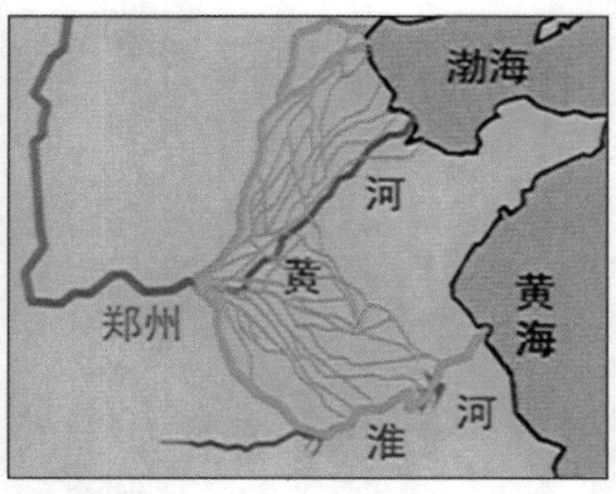

图 2–2　黄河流路摆动图

（以晋豫大峡谷为河口的黄河流路摆动造就了华北大平原）

二、大禹治河第一次在人的力量影响下淤淀出河北一带的广阔三角洲，是中华民族治理黄河的成功壮举，取得了我国历史上最长时期的基本安流局面

（一）大禹之前的共工和鲧治水

黄河下游的洪水，在远古传说中占有重要地位。蒙昧时期，人们一般只能进行采集和渔猎活动，以维持自己的生活。这种游荡的生活，毫无牵挂，洪水一来，“择丘陵而处之”（《淮南子 · 齐俗训》）。到了传说中的神农时代，黄河流域氏族部落已进入以农业为主的综合经济阶段，开始过定居的生活。据考古发掘：在豫北洹水沿岸 7km 的地段内，就有 19 处村落遗址。那时，人们临水而居，平原土质肥沃，有利于农业生产，但也经常受到洪水的危害。为了保护人民生命财产的安全，就必须同洪水作斗争。共工堙水、鲧障洪水就是两次重要的治水行动。

相传共工是炎帝（神农氏）的后裔，主要从事农业生产。但是，共地正处在孟津以下的开阔河段上，一到洪水季节，河水汹涌泛滥。这就赋予这个氏族以光荣的治水任务。传说共工的治水方法是“壅防百川，堕高堙庳”（《国语 · 周语下》），可能是把高处的泥土、石块搬下来，在离河一定距离的低处，修一些简单的土石堤来抵挡洪水的侵犯。共工治水颇有成效，深受群众爱戴，成了治水的世家，其后代还帮助过大禹治水。

稍后于共工的治水人物是鲧。传说在帝尧时期，黄河流域“汤汤洪水方割，荡荡怀山襄陵，浩浩滔天，下民其咨”（《尚书 · 尧典》）。“洪水横流，泛滥于天下”（《孟子 · 滕文公上》）。鲧的治水方法，还是沿用共工的老办法，所谓“鲧障洪水”（《国语 · 鲁语上》），“鲧作三仞之城”（《淮南子 · 原道训》），大概就是用堤埂把居住区和田地保护起来。据《尚书 · 尧典》记载：鲧治水“九载绩用弗成”。也就是说，他治水多年没有成功。鲧失败的原因，史书没有记载，推想当时部落已逐渐扩大，生产规模也有所发展，受灾面积可能更大，因此再用“障洪水”的老办法，显然难以普遍保护居民的安全和生产。鲧治水失败，尧殛鲧于羽山。

（二）禹用疏导法在河北一带淤成了广阔的三角洲平原

舜继尧位后，又任用鲧的儿子禹（见图 2–3）主持治水工作。

禹的治水方法，是在共工与鲧治水的基础上实行改革而发展形成的，即所谓“高高下

图 2–3　大禹塑像

下，疏川导滞”（《国语 · 周语下》）：利用水从高处向低处流的自然趋势，顺地形把壅塞的川流疏通，把洪水引入已疏通的河道、洼地或湖泊，然后“合通四海”（《国语 · 周语》）。

战国时期成书的《禹贡》，以大禹故事为依托，按“九州”的地理区域，对全国的山脉、河川、疆界、贡赋等作了描述。《禹贡》记述的河道，传统的旧说法认为是大禹时的河道[1]，禹的活动主要是在黄河流域一带。书中记载禹“导河积石，至于龙门（禹门口），南至于华阴，东至于砥柱，又东至于孟津。东过洛汭，至于大伾，北过降水，至于大陆，又北播为九河，同为逆河，入于海”。也就是自积石山导河，曲折到山西、陕西的龙门，南到华山的北面，再向东便到了三门峡砥柱山、孟津及洛水入河处，然后经河南浚县东南大伾山[2]；东北汇合降水（即今漳水），向北流入河北的古大陆泽，就此开始分为“九河”[3]。因海口段受到海潮顶托倒灌，便河海不分，共同归入渤海。这条河道的下游记得不太具体，大概是由今天的滏阳河道、子牙河道至天津附近入海的，也就是后世所说的“禹河故道”。从以上的论述看，大禹治河的主要措施就是让水和泥沙都有出路，出路就是古时的渤海湾即今天的河北平原。这方面可取历史地理学者复旦大学谭其骧教授绘制的《原始社会遗址图》（见图2–4）作为论据，说明在大禹治河前，现河北平原一带尚无人居住，禹治河后始将这片海湾淤成宜农宜牧的地区，这与《尚书》记载不谋而合。《尚书》（公元前475年）云“帝曰俞！地平天成，六府三事允治，万世永时功”。用现代语解释，“帝”，即舜；“俞”指“好得很”；“地平天成”是指黄河泥沙淤垫大片土地；“六府三事允治”是指黄河已不是横流泛滥于天下，社会经济伦理都得以顺利发展，说明大禹治水促进了国家机器的形成。因为在治水过程中所形成的号召和制约各民族各部落的领导机构，应当是奴隶制国家的前身。“万世永时功”是指长期受益。历史学家用“地平天成”歌颂大禹治河的功绩，是有根据的，是恰当的，比水利界一般把“疏导”作为禹之神功，更能说明实质性的问题。禹从利用黄河泥沙入手治理黄河，仅仅这一点就值得后人效法。

[1]《禹贡》成书的时代，有人主张春秋，有人主张战国。《禹贡》里记述的河道，有人认为是战国的河道，并不是大禹时的河道。这里仍按传统说法。

[2]大伾山，一说在成皋。成皋即今荥阳西汜水镇。

[3]九河，并不一定是九条河，而是多支分流入海之意。

禹门口（朱宝林　供）

（禹门口即龙门，是晋陕峡谷最南端的标志性峡口。传说大禹治水时用巨斧劈山而成。李白诗云："黄河西来决昆仑，咆哮万里触龙门。"）

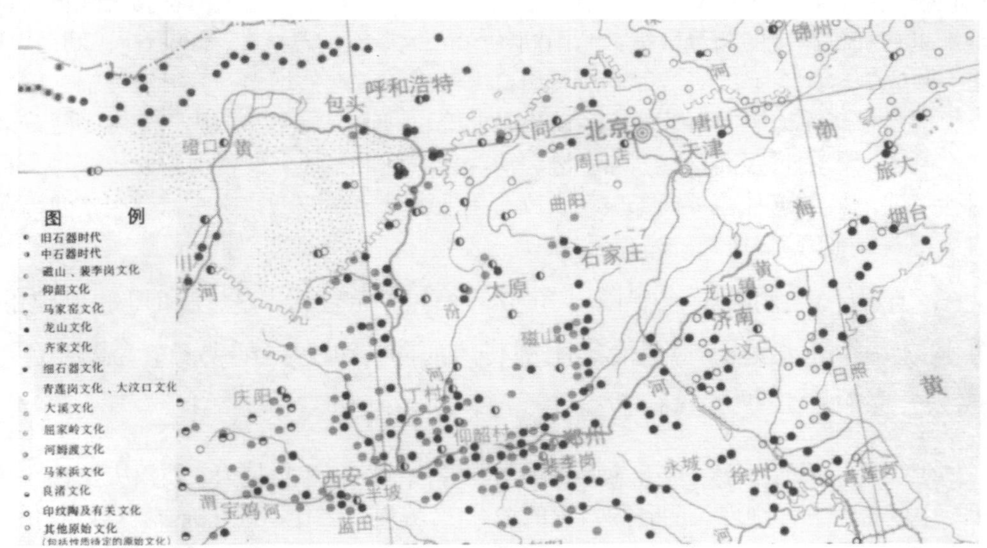

图 2–4　原始社会遗址图

（三）禹王河道成为有史记载以来行河时间最长的流路

中国古籍对禹之后的河事记载很少。这说明禹河出现了长期的基本安流局面。

当然，说禹河基本安流并不等于无水灾。特别是禹河与其后的河道相比，最重要的差异是河无堤防而水行地中，这样当黄河冲出晋豫峡谷形成巨大落差时，河水泛滥溢出河槽是时有发生的。虽然有商一代至今未见有直接的河事记录，但从河南安阳小屯殷墟出土的甲骨文，就有“災”（灾的繁体字）、“昔”字样。“災”甲骨文为“[illegible]”、“[illegible]”或“[illegible]”。前者好似河道中壅，致使河水漫溢，后者颇像洪水泛滥。“昔”，甲骨文为“[illegible]”，有人理解为人们对于往日洪水的回忆。商代帝都迁徙是较频繁的。汤建立商朝前就曾几次迁居，汤至盘庚又迁都几次，故有“商都八迁”之说。其原因比较复杂，当与黄河水患不无关系。只是由于禹河是一条地下河，想必每次洪水漫溢之后，仍能落归正槽，持续行水。

西周时期的河事记载也很少。春秋时期河事的记载逐渐增多起来。重要的一次就是周定王五年的黄河大改道。据《汉书·沟洫志》载：“大司空掾王横言……禹之行河水，本随西山下东北去。《周谱》云，‘定王五年河徙’，则今所行非禹之所穿也。”其中《周谱》中的记载应是周定王五年河徙的最早资料，古人多以此次河徙为黄河第一次大改道。根据“夏商周断代工程”依盘庚迁殷之年向上古的推定，夏代始年约为公元前2070年，大禹治河当在夏之前，若以公元前2070年为禹河行水的大体上限，至第一次大改道的公元前602年（周定王五年），则禹河流路行水时间约为1 370年。

禹河行水何以如此之久？可能与当时的诸多条件有关。由于大禹在治河的13年中对河所经行的山隘、陆地、水泽等做了大量考察工作，终将黄河引向了一条最佳路线。据现代地质学家考证，禹河沿程穿越的大湖泊众多，面积在1 000～1 500km^{2}的大湖就有5个，如沁阳、大名、肥乡、宁晋及任丘等古湖，这些古湖不仅可滞洪调节水量，而且可大量拦蓄泥沙，在禹河的发育过程中充分发挥了调节作用。根据禹河各湖区晚更新世至晚全新世初沉积厚度的测量数据：沁阳湖约50m；大名、肥乡、宁晋湖60～70m；任丘湖80～90m，这说明了禹河沿程泥沙淤积自上游至下游迭次增多，表征河流输沙能力甚强。原因是：禹河为顺向河，地壳运动南升北降，河道上宽下窄，比降上陡下缓，诸多因素有利于泥沙的远距离输移，加上渤海湾深入今河北平原，使得河道长度最短。且上古时代黄河流域的森林植被尚未破坏、黄河泥沙含量相对较低，这些综合因素使禹河成为有史记载以来行河时间最长的流路。

三、在历代反制黄河水患的斗争中，产生了无数极其悲壮和可歌可泣的治水事迹，每个正常运行的统治集团都将“河防”列为当朝要务，“患则治”终于成为一条社会发展的铁律

到了战国，黄河下游河道开始修建堤防并较快地达到相当规模。西汉人贾让在《治河策》中就曾十分详细地说明各国筑堤的情况：“盖堤防之作，近起战国，壅防百川，各以自利。齐与赵、魏，以河为境，赵、魏濒山，齐地卑下，作堤去河二十五里。河水东抵齐堤，则西泛赵、魏。赵、魏亦为堤，去河二十五里。虽非其正，水尚有所游荡……”（《汉书·沟恤志》）这就是说，齐国因地势低，首先修起了堤防，洪水由西向东被齐堤挡住，就要西泛赵、魏。赵、魏见洪水来了，于是也接着修堤。双方各去河25里，加起来堤距就有50里。当时大河就在这个宽广的河床内自由游荡。

黄河堤防的出现，有效减轻了洪水泛滥横流的灾害，是对河流自然摆动的制约，

是我国治河史上的一大进步。但筑堤亦有危害，黄河长期在堤间行水，河床、河滩不断淤高，逐渐成为“地上悬河”，一旦冲毁堤防，则堵复困难。甚至形成迁徙改道。且有堤则必须修缮防守，为此需常设“岁费”，增加经济负担。而一遇河水陡涨，仍不免形成溃决。因而更需严事防守，故河防问题一直为历代最高统治集团所倚重（见图2-5）。战国时沿岸各国因惧被敌方浸淹，对河防重视自不待言，而秦以后的各代政权，为维系其统治的安定环境或取得有利形势，在其健康发展时期均将河事列为国家之要务，于是与河事相关的漕运、灌溉等水利事业亦渐次勃兴。尤其是黄河的跌宕丰枯始终与中华民族的历史相伴，为与黄河暴虐狡黠的一面作严酷的斗争，中华大地人才辈出、可歌可泣，各种治河方略与技术也在不断发展与创新。如果说“自然摆动”是黄河的一条“规律”的话，那么历代治黄大家潜心倾注的就是改变这一规律发生的边界条件，或畅其流、或杀其势、或束其水、或挑其溜、或强其堤、或浚其沙，终使每一局险棋绝处逢生、转危为安而获得新出路。“鸟去鸟来山色里，人歌人哭水声中”，在无情的“自然规律”威胁面前，尚幸有为生存而搏击的“社会规律”在。

图2-5　御坝碑

（取自左慧元《黄河金石录》）

（清代立石，雍正二年，当时的最高统治者胤祯颁旨修建黄河南岸秦厂大坝的挑溜坝，故称御坝。）

第二节　历代治黄方略是中华民族发展史上的辉煌篇章

黄河是中华民族的摇篮，在历史上一个相当长的时期内，黄河流域曾是我国的政治、经济、文化中心。但黄河又是世界上含沙量最高的大河，向以“善淤、善决、善徙”著称于世。为了抵御黄河决溢摆动造成的重大灾害，伟大的中国人民作了不屈不挠的斗争，历代形成的治黄方略成为中华民族发展史上的辉煌篇章，其中在治黄实践或理论建树上成就卓著者堪称民族英雄。按照黄河行水的不同历史时期和地域范围，这些治河方略可纳入三个大的历史阶段。

一、从大约公元前21世纪至公元1127年，即从大禹治水到南宋杜充为阻止金兵南下而决河，黄河变迁范围基本上在现行河道以北，其治河的代表人物主要是大禹和王景

（一）大禹治水——“疏川导滞”、“地平天成”

大禹治水方略可概括为“疏川导滞”。传说大禹的父亲鲧治水是师承共工“壅防百川、堕高堙庳”的旧法，用“障”来防洪水，即完全靠修筑堤堰抑制洪水，终于失败。大禹

治水接受了这一教训，采取了“疏”与“导”的方法，“因水以为师”，即向水学习，探求水的客观规律，并由此逐渐认识山川、沟壑、丘陵的状况，了解水之所自和水之所归，选择流势顺畅的河道，去其障碍，增多泄水出路，导河入海。在长期与滔滔洪水的斗争中，他“身执耒锸，以为民先”，“三过家门而不入”，终于“地平天成”，取得了成功。洪水平定以后，人们“降丘宅土”，从丘陵高地迁到平原上居住、生产，出现了一个“千年无河患”的长期安流和稳定发展时期。

（二）王景治河——“十里立一水门，令更相洄注”

公元前602年，黄河从“禹王故道”改由河北沧县入海；公元11年，河决魏郡（今河南南乐一带），进漯川故道，经今山东临邑、惠民，于利津县一带入海。由于魏郡决口后，黄河处于漫流状态，南侵汴渠，兖、豫一带受灾严重，且为疏通汴渠水运，必须引水北归。公元69年（汉明帝永平十二年），王景受命治河。当时“发卒数十万”，“筑堤自荥阳东至千乘海口千余里”。王景度地势，凿山阜，破砥碛，防遏冲要，疏决壅积，“十里立一水门，令更相洄注，无复溃漏之患”，即每隔十里设置一个进出水的口门，黄河浑水由上口门入，清水由下口门出，大部分泥沙落淤在黄河两岸的滩地上，用以造地固堤，清水再回到原河槽中，发挥冲刷定槽的作用。王景治河功勋卓著，使这一河道历经千载，越魏、晋、隋、唐无大改道，至唐末始在下段发生局部溃决。黄河的稳定造就了隋唐的盛世局面，中国封建社会进入发达繁荣的顶峰。

（三）欧阳修的治河观点——“疏其下流，浚以入海”

宋是黄河溃决泛滥极为频繁的时代。从赵匡胤建国到北宋中叶的167年间，“黄河北犯漳卫、南侵淮泗”，决、溢、徙竟达165次之多。当时，作为北宋重臣的欧阳修，不能不对导致大河溃决的原因有所探究。他说：“且河本泥沙，无不淤之理，淤常先下流，下流淤高，水行渐壅，乃决上流之低处，此势之常也。”他所说的“下流”是起自海口的，意为“自海口先淤”，下段淤淀之后，上段“相次又淤”，因此提出了“因水所在，增治堤防，疏其下流，则无可决溢”的治河方略。这一方略指明了河水淤淀溃决的原因和治理方法，提出了实施疏浚下游河道的工程设想，对今天治河方略的确定仍具有重要的参考价值。但由于当时的统治集团违背“水就下”的自然规律，倾力于将黄河挽回于故道，加之技术水平所限，终使治河工程失败。且由于宋代民族矛盾尖锐，统治者时以黄河为战争攻守之具，名为治河，实为败河。至公元1128年（南宋建炎二年），东京留守杜充为阻止金兵南下而决河，终于使大河南徙徐淮入海。

二、从公元1128年至1855年，即从南宋建炎二年到清咸丰五年，黄河变迁的范围基本在现行河道以南，是“治河兼治运”的历史时期，其治河的代表人物有贾鲁、潘季驯、靳辅、陈潢、魏源等

（一）贾鲁治河三法——疏、浚、塞

公元1344年（元顺帝至正四年）5月，大雨20多天，河水暴涨，北决山东曹州西南的白茅堤，7年未能堵塞，造成严重灾害，同时破坏了漕运通道。朝廷任命贾鲁为总治河防使，于是贾便制订了“疏塞并举，挽河使东行，以复故道”的方案，提出治河三法：

“酾河之流，因而导之，谓之疏。去河之淤，因而深之，谓之浚。抑河之暴，因而扼之，谓之塞。”当时白茅决口，“南北广四百余步，中流深三丈余”，且时值秋涨，形势极其险恶，贾鲁“沉大船一百二十艘”，并综合实施压埽、挑溜等治河技术，终于在盛涨季节战胜洪水，使大河回归故道，表现了贾鲁在善于掌握自然形势的情况下，发挥各方面的能动性所起的巨大作用。为了纪念他的功绩，后人把这段汴河称为贾鲁故道。有一首诗评论说：“贾鲁治黄河，恩多怨亦多，百年千载后，恩在怨消磨。”

（二）潘季驯治河方略——“坚筑堤防，纳水归于一槽”

潘季驯在明朝中期的27年间，先后4次担任总理河道之职。当时为保障漕运畅通，维系王朝命脉，必须在治理黄淮的同时，兼治运河，这就形成了一套独特的治河方式。公元1577年（明万历五年），河决桃源崔镇，黄水北流；而淮决高家堰，全淮南徙。当时由于地区、派系和思想不同，意见尤为分歧。潘季驯到职后，“相度地形”，悉心规划，提出“坚筑堤防，纳水归于一槽”的主张，并创建减水坝以杀水势，次年冬，两河工程完毕。潘季驯认为：“夫水之为性也，专则急，分则缓。而河之为势也，急则通，缓则淤。若能顺其势之所趋而堤以束之，河安得败！”于是他在前人认识的基础上，提出“筑堤束水，以水攻沙”的理论，为治河开辟了一条新路。由于他能够洞悉河流变迁的趋势和规模，从而总结出了正确的治河理论，且能满怀信心地予以实践，因而获得了很大成就，其治河方略基本上为后人所遵循。

（三）靳辅与陈潢治河——“审势以行水，源流并治”

靳辅于公元1677年到1687年（清康熙十六年到二十六年）任河道总督，陈潢以“布衣”为其“幕宾”，成为靳的得力助手。由于历代治水大都在“按经义治水”的旗帜下进行，而靳、陈则明确提出“必当酌今”的主张，这正是他们重视现实并取得进展的精神力量。他说，现在河患并发，应当考虑大势的轻重缓急，“审势以行水，则事半而功倍”。为此，他们十分重视调查研究工作，曾对西北土性、河水浑浊来源地区，都做了考察了解，并提出了“源流并治”的思想，经十年艰苦努力，取得了治河的“小康”局面。这在黄河灾害频繁的年代是卓有成效的。值得一提的是，靳辅已初步认识到河口治理对全河安危的重要作用，他曾“疏请筑长堤二道，障各减坝之水，直达于海”，这是对黄河导流工程的早期设计方案。

三、从公元1855年至1949年，即从咸丰五年到新中国成立前，是黄河改大清河后迅速地由地下河发展成为“地上悬河”并决口改道频繁的年代，历代虽有不少人提出过治黄方案，但均因政治腐朽、国事日败而未能施治

（一）咸丰五年李钧方案

咸丰五年三月，黄河于河南铜瓦厢决口，“穿运注大清河入海”（见图2-6）。黄河初夺溜，大清河身不能容纳，洪水漫溢两岸，加以河身弯曲，处处碰折，处处成灾。当时的河督李钧提出了“顺河筑埝，遇湾切滩，堵截支流”的方案。为了省库银，只劝民顺河拉筑小堤（埝），“水小藉以拦阻，水大听其漫过”，并在河道坐弯处“切除滩嘴以宽河势”，同时筑坝断其支流，使之归于一槽。但由于当时存在着河道“复故”与“北徙”之

图 2–6　铜瓦厢河决示意图

争，这一方案并未认真执行。

早在黄河南行徐淮后期，即有人看出黄河北徙的趋势。乾隆时河决铜山。吏部尚书孙嘉淦鉴于“自顺、康以来河决北岸十之九”，“凡其溃道，皆由大清河入海”，建议“开减坝引水入大清河”。此后裘曰修、钱大昕、孙星衍等均主张北徙。然而，当黄河自夺大清河入海后，却又屡有大臣拘于“治河兼治漕”的成法，或因洪水猝至而失措，不断上书请复徐淮故道，严重贻误了对河道治理的决策。直到光绪年间，才由“东抚”陈士杰草创两岸大堤，但高厚均不足，只作第二道防线使用。

（二）光绪九年（公元 1883 年）游百川方案

时山东数遭河患，侍郎游百川（滨州人）奉命驰勘下游形势，并见黄河“泛滥数百里，漂没数百村”，进一步认识到了河口淤淀的危害，提出了“疏通河道，分减黄河，亟筑缕堤”的治河方案。方案认为，大清河“自黄流灌入，初犹水行地中，今则河身淤垫”，“至海口尤日行淤塞”，应“多用船只，各带铁篦混江龙，上下拖刷”；为畅泄黄河洪水，应于惠民白龙湾分流徒骇河入海，并完善长清至利津的缕堤工程。当时有人提出“徒骇、马颊二引河不可轻开”，经再次组织会勘，“乃定议筑两岸长堤”。堤成后虽屡遭破坏而时有决口，“然皆分溜少夺溜”，黄河归依正道入海（见图 2–7）。

但是，由于未能实施“疏通河道”工程，河口及以上河道的溯源淤积和沿程淤积加重，黄河很快发展成一条“地上悬河”。

（三）光绪二十五年（公元 1899 年）李鸿章、卢法尔方案

光绪二十四年，李鸿章偕河督任道镕、抚臣张汝梅、孙宝琦以及比利时工程师卢法尔等会勘了黄河下游及河口形势。

卢法尔认为：“治河如治病，必先察其原”，因此应先测全河详细地形，绘制成图；调查河流情况，广设水文站，以随时观测流量、沙量的变化。这正是我国长期治河中最缺乏的基本技术资料。在其《勘河报告》的“酌量应办治河事宜”中，卢法尔提出了实施修筑导流堤（海塘）和开挖拦门沙两项目工程的设想。

“黄河尾闾海口高仰，复有拦门沙，致河水入海未畅，应用机器挖土船挑挖之。然先筑海塘，再用机器或可事半功倍，此海塘接长堤入海，则水力益专，能将沙攻入海中深处，为海口必不可少之工程。再用机器于拦门沙处挖深一道，俾水力更激，可以自刷其

图2–7　清末黄河抢险堵口图

余。此项工程，需费颇巨，然各国海口均有之，黄河何独不然？美国西西比海口，奥国大牛白海口，前亦堵塞，今大轮船可以往来，是其明验。法国仙纳海口，前此亦有拦门沙阻碍行船，最为险恶，旋经以大石填海，筑造海塘，高出大湖水面，两塘相距九十丈，塘成之日，海口竟深至二丈，至今船只称便。比国麦司海口，亦曾兴此大工。此外尚有多处，不胜枚举。"

这是外籍工程师将西方近代治河经验介绍到中国的一段重要史料。卢在其报告中一再强调，"其海口必须有机器挖沙，不能恃水自刷"。翌年二月，李鸿章写出《黄河大治办法十条》的奏疏，其中"唯择要加修两岸堤埝、疏通海口尾闾，为救急治标之策"。疏入，"朝议如所请，先发帑百万，交东抚毓贤督修"。毓贤将"十条办法"归纳为"展宽河面，盘筑堤身，疏通尾闾"方案。但因义和团事起，毓贤深陷其中，方案未能付诸实施。

宣统二年，山东巡抚孙宝琦设立河工研究所，开创了建立黄河专门研究机构的先河。翌年又上书提出关于下游及河口治理的四条建议：①将民埝改归官守；②拨款购石修坝；③筑堤导流并酌购外洋挖泥轮机以疏濬尾间；④建立机构培养治河人才。此疏"未及复议"而武昌起义爆发，"遂置不行"。

（四）民国时期李仪祉的治河思想

民国时期，军阀混战、民不聊生，河事日败，黄河时常发生溃决，1933年（民国22年）8月，黄河在陕县发生22 000m^3/s的特大洪水。就在这一年，李仪祉受命主持黄河水利委员会的工作。

李仪祉字宜之，辛亥革命前后在德国留学，并专习水工科目。在近代科学技术指导下，他对以科学方法治河信心甚深，希望一直维持局面使黄河不改道，一面用极大力量去做治本的工作。他"不以王（景）、贾（鲁）、潘（季驯）、靳（辅）之功自限"，而认为"时至今日，科艺猛进，远非昔比"。因之想"用古人之经验，本科学之新识，详审之试验，多数之努力，伟大之机械"，完成现代治河任务。持此抱负，他孜孜不倦地从事调查研究，虽在国民党腐朽统治下未能实现“十年小成，三十年大成”的宏愿，但却开创了近代治河技术与理论的先河，为后人治河打下了坚实的基础。

四、历代治黄方略特别是清代河论均非常重视河口冲淤对于全河安危的重要影响，当代许多著名河流均以根治河口最终实现全河大治

（一）河口冲淤状况对全河安危具有重要影响

清末刘鹗曾经指出：“尾闾不通，胸腹易滞，为害于口门者尚小，为害于全河者甚大矣”。有清一代，这一论点的实证资料颇丰，徐淮及大清河流路的冲淤变化对全河的影响皆有迹可寻。黄淮合流时，高堰大坝是一个巨型水位仪，在上中游水土流失未治的既定条件下，“河口高仰”是河湖水位持续上升和堤坝“隆之于天”的根源；艾山以下山东河段更是一天然模型，改道初期，由于口门通畅，河道输沙效果十分明显，大清河“原宽不过十余丈”，行水20年中“已刷宽半里余”，“奔腾迅疾，水行地中”，但由于海口日形淤塞导致河床抬高，又20年后，“俯视堤外，则形为釜底”，河决则“建瓴而下”，悍势“百倍寻常”，这就是清末诸多大臣不顾国力维艰一再提出购进“外洋挖泥轮机”以疏通尾闾的直接原因。

现代尾闾十年一改道的资料也证明，流路伊始，口门通畅，艾山以下河道呈溯源冲刷趋势；流路晚期，口门淤塞，艾山以下河道呈溯源淤积趋势。具体数据已有专家撰文露布，不再赘述。

（二）清末河口治理已在国家“立项”

目前，河口治理尚未列入国家计划，究其历史原因，有人归之于清代与民国时期国家均不治利津以下河段，新中国成立后沿袭这一成法，使河口未能纳入黄委会的治理范围。此说似为讹传。据史料，清末以民间所筑之埝为民坝，以官方修筑之堤为国坝，所以“埝有漫决，官无处分，直、东两省，定例皆然”。由于埝堤分守易酿成灾害，所以孙宝琦建议埝堤一律“改归官守”，以“明定责成”，可见官、民并未按区段分守。另从治河经费的分配看，以李鸿章上奏“黄河大治办法十条”为例，此方案的全部工程经费共需“银九百三十万三千余两”，仅大培两岸堤身和尾闾筑堤至海两项就列“银八百二十七万九千余两”，加上添置机器浚船“三十万两”，竟占全部工程经费的92.2%，而且这一治河方案很快得到清廷（当时国家的最高权力机构）批准，并“先发帑百万”，交山东巡抚毓贤组织实施，只是由于其他原因，工程才未能进行下去，可见，清代并未将利津以下河段排除在“国家计划”之外。

（三）历届山东巡抚对黄河下游及河口治理均负有重责

由于铜瓦厢决口后山东大清河受全黄之水，故清代承担治黄重任的主要有两人，一为河督，一为山东巡抚。黄行徐淮时，治河机构两岸分设，一为“南督”、一为“东督”，改河后撤销“南督”及其机构，只留“东督”与“东抚”合力治黄。历届“东抚”如丁宝桢、陈士杰、张曜、李秉衡、毓贤、周馥、孙宝琦等均有治河事迹书之史册（见图2−8）。光绪二十六年，又将“东督”之责改归巡抚“兼理”，巡抚职责更重。当时因为黄河的重大水患大多发生在下游及河口一带，因此清代使山东政要较多地承担了

治理重任。

（四）世界许多著名河流均以根治河口最终实现全河大治

由于河口治理不仅涉及到河流本身的规律和要素，还涉及到海流、波浪、潮汐、气象、海岸进蚀及建港条件等更复杂的规律和要素，以及这些要素与河流诸要素之间的互相作用过程，没有现代科技是不能解决其关键问题的。因此，世界许多大河均到20世纪才实现了河口治理的重大突破。卢法尔所举美、奥、法、比等国的河口治理工程，迄今已有百年，在这百年中，治河技术又有重大发展。如美国对密西西比河口的治理，虽开始于公元1875年，但直到20世纪初才实现了河口水道疏浚、分汊口治理与港口建设的重大突破；荷兰治理莱茵河口并建成世界第一大港——鹿特丹港，更是直到20世纪50年代才取得成功。新中国诞生后，人民治黄取得了辉煌成就，但黄河口的综合治理工程和管护经费至今尚未正式纳入国家预算。随着我国现代化建设以及胜利油田与黄河三角洲开发事业的日新月异，以及现代科学技术水平的迅速提高，包括黄河入海流路整治、海岸带国土保护、出海港口建设等在内的黄河口综合治理工程，也应正式列入国家计划，从而加大施治力度，赶上当今时代发展的水平。因此可以说，黄河口大治之日，也即黄河大治和国家民族大治之时！

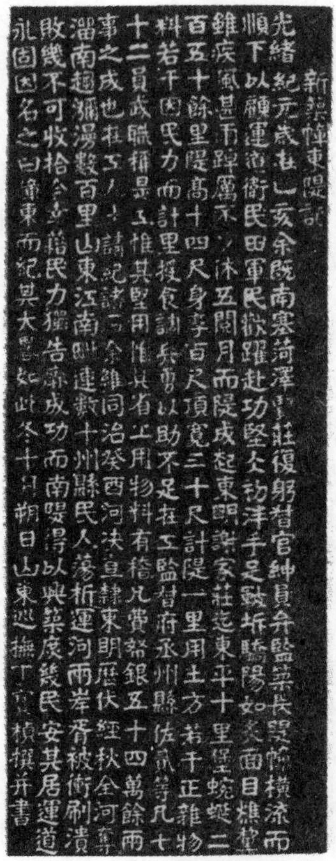

图2–8　丁宝桢障东堤碑

（取自左慧元《黄河金石录》）

（此碑立于清光绪元年(公元1875年)，记述的是山东巡扶丁宝桢创筑障东堤御水之举。）

第三节　黄河两次经由利津流路入海的形势分析

一、有史记载以来黄河计有五次大改道，行河于六条大流路，其中有两次经由利津一带入于渤海

如上节所述，从宏观上看，公元前2000年到现在的4 000年中，黄河下游演变基本上有两个泛流区：一是从禹河到战国、秦汉、唐宋时期的河道，均在河北平原演变，注入渤海，有3 000多年；二是北宋末到1855年铜瓦厢改道，黄河河道均在黄淮平原演变，注入黄海，有700多年。据统计，自公元前602年至1938年的2 540年间，下游共决溢1 590次，改道26次，称做“三年两决口，百年一改道”。这里所说的“大改道”与一般的决口、改道有所不同。一般来说，决口是堤决后又堵合，回归原河道；一般的改道

包括了河决后短期内离开原河道行水，或由原河道分出一支流并行入海，再或局部分出，复归同一河口入海等；大改道则是河道迁徙后，原河道废弃，另走一条较长的流路入海，并逐步形成了固定的新河道。黄河下游河道在历史上究竟有多少次大改道，说法不一。清代有不少学者根据不同历史时期的黄河演变情况提出了不同的见解，胡渭在《禹贡 · 锥指》中指出，黄河自大禹到明代凡五大改道。清末刘鹗在《历代黄河变迁图考》中，绘出黄河6次变迁图。1956年出版的《人民黄河》一书中，提出历史上黄河下游共发生26次改道。1990年科学出版社出版的《黄河下游河流地貌》一书中，又提出黄河下游共有7次大改道。本章所说的五次大改道，基本上以徐福龄先生所著《河防笔谈》一书中的提法为依据（见图2–8）。

第一次大改道。周定王五年（公元前602年），河决浚县宿胥口，东至濮阳一带，下经内黄、清丰、南乐、大名、冠县、馆陶、临清、平原、东光，于沧州入海。公元前651年齐桓公“会诸侯于葵丘（今河南民权县境）”❶，订立盟约时有一条规定是“无曲防”❷，即要求各诸侯之间，禁止修筑以邻为壑的堤防。西汉时贾让认为黄河下游有连贯的堤防始于战国。西汉时为进一步发展生产，沿河两岸农民与水争地，在宽广滩地上层层筑堤，围护园田，堤距逐渐缩窄，堤防有了修守，形成固定河道。此流路行至西汉，河患渐多，自文帝十二年（公元前168年）河决酸枣（今延津县境）以后，决口接连发生。主要决口如武帝元光三年（公元前132年）濮阳瓠子决口，东注巨野，通于淮泗，泛滥了23年才堵复。公元前17年，清河一带河决，久而不塞，使馆陶以下河道泛滥纵横20余年。终于王莽始建国三年（公元11年）河决魏郡（今濮阳市西），改道东流，北渎遂空。计至西汉末，此河道行河613年。

第二次大改道。河决魏郡后，黄河流经今河南南乐、山东朝城、阳谷、聊城、临邑、惠民至利津一带入海，形成第二次大改道，史称东汉河道。因河水不断南侵，常侵夺汴渠行水。汴渠为魏惠王九年（公元前362年）开凿的一条人工运河，南达江淮，为维系中原与江淮交通的骨干水道。汴渠被黄水侵袭，不仅破坏了运道，且田园也被吞没，尤其兖（今河南北部和山东西部一带）、豫（今豫南和皖西北一带）二州水患更为严重。东汉明帝于永平十二年（公元69年）命王景治河，目的主要是使“河汴分流”。王景自河南荥阳至山东千乘（今利津），修筑了千里大堤，使黄水就范并重建汴渠渠首的水门，有计划引水，以利漕运，达到了河汴分流之目的。结束了60年的河水泛滥，固定了新的河道，历经魏、晋、南北朝、隋唐及宋代。唐末及北宋黄河水患记载较多。入宋以后，决溢之患更加频繁，计自建隆元年（公元960年）之后的88年间，黄河决口30多次。其中公元983年曾短暂入淮。如以此年上推，王景治河使黄河基本稳定在利津入海流路乃914年。由于宋代河道决口频繁，终在庆历八年（公元1048年），于濮阳商胡埽改道北流，如以此年上推至公元11年魏郡改道，则古利津流路计行河1 037年（包括几次短暂入淮）。

第三次大改道。黄河从商胡决口北徙，形成第三次大改道。大河从濮阳北经清丰、南乐、大名、馆陶、枣强、衡水、乾宁军由天津附近入海，宋代称为“北流”。宋嘉祐五年

❶司马迁：《史记 · 齐世家》。

❷《孟子 · 告子》。

大河在魏郡第六埽向东分出一道支河经陵县、乐陵到无棣入海，名“二股河”，宋代称为东流。先是北流、东流并行入海，后为防辽的军事需要，曾将北流三次回河“东流”，其中两次失败，终在绍圣元年（公元1094年），尽闭北流，全河之水，均入东流。但不到五年，又在内黄决口，东流断绝，又回北流，数十年回河之争，至此结束（见图2-9）。宋代治河的主导思想是“以河御敌”（主要是北方的契丹族），不能因势利导，兴利除害。到钦宗靖康二年（公元1127年），金军大举南侵，汴京陷落，赵构迁宋都于杭州，是为南宋。建炎二年（公元1128年），开封留守杜充为阻金兵南下，在滑县李固度决河，从此黄河南泛夺淮入黄海。以上北宋河道仅行河81年。

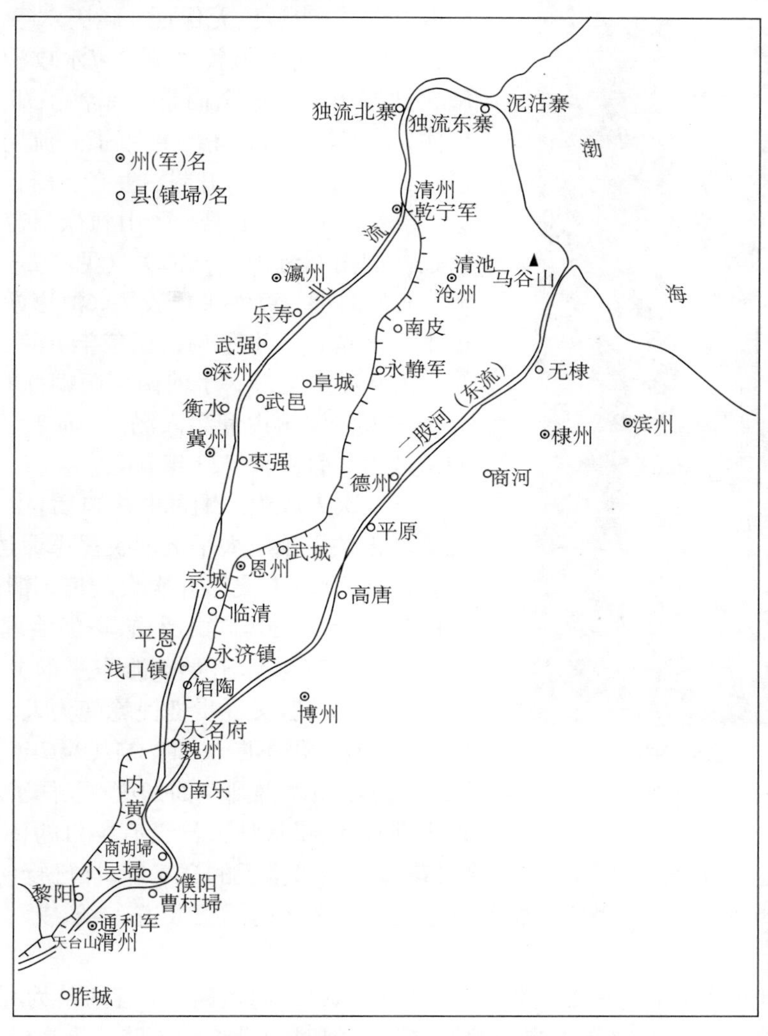

图2-9 宋代二股河及北流范围略图

第四次大改道。杜充决河后，战祸连绵，无暇治河，形成第四次大改道。金人利用大河南行，以宋为壑，数十年来“或决或塞，迁徙无定”（《金史·河渠志》），使黄河形成长期由淮入海的局面。在战乱时期，有不少的人为决河，河患频繁。元至正三年（公

图 2–10　古云梯关碑

（取自左慧元《黄河金石录》）

元 1343 年）曹县白茅决口，泛滥 7 年之久，最后由贾鲁堵合成功，挽河归故。明永乐年间，国都由南京迁到北京后，治河的目的，一是保运，防止北决，以免影响漕运畅通；二是护陵，重点保证泗州、凤阳的明朝祖陵不遭水患。明弘治年间刘大夏治河，为了确保漕运，采取固守北堤，分水南下入淮的方策。结果到明嘉靖三十七年（公元 1558 年），黄河在徐州以上分流达 13 支之多，“河忽东忽西，靡有方向”，漕运已无保证。隆庆六年（公元 1572 年）以后，经万恭及潘季驯“束水攻沙”方略的实施，到万历年间已全面整修完善了郑州以下两岸堤防，使黄河归于一槽，结束了分流局面。这条河道行经郑州、中牟、开封、兰考、商丘、虞城、曹县、单县、丰县、沛县、砀山到徐州合泗入淮，由宿迁、泗阳至涟水下云梯关（见图 2–10）注入黄海。明清时期，黄河决口较多，河道淤积严重，河道下段淤塞，行洪不畅，当咸丰五年（公元 1855 年）洪水盛涨之际，于河南兰阳铜瓦厢险工冲决，夺山东大清河再由利津入渤海，原来老河道，称为明清故道，计行河 723 年。

第五次大改道。铜瓦厢决口后，由于当时封建统治者正忙于镇压太平天国农民革命运动，皇帝下谕，暂行缓堵，形成第五次大改道。铜瓦厢改道初期的 20 余年，任其自由泛滥，不加治理。到光绪三年（公元1877 年），开始创修东平以上至今兰考的南岸大堤，以后又逐步把民埝变为大堤，河道得以固定，但两岸仍不断决口。自 1946 年人民治黄以来，下游堤坝才得到全面加固，取得了利津县四段以上河道 50 年伏秋大汛没有决口的伟大胜利。现行的这条河道自 1855 年行水迄今，除去花园口扒口南泛的 9 年外，计已行河 141 年。

黄河经历以上五次大改道，加上周定王五年之前的禹王故道，共形成六条流路入海（见表 2–1）。

从表 2–1 可以看，自有史记载以来黄河的六条入海流路中，有两条为利津流路。古利津流路（东汉流路）是黄河禹王流路之后行河时间最长的流路。现在的利津流路不仅从河长、比降、径流量变化等自然演变因素看仍有巨大的行河潜力，而且由于人民治黄实施了各个历史时期难于企及的系统治河工程，今后还将在“三条黄河”理论指导下进一步加大科学施治力度，其行河的预期年限将是以上各流路远不能比拟的。

表 2–1　**黄河主要入海流路**

序号	流路名称	行水时间	起点与河口	流经地区
1	禹王故道	约公元前2070～前602年（周定王五年），行河约1 370年	起于积石山（《禹贡》："导河积石，至于龙门"），于天津一带入渤海	"南至于华阴，东至于砥柱，又东至于孟津，东过洛汭，至于大伾。北过降水，至于大陆。又北播为九河，同为逆河，入于海。"（《禹贡》）
2	西汉流路	公元前602～11年（王莽始建国三年），行河613年	起于宿胥口（今淇河、卫河合流处），于沧州一带入渤海	东行漯川（古河道名），经滑台（今河南滑县）、戚城（今河南濮阳西）、元城（今河北大名）、贝丘（今山东清平西南）、成平（今河北交河县南），至章武（今河北沧县东北）入渤海
3	东汉流路（古利津流路）	公元11～1048年（北宋庆历八年），行河1 037年	起于魏郡（今濮阳市西），于利津一带入渤海	流经今河南南乐、山东朝城、阳谷、聊城、临邑、惠民至利津入海
4	北宋流路	公元1048～1128年（南宋建炎二年），行河81年	起于澶州商胡埽、北流至天津、东流至无棣一带入渤海	向北直奔大名，进入卫河，流经今馆陶、景县、东光、南皮，至沧县与漳河汇流，从青县、天津入海
5	明清流路（徐淮流路）	公元1128～1855年（清咸丰五年），行河723年	起于滑县李固度（今浚县、滑县以上），于云梯关（位置在今江苏滨海一带）入黄海	经延津、长垣、东明一带入梁山泊，然后由泗汇淮入海
6	利津流路	公元1855年至今。已行河141年	起于兰阳（今兰考）铜瓦厢，于山东利津铁门关入海	溜分三股：一股由曹县赵王河东注（后淤）；另两股由东明县南北分注，至张秋穿运河后复合为一股，夺大清河入海，以后北股又淤，南股遂成干流

二、历代对王景、潘季驯治河的不同评价，反映了入海流路基础条件的优劣对治河成败具有重大影响作用

在以上六条大流路中，禹王河道由于历史久远，缺少文字与实迹可循，所以后人多有置疑。有人认为周定王五年之前的河道并非禹王河道；也有人对前人引述的《周谱》"定王五年河徙"之说不以为然。但由于上古时黄河上游森林植被未遭破坏，泥沙含量低；河北一带有渤海内浸，故流路短；沿下游平原古湖连缀，地势低庳，容沙量大。综合这些优势禹河行水达千年以上当是可信的。故本文从传统说法，以"定王五年河徙"之前为禹王河道，并约略算出其行水年限。

从西汉流路至今，对河事的历史记载随年代下延而愈详，各流路中由当局施之以重大治理工程且行水年限维系较长者，当推古利津流路与徐淮流路，其治河代表人物是王景与潘季驯，因此古今对其二人治绩多有评价。比较分析这些评价的缘起和依据，对当代入海流路治理有着重要的启示作用。

王景，字仲通，“少学《易》，遂广闚众书，又好天文术数之事，沈深多伎艺。”[1]当时有人向汉明帝推荐王景能理水，明帝乃命营造官王吴与王景共修浚仪渠，工程应用了王景的“墕流法”而获得成功。由于此时黄河决溢南浸汴渠已60余年，严重破坏了汴渠航运，并对兖、豫一带造成长期水患，永平十二年，明帝乃调动军队数十万人，“遣景与王吴修渠筑堤”。此项工程包括两项内容，一是理渠，恢复航运是首要目的；二是治河，解除长期水患威胁。而理渠必先治河，治河必先筑堤以固定河道，所以筑堤“自荥阳东至千乘（利津）海口千余里。景乃度地势，凿山阜，破砥绩，直截沟涧，防遏冲要，疏决壅积，十里立一水门，令更相洄注，无复溃漏之患。”终于使“河、汴分流”，并取得黄河的长期安流局面（见图2−11）。由于王景治河功高垂世，不仅当时已受佳评，且后人更多赞誉。如清代魏源评价王景治河“功成，历晋、唐、五代千年无恙。其功之伟，神禹后所再见者”。民国时李仪祉更赞之曰“千古治河，唯禹景二人！”

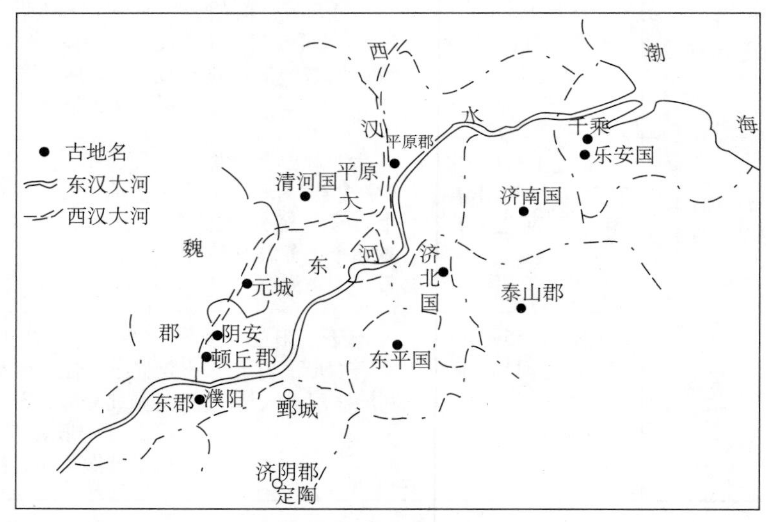

图 2−11 王景治河后黄河流经地区略图

潘季驯，字时良，嘉靖二十九年进士。当时，黄河因得不到正确的治理，流系紊乱，灾情严重。杜充决河南流至明代开国的190年间，又改道7次，而且经常多支分流下注，呈现极其混乱的局面。时议治河的观点亦极纷繁，甚至有人提出“以不治治之”的方针。潘季驯自公元1565年至1592年间，每每受命于危难之际，先后四次出任总理河道，总揽河政达27年，他“亲历河道所经”，勘河势，查河患，在借鉴前人治河经验的基础上，总结自己的治河实践，明确提出了“束水归于一槽”的倡议。他认为“分流诚能杀势，然

[1]范晔：《后汉书 · 循吏列传》。

可行于清水之间，非所行于黄河也。黄河斗水，沙居其六。以四升之水载六升之沙，非极迅溜湍急，则必淤阻。分则势缓，缓则沙停。沙停则河饱，饱则夺河"。因而力排众议，提出了"束水攻沙"的理论，又据此阐明了"坚筑堤防，纳水归于一槽"的主张。清初谷应泰所著《明史纪事本末》对其评价道："时季驯凡四治河，河皆治。"并总结其治河理论："季驯之议，以为河性湍悍善徙者，水慢而沙壅也。法莫若以堤束水，以水攻沙，循河故道，束而湍之，使水疾沙刷，无留行，而又近为缕堤；缕堤之外复为遥堤，故水益浅远，不致旁决。"但历代也有人责其虽然思想崇古，但坚持"束水攻沙"，实与禹王"播为九河"相抵捂。且其"唯有补偏救敝"之说，因循守旧，影响了其治河业绩。现代的岑仲勉更在其《黄河变迁史》中，责"明代河务一轩糟，是有史以来最坏的一个时期。"

东汉王景与明末潘季驯同属于堤防治河，前者千年无恙，而后者却被某些论者称为"一团糟"，为什么在评价上有如此之大的差异呢？对此方宗岱先生著文指出：盖前者用黄河之泥利，而后者则仅见其泥害，治河指导思想不同，必然誉毁相反。兹将两者详述于后，可为宏观决策者及具体工作者深思熟虑。

东汉王景治河（公元69年）后，近千年黄河没有大改道，习称黄河"千载无恙"，这是治黄历史上的一件大事。王景治理后黄河的基本流路与《水经注》（公元527年）黄河的流路相比，与唐《元和郡县治》（公元813年）黄河的流路相比，都是一致的。公元955年后在上游河段虽有过小的改道，但在下游复归大河，黄河始终由利津附近入海，直到1020年才分流一支东流入淮，另一支由天津入海。黄河经王景治理之后，由利津入海经历951年之久。

至于王景治河所采取的方法，在后汉书《王景传》和《明帝本纪》中均有较详细的记载，其中"十里立一水门，令更相洄注"两句，堪称绝句。后人多在此两句上斟酌推敲，引出结论，其中清代刘鹗及近代李仪祉两人，对王景评价很高，这两人都是直接或间接参加治黄工作的。如刘鹗在治河续说中载"……放淤之法，其妙无比，后人只间一用之，唯王景用诸全河。王景传云，十里立一水门，令更相洄注，无复溃漏之患。立水门则浑水入，清水出，水入则淤积以厚堤，水出则留淤以厚堰。相洄注则河涨水分，河消水合，水分则无盛涨漫溢之虞，水合则落槽有冲刷之力"。廖廖数十语，用字确切，条理分明。治水治沙两种作用兼有，是王景治河的要点。

李仪祉为研究王景治河，专写《后汉王景理水之探讨》一文，对王景治河的"十里立一水门，令更相洄注，无复溃漏之患"几句，引今论古，逐字推敲。文曰："方修斯论治黄河，主张建近堤而卑之或缺之，使寻常洪水，得回旋于近堤遥堤与大堤之间，其意合乎王景也。余问恩格科，黄河试验，何以宽堤距之河槽刷深，能较多于狭堤距？恩曰：正因洪水漫滩，淤其泥沙后，复入河槽，故能刷深较多也，其理与景不谋而合"。该文的结论是"余谓王景之治河，可为后世效法也，其治河功绩与大禹相符，而合乎近世科学之论断"。李在另一文《综论河患》中有"中国治河历史虽有数千年，而除后汉王景外，但未可言治"，且有"千古治河，唯禹景二人"之句。

查黄河有没有大灾害，改不改道是一个重要标志。公元69年王景治河时的黄河基本流路与《水经注》中所描述的黄河流路是一致的；和《唐元和郡县志》中记载的黄河流路也无多大差别，说明自公元69年至813年的700余年的黄河流路是基本一致的。王景治河后439年间，仅有9次河溢记载，公元955年后在上段有过小改道，但在下游复归大河，黄河始终是由利津附近出海的。直至太平兴国八年（公元983年）一度入淮。到1020年澶州天台山决口东流泗、淮，1048年才由濮阳商胡埽决口北流进入第三次大改道。故自王景治河后，黄河由利津附近入海经历的时间长达914年之久。

明代治河的目的是维持南北航运和皇陵不受淹浸。明孝宗弘治六年（公元1493年），命刘大夏修治张秋决河时谕旨："朕念古人治河，只是除河之害，今日治河乃是恐妨运道，致误国计，其所关系盖非细浅。"明代祖陵在安徽凤阳，治河员工的守则是保护祖陵、维持航运和除河之害，三者之中有矛盾时，首要的是保护祖陵和维持航运，往往置民于不顾。四任河督的潘季驯是"以堤束水、以水攻沙"并广建减水坝作为治河的基本方针的，从潘于嘉靖四十四年（公元1565年）初任河督至万历二十年（公元1592年）最后一次离职，相距27年，竟决溢74次，约平均四个半月决溢一次。决溢如此之多，且多在北岸，是以邻为沟壑的代表作。

以上是前辈专家分别从利津、徐淮两条流路的治理效果着眼，对王景、潘季驯治河所作的比较评价。但是，我们还应当看到，利津流路与徐淮流路在天然地质条件方面有很大的差异，对此似不应对潘季驯治河过于苛求。

从有史记载以来大流路的自然迁徙基本上的排列是由北向南滚动的。先是禹王流路行河于绕阳裂谷带，经河北平原北部至天津一带入海，充分利用了沿途湖盆众多，容沙空间广阔的优势，行水达1 000多年之久；周定王五年后，黄河从宿胥口夺漯川河道，行河于黄骅裂谷带至沧州一带入海，这是一条比禹王流路后期河长大为缩短的流路，因此再次发挥了新流路的优势条件，在并无大的工程治理条件下行河600多年；西、东汉之交时河决魏郡，大河脱离黄骅裂谷带，横穿海菏断隆带中部进入济阳裂谷带，形成了利津流路。这一流路占有与以上两条流路非常相似的优势。据地质学家论证，裂谷带的特点是地壳下沉幅度大，境内大型裂谷湖泊众多，适于大河行水。王景治河客观上充分利用了利津流路济阳裂谷带低洼地与水泽相对广阔的条件，"十里立一水门，令更相洄注"，即以工程措施向河道两岸的洼地放淤，泥沙沉淀后的清水复归河槽，冲刷河道。这一顺应自然的治河方法取得了事半功倍的效果。

但是徐淮流路的条件就大不相同了。黄淮海断块的活动方式以垂直运动为主，而且通徐断隆带绵亘于其北部，形成了一道构造屏障，成为其北侧河流的发源地，淮河汇水在其经行的地带本易泛溢成灾，黄河洪水的侵夺更使其河身难以容纳，因此治理的难度大为增加。尽管人类对河道发育的控制作用不可忽视，但自然因素的变化对河流演变所产生的巨大影响力，又是人类难以驾驭的，特别在古代的生产力条件下更是如此。因此，同为治河大家，因其流路基底的自然条件不同，潘季驯的治河效果当然大不如王景了。

三、黄河长期稳定在利津流路入海是大河演进的必然归宿，是再造民族盛世的地理环境基础

导致"明代治河一团糟"的原因除了上述的天然地质条件之外，人为的因素也很重要。明代对治河的任务要求极为苛刻，潘季驯将其归纳为三点："祖陵当护，运道可虞，

淮民百万危在旦夕。”常居敬更对这三项任务确定了主次：“首虑祖陵，次虑运道，再虑民生。”因为保护祖陵关系到封建礼制，是政治因素，故放在了第一位；漕运事关经济命脉，每年必须将盘剥江南人民的百万石粮食运达北京，故放在第二位；至于“细民”的身家安危，只有放在次之又次的位置了。潘季驯治河时诸水交汇的形势是：黄河于清口汇淮东流，淮河以一渎而容两河之水；其中上游所汇集的各支流全部注入洪泽湖，最后亦出清口汇黄入海；清口东北又连接南北大运河的运口，洪泽湖必须同时分流入运河以通漕运，当时叫做“三分济运，七分御黄”。由于洪泽湖东部地势低洼，既有“高宝诸壑滔天”，又有运河逶迤过境，为防洪泽湖水东泄，汉末陈登曾“首建高堰障其东而使之北”。因此，洪泽湖的东大坝——高堰，又成为一项逼淮出清口的关键性工程（见图2–12）。

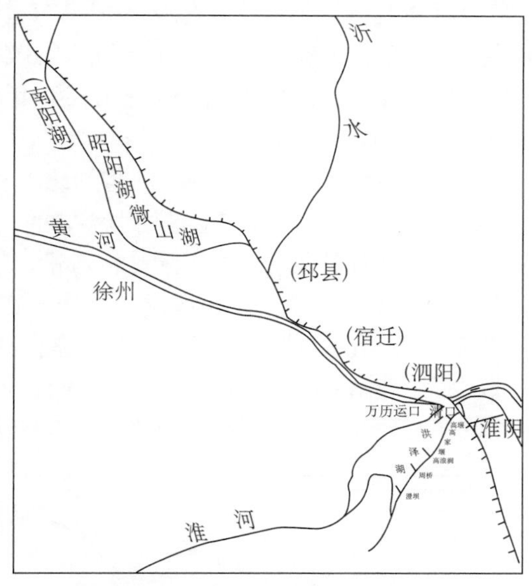

图2–12　黄淮交汇处形势图

黄河洪波滚滚，水流湍急，但河口拦门沙极易造成溯源淤淀抬高河床，为了不使日益高涨的黄河从清口倒灌洪泽湖并淤淀南运河，就必须不断加高加固高堰大坝，抬高洪泽湖水位，逼使淮水出清口以刷黄。所以当时有人主张：治河之法“专在固守高堰”，因为“海口，尾闾也；清口，咽喉也；高堰则心腹也。要害之地，宜先著力。”尽管潘季驯在重视高堰的同时，还坚筑了黄河两岸堤防，并引洪泽湖束水攻沙，但河海交汇处的拦门沙仍难克服，拦门沙的淤积造成河口高仰，使得黄河河床日益淤高，清口也必然淤高，洪泽湖则逐年盛涨和扩大，从而带来了河、湖水面与堤坝轮番升高、使淮河灾害日益加重的恶性循环。

明代留下的治河形势延续到清代后，三大任务之首的明陵防护被废除，终于康熙时沦入洪泽湖。但保漕仍为治河重任，因而基本因袭了潘季驯的治河方法。正如清代著名学者魏源所指出：“河臣不治海口，而唯务泄涨”，“海口渐淤，河底亦渐高，则又唯事增堤”，不仅要增高清口以下河段的大堤，而且“自下而上”，“亘二千余里，备增至五六丈”，结果造成了“束水于槽，隆堤于天”的险情，黄河决口更加频繁。尽管当时采取修筑导流堤等工程措施延缓了河床抬高的速率，但由于不能从根本上解决拦门沙的阻水与“河口高仰”的问题，矛盾的积累多次导致了高堰各大坝的蛰陷。道光二十三年（公元1833年）当河南陕县发生36 000m^3/s的大洪水时，黄河终于在河南中牟发生大溃决，“漫入皖境支河注淮，并入洪泽湖”。冲毁了明清两代苦心经营的保运防线，黄河逐渐显露出大改道的征兆。

清代中期，由于许多有识之士看到“自顺、康以来，河决北岸十之九……，凡其溃道，皆由大清河入海”，开始寻求黄河决溢频繁难于治理的根本原因。乾隆朝吏部尚书孙嘉淦认为，这是因为“大清河东南皆泰山基脚，其道亘古不坏，亦不迁移”之故。魏源则指出：“自来决北岸者，其挽复之难，皆事倍功半，是河势利北不利南，明如星日。河之北决，必冲张秋，贯运河，归大清河入海，是大清河足容纳全河，又明如星日。”通过对黄河入海的南、北、东诸流路进行比较研究，他认为“唯东道天然大壑深通，且为历年北决之正溜，天造地设。更无善于此者”。因此，主张以人工改道使黄河改由山东大清河入海。虽然这样的工程当时不可能被清廷采纳，但公元1855年黄河终于自夺大清河入海，利津县一带再次成为黄河的归宿之地。

清代学者虽因科技条件所限不能从根本上解释“河势利北不利南”的缘由，但能认识到大清河是一条“天造地设”的黄河可行流路，也是相当睿智的。现代地质学家戴英生解释说：“沉降平原型裂谷河，一旦脱离裂谷而行河于隆升构造带，纵使不遗余力地治理，也难以维持河道的长治久安。黄河南流徐淮之所以河患不已，病源在于违背了黄河为裂谷河的自然习性。”公元1855年铜瓦厢河决，终使黄河流路沿黄骅裂谷带东流，穿越泰山隆起的东北侧进入济阳裂谷带，然后从东营裂谷槽地入渤海，今利津流路终于成为排列于华北沉降带最南线的最后一条裂谷河，与东汉时的利津流路可说是殊途同归（见图2–13）。但

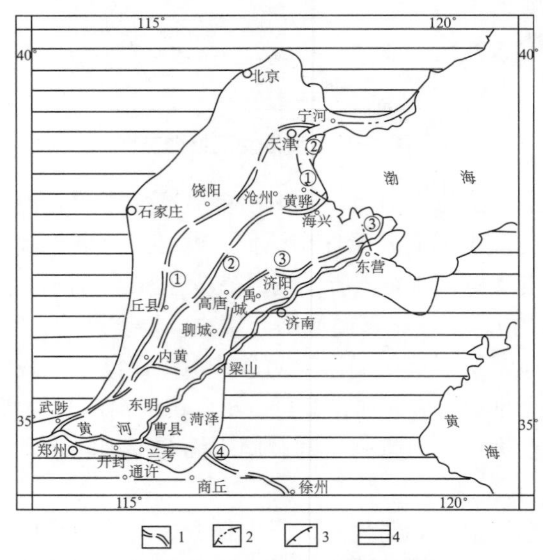

图2–13　黄河下游古河道发育与裂谷构造关系图

1.黄河古河道：①禹河故道；②西汉故道；③东汉故道；④明清故道
2.渤海海岸线：①商末周初时岸线；②西汉时岸线；③东汉时岸线
3.裂谷
4.隆起

是，地势条件利于行河亦不能决定一切。清末至民国的利津流路照样因失治而洪灾频发。直到行河至1949年人民共和国的诞生，黄河才进入了兼具天时、地利与人和优势的历史新时期，利津流路的长治久安已同中华民族的伟大复兴紧密联系在了一起。

第四节　黄河治乱关系中华民族兴衰

民族兴衰首先取决于社会制度的先进性，在同一社会制度下则取决于国家的政治清浊与统治者的执政能力，黄河的治乱当然也主要取决于上述条件。而黄河作为中国地理要素中的一个重要因子，它对人类社会发展又具有强大的影响作用，因此黄河的治乱又往往成为民族兴衰的标尺和镜鉴。

一、黄河作为一种发展动力推进了中华民族的繁荣昌盛，其中利津流路的长期安流为造就隋唐盛世提供了必要的环境条件

大文化的概念是人类创造的物质财富和精神财富的总和，因此文化是民族兴起的渊源。大河对其流经区域文化发育的影响，一向是历史学家、文化学家、哲学家关注和承认的事实。如尼罗河畔有埃及文化，幼发拉底河、底格里斯河畔有巴比伦文化，印度河、恒河流域有印度文化。而中国的文化，则是沿黄河流域发展起来的。与世界各国的古流域文化相比，黄河流域文化的涵盖范围更广泛。黄河与每一支流相交汇的三角洲地区，都是中国文化的摇篮地。例如，唐虞文化发源于今山西西南部汾水两岸，夏文化发源于河南伊水、洛水两岸，殷商文化发源于安阳漳水、洹水两岸，周文化发源于陕西东部渭水两岸，上述各支流文化都汇融到与黄河相交的三角洲地区，随之向更广阔的黄河下游三角洲发展，从而构成了源远流长、博大深邃的黄河文化。社会学中地理学派的著名代表梅契尼柯夫曾在《文化与伟大的历史河流》一书中指出："水不仅仅是自然界中的活动的因素，而且是历史的真正的动力……不仅仅在地质学界的领域中，而且在动物和人类的历史上，水都是刺激文化发展、刺激文化从江河系统地区向内海沿岸并从内海向大洋过渡的力量。"这一观点曾经为马克思主义者普列汉诺夫所肯定。黄河出昆仑，绕积石，穿峡谷，跃龙门，跨平原，滚滚东流，一泻万里，正是刺激文化发展和推动人类进步的强大动力。

"君不见黄河之水天上来，奔流到海不复回！"唐代大诗人李白的名句把黄河从天而降一去不回的气势描绘得淋漓尽致。但黄河所拥有的强大动力来自于自然界，它虽然在客观上以生命的源泉和动力推进了人类的文明和进步，但它并没有给人类带去祸福的先期意志或目的。但人类用怎样的意识、力量、智慧和目标去接受和治理黄河，却会换来或福祉、或灾祸等判如天渊的结局。历史上政治清明或处于上升阶段的政治集团，往往能做到选贤任能，充分发挥治河领袖人物的睿智和才干，在人民群众的支持下，实现黄河大治和长期安流，为给人类社会带来发展繁荣奠定地理环境基础。如虞舜在位时的大禹、东汉时期的王景，在治河上均取得"千年无河患"的丰功伟绩。大禹治水泽被万世，《左氏传》中的名言"微禹之功，吾其鱼乎"，"言尚无大禹治水之功，则天下之人皆为鱼

黄河壮阔景观

鳖耳。”这一评价至今仍使人顿生“高山仰止”之情。而王景治河，将黄河流路基本稳定在利津一带入海近千年之久，创造了禹之后流路稳定时间最长的记录，使中华大地历经魏晋南北朝的多元文化激荡时期，终至推出气度恢宏，史诗般壮丽的隋唐文化时代。在这一昌盛繁荣的国度里，到处是一片春回大地的光景，到处是有生的力量在喧腾，到处回荡着精神独立的声音。那充溢着欢欣、迸发出创造光芒的文化精魂，以一种历史大力，像黄河一样给中华文明注入了新生的活力。

隋唐两代均非常推重黄河航运业的发展。隋文帝曾命宇文恺修建300里广通渠，引渭河水至潼关，与黄河相连以通漕运。隋炀帝即位不久即调集百万民工修建通济渠，连通黄淮。大业四年（公元608年），又征民百万修建永济渠引沁水南达黄河，北到涿郡。大业六年，又从京口（今江苏镇江）引长江水到达余杭（今杭州）。贯通南北众多河流的这条大运河，全长近五千里，是古代世界上最长的运河，是当时劳动人民血泪与汗水的结晶。它的开通将海河、淮河、长江、钱塘江流域与黄河流域连接在一起，极大地促进了黄河航运业的发展，对南北交通产生了重大作用（见图2-14）。唐人皮日休的《汴河怀古》诗曾这样咏叹：“尽道隋亡为此河，至今千里赖通波。若无水殿龙舟事，共禹论功不较多。”

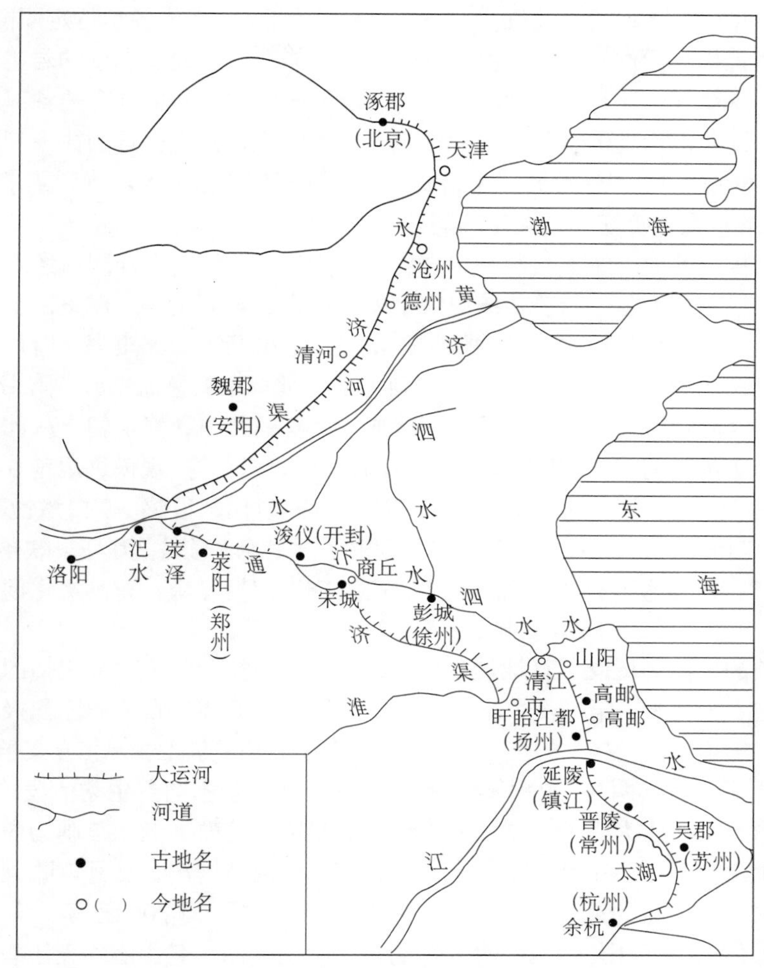

图 2–14　隋唐大运河示意图

唐朝仍以长安和洛阳为都，漕运进一步成为国家命脉。唐高宗曾下令打通三门险滩，未获成功。玄宗又命在三门北岸的山岩之间，凿成“开元新河”，使漕船避开三门险滩从洛阳直接溯流而上，经渭河而达长安。经过两朝的大力经营，河、汴通航能力大大提高。天宝二年（公元743年）运到关中的粮食曾多达400万石，创造了唐代漕运的最高记录。

“河渭槽输天下”❶，黄河事功使得关中地区形成金城千里、牵制全国的形势。在殷实的国力支持下，杨隋和李唐相继开拓疆土，军威四震，建立起东临日本海、西至中亚细亚的隋唐大帝国。在空前壮阔的历史舞台上，中华文化腾跃而起，金光熠熠，四海风动。它疆域辽阔，极盛时东至朝鲜半岛，西北至葱岭以西的中亚，北至蒙古，南至印度支那。它以开明的胸怀与多样化的怀柔—羁縻手段，引将多民族的归附。唐天子不仅是汉人的皇帝，而且被“诸蕃君长”尊为“天可汗”，成为各民族的最高共主。它军事力量的强大，府兵制的实行，使兵农合一，“无事时耕于野”，“若四方有事，则命将以出，事解辄罢，

❶司马迁：《史记 · 留侯世家》。

兵散于府，将归于朝”。它的行政机构完备，三省制的推行，造成各负特定职能的门下省、中书省、尚书省相互运作，既能“相防过误”[1]，又能在一定程度上制约君主独断。它的法律制度严密，律（法律）令（对国家各种制度所做的规定）格（有关各部门行政的诏敕）式（有关行政机构具体事务处理的细则）互为补充，构成完备的律令制度体系。它的经济繁荣，杜甫名句：“忆昔开元全盛日，个邑犹藏万家室。稻米流脂粟米白，公私仓廪俱丰实。”[2]基本上是真切的社会生活写照。

中华帝国传统的大一统文化组织也在唐代大大完善。学校自开国后经百余年经营发展，教育制度已相当完备。沿袭传统史官制度，唐帝国设立史馆，以重臣统领，聚众修史。为了显示本朝一统天下的正统地位，并藉修史之机清理众家史书，唐代史馆的一项重要任务是修前代史，《晋书》、《梁书》、《陈书》、《北齐书》、《周书》、《隋书》相继在史馆修成。唐朝以后的历代王朝莫不沿用唐代成规，新朝开馆纂修前朝史从此成为承传久远的传统。沿袭传统的天文研究制度，唐帝国设立太史局，其规模远迈前代。帝国的统一和空前强盛，使这一时代的士子充满了前所未有的时代豪迈感。李白激情吟咏：“天地皆得一，澹然四海清”，“一百四十年，国容何赫然”[3]；高适高唱“万马争歌杨柳青，千场对舞绣麒麟”[4]，在鼎盛国势的活力拥抱中，唐人胸襟热情洋溢，充满文化创造的饥渴与激情。

文化生长的生态环境既包括地理条件、经济手段、社会组织，又包括国家的文化政策。在文学艺术创作上，罕见英主李世民与以魏征为首的儒生官僚集团积极鼓励创作道路的多样性。在《隋书·文学传序》中，魏征平实地分析南方文学与北方文学之短长，提出了“各去所短，合其两长”的卓越见解，推动了文学艺术向着生动活泼的方向发展。

在意识形态上，唐太宗奉行“三教并行”的政策。道教奉老子李聃为先祖，唐高宗封老子为太上玄元皇帝。东都洛阳的玄元皇帝庙“山河扶绣户，日月近雕梁”[5]，气派格外宏大。追求仙人羽化的道观也发展势头高涨，《唐六典·祠部》记载：“凡天下观总一千六百八十七所”，天台山、茅山、华山、青城山、王屋山等名山幽谷无不香雾弥漫、仙乐嘹亮。初盛唐也是佛教扶摇直上的时代。京畿长安，寺庙荟萃，城中坊里的60%都设立了寺庙，其中规模大者，“穷极壮丽，土木之役愈万亿”[6]，长安城内的佛塔更难为备数，它们造型优美，引人入胜：大雁塔雄伟巍峨，小雁塔俊秀婀娜，善导塔玉玉亭亭……长安城内的和尚们也春风得意，他们“街东街西讲佛经，撞钟吹螺闹宫廷”[7]。一度式微于魏晋南北朝的儒学在唐代开始振兴。唐高祖“颇好儒臣”，唐太宗“锐意经术”，他诏求前代通儒子孙，特加引擢；诏以左丘明、公羊高、谷梁赤等21位经学家配享孔子庙庭。“重儒术”的大力倡导，在唐代学术界造成“学者慕响，儒教聿兴”的新局面。三教并行不悖，不仅有力地促使儒、佛、道相互吸引，而且造成一种开放的文化心态：人们不以

[1] 司马迁：《史记·留侯世家》。

[2] 《贞观政要·论政体》。

[3] 李白：《古风》。

[4] 高适：《九曲词》。

[5] 杜甫：《冬日洛城北谒玄元皇帝庙》。

[6] 《旧唐书·鱼朝恩传》。

[7] 韩愈：《华山女》。

一教为尊，亦不必以自己的信仰去屈从一尊意志。

唐代科举考试不同于明清八股取士，而是要求考生具有较全面的文化修养。以进士科考而言，所试内容多有诗赋、策问、帖经、杂文等。其次，唐代科举考试，甚重考生平时文誉，故士子至京师，往往先以诗文投谒达官名流，激扬声誉，李白的《蜀道难》、白居易的《赋得古草原送别》均是以诗文投谒名公中一炮打响的[1]。唐代文人往往从幼年时代起就接受广博的文献知识教育和严格的写作技能训练，不少聪颖之士，在青年时代就才气过人。如李白"五岁诵六甲，十岁观百家"[2]，王勃年轻时便已是"西南洪笔，咸出其词，每有一文，海内惊瞻"[3]。诗人们以激越自信的吟唱展示了高昂的时代意绪。

与消沉、隐遁的六朝士子不同，唐代文人不愿受外物束缚。唐人的生命主调是入世，即把个人的功名与社会责任联系在一起，渴求以自我的力量推动社会的事业，又在投身社会的同时，升华自我人生。他们或立志从政，"立登要路津"[4]。"奋其智能"、"使寰区大淀，海县清一"[5]。或挟带着强烈的民族意识和奔涌的爱国热情投身军旅，奔赴边疆，建功立业。普遍的昂扬奋发的自我意识与社会意识，唐文化自具一种明朗、高亢、奔放、热烈的时代气质。

以强盛的国力为依据，唐文化首先体现出来的，是一种无所畏惧、无所顾忌的兼容并包的大气派，一切因素、一切形式、一切风格，在唐文化中都可以恰得其所，与整个时代相映成辉。

规模空前的统一和强盛，气派空前的宽容和摄取，造就了唐人烈烈腾腾的生活情调以及丰富浓烈的社会风采。

城市作为文化场的内核所在，是各文化圈的文化能量集结处和文化能量辐射中心。城市制度的最高形式——都城，更是一国文化之网的中心纽结，它无论在博大还是在精细上都活现着中华文化的魂魄，流眄着那一时代特有的神韵。唐文化壮阔的时代精神，更在帝都长安的身上辉煌地映现。隋唐长安位于汉长安的东南，它筑于隋文帝时期，时称大兴城，总体设计者是隋朝贵族宇文恺。隋唐长安城分为三部：外廓城、皇城和宫城，三重相依，层层递进。巍峨的宫殿建筑于龙道原高地。地形上的优势，使皇宫更加威势逼人，透露出皇权的至高无上与总括宇宙的精神追求。依地势的高下，长安城内的建筑以住宅主人的等级身份依次展开：宫殿最高，政府机关次之，寺观和官僚住宅又次之，一般居民等而下之。这样的布局安排当然是为了突出封建等级秩序，但地形的巧妙利用，也使长安的建筑高低错落，立体空间增大，全城更加气势磅礴。"百千家似围棋局，十二街如种菜畦"，南北和东西大街成直线纵横交错，将全城划分为一百零九个坊和两个市，隋唐长安的平面构图，方正如同棋盘（见图2-15）。长安城的设计师们运用一切手段，唤

[1]《本事诗》云："李太白初自蜀至京师，舍予逆旅，贺监知章闻其名，首访之，既奇其姿，复请所为文，白出《蜀道难》以示之，读咏竟，称叹者数四，号为谪仙，解金龟，换酒，与倾尽醉，期不间日，由是称誉光赫。"《幽闲鼓吹》云："白尚书应举，初至京，以诗谒著作顾况，顾睹姓名熟视白公曰：'米价方贵，居亦弗易。'乃披卷，首篇曰：'离离原上草，一岁一枯荣，野火烧不尽，春风吹又生。'即嗟赏曰：'道得个语，居即易矣。'因为之延誉，声名大振"。

[2]李白：《上安州裴长史矣》。

[3]杨炯：《王子安集序》。

[4]李白：《在寿山答孟少府移文书》。

[5]骆宾王：《从军行》。

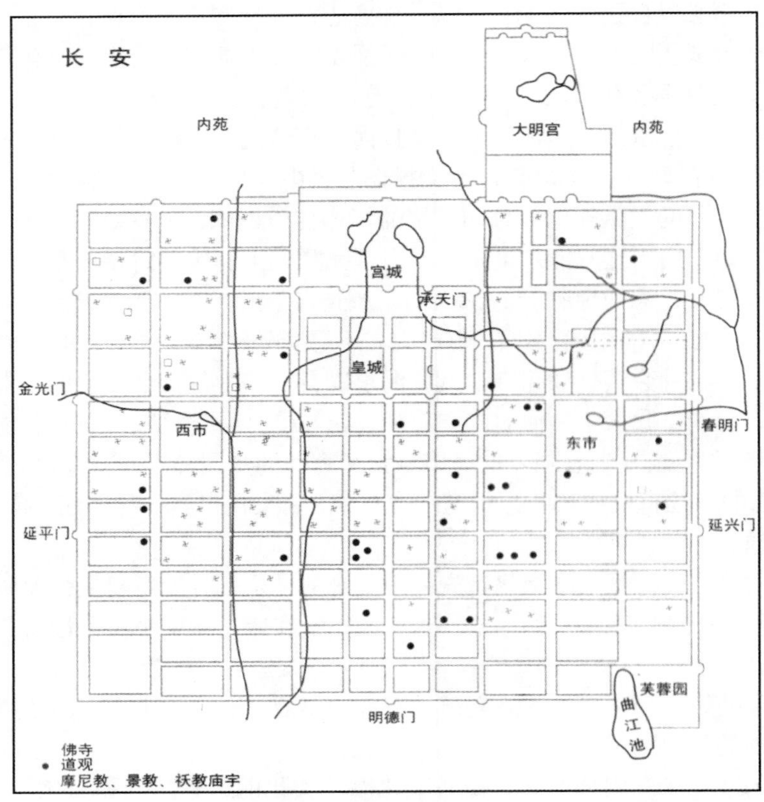

图 2–15　长安城区图

起人们的联想，展示寰宇一统、富有天下的意境。

长安的宏丽，体现于宫殿的巍峨，也显示出帝陵的壮观。十八座唐代皇帝墓寝宫，分布在关中渭水的群峰丘峦中，连绵延亘二百多里，像一根淡淡的弧线镌刻在遥远的天际。昭陵是古代中国最大的帝王陵园。因山为陵的陵寝制作模式由此肇始。唐太宗李世民就安葬在这片陵园的墓冢之中。昭陵前的六骏石刻，栩栩如生。“六骏”是李世民历次作战所乘的六匹骏马。这六匹骏马的名字是飒露紫（征洛都时所乘）、拳毛䯄(与刘黑闼作战时乘)、青骓（与窦建德作战时乘)、什伐赤（与王世充、窦建德作战时乘)、特勒骠（与宋金刚作战时乘)、白蹄乌(与薛仁杲作战时乘)。唐太宗为追念这六匹有战功的骏马，在自己的坟墓前刻像纪念。流连于此，人们感悟到的是一往无前的事功精神与充满活力的英雄主义，这正是“盛唐气象”的根柢。昭陵的陪葬墓，同样奏鸣着盛唐气象的雄劲旋律。这些开国功臣的山冢起冢于阴山、碛石山、铁山、葱山、白道山、乌德鞬山。这些名臣骁将当年南征北讨、曾经亲历过著名山岳，是唐代旷世功业的象征。只有在一个进取的、开拓的时代，才会有这样包容天下的建筑气派。

长安的市场百业俱兴，商贾云集。东市与西市是长安集中的商业区，市内店铺、货栈、邸店林林总总，国内外商品琳琅满目。市民居住的坊里也遍布小店铺，走街串巷的小商贩络绎不绝。

昭陵六骏之一——青骓

长安的节日盛况空前。正月十五的灯节，皇帝特许开禁三天，称为“放夜”。大街小巷灯火通宵达旦，全城人竞相奔走，去观赏争奇斗艳的各式花灯，以致大街上熙熙攘攘。“谁家见月能闲坐，何处闻灯不看来”、“月色灯光满帝都，香车宝辇隘满衢”。寒食清明时节，唐长安盛行打秋千、打球和拔河等活动。“上巳节”是唐长安人游春节令，春游人常采摘鲜花插在头上或身上，杜牧因有诗云：“莫怪杏园憔悴去，满城多少插花人。”[1]。人们踏青于曲江池，赏春于长安城郊的水光山色之中，顾非熊因而作诗曰：“明时帝里遇清明，还逐游人出禁城。九陌芳菲莺自转，万家车马雨初晴。”[2]九月重阳节，唐长安人结伴出游，登高望远。皇帝也往往在这一天，率群臣登大雁塔，眺望长安一带“河山天外出，城阙树中分”[3]的景色。登高望远游人，多佩戴茱萸。王维《九月九日忆山东兄弟》一诗：“独在异乡为异客，每逢佳节倍思亲。遥知兄弟登高处，遍插茱萸少一人。”重阳节一如其他传统民族节日，经文化人强化，成为一种不可抑制的对家人和故乡深沉怀念的解媒剂。

“艺术家创造的才能是与民族的精力为比例的。”[4]规模空前的统一和昌盛，气派空前的宽容和摄取，铸成唐人烈烈腾腾的生活情调，也呼唤来一个丰富浓烈的艺术世界。

中国文学的首唱是诗，而中国诗的辉煌巅峰则在唐朝。这是一个诗家辈出的时代。在万千诗人中，既有李白（见图2-16）、杜甫（见图2-17）、王维、白居易、李贺、李商隐、杜牧等以千古绝唱雄盖一世的诗歌巨匠，又有杨师道、王勃、杨炯、骆宾王、七岁女等文思敏捷的神童诗人，还有上官昭容、李季兰、薛涛、鱼玄机那样才思超群的女诗人。这又是一个全民族诗情郁勃的时代。一方面，文人创作的诗篇可以传诵于“士庶、僧徒、孀妇、处女”、“牛童、马走之口”[5]，乃至谱写成流行歌曲；另一方面社会各阶层的

[1]杜牧：《杏园》。

[2]顾非熊：《长安清明言怀》。

[3]李恒：《奉和九月九日登慈恩寺浮图应制》。

[4]丹纳：《艺术哲学》。

[5]白居易：《说唐诗》。

诗歌创作，充满着高涨的热情。刘禹锡诗云“人来人去唱歌行”❶，“新词宛转递相传”❷。敦煌诗歌云“行人南北尽歌谣”❸。中国诗在炽热的诗情氛围中趋于极盛，臻于成熟。李白、杜甫、王维为唐代诗坛上比肩而立的三大诗人，有人称他们为诗仙、诗圣、诗佛。

图 2–16　唐代诗人李白

（这位被称为“谪仙人”的李太白，一再咏唱高亢激昂的黄河诗篇：“君不见黄河之水天上来，奔流到海不复回”，“黄河西来决昆仑，咆哮万里触龙门”……）

图 2–17　唐代诗人杜甫

（这位出生在黄河冲积扇顶端巩县的大诗人，以其沉郁苍凉、涕泪滂沱的另一风格，吟唱着黄河流域人民艰辛悲怆的情怀。）

与中国诗的历程几乎一致，中国书法在魏晋六朝开始走向美的自觉，而在唐代则达到了无可再现的高峰。这一时期篆书圆劲，阳冰篆法为后世所多循；草书飞动，“颠张狂素”将狂草引至巅峰（见图 2–18）；行书纵逸，李邕、颜真卿的“麓山寺碑”、“争坐位帖”最为艺林所重；楷书端整，欧（阳洵）、虞（世南）、颜（真卿）、柳（公权）楷书四大家将唐楷推至登峰造极的地步（见图 2–19）。

张旭：肚痛帖

怀素：自叙帖

图 2–18　唐代草书

❶刘禹锡：《竹枝词》。

❷刘禹锡：《踏歌行》。

❸《敦煌曲校录 · 望远行》。

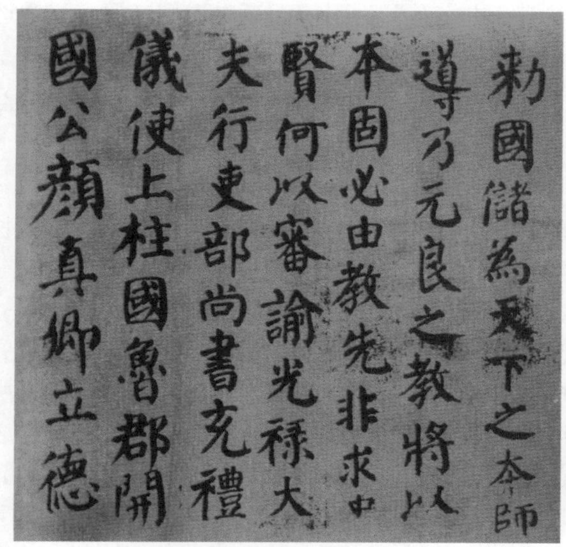

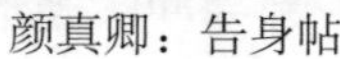
颜真卿：告身帖

柳公权：神策军碑

图 2–19　唐代楷书

唐代也是绘画的极盛时期。这一时期的画坛，题材广大而深厚，风格多彩多姿，人物画辉煌富丽，豪迈博大；山水画金碧青绿，山水交相辉映；“穷弱毛之变态，夺花卉之芳妍”的花鸟画也登上画坛。享有“吴带当风”画坛美誉的吴道子以他的下笔如风雨驰骤，与李白、张旭呼应，传递出盛唐文化所特具的情态气势。

唐代也是乐舞的时代。唐代乐舞气派宏大。唐初演奏于宫廷的《秦王破阵乐》，声调“粗和啴发”[❶]，舞者百二十人。舞时摆动大鼓，“声振百里，动荡山谷”。玄宗时演奏于宫廷的《上元乐》，舞者达一百八十人甚至数百人，众多舞者，服饰绚丽，队列变换时疾时徐，加之鼓乐齐鸣，歌声阵阵，气象恢弘壮阔。

唐代散文收获了丰硕的果实。唐代散文的领袖性人物是韩愈、柳宗元，他们所发起的古文运动，对以后几个世纪的文学发生了深刻的影响。

公元7～9世纪的世界，唐文化异彩焕发，而同时期的亚欧地区，文化尚在低谷徘徊。中国文化的缤纷灿烂，赢得域外人士的衷心倾慕（见图2–20），使唐代中国成为向周边文化地区辐射的文化源头。唐文化的强劲对外辐射，有力地推进了世界文化的进程。“唐”、“唐人”、“唐字”、“唐言”、“唐家”、“唐山”等海外至今流行的对中国以及与中国相关事物的惯称，生动形象地显示出唐文化在世界史上留下了巨大的、永不磨灭的足迹。

图 2–20　唐三彩塑造的外国人形象

“隋唐盛世”是中国古代史上的发展顶峰。随着

❶杜佑：《通典》。

封建制度下的矛盾积累，盛唐的繁华以“安史之乱”为引信而渐次崩塌。河、汴漕运亦遭受破坏，黄河乱象丛生，终至与唐末的国运一起沉沦于“五代十国”的劫难之中。

二、社会大动荡时期的黄河失治给中国人民带来了沉重灾难，迭有政治豪强将黄河作为攻战之具，导致了极其惨烈的人间悲剧

从中国历史发展的轨迹看，尽管政治清明可带来社会繁荣，但不一定可使黄河长期安流，这还要看当时的治河方针是否吻合黄河的实际。但是，只要一个时代动荡不安、政治腐败或者国力孱弱，则黄河注定要灾害频仍。随着中国封建社会全盛时代的式微，唐末至五代中国又进入了一个社会大动荡时期，宋代的民族文化虽然有可圈可点之处，但由于对外政策软弱，外患长期不止造成国力耗竭，从而导致河事维艰，流路不稳，决口连年不断，三次回河工程均告失败，终使黄河脱离汉时故道，分流入海。宋室南迁之初的建炎二年（公元1128年），为阻止金人南下，杜充再次“以水代兵”，使黄河决口，由泗汇淮入海，黄河进入了一个黄、淮、运合流、矛盾冲突不断、灾害频发加剧的时期。

黄河流域的水灾可谓“史不绝书”。每次黄河改道，都会冲毁当地的田园村舍，常有整个村镇甚至整个城市遭受灭顶之灾。黄河岸边的七朝古都开封，历史上曾6次被黄河水淹没，每次淹没，都给开封人民带来毁灭性灾难。据考古发掘证实，今天我们看到的开封，城下有城：宋代开封城基在今天地面以下8m，明代周王府厅堂在今天地面以下4.6m；徐州市附近的黄河故道下也发掘出古徐州城的遗址。

由于历代的北方强族入侵带来多次政治中心南移，中原人口亦大量南迁，加上黄河南徙徐淮，中国江淮一带终成全国人口的密集区。因而黄河水患对人民的危害更加严重。因而作为国家的心腹之患，越到近代，史籍对黄河洪水和灾害的记录越多、越详细。从离我们较近的清代至民国时期，黄河中下游发生的特大洪水如下。

清乾隆二十六年（公元1761年），从农历七月十五日到十九日，黄河的支流伊、洛、沁河和黄河潼关至孟津干流区间，猛降大雨，暴雨中心在河南新安县，造成伊、洛河决溢。据分析推算，花园口洪峰流量为32 000m^3/s，当时的武陟、荥泽、阳武、祥符、兰阳等堤段南北两岸都发生决溢，洛阳、巩县城内都遭水淹，沁阳、修武、武陟、博爱等大水灌城，河南、山东、安徽3省数十个州、县被淹。

清道光二十三年（公元1843年）七月，黄河再次发生特大洪水，根据当时官方上报的陕县万锦滩水情，这次洪水涨势迅猛，前面的洪水还未落下，后续的洪水接踵而至，浪头排山倒海，一日十个时辰之间，涨水“二丈八寸”，这样的涨势为史籍记载上所未有。洪水在陕县一带造成了巨大灾难，至今当地还流传着“道光二十三，黄河涨上天，冲走太阳渡，捎带万锦滩”的民谣。后人根据洪水痕迹分析推算，陕县当时洪峰流量为36 000 m^3/s，是历史调查最大洪水。

1933年8月10日，黄河陕县站出现了自1919年建站以来最大洪水，最大洪峰流量达22 000m^3/s，洪流一股指北，使濮阳、范县、寿张、阳谷四县尽成泽国；一股指南，侵入安徽。大水淹及当时的河南、山东、河北、江苏4省的30个县，受灾面积6 592km^2，受灾人口273万，死亡人口1.27万，估计这次水灾损失折合银圆2.7亿元。

黄河汛期洪水涨势迅猛，如果说这种突发的自然灾害尚属“天意”而无法逃避的话，那么人为的决口则属于最严酷的人类自残！为谋取政治利益并置敌于死地，历代不乏有人不顾国计民生，以河水为攻战工具。春秋战国时期，黄河下游修筑堤防已很普遍，由于诸侯分立，各自为政，修堤往往以邻为壑，各诸侯国之间互相攻伐，常常以水代兵。公元前359年，楚国伐魏，决河灌长垣；公元332年，齐魏联合伐赵，赵国决河放水，齐、魏联军在滚滚洪水逼迫下退却；公元前225年，秦王派大将王翦的儿子王贲，率领10万大军包围魏国的都城大梁，并引黄河鸿沟之水灌城，将战国时期的以水代兵推向了最高潮；公元1128年的杜充决河，不仅没有阻止金兵的铁骑，反而造成巨大灾害，成为历史上黄河长期南泛入淮的开始。

公元1642年，为解李自成农民军攻打开封之围，官军在今开封黑岗口决开黄河大堤，水淹义军，而义军又在上游30里的马家口决河冲灌官军。结果两股水流入城，溺死居民数十万人，造成开封全城被淹的历史悲剧。

1938年夏，蒋介石政府为阻止日寇西进，悍然炸开黄河花园口大堤，怒吼的洪水一出豁口，便以三四十米宽的河面直朝东南方奔涌而去。一个个村庄瞬间无影无踪，一座座城镇顷刻葬身水底，淮河暴涨，洪泽漫溢……这次花园口炸堤是人工造成的黄河第26次大改道。有资料记载，这次人为水灾共淹及河南、安徽、江苏三省44个县（市），54 000多平方公里范围内遭受灭顶之灾，1 250万人流离失所，89万人死于滔滔洪水之中。其悲惨情状，透穿史册，震惊人寰！（见图2–21）“政府扒开花园口，一担两筐往外走。人吃人，狗吃狗，老鼠饿得啃砖头”，“家无家，粮无粮，刀尖上边度时光”。很长时期内，这一首首满含斑斑血泪的民谣广为流传在黄泛区人民之间。

图2–21　花园口泛区灾民

由于黄泛来势汹涌，怒涛所到之处，日寇惊恐万状，东奔西突，车马弹药被淹不计其数。特别是其闪电式的机械化部队，一旦陷于洪水泥淖之中，更是效力顿失，难以动弹。一路攻商丘，掠睢杞，占尉氏，夺新郑，斩城连连得手的第十六师团，曾是多么的不可一世！但进军途中突被排天而降的洪水遮断去路，身陷绝境，四顾茫茫。在数十架战斗机、运输机连续空投食品、药物65.1t、各路援军日夜兼程架桥修路的救助下，经过20多天长途绕行，艰难跋涉，才从黄河泛水泥泞的难关中脱身出逃。花园口决堤的巨大冲击波，使日军大本营被迫调整攻占武汉的作战计划。从6月上旬黄河决口至8月底重新集结转从南方进攻，这一过程，使日军进攻武汉的计划推迟了近三个月；花园口决堤后，中国军队徐州主力成功突围，豫东战场险局缓解，第一战区、第五战区分别得以立足洛阳和老河口，为后来的武汉保卫战保存了实力，争取了时间。然而，这最终仍未能挽回国民党军队失守武汉的败局。此举使日寇遭遇重创诚然是对万恶侵略者的惩罚，但造成民众受害之惨烈、阻敌代价之沉重实为亘古所无。

三、新中国成立以后社会主义优越制度与人民治理黄河伟大成就互为因果、交相辉映，黄河的稳定局面为新中国成立后、特别是改革开放以来中国经济的高速发展提供了必要的水源与环境支持

黄河的治乱折射出了政治清浊与国力兴衰。经过解放区与民国当局的反复谈判和斗争，1938年的花园口南泛终于堵复，黄河经解放区复归利津流路入海。但黄河是一自然物，它并不因中华大地换了人间而稍减其暴虐性情，伴随着人民共和国诞生，黄河仍按自己的规律向其下游输送着惊心动魄的洪流。1949年6月至10月，汛情十分严峻，9月14日花园口出现流量为12 300m³/s的洪峰，从洪峰出现至归槽，历时1个多月，在这一年的抗洪抢险中，40万军民日夜奋战，有25人牺牲，13人失踪。黄河在其滩区内共淹及村庄2 050个，受灾人口79万，为了保卫黄河，让新中国顺利降生，他们作出了巨大的奉献和牺牲。

建国大业甫定，中央人民政府就将黄河的治理开发列入议事日程。1955年7月，一部经天纬地、气贯山河、浓缩了古往今来治河方案的《黄河治理开发规划》终于诞生。根据这一规划，从青海上游到豫鲁下游的万里黄河上，将修建起46座拦河大坝，把千古巨川变成一条“梯河”。届时，滚滚河水蕴藏的电能，平均每年可以发出1 100亿kW·h的强大电力，输往中华大地。河水经过调蓄，灌溉土地面积将由107万hm^2（新中国成立之初为80万hm^2,）扩大到773万hm^2。干流基本全线通航，500t拖船自渤海湾直驶甘肃兰州，千古天险由此而为“黄金水道”。黄土高原，节节蓄水，分段拦泥，水土保持工作全面展开。从此泥沙淤积以至洪水为害问题将得到彻底解决。水害得其治，水利得其兴，黄河永远不泛滥、不决口、不改道。人们不要多久就可以在黄河下游看到世代所梦想的这一天——“黄河清”！

根据这一规划，人民共和国开始付诸行动。按照“除害兴利、综合利用”的方针，国家对黄河进行了大规模的治理与开发，下游初步建立了“上拦下排，两岸分滞”的防洪工程体系，创造了50余年利津县四段以上伏秋大汛不决口的历史奇迹。

（一）建立黄河防洪工程体系

主要由上拦工程、下排工程和分滞洪工程组成。

已建成的上拦工程包括三门峡水库、陆浑和故县水库以及小浪底水利枢纽工程。三

三门峡水库（殷鹤仙　摄）

小浪底水利枢纽工程（惠怀杰　摄）

门峡水库是“上拦”工程的骨干工程，控制黄河流域91.5%的面积，防洪库容60亿m^3，能有效地控制三门峡以上的洪水，对三门峡以下的洪水，也可起到错峰作用，以减轻下游防洪负担。利用水库调节水量，大大减轻了下游凌汛威胁。

下排工程就是充分利用黄河下游河道，排洪排沙入海。千里黄河大堤和河道整治工程，是实施“下排”任务的主要工程措施。新中国成立后，先后对下游两岸1 400多公里的大堤进行了4次全面的加高培厚。堤防高度一般达到了9～10m，顶宽7～11m，锥探灌浆和放淤固堤等技术的广泛运用，使得千里大堤更加巩固。河道整治，主要是采取修筑控导工程与险工相配合的方法，控导主流，稳定河势。人民治黄50多年来，共修建控导护滩工程200多处、坝岸3 700多道，完成土石方量约16亿m^3。这些工程与大堤138处险工、5 300多道坝岸相配合来约束洪水。经过整治，缩小了下游河道游荡范围，基

黄河大堤与河道整治工程（殷鹤仙　摄）

本稳定了河势，减轻了洪水冲决堤防的危险。

分滞洪工程主要是：艾山以上宽河段按防御花园口22 000m³/s洪水设防，艾山以下窄河道防洪标准为11 000m³/s，当洪水超过大堤防御标准时，将按牺牲局部、保护大局的原则，运用右岸东平湖水库、左岸北金堤滞洪区等工程进行分洪、滞洪，削减洪峰。

东平湖水库原为调蓄黄河与汶河洪水的一个自然滞洪区，1958年改建为能控制运用的平原水库。总面积627km²，库区人口28万，总库容为40亿m³。其任务为分滞调蓄黄河与汶河洪水，实行两级运用，控制艾山站以下汇流量不超过10 000m³/s，保证艾山以下河道堤防安全。

北金堤滞洪区是处理黄河特大洪水措施的滞洪区，位于黄河下游宽河段转入窄河段的左岸，1951年由政务院决定兴建，总面积2 316km²，人口145万，有效滞洪库容为20亿m³。当花园口站发生超过22 000m³/s的特大洪水，运用三门峡、陆浑、故县和东平湖等拦洪分洪措施仍难以保证堤防安全时，经报请国务院批准，运用该区以分滞洪水，减轻堤防负担。

据统计，1946年以前黄河下游只要发生10 000m³/s以上的洪水，大堤都发生了决口。人民治黄以后，在党和政府的领导下，依靠防洪工程体系和广大群众严密防守，尽管黄河发生10 000m³/s以上的洪水达12次，但没有一次决口，已取得了连续55年伏秋大汛的安澜（不包括近代黄河地区），创造了历史奇迹。

（二）开发利用黄河水资源

（1）快速发展的引黄灌溉事业。1949年后，引黄灌溉规模发展迅速，灌溉面积已由新中国成立初期的80万hm²发展到1995年的730多万hm²，占全国灌溉面积的13.7%，许多地区成为国家商品粮棉生产基地。

（2）为城镇与工矿企业输送宝贵水源。黄河流域城镇和工矿企业供水，是与流域经济的发展和现代化的进程相同步的。黄河流域是我国经济发展后劲较大的区域。据统计，流域城镇和工矿企业年供水量，在20世纪80年代初为33.93亿m³（含地表水和地下水两项），到1995年已经增长到76亿m³。这一地区生产潜力巨大，石油、煤炭、天然气、重金属等资源储量丰富，并相继得到开发，预计在未来一个时期，对黄河水的需求会更加迫切。黄河流域城市与工矿企业的供水范围，共涉及到青海、四川、甘肃、宁夏、内蒙古、山西、陕西、河南、山东9个省（区）的8个省会城市和17个地（市）及337个县（旗、市）。其中，兰州、银川、郑州、济南4市依傍黄河干流，西宁、呼和浩特、太原、西安位于黄河主要支流岸边。一些重要的工业城市，如天水、石嘴山、包头、乌海、榆次、临汾、宝鸡、咸阳、铜川、延安、三门峡、洛阳、开封、新乡、泰安、滨州、东营等，也都位于黄河干支流两岸，依赖于黄河水资源推进其经济增长和城市建设。

（3）跨流域供水。1981年8月11日到15日，国务院在北京召开了京津用水紧急会议。京、津、冀、鲁及有关部委负责人参加了会议，决定引黄河之水接济天津，要求河南省由人民胜利渠、山东省从位山闸和潘庄闸3条线路临时向天津送水6.5亿m^3，以解天津缺水的燃眉之急。从20世纪70年代起至2001年初，黄河共向天津送水4次，输水量达25.88亿m^3。引黄济青（岛）工程于1989年11月正式送水，到1994年，5年来累计引黄河水12.34亿m^3。供水工程系统共计产生了1 700亿元的经济效益。

开发干流水电资源。黄河从世界屋脊青藏高原奔腾而下，大西北峡谷与川地相间，丰沛的水量、巨大的落差、良好的地质条件，形成黄河上中游独特的“水电走廊”。经过50多年的建设，已建成龙羊峡、刘家峡、盐锅峡、八盘峡、大峡、青铜峡、天桥和三门峡等8座大中型水电站，总装机容量为412万kW，年平均发电量191亿kW·h。20世纪80年代末和90年代黄河干流上动工兴建了4座大型水利枢纽：李家峡、公伯峡和万家寨、小浪底水利枢纽。其中小浪底水库26亿m^3可调节库容提供的水量将源源不断送到下游，提高下游用水保证率；碧波荡漾的水库回水直达三门峡坝下，形成黄河又一道靓丽的风景线。

（三）开展水土保持治理工程

（1）坡耕地治理。主要以修水平梯田为主，未修梯田的，采取各类水保耕作法；荒地治理，主要是种草育草和造林育林；沟壑治理，截至1998年，黄河上、中游地区共兴修地坝10万多座，淤地30万hm^2；小型蓄水工程，包括水窖、涝池、塘坝、引洪漫滩工程等；专项治理措施，包括对沙荒地、矿区四周、水库上游、渠道沿线、公路沿线及铁

龙羊峡水电站

路沿线等区域，根据其水土流失特点，分别采取相应的专项治理措施。实行了多个关于水土治理的世界银行贷款项目，创造了县域、支流和小流域治理的综合典型经验。50多年来，初步治理面积达18万km^2，水土保持综合经济效益达2 000亿元。

坡耕地治理：黄土高原上的梯田

半个世纪在历史的长河中只是一瞬间，黄河及其两岸都发生了翻天覆地的巨大变化，黄河洪水得到有效控制，泥沙规律渐为人们所认识，汩汩水流按照人们的意愿流向大地，高山峡谷中水电明珠闪烁，平原山岗上稻谷飘香，母亲河在其水量充足的区段展示出了她迷人的风采。

黄河、长江及全国各大水系所得到的良好治理，从根本上改变了旧中国水灾频仍的局面，特别是作为与中国历史相始终的黄河流路大摆动的劫难得以根除，使全国人民在中国共产党领导下投身社会主义建设的环境大为改观，经过各族人民在各领域的团结奋斗、顽强进取、积极探索和艰苦奋斗，取得了国民经济和社会发展的巨大成就。

（四）综合国力显著增强

1952年，我国国内生产总值只有679亿元，到2003年达到了116 694亿元，扣除价格因素，年平均增长7.72%，大大高于同期世界年平均增长3%左右的水平（见图2-22）。

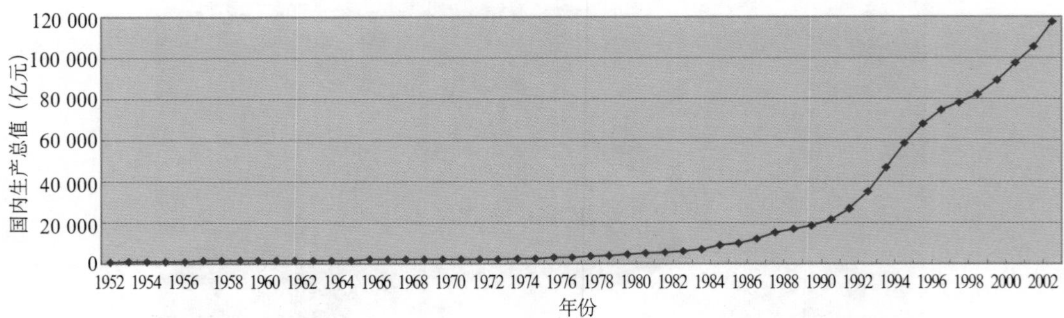

图2-22　我国国内生产总值（GDP）增长示意图

国内生产总值在1987年提前3年实现比1980年翻一番目标的基础上，到1995年，又提前5年实现了再翻一番的目标。据世界银行估算，2001年我国经济总量就已跃居世界第6位，排在美国、日本、德国、法国和英国之后。

新中国成立初期，我国发电量、钢产量、原油产量仅分居世界第25、26、27位。50多年后，主要工业产品中，钢、煤、水泥、化肥、电视机、棉布、化学纤维产量居世界第一位，发电量居第二位，糖、原油产量居第三位。主要农产品中，谷物、肉类、棉花、花生、油菜籽、水果等产品产量均位居世界第一位。

50多年来我国经济结构趋于优化。第一、第二、第三产业比例由1952年的50.5%、20.9%和28.6% 调整为2003年的14.8%、52.9%和32.3%，与1952年相比，第一产业比重下降35.7个百分点，第二产业比重提高32个百分点，第三产业比重提高3.7个百分点，使长期制约我国经济发展的一些瓶颈产业，如原材料、燃料动力、交通运输等的紧张状况得到基本缓解。

1.社会商品极大丰富

50多年来，我国农产品产量成倍增加。2003年，粮食产量达43 067万t以上，比1949年增长2.8 倍，人均产量比1949年增长0.7倍；棉花产量达487万t，增长9.9倍，人均产量增长3.2倍；油料产量达2 805万t，比1949年增长9.9倍；水产品产量达4 690万t，比1949年增长103.2倍。2003年猪、牛、羊肉产量达5 507万t，比1949年增长24倍。我国农业增加值由1952年的343亿元增加到2003年的17 247亿元，扣除价格因素，增长4.4倍，平均每年增长3.4%。我国用占世界10%的耕地，解决了占世界22%人口的温饱问题。

50多年来，钢铁、纱、布、糖、原煤等主要工业产品产量快速增长。年产钢量由1949年的15.8万t扩大到2003年的22 233.60万t，增长了1 406倍。汽车生产从无到有，年产量由1955年的100辆左右扩展到2003年的444.39万辆。一大批新兴电子产品产量迅猛扩张：电视机由1958年的200台左右增加到2003年的6 541.40万台，电冰箱由1957年的0.16万台左右增加到2003年的2 242.56万台，洗衣机由1978年的0.04万台增加到2003年的1 500万台，空调器由1978年的0.02万台增加到2003年的4 993.40万台。工业增加值由1952年的119.8亿元增加至2003年的53 612亿元，扣除价格因素，增长252.5倍，平均每年增长11.5%。

2.基础设施明显改善

1950年以来，我国共完成固定资产投资345 706亿元，其中基本建设完成投资153 006亿元，更新改造完成投资62 974亿元，使我国经济发展后劲进一步增强。

工业方面，彻底改变了旧中国基础薄弱、技术落后、部门残缺不全、分布极不合理的状况，建立了门类比较齐全、布局比较合理、独立的工业体系。石油生产从1949年的12万t扩大到2003年的1.70亿t，摘掉了“中国贫油”的帽子。发电量由1949年的43亿kW·h增长到2003年的17 107.62亿kW·h，增长了396倍，结束了长期困扰我国的缺电、少电的历史。

农田灌溉条件大大改善，全国灌溉面积已由1952年的1 996万hm^2扩大到2003年的5 590万hm^2。到1997年底，全国兴建了大中型水库85 153座，总蓄水容量5 658

亿 m^3。农业生产逐步走上机械化、水利化、电气化的道路。2003年与1952年相比，农业机械总动力由18万kW增加到60 446.62万kW。

50多年来，运输邮电业增加值由1952年的29亿元增加到2003年的6 531亿元，扣除物价因素，实际增长55.45倍，平均每年增长8.23%。

我国基本形成以铁路为骨干，公路、水运、民用航空和管道组成的综合运输网。在各种运输方式中，民用航空发展最快，到2003年为止，民用航空开通了1 155条国际国内航线，构成了四通八达的蓝天运输网。在各种货运量中，公路运量增长最快，1949年到2003年增长了157.04倍。

人们的交流方式已由改革之初的以信件、电话、电报为主，发展为包括移动电话、传真、传呼、电子邮件、数据传输等多种先进快捷的交流方式。已建成包括光纤、数字微波、程控交换、移动通信等覆盖全国、通达世界的公用电信网，并建成了业务种类齐全、网点密布的公用邮政网。全国邮路和农村投递线路总长度由1949年的70.6万km增加到2002年的659.6万km，增加8.34倍。我国公用电话网规模在世界排名迅速上升，仅次于美国，居世界第二位。

50多年来，城乡居民消费水平、消费结构和消费环境都发生了明显变化，基本实现了从贫困到小康的历史性跨越。

居民实际消费水平由1952年的每人每年80元，提高到2003年的4 993元。城乡居民储蓄存款由1952年的8.6亿元增加到2003年的102 645亿元。

新中国成立之初，城镇居民用于吃和穿的开支占到全部生活费支出的80%，农村居民更是高达90%以上；到2003年，生活费支出中城镇居民用于吃和穿的比重已下降为37.1%，农村居民下降为 45.6%。消费结构基本改变了多年来以吃、穿等生活资料为主的单一格局，住、用、行和文化娱乐等方面的消费支出明显提高。

城市煤气、液化气普及率由1957年的1.5%提高到2003年的76.7%。人们对消费品的购买从50年代至70年代的百元级老四件(自行车、手表、缝纫机、收音机)、80年代千元级的新六件(电视机、洗衣机、录音机、电冰箱、电风扇、照相机)、到90年代万元级、十万元级的电脑、轿车、商品房，消费档次大大提高。目前，老四件早已在农村普及，新六件在多数城镇也接近饱和，人们对万元级商品的消费开始起步。

3. *对外经济日趋活跃*

50多年来，我国对外贸易经历了从仅对苏联和东欧及周边国家进行贸易到逐步扩展为包括日本、欧盟、美国等在内的220多个国家和地区的发展过程。对外贸易总额由1950年的11.3亿美元增至2003年的8 512亿美元，增长752倍，年均增长速度高达13.3%。进出口总额在世界贸易中的排名已由1978年的第32位上升到第4位，其中，出口总额在世界出口贸易中的排名居第4位。外汇储备由改革开放之初的8.4亿美元，增加到2003年的4 033亿美元，居世界第二位。1952年，农副产品等初级产品出口所占比重高达83.4%，2003年，机电产品、轻纺产品等高附加值的工业制成品占出口比重高达92%，初级产品的比重下降为7.67%。

利用外资规模不断扩大。新中国成立之初，由于受到西方国家的经济封锁，我国利用外资渠道单一、规模小，主要依靠苏联提供低息贷款。改革开放以来，我国利用外资迅速发展，1978年至2003年，我国实际利用外资总额累计达6 410亿美元，外商除在农业、工业、交通、饮食娱乐业兴办一大批企业、设施外，还进入邮电、商品零售、金融保险等领域投资。外商投资的平均规模，由20世纪80年代的122万美元增加到2003年的242万美元。

有专家指出，在新的一年里（2004年）中国对世界最大的提示，不仅是中国占全球经济总量的绝对比例，也不仅是中国经济的高增长率，而还有中国制造业所向无敌的国际竞争力。在这一年，中国继续充当世界投资者的第一目标地（国外投资已超过500亿美元）。为支撑这个巨大基地的建设，以及国人日益提高的消费水平，中国对能源需求猛增已形成难以逆转的趋势，2004年进口石油已逾亿吨，从而使得提高国家能源战略谋划水平成为一个时代的迫切要求。中华民族在社会主义制度下短短50年的建设成就，远远超越了历史上汉唐盛世，直追当代世界的发达国家，正在展示出拿破仑“东方雄狮梦醒”的预言。

四、国民经济50多年的高速发展，使自然力与社会生产力悄然发生强弱转换，生态环境的恶化为新世纪的黄河治理展示了一个严峻的大背景

就在全国人民50多年来自强不息、持续推进社会主义现代化建设的过程中，一种自然力与社会生产力之间的强弱转换已在悄然发生。一方面，中国已从半封建半殖民地废墟上的东亚病夫崛起为震撼世界的东方巨人。作为社会生产力重要指标的国内生产总值，自新中国成立以来特别是在改革开放之后发展迅猛（见图2–22），2004年实现136 515亿元，排世界第5位，对外贸易额已超过日本，增长至世界第3位。与综合国力的提升相一致，中国人民对自然力的控制能力大大增强；另一方面，作为一种自然力表征的黄河，则已由一条水量浩大且带有桀骜不驯性格的强势洪流，转变为一条基本上处于驯服状态，甚至在长时段内仅仅是不绝如缕、勉强入海的弱势细流（见图2–23）。黄河的由盛而枯实际上代表着自然生态环境对经济社会发展支撑能力的锐减。

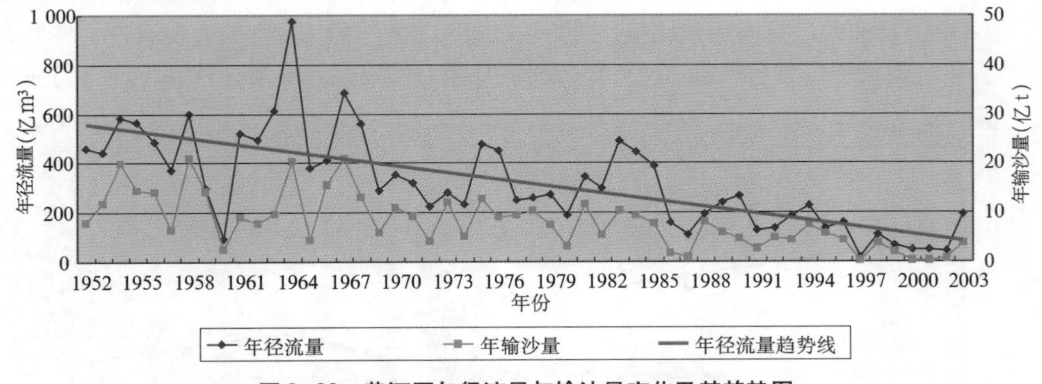

图2–23 黄河历年径流量与输沙量变化及其趋势图

从图2–23中可以明显看出：由于黄河流域年降水量和区间降水量的巨大差异，因此黄河的径流量是非均衡的。图中的黄河径流量最大年份1964年为973.1亿m³，而最小年份1997年仅为18.8亿m³，最高年份径流量是最低年份的51.76倍。如果说这一巨大差

距可解释为特殊气候年的话，则根据整个径流量升降曲线所作的趋势线看，50年来径流量的总体趋势是处于明显下降状态的。利津站是黄河最下游的一个水文站，其径流量出现上述变化的原因当有两个方面，一是黄河流域入黄水量可能存在下降趋势；二是黄河沿程各地用水量的加剧。依据黄河水利出版社1996年出版的《黄河水文》一书中的黄河流域降雨量情况，“1920年迄今，只有呼和浩特、太原、西安、陕县有降雨资料，这4站的平均降雨量在一定程度上反映了黄河中游降雨的年际变化。在长达70年的降雨系列中，最小年降雨量发生在1928年、1936年，4站平均雨量为280mm，1928年的径流量为230亿m^3（花园口站），也是历年天然径流量的最小值，1922～1932年是黄河的枯水段。1938年、1958年、1984年前后，黄河的降雨量最为丰沛，此时也是径流的丰水期。”根据以上70年的降水过程线所作的趋势线看（见图2–24），代表黄河流域降水过程的总趋势是

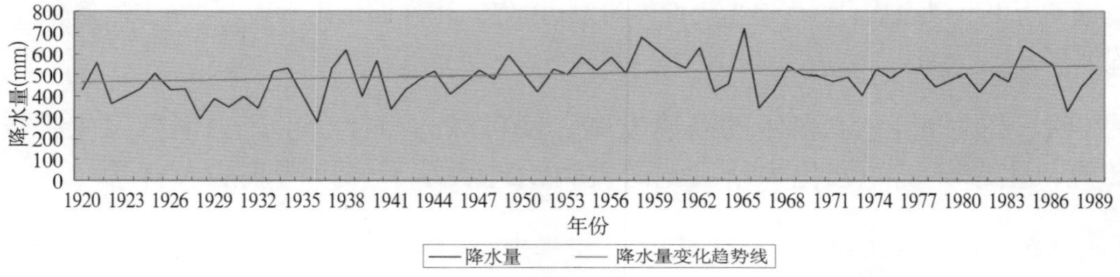

图2–24　黄河流域降水量及其趋势图

较为均衡的。也有专家通过野外调查和遥感分析认为，黄河源头地区位于长江水系和柴达木水系的南北“挟持”之下，多种因素引起分水岭向黄河一侧迁移，致使黄河源头的汇水区面积不断萎缩，导致黄河水源减少，但到底减少了多少水量尚不清晰。而从人文因素来看，沿程用水量的急剧增加应是导致黄河入海径流量急剧下降的重要原因。据资料，黄河流域多年平均河川径流量580亿m^3，20世纪50年代国民经济平均用水只耗用河川径流量122亿m^3，而到90年代平均耗用河川径流量已达到307亿m^3，其中流域外耗用106亿m^3。如果将作为自然力表征的利津径流量趋势线，拿来与表征社会生产力过程的GDP上升曲线进行同年代比较，则两条线所形成的“剪刀差”惊人地表现了自然力与社会生产力的强弱位置转换（见图2–25）。从今后的发展趋势看，社会生产力仍在高

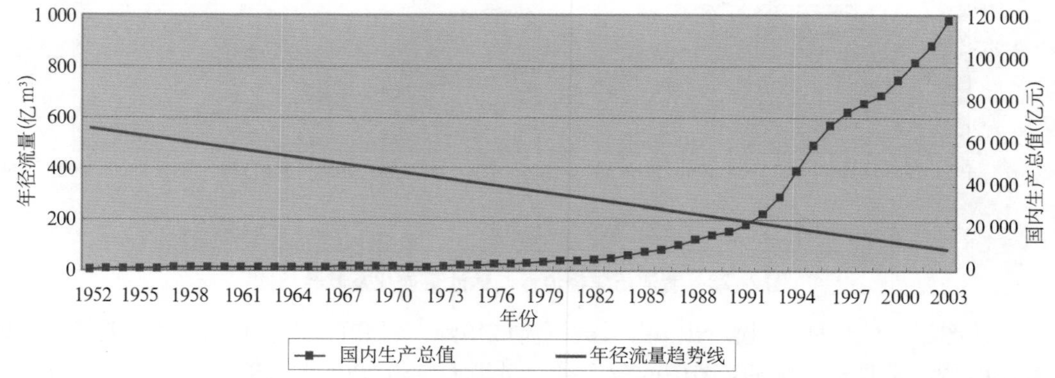

图2–25　自然力与社会生产力的强弱位置转换示意图

速上升，而作为社会生产力重要支撑的自然力却在急剧下滑，当这一下滑终于“归零”时将怎样保持社会生产力的持续上升呢？其实黄河径流量的“归零”现象早就出现过了，20世纪90年代的黄河断流已然对全国人民产生过震撼力，1997年利津县径流量连续“归零”长达226天，引起了全国乃至世界的广泛关注。1991～2000年，利津断面实测年径流量平均为120亿m^3，比20世纪50年代平均减少了360亿m^3，造成黄河三角洲湿地萎缩、生态恶化。1998年元月，针对黄河断流频繁和污染严重的双重危机，163位中国科学院和工程院院士在一纸振聋发聩的呼吁书上郑重地签下了自己的名字（见图2-26），呼吁“行动起来，拯救黄河”！这种广泛关注的实质不仅是一个断流问题，与黄河由盛而枯相伴生的，是一个生态大环境的倒退。如原本是茂密葱郁的森林植被变为荒山秃岭，湿地与草甸的消失带来遮天盖地的沙尘暴，高原地区的雪线蚀退导致江河源头融水锐减，大西北沙化土地以每年10万hm^2的速度向黄河逼近，河西走廊沙丘日夜吞噬着玉门、张掖等历史名城，黄土高原仍在千沟万壑的侵蚀下塌陷、流失，过去漫游在陇原大地上的高鼻羚羊、野马、野猪等现已基本消失，人口的激增更加剧了贫困群体对自然资源的破坏，以牺牲环境为代价的沿河工业每年将40亿t污水排入黄河，当断流尚在持续时各地引黄工程与拦河大坝仍在酝酿上马……这一切表现为长期缺少理性约束的人类活动正在对潜行于地球机理的生态演进规律发起总攻，逼使这一规律由隐而显，并通过黄河断流向人们发出警示：人对大自然的一味掠夺与征服如不及时收敛，一场远甚于黄河洪水的生态大劫难将会危及人类本身。它向人们展示出新世纪黄河治理的大背景，是对当代人

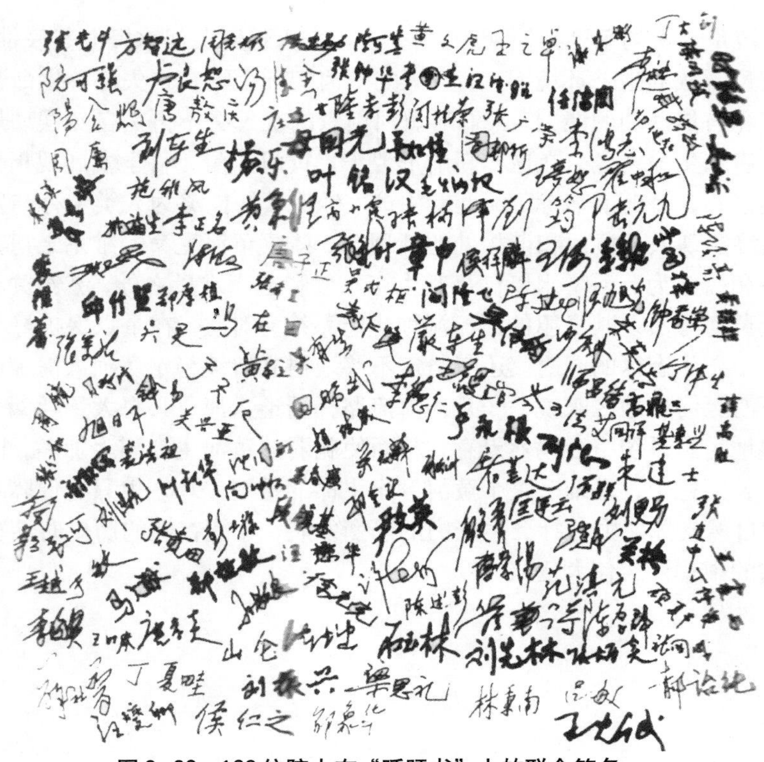

图2–26　163位院士在“呼吁书”上的联合签名

黄河断流，远处有人骑自行车穿越干涸的河床

智慧、理念和能力的检验。

五、坚持长期稳定黄河现行入海流路，是维持黄河健康生命的重要一环

黄河径流量递减的系列数据证明，由于多年来人们对黄河水资源釜底抽薪式的消耗，以及带来流量锐减的生态环境因素，今天的黄河实际上正在丧失那种生命力极其旺盛时期冲决漫流和自然摆动的能力，人们对黄河前景的忧虑将不再是自然摆动规律的发生而是其生态之虞和生命之危。在这一新的形势下，黄河部门在科学发展观指导下，及时调整传统治黄思路，提出了维持黄河健康生命、确保黄河能够为人类生存与发展提供可持续支持、最终实现人与黄河和谐相处的新理念。体察黄河生命的维系之道，除了需要策划各种方略和措施为黄河增水以满足其生态水量和造床水量之外，滋养黄河生命的温床还在于托起黄河源头及其身躯的河流湿地生态系统。对此，在重点保护好三江源与流域水源地等上中游生态区的同时，还应坚定不移地树立持续稳定黄河入海流路的信念。就整个黄河下游至河口地区来说，一旦入海流路择新道入海，必将大量耗漏命源之水，下游及河口湿地生态系统将会荡然无存，从而使脆弱的黄河生命雪上加霜，因此坚持黄河入海流路的长期稳定，是维系整个黄河健康生命的重要一环。也只有保障包括“黄河生命”在内的自然支撑能力与社会生产力的平衡发展，才能在新的历史时期真正实现人与自然相和谐的中华民族伟大复兴。

第三章　黄河流路稳定与黄河三角洲开发

何谓黄河三角洲？《辞海》(上海辞书出版社,1979年版）如此定义：黄河三角洲有广狭两义，广义的指北至天津、南至废黄河口，西起河南省巩县以东黄河冲积泛滥的地区；狭义的仅指山东省利津县城以东黄河河口部分的地区。

由于北至天津、南至废黄河口（江苏射阳）的广义黄河三角洲是古代黄河东出晋豫大峡谷后向南北摆动冲积形成的，故又称古代黄河三角洲；又因黄河在其摆动史上曾多次南入淮河，北汇海河，携淮、海而冲泛造陆，故这个三角洲又称黄淮海大平原。而狭义的黄河三角洲是黄河于公元1855年改道山东由利津县入海冲泛形成的,总面积约6 000 km^2，因其历史仅有百余年，故又称近代黄河三角洲。

第一节　黄河对近代三角洲的作用是其影响中国历史的缩影

黄河口在其历史上是一个变动不居的河口，其摆动幅度之大和摆动频度之高为全球所仅见。但是有记载的历史告诉我们,这是一个自然力和人的制约能力相互交织的过程,黄河河口又始终复演着一个由摆动到稳定的过程。从古代三角洲和近代三角洲形成的过程与机理看，两个三角洲具有极大的相似性。见微而知著，明著以察微。两个三角洲的互证研究可为加深对黄河的认识提供依据。

一、黄河改道山东百年沉积缔造近代黄河三角洲的过程，是黄河在漫长地质时期冲泛摆动造就黄淮海大平原的历史缩影

根据第二章的总结阐述，有史记载的黄河，在黄淮海大平原（古代黄河三角洲）上的决口摆动高达1 500多次，大的摆动26次，其中稳定时间较长并形成相对固定入海流路的计有5次（见图3−1)。上述整个南北大摆动的范围以郑州桃花峪为顶点，或东北注入渤海,或东南注入黄海,形成了北到天津、南达江淮的大黄河冲积扇,总面积25万km^2。黄河在北行注入渤海期间，主要以河南浚县、滑县为顶点；在南行注入黄海期间，多以河南延津、原阳、开封一带为顶点。公元1496～1566年期间，因北岸修建太行堤，开封附近不再决溢，其摆动下移益阳、考城、曹县一带。由于这一大的时段已是有记载的历史时期，说明已有了人类社会活动对黄河摆动施加影响，因此已不是完全意义上的自然摆动。而真正意义的黄河下游自然摆动当在史前地质时期,但那时黄河是怎样摆动的，摆动了多少次目前尚很少见诸相关的研究与报道。

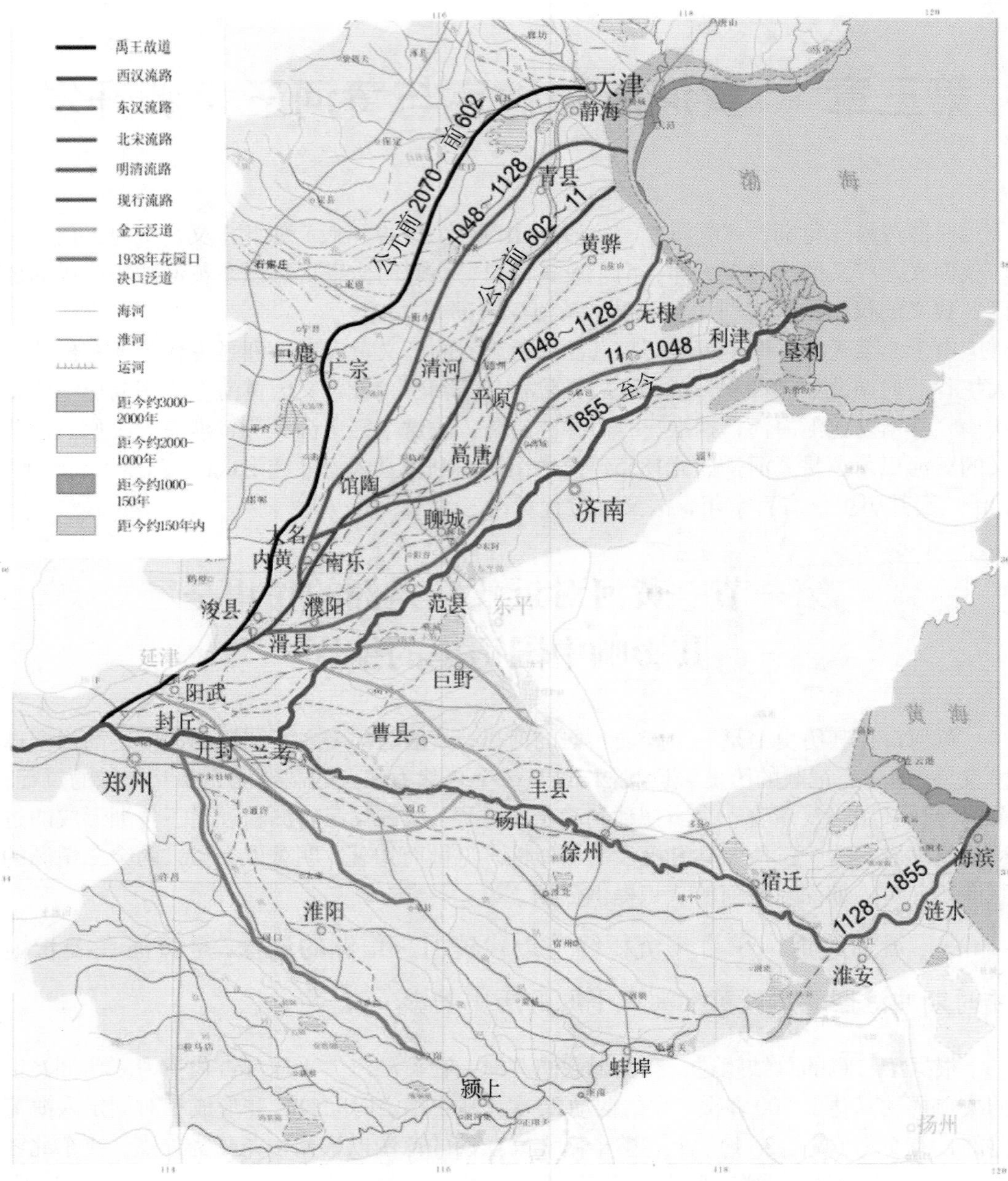

图 3–1　黄河历代主要入海流路图

黄河在近代三角洲的摆动冲积虽然仅有百年历史，但这一过程的前期仍然延续了黄河在人力影响微弱的条件下自然摆动的重要特征，从而成为黄河淤淀黄淮海大平原的历史缩影。其在近代黄河三角洲的主要决溢、改道情况见表 3–1。

表 3–1　**近代黄河三角洲黄河主要决溢、改道情况**

年 份	决溢或改道地点	决溢、改道情况
1855年*（咸丰五年）	河南兰阳铜瓦厢	六月，“下北兰阳汛三堡无工处所漫溢（即铜瓦厢决口）。”“黄流先向西北斜注，淹及封丘、祥符二县村庄，复折转东北，漫流兰仪、考城及直隶长垣等县村庄，复分为三股……至张秋镇汇流穿运，总归大清河入海。”（《再续行水金鉴》引《黄运两河修防章程》）
1883年（光绪九年）	山东利津南北岭、韩家垣等	“是年决利津十四户。”（《清史稿·河渠志》） “二月沿河十数州县因凌汛大涨，漫口林立……，利津之南北岭、韩家垣、辛家等处，口门大者或数百丈，小者亦数十丈”（《历代治黄史》）
1884年（光绪十年）	利津十四户	“（闰五月）又决利津县北十四户。”（《治水述要》）
1889年*（光绪十五年）	利津南北岭	三月，“利津南北岭，下游韩家垣漫口。”（《山东通志》）老河封闭，新流路由毛丝坨入海
1892年（光绪十八年）	惠民、利津	“六月，决惠民白茅坟，夺溜北行，直趋徒骇入海。又决利津张家屋。”(《清史稿·河渠志》)
1895年（光绪二十一年）	利津吕家洼、赵家园、十六户	“六月（河）决寿张高家大庙、齐东赵家大堤。未几，决济阳高家纸坊、利津吕家洼、赵家园，十六户。”（《清史稿·河渠志》）
1896年（光绪二十二年）	利津赵家菜园、西韩家、陈家	五月，“黄河伏汛盛涨，下游利津县之赵家菜园漫溢成口。”（《李忠节公（秉衡）奏稿》） “六月，决利津西韩家、陈家。”（《清史稿·河渠志》
1897年*（光绪二十三年）	利津北岭子、姜家庄、扈家滩	五月，“（利津）北岭子以上里许及以下之西滩地方，……均被漫过埝顶。”（《李忠节公奏稿》）六月，河由丝网口入海；“十一月凌汛，决利津姜家庄，扈家滩，水由沾化降河入海。”（《清史稿·河渠志》）
1902年（光绪二十八年）	利津冯家庄	“利津境内南岸冯家庄，水势异常汹涌，……八月初八日午时漫溢成口。”（光绪《谕摺汇存》）
1903年（光绪二十九年）	利津宁海庄	“利津县南岸宁海庄汛段，堤身纯沙，大溜冲刷，……自六月初间二次生险，……，十三日卯时，遂漫溢成口。”（光绪《谕摺汇存》）
1904年*（光绪三十年）	利津王庄、薄庄	“正月初三日以后，水势抬高，处处几与堤平，……初四日子时，大溜漫过（利津县）王庄大堤，以上扈家滩、马庄、姜庄亦同时漫溢。”（《清德宗实录》） “六月（利津县）薄庄漫口，水东北入徒骇河，从老鸹嘴归海，遂不塞。”（《山东河防局册案》）
1910年（宣统二年）	利津新冯家堤	“利津南岸尾工以下之新冯家堤埝，因形势顶冲，大溜侧注，于九月初五日将该处冲成决口一百余丈。”（《华志存考》）
1921年（民国10年）	利津宫家	7月19日，利津宫家因河势变化，平工骤成新险，河堤冲决，口门冲宽450丈

续表 3–1

年 份	决溢或改道地点	决溢、改道情况
1926 年* （民国 15 年）	利津八里庄	6 月，利津八里庄堰决口，经汀河、铁门关故道，由刁口河入海
1928 年 （民国 17 年）	利津棘子刘等地	2 月 3 日，利津棘子刘、王家院、二棚屋子（常庄）、后彩庄四村因凌汛积冰涨水，先出漏洞，后 6 处漫溢决口，淹 70 余村；
1929 年* （民国 18 年）	利津扈家滩、纪家庄	2 月 28 日，利津扈家滩大堤因王庄积冰严重水无去路而漫溢，口门宽 210 丈，淹及利津、沾化 60 余村； 8 月，利津纪家庄民堰盗掘成口，淹及 100 多个村庄。9 月，河由南旺河入海
1930 年 （民国 19 年）	利津王家庄、甘草窝子	秋，利津王家庄险工决口，当年 12 月堵合；甘草窝子决口，9 月堵合
1931 年 （民国 20 年）	利津崔家庄、尚家屋子	2 月 5 日，利津崔家庄民堰积凌水涨，午刻漫决。当年堵合；8 月，利津南岸尚家屋子民堰冲决
1934 年* （民国 23 年）	利津合龙处	8 月，利津合龙处（今李家呈子附近）决口，9 月，河由神仙沟、甜水沟、宋春荣沟三股入海 10 月 18 日，利津寿光围子民堰漫溢溃决
1937 年 （民国 26 年）	蒲台县正觉寺	7 月 26 日，蒲台县正觉寺（麻湾险工）决口，口门宽 2 400 米，淹及蒲台、利津、博兴、广饶、寿光等县数百村庄。1938 年，国民党政府为阻日寇西进，炸开花园口大堤，水沿贾鲁河、涡河入淮，山东河竭
1947 年 （本区已解放，弃民国纪年）	利津王庄	3 月 15 日，南京政府违约堵复花园口，放水归利津故道。9 月 20 日晨，王庄临黄堤决口，军民奋力坚守套堤，未酿成灾害，口门年底堵复
1948 年	蒲台、利津、垦利	2 月 7 日，黄河开凌壅冰漫水，淹及蒲台、利津、垦利 3 县滩区 70 余村，房屋倒塌过半，财产损失严重。
1949 年	垦利县宋家圈	7 月 30 日夜，垦利县宋家圈小民坝决口。防汛指挥部组织干部、群众冒雨抢堵，仅淹地 4 万亩，人无伤亡
1951 年	王庄	2 月 3 日，王庄决口。1 月 30 日冰凌开至前左险工形成冰坝，水位猛涨。2 月 2 日夜，王庄险工以下 300 米处，由管涌发展成漏洞，抢堵无效，于 3 月 1 日时决口成灾。经 7 000 名堵口员工 17 个昼夜的奋战，水退恢复生产
1953 年*	小口子	7 月，在小口子裁弯后，变三股河为一股河，由神仙沟独流入海
1955 年	五庄	1 月 29 日，五庄决口。冰凌开至利津王庄卡塞，形成冰坝，29 日 23 时和 30 日 1 时五庄附近因漏洞先后决口两个。经 6 000 余名堵口员工奋战 7 个昼夜，于 13 日堵口合龙
1960 年	4 号桩	8 月，河口流路由 4 号桩以上 1km 向右自然改道出汊河，经老神仙沟入海

续表 3–1

年 份	决溢或改道地点	决溢、改道情况
1961年	垦利罗家屋子	7月25日，罗家屋子（今利津）以下漫滩，淹地20余万亩，约万人被水围困，经抢救脱险
1963年	罗家屋子	30日，罗家屋子老套堤漫溢决口。同兴、渤海、海滨农场及肖庙公社受灾
1963年	垦利小沙汉河	12月30日，垦利小沙汊河卡冰阻水，水围孤岛，灾情严重
1964年*	罗家屋子	1月1日，省委授权，在罗家屋子爆破民坝分水。河由神仙沟改走刁口河入海； 4月5日，因海潮、河水相遇，水位倒涨，淹没罗镇小街复堤工地，春修被迫停工
1969年	王庄	3月18日，王庄以下全部漫滩，2000多人被水围困，各级党、政领导亲自指挥，油田及军马场大力支持。奋战40余天，冰水安全入海
1973年	垦利纪冯	1月23日，凌汛两封两开，第二次开河冰凌在垦利纪冯卡塞，宫家以下全部漫滩，冰水漫决宁海坝基，滩区万余人被冰水包围。地、县及胜利油田领导带领干部、民工、中国人民解放军进行破冰、抢险、救护工作，紧张战斗5个昼夜，始转危为安
1976年*	西河口	5月19日，由三门峡控制泄量断流，21日完成截流堵塞刁口河流路工程，27日河由清水沟流路入海
1979年	利津滩区	1月15日封河，至2月19日，黄河凌汛两封两开。因流量大，河口不畅，利津滩区20余村被冰水包围，百余公里堤防靠水
1985年	河口、孤东	1～3月，凌汛封河开河时均卡冰壅水漫滩，部分大堤偎水，险工、控导多处生险。河口部分油井被淹停产，孤东交通中断，部分群众、油田职工被困。济南军区空军派直升飞机参加抢救，防汛员工严密防守及抢护，至3月11日河开，安度凌汛。 12月27日，凌汛涨水漫滩。河口地区部分群众被冰水围困，市、县及军分区、油田主要领导亲临现场指挥抢救，济南军区派直升飞机两架，起飞45架次，救出415人，均得到妥善安置

注：① 以“*”标识年份，系黄河在三角洲地区的十次大改道年份。
② 表中1855～1910年资料摘引自《黄河水利史述要》；1921～1985年资料摘引自《东营市黄河志·大事记》。
③ 1985年后，黄河水量螺旋式递减，逐步进入枯水断流期，洪水漫滩几率大为降低，加上工程治理的作用，现清水沟流路已稳定行水近30年，近期无决溢、改道的险情统计。

据表3–1的决溢改道情况，公元1855年黄河于河南兰阳铜瓦厢决口后，先是向西北斜注，又复转折东北，而后复分为三股，又从张秋穿运——横截废圮了南北运河，最后才夺大清河入海，完全是在官民均无任何防守准备的条件下横冲直撞漫流入海的。咸丰五年以后的清政府，虽亦努力部署设防筑堤，但由于当时国力维艰，民力虚弱，其工程规模远不能约束黄河之性，所以决口泛滥极为频繁。表3–1所记仅为利津及其以下河段的主要决口情况，而利津以上至兰阳河段的决口次数亦多不胜计。据《山东黄河志》记载，河决山东的咸丰五年至清末57年间，累计有966县（次）遭受决口灾害。至于河口一带，更是官民力不能及之地，黄河在此期间，每年以约略500亿m^3的大水，挟裹约15亿t大沙展布于河口地区，进行着近代黄河三角洲的建造过程。

由于黄河改道后河长比徐淮流路大为缩短，故形成较显著的溯源冲刷，河南境内的黄河决溢大减。随着利津流路河堤的渐次修建，黄河的决溢点亦逐步下移。因改道初期口门海区输沙条件较好，黄河成为地下河长达34年。直到公元1889年才开始淤塞改道，从而展开了以垦利县宁海为顶点、北至套儿河口、南至支脉河口的摆动过程。1934年，黄河摆动点下移至垦利县渔洼一带，开始建造北起挑河、南至宋春荣沟的现代黄河三角洲，摆动范围2 200km^2，使近代黄河三角洲总的冲淤影响范围达到5 400km^2（见图3−2）。

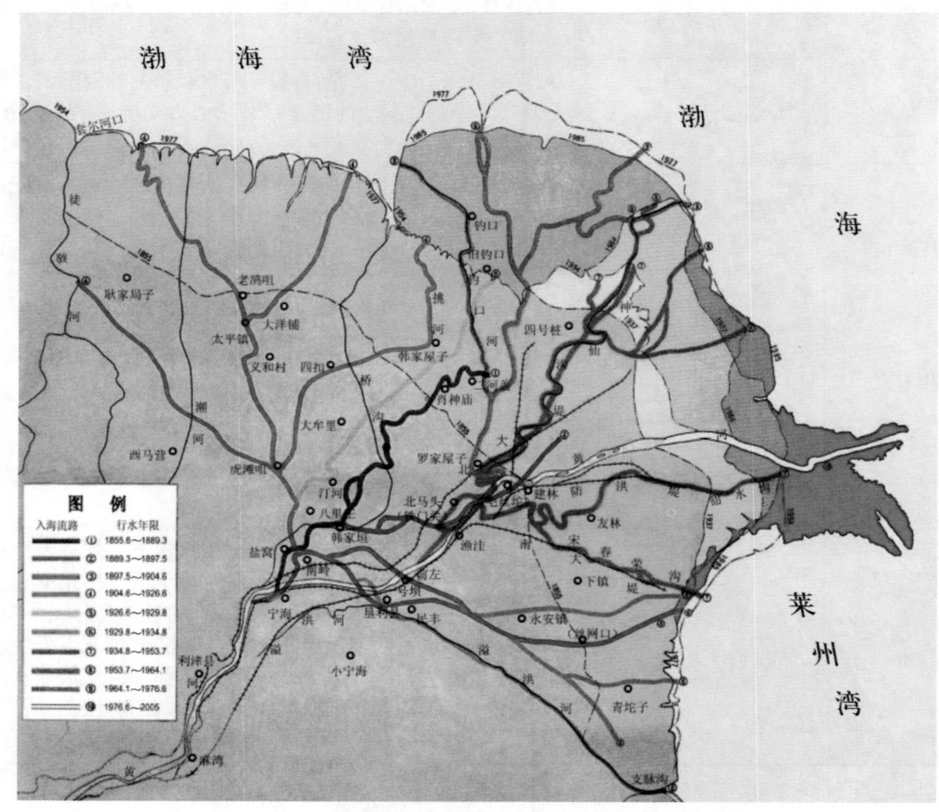

图3−2　近代黄河三角洲主要入海流路演变图

二、黄河入海流路由自然摆动漫流到实现工程治理，是黄河在中华大地由乱到治的历史缩影

黄河在其历史上的流路摆动与洪水泛滥曾给中华民族带来过深重灾难，为解除这一心腹之患，新中国成立伊始就将防洪列为人民治黄的第一要务，随之制定了“上拦下排、两岸分滞”的总方针，多年来实施了一系列重大治河工程，包括在上游修建拦蓄水库，如在三门峡、陆浑、故县、小浪底等处修建大坝，调蓄黄河洪水；在黄河两岸修建了东平

湖、北金堤、南展堤等多处滞洪工程。同时建成了完整坚固的堤防工程体系，将黄河洪水排入河口地区冲泛入海。由于新中国成立之前黄河一直在利津县以下决口摆动，黄河三角洲前沿处于河汊纵横、荆棘遍野、人烟稀少的荒芜状态，因此新中国成立后国家决策将国坝修建至利津县四段，四段以下的广阔地区则作为黄河洪水的承泄区，使黄河得以在相当长的时间内，在河口地带复演着有规律的自然摆动过程。其入海流路通过泥沙沉积首先塑造起三角洲中部地区的亚三角洲，继之流路逐步向右偏移、改道，在三角洲右侧塑造新的亚三角洲。进行到一定阶段后，流路又改向三角洲左侧入海，构造更新的亚三角洲，最后又回移到三角洲中部位置，从而构成一次大循环。然后又在整个三角洲前沿推进一次新的大循环，在黄河实际行水的140年间，已完成3次大循环，逐步建造起规模宏大并快速向海域推进的三角洲体系。

由于黄河口的摆动总体上不断将三角洲海岸线向渤海推进，因此每条流路又在不断延长中促使河道比降向平缓过渡，从而加重了溯源淤积的过程。为增强河口地区的泄洪能力并保障黄河三角洲开发者的安全生产，治河部门相继对黄河尾闾实施了3次人工改道工程：1953年，由甜水沟改走神仙沟流路；1964年由神仙沟改走刁口河流路；1976年由刁口河改走现行的清水沟流路入海。同时相应向下游延续防洪堤坝，形成了完善的入海流路防洪工程体系。为给不行河的区域提供安全环境，在河口段两侧修建向海域张开的喇叭口形堤坝，将黄河摆动的幅度约束在设定范围内。

人的需求是最大的社会发展动力。当三角洲发展潜力尚未进入人们视野的时期，对黄河口采取任其“自然摆动、均衡布沙”的方针，可以说是差强人意的。但是当黄河三角洲开发成为国家和人民的需要时，这一带有时代局限的方针终于受到人类需求的挑战。20世纪70年代，为开发黄河三角洲极其丰富的石油天然气资源，胜利油田开始向黄河口两岸进军，由于黄河摆动漫流所造成的险恶形势，人们不得不把黄河口治理列入议事日程。80年代新兴的石油城——东营市诞生，一系列黄河三角洲建设与发展的基础工程同过去的黄河摆动模式产生了尖锐的冲突。随着清水沟流路行水十年又出现自然改道征兆、从而将打乱经济布局的现实，一个由“东营市出政策、胜利油田出资金、治河部门出方案”的新的治河模式终于产生。1988年的黄河口综合治理实验工程，采取“工程导流、疏浚破门、巧用潮流、定向入海”的综合措施，取得了“河口畅、下游顺、全局稳”的治理效果，对延长黄河清水沟流路行水年限做出了实践探索。90年代以来，又相继实施了由国家计委批复的黄河入海流路治理一期工程、水利部以及黄委会部署的黄河口疏浚工程、小北汊口门调整工程、河道整治工程、拦门沙疏浚工程等。世纪之交小浪底工程上马后，连续成功实施了三次调水调沙工程，清水沟流路出现了比降加大、河势稳定的新局面。黄河入海流路终于走过了一段“不治理→被动治理→有计划系统治理”的历程，这实际上也是整条黄河在漫长历史时期由乱到治的缩影。

三、近代黄河三角洲自然历史进程作为一种大地域、大社会、大界面的缩微模型，其许多开发治理模式对于国家宏观发展具有典型实验意义

黄河短暂的百年沉积缔造了一个具有原生生态特征的新陆地，随着自然界演化过程

和人类各种活动的交织影响，近代黄河三角洲正在经历着一个压缩了的“自然历史过程”，她所体现的“模型性”已受到许多研究者的关注。所有稳定黄河入海流路的工程设计完全可以在这一天然模型中进行实验与验证。

（一）自然物理模型

对于地质演变和人类发展的历史来说，百年时空不过是其中之一瞬，而黄河却在黄河口地区走过了一段吞吐洪荒、海迁陆沉的地质岁月，并为人对大自然的探索造就了一个天然的物理大模型。因其陆架进积速率居世界之首，这里成为第四纪沉积的教科书；因咸淡水交汇适宜各种生物繁衍生息，这里成为生物多样性的渊薮，成为野生动植物资源的“基因库”，成为环西太平洋珍稀、濒危鸟类迁徙驻足的中转站；由于地域环境快速多变的特征，这里又是研究海、河、陆生态系统演化、河海动力环境作用、地貌发育形态、湿地植被演替、水盐运移机制、海陆进积蚀退、自然孕灾机理等自然变化的天然试验场，长期以来成为科技界考察研究的热点地区。这一综合性的自然地理模型可为黄河口治理的所有工程创意提供动态的时空环境演变基础。

（二）资源型地区模型

黄河三角洲蕴藏着极其丰富的石油、天然气、地热、盐卤资源，拥有广袤的土地和海洋资源以及多样性的生物资源等，因此人们一旦发现这里的开发价值，立即加快了这一区域包括自然、经济、社会等发展演变因素在内的自然历史过程。由开发自然资源起步，进而发展工业，繁荣经济是资源型城市一再复演的开发模式。但如果这类城市对某种自然资源特别是不可再生资源的依赖性过大，导致长期产业结构单一，往往在过眼烟云似的繁荣之后，随着资源的枯竭而衰退萧条。黄河三角洲的发展轨迹即是一条探索资源型城市或地区新型发展道路的过程。由于目前作为区域发展主要推进力的石油、天然气资源是不可再生资源，东营市已在借鉴苏联巴库和美国洛杉矶等不同发展模式的经验和教训，未雨绸缪，加快发展多元经济和接续产业，确立更加科学合理的发展方向和道路，从而清晰地展现出资源型城市经济转型的模型实验作用。而黄河水资源及其稳定形态将是这一模型系统中极其重要的支撑因素。

（三）人与自然关系模型

人与自然是在“自然历史进程”中既矛盾又统一，既面临难以避免的冲突又终归和谐统一的一组主导性的范畴。黄河三角洲不仅自然资源丰富、而且地理区位优越，其巨大的发展潜力与良好的发展机遇相结合，必将实现社会生产力的时代跨跃，从而成为经济增长最快的地区之一。但是黄河三角洲由于成陆时间晚、土地固结过程短、地下水矿化度高、土地易盐渍化、大片湿地既体现着其珍贵的价值与功能，又面临着多种因素所合成的实际威胁，故这一区域的生态环境又十分脆弱，包括黄河所展现的脆弱性已从根本上代替了过去频繁摆动的强势姿态。因此，超强度的开发将可能破坏自然界的运行规律从而给人类带来忧患。为此，东营市正在遵循“以人为本，全面、协调、可持续”的发展观，建设稳定发展的客观环境，以实现经济与环境双赢、人与自然和谐发展的长远奋斗目标。而模型中的脆弱性因素将使各种开发行为的影响更具彰显性和可调控性，因此，这一地区作为人与自然关系模型，可为探索落实科学发展观提供重要依据。

（四）河口治理模型

由于黄河的泥沙含量远远超过世界上的其他河流，导致三角洲堆积迅速、流路多变，在与海动力的相互作用下不断复演着大河漫流、摆动、淤进、蚀退的变化周期（见图3-3）。在黄河口区域进行观测科考，可以推衍其他大河河口千百年才能发生的变化。由于黄河口目前的摆动幅度已从北起天津南至江淮的数千公里收缩到仅有百公里的范围，更提高了其作为物理模型的实验操作性能。它不仅可根据行洪防洪、调水调沙、河道整治、拦门沙疏浚以及各种海岸工程的需要进行原型模拟试验，而且可对海、河、陆生态系统之间的融合变化进行综合研究。由于现口门沙嘴前伸对海洋动力的集束作用，前沿沙嘴流速已高达1.5m/s以上，海洋动力输沙作用显著增强。那么海洋动力输沙的潜能到底有多大，能否通过强化海动力作用和上游减沙、下游用沙等综合工程措施，使河口来沙与海洋输沙能力相对平衡，从而使黄河入海流路按照“大摆动→小摆动→相对稳定”的发展趋势，最终使口门锁定于可以允许的更小范围，从而为实现黄河下游的长治久安找到一条根本出路，这些都可以通过1∶1模型试验找到答案。

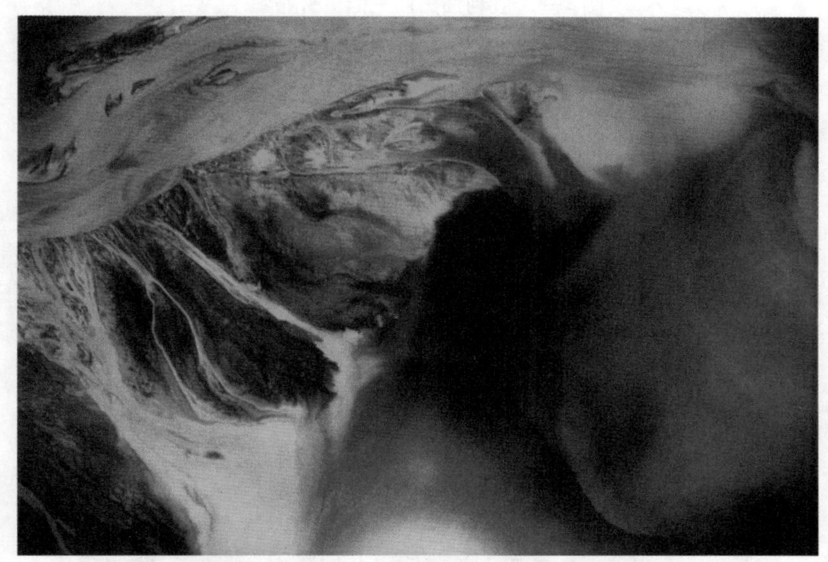

图3–3　黄河口是复演河海动力关系的天然大模型

第二节　胜利油田开发将稳定黄河流路提到议事日程

新中国成立后的十几年中，三角洲一带作为承泄黄河洪水之地，沼泽广布、河汊纵横，一直未能实施有规模的开发，当地农民虽有“逐水草而居”的零星开垦，但形成的地域影响微乎其微，黄河仍然按照 “自然摆动规律”完成其造陆的壮举。20世纪60年代初，中国石油勘探大军在黄河三角洲发现大型油气田，国家决策终于指向了这一地区(见图3–4)。集密的井架，轰鸣的钻机，繁忙的工地，喧腾的人群，象征着一个新时代

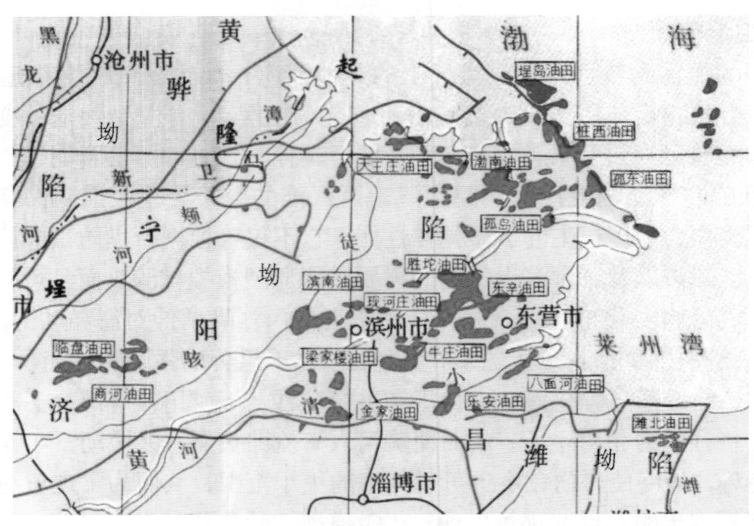

图 3–4 胜利油田油气储量分布图

的来临。国家的巨额资金倾斜很快固化为大批基础设施与生产基地，造就了与黄河自由摆动相抵触的客观现实。石油开发关联着国计民生与国家安全战略，要在这里建设中国石油工业基地，第一要有一个安定的创业环境，现实的需要终于使既要保证洪水安澜入海又要稳定黄河入海流路的谋划提上了议事日程。

一、胜利油田由黄河两岸向东部沿海的拓展

胜利油田的开发最初是在三角洲的腹地展开的。1961 年 4 月 16 日，位于山东省垦利

胜利油田如旭日喷薄而出

县东营村附近的华8井获得了日产8.1t的工业油流。这是华北地区第一口见油矿井，它预示着胜利大会战的序幕即将拉开。1962年9月23日，在东营构造上打出的营2井获得了日产555t的高产油流，成为当时中国日产最高的一口油井，从此923厂这个带有历史印记的名字便铭刻在了胜利油田的发展史上。

1964年1月25日，一个胜利人永远不会忘记的日子，党中央正式批准了石油部关于组织华北石油勘探会战的报告，继大庆石油会战之后，又一场声势浩大的石油勘探会战在黄河三角洲轰轰烈烈地展开了。从大庆、从玉门、从青海、从四川，一批批石油汉子豪迈地扑向了这片沉睡百年的荒原。到1966年，胜利探区先后发现和初步探明了胜坨、东辛、永安、滨南、现河庄、郝家、纯化等7个油田，在黄河以南地区形成了比较大的场面。

1965年3月，在东营地区胜利村一带的胜坨油田，两个油井分别获得日产1 114t和1 036t的高产油流，这是国内首次发现的千吨级油井，成为胜利大合唱中的一个光辉乐章。为了纪念石油会战在胜利村取得的巨大胜利，1971年6月11日，923厂更名为胜利油田。

在黄河以南扎下根的胜利人，从70年代开始又相继在黄河以北组织开展了河口、临盘、孤岛等地区的勘探开发会战，实现了从黄河南向黄河北的跨越，胜利油田也已初具规模。勘探成果显示，不仅黄河口沿岸石油资源丰富，黄河三角洲所面对的浅海油气储量也非常可观，于是胜利人又把开发建设的目光瞄向渤海湾，瞄向了蔚蓝色的极浅海海域。

就在胜利人持续进行石油会战并准备向浅海大举进军的日子里，黄河却依然旧性不改，自由地发挥着摆动泛滥的故伎。1961年7月25日，罗家屋子以下漫滩，淹地1.3万hm^2，包括石油勘探人员和当地居民在内的万余人被水围困。

1963年5月30日，利津老套堤漫溢决口，同兴、渤海、海滨农场及肖庙公社受灾。

1963年12月30日，垦利小沙汉河卡冰阻水，水围孤岛，灾情严重。

1964年元旦，山东黄河河务局会同惠民行署专员查看冰情，省委授权在罗家屋子爆破民坝分水，黄河由神仙沟改走刁口河入海。

刁口河流路行水的当年，就遇上了渤海大潮的顶托，4月5日，河口三角洲沿岸4～5级东南风连续数日又转8～9级东北风，引起海啸，连日增水后的渤海大潮扑向海岸，最高潮位达4.61m（大沽高程）。海潮与黄河水相遇，水位骤涨，河水倒灌，淹没罗镇小街复堤工程……

然而，在黄河摆动最频繁、最剧烈的河口地区和极浅海海域，恰恰是胜利油田石油、天然气的富集区和高产区。当1965年、1966年、1967年胜利油田连续三年成功地打出一系列高产井的大好形势下，黄河却连续三年发生大洪水，加上河口地区持续不断的降雨，导致多个油区发生严重灾害。特别是1966年、1967年，黄河几次洪峰惊动中央。既要黄河安澜、又要石油高产，能否实现两利兼得？这给国家决策层与涉河各方提出了一个历史性难题。

二、刁口河流路形势与改道清水沟流路工程

刁口河流路行水之初，入海流程较神仙沟流路缩短22km，河道纵比降2.13‰，改

道点附近形成较大的水头落差，形成了较好的河势。但行水不久，该流路的弊端逐渐显露。这一方面源于该流路行水的自然条件限制，而主要方面则应归咎于以当时的油田紧迫情势，改道决策仓促，准备工程不足；改道后又囿于科技经济条件，未能跟踪施治，造成该流路中年早衰，抑制了其行河潜力的充分发挥。

刁口河流路行经区域地形开阔，地面较高，且植被茂密，行水糙率较大，水流散漫无力，加上距改道点9km处又有胶泥质高坝一处难以冲刷，大量泥沙在罗4断面一带迅速形成一个严重阻水的庞大的堆积体，导致行水不畅，经1年多的河道淤积，纵比降已不足1‰，尽管改道后缩短流程较大，当年来水来沙条件较好，水量多达973.1亿m^3，但河口产生的溯源冲刷效果并不明显。

1964年大水后，在淤高的滩面上出现数条具备河道雏形的河槽。1965年小水时，中股衰竭淤塞。1966年汛后西股萎缩，形成众多支汊分流，后东股扩大为唯一主流，水力强盛，滩槽轮廓趋于分明，河势渐趋稳定，刁口河流路的沉积造床阶段基本完成。

1966年后，三门峡改建运用，排泄沙量增多，沿程淤积加大，抵消了因河口改道产生的溯源冲刷影响，河口水位迅速回升。1967年后，由于连续出现6 000m^3/s以上的低含沙量大水冲刷，加之口门外海域条件较好，罗家屋子以下河槽变得单一顺直。这为跟踪实施刁口河治理工程提供了重要机遇。但由于缺少工程经验及保油情势紧迫，在1967年山东省政府邀请有关专家和领导在济南召开的会议上，认为刁口河流路有必要改道的意见成为主流。水利部和黄委会最终确定在适当时机对刁口河流路实施人工改道，以确保胜利油田勘探开发及生产的安全。

1968年1月17日，改道清水沟流路的初步设计，由惠民地区黄河河口治理指挥部王锡栋同志主持编制完成。1968年2月，国家计委批复通过了“关于黄河河口改道工程的请示报告”，并列入1968年水利建设计划。具体工程项目为：开挖引河、新修防洪堤、加培接长南大堤、加修生产堤。

1968年3月，胜利油田会战指挥部与水电部马颊河工程局、昌潍地区、惠民地区调集工人、民工5万余人，施工机械163台，历时一年多完成了黄河河口人工改道引河开挖工程。加上其他配套工程：17.2km的防洪堤、28.67km的南大堤、12.72km的东大堤、19.58km的北大堤等全部竣工，历时近10年，整个工程投资近20亿元。

1976年夏，在刁口河流路将要再次发生漫滩之前，为确保黄河由西河口改行清水沟入海，在惠民地区黄河复堤工程指挥部的统一领导下，由胜利油田与利津、垦利两县民工共同实施了黄河流路人工改道工程，将刁口河河道筑堤截流，以爆破工程炸开新流路的通道，黄河清水沟流路终于诞生。黄河新流路的使用，保证了油田生产和生活的安全，消除了黄河先前对孤岛、河口油田的威胁，实现了孤东油田的高速高效勘探开发。

三、胜利油田对稳定清水沟流路的积极探索

清水沟流路自1976年汛前行水后，专家学者预测其使用年限为12～14年。按历史上黄河尾闾自然摆动“大循环”的规律，清水沟流路一旦衰亡，应向北另寻新的入海之路。但是，黄河自清水沟入海以后，三角洲地区社会经济面貌发生很大变化：工业、农业、林业、牧业、养殖业及乡镇企业发展很快，人民生活水平已有较大提高；胜利油田已成为

全国第二大油田，而河口地区的油、气资源是胜利油田主要产量所系，兼具现实与长远的战略意义。据预测，黄河口若向北摆动，每年的石油产量将减少1 000万t左右；许多重要设施和地面工程均需重新调整布局，经济损失巨大。因此，在清水沟流路尚未衰亡之前，对黄河入海流路安排进行预研究，成为当务之急。

为落实胜利油田发展计划，协调油田开发与黄河口治理关系，农牧渔业部部长林乎加、国家计委主任宋平先后于1984年7～9月到东营听取各家对河口治理的意见。胜利油田和东营市提出了稳定黄河入海流路和避免流路向三角洲北部改道的要求，吁请有关部门和专家进行探讨和论证。

1985年元月，中国水科院受胜利油田委托，进行稳定黄河口清水沟流路40～50年的研究。当年9月，项目负责人尹学良提交初步研究成果报告，次年9月又提交了科研论证报告。尹学良在报告中指出：黄河口每七八年改道一次的说法缺乏分析和根据。塑造河口形势的要素是来水来沙条件、河道条件和海域条件；黄河河槽包括河口感潮段在内，具有大水冲刷、小水淤积、“大水出好河”的特征，冲或淤的分界流量大致为1 500～1 800m^3/s。设法减少或制止河口小水淤积，依靠大水冲刷，可使河口形势逐渐好转。根据清水沟口外海域条件及泥沙淤积分布特性，计算西河口以下河长延伸到78～83km，比降保持在1‱～0.8‱，仍可具备足够的泄洪排沙能力，进而使清水沟流路保持40～50年的稳定期，延缓改道时间。尹学良的研究论证为稳定黄河入海流路指明了采取工程措施的方向。

1985年7月，胜利油田和东营市联合召开了河口治理座谈会。为延长现行河道和十八户流路的使用年限，以利黄河口范围内18个油田的勘探、开发和建设，委托山东河务局承担了以下可行性研究：十八户流路的使用方案；北大堤和孤东围堤之间的行水放淤方案；刁口河故道放淤方案；七干渠放淤方案。1986年9月，山东河务局提出《关于延长黄河河口现行流路使用年限的技术咨询报告》，认为如加强工程控制，因势利导，流路可走河30年或更多一些时间。

王锡栋发表稳定河口流路的意见

1987年12月，王锡栋发表《稳定清水沟流路三十年以上的初步意见》，提出在不影响整体防洪安全的前提下，从控制河道、安排泥沙入手，以用沙、排沙、河道摆动点下移等手段，可延长清水沟流路使用年限30～40年。另外，山东海洋大学侯国本教授提出“挖沙降河、稳定河口”的建议；黄委会温善章等提出“哪里有油就向哪里改道，填海造陆，促进河口油田开发”的意见。

总之，综览东营市和黄河三角洲的开发建设规划和决策，其主流意见均寄希望于黄河口有一个相对的长治久安局面。围绕以流路安排为中心的河口治理，做了大量分析研究。为集思广义，深入探讨，东营市委、市政府和胜利油田会战指挥部于1988年6月下旬至7月上旬，促成了两次高规格、多学科的大型河口治理研讨会在东营市召开，许多专家和学者提供了研究成果，发表了各自的见解，在稳定流路的必要性和可行性上取得共识。众多专家的反复研讨探索，使胜利油田决策层更清楚地认识到，如果黄河清水沟流路依然按照十年一摆动的“规律”再行改道，不仅黄河三角洲开发建设的长远目标难以实现，而且现有的建设成果也将付诸东流，因此稳定黄河现行流路，改变黄河口自然摆动的历史，不仅影响着胜利油田的现在，而且决定胜利油田的未来。黄河三角洲的开发需要黄河稳定，胜利油田的发展急需黄河稳定。

1988年6月28日至7月4日，黄河三角洲经济、技术和社会发展战略研讨会在东营市召开，黄河口治理成为会议的重要议题

1987年，改道后的清水沟流路运行时间已超过了原来设定的时限，自然状态下的入海流路已出现了河口淤塞、河身弯曲、多股并流、摆动在即的迹象。当年，河口油田冬季遭受凌灾，夏季遭受伏汛灾害，一年两灾不但造成河口油田停产，还给石油职工带来了重大威胁。济南军区在孤岛油田遭洪水围困后，调动人民空军参加营救。在这一形势下，治河界的改道派和稳定派的争议达到了白热化。面对涨势汹涌的洪水险情，水利部、石油工业部、黄委会“两部一委”联合下达了黄河口改道北股的决定，要求于1988年5月执行，并由黄委会副主任杨庆安到油田贯彻执行。

任美锷院士、侯国本教授分别在研讨会上发言

与此同时，油田的领导、专家们也在紧张地考察、调研、论证，以求找到最佳的解决方案。要改道必破六号路，这样将使国家投资18亿元、刚刚建成的年产500万t的孤东油田被冲毁（见图3–5）。谁该承担如此重大的责任？这一命题使贯彻上级决定的会议陷入僵局。这时担任胜利油田生产办公室副主任的李尚林拍案而起、慷慨陈词："如果你们硬

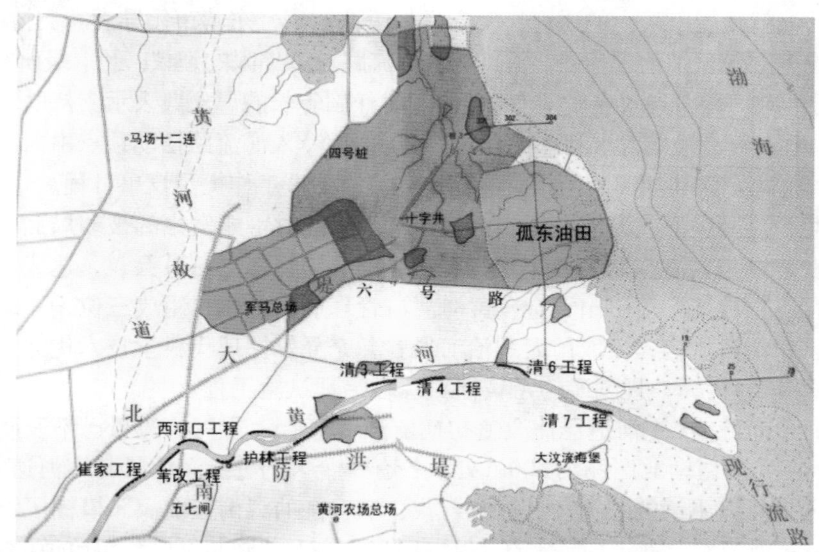

图3–5　六号路决溢淹没范围示意图

（资料来源：黄河入海流路规划报告，1989年8月）

胜利人在与河海洪水搏斗中围建的孤东油田

要黄河改道，我就躺在这里叫黄河冲走！破六号路，海堤得破，顺河路也得破，你们必须拿来国务院总理的红头文件，否则不能破。如破堤黄河流路走北股，孤东将变成一座四面环水的'孤岛'，投资18亿元刚刚建成的孤东油田将被迫停产，而且波及到孤岛、桩西油田，三个油田相加地质储量是12亿t，年产石油1 200万t，治黄是为了保护国家财产，油田的油就是国家最大的财产！"李尚林语惊四座，东营市领导表态支持胜利油田，请求杨庆安副主任采纳治理河口、延长清水沟流路行水年限的建议。经上级研究，成命终被收回。周永康一行向省政府做了专程通报，时任副省长的谭庆典表示支持胜利油田的意见，保护油田六号路并呈请水利部把六号路变成国路，入海流路摆动顶点由西河口下移到清7断面。由此，胜利油田重新把黄河清水沟流路治理工作提到议事日程。

为了彻底改变黄河入海流路周期性改道、水患随时可能发生的被动局面，解决黄河三角洲开发建设与入海流路变迁不定的突出矛盾，涉河各方召开会议，达成共识，确定由东营市政府出政策、油田出资金、黄河河口管理局出方案，组成三位一体，共同治河的领导班子和治河机构，汲取前人的治河经验，充分发挥现代科学技术优势，以稳定清水沟流路30年为目标，规划实施了黄河口综合治理试验工程。

此时的黄河流路，主河道已比改道初期延长了26km，主河床流量已不及同期全部流量的1/3，在主河道南北两侧约800m处，各有一个大的分支，流量与主河道基本相当，在大分支之下是数不清的汊河。这些宽、浅、散、乱的"南支北汊"模糊了黄河入海的正道。对照黄河流路"青年期"顺直、"中年期"弯曲、"晚年期"分汊改道的自然规律，清水沟流路已进入"晚年期"。为大大延缓这一规律发生的时限，东营市与油田及黄河主管部门联合实施的试验工程先后堵截较大汊沟30余条，收到了集水攻沙、强化主干的效果；在清7断面以下河道疏竣拖淤5 000余台(班)，削掉红泥嘴1 250m、鸡心滩3.4km²；修建控导工程2 100m，修筑导流堤18.7km，基本保证了黄河主流路按照与潮汐流向垂直的方向入海。施工当年黄河连续出现8次洪峰，第7次洪峰流量达到5 600m³/s，河口水位反比第一次洪峰流量2 800 m³/s时降低了30.13m，黄河由宽、浅、散、乱的衰亡形态复归为畅通顺直的青春风貌。工程后著名治黄专家徐福龄来东营市河口视察，高兴地说："我干了一辈子的治黄工作，从来没见过这样好的河口！"他认为，河口治理创造了五个河口之最："行水时间最长，从摆动点到河口的距离最长，河道曲率最小，滩槽最深，拦门沙最少。"东营市市委书记李殿魁把这套治理措施概括为"工程导流、疏浚破门、巧用潮汐、定向入海，达到河口畅、下游顺、全局稳"。

四、黄河稳定与石油稳产双赢目标的实现

清水沟入海流路的稳定，保证了一个新兴发展区域的迅速崛起，当时尤其为地处黄河口的孤岛、孤东、桩西三个大油田创造了安全生产的条件。在黄河清水沟流路实现长期稳定的前提下，胜利油田石油产量也获得了长期稳产。从1987年原油产量达到3 000万t开始，到1995年连续9年保持在3 000万t以上。进入90年代，胜利人依靠自己的力量建立的中国第一座百万吨的浅海大油田——埕岛油田，昂然矗立在了渤海湾畔。从1993年正式投入浅海油田开发，到2003年的短短10年间，胜利人在黄河口两侧海域找到了3亿多吨地质储量，生产原油1 580多万t。从1983年到2003年底，胜利油田年均

胜利油田的海上钻井平台

新增探明石油地质储量1亿t以上，已连续保持了21年。更为可喜的是，近年来油田油气勘探开发走上了良性发展轨道，原油产量始终保持在2 660万t以上，连续五年实现稳中有升，连续七年实现了储量平衡。伴随着黄河入海流路由乱到治所提供的水资源条件和稳定的发展环境，胜利油田开发建设40多年来，已累计生产原油8.26亿t，天然气370亿m^3，上缴国家利税1 564亿元，为国民经济建设做出了巨大贡献。

胜利油田40年的崛起发展，黄河40年的安澜入海——在党和国家的关心支持下终于实现了这一双赢的目标。

胜利人功不可没，黄河稳定功不可没!

第三节　东营市的建设和发展需要长期稳定黄河入海流路

黄河造就了世界上沉积速率最高的近代黄河三角洲，但黄河流路的不稳又是这个三角洲迟迟未能开发的主要原因。20世纪60年代后石油天然气的大规模开发曾经遭遇黄河洪水漫溢的威胁，国家能源战略的需要使稳定黄河流路列入议事日程。1983年东营市的建立标志着黄河三角洲进入了一个综合开发的新阶段，这一地区的建设和发展不仅需要黄河水资源的有力支撑，如同世界上任何傍河城市都需要河流稳定一样，东营市的建设和发展需要长期稳定黄河入海流路。

一、黄河流路不稳是东营市诞生后面临的第一难题

1983年10月，我国又一新兴石油城市——东营市在黄河三角洲这块龙口宝地上诞生。从此，万里黄河有了自己的河口城市。这一时期正是胜利油田增储上产最红火的年代，胜利人不仅在茫茫荒原上建起了钻塔林立，水、电、路、讯“四通”的新型矿区，也在治河部门的大力支持下使桀骜不驯的黄河第一次按着人民的意志改道入海。东营人满怀信心地要把这一新兴城市建成又一颗东方明珠，对于国家和省重大决策的期待成为人们心中最美好的憧憬。但是由于长期以来黄河流路“十年一改道”被作为一条不可抗拒的“自然规律”来认识，人们对黄河流路是否能够长期稳定没有形成统一认识，从而在很大程度上影响了国家对于黄河三角洲开发的决策。80年代中期，石油化工基地建设由于东营市域存在黄河摆动问题而南移淄博，东营失去了因石油产业链大规模增值而振兴的历史机遇。同时在其他大的工程项目的论证建设方面，也同样因决策层对黄河是否能够长期稳定存有疑虑而搁浅。如：处于M_2无潮点附近的天然良港建设，就是因为这里是否要留作黄河的预备流路的争议而时建时停、错失良机。能否和如何稳定黄河入海流路成为东营市的世纪性难题。

二、黄河流路摆动对东营中心城选址的影响

东营市作为黄河三角洲未来的中心城市，其城址应选择在何处？这是一个引起普遍关注的重要议题。黄河三角洲内控黄河，外连渤海，土地广阔，气候温和，其城市布局本来有着宽松的选择余地。要建成一座现代化的新型滨海城市，一般应在前沿临海区域择地建设，但当时的两条限制性原则不能突破：一是城市必须避开黄河流路摆动；二是新址不能覆盖油气藏。据当时的河务部门的分析，“黄河到2015年，考虑了三条流路：如走南路的十八户流路，就会影响到广利港码头；走中路就影响到油田的生产建设；走北路的挑河流路，就影响到未来的铁路运输。”这就封闭了在三角洲前沿建市的可行性。为在次前沿地带选出最佳市址，东营市与油田组织专门的论证会，对已形成的五个选址方案进行比选，其中胜利油田基地东南15km的沙营以东（即现市址），地处牛庄坳陷的东北斜坡上，理论分析油气藏不宜富集，且地面开阔，不与民争地，周边地物态势较好，宜于建市。但在城市建设规划评审会议上，仍有人提出：“如果黄河摆动，七八年后从十八户入海时，莱州湾黄河水与海水相遇，将引起泥沙南移、冰冻成坝、河口淤积。”因为莱州湾海动力条件比其他海区更差，如黄河口门一旦淤塞，势将给城市防洪带来重大压力。因此，尽管新选的城址已报请省和国家批准，但囿于包括黄河流路摆动在内的种种原因，在东营宣布建市后5年多的时间里，规划中的新城区一直时建时停，未能入驻。直到1989年，黄委会勘测规划设计研究院完成“黄河入海流路规划报告”，并确定“近期继续使用清水沟流路”，“十八户流路海域容沙量有限，行河时间较短，不宜作为长远的备用流路”，经综合研究，远景备用流路的选择着重考虑现黄河流路以北的刁口河流路和马新河流路（见图3–6），从而在黄河以南不再安排预备流路。至此，东营市委、市政府才最终确定迁入东城新址，并决定较大规模地陆续铺展新城区的建设，于是一个日新月异的新兴城市之星才开始在祖国的东方升起。

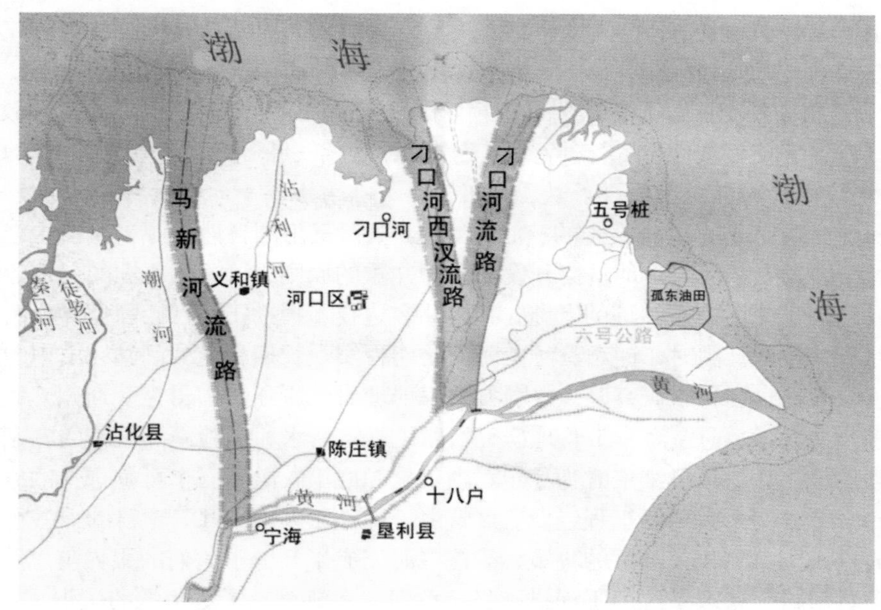

图 3–6　1989 年黄委会规划的黄河远景入海流路示意图

三、绘制东营市的发展蓝图需要以稳定黄河入海流路为前提

东营市建立的一项重要职能是推动黄河三角洲综合开发，因此绘制黄河三角洲的发展蓝图是一项着眼长远目标、确立前进方向、部署重点项目、鼓舞人民斗志的大事。黄河三角洲国土规划于建市初由国家计委批准为国土规划试点项目，是一个以三角洲为地域类型的开发型国土规划，从1983年开始着手准备，但由于过去黄河流路不稳，编制国土开发的中长期规划十分困难。1985年由省计委牵头，省及油田和地方几十个单位的工作人员组成规划办公室，经过国土资源调查、资料整理、分析和综合论证，几经反复，完成了黄河三角洲12个专题规划和综合规划。1988年，山东省政府批准了黄河三角洲综合国土规划。这个规划是我国资源型地区最早编制的规划之一，受到中央的关怀和省政府的重视。规划的战略思想与国土资源开发的总体思路是，发挥三角洲的油气与土地资源优势，推进胜利油田持续健康发展，将其建成全国性的石油生产基地和全国石化工业基地，同时综合发展其他各业，使黄河三角洲成为农林牧渔业基地。规划为黄河三角洲勾勒了“油洲加绿洲”的美好前景，对以后区域经济的长期发展起到了很好的指导作用。正如规划评审时专家们所指出的那样，黄河是三角洲的生命线，黄河水是油田开发、石油化工基地建设和实现农牧渔业基地建设的基本保证，黄河尾闾摆动直接影响到三角洲的总体布局，特别是石油化工基地及运输网络定位，一旦黄河入海流路改变，将使三角洲国土规划全部落空。以后的发展实践证明，正是由于黄河的不确定性，使规划中的一些重要战略部署未能实现，成为历史的遗憾。

四、实现东营市可持续发展需要长期稳定黄河入海流路

20世纪末，可持续发展思想在世界范围兴起，1992年世界环境与发展大会将可持续

发展推上了人类21世纪议程。为了研究解决稳定黄河入海流路这一世纪性难题并寻求科学的解决方案，同时制定经济与环境双赢的发展目标，东营市向联合国开发计划署（UNDP）申报了“支持黄河三角洲可持续发展”项目。1994年，UNDP与荷兰政府、中国政府联合签署项目文件，将“支持黄河三角洲可持续发展”作为支持中国政府实施《中国21世纪议程》的第一个项目予以援助实施。

这一项目所完成的17个报告的核心思想是：黄河三角洲自然资源丰富但生态环境脆弱，该区域的发展必须坚定地贯彻开发与保护并重的原则，黄河三角洲的开发应超越西方某些发达国家先污染后治理的老路，在国际多边技术援助下，直接同世界上高度文明的经济区模式接轨。同时，针对黄河入海流路能否实现长期稳定的问题，由中国水科院牵头，组织黄河水利科学研究院、中国科学院地理研究所和美国得克萨斯州立大学、路易斯安那州立大学，荷兰海岸带管理研究所、代尔富特水利实验室等机构的专家作了大量的考察论证工作，项目结束时为稳定黄河流路100年做出了三个可供选择的方案，并给出了每一个方案所需要的工程经费。尽管由于种种原因，UNDP项目的一些重要结论没有及时进入国家和相关部门的决策，但这些研究成果开辟了人们的眼界与思路，对于科学治理黄河口、采取系统的工程措施稳定黄河入海流路有了更坚定的认识。

五、发展黄河三角洲高效生态经济需要持续稳定黄河入海流路

在各方面专家和有识之士的推动下，在国家及相关部委的决策支持下，黄河清水沟流路逐步进入了系统治理的新阶段。加上自20世纪90年代以来黄河来水量的剧减，从根本上弱化了黄河口大幅度摆动的能力。至2005年，黄河在清水沟流路稳定行水已达到29年。这一时段成为东营市发展最快、建设成就最突出的历史时期。

1999年6月，江泽民总书记在视察黄河全河的最后一站来到东营市，针对黄河三角洲开发做了“要把经济建设、生态建设和社会发展结合起来，实现可持续发展”的重要指示。为落实江泽民同志的指示精神，东营市在中央和省决策层以及社会各界的广泛关注支持下，确立了在新时期发展黄河三角洲高效生态经济的奋斗目标。

2001年3月，九届全国人大四次会议把“发展黄河三角洲高效生态经济”列入国家“十五”计划纲要，国家计划委员会在《关于“十五”计划纲要的说明》中指出：“黄河三角洲国土总面积21 453km²，高效生态经济建设的规划范围为东营市行政区，陆域面积8 053km²，浅海面积4 800km²，总人口170.6万。选择这一区域建设高效生态经济，目的是借鉴东部沿海地区开发开放的成功经验，在这一生态完整、资源丰富、基础条件较好、行政独立的典型区域，集中力量、重点突破，取得经验、快出效益，进而逐步辐射带动整个黄河三角洲地区的建设和发展。发展黄河三角洲高效生态经济是实现该地区经济与生态环境协调发展的必然选择，是实施可持续发展战略的需要，也是探索我国资源型城市和地区发展道路的有效途径。”根据东营市与中国综合开发研究院共同编制的高效生态经济发展规划，其中的“战略定位”部分作了如下表述：以江泽民总书记视察黄河三角洲时的指示为指导，充分发挥黄河三角洲的发展比较优势，高起点规划、高质量建设、高效能管理，在巩固现有优势产业的基础上，加强体制创新、科技创新和对外开放，积极推动跳跃式的发展，迅速培育以绿色工业、高效生态农业和现代服务业为核心

的新兴外向型产业体系；加快石油替代产业的发展，优化区域经济结构和国土布局，促进黄河三角洲二元经济结构向城乡经济一体化转变，实现国民经济的可持续增长和生态环境的有效保护，努力把黄河三角洲建设成为人与自然和谐、环境优美、经济繁荣、生态协调、社会进步的高效生态经济发展区。

要建成一个人与自然相和谐的生态经济区，河流生态系统是其结构性的组成部分。黄河是东营市域内唯一的淡水资源河流，对高效生态经济的发展具有不可替代的命脉维系作用。现山东省配给东营市的黄河用水量为7.8亿m^3/年，但来水稍丰年份的实际用水往往达到10亿m^3以上，另外，黄河部门每年还要安排维系黄河不断流的"生态水"，这些都有力地支持了黄河三角洲高效生态经济的发展。从我国东部经济与环境的发展演变看，由于工业高速发展对环境带来了越来越大的压力，从而使生态状况普遍呈现出脆弱性特征，这不仅使自然界更易发生包括气候、地质、洪水等范围的巨大灾变，而且由于环境承载能力日渐萎缩，小型的灾害亦往往造成重大的损失。如，过去黄河的摆动改道除了对人类安全和经济发展造成损失外，对生态环境并无太严重的不良影响。而目前在生态环境与经济布局关系日显刚性的条件下，一条重要河流的摆动改道势将打破原本脆弱的生态平衡关系。因此，要建设人与自然相和谐的黄河三角洲高效生态经济，黄河入海流路的长期稳定是一个决定性的前提条件。

六、实现东营资源型城市经济转型需要黄河入海流路长治久安

黄河在渤海西岸的填海造陆为黄河三角洲的未来发展埋藏了极为丰富的油气资源，将本来处于海底的油气储集层置于陆地的深处，从而变海上采油为陆上采油，也使在油气富集区建立一个具有鲜明特色的矿区城市成为可能。

东营市作为一个以石油采掘业为主导的资源型城市，推进多元经济发展、实现区域经济的战略转型是其与生俱来的职能任务。在东营市走过的20年历程中，黄河由过去的频繁摆动转变为相对稳定并出现长期安流的趋势，这为加快经济转型的步伐提供了水资源条件和自然环境基础。

东营市又是在胜利油田轰轰烈烈增储上产的岁月中诞生的，她以石油资源开发起步，又以石油工业及其衍生产业而兴起。但是，抛开以亿万年计算的未来地质生油因素，石油是一种不可再生资源。近期国际油价的不断飚升更从新的界面彰显了石油资源的稀缺性。因而当今世界上的任何石油城市或地区，不论其目前的油、气资源丰度如何之大，都必然要走一条由丰而枯的道路。因此，此类城市（也包括其他类型的矿业资源城市）均应未雨绸缪，借助采掘业增长繁盛时期的推动力，大力发展多元经济，建立接续产业或替代产业，实现资源型城市向综合经济的转型，走一条长期发展繁荣之路。

在东营市建市伊始的特殊年代，为充分调动区内一切可利用资源支持石油会战，东营像大庆、玉门、克拉玛依等石油城市一样，采取了高度集中的"政企合一"管理体制。在"地上服从地下"原则的引领下，地下采出的石油迅速增长，很快坐稳全国石油行业的第二把交椅；而作为地上建设的地方经济，却因发展基础薄弱而起步艰难。据建市三周年的1986年的工业产值统计，东营市地方工业总产值仅为3.67亿元，而胜利油田则高达33.74亿元，为地方工业产值的9倍，显示出石油工业"一峰独峙"的局面。这给

地方决策层带来了一个困惑：城市政府调控区域发展的方向是继续跟定大企业增储上产以求水涨船高，还是在石油工业带动下侧重发展综合经济？这实际上涉及到一个新兴资源型城市的发展道路问题。

为探索一种石油城市发展的新模式，在民盟中央和山东省政府的倡议下，东营市于1988年6月邀请国内100多位著名专家召开了黄河三角洲经济科技与社会发展战略研讨会。与会专家分析了东营市发展的基础条件、潜在优势和制约因素，借鉴国内外石油城市兴衰演替的历史轨迹，在热烈研讨和辩论的基础上提出了东营市实现经济转型的基本战略，其发展步骤是：开发油气资源，发展石油化工，建立多元经济，形成替代产业，实现长期繁荣。会议还提出了稳定黄河口入海流路30～50年的基本设想；建设能源、化工和农牧渔业基地并形成工业港口城市的中长期目标等。会议所形成的资源型地区经济转型的基本战略及政策体系为黄河三角洲及同类型地区的长远发展提供了指导思想和理论基础。

在前进方向和基本战略确立之后，东营市在建设现代城市的实践中进行了艰苦的探索。其主要行动包括：与治河部门及胜利油田联合行动，坚定地采取工程措施治理黄河口，使黄河现行的清水沟流路初步实现了稳定30年的目标；在建立以14万t乙烯工程为主导的石油化工基地遭受挫折后，着手构建以地方工业为一极的综合经济体系；确立"大空间、大绿地、大水面"的城市建设格局，为调动油地双方积极性共建黄河三角洲中心城市绘制了发展蓝图；在全国石油城市中率先实行"政企分开"的体制改革，划清了油地双方的职能事权，为在"独立协作"模式下实现一体化发展打下了良好基础，等等。如果说建市的前10年是为东营的长期发展探路和打基础的阶段，那么最近10年东营市已真正进入了"大开放、大招商、大发展"的新阶段。20年的开发建设使近代黄河三角洲发生了根本性变化，城市经济转型的步伐不断加快，在胜利油田全面提升总体发展水平并实现历史新跨越的同时，地方经济总量迅猛发展并已形成与石油工业平分秋色的新的一极。

据2003年的统计资料，全市生产总值660.48亿元（可比价，见图3-7），是1983年

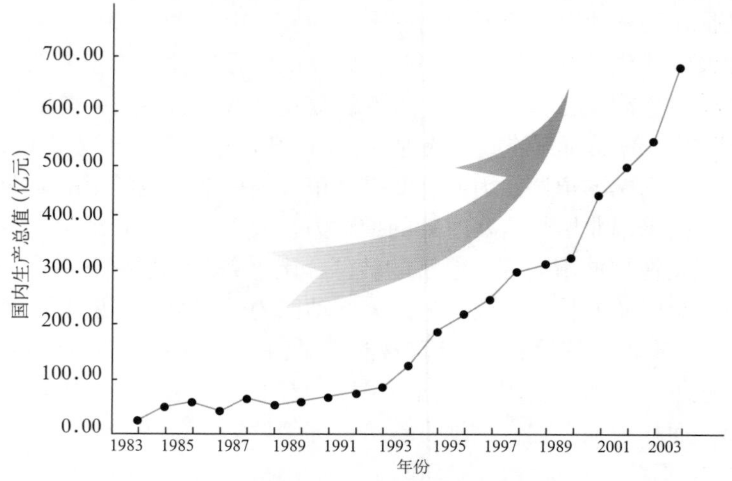

图3-7 东营市历年国内生产总值增长图

建市时的31.8倍，人均生产总值38 000元（按现行汇率折算为4 775美元），是1983年的26倍，居山东省首位。全年石油采掘业和地方生产总值分别为306.00亿元和308.43亿元（可比价），已形成油地发展总量并驾齐驱之势。2001年东营被列为山东加工制造业基地后，由于大量内外资本的投入，加工制造业产值以每年40%的速度递增，2003年达到168.21亿元，预测下一步加工制造业将作为单独一极与采掘业产值并列。再下一步，加工制造业中的化工产业（包括部分石油化工）或其他两三个产业又将异军突起，从而形成多元产业同步发展的新局面。

在黄河三角洲这块本来是经济基础薄弱、生产力布局稀疏的荒芜土地上，固定资产投资总额快速增长，2003年达到350亿元，是1983年8.5亿元的41倍（见图3–8）。其中，2003年属于地方投入的固定资产投资额达到236亿元，占包括胜利油田在内的全市固定资产投资总额的67.4%，展现出综合经济存在着更快发展的趋势。

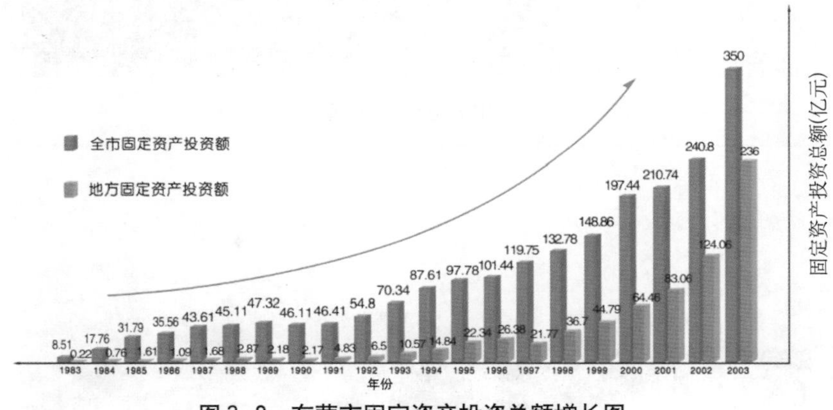

图3–8　东营市固定资产投资总额增长图

境内基础设施建设的密集度日益增强。在水利建设方面，全市已兴建大型引黄设施6处，高标准衬砌骨干渠道300km，扩大、改善农田有效灌溉面积20万hm^2，全市6大干渠在全省率先全部完成衬砌防渗节水改造；建成库容10万m^3以上的水库658座，一次性储水能力达到8.29亿m^3；投资3.06亿元在黄河以南的海岸线建成中心城防潮大坝41.4km，与胜利油田在黄河以北海岸线建成的百公里海堤共同构筑起三角洲东部

王庄灌区节水改扩建工程

中心城防潮大坝

黄河尾闾长堤

的防潮屏障。

黄河防汛工程进一步强化，已完成总投资额8.81亿元，加固黄河大堤271km，硬化堤顶道路90km，种植防浪林50km，挖河固堤20km，建成了初具规模的河口防洪工程体系。

在电力设施方面，截止到2002年年底，全市共有35kV及以上变电站188座，主变总容量460万kVA，高压输电线路3 654km，2003年，全社会用电量达70.21亿kW·h，比1987年开始供电时增长49倍。

在交通建设方面，已形成海陆空立体交通网络。全市公路居全省同行业领先水平，通车里程达4 507.7km，公路密度达73.8km/100km^2，有“全国公路看山东，山东公路看东营”的美誉，新建的过境东营的环渤海高速公路将于2007年建成通车；铁路与胶济线连接并入全国铁路网，黄（骅）东（营）大（家洼）铁路正在投资建设；东营港列为

高速公路纵贯全市南北

国家一类开放口岸，已建成1个5 000t级，3个3 000t级泊位，建设万吨级泊位的港口扩建工程已经启动；东营飞机场于2001年通航后，已开通至北京、上海、西安等多条航线。

东营的城市建设是经济转型中的浓墨重彩之笔。自1989年市级决策机关进驻东城并展开中心城建设以来，特别是在近10年中，中心城面貌发生了根本性变化。按照创建最适宜创业发展和生活居住的生态型现代化城市的目标，“建设完善东城、改造提高西城、加快东西城一体化发展”，油地携手、军民共建，实行城市管理综合执法、开发环境综合整治，实现了东西城竞相发展，城市化水平达到了55%以上。

东城是全市的政治、文化中心。根据总体规划的方案，建设了新世纪广场、文化广

东营市东城一角

场、胜利大街等一批标志性精品工程；贯彻以人为本的原则，新建了十多个高起点的居民小区；建成了图书馆、文化市场、游泳馆、老年公寓、无障碍设施等利民工程；实施城市绿化工程，绿化覆盖率达到41%，实现了“浓荫遮碧水、绿树抱白楼”的特色景观；建成人工河16.2km，沿河布置绿化带、生态园、休闲游乐设施及雕塑、喷泉等，形成了独具特色的城市风景线。

西城作为胜利油田的生产生活服务基地和指挥管理中心，几十年中城市面貌发生了巨大变化，投资20多亿元，改造完善了30多条城区道路，拆除违章建筑9万m^2，对29个居民小区的市政环境卫生设施、建筑立面、道路绿化等进行改造，有效提高了人居环境质量。标志性建筑胜利广场，沿南北轴线分别安排了主题广场、下沉广场、过渡广场、升旗广场，景观高低错落，空间变化丰富，为市民提供了理想的休闲娱乐场所；胜利电视塔高208m，是全市最高的标志性建筑，塔楼位于112～131m之间，设有旋转观光餐饮厅、露天观光平台等。城区实施了环境综合整治工程，公交车、环卫车、出租车改装推广使用压缩天然气，强化了污水管网配套和水域清洁治理，河岸、街道、公共场所实行绿化、亮化，城区绿化覆盖率达到35.9%。

在相距15km的两城之间实施了东西城对接工程，对接面积95.3km^2。主要规划建设了东营区机关新址、物流产业区、综合教育科研区、外来人员创业基地、文化娱乐中心区、森林公园、会展中心等重点项目；贯通和完善道路体系，形成了城市外环路和东西城之间的快速通道和一体化发展的城市框架。

东营市西城一角

境内已建成四大片小城镇群体。在近代黄河三角洲摆动顶点宁海以南，建成了东城、西城、垦利县城三足鼎立的中心城镇组群，围绕中心城区形成了“一城三足多组团、十字联系、两轴发展、生态渗透”的中部小城镇群体；在贴近黄河北岸，形成了以利津县城为中心，以陈庄、虎滩、罗镇、北宋等为卫星镇的西部小城镇群体；在黄河北岸马新河至神仙沟一带，形成了以河口区为中心，以仙河、孤岛、义和、太平、刁口等相环绕的北部小城镇群体；在三角洲以南的泰沂山麓冲积平原区，形成了以广饶、大王镇为主轴，丁庄、陈官、石村、李鹊等一体发展的南部小城镇群体（见图3-9）。在市委、市政府城乡统筹一体发展方针指引下，黄河三角洲这一资源型地区、资源型城市的经济转型已成为推进全市向现代化发展的动力基础。

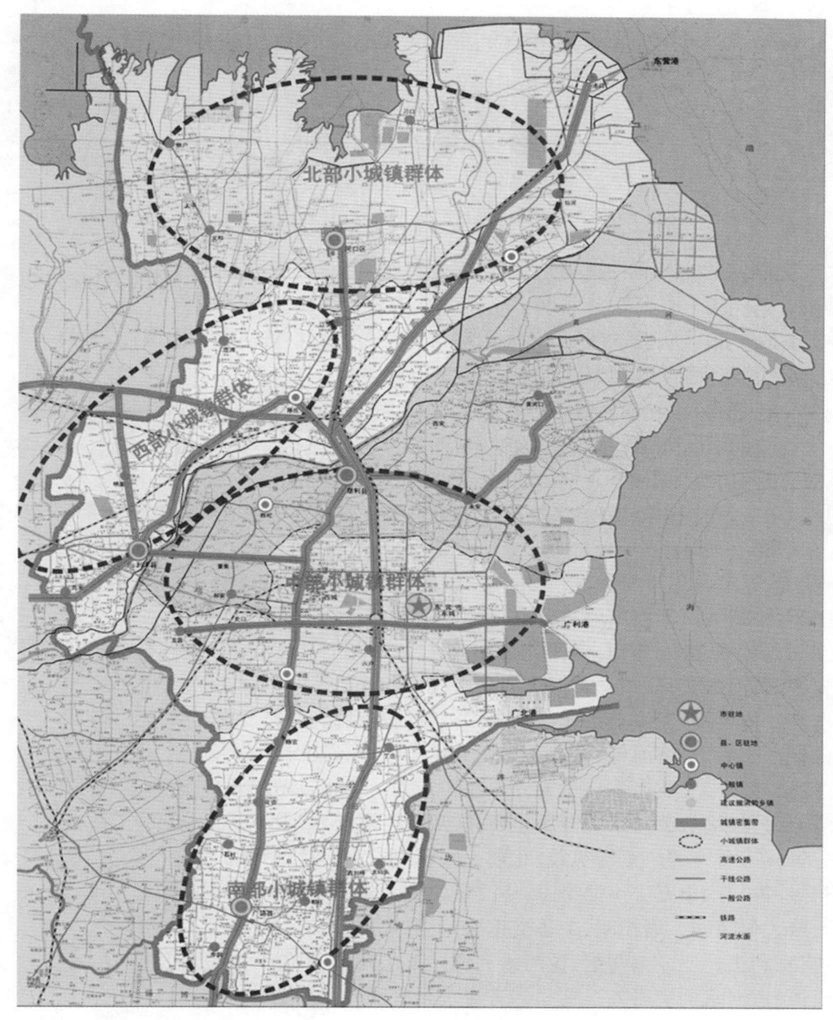

图 3–9　东营市小城镇群体布局图

如果说胜利油田开发和东营建市之前，黄河三角洲作为一片区域荒芜、经济稀疏之地尚可允许黄河尾闾自由摆动的话，那么在当前这片分布着180万人口、生产总值向千亿元以上迈进、各种基础设施星罗棋布、密集发展的新型经济区，黄河已失去了自由摆动的空间，即使是有计划地人工改道，其工程成本亦将大幅度提升。像长江口、珠江口的上海、广州、深圳等城市一样，黄河三角洲与东营市需要一个入海流路长治久安的发展环境，去创造一个更加灿烂辉煌的明天。

参 考 文 献

1.荷兰外交部资讯处．荷兰概况．Sdu出版社，1997
2.张健雄．列国志——荷兰．北京：社会科学文献出版社，2003
3.沈秀珍,张厚玉,裴明胜,等．莱茵河治理与开发．郑州：黄河水利出版社,2004
4.史式．五千年还是一万年．团结报，1999-6-10
5.李鸿杰，任德存，侯全亮,等.黄河.科学普及出版社，1992
6.侯仁之.黄河文化.北京：华艺出版社，1994
7.谭其骧.中国历史地图集.北京：地图出版社，1982
8.周魁一.先秦传说中的大禹治水及其含义的初步解释.见:水利史研究五十周年论文集.北京:水利电力出版社，1986
9.李国英.治理黄河思辨与践行.北京：中国水利水电出版社;郑州:黄河水利出版社，2003
10.李国英.维持黄河健康生命.郑州：黄河水利出版社，2005
11.胡一三.黄河防洪．郑州：黄河水利出版社，1996
12.陈先德.黄河水文.郑州：黄河水利出版社，1996
13.侯全亮，魏世祥.天生一条黄河．郑州：黄河水利出版社，2003
14.陈梧桐，陈名杰.黄河传.保定：河北大学出版社，2001
15.陈维达，彭绪鼎.黄河——过去、现在和未来．郑州：黄河水利出版社，2001
16.朱晓原，张学成.黄河水资源变化研究.郑州：黄河水利出版社，1999
17.朱兰琴,等.黄河的研究与实践.北京：水利电力出版社，1986
18.周魁一,等.《二十五史·河渠志》注释.北京：中国书店，1990
19.冯天瑜，何晓明，周积明.中华文化史.上海：上海人民出版社，1990
20.《黄河水利史述要》编写组.黄河水利史述要．郑州：黄河水利出版社，2003
21.姚汉源.黄河水利史研究．郑州：黄河水利出版社，2003
22.黄河水利委员会黄河志总编辑室.历代治黄文选．郑州：黄河水利出版社，1988
23.李殿魁.黄河三角洲开发：中国重大的科技经济课题.北京：人民出版社，1995
24.张含英.历代治河方略探讨.北京：水利出版社，1982
25.景敏.黄河吁天录.广州：花城出版社,1999
26.冯君实.中国历史大事年表.沈阳：辽宁人民出版社，1985
27.史辅成，易元俊，慕平.黄河历史洪水调查、考证和研究.郑州：黄河水利出版社，2002
28.当代治黄论坛编辑组.当代治黄论坛.北京：科学出版社，1990
29.戴英生.黄河的形成与发育简史.人民黄河，1983(6)
30.徐福龄.黄河下游河道历史变迁概述．人民黄河，1982(3)
31.徐福龄.历代黄河治理方策的演变概况.见：河防笔谈.郑州：河南人民出版社，1993
32.徐福龄.黄河下游明清河道和现行河道演变的对比研究．见:河防笔谈.郑州:河南人民出版社，1993
33.钱宁.1855年铜瓦厢决口以后黄河下游河道演变过程中的若干问题.人民黄河，1986(5)
34.史念海.由历史时期黄河的变迁探讨今后治河的方略.见：当代治黄论坛.郑州：黄河水利出版社，1990

35.尹学良.调度小水　改造河性　根治黄河．见：当代治黄论坛.郑州：黄河水利出版社，1990

36.伊佩霞.剑桥插图中国史.济南：山东画报出版社，2001

37.水利部黄河水利委员会.数字黄河工程规划.郑州：黄河水利出版社，2003

38.水利部黄河水利委员会.模型黄河工程规划.郑州：黄河水利出版社，2004

39.水利部黄河水利委员会.黄河近期重点治理开发规划.郑州：黄河水利出版社，2002

40.杨玉珍.建设黄河口生态水利枢纽工程研究.人民黄河，2005(5)

41.辞海编辑委员会.辞海.上海：上海辞书出版社，1979

42.山东省东营市地方史志编纂委员会.东营市志.济南：齐鲁书社，2000

43.黄河水利委员会黄河河口管理局.东营市黄河志.济南：齐鲁书社，1995

44.东营市政协文史资料委员会,中共胜利石油管理局委员会统战部,山东省政协文史资料委员会.胜利油田的崛起.北京：中国文史出版社，1998

45.潘京.胜利油田史话.北京：石油工业出版社，2004

46.山东省地方史志编纂委员会.山东省志.石油工业志.济南:山东人民出版社，1996

47.程义吉.黄河河口研究与治理实践.郑州：黄河水利出版社，2001

48.杨玉珍.黄河三角洲开发战略研究.北京：海洋出版社，1995

49.杨玉珍，王延亮,等.联合国开发计划署无偿援助项目支持黄河三角洲可持续发展最终报告.东营：石油大学出版社，1998

50.石军.世纪抉择.济南：山东大学出版社，2002

51.费孝通，钱伟长.区域发展战略研究　黄河三角洲——东营篇.北京：群言出版社，1993

52.东营市人民政府新闻办公室.中国东营——黄河三角洲中心城市、山东加工制造业基地.北京：五洲传播出版社，2000

第二课题

黄河口治理工程实践与效果分析

课题承担单位　黄河水利委员会黄河河口研究院

课 题 负 责 人　程义吉

主要完成人员　程义吉　由宝宏　王维文
周　丹

第四章　黄河入海流路的演变

第一节　入海流路演变概况

由于黄河每年挟带大量泥沙输往河口，致使河口长期处于自然淤积、延伸、摆动改道的频繁变化状态。自公元1855年铜瓦厢决口改道夺大清河入海以来，因人为或自然因素，黄河入海流路共发生了9次大的变迁，其中公元1889～1953年改道6次，顶点在宁海附近；1953年以后改道三次，顶点在渔洼附近（见表4-1）。流路改道影响范围北起套儿河口，南至支脉沟口，海岸线长约200km，三角洲扇形面积约6 000km²。黄河三角洲的演变大体经历了以下几个阶段：

表4-1　1855年以来黄河入海流路变迁统计

改道顶点	次序	行水时间(年·月)	改道地点	入海位置	改道原因
宁海附近	1	1855.7～1889.4		肖神庙	1855年铜瓦厢决口夺大清河入海
	2	1889.4～1897.6	韩家垣	毛丝坨	凌汛漫溢
	3	1897.6～1904.7	岭子庄	丝网口	伏汛漫溢
	4	1904.7～1926.7	盐窝 寇家庄	顺江沟 车子沟	伏汛决口 伏汛决口
	5	1926.7～1929.9	八里庄	刁口	伏汛决口
	6	1929.9～1934.9	纪家庄	南旺河	人工扒口
	7	1934.9～1938春 1947春～1953.7	利津合龙处	神仙沟、甜水沟、宋春荣沟 同上	前为堵岔道未成而改道，后为黄河由淮归故二次行水
渔洼附近	8	1953.7～1963.12	小口子	神仙沟	人工裁弯取直、变分流入海为独流入海
	9	1964.1～1976.5	罗家屋子	刁口河	人工破堤
	10	1976.5～现在	西河口	清水沟	人工截流改道

公元1855～1889年，在公元1855年黄河改道入渤海以后一个较长的时段内，由于大量的泥沙淤积在陶城铺以上河段，进入河口的泥沙很少，加之原大清河是地下河，行河

初期，滩岸束水能力较强，因此河口还比较稳定。公元1872年以后，东坝头以下陆续修筑堤防，到公元1885年两岸堤防在宁海以上已基本形成，随着沿河堤防的逐步完善，输送到河口的泥沙逐渐增多，河口的淤积延伸问题开始显露出来，尾闾河道的摆动变迁也日益频繁。

公元1889～1949年，这一时期自宁海以下河口尾闾河道基本处于自然变迁状况。在此期间人类活动逐渐增多，但长时期内宁海以下两岸仅有民埝20余公里，河口尾闾段经常决口摆动改道，较大的流路变迁就有6次。

1949年以后，随着新中国的成立，河口地区的生产发展对防洪的要求也日益迫切。特别是1961年在黄河河口开始开发石油，为了保护河口地区的工农业生产，以防洪防凌为主要目的对河口河段开始了治理，包括加高加固四段以上的临黄大堤及险工，对阻水卡冰严重的河段进行展宽。为保障三角洲石油的开发，1953年以来，入海流路进行了三次改道，分别为神仙沟流路、刁口河流路、清水沟流路。前两次为人工辅助改道，后一次清水沟流路为有计划的人工改道。实践证明，对河口改道是成功和有效的。

一、神仙沟流路

1953年以前，入海流路由甜水沟、宋春荣沟、神仙沟三股分流入海，南股甜水沟原为主流，但流程较长，河道多弯，河床较高，行水不畅，又向南岔出宋春荣沟。北股神仙沟河身较短，河床较低， 水流通畅，海域条件好，分流比逐渐由30%增至70%。在小口子村(渔洼下2km)北，神仙沟与甜水沟两流路弯顶相距最近处只有95m，该处神仙沟水位比甜水沟低0.71m。为改善防洪条件，变分流入海为独流入海，1953年7月在此开挖引河连通两沟，引河比降为75‰，8月底甜水沟及宋春荣沟即断流。改道当年遇到了好的水沙条件，利津站年来水440亿m^3，汛期来水276亿m^3，利津以下河道发生了溯源冲刷（见表4-2)。1954年是大水年份，年来水量580亿m^3，汛期来水量333亿m^3，由1953年10月～1954年10月水位差看，艾山以下河道发生了沿程和溯源冲刷，从水位下降的变率最大处判断，溯源冲刷影响范围最远到杨房附近。1954年10月以后水位开始上升，表明溯源冲刷到1954年10月结束。

表4-2　1953～1954年艾山以下3 000m^3/s水位升降变化　（单位：m）

时 间(年·月)	罗家屋子	前左	利津	道旭	张肖堂	杨房	刘家园	泺口	艾山
1953.7～1953.10	−0.1	−0.25	0.30	0.15	0.21	0.00	−0.05	0.00	−0.19
1953.10～1954.10	−1.9	−1.45	−1.24	−0.75	−0.68	−0.25	−0.05	−0.15	0.30

1954年10月～1960年神仙沟出汊前，艾山以下河道大水冲刷、小水淤积，变化的总趋势是清河镇（利津上游约70km）以上水位下降，以下水位上升，而且上升的幅度沿程增大，与前期溯源冲刷水位下降的情形正好相反。黄河下游河口河段通过回淤使河口及以上河段朝着使前期变形（溯源冲刷）消失的方向发展，即向相对平衡的状态发展，这正是冲积河流自动调整作用的体现。直到1959年，虽然河口的淤积延伸减小了河口河段的比降，但河口河段的比降仍远大于上游段，表明河口淤积延伸的影响限于改道点以下。

1960年汛前，神仙沟在四号桩断面上游1 500m处分出一串沟，9月后展宽，神仙沟走汊河入海。1960年汛期小沙站同流量水位9月份高于7月份。1961年汛期，一号坝、罗家屋子的3 000m³/s水位分别上升0.28m、0.3m，小沙基本未变。1962年汛期8月份大水过后，黄河下游山东段水位呈下降之势，一号坝、罗家屋子、小沙3 000m³/s水位分别下降0.1m、0.26m、0.4m,似乎有溯源冲刷的特征。其实，即使未发生溯源冲刷的其他年份，如1956、1957年的汛期，小沙、罗家屋子的水位下降也往往呈"下大上小"的特征，这是由河段宽窄、是否处于宽河道等因素所致。因此，可以认为1960年神仙沟出汊未产生明显的溯源冲刷。另外，1959～1963年黄河下游麻湾以下淤积较多、水位上升较大，北店子—麻湾冲淤较小，水位变化不大，艾山—北店子（约80km）冲刷较多，水位下降，即艾山—河口改道点比降有所调缓。很明显，这是下游河道受三门峡水库下泄清水自动调整的结果。因此，此期间近口段的淤积抬升不是由于河口淤积延伸，而主要是水沙条件所致。

1955年、1956年也是大水年份，黄河下游河道发生了沿程冲刷，罗家屋子附近发生淤积，因此可以认为本次由流路改道引起的溯源冲刷，影响范围距改道点约110km。

二、刁口河流路

1960年，神仙沟流路改走汊河不久河势呈现散乱状态，1963年汊河又向南生出新汊，主流从新汊河入海，尾闾河段曲折加长，汛后水位明显升高，当年凌汛十分严重。1964年1月1日在罗家屋子附近爆破生产堤，河水由神仙沟北侧刁口河漫流入海。改道之初，新流路比神仙沟河长缩短22km，改道点附近具有较大的水头落差，河道比降为2.13‱，当年来水来沙条件很好，利津来水量多达973亿m³，洪峰流量8 650m³/s，年平均流量大于3 000m³/s，来沙系数很小，只有0.006 7，黄河下游河道发生了沿程冲刷，但罗家屋子3 000m³/s流量水位，仅7、8月份下降0.30m，从断面套绘图可看出轻微的河床溯源冲刷范围约为10km，但汛期平均水位还升高0.20m左右（见表4-3）。如此好的水沙条件，产生的溯源冲刷效果并不明显，主要原因是：堤基未能冲开，门槛效应较强；罗家屋子以下地形开阔，地面较高，植被茂密，河面宽阔，水流散漫无力；距改道点9km处有一胶泥土层，难以冲刷，两侧为黄河故道高地阻水。新河道不利的边界条件抑制了流路的发育。

表4-3　1964年汛期艾山以下3 000m³/s水位变化　（单位：m）

时　间	罗家屋子	一号坝	利津	道旭	张肖堂	杨房	刘家园	泺口	艾山
7～10月	0.20	−0.07	−0.33	−0.32	−0.30	−0.33	−0.21	−0.33	−0.30

1964年以后，三门峡水库改变运用方式，开始滞洪排沙，使得水沙条件发生较大的变化，如洪峰大幅度削减、大水带小沙、小水带大沙、非汛期的来沙量大大增加等，从而导致了下游河道的重新调整。1964年以后河道变化的主要特征是：沿程淤积加重，水位大幅度上升。艾山以下3 000m³/s水位升高的特征是："上大下小"，水位比降变大，与刁口河的初期（1968年以前）、末期（1972年以后）相比表现得更加明显。

黄河由刁口河入海时期，是艾山以下河道水位淤积抬高幅度最大的一段时间，除了三门峡水库改变运用方式和水沙条件不利的影响因素外，改道后入海流路没有形成单一的河道，始终处于散乱状态也是一个重要原因。改道初期，一号坝—罗家屋子河段比降一直存在增大的趋势（但始终小于1‱），同时罗家屋子以下河段的比降却处于减小的趋势（但始终大于1‱），表明河口淤积延伸的影响在改道点以下。

三、清水沟流路

清水沟流路是原神仙沟流路汊河故道与原甜水沟流路故道之间的洼地，地势较两侧低1.5～4.0m，地面高程大部分低于3.0m。入海口处于两条故道突出沙嘴之间的凹湾内。因刁口河口门散乱，引起西河口水位抬高。为确保河口地区安全，1975年“两部一省”会议决定实施非汛期人工改道，遂于1976年5月20日在罗家屋子截流后改由清水沟入海。清水沟初始的河道长度比改道前缩短了37km，西河口以下5km内引河比降约8‱，当年入海水沙条件十分有利，年水量达449亿m³，汛期水量达322亿m³，汛期含沙量25.2kg/m³，来沙系数为0.008 3，黄河下游河道泄流比较顺畅，发生了溯源和沿程冲刷（见表4–4），按水位降落变率判别，溯源冲刷上界在杨房至刘家园之间，但从河床冲淤判别，冲刷上界在道旭附近，因此影响范围在80～150km。

表4–4　1976年汛期艾山以下3 000m³/s水位变化　（单位：m）

时　间	西河口	一号坝	利津	道旭	张肖堂	杨房	刘家园	泺口	艾山
7～10月	−0.58	−0.92	−0.80	−0.90	−0.75	−0.56	−0.25	−0.50	−0.35

1976年汛后至1981年黄河下游处于小水淤积期，但与1976年汛前相比，艾山以下3 000m³/s水位升高仍表现为“上大下小”，艾山—泺口升值较大，水位超过了1976年汛前水平，泺口以下升值较小，水位接近甚至低于1976年汛前水平。

1981～1985年，下游来水较多，来沙偏少，艾山以下河道明显冲刷，刘家园以下水位降落沿程增大，比降加大。

1985年后又遇小水，艾山以下淤积，幅度又呈“上大下小”，与1976年汛前相比，艾山以下比降再次加大。值得注意的是，在此期间西河口至十八公里比降反而增大，这是由于1988年水量较多以及西河口河道较窄、河湾系数较大所致。表明了改道点以下某些条件（如水沙条件、边界条件）所产生的影响甚至可以超过河口淤积延伸的影响。

1988～1992年进行了疏浚试验，使河口尾闾出现了单一、顺直、河相系数较好的形势。为了充分利用泥沙填海造陆，实现海上石油变陆地开采，1996年汛前实施了清8改汊，使西河口以下河长缩短了16km。1997年以来，特别是小浪底蓄水拦沙运用以来，进入河口的沙量明显减少，河口淤积延伸速率有所减缓，至2002年汛前，西河口以下河长只有56km，仅比1996年汛后延长1km。

清水沟流路自改道以来，治理从未间断过，改道前做了大量的工作，改道后进行了一系列的堤防加固、河道整治、疏浚和挖河固堤等工程，目前该流路已行水30年，并且还有很好的行河潜力，充分说明一条流路的使用年限，治与不治大不相同。

综观黄河口流路变迁的历史，自然改道基本上是决口造成的，而且是破坏性的，寿命比较短。因此，在充分认识黄河口的演变规律的基础上，掌握适当时机，加大河口的治理力度，对控制河道淤积延伸长度，减缓河床水位抬升速率，保障黄河防洪安全和促进三角洲经济发展是十分有利的。

第二节　流路摆动带来的灾害

黄河自公元1855年铜瓦厢决口改道夺大清河入海以来，经历了清代、中华民国、中华人民共和国三个历史时期，因社会政治制度、经济、技术水平不同，对河口的治理有很大差异，河口决溢次数、规模和造成的灾害亦显著不同。

咸丰五年至光绪八年（公元1855～1882年）当地民众为保护土地自发顺河筑堰，后有地方官劝民筑堰自卫，所筑民堰极为单薄，又近逼河岸，一遇大水，非溢即溃，受灾频繁。据旧《利津县志》记载，27年间即有11年在姜家庄、扈家滩、大田家、杨沟崖、阎家庄、张窝庄、孟家庄、韩家垣、辛庄、十六户、永阜、陈家庄、南岭庄、北岭庄、盐窝、北关、西滩等17处决口成灾。

光绪九至十年（公元1883～1884年），山东修筑下游长堤（官堤），接修河口民堰，后多次加修。至民国27年（1938年）黄河花园口掘堤改道汇淮入海55年，河口有23个年份决溢70处计80个口门，高于平均决溢次数。

上述决口或改道给河口地区包括沾化、滨县、无棣、博兴、寿光等邻县人民带来深重灾难，府、州、县志载有“黄河决溢，内河泛滥”，“洪水横流，庐舍为墟，舟行陆地，人畜漂流”的悲惨记述。据史书记载：“光绪九年齐河至利津沿黄河七县决溢53处，利津近海村庄死伤居民甚多，有一家全毙者，有淹死仅存数口者，有房屋倒塌压死者，惨苦情况不堪言状，已救出数千口，唯无安身之处，大半露宿荒郊。”“光绪二十一年六月二十三日吕家洼河决，田庐坟墓尽皆淹没，甚有挟棺而走骸骨无存者，灾民饥不得食，寒不得衣，号哭之声闻数十里”。“民国10年7月19日，宫家决口后，利津、滨县、沾化三县淹没5 400km^2，340余村庄被淹。所有灾民除稍有者迁徙他乡不计外，无家可归露宿大堤者达6万余人”。“民国17年2月2日，利津东岸王家院至常家庄（今垦利县）长约五华里大堤，有六处漫溢决口成灾，淹没70余村，河东一带尽成泽国”。当地民众流传的歌谣说：“棘子刘、王家院，黄河决了口，群众要了饭；关上门，闭上窗，吃饭也得喝那牙碜汤。”“民国18年2月20日，利津扈家滩大堤漫溢决口，水势浩荡，当年未堵。12月凌汛又至，附近各村尽成泽国，房屋倒塌，人畜冻馁溺水而死者不计其数，穴居堤顶者饥寒交迫，惨不忍睹”。“民国26年7月26日，蒲台正觉寺（今东营区麻湾）大堤3.5km被冲决成灾，蒲台、利津、博兴、广饶、寿光等五县数百村庄被淹，泛水由小清河入海，决口未堵，至黄河改道入淮泛区水灾方止”。

新中国成立初期，1951、1955年凌汛，因原堤防隐患未被发现，薄弱堤段未及加固，加之凌洪异常，利津王庄、五庄堤段，深夜狂风之际，出现漏洞，抢堵无效，溃决成灾，使利津、沾化和滨县计480余村庄受灾，冻淹死者80余人，淹地133万亩，受灾人口26

万余。省、地、县各级领导亲临现场指挥，安排生产自救，积极筹措堵口复堤。王庄决口历时64天堵复合龙，五庄决口历时44天堵复合龙。其后，战胜了多次大洪水，未再出现决口情况。东营市黄河1883～1955年决溢情况见表4-5。

表4-5 东营市黄河1883～1955年决溢统计

县区	朝代（处）				汛别（处）				决溢性质（个）				
	清朝	民国	新中国成立后	合计	凌汛	伏汛	秋汛	合计	漫决	冲决	漏决	扒决	合计
东营	3	1		4		2	2	4	1	3			4
垦利	10	7		17	5	7	5	17	17	4		1	22
利津	38	11	2	51	23	19	9	51	34	15	7	1	57
合计	51	19	2	72	28	28	16	72	52	22	7	2	83

第三节 流路频繁摆动对区域发展的影响

新中国成立后人民治黄取得了辉煌成就，但黄河流路不稳定对黄河三角洲乃至黄河下游广大地区经济发展的严重制约并未解除，这种大环境的不稳定局面是黄河三角洲开发滞后的主要原因。

历史上黄河三角洲人烟稀少，在基本上不受人为影响的情况下，黄河尾闾摆动频繁。新中国成立后，国家十分重视黄河治理和三角洲的开发建设，特别是随着20世纪60年代胜利油田的勘探、开发和生产，黄河三角洲的社会经济状况发生了巨大的变化。1992年世界环境与发展大会召开后，中国政府率先制定并颁布了《中国21世纪议程》，“黄河三角洲的资源开发与环境保护”作为“国际关注的、具有很大经济潜力和效益的典型区域开发”，列入《中国21世纪议程优先项目计划》。后来，国务院把东营市列为沿海经济开发区，山东省把黄河三角洲开发与“海上山东”建设列为全省“两大跨世纪工程”。李鹏、江泽民、朱镕基和温家宝等党和国家领导人先后视察黄河三角洲，要求进一步加大河口治理力度，加快这一地区的建设和发展。2001年3月，九届全国人大四次会议把“发展黄河三角洲高效生态经济”列入国家“十五”计划，联合国工业发展组织确认东营市为“国际绿色产业示范区”。这些标志着黄河三角洲的开放开发已进入国家最高决策。同时，全国特大型企业——胜利油田80%的产量集中在黄河三角洲，今后相当长时间内油田发展的方向集中在黄河口、沿海滩涂和浅海地区，现许多油井位于河口流路的冲积扇之内。此外，由黄河冲淤而成的三角洲自然、生态资源极其丰富，是中国东部沿海土地后备资源最广阔的地区，丰水年份又是世界上造陆速率最高的地区；这里野生植被覆盖率较高，大片土地保持着原生状态；以保护新生湿地和珍稀、濒危鸟类为特色的黄河三角洲国家级自然保护区是中国暖温带保存最完整、面积最大的湿地生态保护区，直接或间接地影响着全球大气候的变迁；这里的浅海、滩涂是山东发展水产养殖业潜力最大的地区之一。因此，所有这些，都对综合治理黄河口、稳定黄河现行入海流路提出了迫切要求。而流路的变迁势必对区域发展产生巨大的负面影响，将严重阻碍黄河三角洲经济社会持续稳定发展。

黄河入海流路的稳定是黄河三角洲开发的前提和保障，对山东省乃至黄河流域和全国经济社会的发展都将产生重大而深远的影响。因此，加大对黄河河口的治理力度，长期稳定现行流路，是三角洲人民的共同愿望，是区域经济发展的紧迫要求。

第四节　黄河入海流路安排及治理任务

黄河每年挟带大量泥沙输往河口，淤积、延伸、摆动、改道是黄河口流路演变的基本特征。自1855年以来，黄河在近代三角洲上实际行水近120年，共改道摆动50余次，其中大的改道有10次。人民治黄以来，在总结前人治理河口经验的基础上，采取了三次有计划的人工改道措施，控制河口自然摆动，现行的入海流路是1976年5月人工改道的清水沟流路。

20世纪80年代末，随着河口三角洲地区石油开发和农牧业的发展，社会经济情况发生了很大变化，胜利油田已成为我国第二大油田，河口地区的电力、交通、通讯等基础设施建设也渐趋完善，为工农业的进一步发展提供了十分有利的条件。河口治理引起了国家的高度重视，有关各方对保持黄河入海流路相对稳定，力争现行的清水沟流路继续行河一个较长时期的重要意义逐步有了一致的认识，在对河口治理规划、项目选定、研究论证的同时，根据当时的防洪防凌实际需要，开始实施了部分急需的治理工程。同时，国家计委责成原水电部牵头会同有关单位编制《黄河入海流路规划》，并于1987年批准了《关于黄河入海流路规划任务书》。黄委会、原胜利油田会战指挥部以及有关单位共同协作，1989年编制完成了《黄河入海流路规划报告》，规划的内容主要是：根据黄河口的演变规律和黄河三角洲经济发展的需要，有计划地安排流路改道，重点研究延长现行清水沟流路行河年限的可行性和相应的治理工程措施。水利部审查后转送国家计委，经水利部主持审查，国家计委于1992年正式批准了这项规划。

黄河入海流路的规划，吸取了以往各方面的研究成果，结合清水沟流路的实际情况和经济发展的要求，经过比较充分的分析论证，认为相对稳定现行清水沟入海流路的方案是有利的，也是可行的。根据黄河治理与油田开发统筹兼顾的原则，在控制西河口流路10 000m^3/s、防洪水位不超过12m（相应上段堤防设防水位，大沽高程，下同）的条件下，清水沟流路自西河口至孤东油田（清7断面）的河道在一个较长时间内保持稳定。清7断面以下还要保留一定的摆动范围，根据河口延伸及河道水位抬高情况有计划地实行局部改道（改道顶点暂时下移到清7断面），以便适当控制河道淤积延伸幅度，减轻现有油田开发区和清7断面以上黄河河道的防洪负担。预计现在的清水沟流路可以继续行河30年左右。

为了实现上述目标，稳定清7断面以上河道，并保障油田安全，必须完成一系列防洪工程和非工程措施建设，主要包括4个方面：

（1）现行河道整治；

（2）北汊1改道工程；

（3）北汊2改道工程；

（4）管理设施和通讯系统的建设、加强统一管理和观测试验等工作。

第五章 黄河口治理一期工程

第一节 河口治理一期项目规划内容

《黄河入海流路规划》确定：根据黄河治理与油田开发统筹兼顾的原则，在控制西河口流量10 000m³/s，防洪水位不超过12m的条件下，使清水沟流路可以继续行河30年以上。为此，需要整治西河口至清7断面的河段，使之成为稳定的河段；在清7断面以下保留一定的摆动范围，根据河口延伸及河道水位抬高情况有计划地实行局部改道，以便适当控制河道淤积延伸幅度，减轻现有油田开发区和清7断面以上河道的防洪负担。

在国家计委计农经［1992］1842号文《关于黄河入海流路规划的复函》中，原则同意《黄河入海流路规划报告》，批示指出：继续使用清水沟流路对黄河三角洲农业综合开发及胜利油田的建设是必要的，从河势变化规律和水沙分析来看也是可能的，为保证防洪安全和有利输沙，近期需要对清7断面以上的河道进行整治。根据国家计委批复精神及有关各方意见，山东河务局编制完成了《黄河入海流路治理一期工程项目建议书》，建议五年内先安排现行河道治理工程的5个建设项目，包括两岸堤防加高加固及延长、河道整治、清7断面以下堵串及疏导、北大堤滚河防护淤临工程，以及北汊1改道的引河开挖工程和管理设施、通讯系统建设等。1996年国家计委以计农经［1996］238号文予以批复。

各项工程的具体内容如下。

一、北大堤顺六号路延长及孤东油田南围堤加高加固工程

该工程措施是加高加固六号路和孤东南围堤，构成新的北岸大堤，以保护孤岛、孤东等油田和东营海港的安全。六号路西起北大堤三十公里险工（桩号30+200），东至孤东围堤3号险工（桩号44+631），长14.431km，堤顶高程起点为10.41m，终点为8.92m。桩号30+200～32+015段顶宽7m，桩号32+015～44+631段顶宽5m，临河边坡1∶4，背河边坡1∶3。孤东南围堤长7.1km，顶宽10m，内、外边坡均为1∶5。该两堤段共长21.53km，现顶高低于设计顶高1.84m，仅可满足1993年设防标准7 500m³/s水位超高的要求。为了防止顺堤行洪危及堤身安全，按西河口流量10 000m³/s水位12m设防推算沿程水面线，依照临黄堤统一标准堤顶超高2.1m加高加固六号路及孤东南围堤，六号路起点处设计顶高程12.25m，孤东南围堤终点处设计顶高程9.9m，堤顶宽度7m。临河边坡1∶4，背河边坡1∶3。

二、南防洪堤加高加固及延长工程

南防洪堤长27.80km，桩号0+000～27+800。其中有10.10km顶高低于设计顶高

1.10m，有17.70km低于设计顶高2.10m，仅能满足1993年设防标准6 400m³/s水位超高要求。为防止漫滩洪水分流夺河，并保护堤外农牧业生产，需将其加高加固并延长10km至清7断面附近。按西河口流量10 000m³/s水位12m推算沿程水面线，桩号0+000处设计水位13.6m，桩号37+800处设计水位为8.46m。考虑到两岸堤防保护范围内的工农业生产重要性不同，应确保北岸孤东油田的安全，将南防洪堤下段（桩号25+900）以下标准适当降低。上段（0+000～25+900）按超高2.1m，顶宽7m，临背河边坡皆1∶3进行加高，并按加固标准修建后戗；下段防洪堤（25+900～37+800）按超高1m，顶宽7m，临背河边坡均为1∶2.5，不修后戗。共计土方577.3万m³，投资6 989万元。

三、河道整治工程

为使清水沟流路继续行河30年以上，河道摆动点必须限制在清7断面以下，要求清7断面以上的河道稳定并控制中水河槽，同时河口河道要有利于泄洪排沙入海。为达到上述要求，规划安排对义和庄（一号坝）至清7断面长59km的尾闾河道进行整治。整治原则第一是因势利导，对现状单一、弯曲和微弯型河道进行整治，充分利用现有的控导工程。第二是上下游、左右岸统筹兼顾，按治导线统一规划，形成以坝护弯、以弯导溜、曲直相间的单一河道。规划该段河道从上至下布设的控导工程有中古店、十八户、崔家、苇改闸、西河口、护林、八连、十八公里、清3、清4、清6和清7共12处。整治流量为4 800m³/s，整治河宽为700m。《黄河入海流路治理一期工程项目建议书》编制时已修建的控导工程有中古店、十八户、护林、八连、苇改闸、西河口、十八公里、清3、清4等9处。由于投资有限，中古店、十八户和八连控导工程还未按设计全部完成。实践证明，已修建的9处控导工程对于控制部分河段滩岸坍塌，稳定河势，保护堤防安全，起到了显著的作用。考虑到北汊1河道有提前启用的可能性，因此一期工程未实施清6、清7控导工程，以后视河道变化再作安排。

河道整治工程需修工程长度11.26km，完成土方129.82万m³、石方25.69万m³、混凝土0.46万m³，投资8 209万元，具体见表5-1。

表5-1　河道整治工程投资估算

工程编号	工程项目	工程长度(m)	主要工程量(万m³)			静态投资(万元)
			土方	石方	混凝土	
1	中古店控导工程续建	1 310	14.36	3.14		946
2	十八户控导工程新建	2 000	24.29	4.83		1 499
3	崔家控导工程新建	2 520	30.10	6.07		1 876
4	八连控导工程续建	325	3.53	0.78		234
5	清3控导工程新建	3 000	33.99	6.52	0.23	2 159
6	清4控导工程新建	2 100	23.55	4.35	0.23	1 495
合　计		11 255	129.82	25.69	0.46	8 209

四、清7断面以下堵串及临时疏导工程

对清7断面以下的河道，为了防止任意分汊摆动，实现截支强干，束水攻沙，需要

修筑导流堤并进行堵串，同时根据河口局部河段及拦门沙淤积情况，适时进行疏浚试验。工程项目有如下3项。

（1）堵串工程，每年平均截堵潮沟6条。

（2）导流堤工程，在滩唇顺河修筑导流堤，顶宽10m，高1m，内外边坡1∶3。

（3）疏浚试验，在适于疏浚拖淤流量的情况下，进行疏浚拖淤试验，并开展观测研究工作。

以上3项共计每年平均投资400万元，先列前三年投资共计1 200万元，待取得经验后再作安排。

五、北大堤滚河防护淤临工程

为防止滚河冲决北大堤，采取淤高北大堤临河堤脚地面的工程措施，自神仙沟闸（桩号18+300）起至孤东南围堤末端止，对滩地横比降较大的重点堤段进行淤临，淤临顶高程与滩唇高程相平，淤临宽度100m，投资3 000万元。

六、北汊1改道引河开挖工程

根据黄委会勘测规划设计院1989年8月编制的《黄河入海流路规划报告》分析，以1987年为起始年，现行入海河道可继续行河7～10年。但由于1992年遇到不利的水沙条件，河口段河道淤积抬高较快，有可能提前实施改道北汊1。因此，在一期工程的后期安排北汊1改道的引河开挖较为主动，以备遇到不利的水沙条件，西河口水位一旦超过12m时，能及时改用北汊1河道。引河长7km，需要开挖土方121万m^3，投资964万元。

七、管理设施及通讯系统建设

（一）管理设施

黄河河口管理局于1991年3月建立，担负河口治理、防洪防凌、工程管理、规划设计等任务。建设和管护下界从四段、渔洼延长至入海口，河道长约90km。①局机关设在东营市东城。规划建办公、住宅、通讯楼等建筑面积1.27万m^2，包括附属设施及设备购置等全部费用1 074万元。②根据防守和管理任务要求，四段、渔洼以下新建工程需新设北岸西河口、清7和南岸护林、三十公里四个河务段；新建四处控导工程守险房；在胜利大桥南端大堤背河建一个机动抢险队。共计房屋面积5 600m^2，包括附属设施等费用341万元。③为解决职工子女上学、离退休人员安置，在利津、垦利县和河口区三处建生活基地住宅楼8 250m^2，需费用495万元。

以上管理设施共需投资1 910万元。

（二）通讯系统建设

为了加强水情、凌情通报，加强统一指挥，便于防汛抢险，争取防汛主动，需要完善通讯系统，包括：建立黄河河口管理局（东营）经河口区黄河河务局至孤东的微波支线，此支线共设黄河河口管理局（东营）、河口区黄河河务局、孤东三站，电路长95km，设计容量60路PCM数字微波通讯电路，各站分配话路30个，河口区黄河河务局和孤东各配容量为200门的终端设备小程控交换机一部，通讯系统建设需费用512万元。

第二节　河口治理一期工程施工安排

河口治理一期工程计划安排在1994～1998年五年完成，各项工程的施工安排如下：

(1) 北大堤延长工程，安排在1994～1997年完成。

(2) 南防洪堤加高加固及延长工程，安排在1994～1997年完成。

(3) 河道整治工程，分5年完成，首先安排崔家控导工程。

(4) 清7断面以下堵串及临时疏导工程，安排在1994～1996年进行试验研究。

(5) 北大堤滚河防护淤临工程，在1995～1998年完成。

(6) 北汊1改道工程的引河开挖，在1998年安排。

(7) 管理设施及建设，安排在1994～1997年完成。

(8) 通讯系统建设，安排在1994～1997年完成。

按1992年底价格水平计算，河口治理一期工程项目静态投资30 319万元，各项工程的投资估算见表5−2。全部工程项目五年完成，动态投资共需36 984万元。以上工程项目安排的分年投资计划见表5−3。

表5−2　黄河入海流路治理一期投资估算（1992年）

序号	工程项目	主要内容	一期工程			
			静态投资（万元）	工程量(万 m^3)		
				土方	石方	混凝土
1	北大堤延长（沿六号路）	长21.5km，险工3处	7 535	376.0	13.0	
2	南防洪堤加高加固及延长		6 989	577.3		
3	河道整治工程	新修4处，续建2处	8 209	129.8	25.69	0.46
4	清7断面以下堵串及临时疏导工程	暂列前三年	1 200			
5	北大堤滚河防护淤临工程		3 000	486.3		
6	北汊1改道引河开挖工程	长7km	964			
7	管理设施		1 910			
8	通讯系统建设		512			
	总　计		30 319	569.4	38.69	0.46

国家计委1996年以计农经[1996]238号文对《黄河入海流路治理一期工程项目建议书》进行了批复，批复黄河入海流路治理一期工程总投资为36 416万元，其中，中国石油天然气总公司负担20 979万元，水利部负担10 437万元，山东省负担5 000万元。

工程建设和管理的分工是：石油部门负责崔家控导以下（含崔家控导）北岸治理工程的建设与管理，主要包括北大堤沿六号路延长及孤东油田南围堤加固及护堤险工工程；崔家控导及以下北岸控导工程；北大堤防护淤临工程；北汊1改道引河开挖工程等。水利部和山东省人民政府负责南岸治理工程和崔家控导以上河道治理工程，以及通信设施的建设与管理，主要包括南防洪堤加高加固及延长工程；南岸及北岸崔家以上河道整治工程；河口管理局（段）管理设施和通信系统建设等。黄河入海流路的规划、单项工程的

表 5–3　　河口治理一期工程分年投资计划（1992 年）

项　目	总投资（万元）	年序 1	2	3	4	5
		1994	1995	1996	1997	1998
一、现行河道治理工程	26 933	5 776	5 646	5 949	5 903	3 659
1 北大堤延长（沿六号路）	7 535	1 700	2 000	1 850	1 985	
2 南防洪堤加高加固及延长	6 989	1 800	1 800	1 700	1 689	
3 河道整治工程	8 209	1 876	946	1 499	1 729	2 159
4 清 7 断面以下堵串及临时疏导	1 200	400	400	400		
5 北大堤滚河防护淤临工程	3 000		500	500	500	1 500
二、北汊 1 改道工程引河开挖	964					964
三、管理设施及通讯建设	2 422	850	750	700	122	
1 管理设施	1 910	650	600	600	60	
2 通讯系统建设	512	200	150	100	62	
静态投资	30 319	6 626	6 396	6 649	6 025	4 623
动态投资	36 984	7 231	7 399	8 153	7 831	6 370

设计和审查由黄河管理部门负责，报主管部门备案。工程建设工期按 5 年安排。具体批复情况详见表 5–4。

表 5–4　　《黄河入海流路治理一期工程项目建议书》批复情况(1996 年）

序号	项目名称	长度或坝数	项目总规模 土方（万 m³）	石方（万 m³）	混凝土（万 m³）	静态投资(万元) 部、省	静态投资 石油	动态投资（万元） 部、省	动态投资 石油
一	北大堤延长（沿六号路）	21 500	376	13			7 535		9 021.4
二	南防洪堤加高加固及延长	34 735	577.3			6 989		8 330.2	
三	河道整治工程		129.82	25.69	0.46	3 940	4 269	4 877.7	5 328.4
1	中古店控导工程续建	1 310	14.36	3.14		946		1 094.8	
2	十八户控导工程续建	2 000	24.29	4.83		1 499		1 838.9	
3	崔家控导工程新建	2 520	30.1	6.07			1 876		2 048.2
4	八连控导工程续建	325	3.53	0.78			234		304.3
5	清 3 控导工程新建	3 000	33.99	6.52	0.23		2 159		2 975.9
6	清 4 控导工程新建	2 100	23.55	4.35	0.23	1 495		1 944.0	
四	清 7 断面以下堵串及临时疏导工程						1 200		1 390.3
五	北大堤滚河防护淤临工程		486.3				3 000		3 909.8
六	北汊 1 改道引河开挖工程	7 000	121				964		1 328.8
七	管理设施					1 910		1 910（核减后）	
八	通讯系统建设					512		319.3（核减后）	
	小计		1 690.42	38.69	0.46	13 351	16 968	15 437.2	20 978.7
	合计					30 319		36 415.9	

第三节　工程实施情况

一、工程建设分工

根据国家计委的批复，各责任方自1996年开始按批复要求实施河口治理一期工程，有关情况如下。

（一）水利部和山东省负责投资建设部分（右岸）

按照《黄河入海流路治理一期工程项目建议书》的要求，由水利部和山东省负责投资建设的项目，计划分三批下达资金，其中：1997年下达 2 000万元(山东省1 000万元)，当年全部到位并完成；1998年下达国债资金1.2亿元(中央预算内投资8 000万元，山东省承贷4 000万元)，到位1亿元（地方政府让胜利石油管理局转贷的2 000万元没有到位），完成了9 039.3万元;1999年下达国债资金 6 000万元，全部到位，已完成632.8万元（十八户闸除险加固工程）。至2000年底，由水利部负担的10 437万元全部到位，由山东省负担的 5 000万元到位 3 000万元。完成的工程为南防洪堤加高加固、中古店控导工程、十八户控导工程、清4控导工程及部分管理设施、通信工程等，共完成投资11 334.45万元；尚未开工的项目有南防洪堤延长工程、部分管理设施，共计投资4 102.9万元。具体实施情况详见表5–5。

表5–5　《黄河入海流路治理一期工程项目建议书》实施情况

（水利部和山东省投资部分）（2000年12月）

序号	项目名称	长度或坝数	批复投资（万元）	已完成项目投资(万元)	剩余工程项目投资（万元）
一	南防洪堤加高加固及延长	34 735	8 330.2	7 303.03	1 027.2
二	河道整治工程	5 410	4 877.7	3 481.43	1 396.3
1	中古店控导工程续建	1 310	1 094.8	870.1	224.7
2	十八户控导工程续建	2 000	1 838.9	1 497.32	341.6
3	清4控导工程新建	2 100	1 944.0	1 114.01	830.0
三	管理设施		1 910.0	215.9	1 694.1
四	通讯系统建设		319.3	334.05	−14.7
合计			15 437.2	11 334.4	4 102.9

（二）中国石油天然气总公司负责投资建设部分（左岸）

根据《黄河入海流路治理一期工程项目建议书》的规划，由中国石油天然气总公司负责投资建设部分，截至2000年12月，已完工程包括部分北大堤延长加高工程、部分崔家护滩工程、清3控导工程、部分清7断面以下堵串及临时疏导工程、部分北大堤滚河防护淤临工程及八连控导续建工程，共完成投资9 860.2万元；尚未开工的项目有：北大堤延长加固工程、崔家部分护滩工程、清7部分断面以下堵串及临时疏导工程、北汊1改道引河开挖工程，共计投资11 118.6万元。具体实施情况详见表5–6。

表 5–6 《黄河入海流路治理一期工程项目建议书》实施情况

（石油部门投资部分）（2000 年 12 月）

序号	项目名称	长度或 坝数	批复投资（万元）	已完成项目投资（万元）	剩余工程项目投资（万元）
一	北大堤延长（六号路和孤东南围堤）	21 500	9 021.4	2 994.1	6 027.3
二	河道整治工程	5 845	5 328.4	2 643.6	2 684.8
1	崔家控导工程新建	2 520	2 048.2	2 020.3	27.9
2	八连控导工程续建	325	304.3	523.3	−219.0
3	清 3 控导工程新建	3 000	2 975.9	100.0	2 875.9
三	清 7 断面以下堵串及临时疏导工程		1 390.3	1 168.1	222.2
四	北大堤滚河防护淤临工程		3 909.8	3 054.3	855.5
五	北汊 1 改道引河开挖工程	7 000	1 328.8		1 328.8
合计			20 978.7	9 860.1	11 118.6

二、工程实施情况

（一）南防洪堤加高加固及延长工程

黄河河口南防洪堤位于现行黄河入海流路的右岸，上接临黄堤于255+160处，总长度27 800m，始建于1968年。后虽经1969、1977、1980年和1984年四次加修，堤顶高程仍低于设计标准1.0～2.55m，随着河口不断淤积延伸，如遇大洪水、风暴潮的顶托或口门淤堵的情况，尾闾河段没有堤防约束，易发生自然分汊摆动，洪水泛滥成灾，为防止漫滩洪水分流夺河，保障黄河三角洲经济发展、胜利油田的顺利开发和河口地区人民的生命财产安全，使现行入海流路保持较长行水时间，必须对现行河口河段不够标准的堤防进行加修。根据国家计委农经[1996]238号文的批复意见和山东黄河勘察设计院负责完成的初步设计提出的方案，按照山东黄河河务局的安排，分别于1996年11月、1997年10月和1998年8月对工程进行了现场勘测，完成了施工详图编制工作。主要设计指标为工程等级Ⅰ级，设防流量10 000m³/s，设计水平年2000年，设防水位：按照初步设计推算成果，上端（0+000）为12.94m,(10+210)为11.22m，下端（27+735）为8.63m，堤顶高程：0+000～25+900段堤顶超高设防水位2.1m，25+900～27+800段堤顶超高设防水位1.0m，堤顶宽度7m，堤防边坡：0+000～25+900段临背河均为1∶3；25+900～27+800段临河边坡1∶2.5，背河边坡1∶3,后戗：0+000～25+900段堤身设计浸润线1∶8，后戗顶高出浸润线出逸点0.5m，后戗顶宽6m，边坡1∶5，25+900以下不设后戗，设计干容重1.5t/m³。南防洪堤（0+000～27+800）加高加固工程分三期施工，山东黄河河务局以鲁黄工发[1997]130号文批复一期（0+000～10+210段）工程施工详图设计、以鲁黄工发[1998]177号文批复二期（10+210～11+450、19+050～27+800)、三期（11+450～19+050）工程施工详图设计。

（二）南防洪堤一期（0+000～10+210）工程建设

一期工程（0+000～10+210）工程长度10 210m，只对未翻筑的堤段进行压力灌浆加固，长度为6 030m，在加高帮宽完成后进行。堤坡及后戗坡设砌石排水沟，其净宽0.6m、深0.2m，砌石厚0.2m。土方工程129.12万m³，石方工程1 530m³，混凝土工程28.2m³，加上堤防绿化和防汛屋、土牛、辅道等附属工程，核定总投资1 864.39万元。根据施工要求，东营市成立了南防洪堤加高加固工程建设指挥部，负责施工期间的组织协调和对外联系工作。施工队伍由东营市黄河工程局承担。山东黄河河务局质量监督中心设立质量监督站，对工程进行现场质量监督。工程自1997年3月24日开工，8月3日完成，历时132天，共调动施工机械108台（套），高峰期施工人员335名。在施工过程中，由于南防洪堤7+600至8+600段为柏油路面，该段柏油路在施工中予以保留，并对该段工程进行设计变更，加高段前移形成帮临，原柏油路面作为后戗，增加回填土方14 980m³，清除淤泥土方277m³，增加投资25.05万元。5月28日前完成了2+400～10+210段的施工，7月12日前完成了0+000～2+400段的施工。从6月6日起，安排了红土盖顶、排水道及土牛等工程的施工，共计完成土方109.73万m³，占计划的103%，完成混凝土浇筑1 109m³，占计划的123%。工程验收严格按照山东黄河河务局制定的《山东黄河土方工程施工及验收规程》，坚持分部工程验收制度和坯土验收制度，及时组织工程质量联合大检查，保证了工程质量，施工期间，工程质量共检查点次94 268个，合格率99.6%，工程质量达到优良等级。在工程基本完成后，根据山东黄河河务局的投资核定意见，结合实际情况，有一些问题急需解决：排水沟灰土回填；浆砌石排水沟改为素混凝土排水沟；人工伐树；垫道土方清除；辅道清除；淤泥清除；水库排水；压力灌浆；雨毁工程恢复等9项共需调增投资131万元。因此，南防洪堤一期工程总投资为2 020.44万元。

（三）南防洪堤二期（10+210～11+450、19+050～27+735）工程建设

二期工程（10+210～11+450、19+050～27+735）长度9 925m，施工组织管理机构为以黄河业务部门人员为主，吸收地方有关部门人员参加的黄河垦利南防洪堤建设工程指挥部，全面负责工程施工的领导和管理工作。施工单位为山东黄河工程局第一分局所属的垦利、利津、东营、河口四个工程处。监理单位为山东黄河工程监理有限责任公司。质量监督由黄河河口管理局组织的质量监督站对工程进行质量监督。施工单位工程，分为基础处理、土方填筑、翻筑、包边盖顶、土牛共5个分部工程。主体工程于1998年10月20日开工，12月15日完工，历时56天，完成土方164.8万m³。进场施工的主要机械230台，施工人员638人。整个工程共质检点102 561个，合格点次101 099个，合格率98.6%，工程质量达到优良。

（四）南防洪堤三期（11+450～19+050）工程建设

三期工程（11+450～19+050）长度7 600m，该段工程按工程项目法人制、工程建设监理制、招标投标和合同管理制进行建设。建设单位成立了南防洪堤加高加固及延长工程项目办公室，处理工程建设的日常工作。质量监督单位为山东黄河水利工程质量监督站。对监理和施工单位进行了公开招标，监理公司为河南黄河勘察设计公司科技开发总公司。垦利县水利工程公司中Ⅰ标段（11+450～14+000）、山东水利工程总公司中Ⅱ标段（14+000～16+500）、山东黄河工程局中Ⅲ标段（16+500～19+050）。主体工程土方量163.776万m³，工程自1999年5月8日开工，到6月26日完工，工期48天。在施工高峰期共投入施工机械323台，参加施工人员715人。工程质量被评定为优良等级。

南防洪堤加高加固及延长工程分三年三期完成0+000～27+800段的加高加固工程，

工程进展顺利，一期工程共完成土方143万m^3，完成投资2 020.44万元；二期工程完成土方150.2万m^3，完成投资3 498万元；三期工程完成土方140.75万m^3，完成投资1 784.59 万元。

南防洪堤从桩号27+800以下的延长工程长7m，根据黄委意见暂缓建设。

（五）北大堤沿六号路延长及孤东油田南围堤加高加固工程

黄河河口北大堤顺六号路延长工程，是保护孤东、孤岛等十四个河口油田防洪安全的重要工程项目，是《黄河入海流路规划》的一个组成部分。1989年12月提出设计后，由于投资不足，工程分年度实施。1991年按照艾山下泄10 000m^3/s的洪水位大堤超高1m建设临时过渡堤防，延长工程总长14 385m，起点（30+200）水位为9.79m，止点（44+585）水位为8.29m，堤顶高程起点11.79m，止点8.29m，比降1.022‱，临河边坡1∶4，背河边坡1∶3。预算土方120.27万m^3，审定投资500万元，实际完成土方117.75万m^3，红土包边盖顶2.52万m^3，施工队伍于1991年4月10日进场，7月9日全部撤离工地。

1992年的二期工程在1991年一期工程的基础上普遍加高1.0m，平均加宽7.0m左右，其中包边盖顶土方59 414m^3，主体工程由利津、垦利、东营县区黄河河务局的机械共94台（其中铲运机87台，推土机6台，拖拉机1台），生产及管理人员279人参加施工，于1992年3月10日陆续开工，5月1日全面竣工。全部工程共完成土方659 550m^3，其中包边盖顶土方59 929m^3，工期比原计划工期提前14天，工程于6月20日左右进行了竣工验收。

1996年实施六号路淤临工程，对六号路按设计标准进行了帮宽，到1997年形成现状堤防断面。六号路起点30+200现状高程10.16m，末端44+644堤顶高程8.05m，比设计堤顶低2.5m左右，堤顶宽度4～7m，临河边坡1∶4，背河边坡1∶3。根据黄河入海流路一期工程项目建议书精神，胜利油田于2001年实施北大堤顺六号路延长堤段加高加固工程，按西河口流量10 000m^3/s水位12m设防推算沿程水面线，依照临黄堤统一标准堤顶超高2.1m加高加固六号路及孤东南围堤，六号路起点处设计顶高程12.25m，孤东南围堤终点处设计顶高程9.9m，堤顶宽度7m。临河坡1∶4，背河坡1∶3。截至2001年底，14.431km六号路的加高加固工程已全面完成。另外，为了防止顺堤行洪危及堤身安全，在三十公里、三十八公里、四十四公里布置三处险工，险工段顶宽9.0m。共完成土方376万m^3，石方13.00万m^3，投资7 535万元。

（六）中古店控导工程续建

中古店控导护滩工程位于黄河利津河段左岸。该工程系1996年国家计委批准的《黄河入海流路治理一期工程项目建议书》中河道整治工程项目之一。该工程建有坝垛10个，系1971年为控制滩岸大幅坍塌，保证十八户放淤闸引水而抢修的，原有工程布置分上下两段，上游坝段为1#～6#坝，下游坝段为7#～10#坝，上下游两坝段间有570m长的空档。工程建成以来对防止滩岸大幅后退、保证十八户放淤闸正常引水起到了明显作用。

由于中古店工程系迫于形势被动抢修的，布局上不合理，上下游坝段衔接不完整，长度也不够，所以不能满足控导河势、稳定送流的要求。河口流路治理目标是：为保障河口三角洲地区经济和社会的持续稳定发展，要求黄河入海流路相对稳定，使清水沟流路继续行河30年以上，要求河道摆动点下移至清7断面，同时要求河口河道要有利于泄洪排沙入海。为了更好地发挥崔家、十八户控导工程的整体作用，完善和续建了中古店控导工程。

该工程由山东黄河勘测设计研究院负责规划设计，1998年12月30日，山东黄河河务局以鲁黄发［1998］186号文《关于中古店护滩控导工程初步设计的批复》批复工程初步设计，1999年5月18日省局鲁黄工发［1999］108号文批复施工详图设计，同意工程施工。正式施工日期是1999年6月15日，7月13日完工。

中古店护滩控导工程的建设单位是黄河河口管理局，设计单位是山东黄河勘测设计研究院，施工单位是利津县黄河工程有限公司，监理单位是河南黄河勘察设计工程科技开发总公司，质量监督单位是山东黄河水利工程质量监督站。

本次续建工程主要包括两部分内容：①对原有10个坝垛加高加固；②新建11个人字坝，新1#～新5#坝为填补原有坝段之间的空档，新6#～新11#坝为下延工程，改建后的工程总长度为2 004.2m。

设计选择造床流量为3 500m³/s，整治河宽为450m。坝顶高程取中古店滩面标高9.0～9.5m，加超高0.5m，取9.8m。设计水位按平滩流量相应的水位考虑，采用与当地滩面高程齐平，为9.3m。

原坝垛整修，坝顶按9.8m高程标准，除7#坝加高1.4m，其他坝加高0.3～0.5m；坝垛坡度不足1∶1.5的全用乱石加足。短坝填空，即在原6#～7#垛间570m，布置5个短人字形垛沿治导线使空档平顺连接，垛上游直线段和连坝夹角为30°，直线长71.6m，下游与连坝夹角为60°，直线长35m，坝顶圆弧半径为17m，圆心角90°，坝前沿至连坝垂直距离为39m。人字坝间距为100m，坝顶高程9.8m，坝体采用散抛乱石坝表面整平，外坡1∶1.5，内坡1∶1，顶厚1m，红土坝胎水平厚1m，根部为耐特龙石枕护底，厚1.5m，宽1.5m，坝前部分考虑在水流中修做，采用水中耐特龙石枕进占结构施工，底部高程5～6m，随河床底高程变化。下延短坝护岸：在原10#垛以下下延并作6个护岸垛，总长661m，新6#和新7#坝垛基本顺现滩岸布置，新8#～新11#坝逐渐过渡到设计治导线位置，坝垛采用人字坝型，结构形式尺寸与填空档相同，坝间距采用100m。为了采用新材料，并减少柳枝用量，坝护根采用长5m，直径0.75m的耐特龙石枕，下延垛部分在岸边修做，部分水中进占，坝根石底高程皆采用5.0～6.0m。

中古店护滩控导工程主要设计工程量为：土方开挖6 105m³；坝基土方填筑104 283 m³；黏土包边盖顶13 698m³；散抛块石坝面10 806m³；干砌坝面石3 302m³；耐特龙石枕2 724m³。实际完成工程量为：坝基土方8.69万m³，水中倒土2.97万m³，坝基黏土1.67万m³，土方开挖0.61万m³，散抛乱石1.26万m³，表面石排整0.26万m³，柳石枕0.08万m³，耐特龙石枕0.24万m³。

根据平时检查监督结果，建设、监理方的抽检资料及施工单位自检的原始资料和各次验收结果，按照工程质量评定规范，中古店工程的10个分部工程优良率达到100%，故2个单位工程也全部优良，并且施工当中未发生质量事故，因此中古店控导工程的质量等级为优良。

中古店护滩控导工程续建后，达到了更好的控导和稳定河势的作用。除了与上游义和庄险工迎托呼应，并平顺导向十八户控导工程外，还兼有改善十八户引黄闸引水条件的双重任务，为整治和稳定清水沟流路起到一定作用。

（七）十八户控导工程续建

十八户控导工程是国家计委于1996年以计农经[1996]238号文批复的黄河入海流路治理一期工程的重要项目。工程建设单位为黄河河口管理局；设计单位为山东黄河勘测设计研究院；监理单位为黄河工程咨询监理有限责任公司；施工单位为：第一合同段，山东黄河工程局东营工程处，第二合同段，山东黄河工程局河口工程处，第三合同段，山东黄河工程局垦利工程处；质量监督单位为山东黄河水利工程质量监督站。

该工程位于垦利右岸桩号155+000～157+000处，该工程设计整治流量3 500m³/s，整治河宽450m，设计坝顶高程9.5m，旱工施工深度3.0m，水中施工深度5.0m，工程结构布置形式采用人字坝和沉排丁坝，工程长度2 000m，共20段坝。上游采用12道人字坝，其结构采用土石坝身，上部坝面采用散抛石防护，外坡1∶1.5，内坡1∶1.3，顶宽1.0m，底部采用铅丝笼护根，其内填筑黏土坝胎。下游采用8道丁坝，其结构采用土石坝身，内填黏土坝胎，背水面和坝顶设黏土包边盖顶，上部坝面用散抛石防护，其中6道丁坝下部采用模袋混凝土沉排护底，2道丁坝采用铅丝笼护底。坝垛与治导线的夹角为30°，每坝垛长度均为100m。所有丁坝、人字坝的背部均以连坝相连，连坝顶宽10m，顶高程与坝垛顶齐平，边坡1∶2，护坝地宽30m，顶高程9.0m，设20cm厚的黏土包边盖顶。设计工程量为：模袋混凝土沉排12 991m³，散抛石23 354m³，挖填土方40.93m³，黏土胎及包边盖顶土方2.52万m³，土袋枕埽体11 618m³。

工程施工分两个阶段：第一阶段，1998年10月23日～12月25日，完成了1#～12#坝12段人字坝的施工。第二阶段，1999年5月1日～6月30日，完成了13#～20#坝8段丁坝的施工。第一阶段正值冬季施工，河水忽大忽小，加之受模袋混凝土新工艺的影响，施工方式采用水中进占法，施工困难较大。施工过程中共投入铲运机、推土机45台(套)，混凝土模袋配料机、搅拌机16台(套)，高峰期施工人数达581人。完成工程量为：铰链式模袋混凝土沉排17 321m³，散抛石11 365m³，坝基及连坝等土方23.99万m³。施工单位严格执行三检制，严格执行各单元工程和分部工程验收签证制度，施工中共检测35 128点次，合格334 249点次，合格率97.5%。

1999年7月16日～7月18日，山东黄河河务局组织参建各单位对该工程进行了全面验收，认为该工程基本按设计完成建设任务，各单位工程符合设计要求，各分部工程按规定进行了验收签证，施工安全，内业资料基本齐全，工程质量合格。

（八）崔家控导工程新建

利津县崔家河湾位于义和庄至西河口河段，介于南岸十八户与苇改闸两河湾之间。1986年义河庄至八连河道整治设计中，对以上三河湾的整治控导工程已作规划。1987年完成了苇改闸控导工程，1990年进行了十八户部分控导工程建设。

自1985年以来，崔家滩岸坍塌严重，流势变化甚大，1993年汛后苇改闸控导工程全部脱险，西河口打水船全部脱流取水困难。若再不安排崔家控导工程建设，将可能产生主流抄西河口工程后路的危险，并使苇改闸控导工程脱险报废，西河口、护林、八连控导等工程有脱险、抄后路的可能，打乱现有控导工程体系。

为使清水沟流路行河30年以上，清7断面以上的河道需稳定，则急需修建崔家控导工程，控制主流，改善河势，确保河口地区防洪安全。1994年，山东黄河河务局、胜利石油管理局、黄河河口管理局共同勘察并布置方案和设计治导线，由山东黄河勘察设计研究院负责崔家控导工程设计。

工程起点在159+670，终点在162+000处，前端600m为直线段，以后由三段圆弧组成，相应弧长1 000m、500m、300m，工程全长2 400m，由24段坝垛组成，1#～16#为垛，17#～24#为丁坝，设计坝顶高程8.5m，坝垛后顺治导线修筑一道连坝，坝顶高程3.5m，顶宽10m，边坡1:2。

工程实施方案决定对24道坝垛分期实施完成。1994年先安排修筑14#～20#号共7道坝垛，其中人字垛3道，丁坝4道，起止滩桩号为161+000～161+700，工程长度700m，投资为747万元，共计土方工程19.34万m^3，石方工程2.22万m^3。1994年修建的7段坝垛抵御了当年利津站流量3 180m^3/s及3 410m^3/s两次洪峰的冲击、考验，确保了工程安全，同时对控导主流、稳定河势起到一定作用。根据河势变化，结合实际，1995年续建了21#、22#两段丁坝，由利津县黄河河务局组织施工，两段丁坝的起止滩桩号为161+700、161+936，续建工程长度236m，设计坝顶高程9.0m，顶宽25m，20#～21#坝裆距为100m，21#～22#坝裆距为136m，连坝与已建连坝平顺连接。丁坝采用土苇柳石结构，顶宽15m，长度120m，连坝顶宽25m，坝体和连坝土体均作黏土包边盖顶，包边水平宽0.4m，盖顶厚度0.2m，计划土方94 739.6m^3，石方12 235m^3。工程自1995年5月12日开工，至7月4日竣工，共投入施工机械14台（套），施工人数229人，完成土方101 499m^3，完成石方7 763m^3，投资450万元。总质检点次6 726个，合格点次6 444个，合格率96%，达到设计要求，施工质量优良。

经过1994、1995年两次建设的9段坝垛，经过行水运用和溜势调整，到1999年，已收到了初步效益：控制住崔家河湾继续坍塌坐弯；河势已朝设计治导线方向发展。但是由于河道整治工程是一项系统工程，必须上下游、左右岸统筹兼顾，按规划设计的整治工程全部完成，才能发挥工程的整体效能。由于崔家、苇改闸两处控导工程配合作用没有发挥，使其以下河道的河势随河床边界条件、水沙变化而自由摆动，生产村临时护岸工程、西河口、护林、八连、十四公里护滩、护岸溜势仍存在上提下挫，无工程的河滩继续坍塌坐弯，十四公里打水船也因脱流出滩而无法扬水。无疑，崔家应继续完善自身工程建设。因此，1999年对崔家控导工程进行了续建。根据现场查勘和分析论证，上延工程部分在治导线内滩面宽还有100多米，越往上游越宽，考虑留有调整余地，1999年度先修做7#～13#坝垛，下延部分要尽早将溜势送至苇改闸工程上去，并进一步加强21#～22#两坝的抗洪能力，需建设23#丁坝一道。

崔家工程已建成的9道坝垛设计顶高程8.5m，其中21#～22#丁坝深入到河中较多，河道过水断面缩窄，汛期壅水严重，已将坝顶加高到9.8m，故下延23#坝顶高程取9.8m，其余坝垛加高到9.0m，上延工程坝顶高程定为9.0m。上延工程长度为700m，其中12#、13#坝根据油田建议，采用钢筋混凝土插板试验桩，按护岸型布置，桩顶高程为7.0m，7.0～9.0m为砌石护坡；7#～11#坝采用人字垛，沿治导线布置，坝垛间裆距为100m，顶高程为9.0m，坝垛长75m，垂直长39m。下延工程续建23#丁坝，裆距130m，顶高程9.8m，丁坝长120m，顶宽18m。本期工程主要工程量：开挖土方41 168m³，回填土方108 600m³，土袋枕1 277m³，抛石8 005m³，铅丝笼4 038m³，柳石枕3 427m³，混凝土769m³；主要材料用量：柴油141t，汽油4t，石料16 853m³，砂子392m³，石子683m³，水泥382t，钢材211t，预算总投资776.85万元。

崔家控导工程的新建及续建，有将主流挑向苇改闸控导工程的趋势，对苇改闸前和西河口打水船处的淤滩有冲刷，并使已形成急弯的崔家河湾落淤，制止坍塌，改善河势，使上下河湾平顺衔接。

（九）八连控导工程续建

八连控导工程建于1990年（原设计坝垛21段），并修建西河口经八连至孤南24顺河路一条。该节点工程修建后，对改善以下河段的河势流向起到了一定作用。但自1993年来，由于上游河势不断变化，护林控导工程流势上提，致使八连护滩着溜点不断上移，八连护滩工程上首滩岸不断坍塌后退，顺河路部分路段已坍入河中，如继续坍塌，洪水漫滩后，主流很可能在八连控导工程上首冲开滩唇，直逼北大堤，造成防洪和油田防护的被动局面。为缓解河岸坍塌、防止下游控导工程流势发生一系列不利变化，1994年上延了八连控导工程，同时上延退修顺河路进行。

八连控导工程上延工程治导线定为沿4#～1#垛治导线直线上延，共布置01#、02#、03#坝垛3段，坝垛平面形式采用人字垛。坝顶高程为7.5m（黄海基点），垛的迎水面与治导线成30° 角，垛与垛裆距102m，迎水面及下跨角采用石护坡，护坡长度迎水面为49.07m，下跨角18.02m，石护坡外坡为1∶1.3，内坡为1∶1.1，顶宽为1.0m，其中干砌坝面为0.4m，其余为填腹石，护坡内侧为黏土坝胎，水平宽1.0m，内外坡均为1∶1.1。

该工程于1994年4月初开工，7月上旬完成。土方工程采用铲运机运土，机械碾压。部分土方工程采用人工开挖回填，石方工程为人工砌筑。

根据施工详图，八连控导工程上延主要工程量为：土方工程2.84万m³，其中开挖土方1.50万m³，坝基回填土方0.53万m³，红土坝胎0.15万m³，红土包边盖顶0.39万m³，退修连坝0.27万m³；石方工程4 697m³，其中干砌坝面900m³，干砌腹石1 828m³，抛苇石枕1 671m³，抛铅丝笼265m³，合计投资144.37万元。

由于近几年河床淤积严重，洪水位表现较高，再加9#坝靠顶冲主流引起水位壅高（大河出现3 000m³/s左右流量时，9#坝上跨角与下跨角水位相差0.3～0.4m），造成1#～9#坝坝顶经常漫水。1993年8月12日利津站流量3 200m³/s造成1#～9#坝坝顶漫水。坝顶水深0.1～0.15m，9#以下各坝眉子石出水0.2～0.3m。1994年7月15日利津站流量3 180m³/s，造成1#～9#坝坝顶漫水，坝顶水深0.15～0.25m。9#以下各坝眉子石出水0.15～0.25m。坝顶漫水后，根石无法探摸，工程变化情况不易掌握，工程出险不易发现，险情发生抢护困难。洪水过后工程损坏严重，维修工程量大。鉴于此情况，为了使该工程发挥整体作用，经现场查勘，对八连护滩工程1#～9#坝进行加高。

八连护滩1#～9#坝加高工程坝顶高程按防5 000m³/s洪水超高0.5m设计。八连护滩1995年5 000m³/s设计洪水位10.38m，加0.5m超高，设计加高坝顶高程为10.88m，原坝顶平均高程10.36m，应在原坝顶基础上平均加高0.52m。护滩路红土盖顶后高程11.08m。加高坝身宽1.0m。内外坡均按1∶1.2，内加黏土坝胎，宽1.0m，坡度1∶1.2。

眉子土采用红土，底宽1.0m，高0.3m，顶宽0.6m。

工程于1996年3月开工，6月竣工。1#～9#坝砌石围长共845m，坝面连坝面积共42 136m^2。用石方443m^3，土方21 068m^3，红土坝胎484m^3，红土盖顶及眉子土1 649m^3。合计投资548 787.56元。

八连续建工程完成后，对防洪、保滩护堤、平稳调整河势流向起到重要作用，同时起到了稳定流路、控导主流、限制摆动范围、改善泄流条件的作用。

（十）清3控导工程

清3控导工程位于黄河口清水沟流路左岸清3断面附近，北距孤南24油田850m，是黄河入海流路治理一期工程的建设项目。清水沟流路行水后，至20世纪90年代初，由于十四公里工程比较顺直，控溜能力低，出流散乱，致使对岸滩地大中小水着溜点变动范围很大，滩桩177+500以下长约2km左岸滩岸逐年坍塌，河槽年均向左移动10多米，清3断面以上塌岸不断加快，有直接冲向孤南24油区的趋势。据上述河势演变情况和河口规划治理要求，为有利于北大堤防洪安全，延长清水沟流路使用年限，保护滩区油田正常开发建设和农业生产，1993年，山东黄河工程开发有限总公司进行了清3控导工程咨询，经现场勘察后，对清3工程布置坝垛24段，其中1#～20#为垛，21#～24#为短丁坝。当时1#～18#垛距滩沿50～80m，19#～22#坝垛位于塌滩重点弯道的末端。由于投资所限，当年只修做了19#、20#两段坝垛，以后由于来水来沙条件的变化和流势外移，滩岸坍塌停止，其余坝垛再未续建。已修做的两段垛1996年后一直靠流，起到了制止滩岸坍塌的作用。

1993年后，由于西河口流势下延外移，上部坝段全部淤滩脱溜，造成西河口取水口淤塞，油田泵船取水口脱流废弃，河道南移200多米，使下段河势变得十分不利。西河口以下河段正由宽浅向弯曲发展。清3断面以上河岸又继续坍塌坐弯，曲率半径变得更小，滩岸的着流范围也在减小，局部岸线已塌过1993年工程布置线，已修的两段坝垛难以控制该段流势。清3断面以下河势经过顺直过渡后冲向清4断面，致使清4河段流势逐年右移。为控制溜势，确保河口地区防洪安全，保护滩区油田正常开发和农业生产，避免较大损失发生，从而进一步完善黄河入海流路一期治理工程建设项目，为黄河入海流路长期稳定创造条件，于是在2000年5月新修了清3工程。

清3工程位于左岸滩桩179+750～179+950，工程长度200m，护砌长度200m，坝垛2段。设计治导线采用复合圆弧曲线，曲线上下连接直线段迎溜入湾和送溜出湾，曲率半径分别为5 500m、4 990m，中心角为9.66°、6.5°，曲线长为1 593m，上下首直线段长分别为807m、200m，工程长度2 500m。该工程上与十四公里工程两河湾间距4.6km，弯曲幅度520m，两工程之间过渡段长3.0km；下与清4工程两河湾间距4.7km，弯曲幅度600m，过渡段长2.8km。

续建清3控导工程，坝（垛）顶高程为6.1m，共布置26（含已建的21#～22#两段）段垛坝，新建24段垛坝，其中传统结构人字垛18段，护根为混凝土插板桩的人字垛6段，在工程顶冲主流的弯顶段和送溜段的11#～16#坝采用护根为混凝土插板桩的人字垛，以提高其安全性，减少出险几率；其他坝段采用传统结构人字垛，各垛的前沿顶点与设计工程位置线相切，垛迎水面与治导线的夹角为30°，垛裆间距均为100m。人字垛长76.9m。

连坝顶高程6.1m，沿滩岸修筑的连坝顶宽15m，边坡1∶2；考虑管理维护的费用，连坝背河侧设置护坝地宽30m，并在连坝后设管理房一处，房台顶高程8.0m，房台长宽为30m、25m；为满足防汛抢险需要，修建长720m，宽6m，高出地面0.5m的防汛路一条，路面为壤土压实路面。

工程于2001年2月22日正式开工，6月30日竣工，工期129天。建设单位为胜利油田石油管理局黄河口治理办公室、施工单位为东营市黄河工程局、监理单位为清3控导工程监理部。主要工程量：土方88 883m³，石方14 378m³。其中清基10 941m³、基槽开挖20 062m³，黏土坝胎4 716m³，黏土子堰437m³，坝基及连坝子堰填筑46 412m³，土袋枕6 312m³，乱抛石坝面7 365m³，乱石排整2 325m³，捆抛柳石枕5 387m³，捆抛铅丝笼1 371m³。另传统坝抢险石方及抛护费按57.5万元计，工程稳定按10年考虑；插板坝抢险石方及抛护费按7.5万元计，工程稳定暂按5年考虑，管护人员工资按5万元计，共计662.5万元。总投资共为2 042.15万元。工程建设共投入挖掘机2台、铲运机10台、自卸车3台，生产管理人员28人、司机50人、民技工148人。清3工程修建后的效益主要是确保了孤南24油田的安全生产，其次是滩区部分农、林业免遭淹没损失。清3控导工程是十四公里险工和清4控导工程的配套工程，若无清3控导工程，清4控导工程将不能发挥作用，十四公里险工流势必将改变，将出现新的险情。清3工程的建设，对于控制尾闾河势，保持河道的单一稳定，将会起到一定的作用，为油田工业生产和黄河三角洲农业开发建设创造安澜的外部环境，具有较高的社会效益和治理效果。

（十一）清4控导工程

清4控导工程位于垦利县建林乡境内，相应河口南防洪堤桩号24+000处，上距清3工程2.6km，下距丁字路8.3km。

由于连年来水偏枯，尾闾河道淤积萎缩，河口河段的河势流向亦随之发生较大变化，加之河道工程不配套，西河口流势下延外移，而且西河口以下河段由改道初期的宽浅河段向弯曲河段发展，清3控导工程仅修做两段坝，难以控制河段流势，致使清3至清4河段流势逐年右移。修建清4控导工程时机已成熟，为控制河势继续右移，于2000年10月新建了清4工程。

黄委会以黄规计[2000]46号文批复初步设计，山东黄河河务局以鲁黄工发 [2000] 64号文批复施工详图设计，以鲁黄电[2000]370号传真电报批准开工。

该工程由山东黄河勘测设计研究院设计，1999年下半年开始初步设计，2000年初开始施工详图设计，于2000年3月正式完成整个设计过程。

工程分为人字垛和护岸两种形式，总长度2 200m，其中人字垛10段，护岸长1 200 m，背河连坝长2 200m。设计防洪水位为5.0m，坝顶高程按河道整治坝顶高程规定，陶城铺以下河段新建控导工程按当地滩面高程加高0.5m超高。人字垛垛顶高程5.5m，裹护体顶宽1m，外坡1∶1.5，内坡1∶1.3，内填黏土坝胎，其水平宽1m；根石底高程2.0m。护岸顶高程5.5m，连坝顶宽10m，采用铰链式模袋混凝土沉排成型厚度0.25m，沉排设计宽度14.0m；护岸采用散抛乱石防护，顶宽1.0m，外坡1∶1.5，内坡1∶1.3，内填黏土坝胎水平宽度1.0m。连坝顶宽为10m，边坡1∶2，连坝背河侧划出护坝地宽30m。

工程自2000年10月5日开工至2000年11月30日竣工，历时57天。建设单位是黄河河口管理局，施工单位是东营市黄河工程局，监理单位是山东黄河工程监理有限公司。由山东黄河水利工程质量监督站河口项目站对工程建设程序、施工质量等方面进行监督检查。

完成工程量为：坝基清理2 200m，土方开挖85 407m^3，坝身填筑36 676m^3，黏土坝胎7 321m^3，散抛石坝面13 194m^3，捆抛柳石枕2 544m^3，编抛铅丝笼2 222m^3，土工模袋混凝土16 306m^3，施工围堰修筑土方8 509m^3，运输道路修筑土方17 436m^3，施工围堰抢险土方6 499m^3，施工围堰挂柳排1 200m，倒运开挖淤泥土方9 135m^3。

按照合同承包内容和要求，施工承包单位进场后进行了开工前的各项准备工作。施工中共投入人员264人，其中施工技术人员16人，管理人员20人，技术工人228人；投入施工机械设备138台（套），其中东方红802铲运机13台（套），59kW推土机8部，15t自卸汽车4台，运石汽车42部，12马力小拖16部，1.0m^3挖掘机5部，120kW发电机6台，蛙式打夯机24台，ZL15装载机1部，800型自动配料机1台，500型强制式混凝土搅拌机1台，30−A型混凝土输送泵1套，胶轮车16辆。

在施工期间，施工单位共检测点次12 766个，合格12 369个，合格率96.9%；监理单位共测各类点次5 872个，合格5 590个，合格率为95.2%。

工程于2000年12月2日验收。内业检查施工自检及监理抽检资料，外业抽测了工程尺度、密实度，进行了外观质量评定。通过对现场及资料检查，根据《黄河防洪工程质量评定规程》，坝垛部分10个单位工程符合设计和规范要求，其中9个单位工程评为优良，1个评定为合格；护岸段4个单位工程符合设计和规范要求，评定为优良。根据单位工程验收及评定情况，清4控导工程初步评价为“优良”等级。

清4控导工程预算静态投资为1 114.01万元，在施工过程中，大河水位居高不下，在大风天气风浪淘刷作用下，滩岸坍塌严重，威胁施工现场，多次出现险情，施工单位组织人员查险、抢险，发生一部分费用；地下水位高，基槽开挖遇到流沙，增加了开挖难度，又发生一部分费用；另外，通向施工场地的运输道路不满足施工需要，经建设单位批准，修运输道路一条，也发生了一部分费用，导致工程投资超出合同价款。经请示，追加投资74 105元。因此，清4控导工程总投资为1 121.420 5万元。

清4控导工程在黄河入海流路治理一期工程中起稳定流路、控导主流、限制摆动范围、改善泄流条件、保滩护堤的作用。以现状河势为基础，清4控导工程治导线的确定，与上游清3控导工程密切配合，能适应清3工程送来的不同来流，通过本工程的迎溜、送溜、导溜作用，平稳调整河势流向，送溜到下游规划待建的清6控导工程，并有利于改善丁字路取水口的引水条件。

（十二）清7断面以下堵串及临时疏导工程

1988年开始的黄河口疏浚治理试验，目的在于稳定清水沟入海流路，改变河口地区“十年河东，十年河西”的恶性循环局面，为胜利油田开发建设和三角洲经济全面发展创造一个相对稳定的环境。根据尾闾河道的自然规律和开发建设三角洲的需要，确定疏浚治理的指导思想是：以黄河水、沙为资源，以经济效益为目标，控导自然演变规律，以适应三角洲的新情况。制定工程措施为：截支强干、工程导流，疏浚破门，巧用潮汐，护滩定槽，宽河固堤，用沙改土造陆，河道摆动点下移。至1993年，先后堵截支汊潮沟30多条；新修、整修导流堤48.4km；清除河道阻水障碍3处，长3 400m；削减红泥嘴1处，长1 200m；每年组织7～10条机船在清7至拦门沙20km左右河段往返拖淤。

在1994年河口疏浚整治共投资450万元，具体项目安排是：①两岸导流堤：北导流堤接长1km，南导流堤接长2km。对原有导流堤按4 000m^3/s流量当地水位高度进行补残整修，其中，北岸修工长15 327m，南岸修工长28 141m。此外，北岸清7以上顺河路、护滩路冲口浪窝较多，作了填垫修补。以上合计土方562 793m^3，投资283万元。②潮沟及冲口截堵共5条。南岸导流堤上端漫滩后水流汇集该处，建泄水涵洞一座，共投资20万元。③河道清障及拖淤：对清10断面以下河道竹节（河心滩）和弯道进行清理或调直，并运用机船拖淤，疏通河道，浚深口门，提高输水输沙能力，共投资50万元。④观测试验与科研：水文泥沙要素测验，河道浅海地形测量，口门外流场观测等，共安排科研费40万元。⑤临时工程共57万元。

1995年清7断面以下疏浚治理工程安排投资350万元，主要项目有：两岸导流堤接长、加固，放淤试验，河道清障疏浚、截堵潮沟、船队拖淤，以及水文、泥沙、海岸等的观测、试验、研究等。

经过疏浚治理，尾闾河段恶化改道的迹象得到改善，西河口以下河道变得单一、顺直，拦门沙的自然发育受到抑制，阻水滞沙程度相对减轻，水沙下泄较为顺利。河口地区防洪防凌压力相对减轻，保证了油田的正常生产，产生巨大的社会效益。

黄河口疏浚治理试验是一次十分有益的尝试和探索，它的成功经验使我们对治理河口充满信心。目前存在的主要问题是资金短缺，治理力度有限，致使工程不配套，结构标准低；综合治理措施不能同步进行；设备陈旧落后，性能差，功率不足；原型观测不够，也缺少模型试验，能取得的观测资料较少，不能满足科研的需要。因此，必须加大治理力度，从根本上改善河口地区的防洪防凌局面，稳定清水沟流路。

（十三）北大堤顺六号路延长防护淤临工程

六号路西起北大堤三十公里险工，大堤桩号30+200，东至孤东油田南围堤的西端3号险工处，共长14.444km，始建于1987年汛前，是孤岛、孤东、桩西等油田的防洪屏障，由于近几年来河口地区没有大的漫滩，河床淤积，滩唇抬高，滩地横比降逐年加大，滩地横向高差达2～3m，加之修建六号路时在临河取土的土塘已形成130～250m宽的连通土坑，一旦洪水漫滩，极易形成顺堤行洪，严重影响着河口地区的防洪安全。为防止北大堤顺六号路延长堤段洪水时顺堤行洪，黄河河口疏浚工程指挥部以黄疏发[1994]2号文，提出对北大堤桩号30+400～44+631堤段进行淤临加固，采取修建输沙渠道自流引水至淤区，分段进行放淤的方式进行。

淤临工程设计基本布局如下。

1. 输沙条渠

位置在清4断面附近，按大河流量2 000m^3/s时自流引水5m^3/s设计，渠道有效水深1.2m，引水口渠底高程5.8m，纵比降1∶4 000，渠底宽6m，边坡1∶2，渠堤顶宽2m，高程7.3m。

2. 淤区布置

根据堤河宽度，考虑淤区平顺，北大堤桩号30+400～39+000段淤宽130m，39+000至孤东五号险工淤宽500m。

3. 附属设施

引水渠穿过导流堤处修建简易过水涵洞一座，在三号险工南及疏浚指挥部南建尾水泄水涵各一座。

4. 防护设施

六号路现顶高程距设防标高差1.8m，为避免以后加帮堤身时重做翻沙、换土，在淤临工程开始前，按筑堤质量标准在六号路临河原地面上预先修建10m宽、1.0m高前戗一道。

工程由胜油局发[1994]4号文批复概算资金2 993万元，并由胜油局发[1994]156号文对工程计划批复，列入胜利油田的重点建设计划，下达投资1 379万元。施工图纸、施工设计书由山东黄河勘测设计研究院完成，委托胜利油田管理局水利处和黄河河口管理局工务处进行质量监督。工程总工期安排13个月，从1994年7月10日开工，到1995年10月1日竣工。其中，1994年7月10日～1994年12月30日完成二级提升泵站地面以下工程，沉沙池围坝及引水渠道建筑物。1995年3月1日～1995年10月1日完善二级提升泵站，开挖12km的输沙引水条渠。工程建成后，使三十公里险工至孤东五号险工长约20km的堤防，缓解顺堤行洪所造成的威胁。

黄河北大堤顺六号路延长堤段淤临工程是1996年国家计委以计农经[1996]238号文批准实施的黄河入海流路治理一期工程项目的重要工程之一。胜利油田委托山东黄河勘察设计院进行了规划设计，山东黄河河务局以鲁黄工发[1996]51号文对此项工程进行了批复，同意施工。

工程由10m^3/s扬水船从黄河取水，经干渠输水至二级泵站，扬水入淤临沉沙条渠，尾水经三十公里引黄闸向滨海地区供水，通过引水放淤，淤高临河滩地，起到加固堤防的作用。该工程由泵船取水口、输水干渠、两座干渠公路桥、二级泵站、沉沙条渠、三座跨条渠生产桥、六号路堤段帮临、三十公里引黄闸等8项工程组成。工程上首在清6断面以下、孤东丁字路南端，下首在黄河北大堤桩号30+200处（顺六号路延长堤段起点），全长近21km。根据商定意见，泵船取水口、二级泵站和两座干渠公路桥3项工程交油田安排施工，输水干渠、沉沙条渠、三座跨条渠生产桥、六号路堤段帮临、三十公里引黄闸5项工程由黄河部门实施。计划修做土方171.52万m^3，石方10 062m^3，混凝土2 013m^3，总投资3 100万元。

工程建设自1996年3月13日开工，至1997年6月20日基本竣工。三十公里引黄闸成立了专门施工机构，于1996年3月13日开工，6月底基本竣工验收；泵船取水口、两座干渠公路桥和二级泵站工程由胜利石油管理局黄河口治理办公室组织专业队伍完成，1996年6月8日开工，1997年5月31日竣工；输水干渠、沉沙条渠、三座跨条渠生产桥和六号路堤段帮临工程由东营市黄河北大堤六号路淤临工程施工指挥部组织实施，1996年9月23日陆续开工，1997年6月20日完成主体工程，共完成土方173.86万m^3，石方3 130m^3，混凝土345.68m^3，概算投资1 758.74万元（不包括科研勘测设计费47.31万元）。

（十四）管理设施

黄河河口管理局1991年4月9日以黄工字（1991）6号文向山东黄河河务局申请将

管理局机关于1992年底迁至东城办公，土地由东营市统一办理，需占地3.906hm^2，建筑面积18 939m^2，概算总投资1 956.92万元。包括办公楼、会议厅、招待所、通讯楼等建筑工程1 812.92万元；设备购置51万元；车辆购置93万元。山东黄河河务局1992年6月10日以黄工发[1992]51号文对河口管理局建设规划进行批复，同意在东营市东城区的建设规划，规划面积14 699m^2，购地3.906hm^2，投资1 073.5万元，并报请黄委会审查批准。管理局在局机关建设土地征购工作完成（办公征地2.69hm^2）后，根据已征购土地，于1992年1月23日以黄工发（1992）25号文向山东黄河河务局报《关于局机关建设总图设计的报告》，重新编制了总图规划，规划建筑面积9 600m^2，住宅5 720m^2，共计建筑面积15 320m^2，概算投资1 345.90万元。并与浙江省城乡规划设计研究院签订了设计“河口管理局科研大楼及附属设施”的协议，科研大楼设计总面积6 641m^2，总投资804.19万元，山东省黄河河务局黄工发[1994]45号文对施工详图审查后，同意该工程设计，并把总投资定为725.977万元。工程施工单位为淄博市邢家建工实业股份有限总公司，1993年8月开始动工，至1995年5月竣工。

由于职工队伍的不断壮大，现有住房已不能满足职工的需要，河口管理局1996年以黄工发[1996]31号文向山东省黄河河务申请新建职工住宅楼一栋，住房32套，面积2 560m^2，取得了山东省黄河河务局同意，向东营市政府请示，东营市计划委员会以东计基字[1997]43号文进行批复，建筑面积2 890m^2，户均105m^{2}的10户、92m^{2}的20户，总投资250万元。

山东省黄河河务局鲁黄工发[1997]31号文批复了关于利津县黄河河务局防汛技术培训中心及住宅楼施工详图设计，同意防汛技术培训中心工程详图设计，建筑结构为4层（局部5层）砖混结构，建筑面积2 000m^2；同意1号住宅楼工程设计，建筑结构为3个单元5层砖混结构，共30套，建筑面积为2 200m^2；同意2号住宅楼工程设计，建筑结构为3个单元5层砖混结构，共30套，建筑面积为2 100m^2。核定工程投资共380万元。

山东黄河河务局鲁黄工发[1997]21号文批复了关于垦利县黄河河务局新建宿舍楼施工详图设计，同意宿舍楼工程设计，建筑结构为4层4个单元，共32套，建筑面积2 240m^2，核定投资165.21万元。

（十五）通讯建设

具体的通讯系统建设见表5−7。

表5−7 通讯系统建设

地　点	设　备	投资时间	投资额（万元）
河口管理局	DMR — 2000 120路微波 哈理斯2020程控交换机 电源整流设备	1995.9.23～26 1996.8 1995.6～8	80 72 12.19
河口区黄河河务局	DMR — 2000 120路微波 哈理斯2020程控交换机 通讯铁塔	1995.9 1997.7 1995.2	80 23 66.86
	合　计		334.05

第四节　工程效果分析

一、社会效益与环境效益分析

黄河入海流路治理工程完成后，可使摆动改道频繁的尾闾河道得到稳定。河口地区的防洪防凌能力显著提高，为人民生活生存、经济发展及社会稳定创造条件。有利于生态环境改善及国土整治；有利于油田和石油化工基地建设；有利于黄河三角洲地区的经济、科技、社会的全面发展；有利于黄河三角洲地区的对外开放。社会效益和环境效益都是巨大的。

二、经济效益

（一）效益计算

黄河入海流路治理工程修建后，具有显著的防洪经济效益，效益计算按《水利部经济计算规范》（SD139—85）进行。根据河口地区的特点，将工程保护范围分为六号路以北、南防洪堤以南、滩区等三部分，分别计算洪灾损失。

1. 六号路以北地区淹没损失估算

目前，六号路及孤东油田南围堤顶高低于设计顶高1.84m，仅可满足1993年利津站流量7 500m³/s超高2.1m的要求，考虑人防等因素，在利津站出现流量8 000m³/s以上的洪水时，六号路决口失事后，洪水经六号路向北行洪，当黄河流量8 000m³/s时（相应洪水频率为10.1%），行洪流量按2 000m³/s估算淹没损失；当黄河流量10 000m³/s时（相应洪水频率为4.8%），考虑到向北行洪后，原河道有可能增淤，减少排洪能力，向北行洪流量有可能更大一些，按六号路口门行洪流量4 000～6 000m³/s估算淹没损失。

六号路行洪口门位置，假定在地势最低的孤南油田南缘处。行洪主流区，按地形低槽带，从口门起沿孤南16#井，孤东公路过水路面、桩302#、304#井方向，至长堤油田东破堤入海。根据行洪流量和沿程地形情况，推算出沿程水面线，然后，根据水面线在地形图上定出淹没范围。在行洪流量2 000m³/s时，淹没范围为86km²，受淹的油田有孤南、一棵树油田全部，长堤油田的三分之一。在行洪流量4 000～6 000m³/s时，淹没范围217km²，受淹的油田有孤南、一棵树、长堤、桩西油田全部，孤岛、五号桩、老河口油田的十分之一。六号路以北淹没总损失估算见表5-8。

2. 南防洪堤以南地区受淹损失

南防洪堤以南地区包括南防洪堤和南大堤之间面积约420km²，有人口5.86万，耕地1.13万hm²。目前，南防洪堤仅达到防御利津站流量6 400m³/s(相应洪水频率为30.5%)的标准，超过该流量，南防洪堤溃决后，该地区的受淹损失为5 150万元。

3. 滩区淹没损失估算

滩区是指南防洪堤以北、六号路以南的滩地，北岸滩区有河滩、垦东6、红柳等油田，南岸滩区有垦利、垦90等油田，滩区内的油、汽、水井由石油部门按生产需要修筑

表 5–8　六号路以北淹没总损失估算

项　目	过洪流量2 000m³/s时的损失(万元)	过洪流量4 000～6 000m³/s时的损失（万元）
（一）直接淹没损失	6 781	27 112
1.受淹油田资产损失	2 991	14 446
2.经过淹没区的各类设施损失	1 260	5 337
3.堤防修复费	530	530
4.农田农作物绝收	120	780
5.淹没区内钻探设施	450	900
6.淹没区内正在钻探的未成钻井	300	600
7.其他	1 130	4 519
（二）直接受淹没油田停产损失	1 600	7 888
（三）间接受影响油田停产损失		29 389
总　计	8 381	64 389

井台或围堤防护。当黄河流量小于6 400m³/s时不计损失，黄河流量等于或大于6 400m³/s时，南防洪堤溃决，计算垦利、垦90等油田受淹损失，黄河流量等于或大于8 000m³/s时，六号路行洪后，计算河滩、垦东6、红柳等油田受淹损失。滩区损失估算见表5–9。

表 5–9　滩区损失估算

项　目	黄河流量≥6 400m³/s时南岸滩区的损失（万元）	黄河流量≥8 000m³/s时北岸滩区的损失（万元）
（一）直接淹没损失	2 070	7 554
1.受淹油田资产损失	1 200	5 061
2.钻探设施受淹损失	225	450
3.未成油井受淹损失	300	300
4.其他损失	345	1 743
（二）停产损失	1 556	3 533
总　计	3 626	11 087

4. 多年平均洪灾损失计算

根据以上分析，各级流量的洪灾损失列于表5–10。

表 5–10　各级流量的洪灾损失

黄河流量（m³/s）		Q＜6 400	8 000＞Q≥6 400	10 000＞Q≥8 000	Q≥10 000
频率（%）		＞30.5	30.5	10.1	4.8
洪灾损失（万元）	六号路以北地区	0	0	8 381	64 389
	南防洪堤以南地区	0	5 150	0	0
	滩区	0	3 626	11 087	11 087
	合计	0	8 776	19 468	75 476

根据各级流量的频率及相应洪灾损失，求得多年平均洪灾损失值为8944.3万元，见表5−11。

表5−11　多年平均洪灾损失

黄河流量（m^3/s）	洪水频率 P	损失 S（万元）	ΔP	S（万元）	ΔPS（万元）
6 400	0.305	8 776	0.204	14 122	2 800.9
8 000	0.101	19 468	0.053	47 472	2 516.0
10 000	0.048	75 476	0.047	75 476	3 547.4
20 000	0.000 1	75 476			
$\Sigma\Delta PS$					8 944.3

除以上防洪效益外，黄河入海流路治理工程还有防凌的效益、增加油田稳定开发建设的效益、有利于农业稳定生产的效益等。为留有余地，现阶段均不计算。

（二）经济效益评价

在控制西河口流量10 000m^3/s防洪水位不超过12m的条件下，黄河入海流路的行河年限计算期取30年。根据《建设项目经济评价方法与参数》规定，计算基准点为建设起点，社会折现率为12%，防洪生效期在工程施工后的第二年，计算得经济评价指标为：①经济内部收益率$EIRR$=27.8%；②经济净现值$ENPV$=2.62亿元；③效益费用比B/C=1.69。当费用增加10%、20%和效益减少10%、20%时对经济评价指标的影响，计算结果见表5−12。

表5−12　基本指标变化时对经济评价指标的影响

分析项目	变化幅度(%)	经济内部收益率(%)	经济净效益(亿元)	效益费用比 B/C
基本指标		27.8	2.62	1.69
费用增加	10	24.2	2.24	1.54
	20	21.2	1.86	1.41
效益减少	10	23.8	1.98	1.52
	20	19.9	1.34	1.35

国民经济计算与分析表明，本项目的国民经济评价指标较好，经济内部收益率达到27.8%，超过了社会折现率12%，经济净现值（i=12%）为正值，效益费用比达1.69。并且能够承受较大的不确定性因素变化的风险。所以，这个项目的实施收到了较大的经济效益。

第五节　目前河口存在的主要问题与建议

自1996年国家计委批复《黄河入海流路治理一期工程项目建议书》以来，除石油部门负责投资的部分未完成项目需加快投资继续实施外，河口治理一期工程大部分已实施完成，宁海以上河段的堤防、河道工程建设大部分也已按计划逐步实施，这对保障河口地区的防洪安全起到了重要作用。目前该河段的工程本身存在较多问题，以致成为河口地区防洪安全的薄弱环节。

一、目前河口存在的主要问题

(1) 堤防断面单薄，抗洪能力差。河口堤防断面单薄，背河地势低洼，堤身、堤基土质多系粉质土。特别是右岸胜利大桥以下临黄堤，现状堤顶宽度严重不足，不能满足设计标准，影响防洪安全。左岸利津334+750～340+450堤段存在多处历史决口口门和渗水险段，如遇较大洪水，极易出险成灾。

(2) 河槽淤积快，漫滩几率高，河势变化大，控导工程有待完善。河口堤距较宽，加之河道控导工程稀疏，配套不完善，河口河段河势得不到有效控制。近十多年来，黄河水处于枯水系列，河道萎缩，局部河道溜势朝不利方向发展。如遇较大洪水或不利的来水来沙条件，极易形成“斜河”顶冲大堤或顺堤行洪的严重局面。

(3) 防守压力大，防汛交通条件差。由于黄河险情发生的可预见性较差，一旦出险，如不能及时抢护，就会造成极为不利的被动局面。因此，汛期及时快速查险、抢险是确保黄河防洪安全的重要条件。黄河汛期正是下游多雨季节，抢险时如遇阴雨连绵，路面泥泞，必然会延误抢险时机和抢险物资的及时运送。河口地处偏僻，人口分散稀少，防守战线长，压力大。而宁海以下河段的堤防堤顶道路多未硬化，不能适应紧急抢险对交通道路的要求。

(4) 南防洪堤延长工程未实施。造成右岸南防洪堤末端至清7断面10km河道无约束，而左岸工程已修至海边，这就有可能造成在中小水时河口在南防洪堤以下向南入海，与《黄河入海流路规划》相对稳定清7以上流路的思想不相一致。

(5) 由石油部门负责投资建设的工程，由于各方面原因所致，投资缺口较大，未完成的工程较多。这样，既不能确保在设计标准内洪水时油田和东营市的安全，又影响了工程整体效益的发挥，也影响了今后河口治理工程的安排。

(6) 根据国家计委238号文批复中的“加强黄河河口整治的科学研究工作”的要求，为掌握河口动态变化，分析其演变规律，探讨治理对策，加强对黄河尾闾河势、拦门沙、潮汐等情况的观测是十分必要的，特别是小浪底水库运用后，下游的来水来沙将发生很大变化，也必将引起河口河道、口门流场及拦门沙等诸多因素的变化。同时，为了保持河口治理资料的连续和完整，为以后的河口治理工作提供科学、翔实的依据，当前急需对河口地区水文泥沙、潮水位及感潮段河道大断面以及河道、滨海区地形等进行测绘和调查。

(7) 按照国家计委的批复精神，工程谁建设由谁负责管理，但目前这部分工程的管护经费和抢险经费国家一直未落实，以致造成既不能保持工程完整，也不能确保工程的安全，无法落实责任。

(8) 近年来，根据黄河口治理工程的需要以及黄河口科学研究工作的不断深入，对研究所的人员进行了充实，但目前开展研究工作还非常困难，有些既无基本设施，也缺少必要的研究设备。根据《黄河入海流路治理一期工程项目建议书》的规划，为了继续搞好黄河口科学研究和试验工作，为今后进行黄河口研究提供必要的设施。

二、建议与意见

鉴于一期河口治理工程到目前尚有部分工程项目没有完工，应抓紧安排国家计委批复的《黄河入海流路治理一期工程项目建议书》中的工程项目，以尽早发挥投资效益，确保胜利油田和东营市的安全。因此，建议河口治理在今后一段时间内应做以下工作：

(1) 尽快召开有关各方参加的协调会议。一是落实剩余工程的投资；加快工程建设步伐，力争在2002年内完成建设任务；二是落实一期河口治理工程的管护经费和今后的管护经费，明确管护责任，以确保工程的完整和安全；三是由于一期河口治理项目即将完成，确定如何对其进行验收，并解决一期工程项目实施中存在的进度滞后、项目变更及有争议的问题；四是研究下一步河口治理的方针和措施。

(2) 加快治理步伐，全面完成河口治理工程项目。对达不到设计要求的北大堤顺六号路延长、南防洪堤延长等工程严格按照设计标准继续实施，使左右岸的堤防约束力达到协调，促进河口防洪工程体系的完善。

(3) 南防洪堤淤背加固工程。南防洪堤工程长27km，其间只有一处护林险工，堤段长，险工工程少，临河堤脚低洼，一旦黄河发生洪水极易顺堤行洪，威胁堤防安全；背河坑洼渠塘多，极易发生渗水、管涌等险情，且难以发现和抢护，因此，需要对南防洪堤自上首二十一户（南防洪堤桩号0+000）至垦东闸（南防堤桩号16+680）长16.6km的堤段淤背加固，以增强抗洪能力。

(4) 右岸导流堤工程。南防洪堤加高加固工程（0+000～27+735）已于1998年和1999年实施完成，原设计延长的10km（27+735～37+735）由于各种原因暂缓实施，但由于南防洪堤以下黄河河道无任何工程设施，黄河水流随意摆动，将会打乱黄河河口治理的总体规划，影响胜利油田的开发建设和黄河三角洲自然保护区的生态平衡。因此，需修建从南防洪堤二十二公里至清8改汊顶点的导流堤工程，束水攻沙，固定河槽。

(5) 清8护岸及导流工程。清8改汊的顶点顶冲主流，顶点附近坐弯下移，从发展趋势分析，水流有抄改汊截流工程后路，夺老河道入海的可能。为延长新河道的行河年限，使黄河水流按规划的流路行水，需修建清8护岸和导流工程。

(6) 疏浚观测及近海海域地形测量工作。自1992年黄河三角洲滨海区大面积水下地形测量以来，黄河入海泥沙总量已达31.44亿t（利津水文站 1992年至1999年输沙量计算结果），黄河入海口门经“清8出汊”发生了较大变化。因此，在小浪底水利枢纽工程建设的重要时期，开展疏浚及近海海域水下地形测绘工作是十分必要的，并以此分析疏浚的效果及对河道演变的影响、黄河三角洲海区冲淤演变规律和水下地形演变模式，为小浪底水利枢纽的运用与河口流路规划、河口河道治理和三角洲开发等提供重要科学决策依据。

(7) 落实河口治理工程和规划流路管理经费，加强已完成工程的维护。保持工程抗洪强度及其完整；明确备用流路的法定地位和管理范围，加强管理力度，争取将来备用流路使用的主动性。

(8) 尽快安排对河口拦门沙的观测研究，制订切实可行的治理或试验方案，抑制拦门沙自然发育速度，减轻拦门沙壅水滞沙程度，增强河道排洪泄沙入深海的能力。

(9) 为了搞好黄河口科学研究的试验工作，为今后河口研究提供科学依据，要增加河口原型观测设施，如建设丁字路水文站、增设必要的河道观测断面、按每3～5km布设一处水位站等。同时尽快建设黄河口模型试验基地，并购置必要的仪器设备，如GPS卫星定位仪、测距仪、经纬仪、海流仪、定位仪、绘图仪、颗粒分析仪，计算机及软件开发等。

(10) 建设数字化黄河口。“数字黄河”是黄委会顺应信息化社会发展趋势，结合新时期黄河治理开发战略而提出的，就是借助全数字摄影、遥感（RS）、地理信息系统（GIS）、全球定位系统（GPS）等现代化手段及传统手段采集数据，通过微波、超声波、光缆、卫星等快捷传输方式，对黄河流域及其相关地区的自然、经济、社会等要素构建一体化的数字集成平台和虚拟环境。以功能强大的系统软件与数学模型对黄河治理开发和管理的各种方案进行模拟、分析和研究，并在可视化的条件下提供决策支持，增强决策的科学性和预见性。

“数字黄河”的建设需经过数据采集、数据传输、数据存储及处理、数学模拟和决策支持五个环节。“数字黄河”建设的首要目标是防洪减灾，通过广泛性的数据收集，可进行汛期降雨预报、洪水预报、防洪工程联合运用、模拟洪水演进，并制订防汛预案。“数字黄河”还在水量调度、水质监控、水土流失治理与监测、水利工程与管理、电子政务、黄河网的建设等方面有着广泛的应用。

“数字黄河口”的建设要以“数字黄河”为主要模式，并加入大量的黄河三角洲的地理、气象、海洋、水文等各种数据，对黄河三角洲的洪水、洪涝、海洋风暴等自然灾害进行预测，对黄河三角洲防洪减灾项目实施内容进行评价。

(11) 加大河口疏浚力度。疏浚从河口开始，坚持每年挖河10～20km，每5年左右循环挖河一次，挖河的同时，对原挖河段进行必要的疏通，以保持河道泄流畅通，从近几年挖河段工程看，开挖河槽宽度以100m、深度以2m左右为宜。

(12) 加强河口三级河槽的整治工作。结合挖河疏浚工程，按照“整治小水河槽，稳定中水河槽，保证洪水河槽”的原则，对河口河道实施三级河槽治理。

(13) 尽快着手编制《黄河入海流路治理二期工程项目建议书》，为今后的河口治理打下基础。

(14) 加大立法步伐，以确保在今后河口治理及管护过程中做到有法可依。

第六章　黄河口清8人工出汊造陆采油工程

第一节　工程方案和规划设计

一、出汊造陆采油工程的建设缘由

黄河尾闾于1976年6月改道走清水沟流路入海以来，至1996年已整20年。20年中流路经过几个阶段演变和人工治理，河道仍为单股入海，河势较为顺畅。入海泥沙已达120亿t，大量泥沙进入河口填海造陆，河口沙嘴不断向海域推进，20年来清水沟流路河长由27km淤积延伸至65km，共延伸38km。预测西河口洪峰10 000m³/s水位已由1976年改道时的10.0m抬高至今年的11.12m。

位于黄河三角洲的胜利油田目前已发展成为我国第二大油田，原油产量占国家总产量的20%多。胜利油田的开发建设，已使黄河三角洲成为我国重要的能量和原材料基地。从全国情况看，随着国民经济的持续高速发展，国内原油需求将急剧增长，“八五”期间国内原油生产增长量远远不能满足需求；而近年来胜利油田原油产量自然减幅较大，预期今年原油产量可能由前几年的3 350万t减少到2 870万t，胜利油田迫切需要开发新的油田，增加原油产量，缓解原油生产的供需矛盾。鉴于目前陆地油田增加产量极为困难，而黄河口外滨海地区近期勘探有多处油气田。现在已探明位于现河口清10、清11断面东北浅海区的新滩油田，有垦东12、垦东14等，油区块面积较大，储量丰富，开发前景良好，仅垦东12油区地质储量即达3 760万t。但由于该油区位于滨海浅水区，若采取浅海采油从投资和技术难度考虑均难以实施。为了尽快开采这片油田，经反复研究，可能的途径是在黄河尾闾的末段进行适当的人工干预和出汊，使入海河道改向东略偏北，利用黄河泥沙资源，淤填该油区，变海上油田为陆上开采。增加原油产量，解决当前急需。

为了尽快实现上述计划，胜利石油管理局、东营市政府、黄河河口管理局三方经过反复研究和多次现场查勘，于1996年3月10日联合召开会议，专题研究黄河尾闾调向改河汊问题。一致认为改河淤填新油田是当前解决燃眉之急的有力措施。这项措施不仅有利于胜利油田对黄河口附近在浅海油田的勘探开发，也有利于黄河河口地区的防洪安全。对尾闾调向改汊的具体位置通过查勘研究，认为选择在清8断面附近较好；同时，胜利石油管理局从计划中准备了所需资金。拟于1996年汛期到来之前实施。

为此，黄河河口管理局、胜利石油管理局于1996年3月14日以黄工发[1996]10号文《关于1996年黄河清水沟口门疏浚治理工程的请示》、东营市人民政府于1996年3月15日以《对两局“关于1996年度黄河清水沟口门疏浚治理工程的请示”的意见》相继报送山东黄河河务局。山东黄河河务局十分重视油田开发的迫切要求，于1996年4月2日以鲁黄工发[1996]34号文《关于在河口清8断面附近今年汛前实施截堵现河道和疏导向东北改道的请示》上报黄委会。黄委会于1996年5月22日以黄河务[1996]27号文进行了批复。

另外，随着河口延伸，尾闾河道纵比降日益变缓，溯源淤积日益加重，河道排洪能力逐渐降低，防洪工程建设进度迟缓；河口河段的防洪形势日趋严峻。如遇较大洪水或不利的来水来沙条件，很有可能发生出汊改道。20世纪90年代以来，黄河来水连年偏枯，汛前大水天数明显减少，河道出现了连年持续淤积和淤积量递增的不利情况。河槽的严重淤积使河道萎缩，滩槽高差减少，漫滩机遇增多，同流量水位相应抬高。西河口以下近年实测1 000m³/s以下水面比降为0.8‱～0.9‱，不利条件下300～400m³/s即可漫滩。1992年汛前利津站、西河口站和十八公里站流量3 000m³/s的水位比1989年分别升高0.36、0.45、0.50m，1994年又比1992年分别升高0.71、0.85、0.76m。对油田建设和河口地区的农业生产造成很大影响和困难。

黄河河口流路治理关系到东营市、胜利油田的经济发展和社会稳定。当前河口防洪工程尚不完善，问题较多。因此，在维持黄河入海流路相对稳定的前提下，在清7以下适当进行人工出汊，对缩短流程，降低水位，改善河势，减轻防洪压力都是有好处的。只要工程布置得当，可确保基本不影响北汊1、北汊2的行水流路的使用；将出汊点布置在清8断面附近，符合黄河入海流路规划中的在清7断面以下摆动的原则。如遇较大洪水影响河口防洪安全时，可及时开通原河道实施分流，避免增加防洪损失。

总之，在清8断面附近实施截堵出汊的工程是胜利石油管理局为开发浅海油田的迫切需要，同时，对目前河口防洪保安全亦为有利，充分体现了黄河治理与油田勘探开发统筹兼顾的原则。

二、拟淤油田位置及淤积规模

根据胜利石油管理局勘探计划，拟优先开发已探明的垦东12油区，该油区位于现河口清10至清11断面东北5～10km、水深0～9m的浅海及潮间带，E119°12′～E119°2′，N37°44′～N37°46′；为狭长的“一”字形区块，平均长度约12km，宽1.7km，含油面积为20.7km²，平均水深约5m。后续开发的垦14油田位于垦12油田北3km处，亦为狭长的“一”字形区块，与垦12油田大致平行，长10km、宽1.2km。胜利石油管理局根据勘探开发的需要，要求淤填体积20多亿m³。造陆面积不小于80km²，淤积高程平均为+1.0m。

三、来水来沙变化趋势的预估

黄河径流主要来源于中、上游流域降水产生的地表径流和地下径流，多年平均天然径流量约570亿m³，径流年际变化具有丰枯交替变化、连续丰水或连续枯水的特点，受上中游大中型水库调节及沿黄工农业用水大量增加的影响，近期进入黄河口三角洲的水、沙呈逐渐减少的趋势。鉴于小浪底水库1997年开始截流，截流后相继逐步投入运用，其运用方式根据黄委会勘测规划设计研究院的分析，在初期拦沙阶段汛期起调水位为205m，相应初始库容为17.1亿m³，相应泄流能力为5 000m³/s，可以从一开始就实行调水至正常死水位230m时泄量为8 000m³/s；至防洪运用校核水位275m时，相应最大泄量17 000 m³/s。水库的综合运用方式是首先满足防洪、防凌、减淤的要求，相应进行供水、灌溉、发电。为了发挥小浪底水库初期拦沙减淤作用，采取在汛期逐步抬高水位的运用方式，使之多拦粗沙，提高对下游的减淤效果；在后期，为了保持长期有效库容，并使下游减淤，在汛期7～9月，降低水位泄洪排沙，并调水调沙；10月～次年6月，沙量少，进行调水调节径流。

黄委会勘测规划设计研究院对未来水沙按丰水、平水分三个系列进行了分析预测，并推演到利津站，结果见表6-1。今后黄河下游受小浪底水库拦沙及调水调沙运用方式的影响，运用初期进入河口的沙量将明显减少。为了提高本次可行性研究的可靠性，现根据黄委会设计的丰水及平水平沙水沙系列分别进行分析计算，在平水设计水沙过程中未来20年内进入河口利津站的年径流量平均为232亿m^3，年沙量为4.47亿t，较实测1950～1994年系列分别偏小37.5%和51.8%，较最近20年（1975～1994年）系列分别偏少15.3%和34.1%，沙量减少的百分比大于径流量减少的百分比。这一情况对黄河口今后的淤积延伸速度可能会减缓，将有利于防洪和流路的延长使用；但对淤填垦东12油区的时间则可能延长。若遇丰水多沙系列，淤填时间将会明显缩短。因此，未来水沙系列的变化趋势，对淤填新油区关系甚为密切。

表6-1　设计水沙系列水沙情况统计

系列1			系列2			系列3		
年份	水量	沙量	年份	水量	沙量	年份	水量	沙量
1958	388.6	16.77	1964	534.1	23.29	1971	147.5	3.05
1959	233.6	12.56	1965	121.4	1.75	1972	117.8	2.39
1960	139.5	2.16	1966	352.8	15.83	1973	154.0	6.43
1961	340.4	9.84	1967	524.0	21.63	1974	115.9	1.97
1962	245.3	4.72	1968	353.9	10.90	1975	396.8	9.57
1963	344.1	7.27	1969	145.0	1.35	1976	321.7	5.39
1964	537.5	14.96	1970	183.7	3.67	1977	158.0	1.80
1965	119.8	1.16	1971	143.1	1.96	1978	181.9	2.75
1966	339.0	16.50	1972	123.1	1.62	1979	210.9	3.26
1967	515.0	19.53	1973	136.8	3.64	1980	121.2	0.91
1968	346.9	7.25	1974	105.9	1.68	1981	368.1	9.51
1969	143.6	2.79	1975	386.7	8.20	1982	255.6	4.58
1970	185.9	8.01	1976	322.9	7.94	1983	383.5	6.80
1971	140.7	1.91	1977	155.5	3.28	1984	325.5	6.55
平均	287.1	8.96		256.4	7.62		232.7	4.64

注：水量单位为亿m^3，沙量单位为亿t。

四、出汊位置的比选

选择本次出汊位置的原则，主要是在尽量不影响未来北汊河流路使用的前提下，根据拟淤填油区范围来选择合适的出汊点位置和流向，使之达到既基本不影响未来北汊河流路的使用，又有利于加速淤填垦东12油区。按照上述原则，经反复查勘研究，根据河口当前实际情况，对出汊点位置及流向提出以下三个方案。

方案1：出汊点位置选择在清8断面以上约700m处，新汊河路沿东北方向入海，与现行河道方向成45°交角，入海口门位置距北汊河口门约9.5km，改汊后流程比现行流路缩短约15km。本方案的优点是改汊后流路流程缩短较多，对当前降低出汊点以上的防洪水位较好；同时由于出汊点位置偏上，地势较高，施工条件较好。缺点是出汊与现河道角度偏大，可能造成水流不顺和河势不稳，同时入海口门距北汊河口门较近，行河后沙嘴延伸和向两侧扩散，左侧的泥沙堆积易于侵占北汊河流路的堆沙海域，将会影响今后北汊河的使用，这与黄河入海流路规划安排有矛盾，因此不予采用。

方案2：出汊点位置选择在清9断面附近，新汊沿正东方向入海，与现行河道方向成30°交角，入海口门位置距北汊河口门约16km，泥沙可直接输向垦东12油区，改汊后流程比现行流路缩短约11km。本方案的优点是新汊入海口门下对垦东12油区，对淤填该油区非常有利，同时入海口门距北汊河口门较远，行河后沙嘴淤积对北汊河口基本没有影响。缺点是出汊位置距海较近，出汊点及其以下地势较低，紧临潮间带，施工难度很大，难于实施。

方案3：出汊点位置选在清8断面以上约0.95km处，新汊沿东略偏北方向入海，出汊方向与现行流路缩短约14km。本方案的优点是出汊后流路流程缩短也比较多，对当前降低出汊点以上的防洪水位有利。新汊入海口门位置紧靠垦东12油区，有利于油区早日淤成。新汊与现河道角度较小，水流较顺，流势可能较稳；同时入海口门距北汊河口门较远，今后行河沙嘴淤积基本不会影响北汊河流路的使用。另外，本方案改道点附近地势相对较高，施工条件较好，便于方案的实施。本方案的缺点是引河较长，工程量大，但其兼有1、2两方案的优点，故作为本次论证的推荐方案。根据黄委会勘测规划设计研究院分析的设计水沙系列经用数学模型计算，由于考虑了入海泥沙排沙比的变化，即海流带走的部分较多和近几年因来沙少、河口延伸缓慢的特点，故淤填垦东12油区淤海造陆100km²，河口约延伸8km，需要12年左右，这期间利津站来水总量为2 549亿m³，来沙量为51.6亿t。如果今后几年遇到黄河来水来沙偏丰，则淤填时间将会相应缩短，如按1958年或1964年打头的系列（即系列1或系列2），则只要6年或5年即可淤成。

五、工程规划设计

（一）规划设计原则和技术标准

1.规划原则

（1）以国家计委批准的《黄河入海流路规划报告》和对《黄河入海流路一期工程项目建议书》的批复，以及水利部黄委会转发该批复的意见作为总的指导原则。遵照规划报告中对入海流路的总安排，在基本不影响今后北汊1、北汊2流路使用的前提下，同时要有利于清7断面以上河道的稳定；并能继续和不降低清8断面以下原河道再行河的泄流能力。

（2）本着黄河治理和油田勘探开发统筹兼顾的原则，工程规划既要有利于黄河防洪安全，又能快速有效地对拟开发油田进行填海淤滩。

（3）暂时局部调整入海流向必须服从今后黄河口地区的防洪安全和河道治理需要的大局，使之有利于清水沟流路的长期稳定。

（4）按照投入少、易施工、进度快的要求确定工程规模和施工措施，保证汛期到来之前能够完成工程施工。

2. 设计标准

(1)工程的设计防洪标准：本工程的设计防洪标准按与现河口导流堤同标准考虑，即按4 000m³/s相应水位考虑。

(2) 导流堤堤顶高程：新修左、右岸导流堤起始断面堤顶高程采用该处相应现河道导流堤堤顶相平，左导流堤起始断面堤顶高程为3.70m，右导流堤起始断面堤顶高程为3.30m（黄海标高，下同），导流堤堤顶纵坡为1‱。

截流坝坝顶高程：按高出清8断面导流堤堤顶0.3m考虑，定为4.00m；

(3) 导流堤堤顶距：参照现河道清8—清10导流堤堤顶，为满足行洪需要，确定左、右岸导流堤堤顶距为3 000m。

(4) 油区淤填高程：根据胜利石油管理局对海区油田开发所提要求，淤填平均高程按1.0m考虑。

(5) 油区淤填面积：按胜利石油管理局要求，淤填面积按80km²考虑。

(6) 引河疏浚施工标准：经地质勘探普查，引河场区为新近沉积的轻沙壤为主，并有少量中壤土及黏土等。含水量高，密度低，土性多系流塑—软塑；抗冲能力较弱，有利于疏浚施工和行水冲刷成河；经研究确定引河疏浚施工按过流200m³/s设计。

(7) 工程设计执行水利部《碾压式土石坝设计规范》、《堤防技术规范》、《疏浚工程施工技术规范》等规范。

（二）工程规划设计

1. 引河轴线

引河新入海口门位于垦东12油区的西北端部位，引河与现河道衔接部位于清8断面上首。引河轴线起始点选在清8断面上游左滩唇950m处。引河轴线方位角为（1954年北京坐标系）NE81° 45′ 引河轴线与现河道流向的交角为29° 30′；引河全长为5.0km。

2. 引河导流堤

引河左导流堤轴线与引河轴线平行，右导流堤轴线按弧线形布置，以利行洪及淤填油区；左、右岸导流堤轴线距引河轴线均为1 500m。左、右岸导流堤起始点堤顶高程分别为3.70m及3.30m，堤顶纵坡按万分之一修筑。导流堤为单一梯形断面，左堤堤顶宽7.0m，右堤堤顶宽6.0m，临背边坡均为1∶2。导流堤顶厚为0.3m的黏土盖顶以防顶冲。左、右导流堤长分别为5.5km及1.5km。在左、右导流堤之间的原（导流）堤，于引河两侧近处破口，以利行水造河并节约费用。

3. 引河疏浚施工断面

引河施工断面，由下式计算确定：

$$Q=\omega C\sqrt{Ri}$$

式中：Q为过流量，$Q=200\text{m}^3/\text{s}$；ω为过水断面面积，m²；C为系数，$C = 1/n \cdot R^{1/6}$；n为引河糙率，采用$n = 0.022\ 5$；R为力半径，m；i为河坡降，$i = 1/5\ 000$。

经计算，引河底宽为150m，边坡1∶3，水深1.60m，可满足过流要求。引河开挖后可将弃土堆置于两侧，待行水后由水力塑造出新河道。

4. 截流坝

截流坝设计考虑了与导流堤平顺连接及便于施工，坝轴线与引河轴线平行，两轴线距离为1 500m；其前部以弧线与黄河南导流堤平顺连接，尾部与新修右导流堤相接。以使河道水流衔接较为顺畅，并尽量减少截流坝前的泥沙淤积。

截流坝坝顶高程为4.0m，坝顶宽为7m，为单一梯形断面，临河坡1∶2，背河坡1∶3。截流坝坝身采用壤土填筑，压实干密度应达1.5t/m³；截流坝坝面采用厚为0.3m的黏土（垂直厚度）防护，其干密度应达1.55t/m³。截流坝全长4.1km。

5. 控导工程

考虑到引河与现河道衔接行水后，来水主流将偏向右岸，顶冲截流坝，故需建控导工程予以防护。根据河势的发展趋势，设计治导线为复合圆弧，上段和下段为各长200m的直线段，中段为中心角18.5°、半径1 550m的圆弧段，其长为500m；共布置9道人字垛，各垛裆为100m，工程总长为900m。

人字垛迎水面与治导线成30°交角，顶高程为3.70m，为土袋苇枕结构。连坝顶高程3.70m、宽10m，坝顶用黏土包盖。

（三）现河道保护和大水分流措施

1. 现河道（截流坝至入海口门段）保护

在清8断面截堵后，清8至入海口门的现河道必须保持原有的行水能力，以便今后流路的继续行河。因此，需要对现河道进行保护：①油田不在现入海河道内进行开发建设，垦东12等新油田的永久设施建设亦不能影响该流路的重新运用；②该段河道在不行河期间两导流堤间可能丛生苇子及高秆杂草，受风雨作用河槽将会变得宽浅，今后在恢复行河之前应由油田负责清除高秆植被和进行适当开挖。

原入海河道的保护需建立专门组织，配备人员开展工作，以促成效。

2. 大水分流措施

在清8断面附近截流改汊后，新的入海河道将逐渐形成。当遇汛期来大洪水的情况，有必要采取大水分流的应急措施。截流坝应临时破除。破除可采用预留药室爆破的方法，每年汛期，要对黄河水情预报，做到心中有数；当大洪水来临之际，清7断面以下河段防洪吃紧，南防洪堤及其长堤段防洪任务重，右岸滩地可能发生滚河改道的危险。大水分流可以减轻上游河段的防汛压力，减少可能造成的损失；掌握好破坝分流的时机，避免因贻误时机而影响大局。

第二节　清8出汊工程的实施

一、施工条件

（一）自然条件

本工程场区属黄河三角洲滨海及潮间带。地势平坦低洼，平面呈西向东微倾；场地潮湿泥泞，潮河、潮沟交错遍布，受海潮涨落影响明显；场内局部范围长有芦苇，潮间带多无植被。

（二）交通条件

场内有导流堤可作施工交通道路，距场区8km有沥青公路，通往孤岛河口疏浚指挥部。

（三）供水、供电

黄河是淡水水源，施工及生活用水可就近抽取黄河水经沉淀使用。施工用电需自备柴油发电机供电。

（四）料物供应

本工程大部分为土方工程，堤坝修筑可利用引河开挖的土料填筑，不足部分可就地取土，黏土料可在滩地黏土场开采；坝埽用柳苇可就地取用；土袋用丙纶和涤纶织物可在济南采购。施工燃料和其他料物由施工单位到就近市场采购。

二、施工组织

（一）施工方法

导流堤、截流坝填筑采用铲运机和碾压机械配合施工；引河开挖可根据场地施工条件分段采用铲运机、水力挖塘机施工。

控导工程主要由专业修防技术施工，其土方工程配备拖拉机碾压。

（二）施工布置概要

本工程施工具有工期短、工程量大、战线长及施工条件差的特点。因此，施工布置应遵循因地制宜、有利生产、安全可靠、方便生活的原则作出安排。由于场地受海潮影响大，应充分考虑施工设施的安全；根据作业线路长和施工条件差的情况，可考虑分阶段布置施工场地和安排施工，并按照由易到难，使工程顺利进行；要估计不利的因素对施工造成的影响，应准备必要的后勤保障机动手段。

（三）施工安排

本工程计划在1996年4月底做好全部设计和施工准备工作，1996年5月上旬正式开工，6月底全部竣工。

由胜利石油管理局和黄河河口管理局等有关单位成立施工指挥部负责施工。鉴于本工程工期短、条件差、机械化程度高、可变因素多等特点，应组织强有力的施工队伍和技术管理人员，加强施工计划、质量监督和组织协调工作，力争在汛期到来之前完成并投入运用。

三、工程量及投资估算

全部工程共计土方126.15万m^3，其中土方开挖87.78万m^3，土方填筑29.80万m^3，清基土方4.15万m^3，黏土回填4.42万m^3（见表6−2）；需柴油706.6t，汽油15.9t。工程静态投资910.45万元。工程投资估算详见表6−3。

投资安排，根据施工组织设计，该工程1996年全部完成，工程动态投资为935.14万元。

表 6–2　**工程量及劳力估算**

工程项目名称	规模（km）	工 程 量 （万 m^3）				劳 力（万工日）
		土方开挖	土方填筑	清基土方	回填土方	
引河开挖	5.0	86.26				4.74
左导流堤填筑	5.5		11.36	2.09	1.16	0.80
右导流堤填筑	1.5		2.22	0.49	0.27	0.16
截流坝填筑	4.1		7.66	1.57	1.86	0.61
原导流堤破除	1.9	1.52				0.11
控导工程人字堤	0.9(9 道垛)		8.56		1.13	0.53
合计		87.78	29.8	4.15	4.42	6.95

表 6–3　**工程投资估算**　（单位：万元）

序号	工程名称	费用类别			一至三部分合计	基本预备费	静态总投资
		建筑工程	临时工程	其他工程			
		一	二	三			
1	引河开挖	301.89	18.11	55.18	375.18	37.52	412.7
2	左导流堤填筑	106.12	6.37	13.97	126.46	12.65	139.11
3	右导流堤填筑	21.50	1.29	2.83	25.62	2.56	28.18
4	截流坝填筑	91.96	5.52	11.94	109.41	10.94	120.36
5	原导流堤破除	4.27	0.26	0.87	5.40	0.54	5.94
6	控导工程	154.52	9.27	17.26	181.05	18.11	199.16
7	可行性研究报告费				5.0		5.0
	合计	680.26	40.82	102.05	828.12	82.32	910.45

四、国民经济评价

（一）基础数据

1. 评价标准

黄河口清 8 人工出汊造陆采油工程实施后，可以利用黄河泥沙对胜利油田已探明的垦东12油区进行淤积，变海上油田为陆地开发，对加速油田建设，降低生产成本意义重大，同时，对河口地区防洪及工农业生产均产生积极影响。

经济评价按水利部颁发的《水利建设项目经济评价规范》（SL72—94）进行。

2. 工程进度

根据施工组织设计，该工程于1996年汛前完成并投入运行，新淤油田从2000年开始发挥采油效益。

3. 工程费用

（1）工程投资：本工程静态投资 910.45 万元。

（2）年运行费：本工程年运行费主要是工程维修养护费、防汛抢险费。根据 1991 年报水利部的“黄河河道工程维护管理年费用测算成果”，控导工程每千米平均按6.2万元，堤防每千米 1.8 万元计算，年平均运行费为 25.56 万元。

（二）国民经济评价

1. 主要参数和计算条件

（1）社会折现率12%。

（2）价格：采用影子价格，本工程消耗的主要材料为柴油和汽油，其影子价格按《建设项目经济评价方法与参数》（第二版）确定，工资影子换算系数为1.00。

（3）计算期和折现计算基准点：工程建设期一年，按开工后第五年开始发挥效益，发挥效益期为15年，计算期为19年。折现计算的基准点定在建设期的年初，各项费用和效益均按年末发生和结算。

2. 工程费用调整

（1）扣除国民经济内部的资金转移支付，即企业计划利润和三税税金，共计71.95万元。

（2）油料费用调整，柴油、汽油按影子价格进行调整。减少投资82.47万元。

（3）基本预备费调整，按新调整总费用的10%计算。

（4）调整后的工程投资，调整后的工程静态投资为740.6万元，调整值为169.9万元。

（5）年运行费不做调整。

3. 工程效益的分析计算

（1）采油效益。本工程实施后，根据现有资料分析，可淤积造陆80km²，地面达到1.0m高程，可确保20.7km²油区的顺利开发。目前已探明的垦东12油区储量为3 760万t，按储采比20%计算，可采出原油752万t，预计15年采完，前10年每年可采原油37.6万t，后5年每年可采原油75.2万t。根据胜利油田提供的有关资料，海上采油与陆地采油成本之差为516元/t，因此海上采油变陆地采油前10年每年可节省投资19 402万元，后5年每年可节省投资38 803万元。

（2）防洪效益。该工程的实施，有利于黄河河口地区防洪安全，改汊初期对小流量漫滩情况有所改善，中小洪水对胜利油田垦90、小垦利、孤南24、垦东6等油田的威胁将稍有减轻。

4. 国民经济盈利能力分析

国民经济评价是从国民经济整体的角度，分析计算该项目需要国家付出的代价和对国家的贡献，即分析其国民经济盈利能力，以经济收益率、经济净现值、经济效益费用比等国民经济评价指标、评价该项目的经济合理性。经济分析成果指标见表6–4。

表6–4　经济分析成果指标

指标	效益费用比 R	净效益 P（万元）	内部回收率 r（%）	投资回收年 T（年）
报酬率 i =12%	118.9	97 464	154.8	4.06

5. 敏感性分析

按费用增加15%效益减少15%，对经济指标进行计算，结果见表6–5。

根据分析计算，各项敏感性因素分别向不利方向变化时，各项评价指标虽有变化，但经济内部收益率均大于社会折现率12%，经济净现值均大于0，经济效益费用比均大于1.0，说明这些因素发生一定变化，不会影响该工程的经济合理性。从工程费用和效益比

表 6–5 敏感性分析成果

指标	效益费用比 R	净效益 P（万元）	内部回收率 r（%）	投资回收年 T（年）
费用增加 15%	103.4	97 340	147.3	4.07
效益减少 15%	101.1	82 720	146.1	4.08

可见，工程年效益为工程总费用的100～120倍，说明只要发挥采油效益，很快即可回收工程投资。

6.经济评价结论

该工程经济内部收益率为154.8%，经济净现值为97 464万元，具有较高的经济效益。

敏感性分析表明本工程抗风险能力较强。从国民经济盈利能力分析和敏感性分析看，该工程是可行的。

第三节 清8汊河河道演变

一、来水来沙情况

（一）清8出汊前、后水沙情况及特点

清8出汊前清水沟时期的水沙分配很不均匀。统计（1976～1995年）20年间利津水文站水、沙过程，多年平均径流量为257.8亿m^3，其中汛期（7～10月）平均径流量为166.7亿m^3，多年平均输沙量为6.47亿t。年水量大于300亿m^3的有5年，其中有2年水量超过480亿m^3；年水量小于300亿m^3的有15年。同时，在非汛期，出现长时间断流。

这一时期水、沙量大小具有明显的阶段性。1976～1980年清水沟流路行河初期，除第一年水量较大，达到449亿m^3以外，沙量9亿t，偏大，其他年份水量偏少，平均水量241亿m^3，但沙量并不算少，有7.53亿t，显然来沙系数比较大，达到0.044；1981～1985年水量较大，平均水量399亿m^3，年均沙量8.82亿t，来沙系数较小，为0.017；1986年以后是枯水枯沙系列，1986～1995年平均水量只有177亿m^3，沙量4.6亿t，来沙系数最大，达到0.046。从清水沟这一时期行水历程看，来水来沙经历了一个由小变大，再变小三个阶段，各时段水沙丰枯有相对的连续性（见表6–6和图6–1～图6–3）。

清8出汊以来，入海水沙极不平衡，除出汊当年由于“96·8”洪水的影响水量较多年持平外，其后几年黄河来水来沙极枯，1997年黄河利津水文站断流长达226天，是有记载以来年径流量最小的一年，也是断流天数最多的一年。泥沙的年内分配更为集中，来沙集中在汛期，且汛期来沙集中在8、9两个月的1～2次洪水中，汛前1～6月份，水沙更少，利津水文站断流次数频繁。

1996年汛期利津水文站水量为128.5亿m^3，沙量为4.22亿t，分别较出汊前多年（1976～1995年）平均值少50.2%和34.8%。

1997年利津水文站的水沙量为有资料记载以来最小的一年，来水18.79亿m^3，来

表6–6　利津水文站1976～1995年水沙情况

年份	径流量（亿 m³）	全年占多年平均（257.8）%	汛期径流量（亿 m³）	汛期占多年平均（166.7）%	输沙量（亿 t）	输沙量占多年平均（6.47）%
1976	449.4	174.3	322.6	193.5	9.00	139.1
1977	247.5	96.0	145.7	87.4	9.46	146.2
1978	259.1	100.5	192.5	115.5	10.23	158.1
1979	270.1	104.8	167.8	100.7	7.31	113.0
1980	188.6	73.2	101.9	61.2	3.07	47.4
1981	346.3	134.3	287.4	172.4	11.50	177.7
1982	297.1	115.2	207.5	124.5	5.44	84.1
1983	490.7	190.4	316.8	190.1	10.23	158.1
1984	445.1	172.7	326.3	195.8	9.35	144.5
1985	388.6	150.7	221.9	133.1	7.55	116.7
1986	157.4	61.1	87.1	52.2	1.68	26.0
1987	108.5	42.1	51.0	30.6	0.95	14.7
1988	193.9	75.2	152.6	91.5	8.11	125.3
1989	241.8	93.8	144.4	86.6	6.01	92.9
1990	264.4	102.5	130.4	78.2	4.68	72.3
1991	122.5	47.5	39.0	23.4	2.71	41.9
1992	133.8	51.9	94.7	56.8	4.72	72.9
1993	185.1	71.8	122.5	73.5	4.38	67.7
1994	226.4	87.8	122.8	73.7	7.37	113.8
1995	138.8	53.8	99.9	59.9	5.70	88.1
平均	257.8	100.0	166.7	100.0	6.48	100.0

注：多年平均是指清水沟流路1976～1995年系列。

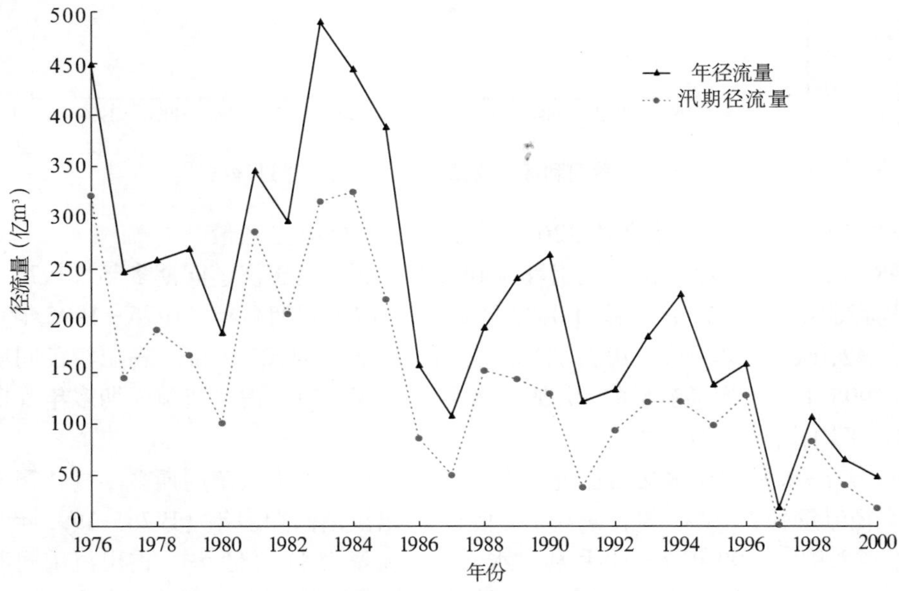

图6–1　黄河利津水文站多年平均径流量过程线

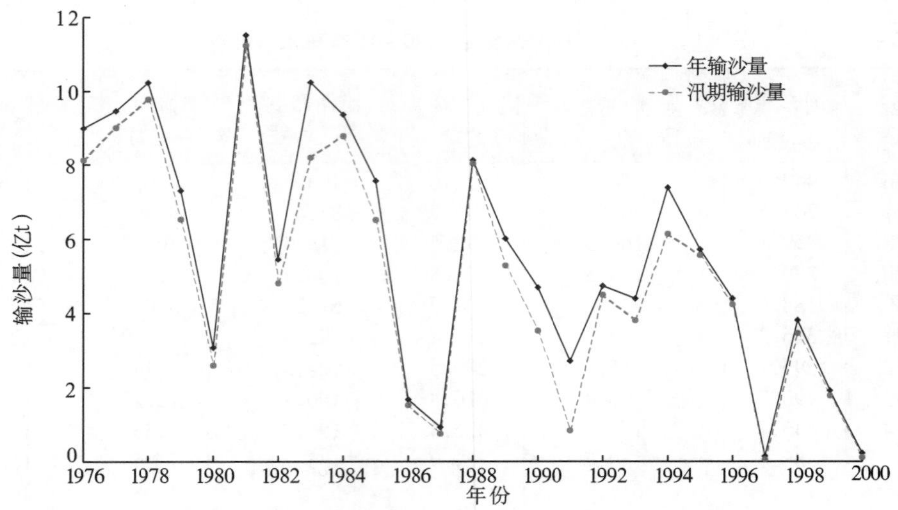

图 6–2　黄河利津水文站多年平均输沙量过程线

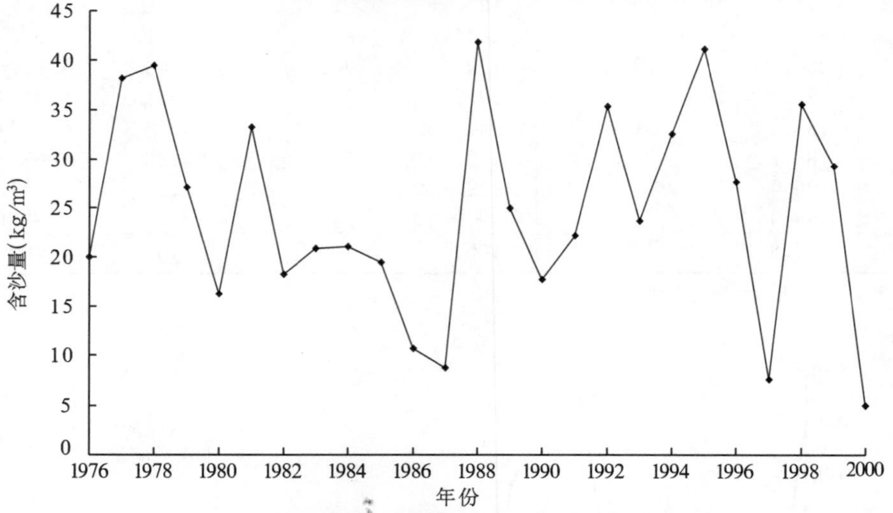

图 6–3　黄河利津水文站多年平均含沙量过程线

沙 0.141 亿 t，且断流天数高达 226 天，创下了多个历史之最。

1998 年 1～6 月利津水文站径流量为 14.99 亿 m³，占出汊前同期多年（1976～1995 年）平均径流量的 26.7%；输沙量 0.32 亿 t，占出汊前同期多年（1976～1995 年）平均输沙量的 42.0%；1998 年 7～10 月利津水文站径流量为 84.27 亿 m³，占出汊前同期多年（1976～1995 年）平均径流量的 50.6%；输沙量 3.47 亿 t，占出汊前同期多年（1976～1995 年）平均输沙量的 60.0%。

1999 年 1～6 月利津水文站径流量为 16.79 亿 m³，占出汊前同期多年（1976～1995 年）平均径流量的 29.9%；输沙量 0.117 亿 t，占出汊前同期多年（1976～1995 年）平均输沙量的 27.9%；1999 年 7～10 月利津水文站径流量为 41.2 亿 m³，占出汊前同期多年（1976～1995 年）平均径流量的 24.7%；输沙量 1.789 亿 t，占出汊前同期多年（1976～

1995年）平均输沙量的40.0%。

2000年1～6月利津水文站径流量为12.9亿m^3，占出汊前同期多年（1976～1995年）平均径流量的23.0%；输沙量0.027亿t，占出汊前同期多年（1976～1995年）平均输沙量的15.5%；2000年7～10月利津水文站径流量为18.71亿m^3，占出汊前同期多年（1976～1995年）平均径流量的11.2%；输沙量0.124亿t，占出汊前同期多年（1976～1995年）平均输沙量的2.15%。

（二）河口断流情况

1972年以前，黄河流域水资源利用程度低，河口未出现断流干河现象。1972年利津站首次断流，至1980年出现7次，断流年均9天。20世纪80年代平均断流11天。1991年以来几乎年年断流，断流天数越来越多，1996年为136天，1997年为226天，1998年为137天，1999年黄委会采取了全流域调水措施，全年断流仅为34天，2000年后未再断流。断流里程越来越长，70年代断流河段长度平均为135km，20世纪80年代为179km，1995年为683km，1997年为704km；断流时间愈来愈早，最为严重的是在早春二月断流；断流的程度在加剧，汛期也发生断流，1997年断流13次。河口频繁断流使河床冲淤变化更为复杂。

（三）来水来沙特点

通过以上分析可以看出清8出汊后水沙变化有以下特点：

(1) 水沙更枯。清水沟流路的水沙自1986年以来进入枯水期，1986～1995年利津站年均径流量为177.3亿m^3，年均输沙量为4.6亿t，1996～2000年利津站年均径流量为80亿m^3，年均输沙量为2.1亿t，同出汊前1976～1995年的相比，年均径流量偏少69.0%，年均输沙量偏少67.7%，见表6-7～表6-9。

(2) 洪水次数少，峰值小。清8出汊以来，利津站大于2 000m^3/s的洪水仅有两次：第一次为1996年8月20日，最大洪峰流量为4 100m^3/s，2 000m^3/s以上流量持续21天；第二次发生在1998年8月30日，最大洪峰流量为3 000m^3/s，2 000m^3/s以上流量有12天。

(3) 水、沙年内分配更为不均。利津站汛期平均水量占年均水量的64.7%，而清8出汊后占到68.9%；汛期平均沙量占年均沙量的88.9%，而清8出汊后占91.9%（见表6-7和表6-8）。

(4) 断流干河加剧。清8出汊前利津站年均断流25天，清8出汊后年均断流107天，1999年黄委会统一调水，减少了利津站断流天数，2000年后实施全河水量的统一管理和调水，再未出现过断流现象。

二、河道演变

（一）清8新汊河形成

清8出汊是一次有计划的调整入海口门工程，出汊点以下人工开挖了设计流量250m^3/s的引河。1996年7月14日汊河过流，行水初期河口流量较小，水由引河下泄，此后随着河口段流量的增加，水流沿引河漫溢，但主流继续在引河内。由于出汊工程缩短了入海流程16km，河口侵蚀基面相对降低，加上引河行水后，适逢水沙条件有利，较

表 6–7 利津水文站 1996～2000 年来水量与历年比较

年 份	全年（亿 m^3）	非汛期（亿 m^3）	汛期（亿 m^3）	汛期占全年 %
1996	158.8	30.0	128.8	81.1
1997	18.8	16.33	2.47	13.1
1998	107.3	23.03	84.27	78.5
1999	66.0	24.8	41.2	62.4
2000	49.11	30.4	18.71	38.1
1996～2000 年均值	80.0	24.9	55.1	68.9
1986～1995 年均值	177.3	72.9	104.4	58.9
出汊前长系列年均值	257.8	91.1	166.7	64.7
1996～2000 占长系列百分数(%)	31.0	27.3	33.1	

表 6–8 利津水文站 1996～2000 年输沙量与历年比较

年 份	全年(亿 t)	非汛期(亿 t)	汛期(亿 t)	汛期占全年 %
1996	4.371	0.151	4.22	96.5
1997	0.141	0.078 5	0.062	44.0
1998	3.805	0.336	3.469	91.2
1999	1.927	0.138	1.789	92.8
2000	0.241	0.127	0.124	51.5
1996～2000 年均值	2.1	0.17	1.93	91.9
1986～1995 年均值	4.6	0.64	3.99	86.7
出汊前长系列年均值	6.5	0.7	5.78	88.9
1996～2000 占长系列百分数(%)	32.3	24.3	33.4	

表 6–9 利津水文站 1996～2000 年含沙量与历年比较 （单位：kg/m^3）

年 份	全年	非汛期	汛期
1996	27.53	5.04	32.76
1997	7.5	4.81	25.26
1998	35.45	14.57	41.17
1999	29.19	5.57	43.42
2000	4.91	4.18	6.63
1996～2000 年均值	20.92	6.83	29.85
1986～1995 年均值	25.84	7.68	35.44
出汊前长系列年均值	25.62	7.11	35.06
1996～2000 占长系列百分数(%)	81.7	96.1	85.1

大流量持续时间较长，至 9 月份出汊点以下河道形成了明显河槽，引河刷宽到 400m 左右，约为刚行水时的 2 倍。清 8 出汊点以下 1km 范围内，深泓点水深 5～6m；1km 以下河槽开始展宽，深泓点变浅；到入海口门处水深 1.1m。至10月底，出汊点以下河道单一、窄深、顺直，主槽稳定，河两侧出现明显滩唇，滩唇高出原始地面约 0.5m。

由此可见，清 8 出汊河道的形成，不像清水沟流路改道初期是单纯的淤滩成槽过程。而系人工开挖引河，河水沿引河冲刷下切、拓宽而成。

（二）河道平面变化

从 1996～1999 年的河道地形资料看，清 8 出汊点以下河段在“96·8”洪水过后断面变化较大，引河入口处坐成“S”弯，左岸淤出 300 余米的新滩后，主流在引河右岸并不断使该岸坍塌后退。

1997 年清 8 出汊点以下 6.5km 处河道开始向东南方向偏移，河道横向摆动 100～300m，口门向东北方向延伸约 2km。整个新口门河道表现为上窄下宽，形成小喇叭形河口，1998～1999 年由于来水来沙较小，无论是汊河河道，还是口门变化甚微，一直是沿东偏北向入海（见图 6-4）。

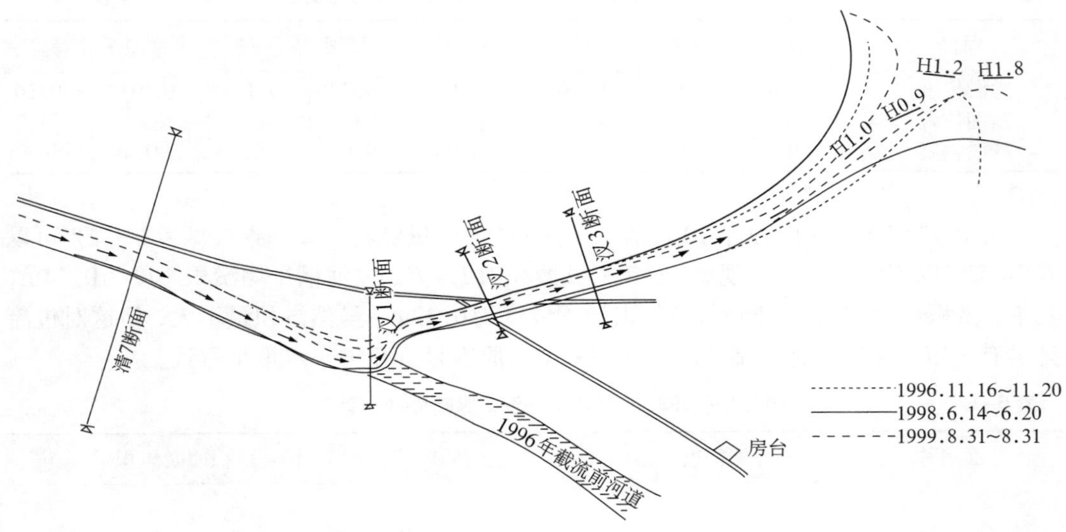

图 6-4　黄河口清 8 汊河河势

（三）河道纵剖面变化

1. 清 8 出汊后利津—清 7 纵剖面调整情况分析

根据大断面统测资料计算，1996 年 5 月～2000 年 10 月，利津—清 7 河道主槽冲刷量为 1 748 万 m^3，其中利津— CS7 主槽淤积 329 万 m^3，CS7 —清 7 主槽冲刷 2 077 万 m^3；各断面主槽河床冲淤幅度变化不大，淤积厚度最大的是东张段，为 0.30m，清 1 断面降幅最大，为 0.55m，基本为上淤下冲。从整个河段来看，CS7 以下河床普遍下降幅度较大，显然，导致河床下切的原因主要是溯源冲刷的结果，同时表明河口河段由于清 8 出汊引起的溯源冲刷，其影响范围已达到 CS7 断面（见表 6-10、表 6-11）。

2. 清 7 以下河道冲淤变化情况

清 8 出汊工程缩短了入海流程 16km，河口侵蚀基面相对降低，并且出汊后当年河口段出现了一次较理想的流量过程，河口段河道发生冲刷。由出汊当年实测资料计算分析，出汊点以下河道主槽与开挖时河底相比，平均冲深 1.18m，主槽河宽约为开挖河槽宽的 2 倍，过流能力达到 3 000m^3/s。

表 6–10　利津—清 7 河段冲淤情况表　(单位：万 m^3)

时 间 (年·月)	利津—CS7		CS7—清 3		清 3—清 7		利津—清 7		总计
	主槽	滩地	主槽	滩地	主槽	滩地	主槽	滩地	全断面
1996.5～1996.9	−811	0	−860	0	−581	0	−2 252	0	−2 252
1996.9～1998.10	361	980	−311	1 174	−546	−1437	−496	717	221
1998.10～2000.10	779	−944	214	−728	7	268	1 000	−1 404	−404
1996.5～2000.10	329	36	−957	446	−1 120	−1 169	−1 748	−687	−2 435

表 6–11　1996.5～2000.10 月各断面主槽河床冲淤幅度　(单位：m)

项目	利津	王家庄	东张	章丘屋子	一号坝	前左	朱家屋子	渔洼
冲淤幅度	0.16	0.11	0.30	0.04	−0.22	0.17	0.01	0.16
断面位置	CS6	CS7	清 1	清 2	清 3	清 4	清 6	清 7
冲淤幅度	−0.06	−0.37	−0.55	−0.03	−0.05	−0.33	−0.49	−0.45

注："+" 为淤积，"−" 为冲刷。

由 1997 年 7 月～1999 年 10 月清 7—汊 3 断面测量资料计算结果（见表 6–12）可以看出：清7以下河道呈淤积现象，三年来共淤积212.7万m^3，河槽平均淤积厚度为0.24m，其中，淤积最大的为汊 3 断面，3 年来淤积厚度为 0.39m。虽然淤积量不大，但这对过流排洪有一定的影响。造成清 7 以下淤积的主要原因是近几年来水量小所致。

表 6–12　1997.7～1999.10 月清 7—汊 3 纵断面冲淤计算

断面名称	冲淤深度（m）	冲淤体积（万 m^3）	累积冲淤体积（万 m^3）
清 7	+0.15		
汊 1	+0.33	+118.9	+212.7
汊 2	+0.08	+42.5	
汊 3	+0.39	+51.3	

注："+" 为淤积，"−" 为冲刷。

3. 河道纵比降调整变化

现将河口段河床比降（主槽）统计见表 6–13。

表 6–13　河口段河床比降情况　(‰)

时间(年·月)	利津—CS7	CS7—清 7	利津—清 7	清 7—汊 3	清 7—清 9	备注
1996.5	0.75	1.25	0.97	2.00(设计)	0.74	清 8 出汊前
1997.10	0.84	1.29	1.03	1.07		清 8 出汊后
1998.10	0.82	1.29	1.00	1.13		
1999.8	0.80	1.19	0.96	1.05		
2000.10	0.84	1.25	0.99			

从表 6–13 可知，清 8 出汊后与清 8 出汊前相比河床比降均有明显的变化，利津—清 7 断面清 8 出汊前河床比降为 0.97‰，清 8 出汊后，1997 年河床比降为 1.03‰，出汊后比出汊前河床比降增大了 0.06‰，其后几年河床比降虽有所减缓，但仍比出汊前稍大。

清7—汊3断面在清8出汊时的引河设计开挖河床比降为2‰，过流后汊河上端刷深，河床自动调整，比降变为1.07‱。1998年比降增大为1.13‱。到1999年8月，河床比降又减小到1.05‱。

清8出汊前原口门段清7—清9断面河床比降为0.74‱，清8出汊后新口门段清7—汊3断面河床比降变化幅度在1.05‱～1.13‱之间。

以上分析说明，由于清8出汊工程和“96·8”洪水的作用，使得口门段河床比降较清8出汊前原口门段明显增大（见图6–5）。

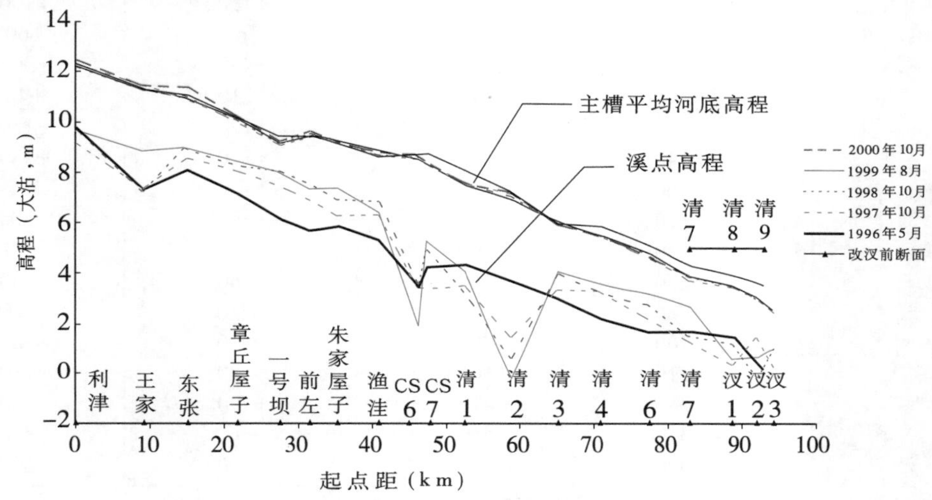

图6–5　利津—汊3纵断面比较

（四）河道横断面冲淤变化

黄河口河槽断面形状随来水来沙情况发生相应的调整（见表6–14、表6–15）。

表6–14　利津—汊3断面冲淤变化情况

断面	时间（年·月）	主槽宽（m）	主槽深（m）	$\sqrt{B}/H$	溪点高程（m）	最大冲淤面积(m^2)	最小冲淤面积(m^2)
利津—CS7	1996.5	130～1 080	1.70～4.18	3.80～16.84	3.44～9.81	+1 330 CS6断面	+520 王家庄断面
	1996.9～1998.5	470～1 060	2.09～4.26	5.81～13.02	3.92～8.80	−560 CS7断面	+490 王家庄断面
	1998.5～2000.10	380～1 080	2.4～4.59	4.25～13.69	1.17～10.46	+500 渔洼断面	
清1—清7	1996.5	420～760	1.80～2.79	7.35～12.91	1.68～4.35	+2 320 清1断面	+590 清3断面
	1996.9～1998.5	450～600	2.6～3.35	6.40～8.22	1.44～3.91		
	1998.5～2000.10	390～850	2.3～3.3	7.04～9.63	0.16～4.22	−220 清1断面	
清7—汊3	1997.10～1999.8	300～930	3.3～4.11	4.35～7.62	0.6～2.66	+310 汊3断面	

由表6–14、表6–15可以看出：清8出汊后，利津—清7断面主槽宽度变化不大，宽深比比出汊前变小，主槽上淤下冲，河底平均高程下降，断面最大冲刷面积为1 150m²（清1断面），最大淤积面积为300m²（东张断面）。

表6–15　　利津—汊3断面不同时段主槽冲淤面积比较　　（单位：m²）

断面名称	1996.5～1996.9	1996.9～1998.5	1998.5～2000.10	1996.5～2000.10
利津（三）	−300	+250	+150	+100
王家庄	−370	+490	−60	+60
东张	−40	−140	+480	+300
章丘屋子	−30	−140	+210	+40
一号坝	−130	−190	+170	−150
前左	−140	+210	+110	+180
朱家屋子	−100	−10	+120	+10
渔洼	−10	−290	+500	+200
CS6	−450	+390	−30	−90
CS7	−550	−560	+160	−950
清1	−980	+50	−220	−1 150
清2	−200	−20	+180	−40
清3	−110	+100	−100	−110
清4	−340	−490	+190	−640
清6	−370	−550	+90	−830
清7	−420	−510	+240	−690

断面名称	时段	冲淤面积	时段	冲淤面积	时段	冲淤面积
汊1	1997.10～1998.10	+110	1998.10～1999.8	+170	1997.10～1999.8	+280
汊2		−160		+170		+10
汊3		+180		+130		+310

注："+"为淤积，"−"为冲刷。

清7至汊3断面变化情况见表6–14、表6–15、图6–6。

清7断面自清8出汊后宽深比明显变小，主槽加深，过水面积增大，2000年10月同1996年5月相比，主槽冲刷690m²。从图6–6可以看出，到1999年10月深泓点已经不明显。

清8出汊新流路引河河段设有汊1、汊2、汊3三个断面，1996年7月清8工程施工时设计汊1断面主槽宽600m，河底平均高程2.28m；1996年10月汊河过流后，主槽冲宽为660m，河底平均高程1.28m；1996年10月至1997年11月河口段水少沙少，虽然河宽有所增大，但主槽表现为少量淤积，宽960m，河底平均高程2.53m；1997年11月～1998年10月，主槽左岸淤积，主流道缩窄，主槽淤积110m²；1998年10月～1999年9月，主槽左岸继续淤积抬高，淤积170m²。

1996年7月设计汊2断面主槽宽150m，河底平均高程2.28m；1996年10月，主槽冲宽为260m，河底平均高程1.38m；1996年10月～1997年11月，主槽宽310m，河底平均高程0.78m，河床底部平顺；1997年11月～1998年10月，主槽冲刷明显，共冲刷160m²，主槽右移；到1999年9月，主槽重又淤积抬升到基本与1997年11月时平，淤积170m²。

1996年7月设计汊3断面主槽宽150m，河底平均高程1.98m；1996年10月，汊3断面主槽冲宽为400m，河底平均高程1.18m；至1997年11月，主槽宽500m，河底平均高程1.33m，主槽右侧深泓点明显；1997年11月～1999年9月，主槽持续平淤抬升，深

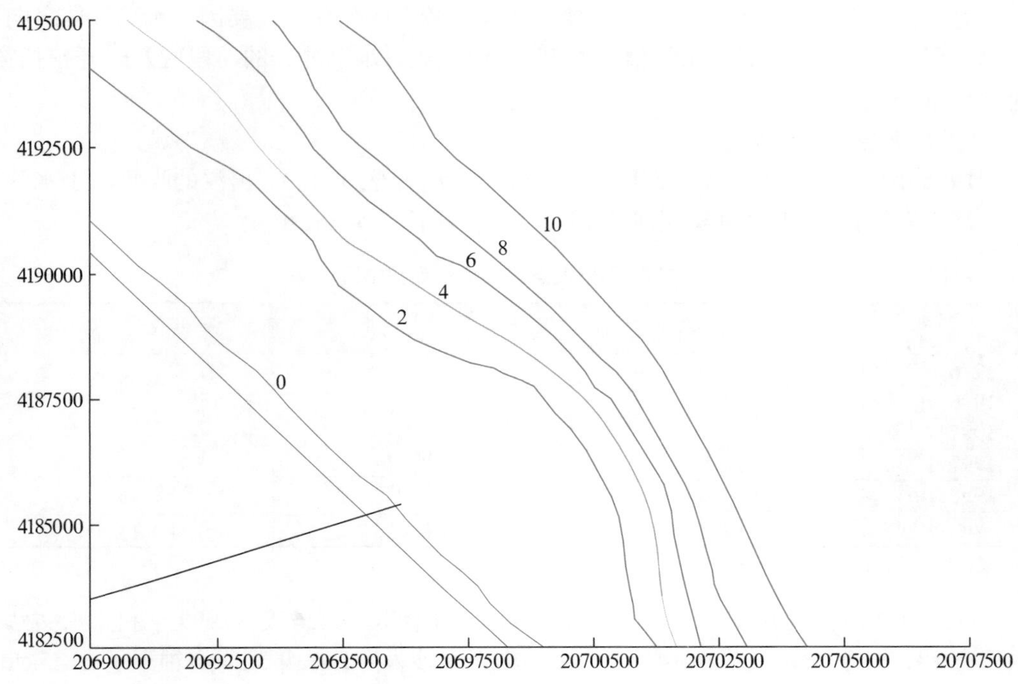

图 6–6　1996 年改汊前等深线（单位：m）

泓点消失，淤积面积 310m²。详见表 6–16。

表 6–16　清 8 出汊前后清 7—汊 3 断面变化情况比较

断　面	时间(年·月)	主槽宽(m)	主槽深(m)	宽深比	溪点高程(m)
清 7	1996.5	540	2.00	11.62	1.72
	1996.9	540	2.80	8.30	2.85
	1997.5	540	3.25	7.15	1.79
	1997.11	540	3.40	6.83	1.36
	1998.10	540	3.20	7.26	1.55
	1999.8	540	3.30	7.04	2.66
汊 1	1997.7	920	4.53	6.69	0.33
	1997.11	960	4.43	6.99	0.34
	1998.10	1000	4.21	7.50	1.17
	1999.8	1020	4.11	7.76	0.60
汊 2	1997.7	310	4.68	3.76	0.26
	1997.11	310	4.08	4.31	0.60
	1998.10	310	4.08	4.31	−0.21
	1999.8	330	3.98	4.56	0.68
汊 3	1997.7	460	3.78	5.67	0.03
	1997.11	500	3.58	6.24	0.26
	1998.10	520	3.78	6.03	1.01
	1999.8	500	3.38	6.61	1.02

从表 6–16 还可以看出，汊 1—汊 3 断面宽深比逐渐增大，表明目前新河道正处于调

整发育阶段，今后随着水沙条件的改变还将发生较大的变化，需要因势利导，使之向有利的方面发展，尽快形成中水河槽，对较窄的而又短时难以冲开的河段应及时开挖拓宽，避免束水和较大河势的摆动。

（五）河道长度变化

1996年5月，汊河改道点以下河道长8.75km（见表6–17），出汊的当年由于水沙较丰，加之海域浅，到10月实测河长14.58km，延长了5.83km。

表6–17　　1996年出汊点以下河长变化情况

时间（年·月）	河长（km）	河长变化(km)	变化速率(km/a)
1996.5	+8.75		
1996.10	+14.58	+5.83	+3.99
1997.7	+12.90	−1.68	−2.24
1997.11	+12.33	−0.57	−1.71
1998.10	+14.60	+2.27	+2.48
1999.10	+14.75	+0.15	+0.15

注：“+”为淤进，“−”为蚀退。

1996年10月～1997年11月，河口地区断流干河长达226天（1997年利津水文站来水只有18.79亿m^3，来沙0.141亿t），基本无水沙入海，一年间河道蚀退了2.25km；1998年，利津水文站来沙3.8亿t，1998年10月比1997年11月河道延长了2.27km；1999年，利津水文站来沙1.93亿t，1999年10月比1998年10月河道仅延长了0.15km。从出汊后的1996年10月～1999年10月整3年的时间里，共来沙5.87亿t，河道有蚀有淤，蚀淤抵消后净延长0.17km，方向顺势延伸。由此可见，清8出汊后这几年，来沙仅维持了口门附近的动态平衡。

（六）清8出汊后河口水位变化

同流量下水位变化与上游来水来沙条件、断面边界条件及河口段河道情况有关。从表6–18～表6–21可知，清8出汊前的1990～1995年利津以下各站同流量下水位呈逐年上升趋势。相应于1 000m^3/s流量的水位，利津、一号坝、西河口、丁字路四站年均分

表6–18　　利津水文站1990～1999年同流量下的水位　　（单位：m）

时间（年·月）	1 000m^3/s	2 000m^3/s	3 000m^3/s
1990	11.91	12.65	13.11
1991	12.11	12.74	13.30
1992	12.38	13.00	13.40
1993	12.53	13.32	13.88
1994	12.65	13.29	14.01
1995	12.91	13.44	13.96
1996.7～8	12.75	13.11	14.11
1996.9～10	12.51	13.10	13.66
1997	12.28	13.10	13.51
1998	12.32	13.12	13.82
1999	12.50	13.26	

表6-19　一号坝水文站1990～1999年同流量下的水位　(单位：m)

时 间 (年·月)	1 000m³/s	2 000m³/s	3 000m³/s
1990	9.61	10.16	10.63
1991	9.67	10.23	10.75
1992	9.90	10.39	10.83
1993	10.20	10.85	11.30
1994	10.20	10.74	11.43
1995	10.31	10.94	11.60
1996.7～8	10.16	10.87	11.54
1996.9～10	9.85	10.47	11.07
1998	9.80	10.50	11.10
1999	9.93	10.58	

表6-20　西河口水文站1990～1999年同流量下的水位　(单位：m)

时 间 (年·月)	1 000m³/s	2 000m³/s	3 000m³/s
1990	7.60	8.28	8.85
1991	7.76	8.27	8.87
1992	7.97	8.53	9.04
1993	8.16	8.93	9.62
1994	8.24	8.95	9.62
1995	8.37	9.03	9.64
1996.7～8	8.23	8.98	9.66
1996.9～10	7.64	8.42	9.17
1998	7.50	8.40	9.15
1999	7.66	8.43	

表6-21　丁字路口水文站1990～1999年同流量下的水位　(单位：m)

时 间 (年·月)	1 000m³/s	2 000m³/s	3 000m³/s
1991	5.29	5.32	5.63
1992	5.48	5.62	5.73
1993	5.63	5.95	6.20
1994	5.43	5.74	6.14
1995	5.73	6.04	6.30
1996	4.86	5.72	6.10
1998	4.18	4.75	5.35
1999	4.49	4.98	

别上升0.20m、0.14m、0.16m、0.11m；相应于2 000m³/s流量的水位，四站年均分别上升0.16m、0.16m、0.16m、0.14m。

而1996年汛期清8出汊后，利津以下各水文站同流量下的水位较1995年汛期变化大，相应于1 000m³/s流量的水位，利津、一号坝、西河口、丁字路四站较1995年分别下降了0.40m、0.46m、0.73m、0.68m；相应于2 000m³/s流量的水位分别下降了0.33m、0.47m、0.61m、0.97m。四站同流量水位的下降幅度呈下大上小，说明清8出汊工程实施后河口段河道呈溯源冲刷。

由于1997年是历史上进入河口的水沙量最小的年份，并且全年断流多达226天，其对河口段河道的发育影响不大。至1998年利津以下各水文站1 000m^3/s流量级的水位仍有所下降，2 000m^3/s、3 000m^3/s流量级的水位利津——一号坝开始缓慢抬升，而西河口以下仍为下降趋势。这与1998年实施“挖河固堤启动工程”所产生的减淤效果有一定的关系。1999年同流量下水位呈上升趋势，相应于1 000m^3/s、2 000m^3/s流量的水位，利津站1999年比1998年分别上升了0.18m、0.14m，一号坝站分别上升0.13m、0.08m，西河口站分别上升0.16m、0.03m，丁字路口站分别上升0.31m、0.23m。由此说明，“96·8”洪水对河道的冲刷塑造还是比较大的，其后几年没有来过大水，不利的水沙条件使清8汊河逐渐萎缩。

综合以上分析，清8出汊工程对河口河道演变的作用可归纳为以下几点：

(1) 清8出汊工程开挖了引河，出汊点以下河道主槽是在原开挖河道基础上拓宽冲深而成，这与清水沟流路初期淤滩成槽的自然演变过程大有不同。

(2) 清8出汊工程缩短入海流程16km，相对降低了河口侵蚀基面，由此引发河口段河道溯源冲刷，其影响范围在CS7断面，50余公里。1997年，河口段出现了历史上罕见的枯水枯沙年份，河口段没有发展，1998年后，河口段河道已开始淤积。

(3) 清8出汊当年，口门段河道延伸5.83km。以后几年随来水来沙的多少，有淤有蚀，到1999年10月河道净延长0.17km。

(4) 清8出汊后当年，因河口段冲刷较大，利津以下河道同流量下水位普遍降低，降低幅度呈下大上小之势。1998年后，除近口门段同流量水位还有所下降外，其余各河段则开始回升。

(5) “96·8”洪水在河口段没有发生漫滩，减轻了河口地区防洪的压力，与清8出汊工程的实施有直接关系。

(6) 由于影响河口段河道演变的因素是多方面的，单靠调整河道边界条件使河道演变向有利方向发展是暂时的，必须以有利的水沙条件配合和加大河口治理措施，才能达到长期的效果。

三、近海口门淤积造陆及入海泥沙扩散

（一）造陆情况

造陆速率的变化反映了河口淤积延伸的快慢，影响的因素是多方面的：泥沙的来量、河口敞开程度、海域的深浅及海洋动力强弱等。在单股河道形成后，海域和动力条件相对稳定，对某一流路而言，河口淤积延伸速率的变化主要取决于来沙量。

以黄海0m等深线作为陆、海分界线，1996年10月同1996年5月相比，清8出汊后的新口门造陆面积为26.4km^2；1997年11月同1996年5月相比，造陆面积减少3.50km^2；1998年10月同1996年5月相比，造陆面积减少3.50km^2；1999年10月同1996年5月相比，造陆面积减少4.39km^2。由此可见，出汊后的3年，口门附近基本平衡，而沙嘴两侧持续蚀退，3年共蚀退面积4.39km^2，蚀退速率为1.46km^2/a，由此推断远离口门的地方蚀退更为严重。

今后黄河流域来水来沙量将会进一步减少，河口沙嘴在枯水甚至断流时还会在风

浪、潮流的作用下蚀退，这使河口海岸的淤积速率有进一步减缓的趋势，从而使清水沟流路的使用寿命得以延长。

（二）河口沙嘴延伸情况

从 1996 年（汛前）、1997 年、1998 年、1999 年的水深线（见图 6−6～图 6−9）中，可以看出清 8 出汊后沙嘴的形状及地形的变化情况略有不同。河口三角洲水下地形测量结果表明，在现清 8 汊河入海口沙嘴延伸的方向附近存在一个水下三角洲，这个水下三角洲的形成是由于清 8 出汊前原河道泥沙注入莱州湾后，因为河口门的不断摆动，泥沙扩散淤积的直接有效影响范围在海岸岸段长约 40km、到坡脚处长度约为 60km 处，形成一个向东南伸展的斜长的突出于海中的水下三角洲。出汊后的清 8 汊河的河道向海中出口的方向正好位于水下三角洲的一个斜坡上，这样，沙嘴向海中淤积延伸时同时受到斜坡的阻力和落潮流作用力的共同影响，使汊河沙嘴初期的发育不仅没有像出汊前原河道沙嘴那样向南偏移，反而向东北方向偏移。随着时间的推移，沙嘴向海中延伸加长，将原三角洲斜坡淤平后，沙嘴将向东偏南方向发展。

用1996年汛前水深图与清8出汊后几年水深图相比，其特点是岸线顺直，等深线分布比较均匀，变化趋势一致，基本上是与岸线平行，地形平缓，10m 等深线离岸距离为 7km。

从1997年10月水深图中可以看出沙嘴已经突出，沿口门附近陆地向海中延伸，等深线也变得曲折，在口门附近等深线较密集，向两侧逐渐稀疏，等深线有与岸线平行的趋势。在离口门两侧 10km 以外的区域，等深线与 1996 年基本一致，可知形成的水下三角洲的范围在口门左右 10km 以内。在口门前 3km 的范围内，水深很浅，只有 2m，此处为泥沙沉积最多区，3km 以外，地形变陡，等深线密集，10m 等深线离口门 4km 左右。

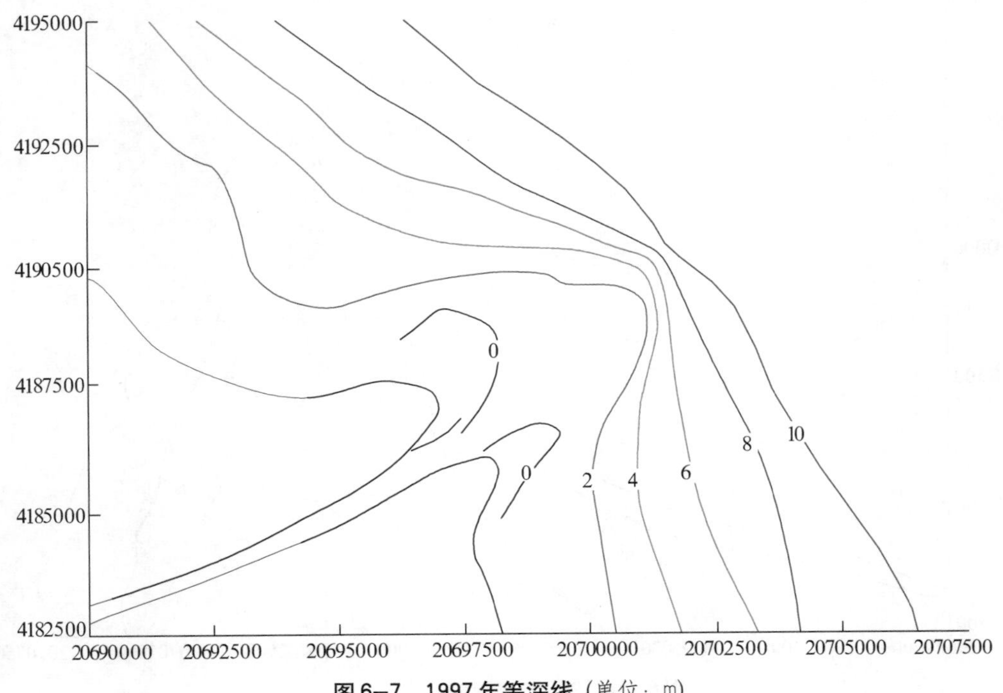

图 6−7　1997 年等深线（单位：m）

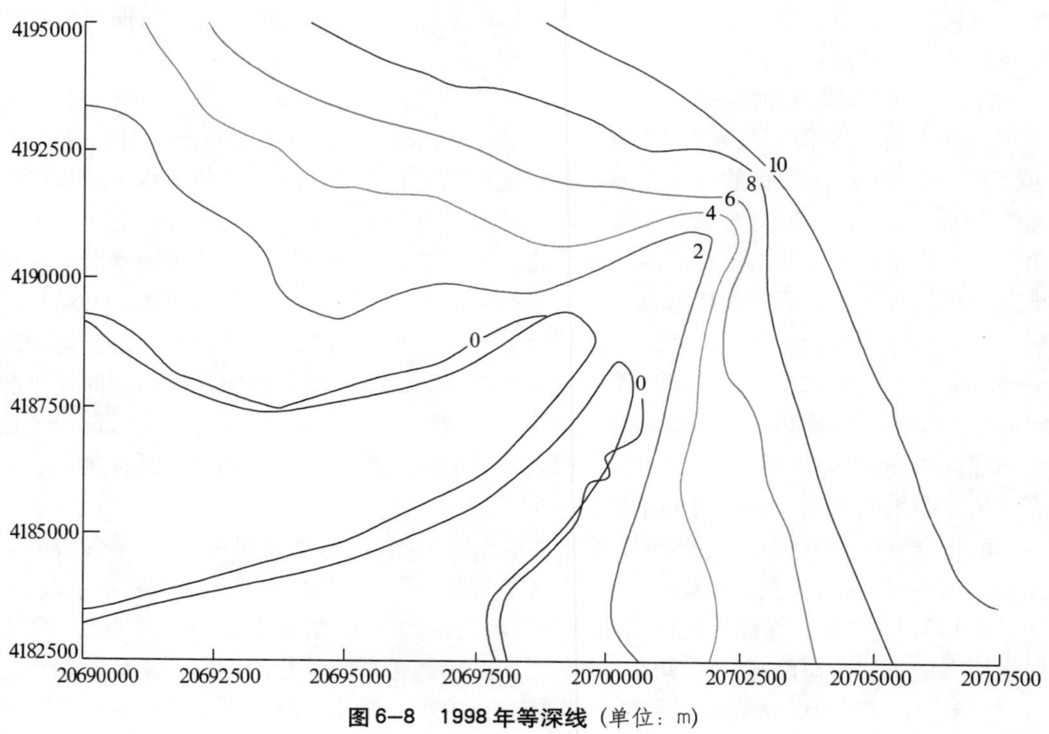

图 6–8　1998 年等深线（单位：m）

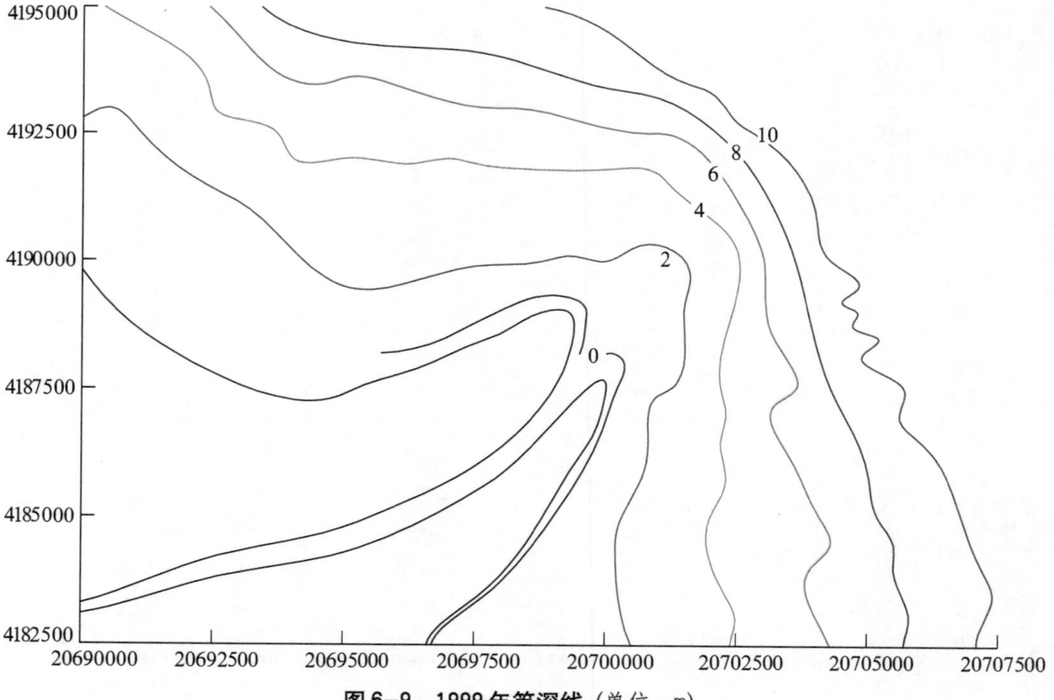

图 6–9　1999 年等深线（单位：m）

1998年，沙嘴进一步扩大，并沿北偏东40°方向向海中延伸，口门前的拦门沙也逐渐向海中推进，等深线也变得更加曲折。

1999年，沙嘴稍向东偏北向延伸，沙嘴正北侧2m等深线有明显后退，地形有变缓的趋势。

从4年的水深图对比中可以发现，口门前的沉积最为严重时，岸线向海中推进的速度最快。推进速度由口门向两侧迅速减小，沙嘴北侧的等深线变化不大，而南侧有一定的变化，可知潮流对向南侧输移泥沙作用大，使口门南侧沉积的泥沙比北侧多。

（三）入海泥沙扩散、淤积分布

黄河三角洲滨海区水下地形的变化取决于进入河口滨海区泥沙的淤积分布，黄河输往河口地区的泥沙一部分淤积在河口附近河道及潮间带，一部分淤积在河口滨海区，还有一部分被海洋动力输往较远的海域。

河口泥沙的淤积分布在每条流路的各个演变阶段不尽相同，一般是陆地部分淤积量占来沙量的百分比随流路的演变发展而减小，滨海区淤积量占来沙量的百分比随流路的演变发展而增大。这主要是因为在行水初期，流路选择在三角洲洲面低洼处，而此时流路游荡散乱，泥沙沉积在三角洲洲面上的机会多所造成的。而清8汊河主槽是在引河基础上冲切成的，入海泥沙的淤积分布情况略有不同。

据1999年10月施测的新口门外水深与1996年清8出汊前同区水深进行比较(见图6–10）计算表明：入海泥沙最大淤积中心发生在口门及拦门沙区域，河口沙嘴沿着淤积中心发育延伸。原0m等深线以下泥沙淤积范围较大，向深海方向淤积影响至15m等深线，西北方向淤出约9km，东南方向淤出约20km，淤积面积约430km²，共计淤积泥沙4.84亿m³，合5.08亿t，占这期间利津站来沙（10.24亿t）的49.6%。其中，淤厚10m以上的面积3.61km²，淤厚8～10m的面积10.69km²，淤厚6～8m的面积17.81km²，淤厚4～6m的面积35.25km²，淤厚2～4m的面积90km²，淤厚不足2m的面积约272km²。虽然入

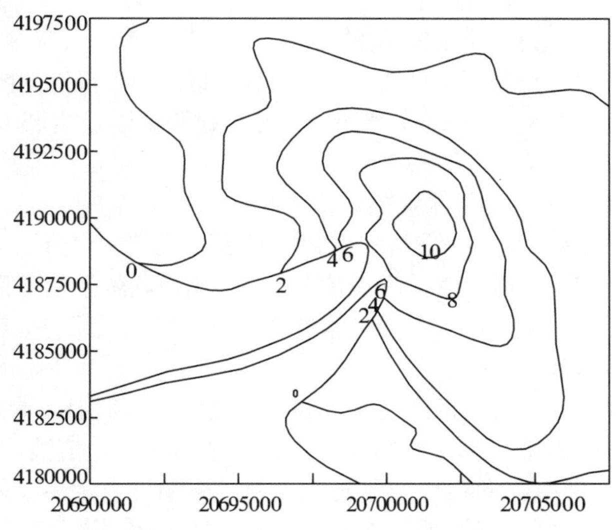

图6–10　新口门外冲淤厚度分布（单位：m）

海口门方向为东北，但泥沙淤积向东南一直影响到原口门附近。

综合以上分析，清8出汊已在原海岸淤积出一个凸嘴，显示出入海泥沙造陆的作用。其后几年由于来沙较少，沙嘴发生蚀退。截至1999年底，清8汊河行水3.5年，海域0m等深线以上共造陆22km²，沿岸线12km宽度范围河口段河道平均延伸6km，口门主流轴向45°。口门距五号桩M_2无潮点30km，河口口门海洋动力作用加强，有利于入海泥沙向河口两侧输移，使河口沙嘴在一个较宽范围内淤海造陆。

四、存在的问题

（一）清8出汊后对河口河道及防洪的影响

清8出汊调整了入海口门，使西河口以下河道长度缩短了16km，比降加大，加之1996年汛期水沙条件较好，西河口以下主槽都有不同程度的冲刷，同流量水位普遍下降，河口河道的平滩流量增加到近4 000m³/s。新汊河经冲刷拓宽后基本顺直，无出汊现象。但由于这几年水沙条件不利，目前新河道仍处于发育阶段，还将发生较大的变化，若遇丰沙年份口门受阻不畅，在清7附近仍存在自然出汊的可能，甚至会出现南北多股分流的局面。

清8出汊后，流路虽然缩短，但新开挖的河槽断面冲宽后，局部河岸坐弯冲塌，平面河势不断地向弯曲发展。出汊点以下只有出汊时实施的长5.5km的导流堤，并在“96·8”洪水时破口，不能起到束水导流的作用。若遇中常以上洪水，势必造成漫滩，从而减小水动力，降低局部岸段的过洪能力，则出汊摆动将在所难免。需要因势利导，使之向有利的方面发展，尽快形成中水河槽，避免较大的河势摆动。

（二）清8出汊后对海域容沙的影响

清8汊河经过1996～2000年4年多的行河，在原岸线基础上河口海岸形态已发展成为突出岸线近6km，河嘴原海岸处宽近10km，沿东北方向的沙嘴堆积体。使清水沟流路形成了两个分汊沙嘴：老黄河口与出汊河口。随着时间的推移，今后这两个河口沙嘴之间的海湾将是下一步出汊行河最佳容沙海域。

（三）清8出汊后对北汊1流路使用的影响

北汊1流路是河口流路规划中保留的重要流路，这里离无潮点的距离在整个清水沟流路入海海域中最近。清8出汊后向东北延伸，泥沙淤积范围已达430km²，今后沙嘴继续延伸，势必占用北汊1海域。

（四）清8出汊后对油田造陆采油的影响

清8出汊工程的实施目的之一就是利用黄河泥沙淤海造陆，变海上石油为陆地开采。但从出汊后3年的淤积造陆情况看，速率并不快，显然造陆效果达不到预期要求，其原因主要是受入海水沙偏枯的影响。今后若水沙量适宜，造陆效果将会明显改善。

（五）清8出汊后对环境影响

黄河三角洲沿岸是一个特有的造陆运动和海岸侵蚀此长彼消的地区。1996年清8出汊前的河道在失去水沙源后，河口海岸线发生了明显的蚀退，植被遭受海潮侵袭，盐碱化程度加剧，使草甸植物向盐生植被退化，引起三角洲草地生态逆向变化。但清8汊河淤积延伸给被保护野生动物和重要水禽提供了一个较为安定的繁衍生息的外部环境。

（六）清8出汊后对黄河海港的影响

黄河海港位于原神仙沟流路河口附近，海港近海15m深以内水道处于黄河三角洲第3次小循环所属河口两侧形成的0m冲淤平衡临界线近岸一侧冲刷区域，此处海域潮差较小，潮流速较大，海底泥沙不易淤积。清8及北汊流路河口距黄河海港的直线距离32~38km，行河初期扩散至此的泥沙多为细颗粒泥沙，在此强流区很难沉积；根据黄河入海泥沙扩散规律可知黄河泥沙对海港水域影响微弱，即两深水区由于远离河口，年均淤积程度小于0.2m，东营港规划航道完全可通过疏浚解决，再加目前实施的河口治理、小浪底拦沙运用、黄河上中游水土保持等一系列措施产生的效果作用，对黄河流路安排将争取更多的时间与空间。随着流路的淤积延伸，与海港距离接近，泥沙是否会产生影响，影响大小有待进一步研究。

（七）清8出汊后对原河道的影响

由于受自然条件及人类活动的影响，目前原地形地貌均发生了较大变化。原河道停止行水后，失去了陆上水沙资源的补给，风暴潮水的入侵，使原河道河口发生蚀退。

原河道行河期间，两岸修有导流堤。改汊清8后，两岸导流堤因不御水而弃守，随着时间的推移，加之失管失修，必将受人为破坏和自然老化影响。同时，在原河道内发生了不同程度的滥垦、滥采、滥打井现象，对原河道也造成了一定的破坏。

五、主要结论

综合以上分析，可得如下结论：

（1）清8以下河道系在人为干预下与自然演变相结合发展形成的。即河道主槽形成机制为人工开挖引河，河水冲刷下切、拓宽逐渐淤滩成槽而成。由于1997年后一直枯水少沙，入海流路比较顺直无出汊现象。入海口门河道表现为上窄下宽，形成喇叭形河口，沿东偏北向入海。

（2）清8出汊工程缩短了黄河入海流程，相对降低了河口侵蚀基面，出汊当年汛期的洪水对新河道冲刷起的作用较大，由此引发河口段河道溯源冲刷，使CS7断面以下河道比降逐渐变陡。

（3）由于清8出汊工程和“96·8”洪水的作用，使得河口段河床比降、过水面积均较清8出汊前明显增大，利津以下河道同流量水位普遍下降。

（4）近几年水沙条件不利，来沙仅维持了口门附近的动态平衡。河口段河长基本沿稳定的方向延伸，不利的水沙条件使清8出汊所引起的河口段河道冲刷在逐渐减弱，影响范围逐渐减小。

（5）从几年来流路变化看，河口沙嘴向左偏转，但偏转幅度不大，一年4°左右。

（6）流路行河年限主要决定于入海沙量及海域堆沙容积，如按清8流路作为一条长远流路使用的方案，本次研究算得清8+北汊+原河道流路组合方案的行河年限约为55年。

（7）清8出汊工程使河口形态、海岸边界条件、河口海洋动力都发生了变化。同时，清8出汊工程的实施也对今后北汊流路的使用、油田造陆采油情况、口门地区环境、黄河海港及原河道均有一定的影响，对此，本课题提出了修筑导流堤、挖沙疏浚、保护备用流路等措施，以达到延长清水沟流路使用年限的目的。

第七章 黄河口口门疏浚试验工程

黄河河口是一个弱潮、多沙、摆动频繁的堆积性河口，河口的不断淤积延伸是造成黄河下游河道比降进一步变缓，产生溯源淤积的主要原因之一，同时也对黄河泄洪排沙产生不利的影响。所以，解决黄河河口泥沙淤积，减缓河口外延，是河口治理的关键，它不仅是实现黄河下游长治久安的要求，也是河口地区经济可持续发展的需要。

近20年来，进入河口地区的水量急剧减少，输沙入海的能量显著降低，河口河段呈持续淤积态势。据分析计算，小浪底水库初期蓄水拦沙运用，可以对下游河道发挥明显的减淤作用，但其效果主要在艾山以上河道，河口地区的淤积量不会出现趋势性减少。

为减缓河口河道淤积抬升速度，1997～1998年、2000～2001年两次在河口河段实施了挖河固堤工程，并相应开展了原型观测和分析研究，研究表明，在黄河下游窄河道进行挖河疏浚，起到了降低河床、减缓淤积的作用，同时利用挖河疏浚的泥沙淤宽加固大堤，提高了大堤的整体稳定性和抗渗透破坏的能力，背河堆沙区经包边盖顶后可以开发利用，将原来的荒地改造为能够开发利用的淤背区，具有巨大的防洪效益和社会效益。但由于挖河对河道的减淤作用具有明显的时限性和河段的局限性，为了使下游河道河床不抬高，就需要坚持不懈地将挖河疏浚长期进行下去。为此，2004年继续在河口河道实施了挖河固堤工程。

黄河水沙注入渤海，由于受潮汐顶托和水流扩散影响，能量锐减，同时由于咸淡水混合、泥沙絮凝的作用而加速沉积形成拦门沙。拦门沙一旦形成，就像一道拦河潜坝横亘在河口附近，不仅对河道泄洪排沙不利，也是造成入海流路摆动变迁的重要因素之一。

对拦门沙的疏浚，自20世纪70年代以来曾多次进行拖淤，从拖淤设备、疏浚方式来看都未取得理想效果，1988年水利部第十三工程局利用挖泥船在河口试挖，也因风浪影响和设备简陋等原因未能成功。东营市、胜利油田曾组织进行口门拖淤试验，取得了一定效果。截至目前，利用挖泥船疏浚口门仍具有试验性质。

为了打通拦门沙，调整规顺水流通道，减轻壅水影响，促成水沙顺利入海。国家“百船工程”为开展黄河口疏浚配备了2艘海狸1600型绞吸式挖泥船，且已运抵黄河口。由于黄河河口海域水文、气象条件复杂，情况瞬息万变，不可预见因素多，风暴潮灾害频繁且破坏力强，海狸1600型绞吸式挖泥船进行河口疏浚，能否适应复杂的环境，施工人员和设备安全有无保障、疏浚效果如何、如何进行施工组织与管理等问题均无可借鉴的经验或教训，需通过现场试验进行检验、分析和研究。为此根据黄委、山东黄河河务局的部署与安排，2004年5～6月在黄河口进行了口门疏浚试验，并在现场原型观测的基础上，相应开展了适应性、疏浚效果等观测研究。

第一节　黄河口拦门沙特点

一、拦门沙的发育情况

黄河口拦门沙基本情况见表7–1、图7–1。

表7–1　　黄河口拦门沙基本情况

测验日期（年·月）	前缘至清10距离（km）	进退距离（km）	顺河长度（km）	顶部平均高程（m）	高度（m）
1984.5	17.5	4.3	5.9	−0.74	1.66
1987.9	21.8	2.8	6.6	−0.11	1.66
1988.9	24.6	1.9	6.8	−0.76	1.5
1989.10	26.5	−1.5	4.5	−0.6	0.81
1990.9	25.0	1.0	5.5	−0.6	1.10
1991.8	26.0	2.5	2.4	−0.7	0.41
1992.9	28.5	1.0	2.1	−0.48	0.26
1993.9	29.5	0.7	3.5	−0.4	0.48
1994.11	30.2	0.6	2.8	−0.4	0.48
1995.9	30.8		3.5	−0.5	0.56

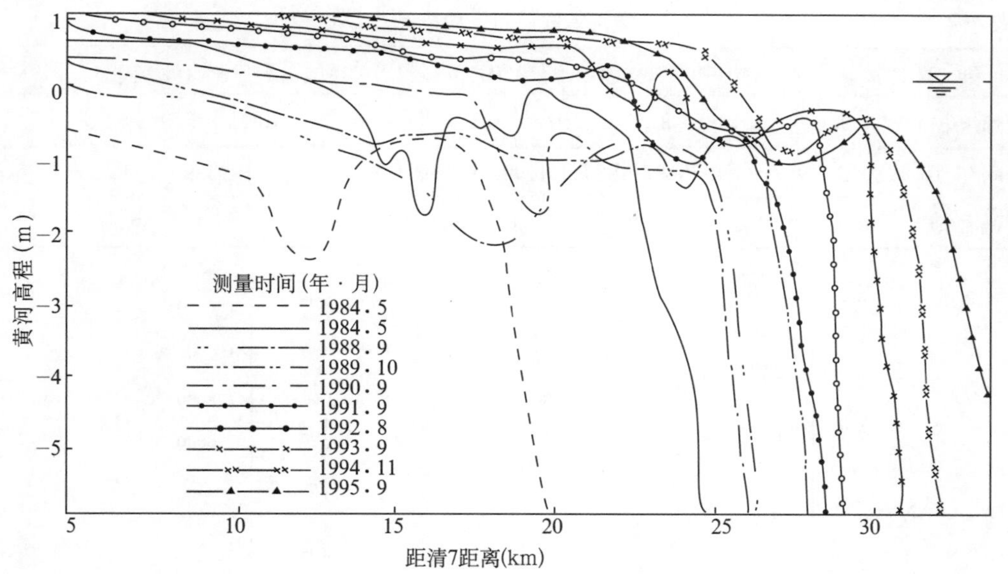

图7–1　黄河口拦门沙段河床纵剖面

由此可见，20世纪80年代拦门沙发育充分，结构完整，突起显著，顺河长5～6km，高约1.5m，以垂直河宽3km计，整个体积粗略估计有2 000万m³，1990年以后各年拦门沙未充分发育，高约0.5m，长一般为2～3km，体积约500万m³。

二、黄河河口近期流路演变情况

图7–2为黄河河口近期流路演变图。由图7–2可见，黄河入海口门摆动不仅幅度大而且十分频繁，几乎每年都有变动，特别是1989年以后更为显著。表7–2是粗略量得的近期口门摆动情况，河口每摆动一次，新口门又会生成新的拦门沙。图7–3为近期拦门沙平面形态图，同样可清楚地看到拦门沙位置不稳定情况。尽管各年口门走向和拦门沙范围大小不同，但是拦门沙的形态均呈蘑菇状。

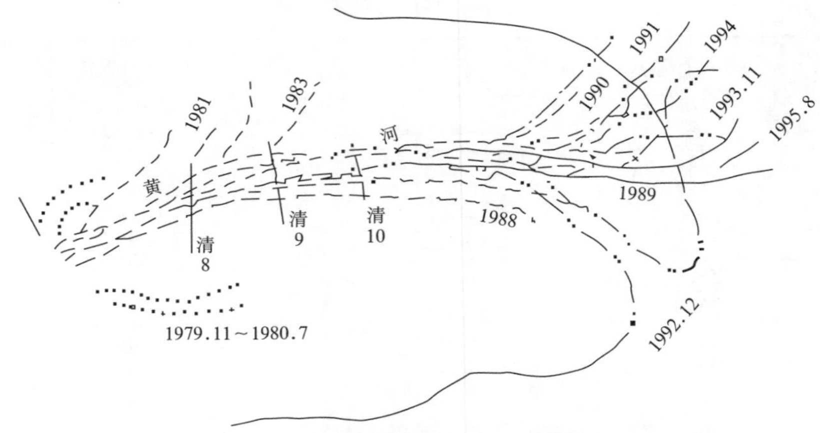

图 7–2 黄河河口近期流路演变图

表 7–2 黄河入海口门摆动情况

时间(年·月)	1976.10	1977.10	1978.10	1979.9	1980.10	1981.10	1982.10	1983.10	1984	1985.5
摆幅(km)	8.0	15.0	2.5	7.0	2.2	2.0	2.0	3.0	5.0	
时间(年·月)	1986.5	1987.9	1988.9	1989.10	1990.9	1991.8	1992.9	1993.9	1994.11	1995.9
摆幅(km)	0.5	1.2	2.6	4.1	1.9	14.6	7.8	2.9	5.7	

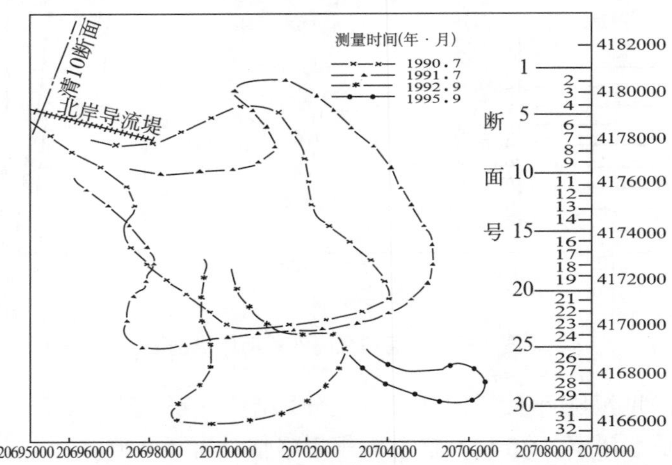

图 7–3 近期拦门沙平面位置变迁图

三、清8出汊后新口门拦门沙发育演变特点

（一）拦门沙纵剖面形态的演变

根据1996年清8改汊前和改汊后历年的实测河道地形和口门地形资料，沿主流入海方向绘制出尾闾河段纵剖面图，如图7−4所示。图中反映了河道顺河长度、垂直升降、沙嘴淤进和蚀退情况。由图可以看出，清8改汊以来，清3—汊3断面以下5km的主槽以下切为主，下切最大点在汊1断面附近，达2.5m左右，水下的海域以堆积抬升为主，最大淤积厚度达12.5m，而顶部高程变化不大，平均在−1.0m左右，这一情况反映了清8改汊引起的河道长度的缩短对河口溯源冲刷产生的重大影响。这种溯源冲刷实际上是水流为适应河长的缩短，对河床比降进行自动调整的结果。

目前，拦门沙顺坡段比降1.2‱～7.1‱，顶坡段比降0.9‱，陡坡段比降26‱，缓坡段比降8‱，逆坡段不明显，可见，由于来水来沙明显偏枯，清8汊河的拦门沙发育比较缓慢。

1. 沙嘴淤进和蚀退

从图7−4所示的沙嘴位置和表7−3计算数值来看，清8改汊后，当年沙嘴向前推进较多，1997年由于断流，受海洋动力的作用，沙嘴有所蚀退，0m等深线蚀退1.7km，2m等深线蚀退0.5km，12m等深线无变化；1998年来水来沙较多，沙嘴向前推进，0m等深线淤进1.7km，2m等深线淤进2.4km，12m等深线淤进2.2km；1999年来水来沙较少，沙体又有所蚀退。0m等深线蚀退0.2km，2m等深线蚀退0.8km，12m等深线蚀退0.6km；至2002年，0m等深线淤进2.3km，2m等深线蚀退0.1km，12m等深线基本无变化。1996～1999年及2002年的口门等深线如图6−6～图6−9及图7−5所示。沙嘴随来沙多少有淤有蚀，淤蚀抵消后，还是淤进的，各等深线累积淤进值为：0m等深线8.6km，2m等深线4.0km，12m等深线4.0km。

2. 垂向升降变化

从图7−4可以看出，清8改汊以来，清3—汊3断面以下5km的主槽以下切为主，水下的海域以堆积抬升为主。清8改汊以来清10—汊3断面以及拦门沙坎顶高程统计见表7−4。1996年清8改汊当年，水沙条件较为有利，特别是"96·8"洪水利津站流量3 000m³/s以上的时间持续10余天，含沙量只有20kg/m³左右，对尾闾河道的塑造、溯源冲刷起到了一定作用。0m等深线以上的尾闾河段普遍发生了冲刷，这一冲刷情况既有沿程冲刷的作用，又有溯源冲刷的作用。从清3断面冲刷量最小（只有0.05m）、其下逐步加大的情况判断，本次由口门调整产生的溯源冲刷效果上界在清3断面；1997年虽然断流时间较长，但受溯源冲刷影响，清4—汊1继续下切，清6断面处下降最多，达0.32m；1998年来水较大，清1—清3下切仅有0.05m，清4—清7普遍抬升，汊1、汊2不升不降，汊3—坎顶抬升0.1m；1999年来水较少，各断面升降比较小；2000年、2001年汊1以下断面一直到坎顶较1999年下降较多。综观清8改汊后的河道和拦门沙坎顶垂向变化，清1以下均有下降，下降最大点在汊1—汊2断面；拦门沙坎顶保持了冲淤动态平衡。

（二）拦门沙平面形态的演变

黄河河口流路的不断摆动，导致拦门沙的发育有形成、中期到末期三个阶段。第一

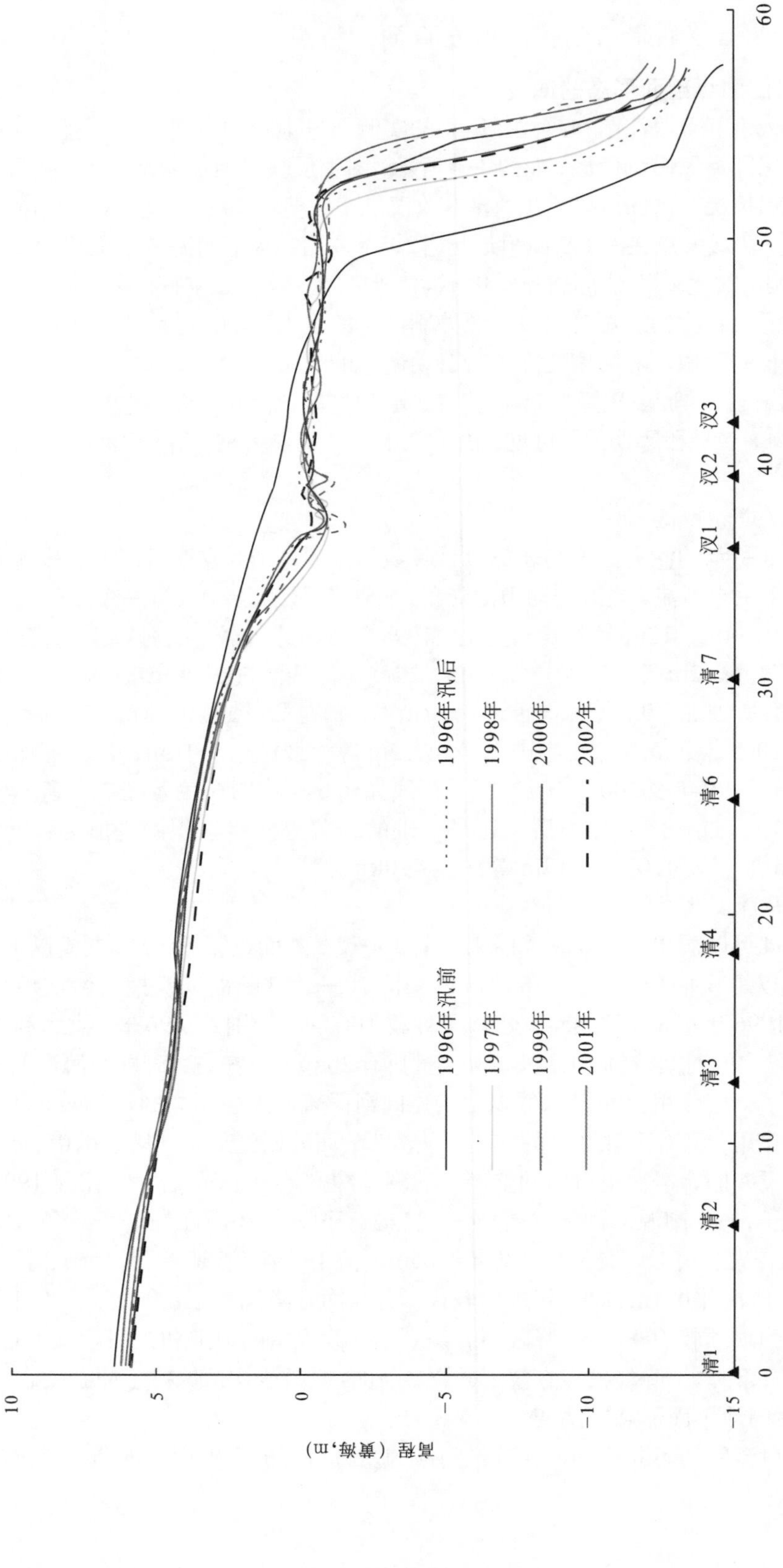

图7–4　清8汊河口门拦门沙纵剖面形态及演变

表 7–3　**等深线距汊 1 距离变化**

施测时间（年・月）	0m 等深线		2m 等深线		12m 等深线	
	距汊 1 距离（km）	进退距离(km)	距汊 1 距离（km）	进退距离(km)	距汊 1 距离（km）	进退距离(km)
1996.6	+8.7		+13.1		+16.8	
1996.10	+15.2	+6.5	+15.9	+2.8	+19.2	+2.4
1997.5	+13.5	−1.7	+15.4	−0.5	+19.2	0
1998.10	+15.2	+1.7	+17.8	+2.4	+20.8	+2.2
1999.10	+15	−0.2	+17.1	−0.8	+20.8	−0.6
2002.10	+17.3	+2.3		+0.1		0
累积		+8.6		+4.0		+4.0

注："+" 为淤进，"−" 为蚀退。

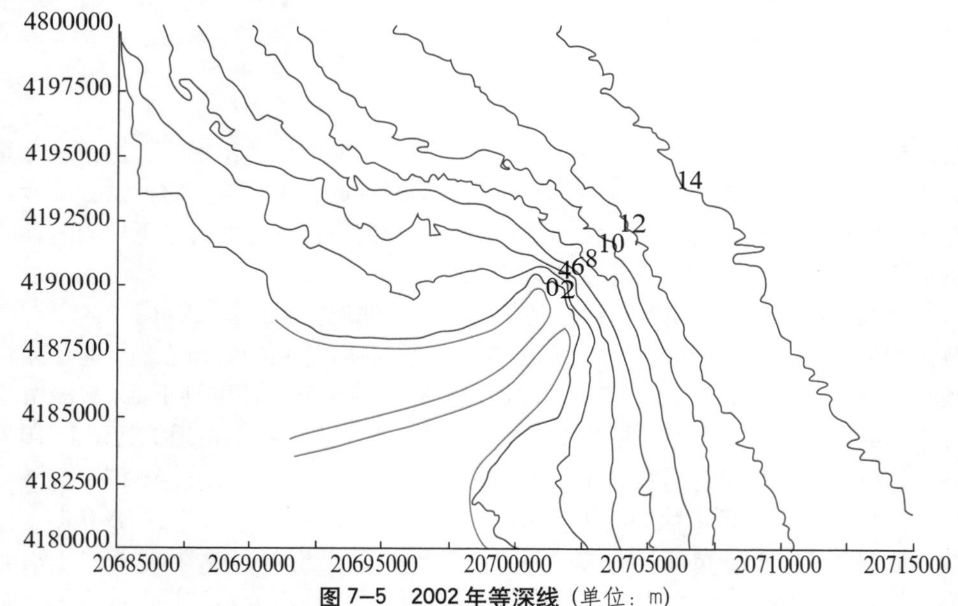

图 7–5　2002 年等深线（单位：m）

表 7–4　**尾闾河段主槽平均高程**　（单位：m）

断面	1996 年汛前	1996 年汛后	1997 年	1998 年	1999 年	2000 年	2001 年	冲淤（1996 年汛前～2001 年）
清 1	+6.6	+6.14	+6.12	+6.06	+6.04	+6.06	+6.27	−0.33
清 2	+5.77	+5.61	+5.61	+5.54	+5.45	+5.73	+5.74	−0.03
清 3	+4.48	+4.43	+4.49	+4.48	+4.54	+4.43	+4.43	−0.05
清 4	+4.37	+4.19	+3.95	+4	+4.04	+4.04	+4.07	−0.3
清 6	+3.67	+3.45	+3.13	+3.21	+3.31	+3.18	+3.25	−0.42
清 7	+2.82	+2.55	+2.23	+2.33	+2.42	+2.43	+2.44	−0.38
汊 1	+1.85	+0.65	+0.5	+0.5	+0.3	−0.7	−0.6	−2.45
汊 2	+0.78	−0.7	−0.5	−0.5	−0.81	−0.85	−1	−1.78
汊 3	+0.5	−0.35	−0.4	−0.3	−0.2	−1	−0.5	−1
坎顶		−0.07	−0.2	−0.1	−0.08	−0.3	−0.3	−0.3

注："+" 为淤，"−" 为冲。

阶段是河口摆动初期，拦门沙刚形成，顶部有河道与海相通，沙嘴前缘海岸线不甚凸出，水流入海畅通，输沙情况良好，海域等深线分布较均匀；第二阶段是河口摆动后的中期，拦门沙横卧于门前，顶部没有河槽与海相通，拦门沙前沿海岸线比较突出，但水流仍较集中，拦门沙上游河道断面较大；第三阶段是尾闾行水的末期，拦门沙与两侧海域连成一片，拦门沙上游河道萎缩，拦门沙前沿海岸线突出较多，水流分汊入海，出流不畅，海域前坡陡峻。拦门沙的上游河槽随流路的演变阶段不同而变化，摆动初期河道通畅，河海相通，海域等深线分布均匀；摆动中期水流受拦门沙的阻挡，入海不畅，海岸线凸出，前沿水下坡度变陡，但仍能维持一股入海，水流相对集中；摆动末期河槽萎缩，拦门沙发育与两侧海滩连成一片，岸线凸出成沙嘴，水流分汊入海，河口长度增加，等深线十分密集，河口以上产生明显的溯源淤积，意味着新的摆动快要发生。从2002年的等深线图（见图7–5）看，目前的海域沙嘴前缘0m、2m、4m等深线较1999年相比明显密集，显示新口门拦门沙正在缓慢发育。

四、拦门沙的危害

与其他江河口拦门沙相比，黄河口拦门沙具有发育速度快、位置变迁快、危害程度高的特点。拦门沙是河口的一种地貌形态。由于地形隆起，水深浅，对泄洪、排沙、排凌、造陆、航运等都有阻碍作用，特别是拦门沙发育到后期，门槛效应更加明显，由此带来的危害也更大。其危害主要体现在以下几个方面。

（1）壅高上游水位。据清8出汊后几年实测河口地形资料计算，拦门沙区平均高程高出临近河底平均高程0.9m左右，拦门沙坎顶高程可高出河底1.8m左右。这意味着在径流流量相同的情况下，将有1m左右的水深因受拦门沙阻碍不能顺利下泄，被滞留的这一部分水量必然增加河道蓄水，导致水位壅高。按一般情况下尾闾河道纵比降1/10 000推算，水位壅高的影响范围可达数十千米，受到河口壅水影响的河段，不该溢槽漫滩的流量也会溢槽漫滩，不该出险的堤坝也会出险，无疑会加重这些地区的防洪负担。

（2）加快河床淤积。黄河是高含沙河流，挟沙水流到达拦门沙河段后，由于动能受阻，流速锐减，有很大一部分泥沙，特别是颗粒较粗的泥沙不能越过拦门沙入海，而被滞留在拦门沙以上的河段内，形成以拦门沙为始点的溯源堆积。溯源堆积的范围随着拦门沙发育增长不断向上延长，导致河床升高，比降变缓，对拦门沙以上的河道演变起到直接的反馈影响。

（3）增加封河机遇。历年冬季是黄河的枯水期，流量小，水位低。河流淌冰后，由于拦门沙阻碍冰块下泄，极易造成口门卡塞，在气象因素尚不具备封河条件的情况下提前封河。开河时，也往往因上游流冰不能顺利通过拦门沙，而在河口迅速堆积为冰丘、冰坝，不仅酿成凌汛之灾，而且会造成上游河段再度封河。历史上河口率先封河、酿成漫滩，决口等重大灾难的记载不胜枚举，究其详因是与拦门沙阻冰壅水有密切关系的。

（4）引发分流改道。河口潮间带总地势虽然开阔平坦，微地貌却是起伏涟漪，间布着众多潮沟或洼地。拦门沙阻水后，便以分水出汊或扩散漫流的形式下泄入海。水流扩散必然导致流速减缓，挟沙力降低，河道淤积加重。当较大潮沟分水量达到一定程度后，便会造成夺流改道，导致入海流路的摆动变迁。这样的情况在黄河口是屡见不鲜的。

(5) 妨碍航运交通。由于拦门沙封闭口门，堵塞航道，河船不能入海，海船难以进河，对河海交通运输的连接起着直接的制约和隔阻作用。目前，黄河处于枯水系列期，河道航行水深尚且难保，拦门沙通航更无把握，黄河口航运交通已经濒临断绝，除小型渔舟可乘涨潮出入河门外，货运船舶多年不见。

第二节　拦门沙治理的措施

一、国外及我国历史上疏浚拖淤

在国外，挖河疏浚多被用于航道治理，并且取得了不少的研究成果，技术也相对成熟。如早在20世纪60年代，国外主要河口拦门沙航道疏浚就已经取得了很大成功，吸扬式、耙吸式和绞吸式等类型的挖泥船均有广泛的应用。不过，由于一般采用水中抛沙，航道淤积又成了一个突出问题。对此，各国学者先后开展了系统的研究，较有影响的如美国的欧文（Owen，M.W）、法国的里奥（Mignion，C），均取得了不少的研究成果。Scheuerlein，H.曾在阿尔卑斯山某水库采用水流冲沙的方法清除水库淤积的泥沙，取得了一定效果。但这些多属于在含沙量较低的河流或河口区域，或者有可大幅度降低相对侵蚀基准面的库区，疏浚范围较小，且多限于航道和库区治理。对于在类似黄河水沙特性的河流上较小疏浚拖淤的研究和应用则未见有报道。

在我国，采用拖淤疏浚河道已有几千年的历史，相传自大禹治水开始，即一直把疏浚作为一项重要措施而广为采用。黄河使用水力机械拖淤的记载始见于北宋神宗熙宁六年（公元1073年），王安石设置浚河司前后，明清时期曾屡经使用，有代表性的拖淤成功的事例有：宋神宗熙宁六年（公元1073年），李公义认识到利用水力，经过搅荡，可以加大输沙能力，创造了铁龙爪扬泥车拖淤之法，这是利用水力机械拖淤的开始。明嘉靖十四年（公元1535年），总河刘天和博采群议，创平底舟长柄铁耙拖淤法，清乾隆八年（公元1743年），总河白钟山在塔决石林漫口旧河中，调用船一百九十只，“常川浚扒，收到明效”。清乾隆三十六年（公元1771年），河臣高晋在清黄汇口一带，以木龙挑水，收束口门节和在汇口以下利用铁扫帚乘船分段拖淤“使河底积淤松动，河道日见通深”。清乾隆四十五年（公元1781年），河臣李奉翰、国太杨一魁等在张家油房漫口旧河中，于正河水浅处带上混江龙、铁扫帚上下往来，逐日浚扒，收到“通流深畅，未见淤阻”的效果。清嘉庆十年（公元1806年），徐端“趁黄河落水一尺，清水出口有力，乃多累大船，用铁扫帚、扬泥车夜乖势疏导，使浅处渐深至二尺以上，江境邦船陆续通行”。清嘉庆十五年（公元1810年），松筠利用自制的混江龙，于清口一淤浅河段疏浚得力。“由仅有的一尺多深，浚深到三四尺以上，中泓宽达七八丈，愈浚愈深”。清道光十三年（公元1833年），河臣张井也采用翻泥车，铁扫帚等器具，进行疏浚治河。在公元1886年，已改道30多年的黄河山东河段，淤积极为严重，连年漫口，时任山东巡抚的张曜利用平头圆船结合挖沟切滩的措施疏浚河道，在惠民、滨州、利津等河段近岸平滩，逐段挑挖，在浅水淤泥滩地不能立足之处，用平头圆船以铁铣淘挖，这种疏挖河道的方法，在短时间内对规顺河流起到了一定效果。

鉴于当时的社会经济条件和技术水平，人们没有也不可能对黄河拖淤疏浚进行系统深入的研究，但从长期的拖淤实践中得出一个基本的结论，即拖淤对于解决河道局部浅滩河段和有效沙量是有功效的。

二、近期黄河口拦门沙区疏浚拖淤实践

新中国成立后，黄河三角洲社会经济面貌发生了重大变化。特别是随着胜利油田勘采规模的不断扩大，多元化经济结构的逐步形成，要求黄河入海流路相对稳定，流路变迁不定已成为严重影响三角洲战略布局结构和全面开发建设的制约瓶颈因素。位于黄河口的东营市和胜利油田在1984年提出了稳定清水沟流路40～50年的目标。1988年开始了黄河口疏浚治理试验。其中，疏通拦门沙是重点试验内容之一，其基本指导思想是："打开拦门沙，调整规顺水流通道，减轻壅水影响，促成水沙顺利入海。"采取的主要工程措施有机械开挖、船舶拖淤和水力冲沙等。

从1988年汛前开始组织进行黄河口拦门沙疏浚。首先采用350m³/h绞吸式挖泥船在拦门沙开挖一长2km、宽45m、深1.5～2.0m的沟槽。汛期到达后，又组织10条机动船舶编队，在20km河段上进行往复式航行拖淤，疏通、浚深河道主槽和拦门沙通道。拖淤历时自8月下旬至11月底。观测资料显示，当年10月与5月比较，2～10m等深线向海推进2～3km，拦门沙高程比1987年9月下降0.6m，有39.8%的泥沙被海流输送到测量范围两侧及13m等深线以外。1989年，利用射流冲沙方法疏浚河道及口门，使河道更加顺畅，在拦门沙上形成一条宽180m左右，落潮水深0.9m以上的通道，西河口以下同流量水位明显降低，水面比降明显增大，直到汛后载重量800t的拖船，自天津港起航后，可顺利通过拦门沙，顺河而上抵达中原油田。1990年，利用自行研制的2只第五代射流拖淤船，按照不同深度，分别采用定船和动船射流（顺流和逆流航行）方式进行拖淤试验，试验期间大河流量在250～700m³/s之间。实测资料表明，定船射流含沙量较自然情况增加0.6～1.3倍，动船射流增加15%左右。射流拖淤取得了比较理想的拖淤效果，从实测河道及滨海地形图来看，西河口以下近60km河段仍然保持单一顺直状态，入海口门有一条泄水主道，拦门沙区与河道比降基本平顺衔接，这些工作为黄河河道疏浚积累了一定的经验。

主要试验了以下几种方案：①船只推进器冲沙：利用船只行进推进器推动水流的反作用力，冲起河底泥沙，借水流挟至深海。②传统耙具拖淤：利用270HP拖轮带动混江龙、铁扫帚、铁龙爪等传统耙具在河口进行拖淤试验。③喷水耙具拖淤：以传统耙具为基础，在每只把齿中间，安设一只喷水嘴，该拖淤耙仍以270HP拖轮拖在船尾，在船后甲板安装柴油机带动水泵提供高压水，使拖淤耙具有耙松泥沙、冲深液化和掀扬泥沙的功能。④高压水枪射流：在拖轮两侧各布设5台17kW电动高压水泵、以柴油发电机组作动力，每台泵供两只口径为25mm水枪，由人工操作伸向河底冲沙。⑤第五代射流拖淤船拖淤：吸取以上各种耙具试验的经验，研制了新型射流冲沙装置，该装置在拖驳上改装，由装在舱内的6160A－13型柴油机带动10EPN－30型水泵，提供高压水流，再由干管输送至各组水枪，在拖驳两侧和船头各布置口径为30mm的水枪

10只，船尾布置水枪8只，每组水枪都设悬挂提升装置，设计每只水枪的出水流量为0.008m³/s，出口流速为11.3m/s，工作宽度为5.0m。在以上几种方案中，以水枪置于河底的定船射流效果最好。

三、评析

（1）以往实施的疏浚试验，除1988年是在拦门沙区域开挖疏浚外，其他拖淤试验主要是在清7断面以下尾闾河段的河道内进行的。河道疏浚对改善河道形态，规顺河势，增大疏浚河段的平滩流量，加大河道泄洪排沙能力有一定的作用；在实施过程中，通过试验不断改进设备，积累了疏浚的经验，同时也深化了对口门疏浚复杂性的认识。

（2）船拖耙具和射流冲沙疏浚，其工作原理就是利用耙具扰动或高压水力冲击，将沉积在河底的泥沙扰起，然后再借助大河的水流动力，将扰起的泥沙输送到下游，以达到浚深河槽的目的。其前提一是要冲动泥沙并能悬浮，二是要将扰起的泥沙带走。由于拦门沙有“铁板沙”的俗称，土质坚硬，在拦门沙采取上述两种方法疏浚，其扰沙效果将大打折扣。以效果最好的第五代拖淤船，1990年施工中跟踪实测资料为例，扰起的泥沙一般输移200m左右（大河流量250～700m³/s）便恢复到自然状态，泥沙输移距离短。

（3）采用船拖耙具疏浚，其最大的缺点是操作困难，耙具的方向掌握不准，扰沙效果差。若耙具重则拖曳不动，耙具轻则漂浮打滚；在顺水拖淤时，耙过之后，只能在拦门沙上划过几道痕迹，经取样试验，拖淤前后含沙量变化不太明显。而在逆水拖淤时，耙具一旦着底，如同下锚，船拖不动。射流冲沙相比较船拖耙具，克服了拖带操作上如耙具拖不动或漂浮打滚等一些缺陷，航行也相对比较自如。由于水枪喷嘴可以灵活提落，水流的冲击力较大，具有操作比较方便、扰沙效果相对稍好等优点。

（4）船拖耙具由于需用船只拖带，受水深制约大，若不满足船只吃水要求，则无法进行疏浚，而在拦门沙发育的后期，往往坎顶水深较浅，只有在涨潮时才能满足船只吃水，但受涨潮流顶托，水流流速降低，扰起的泥沙输移距离又短，同时由于水流流向变化比较复杂，还有可能将扰起的泥沙重新带回已疏浚的河槽。射流冲沙船也存在着吃水较大，流速较大时逆水航行困难等缺点。若采用定船射流，要取得较为明显的排沙效果，必须根据泥沙的输移距离，在河道内同时布设多船进行扰沙以形成接力，才能输送得更远。此方法在大河流量、水流流速越大时，疏浚的效果会越好，但同时会造成船只定位困难等难以克服的矛盾。

（5）采用船拖耙具和射流冲沙在拦门沙进行疏浚，不但要考虑气象条件能否保证安全，水深能否满足船只航行要求，还要把握好疏浚的最佳时机。根据《延长黄河口清水沟流路行水年限的研究》成果，时间应选在始落潮相时段，即涨平之后约一个小时内开始，一直持续到落平潮相时段的开始。只有在这一时段拖淤排沙才能使泥沙大量迅速排到外海，如果在涨潮时段内拖淤排沙，则搅起的泥沙排不出河口，所进行的工程白白浪费。疏浚的最佳时段是低高潮落潮时段，此时段流速大，最有利于排沙。由此可见，对于潮汐类型为半日潮的现行黄河口，采用上述方法施工，日工作时间较少，工作效率较低。

（6）相比较船拖耙具和射流冲沙施工方法，采用绞吸式挖泥船疏浚，在同样工况条件下，克服了疏浚时段选择上的制约，工作效率得到较大提高。对坚硬土质，其扰沙效果要好。切削起的泥沙可通过管道输送到指定位置，也有利于泥沙资源的利用。但由于船只不能自航，在黄河口恶劣的气候条件下，施工人员、设备的安全受到威胁，同时也存在着管道安装、固定困难等弊端，不可避免地带来运行成本的增加。

第三节　2004年口门疏浚试验工程的实施

一、口门疏浚试验工程设计基本情况

（一）试验目的

1988年水利部第十三工程局利用挖泥船在黄河口拦门沙顶部试挖，因风浪影响和设备简陋等原因未能成功。东营市、胜利油田组织进行的口门疏浚试验，1991年以后，由于水枯河浅，设备不适等原因而停止。近期组织进行的口门疏浚拖淤，从拖淤设备、疏浚方式来看都存在一定的制约因素和需要改进的地方，利用挖泥船疏浚口门仍具有试验性质。

为保持口门通畅、确保水沙顺利入海，国家“百船工程”为开展黄河口疏浚配备了海狸1600型绞吸式挖泥船，且已运抵黄河口。由于黄河河口海域、气象条件复杂，情况瞬息万变，不可预见因素多，并且由于黄河三角洲特殊的地理位置，风暴潮灾害频繁，破坏力强，实施拦门沙疏浚的难度相当大，所以一直未投入生产。

为了检验海狸1600型绞吸式挖泥船实施黄河口门疏浚的适应性，为今后实施口门疏浚提供科学依据和实践经验。根据上级的部署和安排，2004年进行口门疏浚试验工程。本次试验的目的就是检验海狸1600型绞吸式挖泥船能否适合当地的自然条件，在复杂的海域和气象条件下，如何做好后勤、安全保障措施。

在黄河口附近由于地形限制了潮流的旋转，呈现为往复流性质，涨落潮流的方向基本与海岸平行，落潮流向北，涨潮流向南。潮汐涨落引起的往复流，是否会对刚疏浚的河槽产生回淤，从而影响疏浚的效果，能否结合潮汐涨落变化来确定疏浚的具体时机，以达到减少回淤、增大疏浚的效果，也是本次试验的目的之一。

（二）工程设计

1.疏浚试验段

疏浚试验段选自高潮线至低潮线之间，疏浚设计路线为S1～S11，长约5.0km。开挖宽度根据海狸1600型挖泥船的技术性能指标，确定为30～38m，平均挖深约为1.7m。疏浚工程量约为33万m^3。

由于汛前仅实施开挖了S1～S6段，长度约2.5km，未能完成疏浚任务。经过一个汛期，口门段河道发生较大变化，河道的流路由原来的东北方向摆动到东南方向，且河道水深只有0.5～1.5m，增加了试验工作难度。根据汛后测量成果，对原试验方案进行了调整，疏浚试验的设计路线变更为A37—NS1—NS2—NS3—A2（见图7-6），A37—A2线路长度约为2.5km，加上汛前已实施的2.5km，基本达到原设计试验长度。

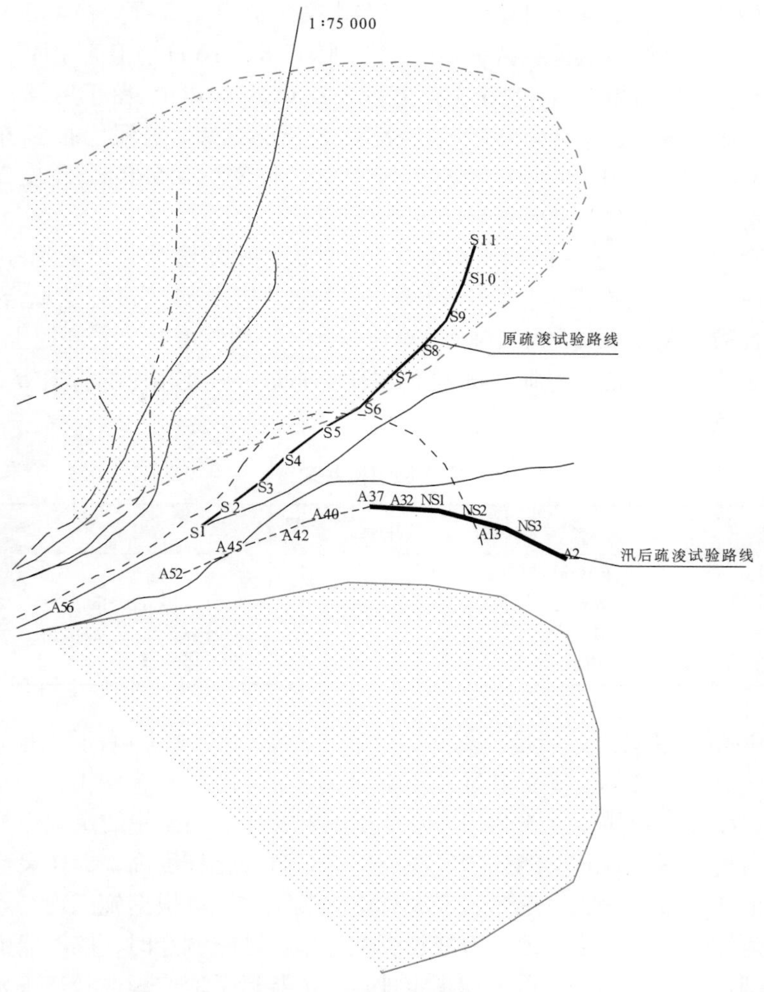

图 7–6 疏浚试验段平面

2. 堆沙区布置

堆沙区选择在沙嘴南侧的潮间带上，为防止泥沙随涨落潮往复水流又回淤已疏浚的河道，沿河道平行方向，在离滩沿600m处修筑围堰挡沙，围堰长3 200m，高0.5m，顶宽1.0m，外坡1∶3，内坡1∶2，考虑到滩涂低洼地带修筑围堰的挖掘机械难以进入，围堰采用长管袋修筑。

3. 疏浚时机

在综合考虑河口河段的水文气象特点，参照《疏浚工程施工技术规范》(SL17—90)对挖泥船工作条件指标限制，结合疏浚开挖工程量和挖泥船的生产效率等因素，疏浚试验原设计选择在5～6月实施。

二、口门疏浚试验实施情况

拦门沙疏浚进行了两个阶段的试验。第一阶段为2004年5～6月，挖泥船自2004年

5月17日开始投入运行，至6月中旬，丁字路水文站流量一直维持在450m³/s左右。根据“黄河第三次调水调沙试验指挥调度预案”通知，6月16日小浪底水库开始预泄，到6月19日开始进行调水调沙。控制花园口流量2 000m³/s 以上，鉴于后续来水流量将会越来越大，为确保设备、人员顺利撤出，6月15日试验结束，挖泥船拖到东营港休整。该阶段施工总台时为450个，开挖河段为S1～S6，长度约2 500m、宽度20～38m、平均深度1.7m，开挖土方11.98万m³。

第二阶段为2004年10～11月。10月5日，挖泥船由东营港拖带至河口拦门沙坎外，10月8日，挖泥船开始投入运行，至11月3日试验结束。该阶段施工总台时为328个，开挖河段为NS2～A2，长度约1 100m、宽度30m、平均深度1.7m，开挖土方6.8万m³。

口门疏浚的主要设备有海狸1600型挖泥船、辅助船只及相应的管道等。主要施工设备配置见表7–5。

表7–5　　主要施工设备配置

序号	机械名称	型号及规格	单位	数量	用途
1	挖泥船	海狸1600型绞吸式挖泥船	艘	1	疏浚挖泥
2	拖轮	160kW多用途工作船	艘	1	拖带、供水供油、管线运输、交通联络
3	渔船	44HP双挂机	只	2	交通联络、生活供应、安全保卫等
4	排泥管线	Φ 500mm × 1000m	套	1	疏浚排泥

海狸1600型绞吸式挖泥船是国家河湖疏浚挖泥船建造项目（百船工程）专门为黄河河口口门疏浚施工配备的。该船由荷兰IHC公司设计，安徽省疏浚工程公司建造，中国船级社检验，船体系钢质、分体结构。船型系国外挖泥船船型中的定型产品，船用设备及总体性能有可靠保证，其功能齐全，性能先进，自动化程度高，操作灵活方便，适用于遮蔽水域清淤疏浚作业。该挖泥船型为分体拼装结构，可根据施工现场条件，选择合理的调迁及运输方式，水路调迁采用拖轮绑拖运输，陆路调迁时，挖泥船上岸拆解，各分体单元分别选用汽车或火车运输到指定地点，拼装后采取气囊或滑道下水。其主要性能指标见表7–6、表7–7。

表7–6　　海狸1600型挖泥船主要参数

序号	船　　型	海狸1600型绞吸式挖泥船
1	型宽（m）	7.95
2	型深（m）	2.46
3	总长（绞刀桥架呈水平状态时，m）	33.9
4	吃水（m）	1.32(空载)/1.5（满载）
5	泥泵额定流量（m³/h）	3 500
6	吸泥管内径（mm）	550
7	排泥管内径（mm）	500
8	排距（m）	2 500
9	排高（m）	—
10	主机最大持续功率（kW）	954
11	拆卸后最大件重量（t）	71

表 7–7　海狸 1600 型挖泥船主要性能指标

序号	项目	指标	说明
一	开挖宽度（m）		
1	最小	23	摆角 20°
2	最大	48	摆角 45°
3	最佳	28～38	摆角 25°～35°
二	开挖深度（m）		
1	最小	3	
2	最大	14	

三、挖泥船施工适应性观测及研究

（一）施工期工况条件

1. 水流条件

2004 年 5～6 月，黄河丁字路站共来水 40.65 亿 m^3，来沙 0.42 亿 t，平均含沙量为 10.3kg/m^3。挖泥船运行期间的 5 月 17 日～6 月 15 日，丁字路最大流量为 673m^3/s，最小为 337m^3/s，平均流量为 465m^3/s。

10 月份，丁字路站共来水 6.545 亿 m^3，来沙 0.008 69 亿 t，平均含沙量为 1.33kg/m^3。挖泥船运行期间的 10 月 8 日～11 月 3 日，丁字路最大流量为 526m^3/s，最小为 159m^3/s，平均流量为 245m^3/s。丁字路作业期间的水流条件见表 7–8。

表 7–8　丁字路作业期间的水流条件

时 段		作业天数(d)	平均流量(m^3/s)	最大流量(m^3/s)	各级流量的天数(d)		
					$Q \leqslant 400$	$400 < Q \leqslant 500$	$Q > 500$
第一阶段	5 月 17～31 日	15	453	600	8	1	6
	6 月 1～15 日	15	478	673	2	9	4
第二阶段	10 月 8～31 日	24	224	365	24		
	11 月 1～3 日	3	415	526	1	1	1

2. 潮汐特征

1）黄河口潮汐特征

渤海属内海，固有振动很小，观测到的潮汐主要是大洋潮汐的胁迫振动。潮汐有两个半日潮（M_2、S_2、N_2）族旋转潮汐系统；另有半个全日潮（K_1、O_1）族的潮波系统，其另一半分布在北黄海。前者无潮点分别位于秦皇岛和旧黄河口附近，在这里潮位类型属于全日潮或不正规全日潮；后者位于渤海海峡，在这里潮位类型为半日潮或不正规半日潮。其余海区大多为不正规半日潮类型。

黄河口位于渤海湾和莱州湾的交界处，其附近海区的潮汐类型受渤海湾口南部的 M_2 分潮“无潮点”控制，黄河三角洲沿岸潮差分布，是以神仙沟口外的“无潮点”区最低，向两海湾里逐渐增高的“马鞍形”，平均潮差 0.73～1.77m，属弱潮河口。三角洲沿岸的潮汐类型，按（分潮振幅之比）$\frac{H_{K_1}+H_{O_1}}{H_{M_2}}=\xi$ 分类方法，$\xi \leqslant 0.5$ 为正规半日潮、

0.5< ξ ≤ 2为不正规半日潮、2< ξ ≤ 4为不正规全日潮、ξ ≥ 4为正规全日潮。根据实测分析计算的潮汐类型指数见表7−9。

表7−9 三角洲海区潮汐特征值

项目	湾湾沟	刁口河东	五号桩	东营港	广利河口	羊角沟
ξ	0.74	1.26	22.39	12.7	1.15	0.88
潮汐类型	不正规半日潮	不正规半日潮	全日潮	全日潮	不正规半日潮	不正规半日潮

从表中可以看出，除五号桩、东营港附近海区为全日潮外，其余海区为不正规半日潮，日潮不等现象比较明显，渤海湾与莱州湾沿岸涨落潮时差6个小时，对于半日潮海区来说，恰好渤海湾涨潮，莱州湾落潮。

2）潮位站设置及观测情况

为了能准确地掌握潮位涨落对河口口门疏浚的影响，第一阶段在S3附近（上距汉3断面4km左右）、第二阶段在疏浚段附近各自设置临时简易潮位站1座，采用木桩设3只临时水尺。潮位站的高程基面采用黄海基面。引测水尺零点高程时由汉3断面的三等水准点上进行了引测。

第一阶段的潮位观测从5月8日开始，6月15日结束。其中5月8日～5月22日、5月29日～6月1日、6月8日～6月13日，每日8～20时每小时观测一次；5月23日8时～28日20时、6月2日8时～7日20时、6月14日8时～15日20时每小时观测一次。

第二阶段的潮位观测从10月8日开始，11月3日结束。其中10月8日～10月14日、10月29日，每日6～18时每小时观测一次；10月15日6时～20日6时、10月30日6时～11日20时每小时观测一次。两个阶段观测成果见表7−10、表7−11。

表7−10 第一阶段潮时、潮位特征

日期（月·日）	最高潮位	最低潮位	潮差	日期（月·日）	最高潮位	最低潮位	潮差
5.8	0.325	0.105	0.22	5.28	0.925	0.425	0.50
5.9	0.365	0.185	0.18	5.29	0.645	0.385	0.26
5.10	0.315	0.185	0.13	5.30	0.615	0.415	0.20
5.11	0.415	0.175	0.24	5.31	0.615	0.365	0.25
5.12	0.585	0.235	0.35	6.1	0.585	0.355	0.23
5.13	0.685	0.225	0.46	6.2	0.795	0.365	0.43
5.14	0.525	0.285	0.24	6.3	0.845	0.285	0.56
5.15	0.705	0.405	0.30	6.4	0.845	0.285	0.56
5.16	0.595	0.455	0.14	6.5	0.905	0.315	0.59
5.17	0.645	0.475	0.17	6.6	0.925	0.185	0.74
5.18	0.575	0.435	0.14	6.7	0.905	0.375	0.53
5.19	0.635	0.415	0.22	6.8	0.495	0.395	0.10
5.20	0.675	0.535	0.14	6.9	0.535	0.395	0.14
5.21	0.435	0.345	0.09	6.10	0.595	0.335	0.26
5.22	0.585	0.355	0.23	6.11	0.665	0.445	0.22
5.23	0.855	0.345	0.51	6.12	0.785	0.445	0.34
5.24	0.965	0.285	0.68	6.13	0.665	0.435	0.23
5.25	0.865	0.335	0.53	6.14	0.865	0.455	0.41
5.26	1.345	0.335	1.01	6.15	0.745	0.465	0.28
5.27	0.845	0.325	0.52	最大潮差	1.01	最小潮差	0.09

表 7–11　**第二阶段潮时、潮位特征**

日期（月·日）	最高潮位	最低潮位	潮差	日期（月·日）	最高潮位	最低潮位	潮差
10.8	1.65	0.8	0.85	10.19	1.47	0.71	0.76
10.9	1.42	0.83	0.59	10.20	1.33	0.93	0.4
10.10	1.25	0.8	0.45	10.28	1.63	0.84	0.79
10.11	1.57	0.79	0.78	10.29	1.67	0.85	0.82
10.12	1.15	0.69	0.46	10.30	1.77	0.83	0.94
10.13	1.37	0.57	0.8	10.31	1.8	0.81	0.99
10.14	1.2	0.53	0.67	11.1	1.93	0.85	1.08
10.15	1.17	0.53	0.64	11.2	1.45	0.77	0.68
10.16	1.43	0.63	0.8	11.3	1.77	0.93	0.84
10.17	1.77	0.72	1.05	最大潮差	1.08	最小潮差	0.4

由图 7–7 可以看出，一个潮周期为 23～25h，大潮历时 12～17h，小潮历时 8～11h。其中 25 日潮周期为 24h，大潮历时 15h，小潮历时 9h；26 日潮周期为 25h，大潮历时 16h，小潮历时 9h；6 月 4 日潮周期为 23h，大潮历时 12h，小潮历时 11h；6 月 5 日潮周期为 25h，大潮历时 17h，小潮历时 8h。在潮型上属于不正规半日潮。

经分析对比可以看出，验潮站的潮位变化受外海潮汐和黄河来水的共同作用，但受外海的潮汐作用更大一些，因为验潮站的潮位变化与孤东海堤的潮位变化基本上是同步，受到黄河来水量的影响比较小。究其原因主要是临时潮位站距离汉 3 有 4km 左右，河道水面宽阔，期间丁字路来水流量较小，其变化对潮位站潮位的起伏影响不大。

3. 风力风向

黄河三角洲最主要的气候特点是季风影响显著。黄河三角洲附近海区近期无实测气象资料，国家海洋局北海分局曾在岔尖设有海洋站，并于 1984 年 10 月在五号桩设点与岔尖对风要素进行同步观测，经资料对比和相关分析，王恺忱等将岔尖海洋站 1962～1971 年的 10 年资料进行处理，得到五号桩地区风要素的特征及概况如下：

由最大风速统计资料（见表 7–12）知，大于 20m/s 和大于 25m/s 等速线的范围，在时间分布上主要位于 1～6 月和 10～12 月，出现大于 20m/s 风速的月份多达 11 个月，仅 9 月份没发生，但也十分接近，达到 19.3m/s。其中尤以冬季和春季较为突出。在风向部位上主要是 N～E 和 WNW～NNW 的范围，其中以 ENE、NE、N 和 NW 四个风向最为强烈和频繁。由于 W 向风是自岸吹向海区，故风浪的影响相对较小。相反 WNW～E 范围内的强风，由于来自海上，吹程长，风浪和增水作用强烈，故往往形成风暴潮，给黄河三角洲地区造成灾害和严重侵蚀。相对 S 和 W 向风，不仅风力小，而且吹程短，故影响较小。

表 7–13 是五号桩累年各月各向平均风速统计表，由表知 N～ENE 的平均风速各月均大于 5m/s 以上，且以 ENE 最强，有 3 个月（3 月、4 月和 11 月）大于 10m/s，其次是 NNW 风向，此充分表现出了北风的主导性。在时间上则以 3～6 月即主要是春季的风速最大，其次是秋末和冬季。此基本特征与最大风速大体相应。

由 1962～1971 年 10 年中 ≥ 6 级（风速为 10.8～13.8m/s）风的天数统计资料知，其中有的年份大于 10 天的多在 12～5 月，年平均大于 7 天的有 2～6 月和 11、12 月，小于 4 天的为 8～10 月。10 年中年最多出现的天数为 106 天，最少 45 天，平均 66.5 天。≥ 8

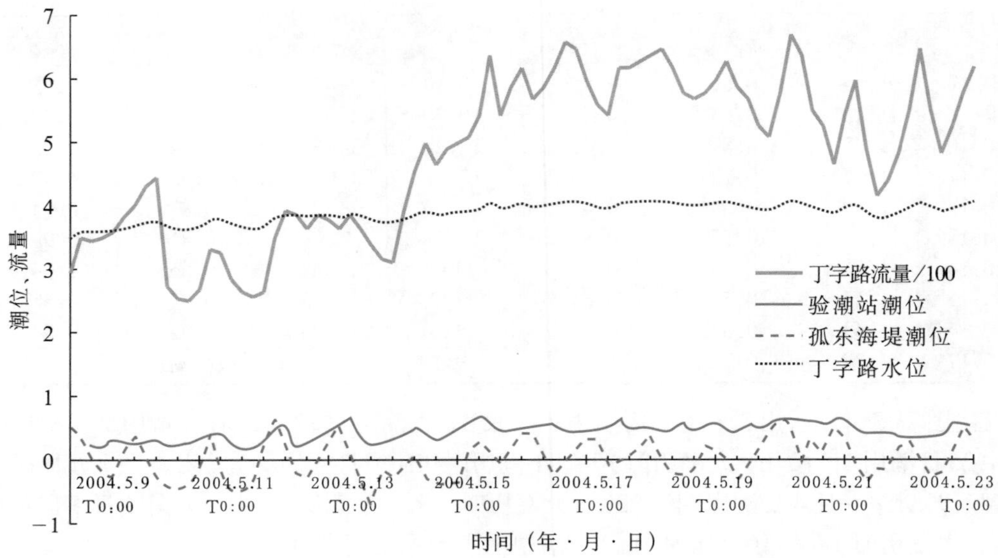

(a) 验潮站潮位、孤东海堤潮位、丁字路水位流量对比(1)

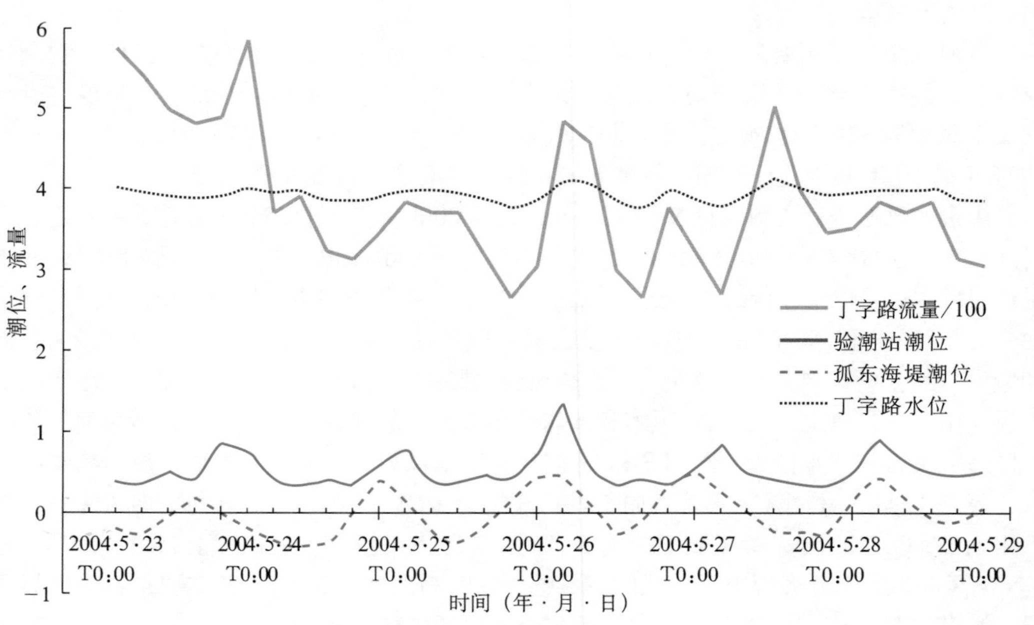

(b) 验潮站潮位、孤东海堤潮位、丁字路水位流量对比(2)

图 7–7

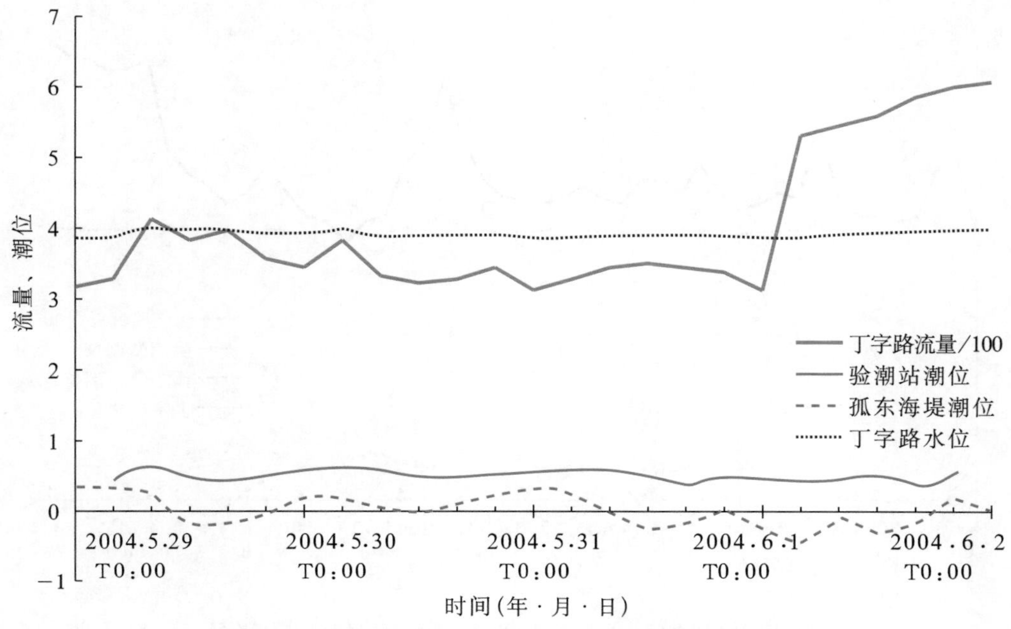

(c) 验潮站潮位、孤东海堤潮位、丁字路水位流量对比(3)

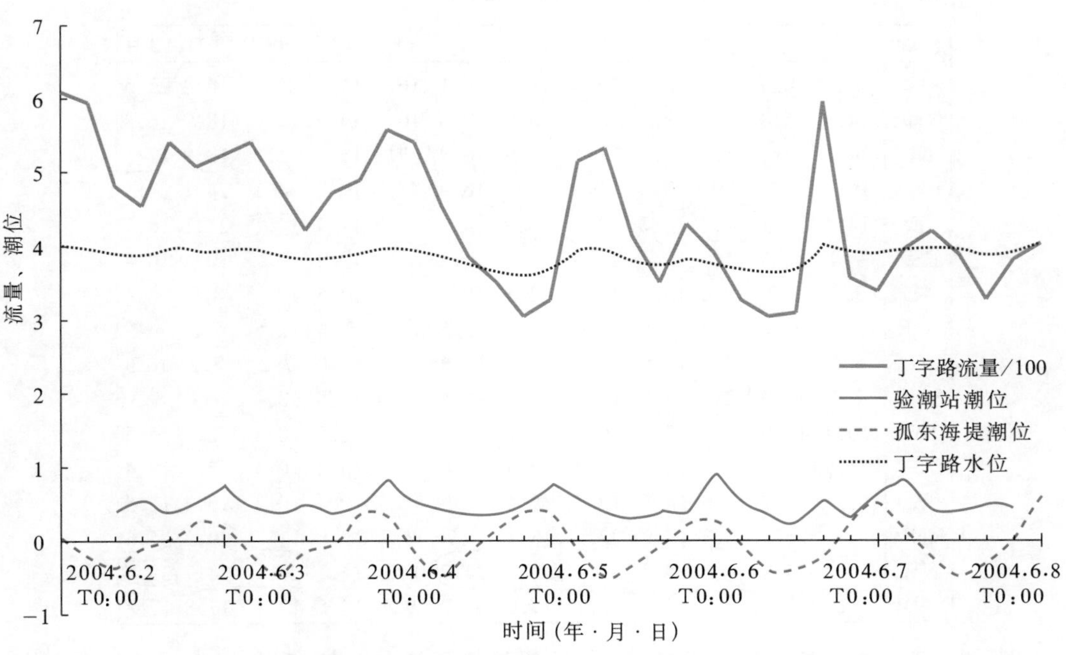

(d) 验潮站潮位、孤东海堤潮位、丁字路水位流量对比(4)

续图 7–7

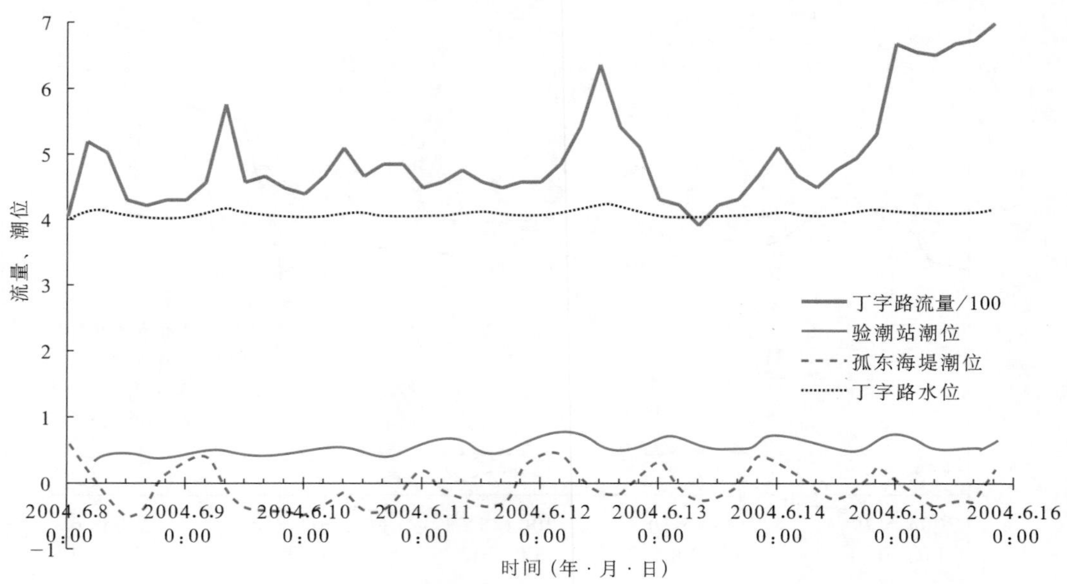

(e) 验潮站潮位、孤东海堤潮位、丁字路水位流量对比(5)

续图 7–7

表 7–12　　孤东地区累年各月各向最大风速统计　　(单位：m/s)

风向	1月	2月	3月	4月	5月	6月	7月	8月	9月	10月	11月	12月
N	26.7	18.3	22.5	20.4	20.4	18.3	14.1	16.2	14.1	20.2	16.2	22.5
NNE	14.7	25.3	18.9	29.5	18.9	16.8	12.5	16.8	14.7	18.9	18.9	16.8
NE	14.7	21	25.3	29.9	23.1	18.9	16.8	21	18.9	21	18.9	12.5
ENE	16.9	29	29	29	29	29	16.9	21.7	19.3	24.1	24.1	24.1
E	14.1	22.1	24.7	24.7	19.4	30	14.1	19.4	11.4	14.1	22.1	16.7
ESE	9.4	12.5	12.5	10.4	12.5	10.4	10.4	21	10.4	7.2	10.4	10.4
SE	7.2	8.3	10.4	18.9	12.5	12.5	18.9	10.4	12.5	10.4	8.3	8.3
SSE	8.3	8.3	10.4	12.5	12.5	16.8	12.5	10.4	8.3	12.5	7.2	6.2
S	5.1	8.3	14.7	16.8	12.5	10.4	10.4	10.4	9.4	7.2	7.2	6.2
SSW	7.2	10.4	21	14.7	12.5	12.5	10.4	10.4	17.8	10.4	9.1	8.3
SW	10.4	18.9	21	21	16.8	18.9	12.5	10.4	12.5	10.4	12.5	12.5
WSW	12.5	21	18.9	14.7	16.8	12.5	9.4	8.3	10.4	10.4	12.5	10.4
W	12.5	14.7	12.5	14.7	10.4	10.4	9.4	14.7	10.4	10.4	10.4	12.5
WNW	20	11	13.3	17.9	22.5	13.3	8.7	8.7	15.6	11	20.2	15.6
NW	30	24.7	30	24.7	22.1	30	24.7	14.1	14.1	24.7	24.7	35.4
NNW	21	21	17.7	17.8	16.1	17.8	9.7	9.7	14.5	17.8	17.8	17.8

级（风速为17.2～20.7m/s）的特征与≥6级的特征基本相应，只是发生的天数稍小些，年最多的天数为87天，最少的为29天，平均为51.2天。同样以2～6月所占比例最大，特别是3～5月平均每月≥6级的天数有8～9天，≥8级的有6～7天，此时段对施工的

表 7–13　孤东地区累年各月各向平均风速统计　(单位：m/s)

风向	1月	2月	3月	4月	5月	6月	7月	8月	9月	10月	11月	12月
N	8.3	8.8	9.9	8.9	9.3	7.4	6.6	5.1	7.2	8.3	8.8	9.2
NNE	5.1	6.8	5.4	7.3	5.5	5.4	4.2	5.1	4.4	6.6	7.8	6.1
NE	5.3	8.5	8.3	8.9	7.3	5.8	5.5	5.7	7.1	3.6	8.2	5.4
ENE	6.2	8.7	11.2	11.6	9.9	8.8	6.5	7	6.2	9.4	10.2	8.1
E	4.4	6	7.6	7.6	7	6.6	4.9	4.5	3.4	4.4	5.4	2.9
ESE	4.3	4.6	5.3	4.6	5.1	4.9	4.2	3.7	3.5	4.1	3.6	2.5
SE	3	3.8	4.5	5.3	6.1	5.7	4.8	4	3.8	3.1	3.2	3.2
SSE	2.6	3.4	4.7	5.4	5.8	5.5	4.6	3.7	2.7	3.1	3.1	2.5
S	2.6	3.7	4.1	5.2	4.5	4.3	3.6	3.4	3.4	3.2	3	3.1
SSW	3.4	3.5	5	5.3	5.1	5.3	3.4	4.1	3.3	3.5	3.6	3.7
SW	4.4	5.7	6.1	6.6	6.9	5.9	4.7	3.7	4.7	4.5	5	4.4
WSW	5.1	5.2	6.3	5.2	7	4.9	4.3	2.6	3.2	5	5	4.8
W	4.5	4.3	4.8	5.5	4.6	4.4	4.2	4.1	4.6	4.9	4.4	4.5
WNW	5.3	4.2	5.7	5.2	5.2	4.5	3	3.4	3.3	4.5	5.4	5
NW	6.4	4.8	5.8	8.4	4.4	4.6	5.2	4.5	4.8	5.7	7.3	6.2
NNW	8.5	7.9	7.3	8.8	8.2	6.7	3	4.4	5.8	6.9	8.4	8.5

影响不容忽视。

表 7–14、表 7–15 为根据现场风力风向观测资料统计的施工期间风力情况。

表 7–14　施工期间日平均风力统计

时间(年 · 月)	各风力级的天数（d）		
	0～4	4～6	≥6
2004.5	22	9	0
2004.6	27	3	0
小计	49	12	0
2004.10	28	3	0
2004.11	2	3	0
小计	30	6	0

注：11 月为 1～5 日资料。

表 7–15　施工期间逐日最大风力统计

时间(年 · 月)	各风力级的天数（d）			
	0～4	4～6	6～8	≥8
2004.05	441	264	15	0
2004.06	359	327	58	0
小计	800	591	73	0
2004.10	516	180	48	0
2004.11	57	52	11	0
小计	573	232	59	0

注：11 月为 1～5 日资料。

由表可见，2004年5～6月，施工地区的主导风向为偏西风和偏东风，其中5月份以WS和WN向为主，均出现11d；6月份以ES和EN向为主，分别为13d、8d。最大风力≥6级的风向主要为偏东风，尤以EN向居多。施工区日平均风力不大，均小于6级。其中4级以下共出现49d，占总天数的80%，4级以上出现12d，占总天数的20%。虽然日平均风力小于6级，但最大风力≥6级的大风有19d出现过，占总天数的31%，共持续时间为73h。

2004年10～11月，施工地区的主导风向为偏西风和偏东风，其中10月份以WS为主，出现14d，其次为WN、EN，均出现7d；11月份WN出现2d、WS出现2d。最大风力≥6级的风向主要为偏东风，尤以EN向居多。施工区日平均风力不大，均小于6级。其中4级以下共出现30d，占总天数的83.3%，4级以上出现6d，占总天数的16.67%。虽然日平均风力小于6级，但最大风力≥6级的大风有8d出现过，占总天数的22.2%，共持续时间为59h。

（二）挖泥船调遣及组装下水

挖泥船第一阶段调遣采用陆路运输。4月24日，在原停泊地点拆解后由黄河北岸的公路和导流堤到达左岸汊2断面附近、新滩油田浮桥上游的组装场地。设备调遣运输机械见表7–16。

表7–16 设备调遣运输机械

序号	挖泥船分体构件			运输车辆	
	构件名称	外形尺寸(m × m × m)	重量(t)	型号	数量(台)
1	主浮箱总成	14.5 × 3.02 × 7.68	71.25	100t平板车	1
2	左边浮箱	20.27 × 2.60 × 2.86	19.71	22m加长半挂车	1
3	右边浮箱	20.27 × 2.60 × 2.86	20.68	22m加长半挂车	1
4	其余构件		37.36	14m半挂车	4

挖泥船组装结合卸车同时进行，采用起吊机械配合人工进行组装。共使用50t、35t吊车各1台班，12t吊车2台班；投入劳力20人，其中船舶装配专业人员10人，吊装专业人员10人，5月1日组装完成。其工艺流程如下：

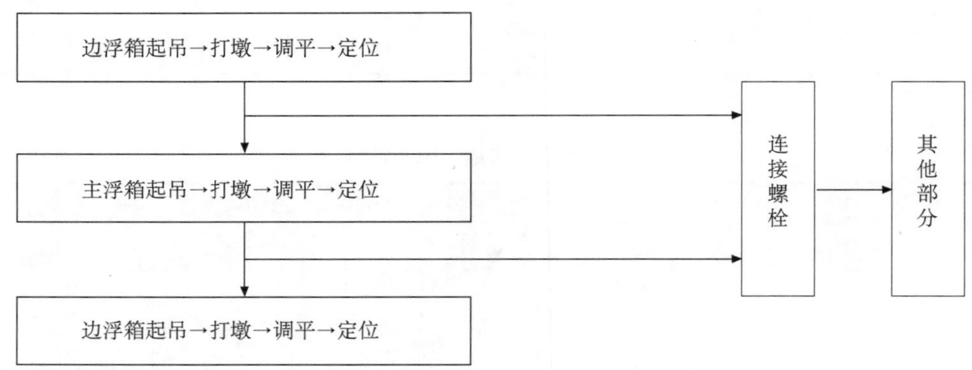

挖泥船采用气囊方式下水。首先采用推土机在组装场与河槽之间整修下水坡道并压实，在滩沿附近铺设苇板、木板等杂物以防气囊受压下陷。然后，通过垫在船体下的气囊不断地充、泄气体形成斜向河槽的横坡，依靠船体自重沿斜坡向的法向分力滑动入水。

（三）挖泥船拖带航行

挖泥船自由行进需由拖轮牵引，本次试验采用的拖轮为山东黄河船舶公司建造的160kW多用途工作船，该船底为平底，吃水深度为1.0m，相对较小，拖带控制能力有限。试验表明，当航道水深< 1.7m时，拖轮不能进行拖带航行。

在水深满足吃水要求的前提下，影响拖轮拖带控制能力的主要因素为水流流速、流向，水流流速越大，控制能力越差。顺流拖带，当水流流速≤1.6m/s时，拖轮对挖泥船控制能力有可靠保证；水流流速>1.6m/s且<1.8m/s时，可保证拖带航速，但拖轮对挖泥船无绝对控制能力；当水流流速≥1.8m/s，航行受水流控制，拖轮控制不住挖泥船。逆流拖带，当水流流速≤1.0m/s时，拖带航速和控制能力有可靠保证；水流流速> 1.0m/s且< 1.5m/s时，可进行拖带航行，但航速较慢；当水流流速≥1.5m/s，拖轮不能进行拖带航行。

由于黄河河道水浅流急，拖带回转余地较小，且拖轮控制能力差，拖带过程回转作业难度极大。如5月4日，计划由拖轮拖带挖泥船掉头后顺流通过新滩浮桥，但因水流急，回转失去控制，出现滑向浮桥的险情，后只得改由拖轮逆流缓慢倒行通过浮桥。

（四）挖泥船现场定位

第一阶段挖泥船下水地点至作业现场约5km路程，采用160kW多用途工作船拖带航行，GPS卫星导航系统现场定位。拖带前，先采用拖轮在高、低潮时进行航道水深测量以确定最佳航线。然后进行多种工况条件的拖带航行试验来确定航速和检验拖轮的控制能力，以策拖带航行安全。5月16日11时从新滩浮桥处拖带下行，13时到达作业区S2断面，并完成定位工作，沿途无阻航现象发生。

第二阶段为水上调遣，10月4日由海上拖轮自东营港拖带至拦门沙坎处定位。

（五）定位桩竖桩

定位桩竖立因挖泥船调遣方式不同而不同。第一阶段挖泥船采用分体陆运，拼装下水。挖泥船拼装时定位桩平放在倒桩架上，需在水中进行竖立，河道水深能否满足要求是决定竖桩成功与否的关键因素。为满足不同挖深和海域气象条件，海狸1600型挖泥船配备了Φ560mm × 18.5m和Φ560mm × 10.5m两种规格型号的定位桩，其要求的最小竖桩水深分别为8m、5m。根据航道水深测量结果，新滩油田浮桥以下河槽主流带水深一般在1.6~2.7m之间，不满足竖桩水深要求。在浮桥下5km处由于河槽坐弯，受弯道环流冲刷，在南岸（凹岸）有一水深达6.5~7.2m深水区，竖桩作业在此进行。考虑到在黄河口进行疏浚不确定因素多，为增加安全系数，首先选用长18.5m的定位桩，分别于5月14日和15日，趁高潮水深最大时（分别为7.2m、7.0m）进行竖桩作业而未成功，后采用挖泥船锚定位挖深，因表层土质较硬，挖深效果也不明显，定位桩仍未竖起，后不得不将挖泥船重新拖回，在换用10.5m长的短定位桩后才完成竖桩作业。

（六）挖泥船施工适应性

挖泥船时间利用率是反映施工适应性的一个重要指标，挖泥船作业主要由3部分作业时间组成。

(1) 运转时间T_1：系指挖泥船机械运转时间。

(2) 生产性停歇时间T_2：系指挖泥船在生产过程中必须进行的各项作业所停歇的时

间，如机械日保养、抛锚移位、排泥管线移位、船位调整等占用的时间。

(3) 非生产性停歇时间 T_3：系指挖泥船在生产过程中因工作不当或发生意外原因所造成的停工时间，如堆沙区围堰决口、机械及排泥管线出现故障等修复占用时间、气象水文因素不满足工作条件以及供应障碍等所耽搁的时间。

挖泥船时间利用率 $\eta = \dfrac{T_1}{T_1 + T_2 + T_3} \times 100\%$

根据《疏浚工程施工技术规范》(SL17—90) 规定，海狸1600型绞吸式挖泥船，当实际工作条件指标大于表7–17所列数值之一时，应停止施工。本次口门疏浚试验，在确保安全的前提下，为检验挖泥船工作性能，尽量进行开挖试验。

表7–17　　挖泥船工作条件限制

船舶类型	风（级）	浪高(m)	流速(m/s)	雾级(级)
绞吸式（200～500m^3/h）	5	0.6	1.5	2

本次口门疏浚试验，第一阶段海狸1600型挖泥船自2004年5月17日开始投入运行，至6月15日施工结束，总历时为30d、720h，挖泥船施工总台时为450h，时间利用率η=0.625。第二阶段自2004年10月8日开始投入运行，至11月3日施工结束，总历时为27d、648h，挖泥船施工总台时为328h，时间利用率η=0.506。各阶段挖泥船作业各部分工作内容及时间组成见表7–18。

表7–18　　各阶段挖泥船作业各部分工作内容及时间组成

序号	工作类别	内容	2004年5～6月		2004年10～11月	
			工作时间(h)	百分比(%)	工作时间(h)	百分比(%)
1	挖泥船运行	水下断面开挖	450	62.5	328	50.6
2	生产性停歇	排泥管线移位、调整	132	18.3	—	
		设备维修、保养	30	4.2	18	2.8
3	非生产性停歇	大风	32	4.4	236	36.4
		水流流速过大	18	2.5	—	
		水浅	—		40	6.2
		堆沙区围堰故障	20	2.8	—	
		其他	38	5.3	26	4.0
合计			720	100	648	100

挖泥船时间利用率既受人为因素的影响，如作业制度是一班作业还是二班、三班作业以及施工操作的熟练程度等；也与客观情况主要是施工的工况条件有关。从挖泥船运行情况看，工况条件即风浪、潮汐和水流等客观因素是影响生产性和非生产性停歇时间长短的主要因素。

1. 风浪的影响

黄河三角洲海域的海浪主要是渤海上的风生成的波浪，因而它受渤海上风场变化规律的制约。该海域生成大浪的风场，主要是偏东北大风，莱州湾一侧还有偏东大风。从波向上看，该海域冬半年盛行偏北向浪，夏半年盛行偏南向浪，强浪向为NNE—NE—ENE向，其次为偏NW向，常浪向为偏南向，但波浪较小。从波高上看，夏半年波浪较小，冬半年波浪较大。大浪主要出现在10月至次年4月。近年观测资料（见表7–19）表明，无论是波高或周期，潮下带（低潮线以下水域，水深相对较大）都大于潮间带（高潮线与低潮线之间水域，水深相对较浅）。根据同步观测结果，5月15日23时的风速为13.5m/s，风向为NEE；10月16日10时的风速为14.0m/s，风向为NE。两次风速、风向差别虽然不大，但波高和周期的差别却很大，10月份大于5月份，具有明显的季节变化特征。

表7–19　　不同时间、水深波浪观测情况

观测时间（年·月·日T时）	区域	波高(cm)		周期(s)	
		最大	平均	最大	平均
1994.5.15T23	浅水区	64.3	27.2	2.5	2.2
	深水区	102.3	46.8	2.4	2.4
1994.10.16T10	浅水区	78.0	33.4	6.6	2.6
	深水区	557.1	245.1	8.7	5.7

本次试验位置位于高潮线与低潮线之间，施工水域水深较浅，波浪由外海向口门浅水区传播时受底摩阻影响发生变形，浪高明显减小。据观测，风力6～7级浪高一般1m左右。风浪对挖泥船的影响主要表现为引起船只左右倾斜、抛锚定位以及开挖横移困难而不能施工。现场验证，当风力＜6级时，挖泥船左右倾斜角度≤1°，可保证正常施工；当风力≥6级时，挖泥船受风浪影响，船只严重倾斜摇摆，横移地锚难以抛到指定位置或横移锚着力点不牢固而不能正常施工。试验第一阶段，风浪对挖泥船运行影响相对较小，挖泥船始终未离开作业区，期间瞬时最大风力≥6级共出现19次，挖泥船暂停施工。落单定位桩和抛横移锚定位，原地抗风，均未出现走锚、滑桩等异常现象，也未出现船舶倾倒、颠簸损坏，船舶状态正常、安全。第二阶段，风浪对挖泥船运行影响大，如10月18～28日，挖泥船到东营港避风达10余天，造成挖泥船时间利用率明显降低。

2. 潮汐的影响

作业区潮汐特征为不正规半日潮，潮汐变化引起水位升降、水深变化。据统计，第一阶段施工期间，最大潮差1.01m，最小仅0.09m，一般为0.4m左右，潮汐变化对水深的影响小。疏浚段开挖中心线按深泓线布置，低潮时水深亦满足船只吃水要求，潮汐对挖泥船本身无直接影响。潮位涨落变化对挖泥船施工的影响主要是通过影响管线的安装与移位而起间接作用，从而影响到挖泥船的时间利用率。由于潮差小，潮位低，潮间带水深不满足拖轮吃水要求，浅滩岸管的就位只能依靠人工完成，造成生产性停歇延长，挖泥船运转时间减小。

第二阶段由于在拦门沙坎顶施工，潮汐变化对水深的影响稍大，高潮时水深仅1.0m左右，也不满足船只吃水要求，造成挖泥船无法运转，后采用拖船螺旋桨趁高潮时扰动河床以增大挖泥船水深，落潮时停止扰动，造成挖泥船运转时断时续。

3. 水流流速的影响

黄河径流沿河道进入拦门沙区域时，受到边界条件、潮汐涨落、咸淡水组合及风浪干扰等多种因素的影响，水流结构和形态均会发生变化，多年的观测资料显示，变化的幅度大小主要取决于径流的强弱。具有涨潮时段流速递减、落潮递增，与潮汐涨落的周期性呈反相位关系，流速大小与径流量成正比，水流方向基本受径流控制而较稳定。

由于挖泥船是利用绞刀架前部、固定在船首两侧地锚的左右横移缆绳交替收放，围绕定位桩带动绞刀左右摆动而进行开挖的，如果地锚和定位桩固定不牢，就不能保证挖泥船工作。试验表明，水流流速大，易引起挖泥船定位桩滑桩和走锚现象，从而影响挖泥船的施工，造成非生产性停歇。由于拦门沙区域河床土质为粉沙，定位桩落下后，因船体施工振动而发生液化，定位桩受自重不断下陷而造成起桩困难甚至造成起桩缆绳破断，因此本次施工期间通常是在落桩以后再把起桩缆绳撑起以防起不上桩。施工时，定位桩周围土体因机械振动而出现液化现象，黏聚力降低，抗水流冲刷能力减小，如果水流流速过大，桩周围土体发生冲刷，定位桩因失去支撑从而出现滑桩现象。由于河床表层比较坚硬，地锚插入河底较浅，受水流冲刷的影响也易造成地锚固定不牢或出现走锚现象。如果出现上述情况，在逆流开挖时，船体徐徐下滑，不能前移；顺流开挖，当船体横移与水流方向有夹角时，则可能造成船体发生偏转，均不能保证挖泥船的顺利施工，严重时还可能出现安全事故。如5月19日7时，实测流速为1.65m/s，就是因为水流流速大，挖泥船出现滑桩，船位顺流下移，造成横移地锚超前角过大而不能施工。在调整船位时，由于地锚固定不牢固，水流冲击船体，连同地锚一起拽出，船体围绕定位桩发生180°掉头，由原逆流方向转向顺流；6月12日，实测流速为1.74m/s，进行顺流开挖时，船体围绕一侧的地锚发生90°偏转，也是因为水流流速过大，定位桩失稳而造成的。

挖泥船横移，依靠锚缆进行。在挖泥船施工时，影响到锚缆上的张力有：绞刀头切削泥土的抗力、包围于船身的水压力、由排泥管传到船上的力、风压力以及船体本身的惯性力等，船体横移时，就必须克服以上合力分解的横向抗力。其中，作用于船体的水动压力与水流的流速大小有关，流速大，则水动压力也大。逆流开挖，当绞刀由挖槽边线向开挖中心线横移时，水流流速大，则作用于横移缆绳上横向分力也大；而顺流开挖，则是由开挖中心线向挖槽边线横移时作用于缆绳上的横向分力大。由流速增大引起的横向分力增大，有可能使地锚被拽出。如果地锚埋死，当缆绳承受的应力大于抗拉强度时则造成缆绳断裂。上述现象的出现不可避免地造成施工停歇，相应挖泥船运转时间减少，时间利用率降低。

第一阶段基本是在河道内施工，丁字路水文站流量在337～673m³/s之间，径流占主导地位，对流速的影响较大。试验表明，由于水流流速大而引起的非生产性停歇占总时间的2.5%。

水流流速大还造成排泥管线的运输和水中对接等生产性停歇时间延长。第一阶段施工布置的排泥管线最长为570m，开挖中心线距排泥口的垂直距离为230m，远未达到设计要求，其主要的原因就是受水流影响造成管道安装对接难度大。由于常规运输、起重、吊装机械不能进入作业现场，管线运输由拖轮分段进行水上拖带，水流流速大，管线在水上控制难度也大，一般每次仅拖带1～2段（一般为70～140m）方能确保航行安全，且拖轮航速慢，往返一次需5h，管线运输效率较低。管线对接完全依靠人工操作，由于浮体安装位置的差异，受浮力和水流冲击影响，水上排泥管线两接头时常出现上下、左右错位现象，造成法兰盘对孔困难，用人工撬的办法安装，难度大，历时长，也间接地影响到挖泥船的时间利用率。据观测，完成一个水上接头需4～6h，施工期，管线移位调整占总时间的18.3%，是影响时间利用率的主导因素。

第二阶段丁字路水文站流量一般在200m³/s左右，由于在拦门沙坎顶施工，水面开阔，潮流受径流影响小，流速较低，且也未安装管线，水流流速对施工基本无影响。

（七）排泥管线施工及运行

1.排泥管线施工

疏浚排泥管线全部采用Φ 500mm × 6 000mm的钢管，单根重量600余公斤，浮体为半圆形泡沫材料。排泥管线随着船体移位逐渐接长，本次施工安装的管线最长为570m。管线施工的步骤为：在新滩浮桥附近的滩地先进行陆地分段连接，一般每10根钢管、长约70m为一段（两根钢管之间连接一胶管），每根钢管安装两对浮体，浮体对角孔采用不锈钢螺栓和双股8#铅丝两种方式连接，同时浮体外圆周采用两道8#铅丝加固。然后用拖轮拖曳下水，并由水上拖带至作业现场，一般每次仅拖带1～2段。水上对接主要在拖轮和44HP双机渔船的配合下，由人工实施。

陆地管线连接由ZL50装载机配合人工作业。潮间带岸管的安装完全依靠人工进行，由于黄河口潮差较小，高潮位的水深一般在0.8m左右，不满足拖轮1.0m的吃水深度，浅滩岸管的就位只能依靠人工完成。每段管道长约70m，人工根本无法拖动。只得将已对接好的管道逐节拆开，利用落潮时机，在滩涂铺设上苇板，通过人撬、拖曳逐节定位，再对接安装。水上排泥管线的对接选择在流速相对较小且又满足船只吃水深度的部位，利用拖轮将管线拖至预连接的部位，将原管道接头卸开，一般先接下游管线，借助水流通过绳索将接好的管线徐徐下放，再接上游接头。受水流冲击，造成法兰盘对孔困难，管线安装难度大。

为避免管线受水流和潮汐的影响而发生摆动，在排泥口处下一口250kg波尔锚固定，船尾留120～150m的自由摆动管线，随挖泥船上下移位而摆动，自由摆动管线与滩涂岸管间水上管线，按60～80m为一段，每段为一抛锚点，分别向上下游抛一50kg带巴掌的犁锚，抛锚钢丝绳为Φ 15.5mm × 50m，运行过程中，根据水流冲击情况，对个别部位采用50kg四爪锚进行适当加固。

2.排泥管线运行

排泥管线安全运行的主要影响因素为风浪、水流和潮汐。如果锚固不牢，易造成管线顺水流和风向移位、打弯，甚至发生断裂。整个施工期间，共经历6级以上大风19次，水流最大流速为1.76m/s，除5月31日，在挖泥船顺流开挖时，船尾第一根排泥管受水流冲击在焊接处发生断裂外，再未发生因管道故障而影响生产的情况。排泥管线基本平坦顺直，弯度平缓，未出现死弯；也未发生走锚、钢丝绳断裂现象；浮体连接可靠，未出现松动或丢失。因受海水侵蚀和淤埋较深的影响，个别管线的连接螺栓因锈蚀而无法拆卸，部分地锚未能起出或锚齿拉断。

（八）堆沙区围堰施工与运行

本次试验工程，堆沙区围堰采用充沙长管袋结构形式。利用退潮露滩时机进行施工，发电机组安放在渔船上，采用1套15.24cm泥浆泵组进行冲填。缝制管袋的直径约2m、长50m，充填高度0.5m。从6月1～7日，累计完成450m。该形式施工技术成熟，工艺较简单，特别是不会因风浪和潮流的影响而受损，1套机组日修做长度可达100m，施工进度较快，效果好。试验表明，对于黄河口区域风浪较大、潮差小以及潮间带松软、机械不能进入这种工况条件，围堰采用充沙长管袋修筑，无论是施工难易程度还是抗冲能力均比较适用。

四、挖泥船生产效率观测

（一）施工总产量

施工总产量除了与挖泥船的生产效率密切相关外，还与挖泥船时间利用率的高低即挖泥船运转时间有关。

试验的第一阶段从5月17日～6月15日，挖泥船共运转450个台时，开挖土方11.98万m^3，折合台时生产量为266 m^3/h。第二阶段从10月8日～11月3日，挖泥船运转328个台时，共开挖土方6.8万m^3，台时生产量为207m^3/h。

提高施工总产量的途径之一即为尽量缩短生产性和非生产性停歇时间，以延长机械运转时间。

海狸1600型绞吸式挖泥船机械设备均为单台设置，任何一台运转机械出现故障，或机械的任一组成部分出现意外，必导致该台设备停止运转，从而影响到整船施工状态的正常运行。而机械设备的良好运转状态与驾驶操作人员对其负荷、速度和运行条件的调整有关。为避免非生产性停歇，前期工作应准备充分。如船只调遣拆解前的设备保养，下水后的机械调试以及拖带、竖桩试验等工作应提前进行，以避免因机械故障而导致延迟开工或停工停产。机械运转施工时，驾驶操作人员应根据实际经验和现场工况条件，合理控制挖泥船运行状态，如绞刀转速、横移速度和泥泵的运行情况等，以避免因操作不当而停工。工程施工期间，还应加强施工的组织、管理与协调，尽量避免因人为因素造成的生产性停歇时间过长或引起非生产性停歇。

（二）生产效率

生产效率是指单位时间内的产量，与泥泵输送的流量和泥浆的含沙量有关。

1.理论生产率

海狸1600型绞吸式挖泥船在理论状态下（静水、熟练操作、无故障停机），以完成一次进尺（1.2m）为单元，计算不同挖深的理论生产率、作业时间分配比例见表7-20。

由表可见，在理想工况条件下，挖泥船生产效率与开挖深度成正比例关系，这主要是因为随着开挖深度的增大，进桩和起抛锚辅助作业时间缩短，有效开挖作业时间增长，从而使得生产效率增大。

2.实际生产率

绞吸式挖泥船工作原理就是通过绞刀旋转切削土体，造成土体结构的瓦解和破坏，使切削下来的土颗粒与水混合形成泥浆，通过设在绞刀后的泥浆泵吸口吸入泥浆泵吸泥

表 7-20 不同开挖深度理论生产率、作业时间分配比例

开挖深度(m)	理论生产率(m^3/h)	有效开挖作业时间百分比(%)	辅助作业时间百分比(%)	
			进桩作业	起抛锚作业
1.7	254	45	49.6	5.4
3	440	52	43.2	4.8
4	462	60	36.1	3.9
6	564	65	31.6	3.4
8	558	73	25.0	2.0
10	613	75	23.4	1.6
12	657	76	22.2	1.8

管，再通过排泥管道输送到堆沙区。从其工作原理可以看出，在绞刀的切土速率、泥泵的功率、输沙的排距、排高一定的情况下，挖泥船的生产效率主要取决于泥浆的浓度，而泥浆浓度与河床土质的颗粒组成，坚硬程度，顺、逆开挖的施工方式，水流流速以及开挖深度密切相关。

海狸1600型绞吸式挖泥船绞刀直径为1.5m，挖深范围为3～14m，最佳挖深为4～8m。当挖深较浅时，易造成绞刀下方的吸泥管拖底或绞刀局部悬空，必然影响到含沙量的高低。本次设计挖深1.7m，稍大于绞刀直径，需分两层开挖，由于第二层开挖土层厚度极小，因此造成生产效率降低。

不同的土体颗粒组成，形成不同的土体结构。当黏粒含量过高时，土体的黏聚力很大，会使得切削土体所耗的能量增大，对造浆不利；同时，黏粒含量过高时，土体不易粉碎，将有一些块体存在于输送介质之中，块体在输送过程中相互碰撞、挤压，也会消耗一部分能量，使得泥浆流速减慢，出浆量减小，同时由于块体粒径大，还极易在管道的卡口、转弯处淤积、沉淀，造成管道堵塞。

黄河口拦门沙区沉积物具有明显的径流特征，基本上是上游粗、下游细，拦门沙顶粗，陡坡以下细。河床质的组成中，以0.05mm以上的粉质砂土为主，中数粒径d_{50}一般在0.05mm左右，这种较粗粒径的泥沙在河口往复流的作用下，空隙减小，密度加大，自然容重可达1.5m^3/t以上，非常坚硬，有“铁板沙”的俗称。这种坚硬密实土质，影响挖泥船的生产效率主要表现在两个方面：一是经常出现滚刀现象。由于挖泥船是靠绞刀的自重向下进刀的，当遇到坚硬土质时，经常发生绞刀随转动方向在河床表面突然滑移，绞刀切不到土而空转，无法进行造浆；二是造成绞刀切土速率减慢，造浆浓度降低。在绞刀保持正常转速和横移速度的情况下，遇到坚硬土质时，船体出现剧烈抖动，同时还出现横向倾斜现象，不仅增加绞刀的负荷，极易造成设备损坏，还影响人员操作和设备安全，不得不通过降低绞刀转速，减缓横移速度来保证正常施工。由此造成生产效率降低。

绞刀绞起的泥沙悬浮于水中，由于水流的作用，不可避免地有一部分泥沙随水流行进方向输移，泥沙颗粒越细，水流的流速越大，泥沙越容易顺水流向下游。因此，对于顺流开挖的施工方式，水流的流速越大，流失的泥沙越多，泥泵吸入的泥浆含量就越低，相应排泥管出口的含沙量就小，生产效率也低。逆流开挖，因水流将泥沙冲向吸泥口，对泥浆浓度的影响相比顺流开挖较小。水流流速大，还造成船体及绞刀的横移速度减缓，使

绞刀的工作能力得不到充分发挥，也使得泥浆浓度降低。

本次试验期间，施测的水流垂线平均流速在0.82～1.76m/s(需要说明的是，由于考虑安全因素，施测的流速为施工船附近的流速，受船体压缩水面影响而实际吸泥口处流速较施测流速要大)。采取了顺、逆流两种开挖的方式，据观测，逆流开挖的出口含泥率为7.7%～11.7%，平均为9.9%；顺流开挖的出口含泥率为6.6%～16.2%，平均为9.52%，逆流开挖略大于顺流；挖泥船平均生产效率为322.5m³/h，不同输沙距挖泥船平均生产效率见表7−21。

表7−21　不同输沙距挖泥船平均生产效率

序号	输沙距(m)	开挖方式	出口含泥率(%)	生产效率（m³/h）
1	230	逆流	9.9	326
2	503	顺流	9.5	321
3	558	顺流	8.8	292
4	570	顺流	9.9	351
平均			9.5	322.5

根据开挖断面计算的生产效率，试验的第一阶段台时生产量为266m³/h。第二阶段为207m³/h。由此可见，由出口含沙量测得的生产效率较开挖断面计算的生产效率大，这主要是因为挖深较浅，使得施工台时内移桩、起抛锚频繁以及由于开挖土质坚硬，时常发生滚刀等现象，从而造成施工台时内实际开挖的时间减少，而出口含沙量往往在开挖时进行施测，不能准确地反映实际开挖的全过程。据观测，施工期间，挖泥船每次实际进桩距离仅0.8～1.0m，小于理论计算的1.2m，移桩次数较理论值大，从而导致辅助作业时间增长，有效开挖时间缩短。

五、挖泥船主要消耗观测

（一）绞刀及管道磨损

绞刀在切削土体的过程中与土体产生摩擦，绞刀磨损的严重程度主要与泥沙颗粒组成和土质的坚硬程度有关。泥沙颗粒越粗，土质越坚硬，绞刀的磨损越严重。绞刀磨损的主要现象为楔形刀尖磨损以至于刀齿完全磨掉。本次试验期间，有2个刀齿磨掉，有5个刀齿出现严重磨损，刀尖磨失。

管道磨损主要原因是由于泥沙颗粒沿管道壁的滑动摩擦和颗粒与管道壁的碰撞，因此与泥沙的颗粒组成和泥浆浓度有关。泥沙颗粒越粗，对管道磨损的影响越大。同时，管道磨损在泥浆浓度较低时，随泥浆浓度的增大而加快。本次试验选用的管道直径为500mm，根据输沙管道的临界流速和临界管径计算公式，临界流速及临界管径的计算结果见表7−22。

$$V_k = 8.72\, D_k^{0.473}[(\gamma_n - \gamma_0)U]^{0.32}\,\frac{\gamma_T^{0.0814}}{\gamma_0^{0.488}\Delta^{0.17}}$$

$$D_k = 0.46\,\frac{Q_H^{0.404}\Delta^{0.0688}\gamma_0^{0.193}}{[(\gamma_n - \gamma_0)U]^{0.132}\gamma_T^{0.029}}$$

表 7–22　**临界流速及临界管径的计算结果**

指标	含沙量 (kg/m³)	γ_n (t/m³)	Δ (mm)	D_k (m)	v_k(m/s)
输沙管中无沉淀土层	150	1.094 4	0.866 8	0.769 9	2.223 9
	200	1.125 9	1.024 1	0.749 7	2.340 7
	250	1.157 4	1.204 5	0.736 1	2.424 6
	300	1.188 9	1.410 6	0.726 4	2.486 7
	350	1.220 4	1.645 0	0.713 9	2.524 3
输沙管中有沉淀土层	150	1.094 4	0.688 8	0.757 8	2.295 3
	200	1.125 9	0.813 8	0.738	2.437 1
	250	1.157 4	0.957 2	0.724 6	2.502 5
	300	1.188 9	1.120 9	0.715 1	2.566 6
	350	1.220 4	1.307 2	0.708 1	2.614 7

式中，v_k为临界流速，m/s；D_k为输沙管的临界管径，m；γ_n为泥浆密度，t/m³；γ_0为水密度，t/m³；γ_T为实土的密度，t/m³；U为平均粒径为d的水力粗度，m/s；Q_H为泥浆流量，m³/s；Δ为绝对糙度，m，可按下式计算：

当输沙管中无沉淀土层时

$$\Delta = (d_{95}^{0.6} + 0.5)\left(\frac{\gamma_n}{1.075}\right)^{5.88}$$

当输沙管中有沉淀土层时

$$\Delta = (d_{95} + 0.5)\left(\frac{\gamma_n}{1.075}\right)^{5.88}$$

对于口门疏浚段，平均粒径取0.075mm，相应泥沙的水力粗度U=0.004m/s；按泥沙d_{95}=0.12mm，对于海狸1600型绞吸式挖泥船泥浆流量按3 500m³/h计算，则Q_H=0.972m³/s；实土的密度取γ_T=2.7t/m³。

理论计算结果表明，在泥浆流量3 500m³/h时，输沙管道的临界管径在708～770mm之间。本次试验选用的管道直径为500mm，由计算得知，管内流速为4.95m/s，远大于临界流速，即管道底部不会有泥沙沉淀，从而也不会对管道底部起保护作用。由于试验期间的泥浆浓度相对较小，含沙量较低，管道壁磨损程度较轻。观测显示，管道壁磨损底部较重，平均约0.5mm，两测次之平均为0.3～0.4mm，而顶部基本无磨损。

（二）消耗及成本分析

挖泥船施工消耗包括柴油，日常保养所用的机油、液压油、润滑脂等材料以及主、辅机，液压系统，水泵等零部件的维修更换所发生的费用；施工主要消耗及机械维修情况汇总见表 7–23。

表7–24为不同输沙距的直接消耗分析，表中油料消耗为施工过程的实际台时消耗，按市场价4 200元/t计取；挖泥船基本折旧费按机械台时定额计，修理及替换设备费、排泥管及浮筒使用费、锚机艇使用费、生活船使用费为施工期实际发生的费用按台时比重进行分摊。计算可知，海狸1600型挖泥船进行黄河口门疏浚施工，第一阶段输沙距230～570m的单产消耗为6.83～8.28元/m³，平均为7.95元/m³，第二阶段为8.42元/m³。第二阶段较第一阶段大的主要原因是挖泥船避风时间较长，生产效率低造成的。

表 7–23　　施工主要消耗与机械维修情况汇总

序号	材料或设备名称	型号及规格	消耗数量	费用（元）	备注
1	柴油	0# 国标柴油	196.43t	825 006	
2	机油	美孚黑霸王 1300 15W/CD40柴机油	1 200L	22 800	
3	润滑脂	美孚滑脂 XHP222	50kg	530	
4	液压油	美孚 DTE–26 抗磨	2 400L	45 600	
5	冷却水	纯净水	1 500L	300	
6	船体系统	Φ 28m × 150m	1 根	5 700	拖缆
7	动力系统			11 220	更换泥泵柴油机、付机、停泊发电机组滤芯、滤器
8	泥泵吸排系统			600	封浆泵弹性联接梅花垫
9	绞刀系统	THC1455–170	12 件	2 040	刀齿、刀座
10	液压系统		2 只	8 400	液压油滤器
11	电气系统			3 975	灯具等
12	船舶系统		1 件	450	更换机械密封环
13	定位桩系统			2 280	抱箍、抱缆
14	抛锚系统			6 180	油丝绳
	合 计			935 081	

六、挖泥船施工水下断面观测

（一）纵、横断面设置

为观测疏浚施工期间的回淤情况，分析疏浚效果，对疏浚河段的水下断面进行了监测。横断面每 500m 设置一个观测断面，断面宽度为 600m，共设置 11 个断面；纵断面沿开挖河槽轴线每 100m 设一个测点。

（二）测次安排

根据《观测研究大纲》，横断面监测分别于开工前、后各施测一次。根据现场工程施工进度，首先于开工前的 5 月 17 日进行了第一次 11 个断面的观测，第一阶段施工结束后的 6 月 15 日进行了第二次 S1～S6 已完疏浚段 6 个断面的测量。横断面测量在开挖河槽部分每 5m 设一个测点，开挖河槽以外逐步过渡到每 100m 一个测点，共监测断面 6 个；纵断面监测首先于开工前的 5 月 17 日进行了整个 5km 长挖河段轴线的测量。开工后，每 7 天进行一次已完成河段的纵断面测量，分别于 5 月 25 日、5 月 31 日、6 月 7 日进行了 3 次，停工后的 6 月 15 日又进行了一次整个挖河段纵断面测量。

第二阶段于 10 月 18 日进行了横断面测量，在 11 月 3 日工程结束当天对 3 个断面又进行了测量。纵断面监测于 10 月 8 日对所要开挖河段的轴线进行测量，测次同第一阶段，分别于 10 月 15 日、10 月 28 日进行了两次测量，在工程完成后的 11 月 3 日又进行了一次整个挖河段纵断面测量。

（三）横断面套绘对比

受黄河径流输沙、潮汐顶托以及风浪侵蚀等因素的影响，黄河入海口门摆动不仅变

表 7–24　　海狸 1600 型挖泥船挖沙直接消耗分析

施工时段	施工台时	输沙距(m)	人工费(元)	油料消耗		折旧费(元)	修理及替换设备费(元)	机械使用费(元)				合计	生产土方（m³）	单产消耗(元／m³)
				数量(t)	费用(元)			排泥管	浮筒	工作船	生活船			
5 月 17～22 日	108.7	230	1 200	27.37	114 954	51 617	15 375	29 006	13 923	2 160	1 200	229 435	29 333	7.82
5 月 26～28 日	55.0	503	600	13.76	57 792	26 125	7 780	14 676	7 045	1 093	600	115 711	16 949	6.83
5 月 29～31 日	64.7	558	600	16.55	69 510	30 717	9 152	17 265	8 287	1 286	600	137 417	16 731	8.21
6 月 1～15 日	221.3	570	3 000	56.12	235 704	105 133	31 302	59 053	28 345	4 398	3 000	469 953	56 756	8.28
平均单产消耗												952 498	119 768	7.95
10月8~11月3日	328.5		11 340	82.63	355 309	156 061	46 466	0	0	8 937	7 000	585 113	68 028	8.60

注：人工费组成：驾驶操作人员 4 人，50 元／（人 · 天）。

幅大而且十分频繁。2004年汛前口门入海方向为东偏北，经过一个汛期，口门发生向南摆动，摆动幅度达4km，由原东北向改为偏东向入海（见图7-6）。口门位置频繁摆动必然引起河槽横断面变化，实际上断面深泓点的变化可以说为“日新月异”。疏浚河段开挖前后横断面套绘情况见图7-8～图7-16。

(1) A—A1断面：开挖前，该断面比较平坦，河底普遍较低，平均底高程在−2.0m左右，溪点高程为−2.27m，与施工结束后比较，该断面不论开挖河槽部分还是开挖河槽以外部分普遍发生淤积，整个断面淤积厚度大。开挖中心线以左淤积厚度达2.2m左右，中心线以右淤厚约1.0m。

(2) B—B1断面：开挖前，该断面有一宽约180m、深约2.0m的凹槽，溪点高程为−2.77m。与施工结束后比较，该断面除中心线以左局部发生轻微的冲刷外，原凹槽已完全淤平，该断面由原“V”形河槽淤成平坦性河槽，最大淤积厚度达3.0m。

(3) C—C1断面：该断面的变化与B−B1断面基本相同。开挖前与施工结束后比较，原一宽约180m、深约1.5m的凹槽完全淤平，断面由原“V”形河槽淤成没有明显深沟的浅碟型河槽，最大淤积厚度约1.8m。

(4) D—D1断面：该断面开挖前有一宽度相对较窄、深度相对较浅的凹槽，溪点高程为−2.57m。与施工结束后比较，除中心线右侧局部有所冲刷外，其他部位呈现平行淤积抬高状态，淤积厚度约0.5m，该断面淤成一相对宽浅的河槽。

(5) E—E1断面：该断面开挖前在开挖部位和左侧100m处有两个深沟，断面形态呈“W”形，两深沟的溪点高程相差不大。与施工结束后比较，该断面普遍发生淤积，左侧淤积厚，右侧淤积薄，将该断面淤成平坦型河槽。

(6) F—F1断面：该断面开挖前在开挖河槽左侧有一个高岗，断面形态呈“W”形，与施工结束后比较，该断面普遍淤积抬高，以开挖中心线为界，以左部位平均淤厚1.7m左右，以右部位约淤厚0.5m。

(7) A2断面：开挖前，该断面在起点距300m处有一深槽，溪点高程为0.2m。施工结束后，深槽发生左移，在起点距285m处，溪点高程为0.25m。原来的深槽处发生了淤积，淤积厚度为0.25m，整个断面除小部分发生侵蚀外，大部分发生了少量的淤积。

(8)NS3断面：开挖前，该断面从起点距100m开始，呈“V”形，跨度约500m，最深约1.2m，溪点高程为−0.2m。施工结束后，断面形状基本保持一致，只是普遍发生了淤积，“V”形河槽最深处高程为0.05m。最大淤积厚度达0.65m。

(9)NS2断面：该断面开挖前为一个相对宽浅的河漕，由于是施工刚刚结束，从起点距250m开始普遍发生冲刷，特别是沿中心线附近冲刷比较厉害，最大冲刷厚度1.05m，溪点高程从 −0.2m 降为 −1.25m。

通过断面套绘对比可以看出，第一阶段开挖疏浚前后，各断面普遍发生了淤积，淤积厚度最大达2.5m。各断面淤积显然不是因开挖后回淤引起的，主要是因为河势变化而引起的“滩槽”移位，深泓点摆动，监测断面以外可能也有一较深凹槽。实际上，疏浚段低潮时水面宽度也达2～3km，只是因为监测断面的宽度偏小而未施测到。第二阶段除了刚刚开挖完成的断面，各断面普遍发生了淤积，淤积厚度最大达0.65m，各断面淤积是因为开挖后回淤引起的。

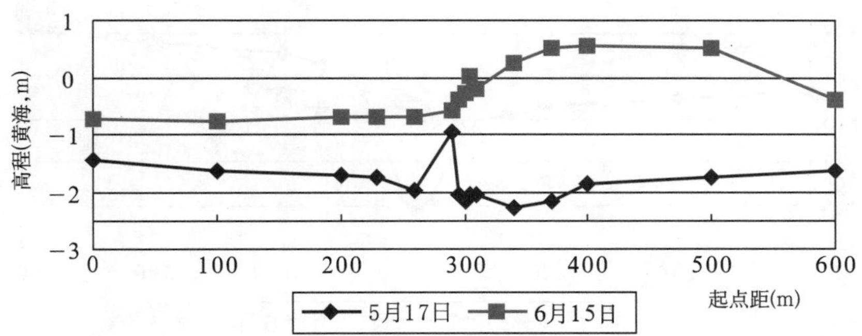

图 7-8　疏浚段横断面套绘图

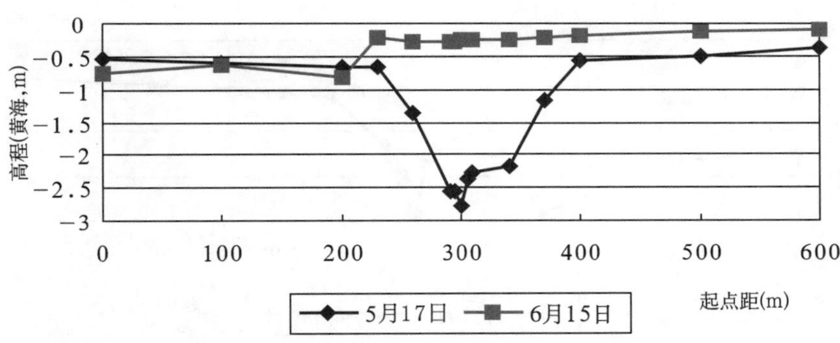

图 7-9　疏浚段横断面套绘图

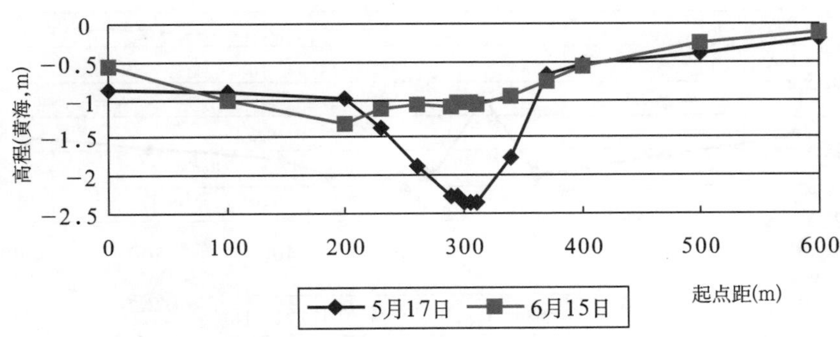

图 7-10　疏浚段横断面套绘图

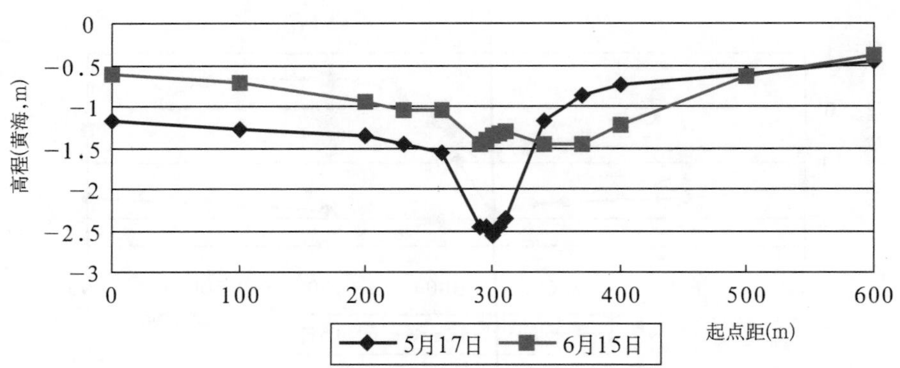

图 7–11　疏浚段横断面套绘图

E—E1断面

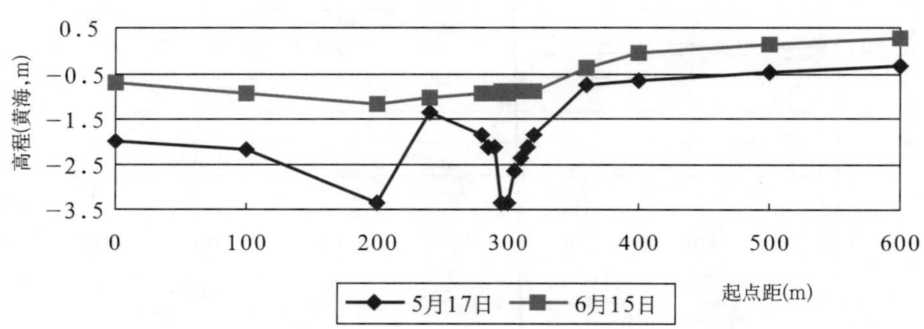

图 7–12　疏浚段横断面套绘图

F—F1断面

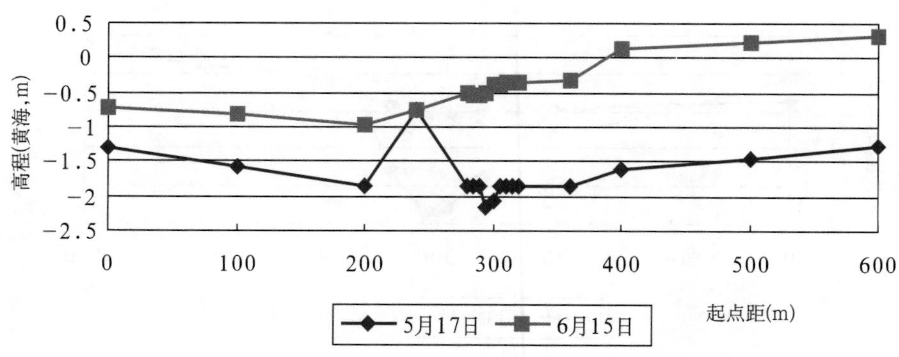

图 7–13　疏浚段横断面套绘图

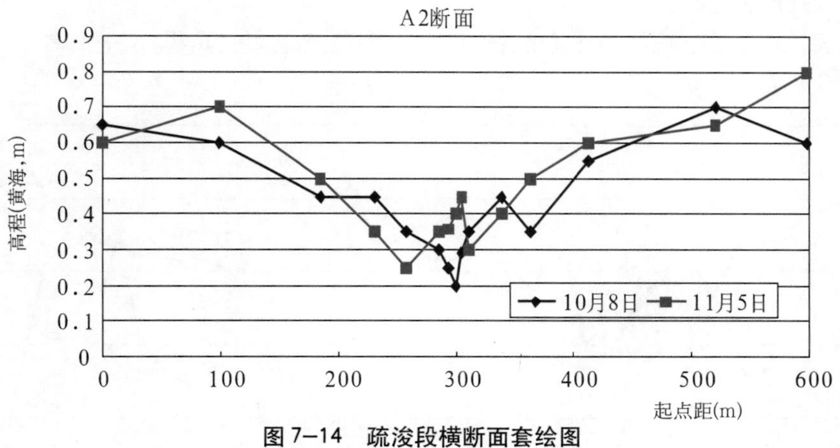

图 7-14　疏浚段横断面套绘图

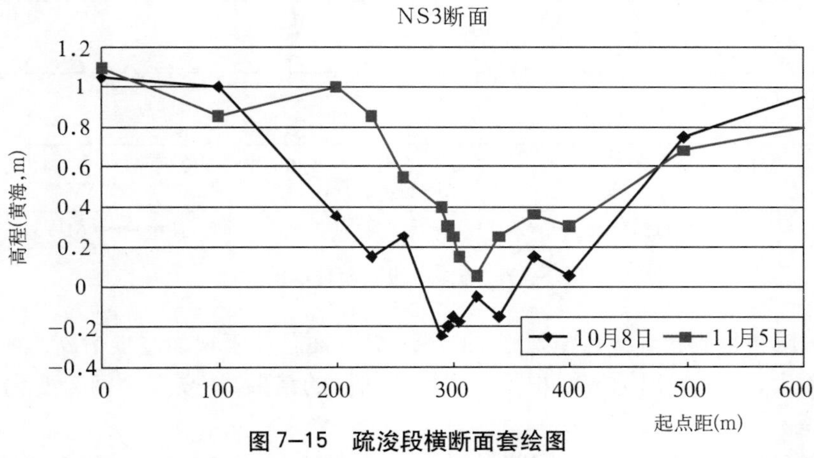

图 7-15　疏浚段横断面套绘图

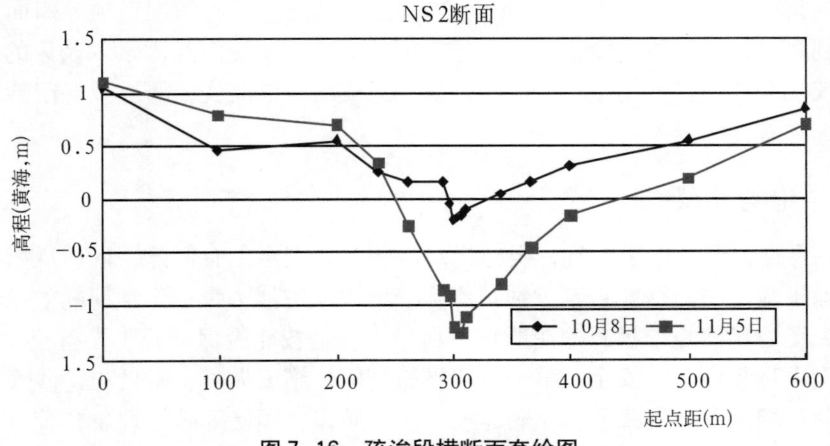

图 7-16　疏浚段横断面套绘图

（四）纵断面监测

纵断面监测。沿开挖河槽中心线每100m一个测点施测底高程，各次纵断面测量成果套绘见图7−17。

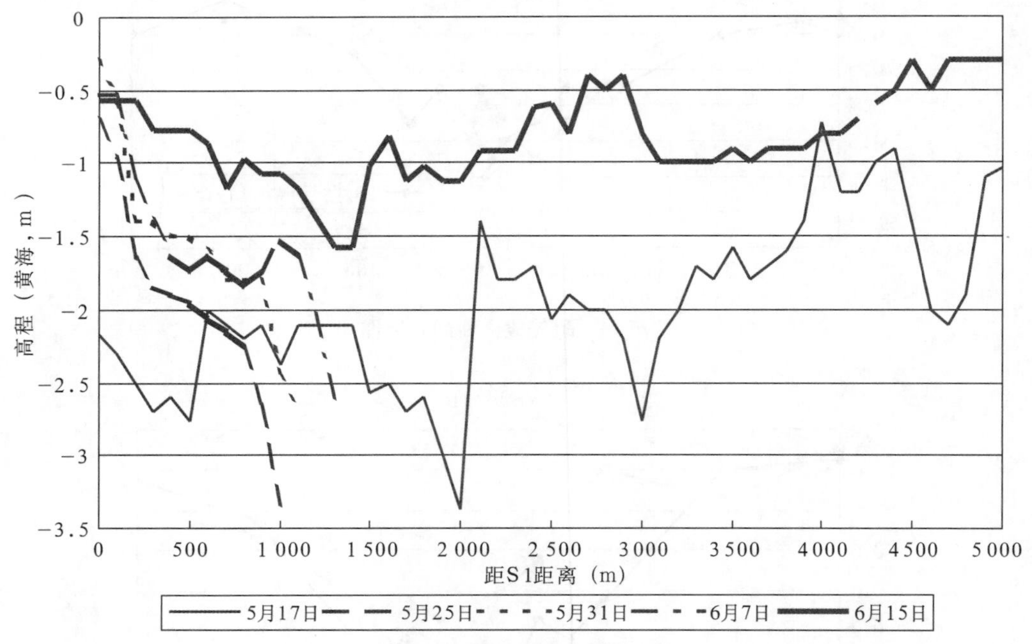

图7−17　疏浚段纵断面套绘图

由图7−17可以看出，从开工到施工结束，纵断面总体表现为逐步抬高，河底高程平均抬升1m以上，也反映出河底淤积不是开挖后回淤的结果，主要是因河势变化而造成的“滩槽”移位。

在挖泥船施工期间，黄河丁字路日平均流量为337～673m³/s，平均含沙量最大为7.62kg/m³，最小仅为1.64kg/m³，非汛期流量为近几年所罕见，流量大，含沙量低，且较长时间维持在400m³/s以上，易引起河槽深泓点变化，这种情况在河道断面测验中经常可以看到。况且拦门沙区域不仅受河道径流的影响，还受海洋因素以及风的作用，水流流向比较复杂，往往一场水、一次风，就会造成河势的改变，河道及拦门沙坎顶深沟的变迁更加频繁。

七、结论与建议

（1）只要强化现场施工管理，实施拦门沙疏浚在安全上有保障。目前拦门沙疏浚争论的焦点除了疏挖拦门沙能否减少河口淤积，增大泄洪能力，达到预期的效果外，另一个考虑的关键因素就是绞吸式挖泥船在黄河口进行疏浚能否保证施工设备正常运行、能否确保施工人员和设备的安全。第一阶段试验期间，施工人员、船只和输沙管道一直没有撤离作业现场，现场实践证明，船体没有出现倾覆、颠簸等破坏现象，管道没有发生扭曲、断裂变形，每日两次潮汐涨落变化以及大河流量持续较大的情况下，人员设备正常，无安全事故发生。第二阶段，由于重视收听、收看天气预报，在接到大风预报时及时撤出施工现场，也确保了人员和设备的安全。由此可见，海狸1600型挖泥船在黄河口实施口门疏浚安全有保障。

(2) 风浪对施工安全构成的威胁最大，开展黄河口拦门沙疏浚应把握好的时机。“三月三，九月九，神仙不敢海滨走”，“拦门岗，拆船厂”这些当地渔民谚语形象地反映了黄河口恶劣的气象条件，也说明了在黄河口拦门沙区域进行疏浚的危险和难度。风浪对施工安全构成的威胁不容忽视，特别是东北向大风，对施工人员、设备的威胁最大。当地居民所说“东南（风）转东北（风），不死也见鬼”，就是对该风场所造成严重灾害的经验总结。第二阶段施工，从10月18日～10月28日，挖泥船拖到东营港避风达停工11天，不可避免地造成时间利用率降低，同时也增加了往返拖运的费用。因此，应尽量避开该季节施工，避免因撤离不及时而造成安全事故。由此可见，选择5～6月作为施工期为宜。

(3) 通过对挖泥船适应性观测，风浪、潮流是影响船体运行的主导因素。风浪对挖泥船的影响主要表现为引起船只左右倾斜，以及带来抛锚定位和开挖横移困难；水流流速过大，易引起挖泥船定位桩滑桩和走锚现象，从而影响挖泥船的施工，严重时还可能出现安全事故。现场验证，当风力＜6级、水流流速＜1.7m/s时，可保证正常施工。

(4) 输沙管道安装和风浪是影响挖泥船时间利用率的主要因素。从两阶段施工台时的影响因素分析，第一阶段，输沙管道安装是影响施工台时数量的主要制约因素，第二阶段，大风则是主要制约因素（未安装管道）。由于起重及常规运输机械不能进入作业现场，再加上口门区域水浅流急，以及管道重量大等因素影响，安装接长管道占用大量时间，不仅影响挖泥船施工台时数量，同时输沙距离也未达到设计标准。若按设计输沙距施工，挖泥船的时间利用率会更低。建议今后实施疏浚时，尽量选用轻材质、高强度、短长度的输沙管道；以人工为主，辅助采用水陆两用车辆牵引就位，现场进行单个管道安装，减小人工作业强度，缩短安装工作时间。

(5) 口门坚硬的“铁板沙”增加了疏浚的难度。由于黄河口拦门沙区河床表层土质坚硬，抛横移锚时常出现入土浅，着力点不牢固，造成抛锚无效或受振动液化，横移锚下陷，造成起锚困难等情况；在绞刀切削土体过程中，不仅造成绞刀磨蚀损坏严重，还时常发生滚刀，这些现象均不可避免地影响到施工工效。

(6) 实践证明，围堰采用充沙长管袋修筑，对于黄河口区域风浪较大、潮差小以及潮间带松软、机械不能进入这种工况条件，只要解决好发电机组的安放，从填充进度和抗冲效果来看，该结构还是比较适用的。

(7) 从现场风力资料分析可见，在两阶段试验期间，虽然日平均风力小于6级，但最大风力大于等于6级均出现过，且最大不超过8级。为保证船体安全和提高时间利用率，建议在建造挖泥船时降低驾驶室高度以提高抗风能力，挖泥船的抗风能力宜控制在8级。从第二阶段试验拦门沙坎顶水深情况看，高潮时水深仅1.0m左右，建议适当增加浮箱的宽度或长度，以减小吃水深度，船体吃水深度宜控制在1.0m左右。

(8) 通过汛期前后口门河势变化及试验期间断面套绘资料可见，黄河口门变动性较大，深泓线的变化也比较频繁。由于本次试验开挖宽度、深度偏小，起不到调整、规顺河势，发生溯源冲刷的作用与效果。建议今后实施口门疏浚工程时，加大工程规模，加大开挖断面的宽度和深度，保持畅通的入海通道和口门的稳定，以促使溯源冲刷的发生。

第四节　挖河固堤工程效果分析

一、挖河固堤工程原型观测资料分析

（一）近期水沙变化

1986年以来，由于受黄河流域降雨持续偏少，加之流域工农业迅速发展和人口的不断增长，冬春季节引用水量明显增加等因素的影响，黄河入海水量呈大幅度减少的趋势。据统计，从1986～2004年利津站多年平均径流量为139.5亿m^3，为长系列多年平均值（1950～2004年）的43.3%；多年平均输沙量为3.09亿t，为长系列均值的39.13%。由此可见，1986年以来河口来水来沙减幅较大（见表7-25）。

表7-25　利津水文站1986～2004年河口来水来沙情况

年份	年径流量(亿m^3)	全年／多年平均(%)	汛期径流量(亿m^3)	汛期／全年(%)	输沙量(亿t)	输沙量／多年平均(%)
		322.49				8.02
1986	157.4	48.81	87.1	55.34	1.68	20.95
1987	108.5	33.64	51	47.00	0.95	11.85
1988	193.9	60.13	152.6	78.70	8.11	101.12
1989	241.8	74.98	144.4	59.72	6.01	74.94
1990	264.4	81.99	130.4	49.32	4.68	58.35
1991	122.5	37.99	39	31.84	2.71	33.79
1992	133.8	41.49	94.7	70.78	4.72	58.85
1993	185.1	57.40	122.5	66.18	4.38	54.61
1994	226.4	70.20	122.8	54.24	7.37	91.90
1995	138.8	43.04	99.9	71.97	5.7	71.07
1996	158.8	49.24	128.8	81.11	4.37	54.49
1997	18.8	5.83	2.5	13.30	0.14	1.75
1998	107.3	33.27	84.3	78.56	3.81	47.51
1999	66	20.47	41.2	62.42	1.89	23.57
2000	49.1	15.23	18.7	38.09	0.25	3.12
2001	46.3	14.36	12.9	27.86	0.2	2.49
2002	41.8	12.96	29.5	70.57	0.6	7.48
2003	191.3	59.32	122.3	63.93	1.6	19.95
2004	198.8	61.65	108.15	54.40	2.58	32.17
平均	139.5	43.26	83.82	56.60	3.25	4.52

* 多年平均为清水沟流路时期的1950～2004年水沙系列。

近几年河口来水来沙进入更枯年份。据统计，1998～2004年利津多年平均径流量为100.1亿m^3，输沙量为1.56亿t，分别为长系列多年平均值的31.0%、19.5%，来水减幅大，来沙减幅更大。从径流量年内分布看，来水主要集中在汛期7～10月份4个月，除2000年、2001年两年汛期来水较少外，其他年份汛期来水占全年的50%以上。

根据长系列（1950～2004年）年平均流量和年平均输沙通量绘制的累计经验频率曲线，按频率25%和75%来划分丰水（沙）年和枯水（沙）年（见图7-18、图7-19），即25%以下为丰水（沙）年，75%以上为枯水（沙）年，两者之间的为中水（沙）年。来水流量统计表明，1986年以后河口为中、枯水年份，丰水年没有出现过。其中1998年以来除2004年来水稍大外，其他年份均为枯水年份，且为连续枯水。悬沙通量特征与来水流量基本相似，1986年以后为中沙年和少沙年，其中1998年以来为连续枯沙年。

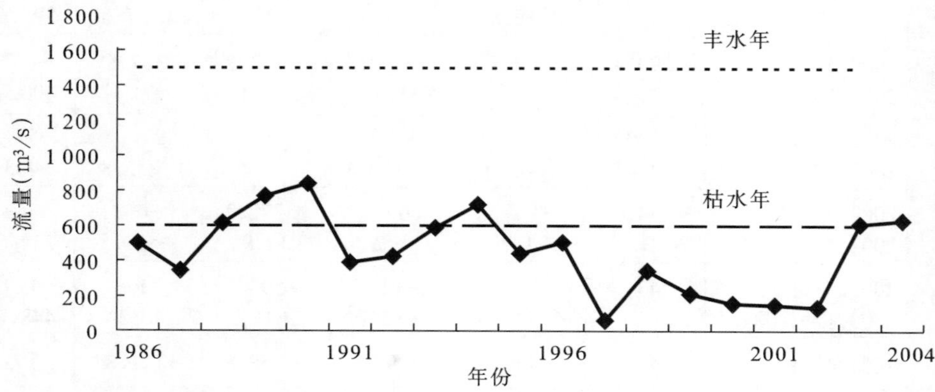

图7-18　黄河利津站1986～2004年平均流量过程线

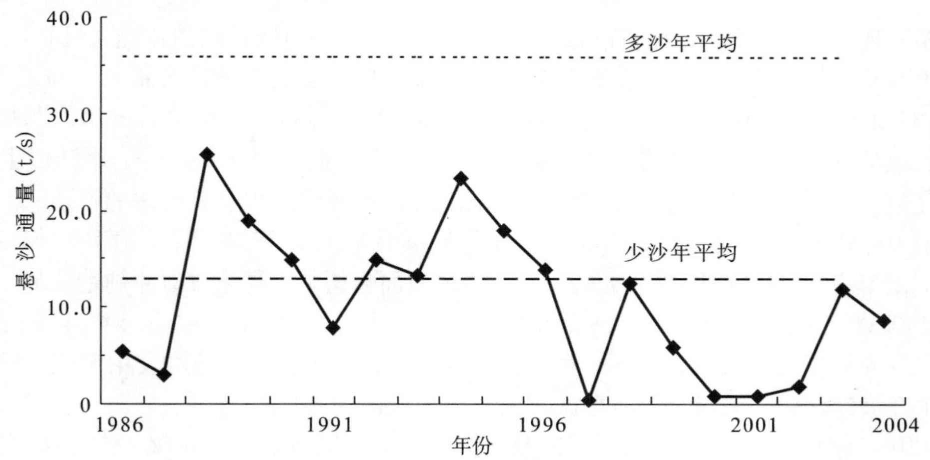

图7-19　1986～2004年平均悬沙通量多年变化图

（二）河道冲淤演变

1998年以来利津以下河道冲淤情况见表7-26。1998年汛前第一次挖河完成，自6月6日挖河段开始过水，汛期共经历了3场洪水，研究河段利津—清6河段普遍发生淤积，共淤积455.2万m^3，其中利津—朱家屋子为挖河上游段，该河段淤积80.7万m^3，朱家屋子—渔洼河段淤积154.6万m^3，渔洼—清6河段淤积219.9万m^3，各河段淤积强度分别为2.28万m^3/km、27.7万m^3/km、6.0万m^3/km，呈现挖河段淤积强度大，上下游河段淤积强度小的特点。1998年非汛期，利津—清6河段共淤积298万m^3，其中利津—朱家屋子冲刷82.2万m^3，朱家屋子—渔洼河段淤积53.1万m^3，渔洼—清6河段淤积327.1万m^3。

表 7–26　　1998 年 5 月～2004 年 10 月各河段淤积量统计　　(单位：万 m^3)

时段(年)	起止时间(年·月)	利津——号坝	一号坝—朱家屋子	朱家屋子—渔洼	渔洼—清 4	清 4—清 6	利津—清 6
1998	1998.5～10 1998.10～1999.5	18.2 66.5	62.5 −148.7	154.6 53.1	138.8 344	81.1 −16.9	455.2 298
1999	1999.5～10 1999.10～2000.5	245.4 51	92.2 −12.8	184.2 2.8	−242.4 622	94.6 −67.6	374 595.4
2000	2000.5～10 2000.10～2001.5	−299.4 −21.3	−63.7 37	−242.7 33.5	−1 492 324.2	307.6 27	−1 790.2 400.40
2001	2001.5～10 2001.10～2002.5	−69.9 −64.4	5.6 −188.6	0 −114.4	−14 −42.6	27 −33.8	−51.3 −443.8
2002	2002.5～10 2002.10～2003.5	−184.6 26.3	34 −4.2	80.8 11.2	−272.2 212.9	−6.7 −13.5	−348.7 232.6
2003	2003.5～12 2003.12～2004.4	−843 53	−220 −119.8	−147 −85.7	−594 564	−173 36.5	−1 977 448
2004	2004.4～10	−241.9	−112.4	7.9	−458.8	101.8	−703.4
合计	1998.5～2004.10	−1 264.1	−638.9	−61.7	−910.1	364.1	−2 510.8

非汛期表现为紧邻挖河的上下游局部河段发生微冲，离挖河段较远的段落淤积。

1999 年汛期，研究河段共淤积 374 万 m^3，3 个河段自上而下的冲淤量分别为 337.6 万 m^3、184.2 万 m^3、−147.8 万 m^3，挖河段经过 1998 年 6 月～1999 年 10 月的水沙调整，挖河段已经基本淤平。1999 年非汛期，利津—清 6 河段共淤积 595.4 万 m^3，渔洼以上河段淤积轻微，淤积量绝大部分发生在渔洼以下河段，此河段淤积具有溯源的性质。

2000 年汛期，最大流量仅 950m^3/s，虽然流量不大，但是利津—清 6 河段冲刷 1 790.2 万 m^3，是 1998 年以来冲刷量最大的一年。通过断面分析，主要是滩地冲刷造成的，扣除滩地冲刷量，主槽冲刷量为 275.8 万 m^3。非汛期，利津—清 6 河段淤积 400.4 万 m^3，从各河段的冲淤情况看，除利津——号坝发生轻微冲刷外，其他河段均发生淤积，淤积主要发生在渔洼—清 4 河段，该段落淤积占整个河段的 80%。

2001 年汛期来水仅 12.69 亿 m^3，但来沙量更少，汛期来沙仅 0.069 亿 t，最大流量仅 662m^3/s，平均含沙量为 5.4kg/m^3，利津—清 6 河段发生轻微冲刷，是冲刷最小的一年。非汛期，由于开始实施了第二次挖河，利津—清 6 河段冲刷 443.8 万 m^3，该时段在义和—清 3 共挖沙 349.6 万 m^3，扣除挖沙量，实际冲刷 94.2 万 m^3，是 1998 年以来非汛期唯一发生冲刷的一年，可以认为是挖河的作用。

2002 年汛期，实施了调水调沙试验，利津—清 6 河段冲淤特点为挖河段回淤，挖河上下游河段冲刷，共冲刷 348.7 万 m^3。其中挖河上游段利津——号坝冲刷 184.6 万 m^3，挖河段一号坝—朱家屋子淤积 34 万 m^3，挖河下游段朱家屋子—清 6 冲刷 198.1 万 m^3，挖河段的回淤量较少，仅占挖沙量 258.5 万 m^3 的 13%。非汛期，呈现挖河段略冲刷，其他河段淤积的特点，利津—清 6 河段共淤积 232.6 万 m^3。

2003年汛期是冲刷量最大的一年，利津—清6河段全线冲刷，从各河段的冲淤强度分析，利津—一号坝、一号坝—朱家屋子、朱家屋子—清6分别为30.6万m^3/km、28.0万m^3/km、21.7万m^3/km，呈现上大下小的特点，可以看出是调水调沙引起的沿程冲刷作用。非汛期，除一号坝—渔洼河段冲刷外，其他河段表现为淤积。

2004年在纪冯—义和实施了第3次挖河，其中汛前完成挖沙88.7万m^3，6月份又实施了调水调沙，利津—清6河段共冲刷703.4万m^3，从各河段的冲淤变化看，冲刷主要发生在利津—清4河段，清4以下河段发生明显淤积。

通过以上分析可见，河口河道冲淤受来水来沙和挖河等多种因素的影响，冲淤变化特征为汛期冲刷、非汛期淤积。2001年非汛期的冲刷主要就是因为挖河引起的，一方面从河道挖走了349.6万m^3泥沙；另一方面，因为挖河造成水位跌落引起上游的溯源冲刷和因为挖河段回淤使得进入下游河段的水流含沙量减小而造成的沿程冲刷。汛期冲刷主要与来水来沙有关，当然，2002年、2004年汛期冲刷除了与调水调沙有关外，也有挖河的作用。

二、三次挖河固堤工程效果综合分析

（一）研究目的及内容

在黄河下游河道进行挖沙疏浚实践比较少，由于黄河水流含沙量大，来水来沙条件、河道特性等影响河床冲淤变化的因素较多，边界条件和演变规律都非常复杂，因此挖河工程具有很强的试验性质。水文原型观测的目的主要是通过对挖河固堤水文原型观测资料的建立及分析，研究挖河期间及挖河后一段时间内水文泥沙的变化，分析挖河段及其上下游一定河段的河道冲淤变化规律，研究挖河疏浚的减淤效果，总结挖河疏浚的经验，为以后开展大规模的挖河疏浚提供科学依据，从而进一步指导工程实践。

研究的主要内容：三次挖河工程总体减淤效果、1997～2004年相同流量水位的变化、固堤效果等。

（二）减淤效果

从1997～2004年在河口地区共进行了3次挖河固堤工程，共挖沙1 056.93万m^3，为分析3次挖河总的减淤效果，点绘了1980～1997年逐年的泺口—利津和利津—清6主槽冲淤强度关系图（见图7–20）。

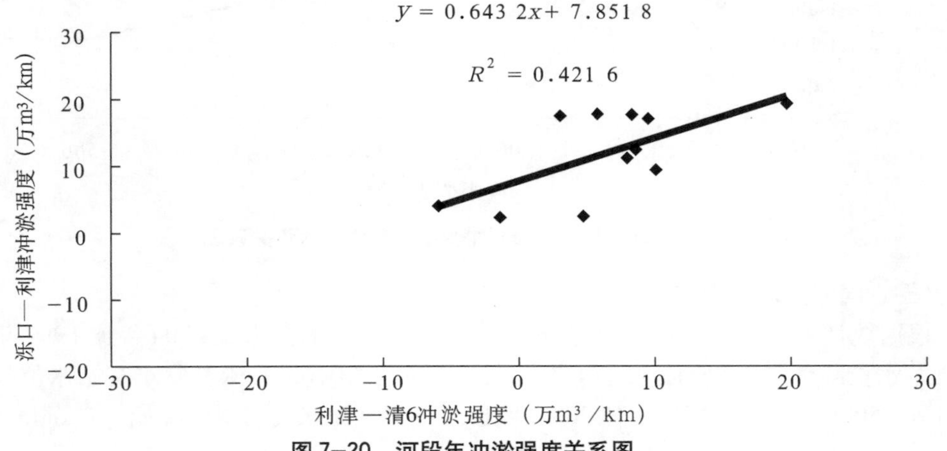

图7–20 河段年冲淤强度关系图

从1998年5月～2005年5月，泺口—利津河段冲刷4 770万m^3（表7–27），其冲淤强度为–28.45万m^3/km，相应利津—清6河段冲淤强度约为–27.24万m^3/km，其冲刷量约为806万m^3，而该时期实际冲刷量2 112万m^3，扣除三次挖河的总挖沙量1 056.9万m^3，其减淤量约为250万m^3。

表7–27　　泺口—清6河段主槽冲淤情况

时间（年·月）	泺口—利津		利津—清6	
	冲淤量(万m^3)	冲淤强度(万m^3/km)	冲淤量(万m^3)	冲淤强度(万m^3/km)
1998.5～1999.5	1 069	6.37	753	9.71
1999.5～2000.5	1 195	7.13	969	12.50
2000.5～2001.5	–53	–0.32	–1 390	–17.93
2001.5～2002.5	–1 330	–7.93	–495	–6.38
2002.5～2003.5	–808	–4.82	–116	–1.50
2003.5～2004.5	–3 157	–18.83	–1 529	–19.72
2004.5～2005.5	–1 686	–10.05	–304	–3.92
累计	–4 770	–28.45	–2 112	–27.24

注："–"表示冲刷。

利津—清6河段冲淤量与利津来水量的关系见图7–21，由图大体可以看出，当利津年来水大于150亿m^3时，利津—清6河段发生冲刷；当来水小于150亿m^3时，发生淤积；当来水150亿m^3时，利津—清6河段保持冲淤平衡。根据1998～2004年利津逐年来水量，由关系图查得的减淤量结果见表7–28。计算1998～2004年该河段淤积量为650万m^3，而同时期实际冲刷量为2 762万m^3，扣除挖河的总挖沙量1 056.9万m^3，其减淤量约为1 705万m^3。

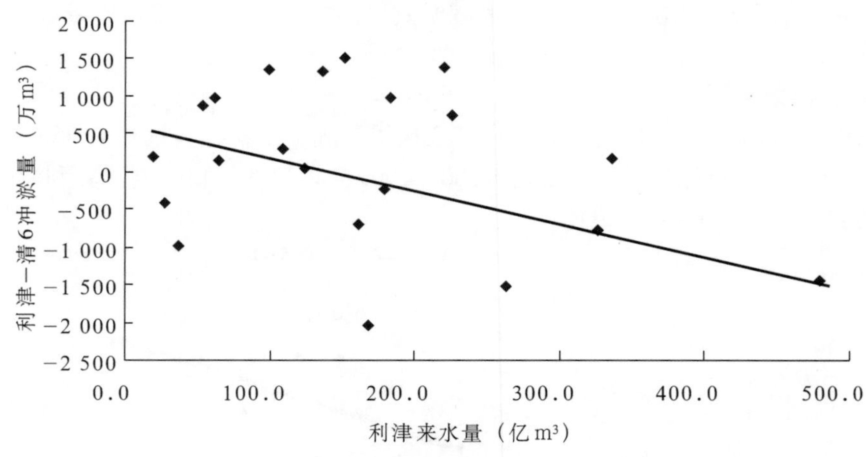

图7–21　利津—清6冲淤量与利津来水量关系图

（三）同流量水位变化

根据统计资料（见表7–29）分析，500m^3/s流量相应水位2004年比1997年泺口水文站水位降低了0.85m，清河镇水文站水位降低了0.62m，张肖堂水文站水位降低了0.51m。500m^3/s 流量相应水位2004年比1996年利津水文站水位降低了0.64m，一号

表 7–28　1998～2004 年利津—清 6 减淤量计算

年份	利津水量(亿 m^3)	计算冲淤量(万 m^3)	实际冲淤量(万 m^3)	减淤量(万 m^3)
1998	109.12	150	753	603
1999	62.04	300	969	669
2000	64.89	300	−1 390	−1 690
2001	27.55	450	−495	−945
2002	37.59	350	−116	−466
2003	262.91	−600	−1 529	−929
2004	178.43	−300	−304	−4
合计		650	−2 112	−2 762

表 7–29　各水文站不同流量级对应水位　(单位：m)

时间(年·月)	流量(m^3/s)	泺口	清河镇	张肖堂	利津	一号坝	西河口
1996.7	500				12.26	9.74	7.77
	1 000				12.74	10.16	8.18
1997.3	500	28.63	18.99	16.20			
	1 000	29.16	19.42	16.93			
2004.3	500	27.90	18.24	15.56	11.80	9.19	7.14
	1 000	28.72	18.94	16.35	12.53	9.94	7.95
2004.11	500	27.78	18.37	15.69	11.62	9.02	6.99
	1 000	—	—	—	12.12	9.56	7.56

坝水文站水位降低了0.72m，西河口水位站水位降低了0.78m。1 000m^3/s流量相应水位2004年比1997年泺口水文站水位降低了0.44m，清河镇水文站水位降低了0.48m，张肖堂水文站水位降低了0.58m。1 000m^3/s流量相应水位2004年比1996年利津水文站水位降低了0.62m，一号坝水文站水位降低了0.60m，西河口水文站水位降低了0.62m。泺口—利津的水面比降大于万分之一，而利津以下河道的水面比降小于万分之一，单靠自然的河道冲刷，效果应该是比降大的河段比比降小的河段大。但从以上数据看，1996～2004年利津以下河段的水位降幅比利津以上河段的降幅大，这说明利津以下河段的河道冲刷效果除去近年来的调水调沙作用外，与1997年以来在河口河段实施的三次挖河的作用也是分不开的。

（四）固堤效果

目前，已实施三次挖河固堤工程，共加固大堤长度24.8km，工程的修建提高以下几方面能力。

1.提高了大堤防渗能力

大堤加固后，浸润线不出逸，可以满足防渗要求。固堤土质均匀，接头少，质量容易保证，防止堤防因渗裂缝及横穿堤身洞穴引起的集中渗流。

2.提高了堤防的整体稳定性

由于主槽的严重淤积，中小洪水上滩几率增大，滩面横比降增大，加上堤河、串沟较多，中小洪水即有发生“横河”、“斜河”和“滚河”及顺堤行洪的可能，从而对大堤构成潜在的威胁，而断面加宽后，从整体上提高了堤防的稳定，同时降低了抢险的难度。

3.提高大堤的抗震能力

当发生了烈度为Ⅶ～Ⅷ度的地震时，吹填沙性可能发生液化现象。黄河下游堤防属

Ⅵ～Ⅶ度地震烈度区，根据黄委水科院的试验分析结果，当吹填区处于部分饱和状态时，在Ⅵ～Ⅶ度地震作用下，所有堤段都没有发生液化，只有完全饱和时，才有可能发生液化，但黄河洪水一般在高水位持续时间较短，吹填体不可能完全饱和；即使高水位持续时间较长，也能形成稳定渗流，不易形成完全饱和，因此不致产生液化。即使在地震作用下产生了液化，计算结果表明，只有20多米宽的大堤可能下滑。而挖河工程淤背宽在80～100m，即使大堤下滑，还有淤背抵挡洪水，为抢险赢得时间。

（五）“二级悬河”治理的重要措施之一

河口目前“二级悬河”状况可以从三个方面来表述：①主槽平均高程与滩地平均高程比较；②滩唇与临河堤脚高程比较；③河道纵横比降比较。根据2003年5月山东段河道第一次统测大断面资料分析，王庄至清7河段的8个统测大断面中，清3断面以下主槽平均高程略高于滩地平均高程，高差在0.32～0.67m之间。王庄—渔洼断面主槽平均高程都略低于滩地平均高程，高差在－0.29～－2.03m之间；滩唇一般高于大堤临河堤脚3m左右，渔洼断面达4.20m；左岸滩面横比降在0.91‱～13.85‱之间，是该河段纵比降的0.98～15.56倍。右岸滩面横比降在8.29‱～42.59‱之间，是该河段纵比降的7.34～72.43倍。从断面统计资料看出，随着黄河下游水沙条件和边界条件的变化，河口地区河段都存在嫩滩高于堤河和较大的滩地横比降，且明显大于河道纵比降，部分断面主槽平均高程已高于滩地平均高程，“二级悬河”的形势较严重。

实施挖河固堤工程，在主河槽内挖沙，不仅可直接起到降低主槽河底高程的作用，同时还可以利用挖出的泥沙加固堤防，构筑相对地下河，也可以淤填临河的堤沟河和低洼地带，抬高滩地高程，缩小滩地横比降。所以挖河固堤也是治理“二级悬河”的一项重要措施。

第五节 国民经济评价（效益分析）

一、国民经济评价

（一）工程评价依据、方法和主要参数

国民经济评价主要依据国家计委和建设部1993年4月发布的《建设项目经济评价方法与参数》、《水利建设项目经济评价规范》（SL72—94）进行计算分析。

国民经济评价是从国家整体角度出发，采用影子价格，分析计算项目所需的费用和产生的效益，考察项目对国民经济所作的净贡献，评价项目的经济合理性。

主要参数选用如下：

（1）社会折现率。社会折现率是建设项目经济评价的通用参数，在评价中作为计算经济净现值时的折现率和评判经济内部收益率的基准值，是建设项目经济可行性的主要判别依据。本工程属于社会公益性质的水利建设项目，社会折现率采用12%。

（2）计算期。计算期为计算总费用和效益所指定的时间范围，包括建设期和正常运行期。根据工程安排，该工程计算期为50年，建设期为5年。

（3）价格水平年和基准年。价格水平年为1998年。经济评价基准年为项目建设期的第一年，基准点为基准年年初。

（二）工程费用

工程费用主要包括固定资产投资和年运行费。

1. 固定资产投资

该工程静态总投资为20 067.00万元。国民经济评价主要对投资估算成果进行如下调整：

（1）材料价格采用的是1998年上半年的市场价格，国民经济评价的影子价格换算系数均采用1.0。

（2）扣除投资估算中属于国民经济内部转移性支付的计划利润和税金。

调整后，国民经济评价投资为18 016.15万元。

2. 年运行费

工程年运行费按照工程投资的1%计取，正常运行期年运行费为180.16万元。

（三）工程效益

挖河固堤的经济效益，主要体现在通过对萎缩的河槽进行挖河疏浚，有利于泄洪排沙入海；挖出的泥沙加固堤，可提高堤防的抗洪能力，以减免黄河洪凌灾害给河口地区带来的损失。

国民经济评价主要计算该工程产生的可以定量计算的主要防洪经济效益，主要为减免河口区堤防决口所产生的防洪经济效益。

1. 决溢一次洪水淹没损失估算

现状河口河段河道的平滩流量仅3 000m³/s左右，一旦堤防出现问题，将有大量的洪水流向堤外。为留有余地，大河6 000m³/s时，堤外行洪流量按2 000m³/s估算淹没损失；在大河10 000m³/s时，堤外按6 000m³/s行洪估算淹没损失。

根据目前河口段挖河固堤现状及挖河实施情况，洪水决口口门拟定在黄河右岸十八户闸附近堤段。

1）直接淹没损失

（1）受淹油田的资产损失。根据油田各采油厂的资产资料，按受淹面积比重估算，行洪2 000m³/s时受淹灾区的资产为23 420万元，行洪6 000m³/s时为49 020万元。受淹损失率取10%～20%，则损失分别为2 342万元和7 244万元。详见表7−30。

表7−30 淹没区油田资产损失计算成果

油田名称	行洪2 000m³/s			行洪6 000m³/s		
	资产(万元)	损失率(%)	损失值(万元)	资产(万元)	损失率(%)	损失值(万元)
垦利				25 600	10	2 560
永安	14 640	10	1 464	14 640	20	2 928
新立	8 780	10	878	8 780	20	1 756
合计	23 420		2 342	49 020		7 244

（2）淹没区内各类设施的毁坏损失及修理费。指淹没范围内的公路、水管、通信、电力、房屋等各类设施的水毁恢复费，行洪2 000m³/s时为3 724万元，行洪6 000m³/s时为6 638万元。详见表7−31。

表 7–31　　淹没区设施毁坏修复费用计算成果

油田名称	行洪 2 000m³/s			行洪 6 000m³/s		
	资产(万元)	损失率(%)	损失值(万元)	资产(万元)	损失率(%)	损失值(万元)
东营飞机场	3 800	10	380	5 000	15	750
黄河农场	4 000	10	400	4 000	15	600
垦利油田	10 800	10	1 080	10 800	15	1 620
永安油田	12 360	10	1 236	14 580	15	2 187
新立油田	6 280	10	628	9 870	15	1 481
合计	37 240		3 724	44 250		6 638

（3）堤防毁坏修复费。一是黄河堤防，口门宽按 1 000m 计，修复费为 1 800 万元；二是冲决海堤的修复，口门宽 500m，修复费为 1 200 万元，两者合计为 3 000 万元。

（4）农田淹没损失。在行洪 2 000m³/s 和 6 000m³/s 时，分别有农田 1 466.7hm² 和 3 333.4hm² 绝收，每公顷损失按 12 000 元计，分别损失 26 400 万元和 60 000 万元。

（5）钻探设施受淹损失。在淹没区内，将有油田的钻探设施受损，估算在行洪流量 2 000m³/s 和 6 000m³/s 时损失分别为 500 万元和 800 万元。

（6）个人家庭财产损失。若大堤决口口门位于十八户闸处，淹没范围将会涉及永安镇、西宋乡、黄河口镇和黄河农场，淹没影响人口 5.07 万，全部为农村人口。农村个人家庭财产主要包括房屋及其附属建筑物、生产交通工具、家具、衣被、粮食、饲料、家电、畜禽和专业户等。参考山东省黄河滩区个人家庭财产典型调查资料，并结合河口地区财产结构和经济发展的实际情况，估算家庭财产为 8 000 元／人。在行洪流量 2 000m³/s 和 6 000m³/s 时，其综合洪灾损失率分别按 15% 和 22% 计算，相应的个人家庭财产损失分别为 6 084 万元和 8 923 万元。

（7）其他损失。指上述未包括的资产及防汛抢险费等。按以上 7 项合计的 20% 计分别为 7 013 万元和 14 875 万元。

2）间接损失估算

间接损失主要为受淹油田停产损失。油田受淹后，停产损失按设计水平年减产的原油和油价扣除成本计算。受淹时间为 20～30 天，水退后修复时间为 10 天。在行洪 2 000m³/s 和 6 000m³/s 时减产量分别为 0.6 万 t 和 0.8 万 t，损失分别为 600 万元和 800 万元。

以 1998 年社会经济财产水平，黄河向右岸行洪淹没的总损失见表 7–32。

2.多年平均洪灾损失

根据各级流量的频率及相应的洪灾损失，计算多年平均洪灾经济损失为 1 907 万元，详见表 7–33。多年平均洪灾损失即为本项目的防洪效益。

综合分析河口防洪保护区财产结构及经济发展趋势等因素，拟定保护区洪灾损失增长率为 4%。

（四）国民经济评价指标及结论

根据以上分析的挖河固堤工程的效益和费用，编制国民经济效益费用流量表（见表 7–34），计算其评价指标为：经济内部收益率 14.04%，大于 12% 的社会折现率；经济净现值为 3 382 万元。因此，挖河固堤工程建设在经济上是可行的。

表 7–32　**河口右岸决口淹没损失分析**　(单位：万元)

项目	行洪2 000m³/s洪灾损失	行洪6 000m³/s洪灾损失
一、直接损失	20 892	36 726
1.受淹油田资产损失	2 342	7 244
2.各类设施损失	3 724	6 638
3.堤防毁坏修复费	3 000	3 000
4.农田淹没损失	1 760	4 000
5.钻探设施受淹损失	500	800
6.个人家庭财产损失	6 084	8 923
7.其他损失	3 482	6 121
二、间接损失	600	800
合　计	21 492	37 526

表 7–33　**河口挖河固堤工程多年平均防洪效益计算**

流量(m³/s)	频率	决堤洪水潜在经济损失(万元)	无挖河固堤情况		有挖河固堤情况		有无工程损失差值(万元)	两级频率洪水平均减少损失(万元)	两级洪水频率差	多年平均防洪效益(万元)
			决口几率	洪灾损失(万元)	决口几率	洪灾损失(万元)				
10 000	0.033 3	37 526	0.90	33 773	0.50	18 763	15 010			
9 000	0.063 0	37 526	0.60	22 516	0.30	11 258	11 258	13 134	0.029 7	390
8 000	0.125 0	21 492	0.30	6 448			6 448	8 853	0.062 0	549
7 000	0.315 0	21 492	0.10	2 149			2 149	4 299	0.190 0	817
6 000	0.455 0							1 075	0.140 0	151
多年平均防洪效益（万元）										1 907

二、经济效益

（一）挖河固堤与机淤固堤工程比较

(1)固堤效果相同。

(2)单方造价相差较小。如：2001～2002年实施的挖河固堤工程，设计批复挖沙工程量为320.23万m³。若采用相同的定额标准，按照相同的输沙距，相同的价格水平，采用绞吸式挖泥船预算投资为3 474.34万元（建筑费用＋材料差价）；用水力冲挖机组进行挖沙，投资为2 804.32万元（建筑费用＋材料差价＋相应青苗赔偿）。二者投资差为670.02万元，即每立方米沙船挖仅比泵挖多2.09元。

(3)通过挖河固堤工程的实施，河口同流量水位下降，平滩流量增大，其效益主要是减免河口滩区油田的损失，其次是滩区部分农、林业的淹没损失。利津断面漫滩流量1997年10月为2 600m³/s，2004年11月为3 890m³/s，多年漫滩流量减小1 290m³/s，若遇此流量漫滩，河口地区低洼滩地特别是南宋滩、付窝滩、集贤滩、赵家滩将会串水漫滩，偎堤水深0.2～2.0m；西河口以下滩地将大部漫滩。造成滩区油田将受淹。据调查，近几年上述滩区油田的资产为33 800万元，受淹损失率取5%，则损失为1 690万元；淹没区内各类设施的损失及修理费为300万元；受淹油田停产损失，按设计水平年减产的原油和油价扣除成本计算，减产受淹时间及水退后修复时间分别考虑为20天、10天，减产量为0.5

表 7-34　**国民经济效益费用流量**　(单位：万元)

年序	固定资产投资	年运行费	防洪效益	净效益流程
1	3 603			−3 603
2	3 603			−3 603
3	3 603			−3 603
4	3 603			−3 603
5	3 603	144	2 231	−1 416
6		180	2 320	7 456
7		180	2 413	7 616
8		180	2 509	7 779
9		180	2 609	7 946
10		180	2 714	8 115
11		180	2 822	8 289
12		180	2 935	8 465
13		180	3 053	8 645
14		180	3 175	8 829
15		180	3 302	9 017
16		180	3 434	9 208
17		180	3 571	9 403
18		180	3 714	9 602
19		180	3 863	9 805
20		180	4 017	10 012
21		180	4 178	10 223
22		180	4 345	10 438
23		180	4 519	10 658
24		180	4 700	10 882
25		180	4 888	11 110
26		180	5 083	11 344
27		180	5 286	11 581
28		180	5 498	11 824
29		180	5 718	12 071
30		180	5 946	12 324
31		180	6 184	12 581
32		180	6 432	12 843
33		180	6 689	13 111
34		180	6 956	13 384
35		180	7 235	13 663
36		180	7 524	13 947
37		180	7 825	14 237
38		180	8 138	14 532
39		180	8 464	14 834
40		180	8 802	15 141
41		180	9 154	15 455
42		180	9 520	15 775
43		180	9 901	16 102
44		180	10 297	16 434
45		180	10 709	16 774
46		180	11 138	17 120
47		180	11 583	17 474
48		180	12 046	17 834
49		180	12 528	18 202
50		180	13 029	18 577
评价指标：经济净现值（万元）				3 382
经济内部收益率				14.04%

万t，损失为400万元；工程抢险及防汛物资费按以上三项合计的10%为239万元；滩区4 333.3hm²耕地绝收,损失为1 300万元。以上共可减少滩地受淹总经济损失3 929万元。

（二）增加可利用土地

黄河河口地区地下水位高，矿化度高，土地盐碱化严重，特别是大堤背河侧一般为荒芜土地，不能耕种。固堤完成后，经过表层盖顶，提高了水土保持能力，改善了土质，将原来的荒地改成可耕地，为今后发展生态林或建设沿黄生态走廊创造了条件。三次挖河固堤工程共挖泥沙1 057万m^3，改良土地246.67hm^2。同时，在淤区里种植适生林，能够显著改善生态环境，取得良好的生态效益。

三、社会效益

挖河固堤工程是一项投资巨大的社会公益性事业,其工程效益难以在短期内发挥出来,而且其长期效应也难以量化。挖河固堤作为现代防洪建设的大胆实践,其社会效益无疑是巨大的,对于黄河下游沿黄地区的安全将会产生积极的影响。其主要社会效益表现为：

(1) 工程建设完成后，将通过溯源冲刷和沿程冲刷，减少河槽的淤积。

(2) 增加主河槽的过水断面，降低了漫滩的几率。

(3) 促使河势朝着充分发挥现有工程作用的方向发展，向有利于即将开展的河道整治防洪工程的方向发展，避免出现防洪的被动局面。

(4) 挖河与固堤结合，增强大堤的抗洪能力。

(5) 配合河道整治工程稳定河势，有利于河口地区沿黄引水工程的正常运行，提高了供水保障率。

第六节 挖河段落、规模及时机优选

一、挖河段落选择

黄河下游窄河段主要位于山东境内，河道长628km，其特点是上宽下窄，比降上陡下缓，排洪能力上大下小。长期以来，由于泥沙大量淤积，河床逐年抬高，形成“地上悬河”。平均来说，黄河下游窄河段河床高出两岸地面3～5m，洪水位高出两岸地面8～9m。1986年以来，水沙条件发生了很大变化，主要表现为来水来沙量大幅度减少，径流量年内分配趋于均匀。如1986～1996年高村站年均来水量263亿m^3，来沙量5.57亿t，分别为多年均值的66.0%和78.0%。汛期来水量由占多年平均值的57.7%降为48.9%，来沙量由占多年平均值的80.7%降为78.2%。相对来说，水量减小更多。另外,洪峰流量明显减小，如高村站最大洪峰流量（1996年）只有6 200m^3/s。水沙条件的这种非协调性变异，使窄河段河道的淤积明显加重，而且，由于汛期的洪水漫滩几率减少，使得主河槽淤积量迅速增加，淤积速率明显加快。如1986～1996年年均淤积泥沙达到0.64亿t，是长系列多年均值的2倍左右，同时，河槽淤积量由以前占全断面的23%已上升至77%，使

“二级悬河”形势日趋严峻。在河口段,左右岸的滩地横比降分别达到2.94‱～14.1‱和1.50‱～20.76‱。艾山—利津河段主河槽由20世纪50年代的微淤状态变为严重的淤积河段。主槽淤积抬高，使漫滩流量大大减少。漫滩流量由20世纪60年代的6 000～7 000m^3/s减少到90年代末的2 000～3 000m^3/s，河道排洪能力大大降低。近期实施的挖河工程和小浪底水库调水调沙试验及运行，使得黄河下游河段全线冲刷，漫滩流量有所增大，目前河口河段的漫滩流量已达到3 000～4 000m^3/s。上游冲刷下来的大量泥沙输往河口，不可避免地造成河口以下浅海部分的淤积速度进一步加剧，而这一部分加速淤积所带来的河道延伸速率加快和壅水作用，同时会带来溯源淤积，从而进一步加剧上游河段的河道淤积（见图7—22、图7—23）。

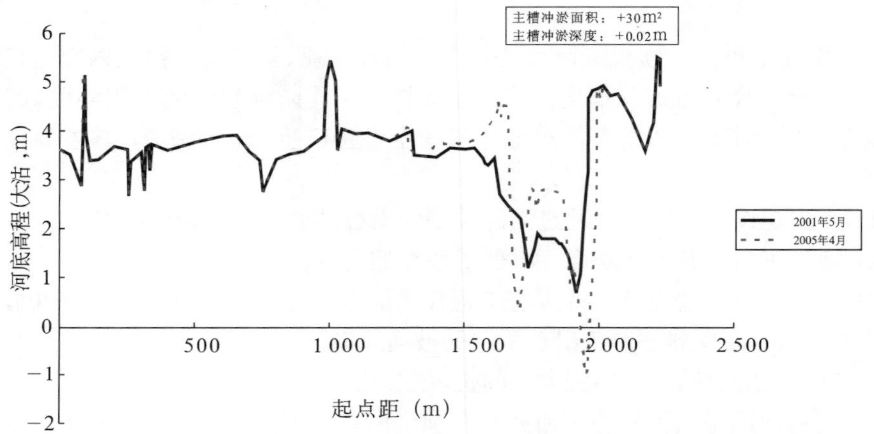

图7—22　汊1断面主槽比较图

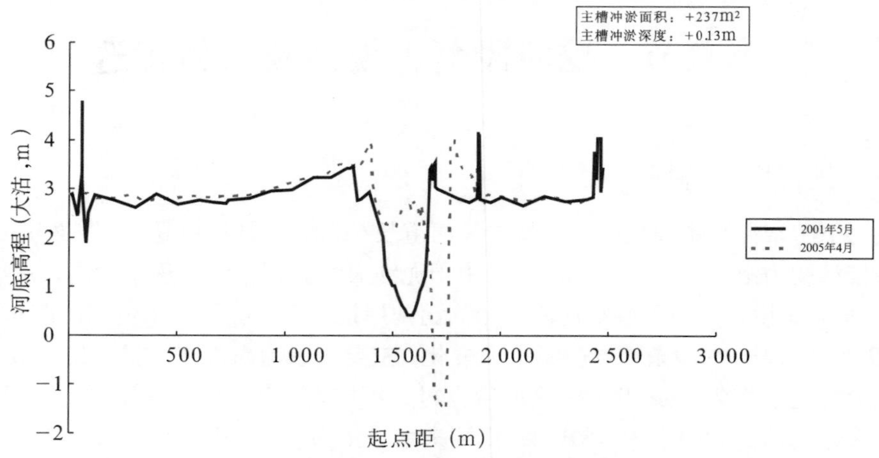

图7—23　汊2断面主槽比较图

河口段的淤积延伸是造成黄河下游河道淤积的重要因素之一。因此,应选在河口段进行挖河疏浚，同时配合调水调沙，使河口流路保持通畅，将更多泥沙输送入海，以减轻溯源淤积影响，甚至促使溯源冲刷的发生，从而从根本上实现“河道不抬高”的目的。

源源不断的挟沙水流由河道进入河口海域，水流扩散，泥沙落淤，河道尾闾必然逐渐淤积并不断向海区延伸。黄河河口向海延伸具有两级模式。一是河道尾闾入海水流挟带的泥沙中较粗部分首先淤积下来，由于受下泄径流及潮流风浪反复影响，淤积物堆积的边坡较泥沙在静水中休止角要缓。在径流来沙源源不断补给下，尾闾淤积前缘坡面不断向海推进（见图7−24中a′b′）。与此同时，拦门沙上游倒坡遭受冲刷而不断“后退”（图7−24中cd到c′d′），而拦门沙前沿陡坡却不断淤长（图7−24中由ef 到e′f′），构成了黄河口两级淤进的动态模式。由于水沙条件的多变性，以及口门生成年代的长短不同，这种淤进和蚀退的规模和速度不可能完全一致，由此就出现了不同大小和形态的拦门沙。随着拦门沙不断向前推进，逐渐形成了凸出海洋的沙嘴，较细泥沙在漫滩水流和海流作用下向两侧扩散落淤，最终形成封闭口门形似蘑菇状的淤积体。由上述分析可以看出，河口段河床及洪水位不断抬升，主要是源源不断的泥沙在河口尾闾的前缘边坡沉积下来，导致河道尾闾不断向海延伸的结果。因此，挖河疏浚应首选在河口尾闾段实施，从河道尾闾前缘边坡（见图7−24中即a′b′）向上游进行挖河疏浚，以促使尾闾前缘后退，造成河道下边界控制基面内移，缩短河道流程，促使河流纵比降变陡，河床冲刷，水位下降。

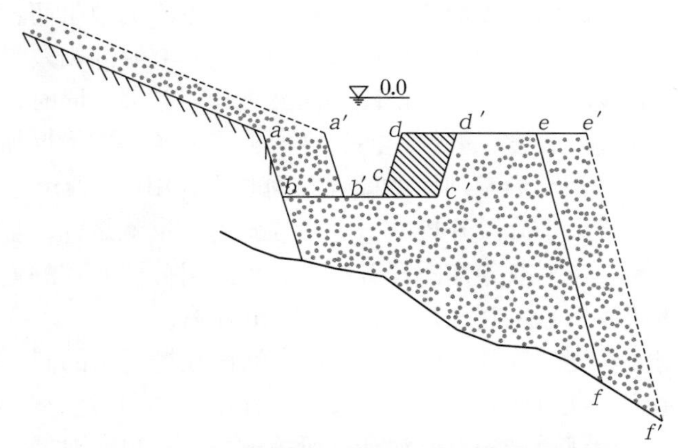

图7−24　河道尾闾及拦门沙淤积发育概化示意图

河口河段属于弯曲性窄河段，两岸多有河道整治工程控制。一般工程均修在弯道段上，而相邻两工程之间为过渡段。弯道段深泓点较过渡段低，特别是汛期洪水后，弯道段较邻近的过渡段低2m左右。河槽纵横断面形态的不同，决定了在洪枯水工程中冲淤演变的差异，在枯水流量时，由于弯道段断面窄深，河床高程低，而过渡段河床高程较高，形成过渡段对弯道段的阻水和壅水，使弯道段比降减小，出流不畅，从而形成弯道段枯水期的淤积。弯道段的枯水期淤积发生在凸岸边滩上，淤积的结果是进一步缩窄了弯道段河槽断面，进入洪水期，由于窄深断面水位涨率大，宽浅断面水位涨率低，加上过渡段枯水期冲出水槽，使大水时弯道段比降增大，因而增大了弯道段输沙能力，使弯道段发生冲刷；而过渡段演变正好相反，枯水期弯道段河床低，增大了过渡段出流比降，从而使过渡段在枯水期发生冲刷，其冲刷特点是在河床上拉出小河槽，使河床深泓点降低。弯道段在汛期较大洪水时，由于弯道河槽窄，水位涨率高，水位升高，过渡段水面宽，水位相对较低，从而使过渡段出流不畅，增大了过渡段的淤积，经过汛期大水后，往往把过渡段非汛期拉出的小槽淤平，河底抬升，河槽趋于宽浅。

根据以上演变特点，如在过渡段河槽中开挖河槽，将使弯道段枯水期出流顺畅，比降增加，减少枯水期弯道段凸岸淤积，从而使弯道段进入大水期时不致过窄，从而减小汛期大水时弯道段对过渡段的阻水和壅水作用，有利于减少过渡段大水期的淤积。若在弯道段开挖其凸岸边滩，也会减少其上游过渡段大水期的淤积，但弯道段的开挖，使原来窄深断面变宽，对枯水更不适应，从而增加弯道段枯水期的淤积。另外，对于弯道段，其河床较低，再降低开挖，与过渡段高差进一步增大，反而不利于输沙，会使枯水期弯道段增淤。其次，应将开挖河段选择在下游窄河段的过渡段。

二、挖河规模

挖河长度、断面形态及挖槽床面比降等各项因子对挖河后的河道输沙能力调整、冲淤变化及减淤效果影响较大。文献［3］依据河工动床模型试验、概化模型试验以及数学模型的计算结果，着重分析了上述因子对减淤效果的影响，并得出如下结论。

（1）对减少挖河段床面回升或增加上游冲刷段床面下降的效果而言，挖槽段不宜太短，但太长其作用也不会增加太明显。挖槽段越短，上游溯源冲刷效果越低，挖河的整体减淤效果越不明显；挖槽段越长，开挖段的回淤量相对越多，同时，当挖槽段长度达到一定值后，再增加挖槽段长度，单位挖河长度的上游溯源冲刷量增加并不太明显。通过综合分析比较认为，黄河下游窄河段的较佳挖河长度在10～12km之间。

当然，此较佳挖河长度系分段开挖的一个较佳长度。也就是说，若投资允许或根据改善河道淤积状况需要，需对长距离河段开挖时，可采用分段开挖的方式，为取得开挖后的较大溯源冲刷效果，每段开挖长度应选在10km左右。

（2）在一定的挖河长度、位置条件下，与研究河段在挖河前的同一冲淤代表年的样本相比，挖河断面越大，绝对回淤量越多，其相对样本年的河段淤积量越大，因而，挖河减淤比也就越大，减少河道淤积1m^{3}泥沙，所挖出的方量也相对越大。但是开挖断面越小，与减淤量相比，则河段的淤积量相对越大。从减淤效率而言，挖河断面大，减淤效率相对较高；反之，挖河断面过小，减淤效率会相对较低。综合分析比选，开挖断面面积以250～400m^{2}较为适合。

（3）挖河面积确定后，减淤效果与开挖断面宽度B_n、深度h_n还有关，但两者却不是挖河减淤效果函数的独立变量，在挖沙量一定的条件下，挖河减淤效果与两者组合变量$\xi_n=\sqrt{B_n}/h_n$具有更为显著的关系。

在挖沙量一定的条件下，以宽浅开挖断面的回淤量较多，窄深开挖断面的回淤量相对较少。试验表明，随着挖河断面几何形态ξ_n的增加，挖槽段回淤比呈现出先减小后增大的变化规律。当ξ_n较小时，挖槽段回淤比随ξ_n的减小而增大；当ξ_n较大时，挖槽段回淤比随ξ_n的增大而增加。

在试验研究的挖河横断面几何形态系数ξ_n范围内，挖河段上游河段的溯源冲刷量与开挖断面几何形态系数 ξ_n 的关系相对较小。

从挖河减淤效果而言，挖槽断面几何形态系数 ξ_n 在6～9之间较好。

（4）在试验研究的比降范围内，各比降下不同河段的河槽冲淤变化趋势也都是一致的，即不论开挖比降大小，在挖河段内均是回淤的，在开挖段的上游河段均是冲刷的，在下游河段或冲或淤，但其幅度很小。从总体减淤效果评价，开挖比降过缓或过陡都不太适宜，其挖沙减淤效果都会相对较低，就试验研究的比降方案而言，对于试验研究河段，以1‰左右的比降较为适合，或应基本接近于开挖前原河道的床面平均比降。

三、挖河时机分析

文献[4]通过模型试验、数值计算和原型观测资料类比分析等综合手段对减淤的时效性问题进行了研究。研究认为，挖河减淤效果的时效性受挖河的位置、强度以及挖河断面的几何形态、长度、比降等挖河边界条件，还有上游来水来沙条件等多种因素的影响。对于一定的挖河方案，其减淤的时效性主要受挖河后进入开挖河段的水沙条件的影响。若水沙条件有利，则回淤速度较慢，时效较长；水沙条件不利，则回淤速度较快，时效短。

通过结合1997～1998年挖河固堤启动工程方案，依据挖河后实测的水沙过程，进行相同水沙条件下“挖河”和“不挖河”对比试验和计算。认为挖河减淤（包括降低水位）的时效可基本接近1.5个水文年以上，或达到2个水文年。第二次自2001年10月观测，到2002年11月底观测结束，减淤效应仍很明显，时效远远超过1年；第三次观测尚未结束，工程的减淤作用仍在发挥。

从挖河减淤的时效性来看，应该每间隔2年左右时间循环挖河一次。

第七节　施工组织研究

一、施工方式

三次挖河固堤工程施工，分别采用了不同的开挖方式。第一次施工采用了旱挖方式，即在挖河段上界朱家屋子修建拦河坝挡水，利用挖掘机和组合泥浆泵进行河道开挖；第二、三次施工虽均是采用水挖方式，但第二次挖河，除了有3艘挖泥船间断进行开挖外，大部分采用了组合泥浆泵开挖，第三次则全部采用绞吸式挖泥船进行开挖。实践中，对挖掘机、组合泥浆泵、绞吸式挖泥船开挖等三种方法均进行了施工技术观测研究，其优缺点比较见表7-35。

1999 年10月黄河小浪底水库开始投入运用，黄委会实施了黄河水量的统一调度，确保了黄河不断流。为适应经济社会的可持续发展，构建人与自然和谐相处的环境，2002年黄委会提出了“维持黄河健康生命”的理念，把“黄河不断流”作为其一项重要标志，并把利津站100m³/s流量作为预警流量。随着治黄新理念的不断深入和行政、科技、法律、工程等措施和手段的不断强化，今后利津将不会再发生断流现象。由此可见，今后

表 7-35　　挖掘机、组合泥浆泵、绞吸式挖泥船开挖的优缺点对比

项目	挖掘机(配自卸车)	组合泥浆泵	绞吸式挖泥船(120m³/h)
适宜条件	断流 交通道路较好	水源较近 大河流量<80m³/s	大河不断流 >50m³/s,<400m³/s
优点	断面开挖规范 开挖段落全线贯通 施工质量易检测	(1) 成本低 (2) 生产效率高 (3) 受风雨影响小 (4) 对环境污染小	(1) 劳动强度低 (2) 易管理 (3) 受风雨影响小 (4) 对环境污染小 (5) 适应施工的流量范围大
缺点	成本高 管理难 污染较重 易出安全事故	(1)需在河道内修筑围堰，施工风险大 (2)易造成河势变化 (3)适宜施工的流量范围窄 (4)气温低，特别是冬季施工难度大 (5)水枪操作人员工作环境差，劳动强度大	(1) 成本稍高 (2) 生产效率相对低 (3) 开挖过程中有回淤

挖河固堤工程施工采取旱挖方式已不可能，必须在动水中开挖，亦即只能采用组合泥浆泵和挖泥船施工方法。

由于设计开挖中心线均是按主流线布置，组合泥浆泵开挖需在主河槽内修建纵横向围堰阻断施工区水流才能施工，采用该方式在施工过程中不存在回淤问题，生产效率高、成本较低。但对来水流量条件要求较高，适宜施工的流量范围较窄，根据2001～2002年挖河固堤工程施工期间技术观测，当来水流量超过80m³/s时，易造成围堰冲毁，需修做较高标准的围堰才能确保安全，其势必造成成本加大。由此可见，来水流量大小的不确定性对泥浆泵施工安全构成很大的威胁。同时，由于围堰的修筑，不仅在施工期改变了河流流势，施工完成后使河道形成了“三高两低”的形态。而且施工期在整个开挖河段的河道内形成了相互交错的河流状态，在施工结束后，出现了局部河段不能完全按设计开挖河槽过流的情况，对河道形态和河势的影响也较大。另一方面，考虑到利津站不断流的预警流量为100m³/s，因此今后挖河固堤施工必须考虑采用绞吸式挖泥船开挖。

2001～2002年挖河固堤工程施工期间曾对两条挖泥船(分别是海狸600型和120m³/h型）的生产效率进行了观测，当时利津水文站流量为50～225m³/s，经对出口含沙量取样测验（见表7-39)，测定出口含沙量为8%～15.7%，平均为11%，与理论生产量十分接近。因此可以说，在来水流量适应（主要是流速、水深满足施工条件）的情况下，挖泥船在黄河河道进行挖河施工是可行的。

二、施工时机

影响挖泥船施工的主要因素是河道流速和水深，具体反映在来水流量的大小上。根据对挖泥船施工适应性观测，当水流流速低于1.0m/s时，施工效率最大，当流速大于1.0m/s时，绞刀绞起的泥沙随水流流向下游，影响施工效率，流速越大，影响也越大；当流速大于1.20m/s时，回淤量大，且船体定位困难。挖泥船施工的最适宜水深为1.5m，

当水深小于1.0m时，挖泥船移动困难，在施工到转折点时掉头困难，易搁浅。据此分析，挖泥船的施工条件为水深大于1.0m、水流最大流速不大于1.2m/s。即利津水文站50～400m³/s是施工适应的流量级。从实施水量调度，确保黄河不断流的标志来看，挖泥船施工下限流量易满足要求。影响施工的主要是大于400m³/s来水流量，根据小浪底水库运用方式，山东黄河勘测设计研究院对2000～2010年来水进行预测分析，预测进入山东高村断面流量大于500m³/s的天数占50%左右，高村以下还有600余公里长的河道，考虑区间引水和河道蒸发渗漏，到达利津流量大于500m³/s的天数会有所减小，也就是说，小于400m³/s流量天数占50%左右。从来水流量分析，年可施工的月数为6个月。从今后来水预测分析，采用挖泥船进行挖河施工在时间上有保障。

表7-36、表7-37是小浪底水库投入运用以来利津水文站实测来水情况。由表可见：实施水量调度5年以来，非汛期（1～6月和11～12月）的月均流量为150m³/s，汛期（7～10月）的月均流量为549m³/s。受调水调沙运用的影响，最大流量为2 830m³/s，但流量变幅很大，最小流量仅为6.1m³/s。从各流量级出现的天数可以看出，日平均流量在50～400m³/s的天数有1 039天，占总天数的56.9%，大于1 000m³/s的天数有163天，占总天数的8.9%，利津水文站流量绝大多数维持1 000m³/s以下，与预测的河口来水流量情况基本相符，一年之中有一半以上的天数可以满足挖泥船施工。

表7-36　　2000～2004年利津水文站流量统计

项目		月份											
		1	2	3	4	5	6	7	8	9	10	11	12
流量(m³/s)	平均	235	149	121	83	140	301	570	439	556	631	504	269
	最大	782	530	263	186	658	2 680	2 850	2 880	2 710	2 830	2 280	1 140
	最小	25.2	26.9	25.6	6.1	10	2.78	11.5	17.2	11.8	20.8	34.3	20.2

表7-37　　2000～2004年利津水文站各流量级出现天数统计

项目	流量级(m³/s)				
	0～50	50～400	400～1 000	1 000～3 000	>3 000
天数	409	1039	216	163	0
占总天数百分比(%)	22.4	56.9	11.8	8.9	0

挖泥船施工除了受来水流量大小的影响外，还受凌汛因素的制约。据统计，黄河下游自1951～2000年的50年中，有42年封河，8年不封河，封河年度占84%。虽有8年未封河，但河道淌凌逐年均会发生，淌凌日期最早发生在11月28日，最迟在翌年的1月14日；从封河的时间分布看，20世纪50年代有1年未封河，60年代和70年代各有1年和2年未封河，90年代以后由于气候变暖有4年未封河。42个封冻年度中，河段首封地点在利津以下的有32年，首封日期最早是12月1日，开河日期最晚是3月18日；其中9年最早在12月20日之前封河，12年最迟在3月份开河；封河历时，最长86天，最短6天；河道封冻最上达到花园口，长度为703km，最短是在河口地区，长度为25km。

上游三门峡水库的调节运用，使黄河下游的冬季冰情发生了变化：封河长度缩短，冰量减少；文开河年份增加，武开河年份基本消失；封冻期由于三门峡水库加大下泄流量使冰塞年份增多。上游水库的调节对下游冰情影响既有有利的一面，也有不利的一面。由于黄河下游长700多公里，上游水库调节对山东河段影响较弱，使封冻期长短没有太大变化。2000年以后小浪底水库投入运用，承担了防凌任务，根据三门峡水库运用经验，黄河下游封冻状况与天然情况相比有所改善。由以上分析，黄河下游封冻期在12月～翌年2月期间均有可能发生。在该时段内施工存在不安全因素。

因此，综合气象条件、来水条件分析，每年的3～6月是施工的最佳时机；10～11月亦可施工。

三、挖河方式

挖泥船挖河方式有顺挖和逆挖两种。根据《疏浚工程施工技术规范》，在动水中开挖宜采用前进定深摆动式开挖方式，当流速小于0.5m/s时，宜采用顺流开挖；当流速不小于0.5m/s，宜采用逆流开挖。施工中具体采取何种方式，除应符合施工规范要求外，还应考虑挖泥船的生产效率。根据2001～2002年挖河固堤工程施工期间技术观测，海狸600型挖泥船用6条完成开挖，挖河桩号7+044～7+244长200m河段采用逆挖施工，7+244～7+344长100m河段采用顺挖施工的方法。033号挖泥船的每条挖宽较大，用5条就能完成开挖，采用顺逆挖交替的施工方法，即第一条为顺挖，第二条为逆挖，以此类推，开挖方式见图7–25。

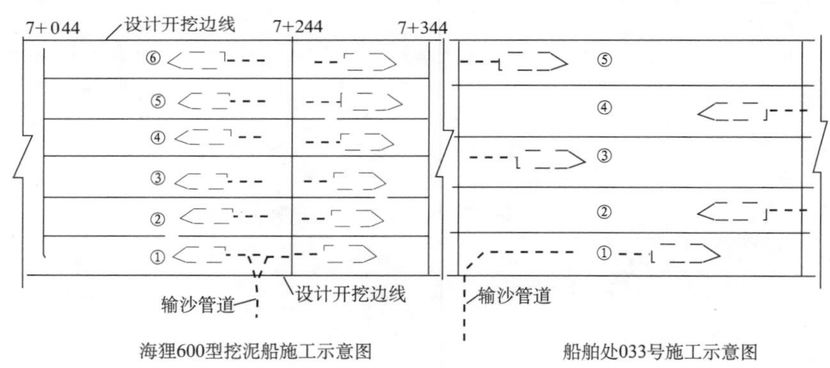

图7–25 挖泥船的分条施工示意图

顺挖、逆挖的生产效率及同一施工段的不同时段的含沙量、生产效率对比情况见表7–38、表7–39。

表7–38 挖泥船顺挖、逆挖的生产效率分析

海狸600型挖泥船					033号挖泥船				
方向	观测时间(h)	输沙距离(m)	生产土方(m^3)	工作效率(m^3/8 h)	方向	观测时间(h)	输沙距离(m)	生产土方(m^3)	工作效率(m^3/8 h)
顺挖	332	1 800	37 948	914	顺挖	312	2 050	47 413	1 216
逆挖	670	1 800	98 579	1 177	逆挖	226	2 050	30 686	1 086
平均				1 046	平均				1 151

表 7–39　　挖泥船不同日期出口含沙量、生产效率统计

河段桩号	船号	观测日期(月·日)	利津站流量(m^3/s)	输沙距离(m)	过流增加断面积(m^2)	出口含沙量(体积比%)	生产效率($m^3/8h$)
7+244～7+344	海狸600型	10.06	70.5	1 800	42	8	781
		10.11	53.2	1 800	80.3	8	806
		10.16	60.4	1 800	118.6	10	951
		10.21	87.6	1 800	156.9	11	1 028
		10.26	61.5	1 800	195.5	12	1 314
		平均				9.8	976
9+044～9+344	033 号(120m^3/h)	11.06	129	2 050	0	11	1 030
		11.12	225	2 050	31.6	8.5	796
		11.17	151	2 050	76.8	12.3	1 152
		11.22	119	2 050	124.0	14.2	1 330
		11.27	67.6	2 050	179.8	12.6	1 180
		12.2	43.8	2 050	262.9	15.7	1 470
		平均				12.4	1 160

从表中对比分析可以看出：挖泥船在黄河流量变化不大的情况下，顺挖和逆挖生产效率比较接近。顺挖和逆挖的生产效率受施工段的长度、施工时段及开挖顺序的影响较大。如果施工段长度偏短，则挖泥船调头、转弯所占用时间就长，效率下降。如海狸600型挖泥船由于顺挖段较逆挖段短100m，生产效率逆挖大于顺挖。在同一施工段，大河流量变化不大的情况下，随着开挖断面面积的增大，河水流速减小，水流挟沙能力降低，出口含沙量增大，挖泥船的生产效率也相应增加。

由以上分析可见，对于需分条开挖的河道，顺挖和逆挖两种施工方式对生产效率影响较小。在施工过程中应注意尽快开挖完成第一条，以形成全连通的过流河槽。这样既避免了黄河泥沙的“填坑”效应，同时由于形成全连通的过流河槽后水流集中，在开挖第二条、第三条……时，河水流速减小，也有利于生产效率的提高。

第八节　结论与建议

一、主要结论

(1) 通过分析观测成果和对比相近河段的冲淤情况，3次挖河工程起到了减少河道淤积的作用，达到了实施的目的。1998～2004 年利津—清 6 河段由挖河引起的冲刷为 250 万 m^3。

(2) 河口河段同流量级水位2004年与挖河工程初期比较均有明显下降。由于挖河工程的影响，下降的幅度大于临近的上游河段。

(3) 挖河固堤工程具有明显的固堤作用。3 次工程共加固堤防长 24.8km，宽 80～100m。

(4) 通过国民经济评价分析，社会折现率大于 12%，说明三次挖河固堤工程的实施

在经济上是合理的。

(5) 挖河工程应选择在弯道的过渡段，首选应为河口河段；从减淤绝对量分析，挖河段落越长越好。

(6) 由于实行了全河调水，因此今后挖河工程只能动水开挖；并根据对120m³/h挖泥船施工观测和有关小浪底水库运用之后利津站来水流量预测分析成果，综合考虑凌汛等气象条件以及汛期来水的影响，认为，每年的3～6月是施工的最佳时机；10～11月亦可进行施工。

二、几点建议

(1) 加大投入力度，继续开展挖河固堤工程实践，且要增大规模。这一建议基于四个原因：①由于河道长时间的小流量行水，造成山东河道以淤为主，且淤积的主要部位在主槽，横向宽度缩窄，纵向抬高，平滩流量明显减小，中常洪水即漫滩，造成防洪压力越来越大，必须进行治理；再者大堤是防止黄河泛滥的最后屏障，河道的淤积必然造成大堤升高，如果大堤无限抬高，潜在威胁愈来愈大，一旦决口不堪设想，挖河疏浚可以构筑相对地下河，减少漫滩几率和洪水冲决堤防的可能性。②黄委提出了“宽堤保河，稳定主槽，调水调沙，政策补偿”的新的治黄方略。挖河疏浚能够通过增大滩槽差、改善河势来有效的稳定主槽，且利用挖出的泥沙加固大堤，可谓一举多得，完全符合新的治黄方略精神。③不可否认，小浪底水库运用之后，近几年又连续实施调水调沙，黄河下游河道得到比较大的冲刷，河槽过水能力有所增加。但是亦应看到，黄河挟带大量泥沙堆积在河口，使得尾闾河道淤积延伸，并对其以上河段产生不利反馈影响，造成溯源淤积，河床抬升，进而影响泄洪能力。因此，建议调水调沙与挖河固堤并举，上游依靠调水调沙动力，冲刷河道，保持一定的过水河槽，下游运用挖河，疏浚河道，防止河床纵比降变缓，维持河道输沙能力。

(2) 河口段的淤积延伸是造成黄河下游河道淤积的重要因素之一。因此，挖河疏浚应首选在河口尾闾段实施。2003年编制的《黄河河口近期治理防洪工程建设可行性研究报告》(简称《报告》) 中，已经编列了上自渔洼断面、下至清7断面共11段、长30.4km、疏浚量为611.0万m³的挖河疏浚工程，建议《报告》尽快批复。考虑到挖河的时效性一般为2年以内，应每2年对已经挖过的挖河段再安排进行复挖或疏通。清7断面至拦门沙河段亦应与以上河段同时进行挖河疏浚，以畅通尾闾河道，当务之急，应先做好立项工作。

(3)“挖”作为黄河下游泥沙综合处理的措施之一，通过实践，一些问题认识尚待统一。因此，建议一是加大科研投入力度，进一步开展专题研究工作，澄清模糊问题；二是对以往成果进行全面总结，大力宣传挖河固堤工程的减淤效果和防洪减灾效益，以引起各级领导的高度重视。

(4) 2004年开展了海狸600型挖泥船在口门的适应性试验，取得了一定成果，但未进行疏浚效果试验，因此建议加大疏浚规模，适时开展口门疏浚效果试验。同时，建议开展其他的疏浚试验，比如人工扰沙、爆破疏浚等，以比较各种方法的优缺点，进一步改进疏浚方案，增大疏浚效果。

第八章　黄河口导流堤工程建设

第一节　稳定黄河口必须建设导流堤工程

一、从尾闾摆动的特点看，必须建设导流堤工程稳定黄河口

（一）刁口河流路口门演变情况

1964年，刁口河改道初期，河道宽广，水流散乱，支汊无数，漫流入海，见图8−1。经过1964年一个汛期，海岸向海推移近10km，淤出的面积约达250km²。1965年汛后散乱多股入海的形势变成两股入海。1966～1969年，口门逐年向右摆动，见图8−2。其摆幅少则几千米，多则十几千米。1969～1973年，口门逐年向左摆动，见图8−3。其摆幅少则几千米，多则几十千米。1973年汛后河口发生小改道，从最左边摆到神仙沟口的右边入海。1974年又向左摆动20余公里，1975年汛期多股漫流入海。

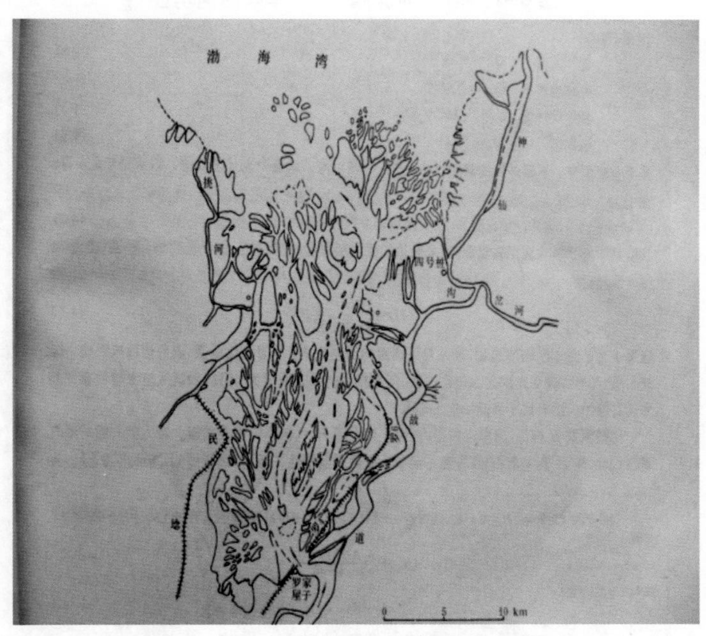

图8−1　刁口河流路1964年改道初期河势图

（二）清水沟流路口门演变情况

1.原河道口门演变

根据清水沟流路历年的河势观测，入海口门摆动不仅幅度大而且十分频繁，几乎每

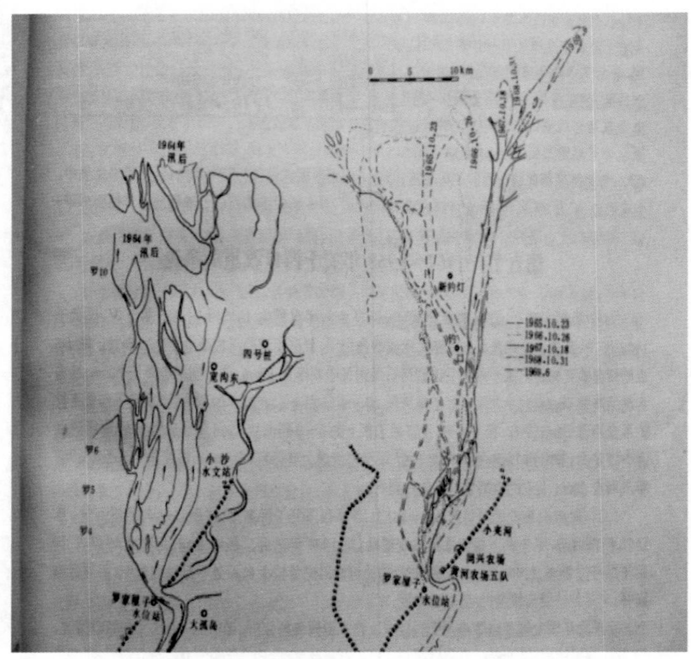

图 8–2 刁口河流路 1969 年以前河势图

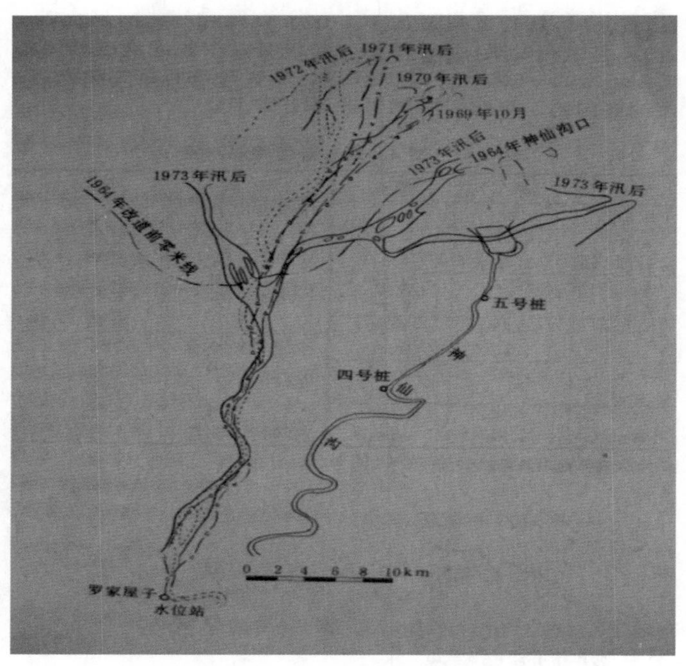

图 8–3 刁口河流路 1969 年以后河势图

年都有变动，见图8–4、表8–1。1976年5月27日在罗家屋子人工截流，河道由刁口河改道清水沟入海。改道初期水流沿开挖的6km引河下泄，清2断面以下基本上走清水沟

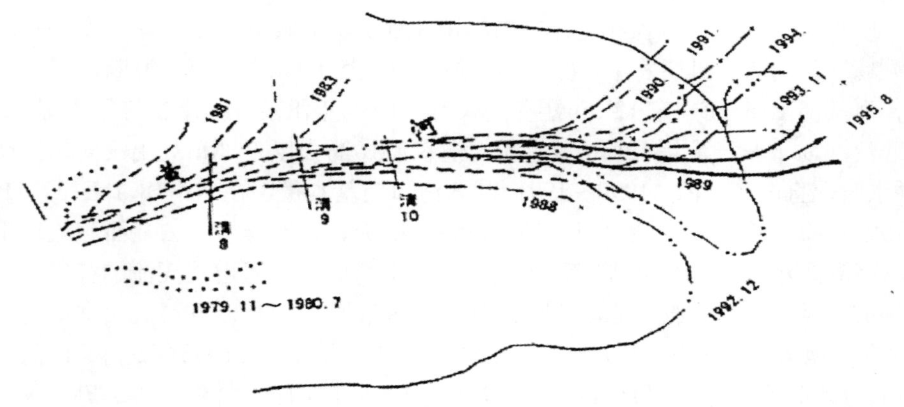

图8–4　清水沟流路河势演变图

表8–1　黄河入海口门摆动情况　(单位：km)

时间(年·月)	1976.10	1977.10	1978.10	1979.9	1980.10	1981.10	1982.10	1983.10	1984.5	1985.5
摆幅	8.0	15.0	2.5	7.0	2.2	2.0	2.0	3.0	5.0	
时间(年·月)	1985.5	1987.9	1988.9	1989.10	1990.9	1991.8	1992.9	1993.9	1994.11	1995.9
摆幅	0.5	1.2	2.6	4.1	1.9	14.6	7.8	2.9	5.7	

自然河道，河面宽3～7km，形成上窄下宽的扇面漫流。主流散乱，不久在清3断面以下700m处逐渐分成南北两股。9月份大水过后，北股淤塞，南股紧贴防洪堤向东入海，河道宽2～3km，河道宽深比$\sqrt{B}/h$=36.6，滩槽高差为0.74m，口门呈喇叭形，河口向海延伸6km。1977年汛前，河道在清4断面分为两股，一股向东，一股向北，8月份大水河道取直向东入海，口门又向东延伸6km，达到清7断面附近。1978年7月，流路在清4断面以下2km处向北出汊摆动，距清4断面8km处分为两股，一股向北，一股向北偏东方向入海，河道向北摆动约14km。10月份清3、清4断面河槽又分别北移2km和4.5km，入海口门仍为两股，流路延伸13km，从现在的孤东油田入海。1979年9月，上段河势变化不大，在清4断面以下，河槽由北向东南出汊摆动23km，在大稳流正东5km处向东入海。1980年汛期，清4断面以下河道由南向北回摆6km，在清6断面以下形成陡弯，分南、北两股，主流在清7断面转向东北入海。1981年10月，清6断面以上河势变化不大，清6断面以下2.5km弯顶处串水，河道取直向东独流入海。1982年口门向南摆动2km入海。1983年河口门继续向南摆动2km（口门位置在119°16′E，37°45′N），形成三股入海，右股最大，河宽1 000m左右，水深2～3m，汛后西河口以下河长53km，较改道时延长26km。1984年，河口继续南摆，5月向南摆动4km，7月又向南摆动2km。1985年，河口段河槽向南平滚4.5km，10月份口门分三股入海，中股向东南为最大。1986年合并中股入海。1987年1月，河道分两股入海，一股走原河道，一股垂直原河道走滨

海油田开挖的北汊河向北入海。由于北汊河比原河道流程短15km，纵比降为3.45‱，是原河道的2.7倍，水深流急，9月5日实测北汊河过流占大河流量的48%，至1988年2月27日，北汊河过流已占大河流量的94%，这是一次人为分汊。1988年6月，将北汊河截堵，使水流回归原河道入海。并在南岸清8断面以下截堵2条潮沟，北岸在垦东16井以下截堵3条潮沟，汛期发生8次洪峰，最大流量5 600m³/s，清10断面以上河道单一顺直，河从清10断面向东12km处漫流入海。1989年汛前，南岸整修导流堤23km，北岸在北汊河以下修导流堤12km。7月份河道在清10断面以下6km处出汊向南摆动4km入海，洪水时取直向东入海。1990～1991年，入海口门基本稳定在119°18.1′E，37°41.5′N附近。1992年2月17日～8月2日，河口断流142天，径流作用失去，而潮流作用相对加强，高高潮海水上溯清8至清7断面之间。清10断面以下河道受潮流的往复作用，将河道冲刷成6股，南岸3股，北岸3股，口门呈鸟爪形。8月20日第一次洪峰时，主流顺南汊2向东南方向在119°14.7′E，37°35.3′N位置入海。到1993年9月，口门向左摆动7.8km。1994年11月，又向左摆动2.9km。1995年9月，向右摆动5.7km。

综观清水沟流路1976年5月～1995年9月，口门摆动年年发生，摆幅少者0.5km，多者15km，年平均在4.9km。

2. 清8汊河口门演变

清8改汊后由于流程缩短，比降加大，河道刷深，滩槽高差较大，加之有利的海域，口门较其他流路稳定得多。1999年以前，口门横向摆动范围仅在几百米，河道长度年变幅在−1.68～2.27km。2000～2002年，口门先左摆后右摆，范围在近千米，河道延长1 800m。2003年汛期向右摆动，并出现分汊。2004年，调水调沙期间，口门向右摆动达4km。

以上分析可以看出，无论是刁口河流路还是清水沟流路，在自然状态下，尾闾河段摆动十分频繁，因此要稳定黄河口，必须建设导流堤工程。

二、导流堤工程可起到束水攻沙的作用

自1986～1999年14年间，利津—清7断面河道淤积总量为10 644万m³，其中利津至西河口淤积5 291万m³。14年中由于来水来沙条件不利，汛期除1988年、1995年、1996年河道发生冲刷外，其余11年汛期全为淤积，非汛期除1996年、1997年两年稍有冲刷外，其余12年全为淤积，说明利津以下河道近期主要是淤积。西河口以下尾闾河段淤积强度大于利津至西河口河段。据实测资料分析，1999年10月～2000年10月利津—清7河道仍淤积了673.5万m³。从河底高程来看，利津断面从1981～1991年，10年累计断面平均河底高程抬高0.08m，1991～2001年10年累计断面平均河底高程抬高0.75m，抬高速度后10年是前10年的9倍多。平滩流量已由20世纪80年代的5 000m³/s减小到现在的3 000m³/s左右。2002年7月4～15日黄河调水调沙试验，利津站最大流量2 500m³/s，相应水位13.80m，比1958年10 400m³/s流量的相应水位高出0.04m，比1988年同流量水位高出1.13m。

以上情况说明，主槽淤积加重，致使河口河段主槽平滩流量减少，同流量水位抬高突出，过洪能力减小。主要是河口河道宽浅，不适应小流量造成的，要改变这种状况，需要建设适当宽度的导流堤工程，达到束水攻沙、降低河床的目的。

第二节　陆上导流堤工程的建设

一、导流堤工程的标准

（一）导流堤的现状

导流堤是在河口经流潮波区段主槽两岸按中常洪水标准修做的束水工程，主要用来截支强干，束水归槽，改变河床边界条件，增大主槽流速，提高水流挟沙能力，畅通入海河道。起初修做的导流堤高度比当地滩面高0.5m，顶宽10m，边坡1∶2。主要目的是通过修建工程，截堵滩地上的低洼串沟，防止未到平滩流量就先由缺口串水漫滩的现象。由于滩面高低不平，低洼处的导流堤堤顶高程还不如滩唇高，不到3 000m³/s仍可漫滩，导流堤还是起不到束水作用。1991年，针对导流堤工程处在低洼地带，临河受河水冲击，背河受潮水冲击的状况，将导流堤的标准调整为堤顶宽12.0m（有河沟、潮沟部位加宽至20～30m），堤高2.0m左右，临背边坡1∶3。此后经过整修、改线、加固、接长，现两岸导流堤共长34.6km，其中右岸17.7km，左岸16.9km，堤距1 550～2 800m，见表8–2。

表8–2　　导流堤高程、堤距

断面		丁字路	清7	清8	清9	清10	清11	清12
地面高程(m)	左岸	2.5	2.2	2.0	1.6	2.3	2.2	2.0
	右岸	2.4	2.2	2.0	1.9	2.1	2.3	2.1
堤顶高程(m)	左岸	5.1	4.5	4.0	3.4	3.3	3.2	无堤
	右岸	4.8	4.3	4.0	3.4	3.2	3.2	
主槽宽(m)		530	572	390	748	668	640	730
两岸堤距(m)		2 800	1 550	2 180	2 800	2 230	2 250	无堤

（二）导流堤比降的确定

黄河口为陆相弱潮河口，属不正规半日潮型，涨潮差与落潮差基本相等，平均潮差为1.02m。高高潮位为1.48m(黄海高程，下同)，低低潮位为–1.04m，平均高潮位为0.67m，平均低潮位为–0.24m，涨潮历时约为5h，落潮历时约为7.5h，高潮间隔为11.05h，低潮平潮时间略长。

从1989年9月(大河流量2 000m³/s左右)，1992年10月(大河流量1 000～2 000m³/s)，1994年10月(大河流量1 000m³/s)，1995年8月(大河流量1 500m³/s）的四次拦门沙区沙测验成果得到潮水上涨对河道影响范围，高高潮感潮段约20km，低高潮段15km。并存在着流量大、潮波的影响范围小，反之则大。相应河道位置在清9断面附近。因此，导流堤堤顶比降以清9断面为界，以上河段按径流影响确定，以下河段按潮流影响确定。

1993～1995年，丁字路—清9河段，最大洪峰流量3 210～3 430m³/s，水面比降0.95‱～1.20‱，滩地纵比降1.0‱～1.055‱。在河口水面比降与洪峰流量成正比例关系。从导流堤的安全和今后河口水面比降的调整考虑，丁字路—清9导流堤纵比降取1‱。

清9断面以下受潮流顶托影响,按清9断面堤顶高程平。

（三）河口造床流量的选择

黄河下游的中水河槽多系由造床流量的作用而形成的,河道整治的主要条件之一是对造床流量的合理选择，也是保持河道中水河槽稳定的重要指标。取利津水文站1976～1995年的实测资料,作为河口造床流量的计算依据。

1. 马卡维也夫法

某个流量造床作用的大小是和其输沙能力的大小有关的,同时也决定于该流量所经历的时间长短。水流的输沙能力可以认为与流量Q的某次方m及比降J的乘积成正比。所经历的时间可用其出现的频率P来表示。因此 当Q^m、J、P的乘积值为最大时,其所对应的流量的造床作用也最大。这个流量便是所要求的造床流量（平原河流一般取m=2）。计算时,将利津水文站每年每日平均流量按级差1 000m³/s分成几个相等的流量级,确定各级流量出现的频率P。取利津至西河口相应流量级的水位,确定出各级流量相应的比降。计算相应于每一级的Q^2JP值,选取Q^2JP的最大值,确定为造床流量。

根据上述方法,计算出19年的河口造床流量500～4 500m³/s不等。把19年资料统一按级差1 000m³/s分级,确定频率P、相应的水位及比降,同样按马卡维也夫法计算,造床流量为3 500m³/s。

2. 平滩水位法

由于造床流量时水位大致与河漫滩齐平,同时,也只有当水位平滩时,其造床作用才最大。所以采用平滩水位相应的流量作为造床流量。由于河道受河口淤积延伸、滩槽高差不一、来水来沙等条件的影响,平滩流量也大小不一,本次选取了1981～1996年利津以下的大断面统测资料及水位流量资料,主要水位控制站有一号坝、西河口、十八公里、丁字路。参照了历年汛期各滩地洪水漫滩时的水位,得出平滩流量在时段上有前大后小,在河段上有上大下小的特点。1981～1985年较大为 5 000m³/s左右；1986～1990年大小不一,为3 000～4 500m³/s；1991～1996年西河口以上河段为3 500m³/s左右,西河口以下河道为3 000m³/s左右。近几年河口平滩流量偏小,主要是与来水小,汛期洪峰流量小有关。

上述两种方法,算得河口造床流量相近,考虑今后来水趋势,确定河口地区造床流量为3 000m³/s。

（四）中常洪水流量出现的最大机遇

统计1976～1995年汛期大于2 500m³/s且小于6 500m³/s的洪峰流量,共有31次,按500m³/s分级,应用数理统计方法分析计算,得出洪水出现最大机遇流量是4 000m³/s。

以上说明河口导流堤按4 000m³/s流量控制的标准是符合实际的。由于近几年河口河道淤积萎缩，同流量水位不断抬高，导流堤的高程显得相对不足。因此，在实际工作中又常出现一些新的问题。

（五）导流堤高程的确定

1. 黄河口的水位流量关系

确定导流堤的高程实际上是确定4 000m³/s流量的相应控制水位，根据近期1990～1996年黄河口丁字路断面汛期实测流量资料，年共计测流198次，其中流量在500m³/s

以上的有136次，现将这些资料做成水位流量关系线，见图8−5，从图中可看出，黄河口水位流量的变化趋势虽较正常，但变幅较大，同级流量的水位差值可达1m左右。这说明在黄河口用流量来作为修做导流堤的控制标准是一个动态指标，而造成河口水位变化的原因是多方面的，如水沙条件、河道冲淤、河口延伸摆动等，都对河口水位的变化有较大的影响，因而在实施过程中掌握上有一定的难度，拟仿照黄河堤防做法，按照每个治理阶段的目标，确定一个对应的设计水平年（如5年或10年），适当留有余地，为操作实施提供方便。

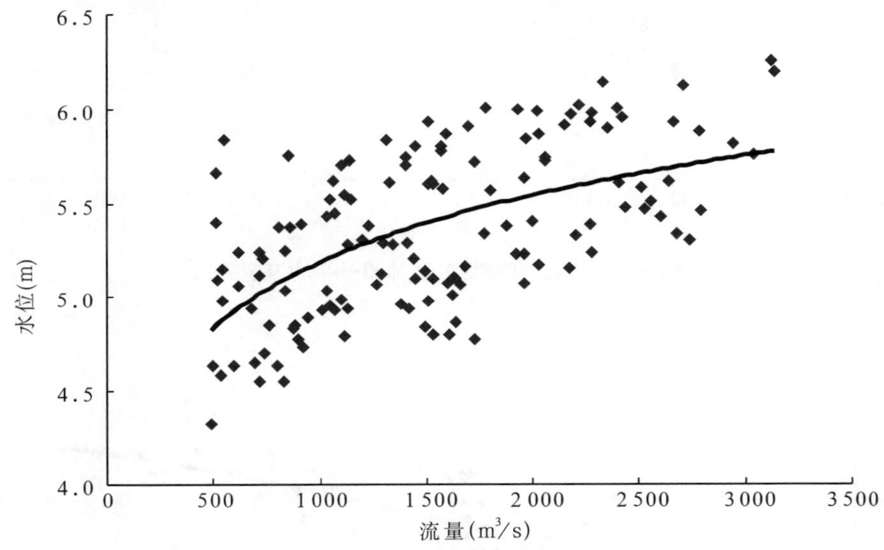

图8−5　黄河口丁字路断面水位—流量关系线

2. *黄河口河道流量与平均流速关系*

根据黄河口丁字路断面1990～1996年实测流量500m^3/s以上的资料，作出断面流量与断面平均流速关系线见图8−6，从图中可以看出，河口段的断面平均流速与流量的关系为：当流量500～2 000m^3/s时，断面平均流速随流量的增大而增大的关系很明显，断面平均流速由0.8m/s左右增大到2.2m/s左右，平均每1 000m^3/s流量增大近1m/s；当流量在2 000m^3/s以上时，断面平均流速随流量的增大而增大的关系则明显减缓，流量2 000～3 000m^3/s的相应平均流速为2.2～2.6m/s，平均每1 000m^3/s流量增大约0.4m/s，说明河口段在流量接近或超过平滩流量时，断面平均流速的变化是比较缓慢的，而且点迹的离散度也逐渐减小，这一情况对推算导流堤的控制水位是有利的。

3. *黄河口河道流量与平均水深关系*

同样，根据黄河口丁字路断面1990～1996年实测流量500m^3/s以上的资料，作出断面流量与断面平均水深关系线（见图8−7），从图中可以看出，河口段的断面平均水深与流量的关系为：当流量500～2 000m^3/s时，断面平均水深随着流量的增大而有所增大，但变化比较平缓，反映了河口河道宽浅和平顺的特性；当流量在2 000m^3/s以上时，断面平均水深随流量的增大而增大的关系则较明显，流量2 000～3 000m^3/s的相应平均水深

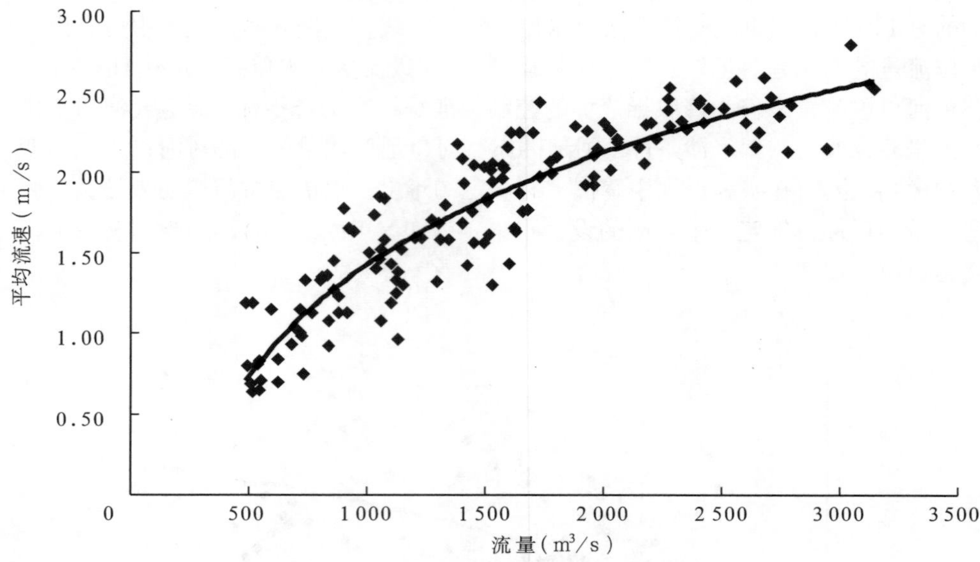

图 8-6 黄河口丁字路断面流量—平均流速关系

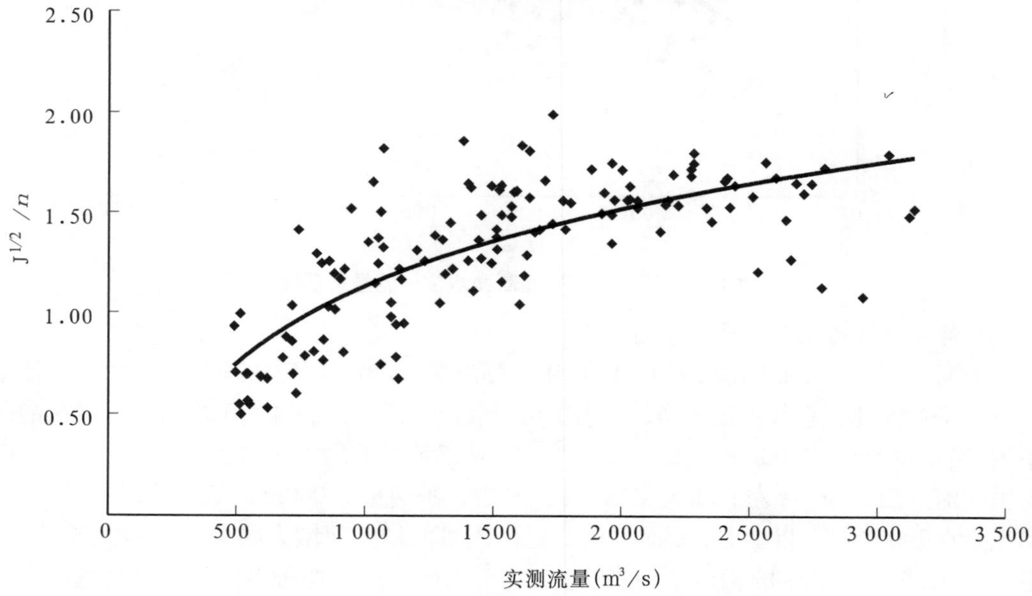

图 8-7 黄河口丁字路断面流量— $J^{1/2}/n$ 关系

为1.6~2.1m，增大0.5m左右；3 200m^3/s流量的平均水深约2.20m。说明河口段在流量接近或超过平滩流量时，主槽平均水深变化是较小的，而且点迹的离散度也较小，这一情况对推算导流堤的控制水位也是有利的。

4. 黄河口河道流量与糙率及比降的关系

根据河道水流连续方程、运动方程及曼宁系数，河道流量与糙率及比降有如下关系：

$$Q=A\,v=A\,\frac{\sqrt{J}}{n}h^{2/3}$$

将上式改写成

$$\frac{\sqrt{J}}{n}=Q/(A\ h^{2/3})$$

式中：Q为河道断面流量，m³/s；A为断面过水面积，m²；V为断面平均流速，m/s；h为断面平均水深，m；n为曼宁糙率系数；J为河道水面比降（‰）。

再根据黄河口丁字路断面1990～1996年实测流量500 m³/s以上的资料，作出断面流量与$J^{1/2}/n$关系线见图8-7，从图中可以看出，河口段的糙率及比降与流量的关系为：当流量在500～2 000m³/s时，$J^{1/2}/n$值平均为0.5～1.55，点迹离散度虽较大，但其随流量的增大而增大的关系却很明显；当流量大于2 000m³/s时，$J^{1/2}/n\sim Q$之间关系，图中点迹虽仍有一定的离散度，但其平均值随着流量的增大而基本维持在1.5左右，当流量为3 200m³/s时，$J^{1/2}/n$之值正落在1.50坐标线上，这说明河口段流量在接近或超过平滩流量时，河道的$J^{1/2}/n$之值基本变化不大，这种关系反映了河口河道糙率与比降互为调整的阻力特性，同时也为推算导流堤的控制水位提供一个很好的依据。

5. 黄河口河道汛期平均河底高程冲淤情况分析

为了分析黄河口河道平均河底高程的变化，将黄河口丁字路断面1990～1996年汛期全部实测流量的平均河底高程做成平均河底高程过程线，见图8-8，从图中可以看出，除1991年汛期有部分测次因主槽较窄深，平均河底高程较低，和1996年汛期因改河后流程缩短，平均河底高程降低外，其余年份汛期的平均河底高程基本上是逐年抬高的，而且每年的平均河底高程在各级流量下的变幅并不大，这种现象说明了河口河道的冲淤变化主要受制于河道长度的缓慢延伸或缩短，相当于侵蚀基准面的缓慢相对抬高或降低。同时来水来沙条件对河道冲淤变化也有很大的影响。

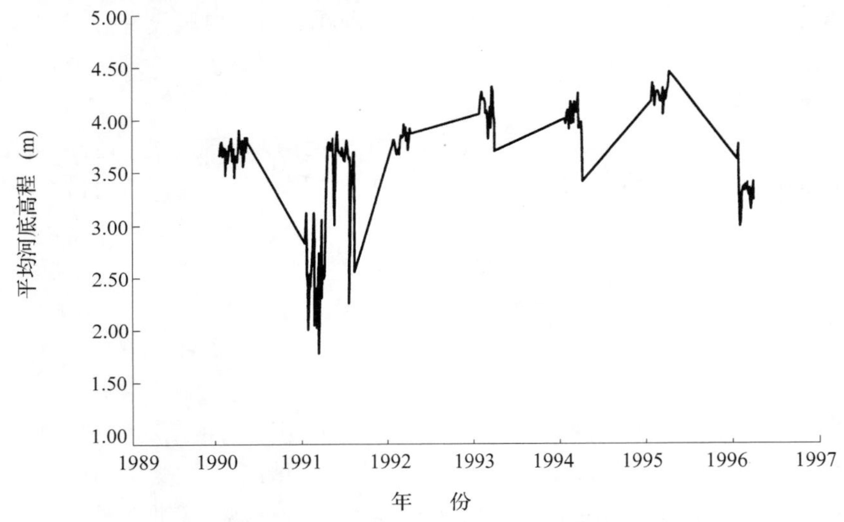

图8-8　黄河口丁字路断面平均河底高程过程线

由表8-3可以看出1990～1996年7年利津水文站来水总量为1 196.4亿m³，平均年水量为170.9亿m³；来沙总量为33.26亿t，平均年沙量为4.75亿t；总平均含沙量为28.5kg/m³，高于历年平均含沙量的10%。其中，1991年水、沙量最少，含沙量也低，只有19.0kg/m³，水沙条件很好，在1991年有利的水沙条件造床的基础上，河道长度变的最短，因此平均河底高程和3 000m³/s流量的相应水位均表现为本阶段的最低值。这一情况说明在黄河入海年来沙量2亿t左右的情况下，河口的变化是很稳定的。而1992年以后，黄河年来沙量都在4亿t以上，黄河口的河道长度、河底平均高程和水位，都在不同程度地延伸和抬高。尤其是1995年水量只有136.7亿m³,年沙量达5.69亿t，年均含沙量高达41.6kg/m³，使河口延伸到最长，同流量水位和平均河底高程均达到最高，这一情况表明黄河高含沙洪水对河口演变和防洪都是十分不利的，应该引起高度重视。

表8-3　黄河口1990～1996年水文基本情况统计

序号	年份	利津水文站			西河口水文站以下河长(km)	丁字路水文站	
		水量(亿m³)	沙量(亿t)	含沙量(kg/m³)		平均河底高程(m)	3 000m³/s流量水位(m)
1	1990	246.3	4.69	19.0	62.2	3.71	5.70
2	1991	122.5	2.49	20.3	60.0	3.16	5.51
3	1992	133.7	4.72	35.3	62.0	3.83	5.76
4	1993	185.0	4.21	22.8	65.0	4.12	6.30
5	1994	217.0	7.08	32.6	65.0	4.07	6.24
6	1995	136.7	5.69	41.6	66.0	4.30	6.45
7	1996	155.2	4.38	28.2	53.5	3.40	(5.50)
平均		170.9	4.75	28.5			

1996年的水、沙量和平均含沙量均接近于1990～1996年的平均值，但由于1996年7月实施了清8改汊，流程缩短16km，河口发生了明显的溯源冲刷，河口段的平均河底高程和同流量水位均明显降低，汛期下游河道普遍漫滩，而河口段没有漫滩；这也说明河口段的溯源冲刷和溯源淤积是影响河口水位变化的主要因素。

6. 导流堤控制水位的计算

综合以上分析，黄河口导流堤的控制水位，可根据河道水流的连续方程和运动方程，按照丁字路断面的实际情况进行求解，这样可能更为合理和符合实际。河口水流的基本表达公式为

$$Q = Q_a + Q_b$$

式中：Q、Q_a、Q_b 分别为全断面、主槽、滩地的流量，m³/s。

$$Q_a = A_a\ v_a = B_a\ h_a\ h_a^{2/3} \cdot J^{1/2}\ /n_a = B_a \cdot (H_a - Z_a)^{5/3} \cdot J^{1/2}/n_a$$

$$Q_b = A_b\ v_b = B_b\ h_b\ h_b^{2/3} \cdot J^{1/2}\ /n_b = B_b \cdot (H_b - Z_b)^{5/3} \cdot J^{1/2}/n_b$$

式中：A_a、A_b分别为主槽和滩地的过水面积，m²； v_a、v_b分别为主槽和滩地的平均流速，m/s；B_a、B_b分别为主槽和滩地的水面宽度，m；根据实际情况，主槽的水面宽度取B_a = 581m；滩地的水面宽度，取B_b = 1 100m。h_a、h_b分别为主槽和滩地的平均水深，m；J为水力坡度，以水面比降代替（‱）；n_a为主槽的断面糙率；根据资料分析黄河口西河口以下至清3河段，河道弯曲，比降较陡，河道主槽糙率为n_a = 0.01～0.012；清4断面以下河道比较顺直，比降较缓，阻力较小，主槽糙率为n_a = 0.006～0.009；按汛初排洪考虑，故取n_a = 0.009。n_b为滩地糙率，由于河口两岸滩地芦苇丛生且繁茂，取滩地糙率为

$n_b=0.06$。H_a、H_b分别为主槽和滩地的水位，m；丁字路断面河道顺直，水面基本无横比降，故可取$H_a=H_b=H$。Z_a、Z_b分别代表主槽和滩地的河底高程，m；滩地河底高程从地形图上查得为2.5m，主槽平均河底高程主要随河口入海长度而变化，根据以上分析拟选取2.82m、2.52m、2.27m、1.92m四种情况分别求$J^{1/2}/n_a$值，根据以上分析3 200m³/s时，$J^{1/2}/n_a=1.5$；依此换算出$J^{1/2}/n_b=0.225$。

现根据导流堤控制流量为4 000m³/s，并按以上所分析的各项因素进行求解如下

$$Q=B_a\cdot(H_a-Z_a)^{5/3}\cdot J^{1/2}/n_a+B_b\cdot(H_b-Z_b)^{5/3}\cdot J^{1/2}/n_b$$

即$581\times(H-Z_a)^{5/3}\times1.5+1\ 100\times(H-2.58)^{5/3}\times0.225=4\ 000$

再将Z_a=2.82m、2.52m、2.27m、1.92m 4种情况分别进行求解，计算结果列表8-4。

表8-4　黄河口导流堤控制水位解算

序号	平均河底高程(m)	计算水位(m)	主槽流量(m³/s)	滩地流量(m³/s)	全断面流量(m³/s)	主槽平均流速(m/s)	主槽平均水深(m)
1	2.82	4.89	2 939.3	1 060.3	3 999.6	2.44	2.07
2	2.52	4.66	3 104.2	895.3	3 999.5	2.50	2.14
3	2.27	4.47	3 235.7	764.2	3 999.9	2.53	2.20
4	1.92	4.19	3 409.3	591.7	4 001.0	2.59	2.27

从表8-4结果可看出，4种情况的导流堤的控制水位分别为4.89m、4.66m、4.47m和4.19m，水位越低主槽过流的比数越大，水位4.89m时，主槽过流约占74%，水位4.19m时，主槽过流约占85%，说明入海流路越短，河口主槽排洪能力越好；另外，在表中还计算了主槽平均流速和主槽平均水深，这些数值和实测资料一致，说明以上的计算是合理的并有实用价值的。鉴于1994年和1995年丁字路断面实测水位均已超过了4.52m，1996年改河后水位又明显有所下降。因此，根据目前河口防洪形势，为了留有一定的余地，建议近几年黄河口导流堤的控制标准，按丁字路断面4.52m高程进行控制，丁字路断面以上和以下两岸导流堤的纵剖面近期可按1‱比降推算。

二、导流堤的修筑位置及方向

（一）位置

导流堤下端位置修做到什么地方，意见不尽一致，根据1988年9月至1995年9月，实测河口地形平面图（见图8-9），从图8-9中可以看出，尾闾河道的摆动变迁仍很频繁，摆动顶点大体在清10断面以下5～7km，摆动扇面夹角约110°，面积约140km²。摆动顶部高程一般在1.2～1.4m，这一位置正处在平均高高潮位附近。1988～1995年，利津水文站年平均来沙量5.05亿t，拦门沙顶部高程冲淤基本未变，河道每年延伸近1km，见表8-5。

因此，在河口河嘴还未达到淤退平衡时，近口河段留出适当的范围摆动是必要的，建议修堤位置不宜过平均高潮线。

（二）方向

为了稳定延长流路的行水年限，优化利用海域容沙、海洋动力输沙非常重要。本着

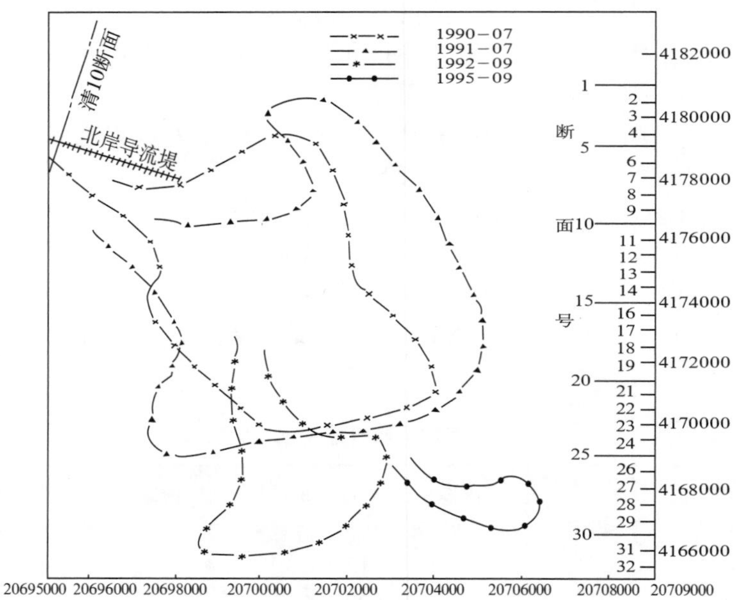

图 8–9 拦门沙平面位置变迁图

表 8–5 拦门沙区冲淤进退情况

时 间 (年 · 月)	年来沙量 (亿 t)	拦门沙区平均高程 (m)	清 10 至前沿距离 (km)	说 明
1988.9	5.88	−0.70	11.36	年来水沙量为利津水文站,用水文年统计。 高程，黄海基面。 拦门沙前沿指地形最大转折处
1989.10	4.51	−0.70	13.26	
1990.9	2.96	−0.80	11.76	
1991.8	4.32	−0.80	12.76	
1992.9	4.52	−0.50	15.26	
1993.9	7.39	−0.50	16.26	
1994.11	5.78	−0.70	16.96	
1995.9		−0.80	17.56	

这一原则,今后导流堤的修筑应做到以下四点:①向着口外海流强大的方向修筑,以利用沿岸海流挟运泥沙运离口门;②向着口外海滨较深区修筑,充分利用海域容沙;③向着涨落潮流方向一致,尽可能使河流方向垂直于潮流方向,把泥沙输运到两边,以减慢河道延伸速率;④向着河口常、强浪方向修筑,造成海岸线与波向线最大夹角,利用波浪力输送泥沙。

近几年实测资料表明,河口有以下特征:①随着河口向前推进,沙嘴突出,由于地形辐聚效应,使得河口沙嘴前缘潮流逐渐加强形成一强流带,位置约在10m等深线处,其底层流速依然很大,约为表层流速的 90%; 强潮流带与河口之间始终保持一定的距离,它们之间有一个弱区,因此黄河入海水不能直接进入强潮流带内,大部分泥沙沉淤在此区内; ②口门北侧区域的涨潮流大于落潮流,最大涨潮流指向东南,最大落潮流指向北或东北，由于落潮流并不与涨潮的方向相反，而是指向北或东北，这样的落潮流有利于泥沙向深水区输送；③从水深图上可以看出，口门东北为深海区，盆地开阔，同面积容沙体积大；④根据黄河口近站气象观测资料分析结果，全年平均风速为5.3m/s，偏北风的风速普遍大于偏南风，其中NE方向风速最大，平均6.45m/s，其次为ENE为6.39m/s。而SW方向的平均风速最小为3.6m/s。6级以上大风出现主要在NW、NNW、NNE、NE、ENE五个方位，出现频率较高的月份主要是11月、1月和2月，由此可见，黄河口大风在冬季，方向偏北。综上所述，今后导流堤向着东北方向修筑有利。

三、导流堤的结构

导流堤的结构试验了以下5种型式，见图8–10。

(1) 土工织物包泥。将宽1.6m、长30m的土工布包泥后缝合，做成直径约0.5m的长枕，置于两堤坡；外侧培土防日晒老化，中间填土，并用草袋封顶，见图8–10(a)。

(2) 苇袋枕护坡。用芦苇（荆条或柳枝）作为裹护材料，内裹土袋子，捆成直径0.8～1.0m的枕，做临背堤坡，中间填土压实，黏土盖顶，见图8–10(b)。

(3) 苇石护坡。在导流堤临背土坡上先铺设0.2m厚芦苇，外面再垒砌0.4m厚的石块，见图8–10(c)。

(4) 黏土护加坡盖顶。在导流堤两边坡上加帮水平厚1.5m的纯黏土，顶厚0.5m，并碾压夯实，见图8–10(d)。

(5) 混凝土砌块护坡。用100号水泥砂浆，预制成长40cm、宽40cm、厚10cm的混凝土块，浆砌在临背堤坡上，顶部用黏土封实，见图8–10(e)。

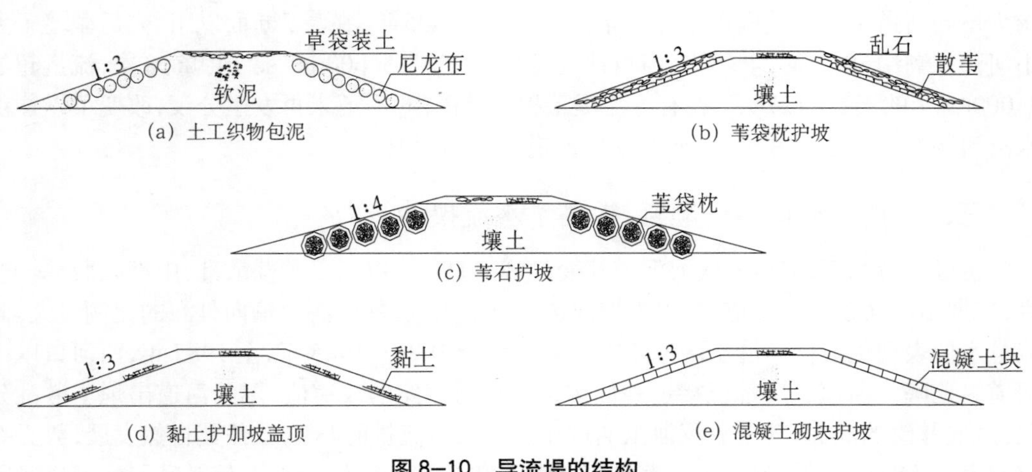

图8–10　导流堤的结构

上述5种结构经洪水和风暴潮考验，结果表明，苇袋枕护坡和黏土护坡盖顶两种导流堤结构简单，施工方便，就地取材，造价低廉，耐冲易管，效果较好。

第三节 陆上导流堤工程的作用

一、束水攻沙，降低河槽

清7断面以下河床均是新淤土地，地势低洼，滩槽高差小，滩唇束水能力差。在导流堤未修做之前，当大河流量超过2 000m³/s时便出槽漫滩，并在滩唇上冲刷出许多河沟，出现多股分流的局面。由于主槽流量的减少，破坏了输沙平衡，导致河道淤积，这就是黄河口分流必淤、多股不能长期并存的原因。导流堤修做后，截堵了河沟、潮沟和低洼地带，加大了滩槽高差，漫滩流量由2 000m³/s提高到4 000m³/s，单宽流量增大，对冲刷河底有明显作用。从丁字路水文站实测水位与流量、水位与过水面积、水位与流速多种关系曲线可以看出，当流量在500～1 500m³/s时，水位与流量点群散乱，同流量水位的上包线与下包线相差0.6～0.9m；当流量大于1 500m³/s后，水位与流量关系曲线平缓单一。此外，当流量增大时，水位上涨很小，流速也增大甚微，而过水面积增大较多。这说明，流量增大主要是由于河底冲刷造成的，水位、流量关系曲线出现涨水在上、落水在下的正绳套，从而显示出导流堤束水攻沙的作用。

二、截支强干，避免了河道摆动

清7至清9断面，滩岸低，易漫滩，并有许多直流入海的河沟；清10断面滩岸更低，潮水经常上滩，受涨潮流和落潮流的往复作用，冲刷出许多垂向河道的潮沟。这些河沟、潮沟为尾闾河道出汊摆动提供了先决条件。1988～1995年，在清7断面以下，先后截堵了大小河沟、潮沟80余条。8年来，河口地区发生2 350～5 600m³/s的洪峰18次，流量超过3 000m³/s的天数为27天。在有导流堤工程的范围内，河道未再发生分汊，改变了以往洪水沿河沟、潮沟多股并流，进而发展成河道摆动的状况。

三、保持了河道单一顺直，提高了水流挟沙能力

在自然情况下，河口段入海河道演变的规律是：形成初期游荡散乱，中期归股单一顺直，末期出汊摆动直至改道，且以中期河道排洪能力为最强，泥沙输向外海的比例最大，同流量水位表现也最低。清水沟流路单一顺直期为1981～1985年，至1987年，西河口以下河道纵比降、河道长度都已接近神仙沟、刁口河流路的改道值，尾闾河道出现了散乱分汊、多股并流的局面，其中北汊河汛期过流已占大河流量的48%，若任其自然发展，势必夺流改道。1988年修做导流堤后，截堵了北汊河和6条大河沟、潮沟，使散乱了的河道又归为一股。8年来，有导流堤的河道，主槽一直保持着单一顺直，曲折系数近似为1，这是河口过去不曾有过的。同时我们观察到，在导流堤末端以下5～7km的河道，虽无工程控制，但也保持着单一顺直，分析认为，这是导流堤和水流惯性共同起的作用。1988年5月与1993年10月实测断面资料表明，河槽向窄深发展。其中，主槽缩窄40～890m，平均缩窄444m；平槽水深加大0.17～0.78m，平均加大0.48m。从套绘的历年河势图上看，除清8、清10

局部河段调整取直外，其他河岸基本未变。各断面的平均宽深比由修导流堤时的22.45减小为12.76。河道形态的改善使水流更加集中，对加大泥沙排泄入海非常有利。

四、增强了河道的稳定性

在没修导流堤以前，约束洪水主要是靠滩唇，而滩唇的宽度一般100m左右，修导流堤后，堤前滩地逐年淤积抬高，实际上将滩唇宽度增至500m以上。若过去河道横向摆动100m，塌掉滩唇而出汊漫流或改道，今后至少需塌掉500m，把导流堤塌到河里后，才有可能出汊和改道。导流堤间接地起到了淤滩固槽的作用，这无疑是增强了河道的稳定性。

五、导流堤与植被组成的生物河槽作用

清7断面以下全是新淤土地，土壤肥沃，自然植被良好。导流堤内主要生长着芦苇、茅草、绵柳、蒲草等植物，地面覆盖率达98%以上。由于导流堤之间经常漫水落淤，植被生长特别茂盛，至6月底高度可达1.5m左右。据现场观察，导流堤与植被组成的生物河槽在一场洪水过程中的作用是：当大河涨水刚出槽时，由于受植被的阻挡，水流缓慢，流速不足0.4m/s，泥沙迅速淤积在滩唇附近，而主槽流速是滩地的4～5倍，有淤滩刷槽之效；水流到导流堤根便不再分散，导流堤这时起着束水集流的作用；洪峰到达以后，水位也不再上升时，堤内水流几乎静止，这时最大洪峰流量会由主槽下泄，植被与堤内的静水起到了增大主槽水深和导托洪水由主槽下泄的作用；当大河水位回落时，堤内清水归槽，不仅加大了主槽流量，而且降低了含沙量，有利于冲刷河床。

六、结论及意见

综上分析和总结，对黄河口陆上导流堤工程有以下几点认识：

(1)根据黄河口造床流量和中常洪水发生的最大频率，确定导流堤的高度与当地大河流量4 000m³/s的相应水位是适宜的；两岸导流堤距不超过2 000m，顶宽10m，临背边坡1∶3。

(2) 目前导流堤工程结构简单，标准低，抗御洪水、潮水的能力差，还达不到“溢而不垮，分而不改”的要求。今后可选做插板桩、砌石、混凝土裹护等结构进行试验。

(3) 现在来水来沙条件下，导流堤末端应修至−5m等深线以下。其位置向着海域扩散，水深、潮流速大的东北方向修做，以利于稳定延长流路的行水时间。

(4)导流堤工程修筑以后，如出现临背差增大，可与河口挖河疏浚结合，有计划地淤滩。

(5) 导流堤工程对截支强干，束水攻沙，避免河道摆动，保持河道单一顺直，提高水流挟沙能力等方面起了一定作用。

第四节　陆上导流堤向海延伸的必要性

一、利用黄河口沙嘴前沿强潮流带输沙

观测资料显示，在黄河口三角洲附近海域存在着一个强潮流带。以流速大于2.2节

(1节＝51.4cm/s)的等值线分布为界，该强潮流带呈狭长形，由西北向东南延伸，它的大致走向与等深线基本一致，其中心位置大约位于10m等深线附近，宽约10km。它有两个明显的高流速中心：一个在黄河口门外，一个在神仙沟口外，黄河口外流速明显大于神仙口外流速。黄河口门外的强潮流区位于黄河沙嘴前沿，最大流速位于沙嘴的右前方。黄河沙嘴外的高流速区与黄河沙嘴的形成及向海中的延伸密切相关。一旦在口门外形成了沙嘴，并且沙嘴突出地伸入海中，则必然造成潮能的局部强化，使潮流流速增大。在现河口沙嘴形成之前，黄河口海域的最大潮流流速尚不足2节；随着黄河口沙嘴的形成，这一海区的潮流随之加强，出现最大潮流流速高达3.6节的强潮流带。因此，黄河口门外潮流高流速区的形成，可以把颗粒更大、数量更多的黄河入海泥沙输运到沙嘴两侧的深水区，从而成为遏制沙嘴成长发育的主要的海洋动力——失去泥沙的补充源而受到潮流等海洋动力的单方面侵蚀，沙嘴不断后退，促成入海流路变短，这样则可以延长该流路的行水年限。问题的关键是通过建设海上双导堤工程，才能把黄河入海口门固定在强潮流区附近。

二、有效利用波浪输沙

渤海中的波浪主要是由风的作用所致，受风场变化规律所控制，具有明显的季节变化。黄河三角洲海域的海浪主要是渤海上的风生成的波浪，因而受渤海上风场变化规律的制约，强浪向为NE、NNE向，次强浪向为NNW，常浪向为S向。该海域寒潮波浪最大，台风波浪次之，一般天气过程波高不超过1.5m。台风多发生在夏季，到达渤海的次数很少，寒潮则每年10月份以后经常发生，大浪主要出现在10月～次年4月份，波高一般在3m以上。

黄河口海域也是风暴大浪的频发区，风暴大浪四季均有发生，但有明显的季节变化：冬半年的次数明显多于夏半年。一年中以11月出现最多，其次是4月、2月和3月，出现最少月份是6月和9月，该区的风暴大浪主要是由偏北风所致，寒潮大风天气多于台风天气。波浪能使海水发生强烈拌搅和涡动；在水深不足5m的浅海区近岸处，波浪极易破碎，直接作用于海底，能使沉淤的泥沙再度掀起，使大颗粒的泥沙不易下沉，从而海水中悬沙量大大增加。因此，通过建设海上双导堤工程，把入海口门控制在强浪向的NE方向，才有可能大幅度地提高输沙的强度和效率。

三、利用深海区域容沙

黄河流域输送到河口地区的泥沙沉积在陆地上、滨海区和外海。滞留在陆地上，造成河道和三角洲面的升高；沉积在滨海，即河口和水下三角洲的泥沙，它们不断地淤积成陆，造成河口海岸外延；输送到外海（一般指测区以外）的泥沙，一部分扩散很远，甚至出渤海，另一部分滞留在离河口较远海区，造成海底的淤积升高。黄河口现行清水沟流路行河以来，入海泥沙大约有20%沉积在陆地上、60%淤在滨海区、20%输往测区以外的较远海区。通过建设海上双导堤工程，把泥沙直接输送到－10m水深处，充分利用深海容沙，在同样的来沙条件下，可以大大延长该流路的行水年限。

四、双导堤工程切断岸边流对河口的反淤

双导堤工程还可切断岸边流（涨潮时）对河口的反淤，排除岸边往复流对海动力和河动力结合的干扰，同时有利于双导堤外海岸线的保护，大水多沙时，仍可漫顶分水分沙造陆。

五、建设双导堤工程有利河口疏浚

“挖”是解决黄河下游河道淤积问题的有效措施之一。社会各界已形成在河口河段进行挖河，使河口保持畅通并在一定水沙条件下形成溯源冲刷，对河口以上河道也有明显减淤作用的共识。由于黄河口潮差小（1m左右），河床纵比降大（1‱左右），当大河流量1 000m^3/s时，潮流界5～7km，潮区界仅有20km左右，潮汐对河道的影响距离非常短，为密西西比河的1/23，为圣劳伦斯河的1/22，为我国长江的1/30。因而黄河口疏浚的部位可确定的潮区界，需要疏浚的河长20km即可。根据刁口河流路和清水沟流路口门河势观测，入海口门摆动不仅幅度大而且十分频繁，几乎每年都有变动，充分说明了在自然状况下，河口尾闾有着淤积、抬高、延伸、摆动的演变特点。因此，在黄河口实施大规模的疏浚，必须整治河道，否则“朝疏夕改”，难以达到预期目的。双导堤工程是理想的方案。

六、双导堤可改变拦门沙形成的边界条件

黄河是举世闻名的多沙河流，大量的泥沙被携带入海后，由于水流扩散，河流动力消失，在海洋动力的顶托下，使得流速大大减少，导致泥沙落淤，在口门附近形成拦门沙。拦门沙体面积5～50km^2，顺河长度2～6km，高出内河道1m左右，像一道拦河潜坝横亘在口门附近，导致水面展宽，水位壅高，泥沙沉积，产生溯源淤积，河床不断抬高，悬河程度加重，同流量水位上涨，加速河道的衰老，对航运、泄沙、排沙、排凌等都具有阻碍作用。同时，河口拦门沙的隆起，相当于侵蚀基准面的局部抬升，被阻水流自然自寻低洼捷径入海，造成出汊摆动，然后在新口门两侧继续塑造新的拦门沙。如此周而复始地循环，促使海岸线普遍外延，进而导致河道比降变缓，孕育着又一次较大的变迁改道。

通过双导堤对水流的集束作用，改变拦门沙形成的边界条件，把泥沙输送到口门外较深海域，减少泥沙在口门的淤积，然后在口门高流速场和沿岸流的作用下，把泥沙输送到远离口门的两岸。

七、建设“双导堤工程”有复合效用

如果把“双导堤工程”前端定到−5～−8m水深，那么就自然形成了海港，黄河口外渔场的渔船就会进出黄河口卸货加油，往返的渔船动力与风海动力结合将帮助输通拦门沙，使渔业船队成为治理河口可以借用的社会力量。黄河口“双导堤工程”也将成为一大景观，使其成为山东省享誉中外、可与泰山齐名的旅游景区，像岱顶成为泰山游的龙头那样，黄河口也将成为黄河旅游的龙头。

参 考 文 献

1.黄河口治理研究所.黄河河口治理总结暨学术研讨会论文集.郑州：黄河水利出版社，1995

2.黄河水利委员会黄河河口管理局.东营市黄河志.济南：齐鲁书社，1995

3.中国水利学会，黄河研究会.黄河河口问题及治理对策研讨会专家论坛.郑州:黄河水利出版社，2003

4.李殿魁，杨玉珍，程义吉,等.延长黄河口清水沟流路行水年限.郑州:黄河水利出版社，2002

5.程义吉.黄河河口研究与治理实践.郑州：黄河水利出版社,2001

6.张世奇.黄河口及三角洲冲淤演变计算原理及方法.泥沙研究,1997(2)

7.程义吉,杨晓阳,孙效功. 黄河口清8 汊河海域冲淤变化分析.人民黄河，2004(11)

8.程义吉,何富荣.黄河三角洲海岸侵蚀与防护技术.海岸工程,2003(4)

9.程义吉,孙效功.黄河口清水沟流路原河道停水后海岸演变.人民黄河,2003(11)

10.程义吉,曹文洪,陈东.黄河口挖河疏浚道路风沙污染分析.泥沙研究,2001(4)

11.程义吉.黄河口导流堤工程的建设与作用.人民黄河,1996(4)

第三课题

黄河口海上双导堤工程数学模型研究

课题承担单位　中国海洋大学河口海岸带研究所

课 题 负 责 人　杨作升

主要完成人员　杨作升　王厚杰　毕乃双　李国刚　季有俊

第九章　黄河口拦门沙时空分布和演化规律

第一节　黄河口拦门沙演变的意义和进展

一、拦门沙的定义和研究意义

入海河口一般都存在拦门沙（mouth bar），在一般情况下，如果把河口区的上游和下游河段的平均河底高程的连线作为基线，则存在着一个高出这一基线的隆起部分。当这一隆起部分位于口门以内的河道区，称为沙坎；位于口门以外或口门附近，称为拦门沙，例如长江口拦门沙和钱塘江口拦门沙（见图9–1、图9–2）。

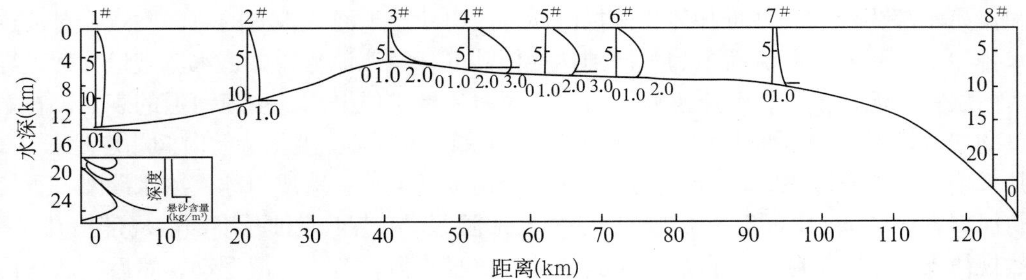

图9–1　长江口拦门沙及悬沙含量沿程分布

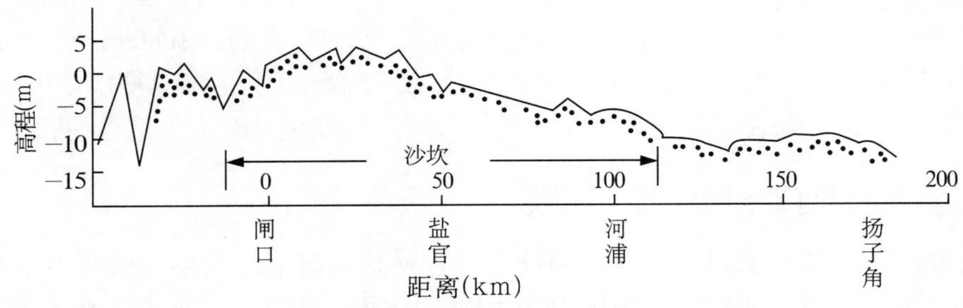

图9–2　钱塘江口河底沿程变化

拦门沙是一种河口地貌形态，一般受4种因素控制：①河流径流与受水盆地水体的密度对比；②径流与潮流的相对强度，潮差和潮流相对于岸线的方向；③波能和波相对于海岸的传播方向；④河流、三角洲前缘或三角洲斜坡的深度和形态。此外，Ortan 和 Reading 认为泥沙粒径也起着重要作用。

在不同的河口动力和地形条件下，河口拦门沙的类型是不同的。第一类是径流量变化大，或者推移质泥沙多的情况下，在径流和泥沙／水界面之间的摩擦引起径流快速扩散和减速，泥沙快速沉积所形成“河口中部拦门沙（middle ground bar）”（L.D. Wright，1977，见图9－3(a)）。在密西西比河的最大分流河道Atchafalaya河口及Outardes三角洲河口，都存有这类拦门沙。

第二类拦门沙是径流较大而河口较深的情况下，漂浮悬沙影响增加形成的。由于径流与周围海之间的水体垂直层化关系，水体/泥沙底界面之间的摩擦效应显得相对薄弱，尤其是泥沙浓度较低的河口更是如此(Coleman 和 Wright，1974，见图 9－3(b))。

第三类拦门沙与强烈的波浪作用密切相关。当强烈的波浪由外海推至河口时，水体层化被破坏，泥沙向口外输送也受阻减缓，使泥沙沉积增加。浅水区的波浪可使泥沙向陆地搬运，形成冲刷型拦门沙(见图9－3(c))，塞内加尔三角洲河口的拦门沙就属于这一类（Coleman 和 Wright，1975）。

上述是典型条件下形成的拦门沙类型。在实际情况中多数河口拦门沙往往是以某一类型为主，但同时兼有多种动力作用下的综合形态，同一河口的拦门沙在不同的时空条件下也会有所不同。

在河口动力与海洋动力的交互地带，河流所带泥沙在其本身重力、海洋环境因子导致径流的减速作用及与咸、淡水混合产生的絮凝等因素共同作用下大量沉降，形成较河道和浅海水深为浅的泥沙堆积体，即拦门沙。拦门沙位于河流入海的口门附近，对河道泄水排沙十分不利。顺流而下的水沙到达拦门沙区，径流流势锐减，水流被迫分散，导致河面展宽，泥沙淤积，河床不断被抬高，同时流量水位上涨，加速河道的衰老。在黄河口的一般情况下，伏秋汛洪水到达拦门沙时不能顺利下泄，洪水持续时间相应延长，漫滩几率增多；如有凌汛，流冰在拦门沙地区经常卡塞河口，造成封冰、冰水漫滩，直接威胁河口地区的安全。同时，河口拦门沙的地形隆起，相当于侵蚀基准面的局部抬升，在自然规律支配下，被阻水流自然自循其他低洼路径入海，造成出汊摆动，然后在新口门两侧继续塑造新的拦门沙。如此周而复始地循环，使得海岸线普遍外延，进而导致河道比降变缓，孕育着又一次较大的变迁改道，历史上黄河表现为下游河道三年两决口，入海流路十年一次大改道。在一般情况下，河道的摆动与河口地区拦门沙的演变密切相关。因此，通过研究黄河口拦门沙的演化规律，通过人工干预，因势利导，将水沙输送入海，对减轻下游的防洪、防凌的压力，保护人民生命财产的安全具有十分重要的意义。

二、黄河口拦门沙研究简要回顾

国内许多学者和专家对黄河口拦门沙进行过系统的研究。黄委会所属多个有关单位、中国水利水电科学研究院、中国海洋大学、国家海洋局第一海洋研究所、武汉大学、东营市政府、胜利油田等对拦门沙发育与演变进行了大量深入的研究，得到了丰富的成果，对拦门沙的治理有着重要的现实意义。这些成果主要针对1996年黄河改走清8汊河以前的拦门沙，1996年以后清8汊河拦门沙的研究很少。虽然在2003年黄委会召开的黄河河口治理会议上有大量有关清8汊河拦门沙的报告，但尚不及以前的研究深入。

本项研究主要针对1996年以后的新河口拦门沙的发育演变进行研究，一方面是因为其现实意义和实用价值，另一方面是前人研究的继承和发展。

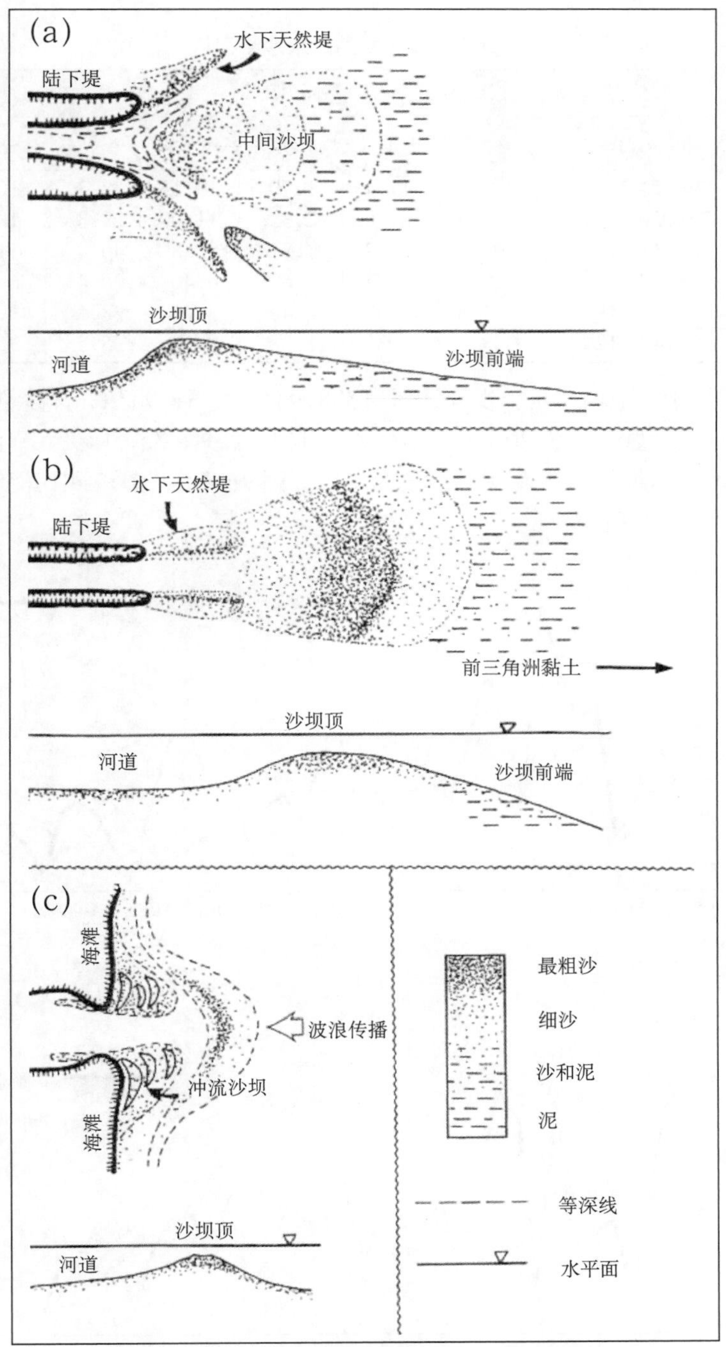

图 9–3　不同水动力及地形条件下的河口拦门沙类型

三、近年来黄河水沙变化情况

根据1950年7月至2000年12月实测水文资料统计，得出黄河利津水文站的水沙特征值(见表 9–1)。

表 9–1 黄河利津水文站的水沙特征值

项目	水量(亿 m³)			沙量(亿 t)			含沙量(kg/m³)		
	7～10月	11～次年6月	全 年	7～10月	11～次年6月	全 年	7～10月	11～次年6月	全 年
1950～1959年	298.7	165.0	463.7	11.45	1.70	13.15	38.3	10.3	28.4
1960～1969年	291.5	221.5	512.9	8.68	2.32	11.00	29.8	10.5	21.4
1970～1979年	187.3	117.0	304.4	7.57	1.31	8.88	40.4	11.2	29.2
1980～1989年	189.7	101.0	290.7	5.77	0.69	6.46	30.4	6.8	22.2
1990～2001年	79.6	43.2	122.8	3.07	0.40	3.47	38.5	9.3	28.3
平均值	209.4	129.5	338.9	7.31	1.28	8.59	35.5	9.6	25.9

利津水文站51年平均水量、沙量分别为338.9亿m³、8.59亿t，含沙量25.9kg/m³。其中，汛期水量、沙量分别为209.4亿m³、7.31亿t,含沙量35.5kg/m³。汛期水量占全年水量的61.8%，汛期沙量占全年沙量的85.2%。图9–4(a)、图9–4(b)能够非常清楚地显示水沙量年际间的变化特征。

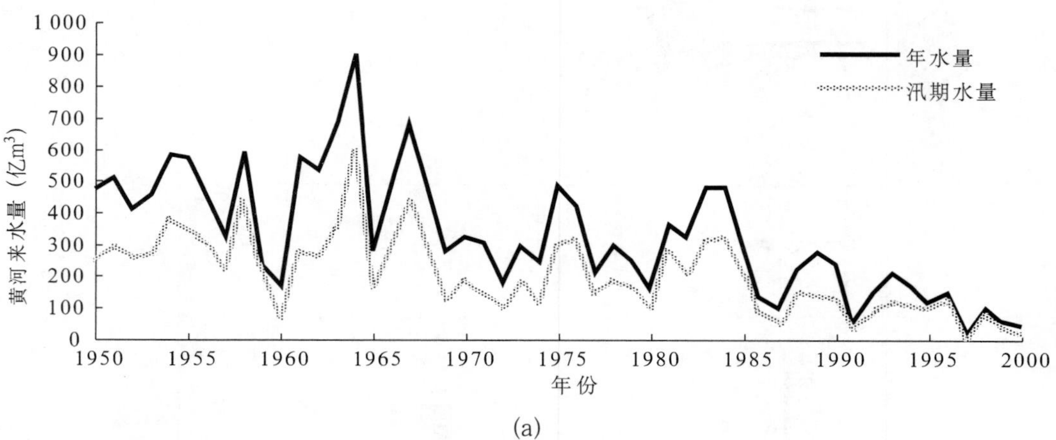

(a)

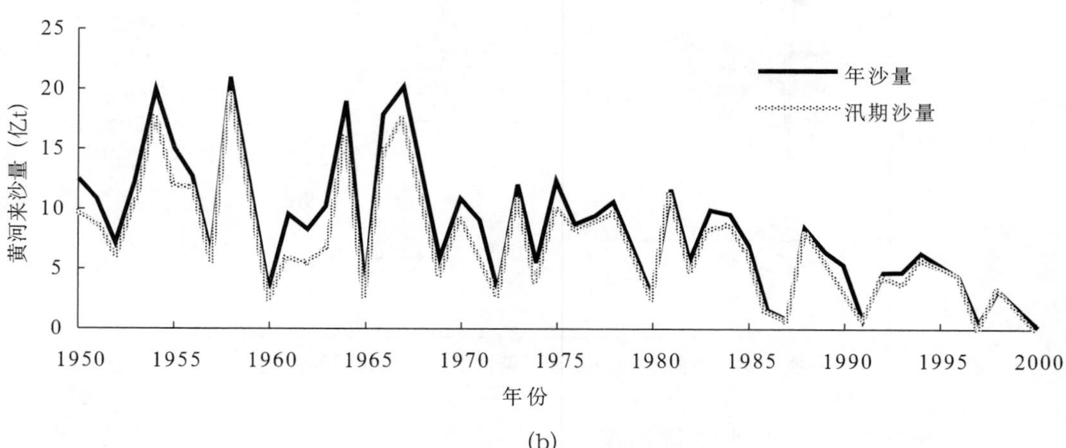

(b)

图 9–4 黄河不同年份来水、来沙量图

由于工农业用水的增加和黄河流域遭遇10多年的连续枯水，20世纪90年代以后进入河口地区的水量大幅度减少。1990年至2001年6月平均年来水量为122.8亿m^3，仅占50年代来水量的26.5%，汛期水量仅为50年代的26.6%，1990年以后水量小于50亿m^3的有1997年、2000年和2001年，其中1997年为历史最枯年，来水量仅19.1亿m^3。

与来水量相比，来沙量的减少趋势更明显。90年代平均来沙量为3.47亿t，仅为50年代来沙量的26.4%，90年代汛期来沙量仅为50年代的26.8%。

由于来沙量、来水量同步减少，含沙量无明显的变化趋势。但随着小浪底水库的投入使用，含沙量有变小的趋势。

第二节　黄河三角洲海岸与河口的近期演变

河口拦门沙是河口三角洲海岸体系地形地貌系统的一部分，三角洲海岸变化及河口变迁不可避免地使河口的海洋与河流动力环境、河口区地形及河口来水来沙量发生变化，从而直接影响到河口拦门沙的形成和演变。因此，河口拦门沙是一个具有强烈时空特色的地貌系统。黄河在1976年改走现行清水沟流路入海之前和在此活动的河口环境差别很大。1964～1976年期间黄河由位于黄河三角洲东北的刁口流路入海，该海域处于黄河三角洲向渤海的突出部位，在渤海吹程最长的东北向风的作用下，该区海浪作用最强，加以位于无潮点附近，潮流流速最大，因此受海洋动力影响最强，河口处水深可达16m。同时，在1964～1976年期间黄河入海水沙量较现在多出一倍以上，因此河口的陆海相互作用很强。相比之下，1976年后黄河走清水沟流路入莱州湾，由于位置处于黄河三角洲东南部，浪、流作用相对较弱，水深最大不超过15m，黄河入海水沙量较前大幅度减少。因此，现行河口的河—海相互作用相对要弱些，现行拦门沙的发育演化自然也就与1976年以前的河口不同。即使属于同一流路的河口，影响其形成演变的岸线变动、来水来沙量变化等因素也会影响到拦门沙的演变过程和结果，对于变幅很大的黄河三角洲岸线和黄河入海水沙量而言，这种影响显得尤其突出。因此，阐述黄河三角洲岸线及其河口近期的演化，对认识现行河口拦门沙演变有着重要意义。

一、研究方法

以多年的地球资源卫星（LANDSAT）黄河三角洲的遥感卫片为依据，根据陆上三角洲的边界是海岸的平均低潮线这一定义，结合卫片进行了多次野外考察，对黄河三角洲平均低潮线在卫片上的位置进行了确定，然后取2001年7月黄河三角洲的遥感卫片作为底图，将不同时段的黄河三角洲海岸及河口的岸线叠加在同一卫片上，以显示岸线在整个三角洲特别是在河口区的演化。

二、1976年以来黄河入海流路及三角洲河口岸线改变概况

黄河在1976年刁口流路改道前，在黄河三角洲对应于不同时期的入海河口形成了三个亚三角洲。从1976年6月改道前的卫片上可以看出，在刁口流路河口的悬浮泥沙扩散

覆盖的海域很大，存在着突出海中的扇形水下三角洲。而在三角洲东部的清水沟流路地区有一个浅水的湾口，悬浮泥沙分布不广（见图9−5(a)）。到1977年5月，由于泥沙来源断绝，刁口流路河口外的三角洲海岸已出现蚀退现象，而清水沟流路出现了新的亚三角洲，河口水流多汊漫流入海，口门河道尚无定形（见图9−5(b)）。至1989年清水沟流路的亚三角洲已呈现为鸟喙状突出莱州湾中，口门河道基本上成为单一河道入海，刁口流路三角洲海岸则大幅度蚀退，突出海中的三角洲已蚀退削平，形成浪控制三角洲海岸形态（见图9−5(c)）。1996年由于在清水沟流路清8断面开辟了新的汊河流路，原有河口已不再有泥沙入海，从而在清8断面东北方向形成了新的亚三角洲叶瓣，其入海悬浮扩散范围十分有限，表明入海水沙量已经非常有限(见图9−5(d))。LANDSAT卫星影像显示了黄河刁口流路、清水沟流路初期、中期及清8汊河流路等不同时期黄河三角洲海岸及河口发育变化情况的4种有代表性的卫星影像，表明河口拦门沙的演变受控于黄河三角洲海岸及河口变化。图9−5(b)：1977年5月黄河由刁口流路改走清水沟流路10个月后黄河三角洲LANDSAT卫星影像，刁口流路亚三角洲开始蚀退，清水沟流路亚三角洲开始形成；图9−5(c)：1989年11月的黄河三角洲LANDSAT卫星影像，在清水沟流路形成突出莱州湾的鸟喙状亚三角洲；图9−5(d)：1996年9月黄河三角洲LANDSAT卫星影像，显示当年清8断面改道后已形成新的亚三角洲叶瓣。

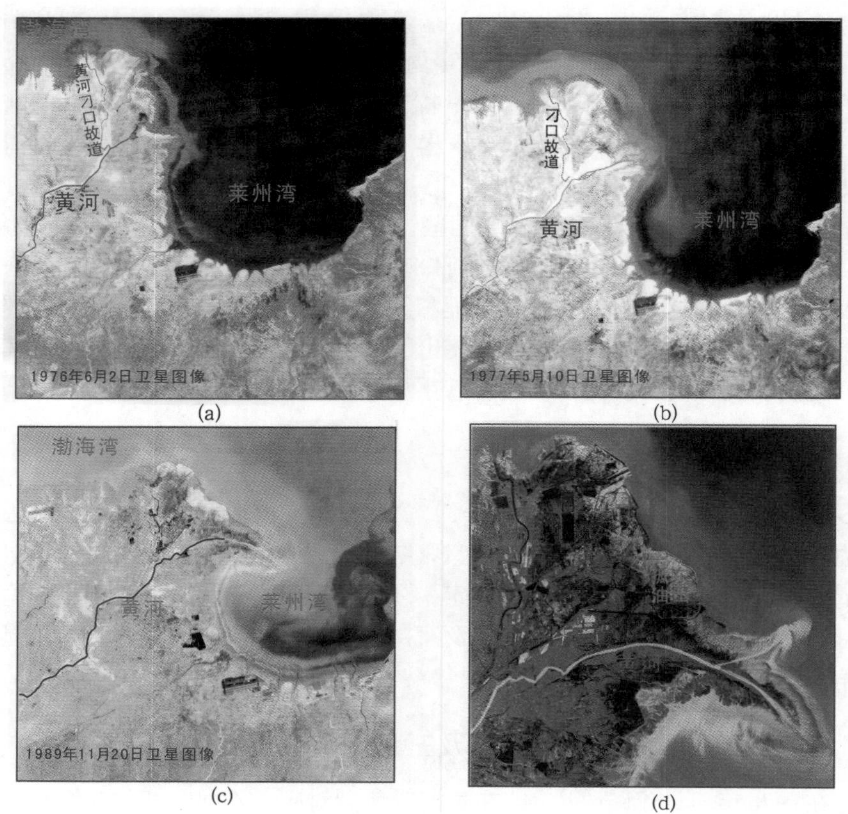

图9−5　卫星图像显示1976年以来黄河入海流路及河口三角洲岸线变化

第三节　现行黄河口拦门沙时空演变特征

一、资料来源及测量精度

现行黄河清 8 汊河河口拦门沙演变的研究所使用资料为黄委会河口水文测量队 1996～2001 年 6 年的实测水深资料，测量定位采用 DGPS 定位、精度 ± 5m，水深测量在水深大于 3m 区域用 SDH−13 回声测深仪，精度 ± 5cm。水深小于 3m 区域用杆测，水位订正的水准，有国家三等水准点引测。目前各年实测水深资料见表 9−2。

表 9−2　各年实测水深资料

测量时间(年 · 月)	测量范围	断面数(个)	线距(m)	点距(m)
1992～1993.10	(20670000,4130000),(20750000,4220000)	88	1 000	500
1996.6	(20685000,4177500),(20707500,4197500)	20	2 000	1 000
1997.10	(20690000,4180000),(20715000,4200000)	41	500	250
1998.10	(20690000,4180000),(20715000,4200000)	41	500	250
1999.10	(20624000,4132000),(20715000,4260000)	128	1 000	1 000
2000.10	(20670000,4150000),(20750000,4210000)	60	1 000	500
2001.6	(20690000,4180000),(20715000,4200000)	81	250	250

二、研究范围

由于各年实测资料所测的范围不同，因此根据研究目的，选择了大、中、小三个区域进行研究（见图 9−6）。

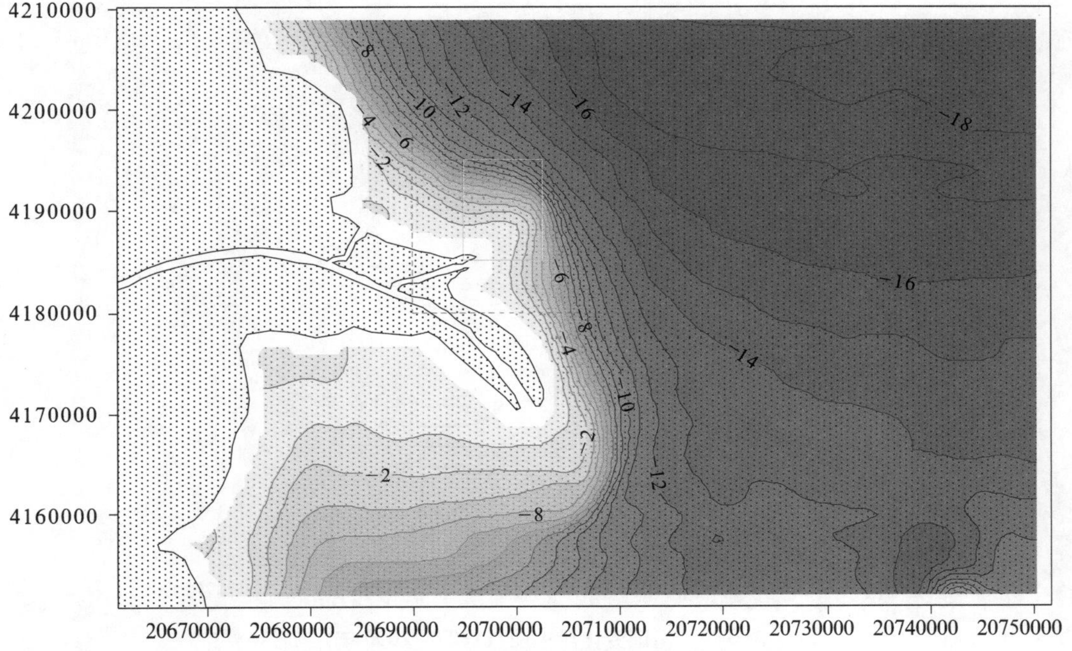

图 9−6　黄河现行河口研究范围

（1）大区域：为各年实测区域的最大范围，用于了解河口区实际水深情况；

（2）中区域：范围为（20690000，4180000）、（20715000，4200000），面积500km²，为各年实测区域叠加的最大范围，用于研究河口区冲淤演变；

（3）小区域：范围为（20695000，4185000）、（20702500，4190000），面积75km²，主要用于研究拦门沙的变化情况。

三、研究方法

在大区域、中区域利用绘图软件（surfer）绘制出等值线图，为拦门沙的研究提供一个较大区域内的背景环境。在中、小区域利用地理信息系统软件工具（MAPINFO、VERTICAL MAPPPER），对该区域进行分层处理，比较各区域的变化情况。

（1）在大区域绘制等值线图、3D图，进行20世纪90年代以来黄河水下三角洲地形比较，并作为拦门沙研究的背景资料。

（2）在中区域分别绘制每年水深等值线图、3D图。计算出相邻两年泥沙变化量。通过该区域的泥沙变化情况，分析其变化原因。分析该区的主要原因是为了对河口区拦门沙的研究提供一个大的背景环境。

（3）在小区域内进行重点研究。利用插值法（间隔100m），绘制出等值线图（间距0.5m）、3D图、剖面图和每相邻两年泥沙变化等值趋势面图，计算该区的泥沙变化量。主要目的是对拦门沙形态、位置变化等进行分析，得出拦门沙变化规律及影响因素，进而提出对黄河拦门沙的治理措施。

四、黄河河道变化

利用1996～2001年实测数据，绘制出每年黄河河道变化示意图（见图9-7），通过对

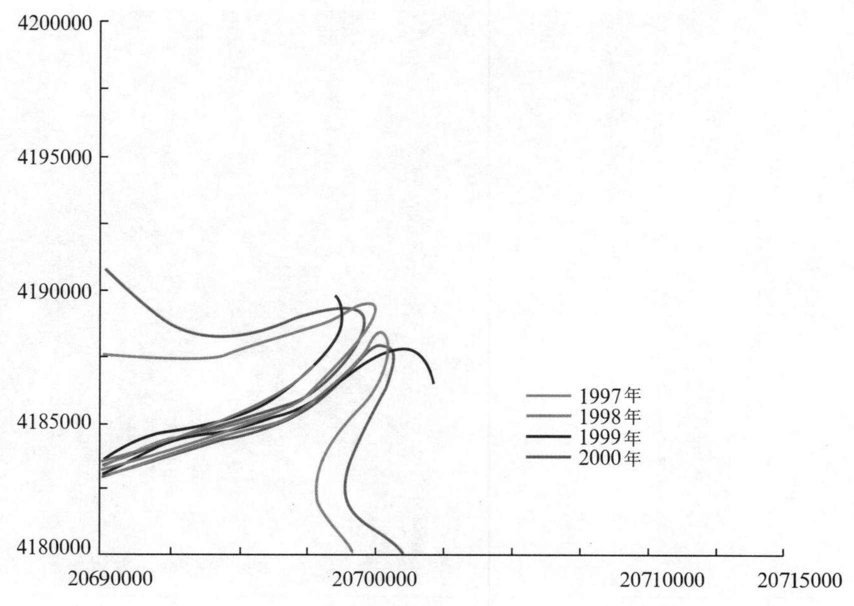

图9-7 河道变化示意图（1997～2000年）

图形进行分析，得出以下规律：

（1）黄河河道在1996～2001年间主轴方向逐渐向北东方向摆动，河口向南转动，其中1998年相对1997年变化最为明显。

（2）河道有逐渐变宽的趋势。

（3）黄河一般逐年向海延伸，主要表现为河口向海推进。特别是在1998年水深线及低潮线向海推进明显。但在1999年情况相反，河口向岸方向大幅度后退，随后在2000年和2001年，河口又继续向海方向推进。

五、黄河三角洲河口区冲淤变化

对1996～2001年实测的水深资料，在中区域（各年实测重叠的最大部分，面积500km^2，(20690000，4180000)、(20715000，4200000)）内按250m网格间距；在河口区（(20695000，4185000)、(20702500，4195000)）按100m网格间隔，分别进行网格化处理，绘制出相应的厚度等值线平面图和3D图（见图9−8～图9−32），并计算出每年的冲淤厚度，计算结果见表9−3～表9−5。

表9−3　中区域冲淤变化(1997.10～2001.9)

时段(年·月)	淤积量(亿t)	冲刷量(亿t)	淤积面积(km^2)	冲刷面积(km^2)	淤积速率(t/(m^3·a))	冲刷速率(t/(m^3·a))
1997.10～1998.9	4.147	0.147 4	394.60	46.7	1.05	0.315
1998.10～1999.9	0.935	0.869	208.50	230	0.45	0.38
1999.10～2000.9	0.528	2.288	92.70	328.70	0.57	0.70
2000.10～2001.6	0.495	0.649	199.95	216.25	0.25	0.30

表9−4　河口区域冲淤变化(1996.6～2001.9)

时段(年·月)	淤积量(亿t)	冲刷量(亿t)	淤积面积(km^2)	冲刷面积(km^2)	淤积速率(t/(m^3·a))	冲刷速率(t/(m^3·a))
1996.6～1997.9	2.36	0.06	72.71	2.29	3.26	0.28
1997.9～1998.10	1.20	0.014 5	63.57	3.28	1.88	0.44
1998.10～1999.9	0.45	0.24	37.49	26.19	1.20	0.92
1999.10～2000.9	0.258	0.334	39.5	22.53	0.65	1.48
2000.10～2001.6	0.174	0.175 5	36.45	22.50	0.48	0.78

表9−5　黄河来沙、来水量（利津水文站 1996.6～2001.9）

时段(年·月)	来水量(亿t)	来沙量(亿t)	平均含沙量(kg/m^3)
1996.6～1997.9	63.92	0.42	6.57
1997.10～1998.9	114.77	3.63	31.63
1998.10～1999.9	59.76	1.66	27.845
1999.10～2000.9	54.156	0.404	7.50
2000.10～2001.9	52.475	0.215	4.10

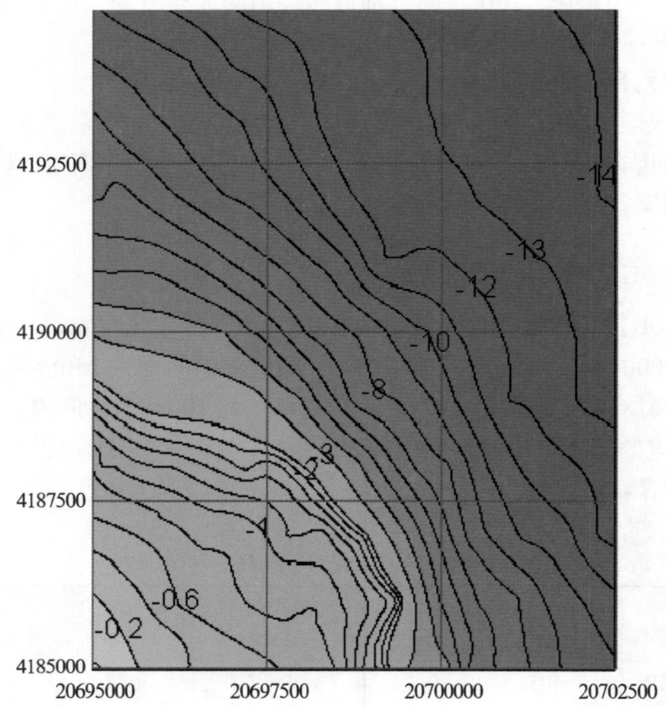

图 9-8　黄河三角洲现行河口区 1996 年水深等值线平面图

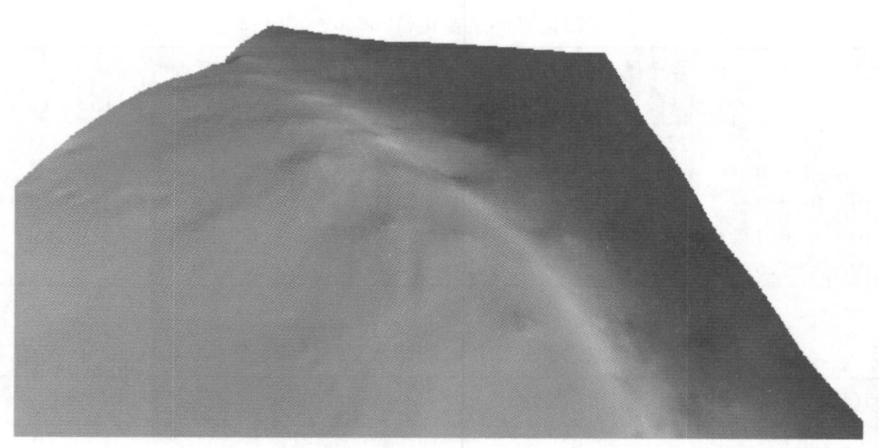

图 9-9　黄河河口区拦门沙 1996 年 3D 图

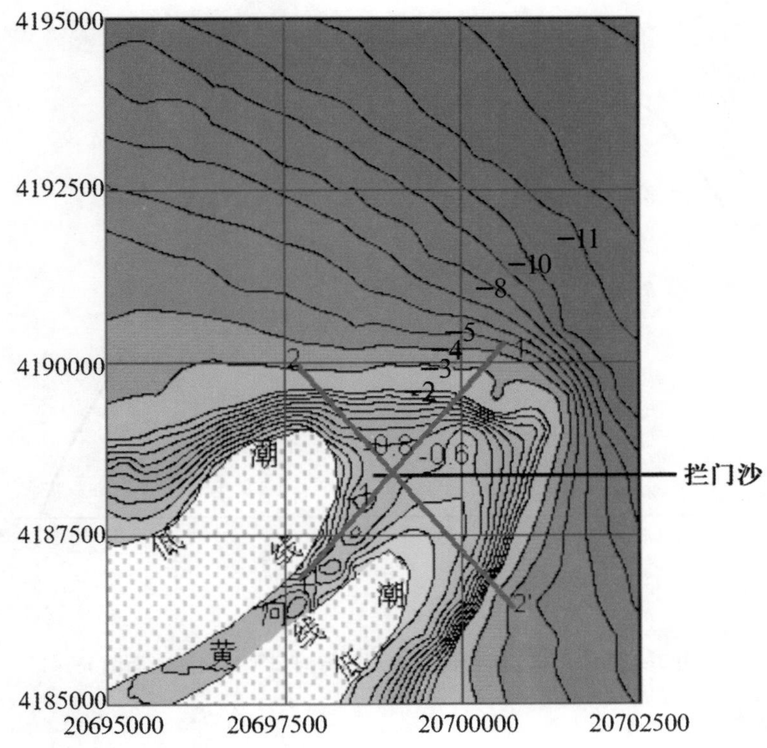

图 9–10　黄河三角洲现行河口区 1997 年水深等值线平面图

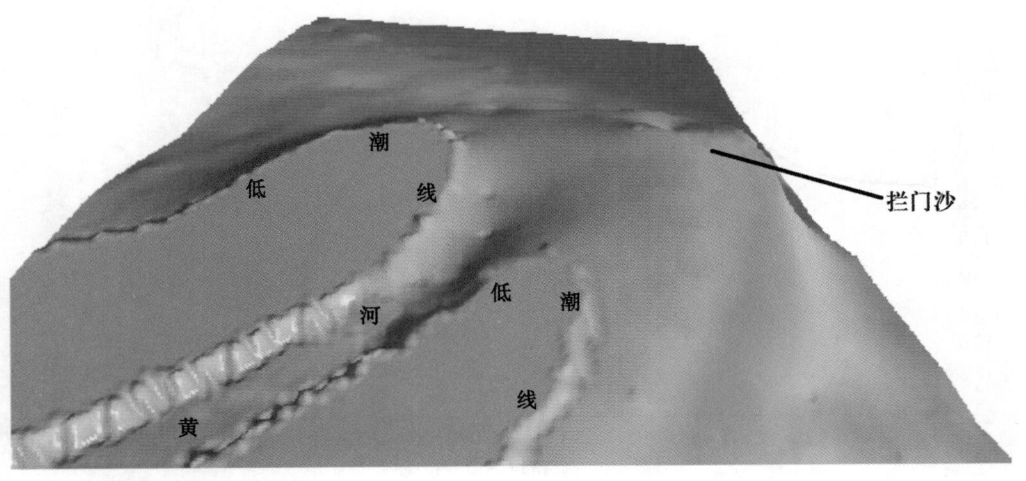

图 9–11　黄河河口区拦门沙 1997 年 3D 图

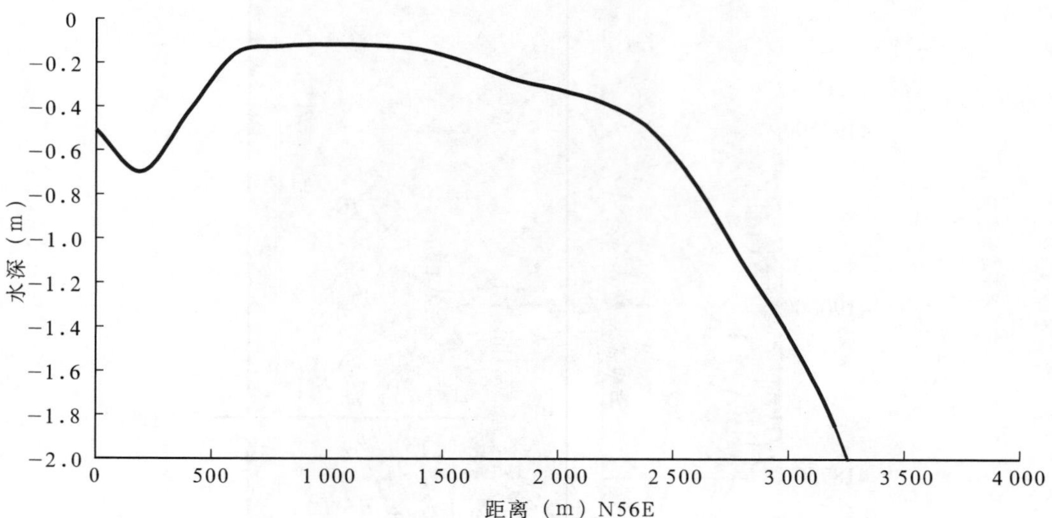

图 9-12(a) 1997 年黄河三角洲现行河口区拦门沙剖面图 1—1′

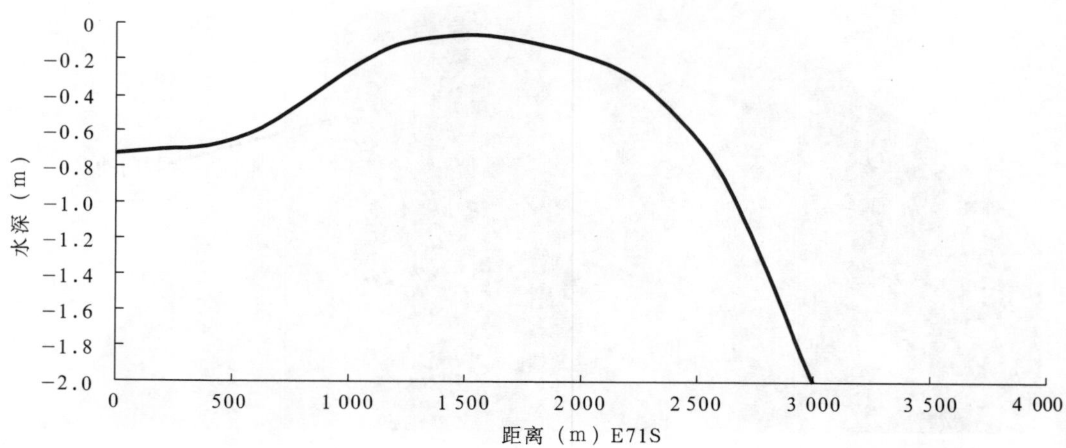

图 9-12(b) 1997 年黄河三角洲现行河口区拦门沙剖面图 2—2′

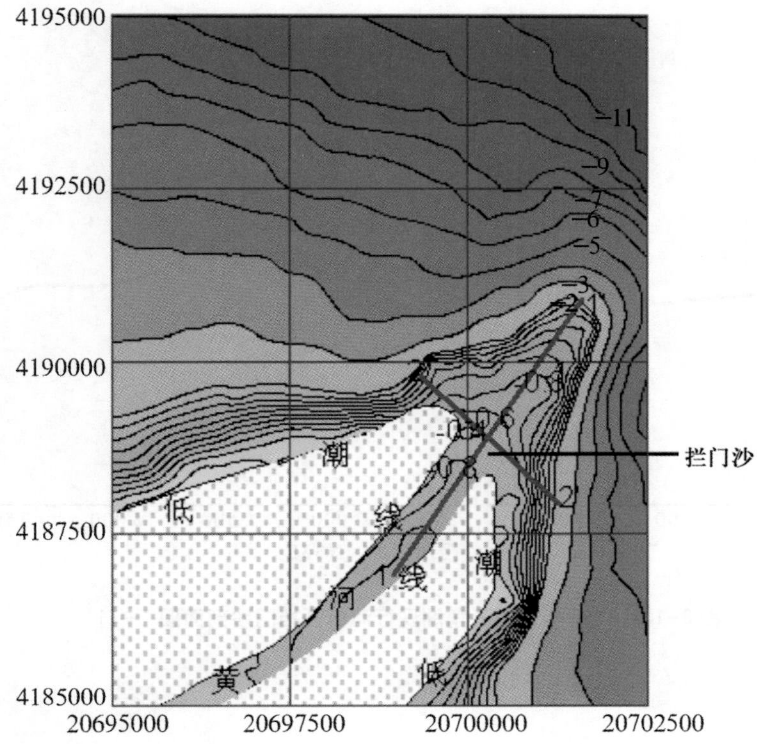

图 9–13　黄河三角洲现行河口区 1998 年水深等值线平面图

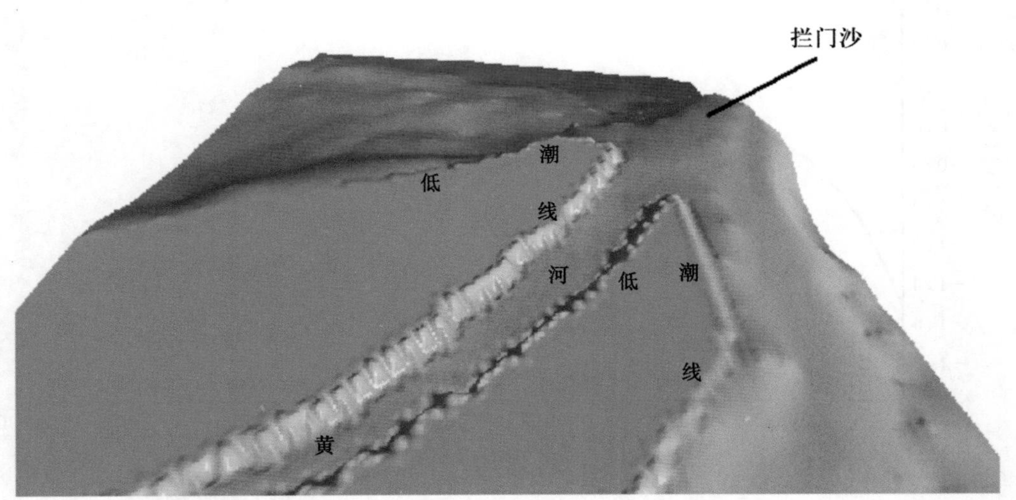

图 9–14　黄河河口区拦门沙 1998 年 3D 图

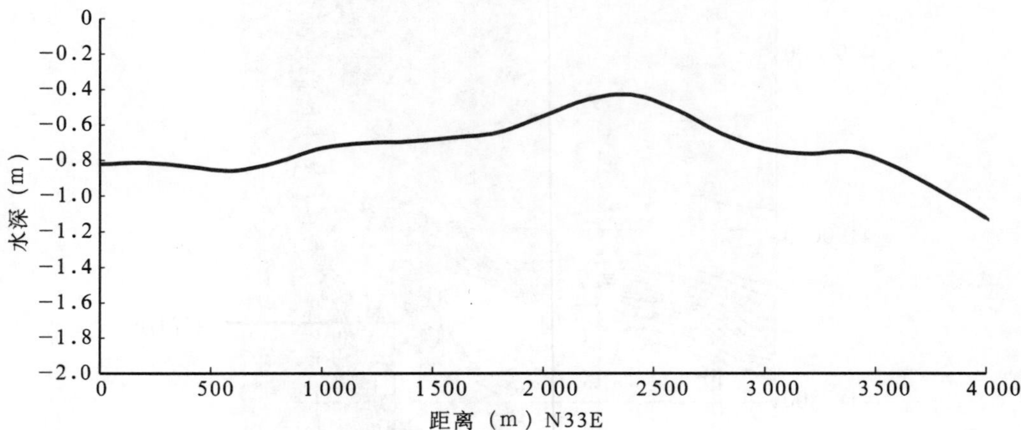

图 9-15　1998 年黄河三角洲现行河口区挡门沙剖面图 1—1′

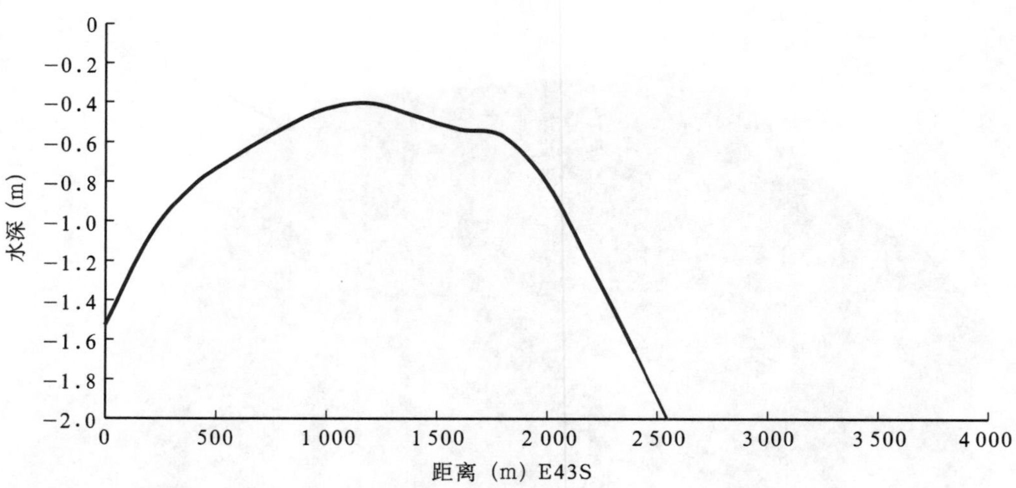

图 9-16　1998 年黄河三角洲现行河口区挡门沙剖面图 2—2′

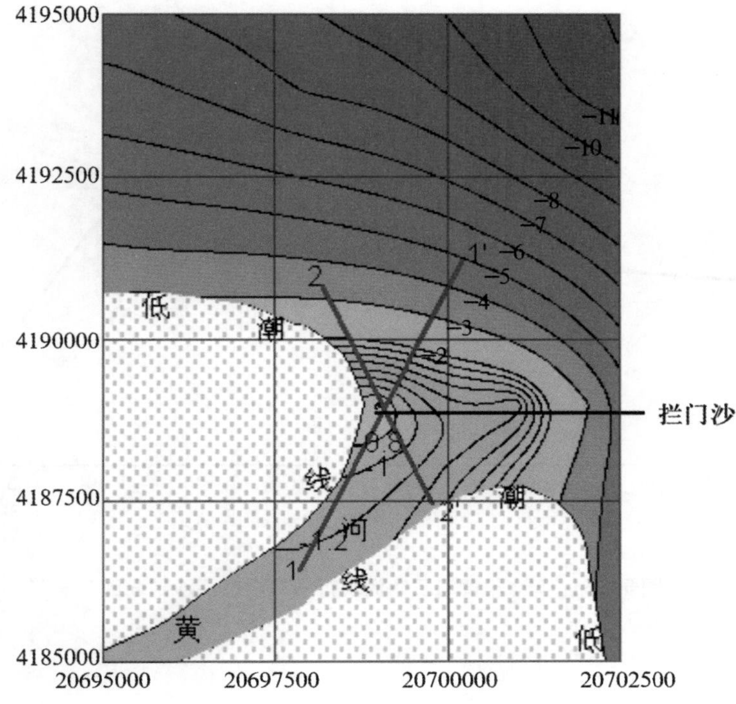

图 9−17 黄河三角洲现行河口区 1999 年水深等值线平面图

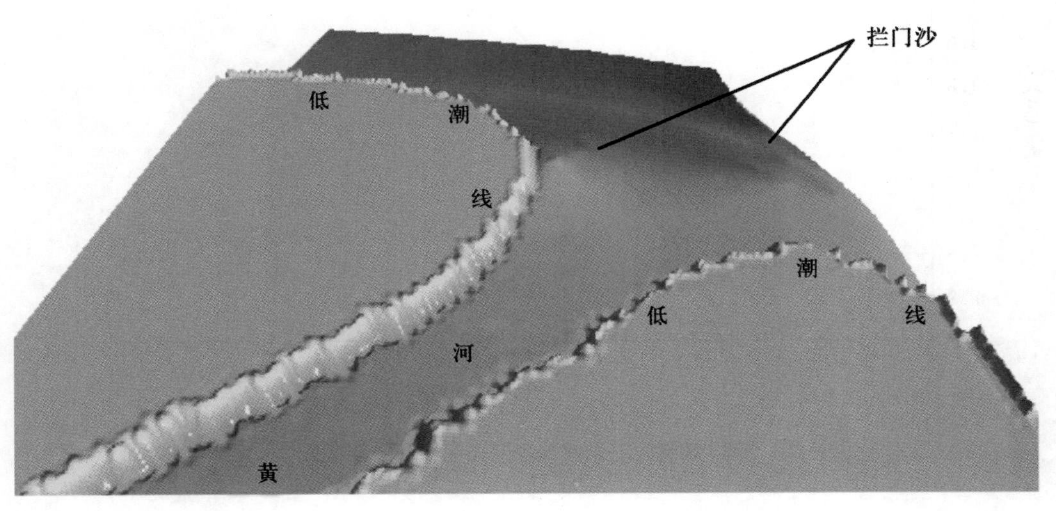

图 9−18 黄河河口区拦门沙 1999 年 3D 图

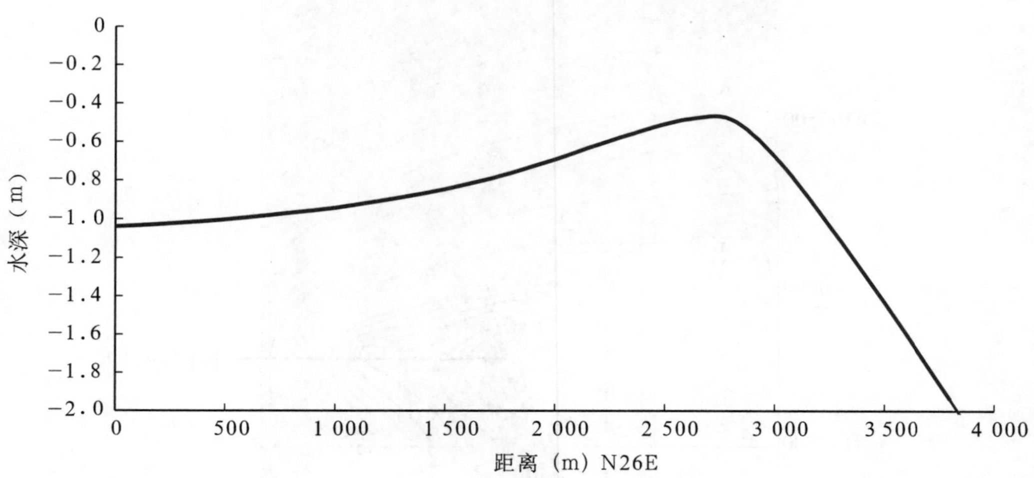

图 9-19 1999 年黄河三角洲现行河口区拦门沙剖面图 1—1′

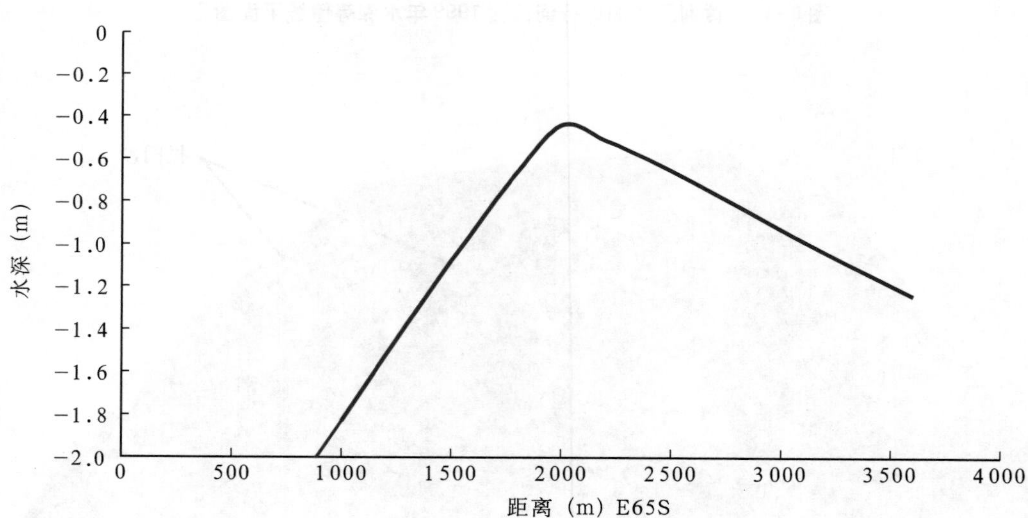

图 9-20 1999 年黄河三角洲现行河口区拦门沙剖面图 2—2′

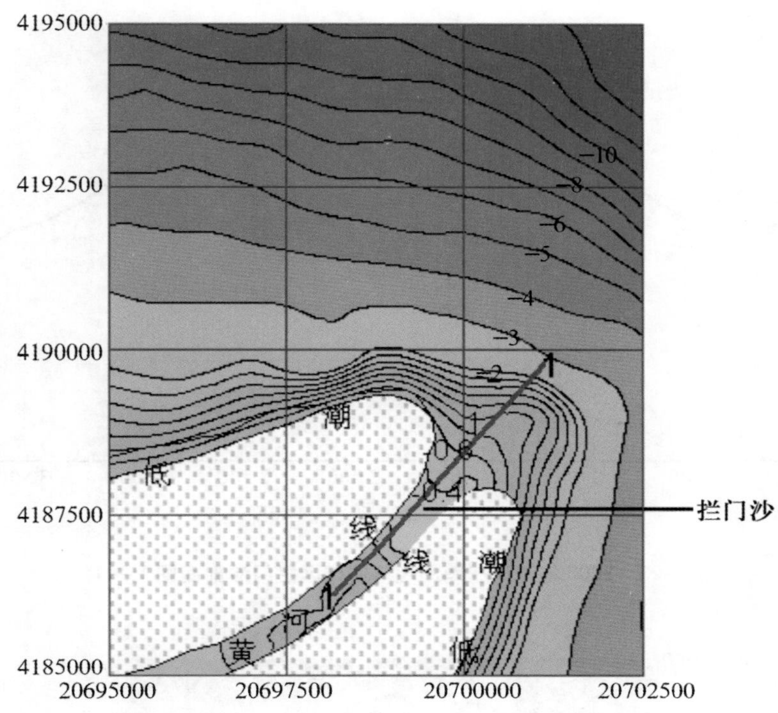

图 9–21　黄河三角洲现行河口区 2000 年水深等值线平面图

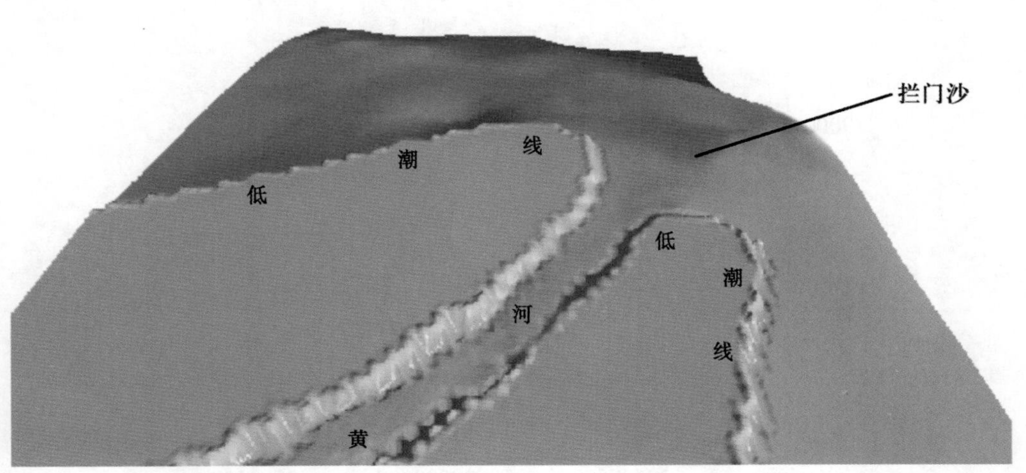

图 9–22　黄河河口区拦门沙 2000 年 3D 图

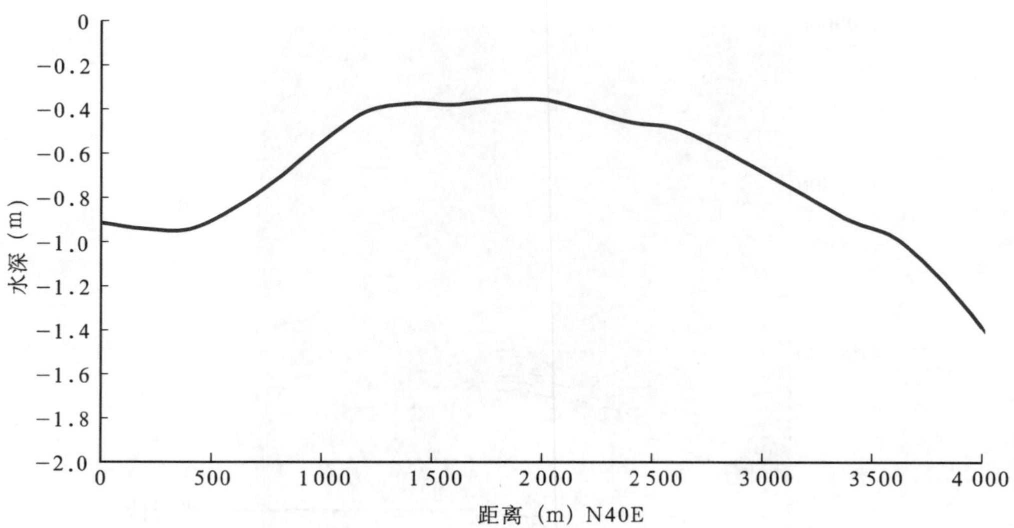

图 9–23　2000 年黄河三角洲现行河口区拦门沙剖面图 1—1′

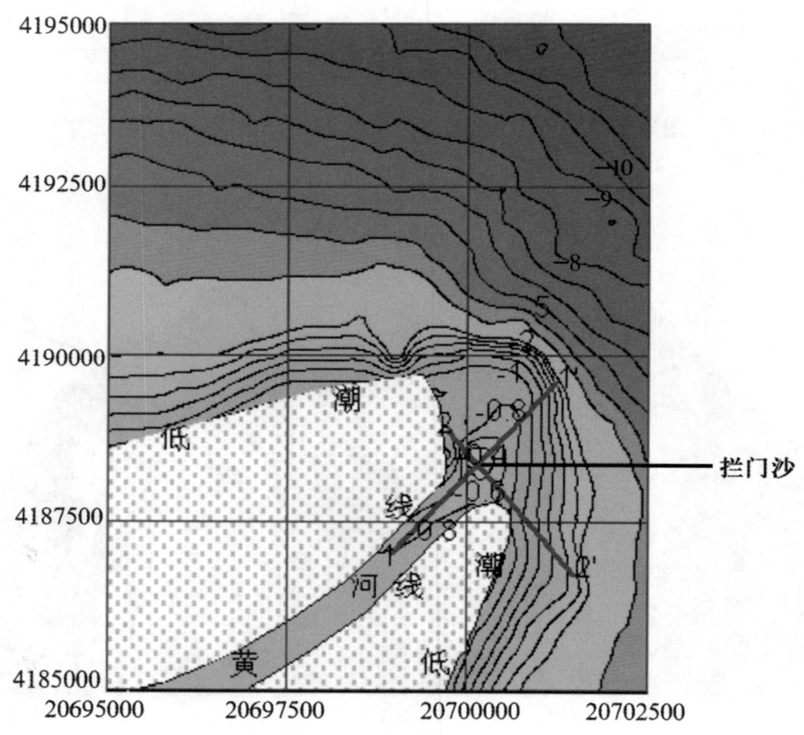

图 9–24　黄河三角洲现行河口区 2001 年水深等值线平面图

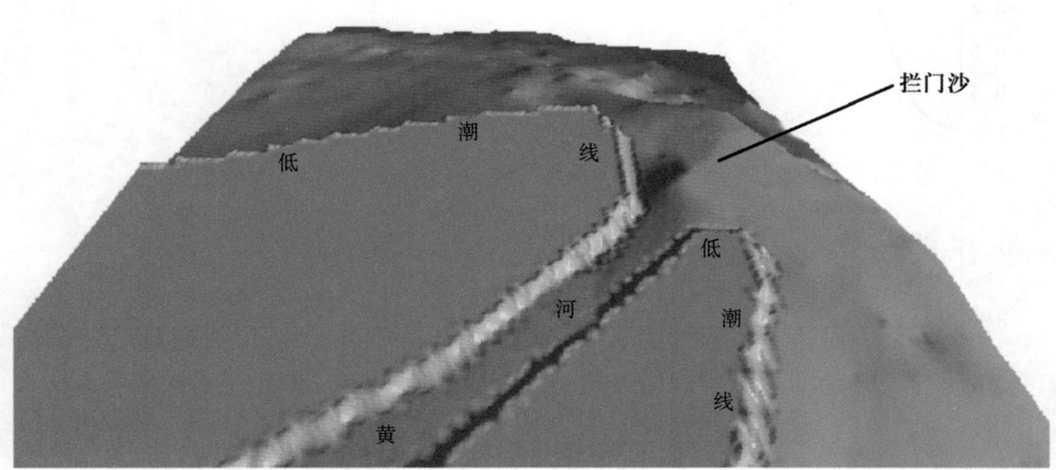

图 9-25　黄河河口区拦门沙 2001 年 3D 图

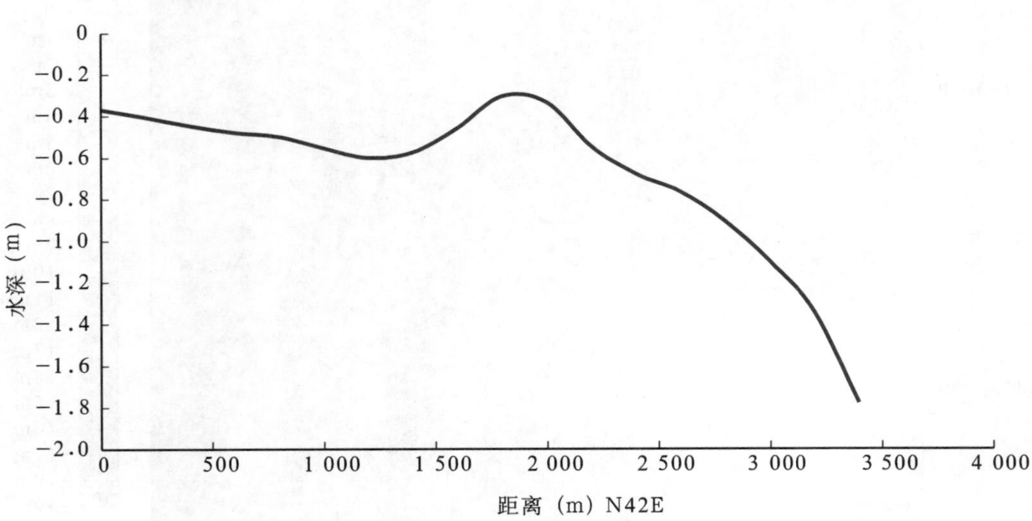

图 9-26　2001 年黄河三角洲现行河口区拦门沙剖面图 1—1′

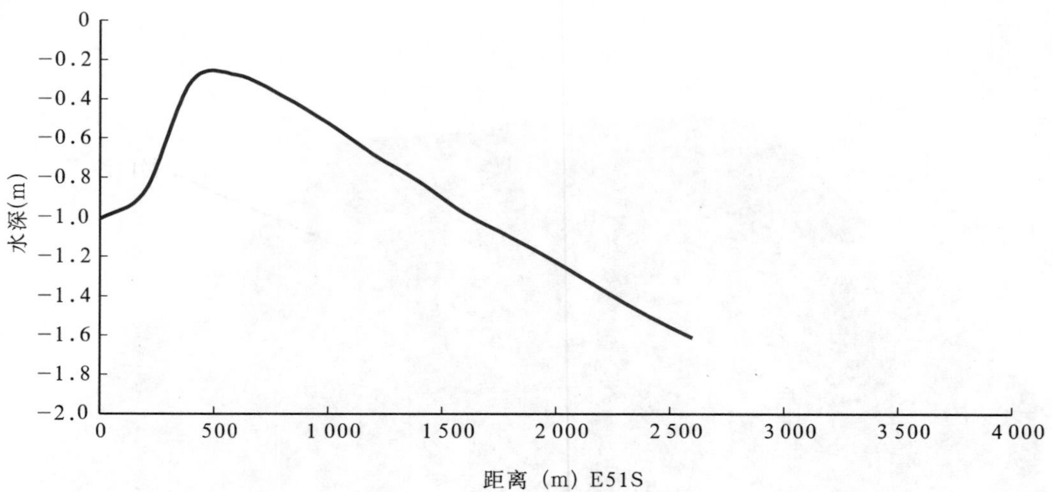

图 9-27 2001 年黄河三角洲现行河口区拦门沙剖面图 2—2′

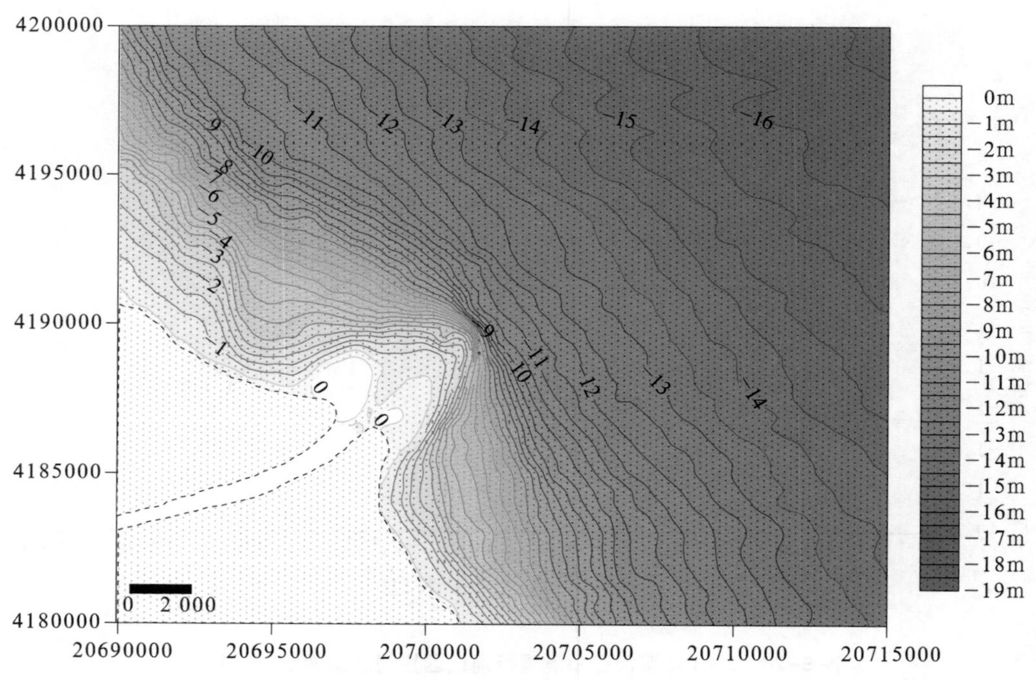

图 9-28 黄河三角洲现行河口中区域 1997 年水深等值线平面图

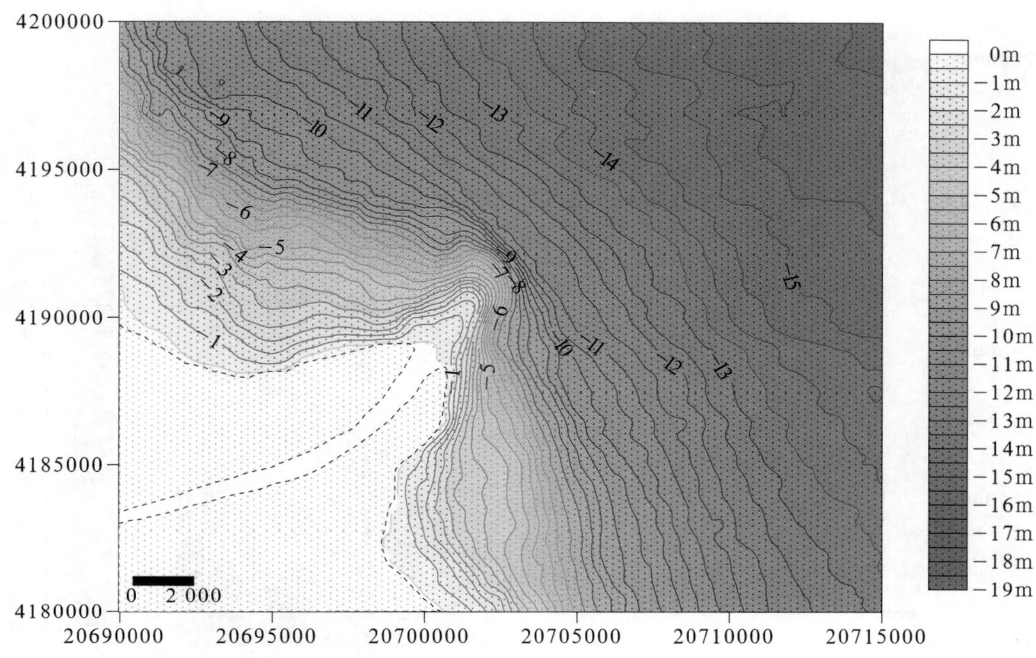

图 9–29　黄河三角洲现行河口中区域 1998 年水深等值线平面图

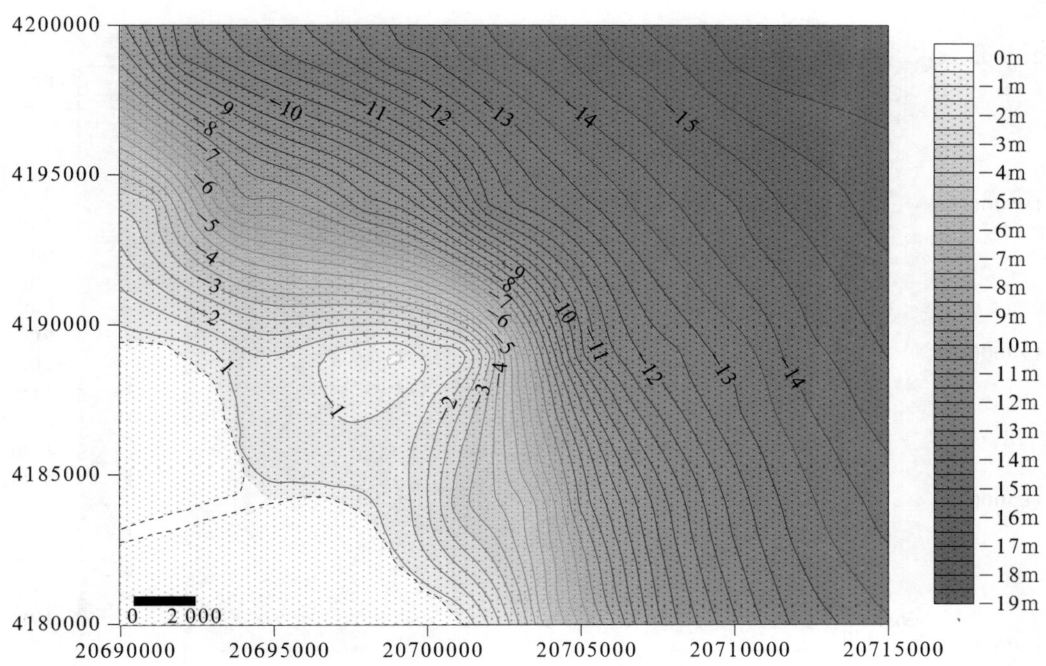

图 9–30　黄河三角洲现行河口中区域 1999 年水深等值线平面图

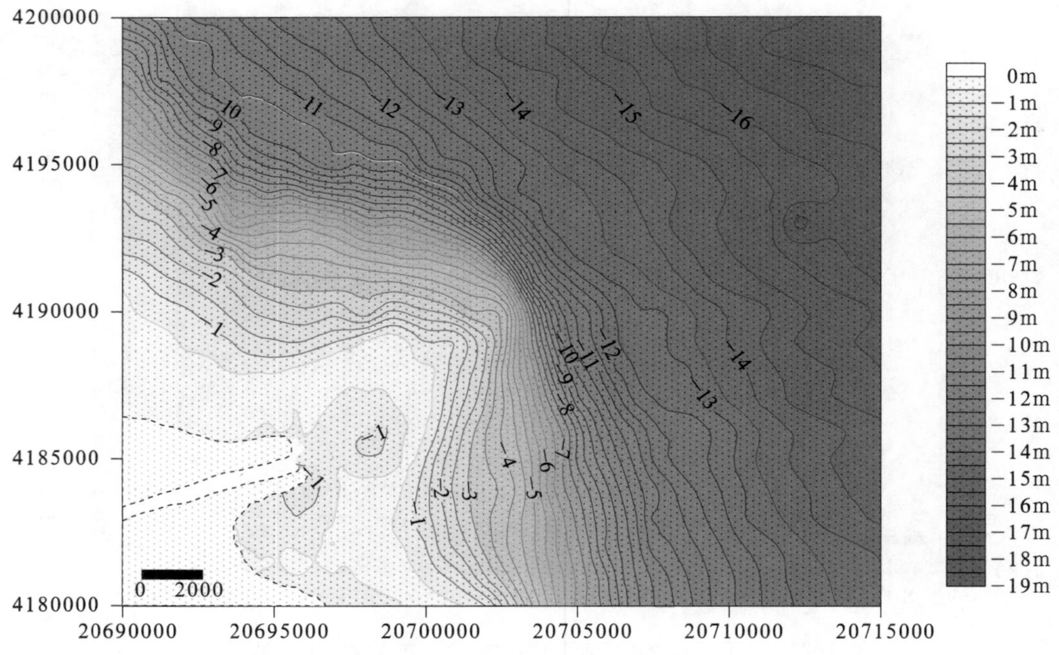

图 9-31　黄河三角洲现行河口中区域 2000 年水深等值线平面图

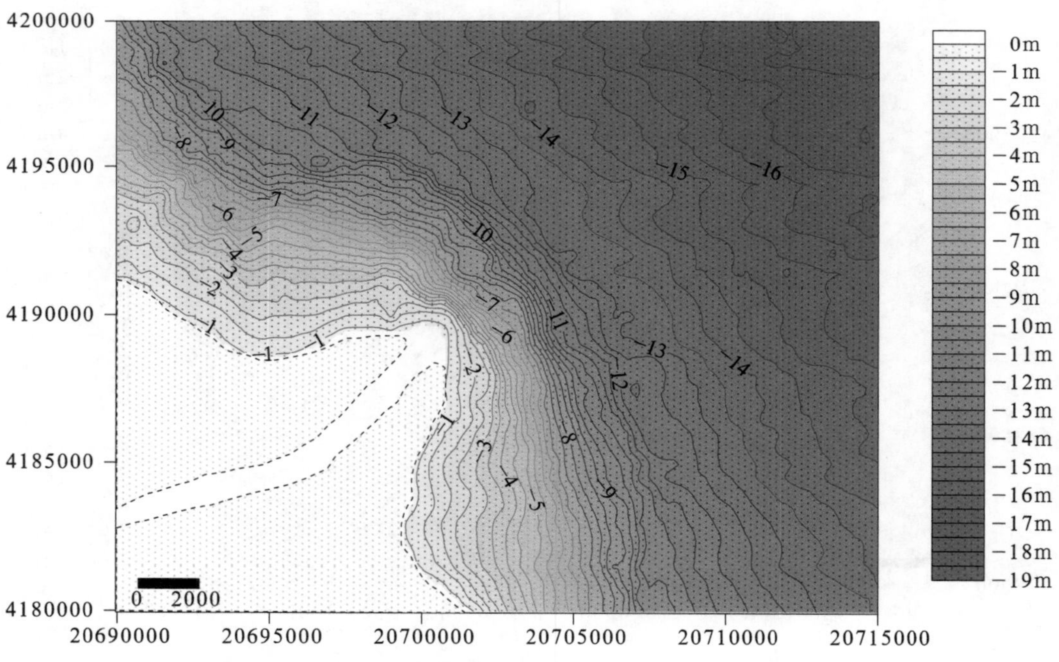

图 9-32　黄河三角洲现行河口中区域 2001 年水深等值线平面图

根据统计结果，在中区域（500km²）内，实际输沙量占利津来沙量的36%左右，这就是说经利津水文站的来沙量有36%快速淤积在口门上，形成了舌状堆积体，并在黄河入海前端形成高于河床的拦门沙体。小区域面积为75km²，中区域面积为500km²，小区域面积仅占中区域面积的15%，但泥沙量却占54%，可见在小区域内，冲淤变化最为强烈。

1996年清8出汊后，河口段除出汊当年汛期和1998年汛期出现2次较大水沙过程外，其余年份均是枯水枯沙年份，特别是1997年、2000年、2001年，河口来水量分别是63.92亿m³、54.156亿m³、52.475亿m³，河口来沙量分别为0.42亿t、0.404亿t、0.215亿t，为历史上水沙特枯年份，因此河口除出汊当年和1998年淤积延伸剧烈外，其余几年变化相对较小。图9–33是1997年10月至1998年9月期间清8出汊河口入海泥沙的淤积分布图。可以看出河口的最大淤积部位位于河口外侧1～2km处，也就是河口拦门沙区及其以外的滨海前缘急坡区，中心淤积厚度达9～10m，但范围非常小。图9–33中还显示出入海泥沙的主要淤积区范围可达河口以外纵向15km左右，在河口以外横向的主要淤积区范围还要大，为20km左右，整个淤积区面积为300km²左右，这是在近几年河口水沙较少条件下河口附近的冲淤情况，如果河口水沙充沛，河口附近的淤积范围及淤积强度都要大得多。另据实测资料统计，清8出汊后，1996年和1998年是入海水沙在近几年中相对较多的年份，河口淤积延伸和入海泥沙主要区域都较大，这两年河口分别延伸了9km和3km，入海泥沙的主要淤积区范围都达300km²左右，其余年份入海水沙非常少，河口基本没有淤积延伸，入海泥沙的主要淤积区范围也较小，不足100km²，如1999年汛后至2001年汛前河口只在几十平方公里范围内发生淤积，这也在一定程度上说明了入海泥沙在河口的淤积区范围和淤积强度都与入海水沙关系密切。

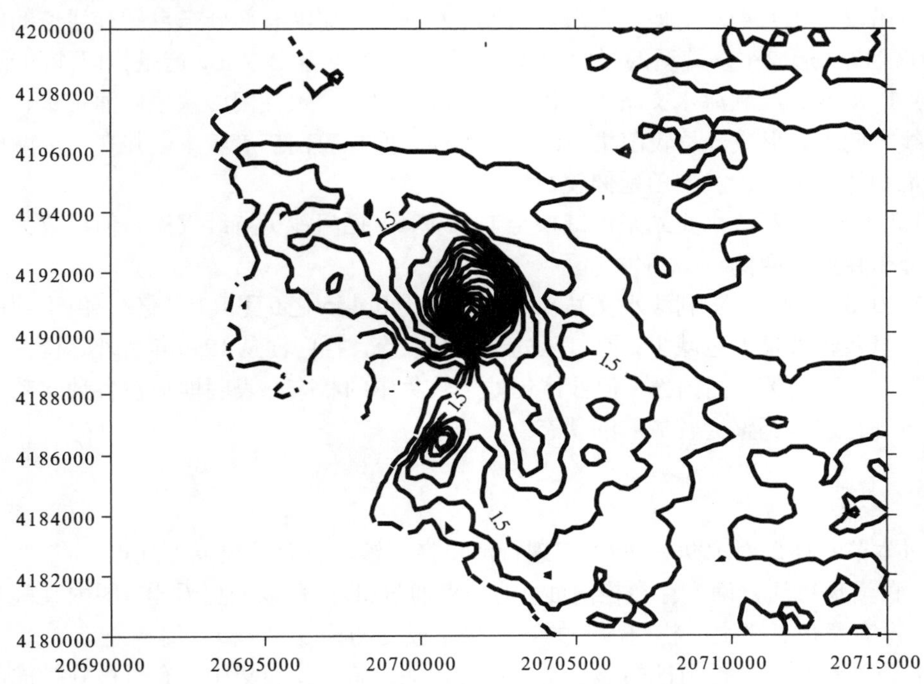

图9–33　1997～1998年背景区冲淤示意图

根据李泽刚研究，黄河口拦门沙位于潮间河道的末端，河床有隆起的地形，拦门沙纵向长度变化在6～10km范围内。河口2m水深线以外是水下三角洲前缘急坡。在12m水深线以下，逐渐过渡到海底平原。由于黄河口淤积延伸，拦门沙的平面范围摆动变迁较快，因此黄河口拦门沙有两种不同的形状。在河口流路改道的初期，河口口门被两侧故道沙嘴所荫蔽，也就是河口在凹进的海湾内，拦门沙前缘基本上是平直的，横向范围就是两故道沙嘴间距离。在这个范围内，河水经许多口门入海。所以，拦门沙体被分割成许多零碎的沙洲，但其外貌随洪水过程而发生迅速变化。随着河道发育成单股，河口沙嘴将突出于平直海岸上，入海泥沙呈抛物线形向开阔的水域扩散，从而形成半圆形的拦门沙体。在高潮位时，是一个大的河口口门，但在低潮位时，也是多个口门，有许多向四周放射的通道与沙洲相间组成，因此黄河口拦门沙实际上是围绕河口口门的拦门沙组合体系。我们根据实测资料，对1996～2001年分别绘制出现行河口的拦门沙3D图，从图中可以看出，拦门沙体是由许多小的沙体组成的。

自1997年到2001年，河道主轴逐渐向北东方向移动，河口及最大低潮线向海方向推进，1998年的推进速度较快，这是因为1998年来水、来沙量较大的缘故。黄河口拦门沙的横向形态主要呈倒“U”形。另外需要说明的是，在这一断面上还存在许多小沟，由于水沙条件的变化，这些小沟将不断变化，它们是水沙入海的通道，拦门沙横断面的主要变化是淤积抬高，当然也存在因河口水沙较小或长期断流造成的蚀退降低，但无论是淤积抬高还是侵蚀降低，拦门沙横剖面模式基本相似，只是两侧的坡度有所不同。

不同年份表现如下：

（1）1996年6月～1997年，现行黄河改道东北由汉河入海，当年经利津水文站入海的泥沙量虽仅有0.164亿t，但因入海口海域坡缓水浅，加以有部分来自新开河道的床沙入海，在河口区形成了多片新的拦门沙体。在低潮时难以露出水面，这是拦门沙的雏形。

（2）1998年，经利津水文站入海沙量达3.65亿t，导致拦门沙快速向海推进，在河口主轴线方向上，形成一片较前集中的拦门沙体，面积较前扩展较大，并在河道两侧形成新的堆积体，河口沙嘴向前延伸较快。

（3）1999年，利津水文站来沙减少至1.92亿t，拦门沙仍持续发展，但已成为几个沙体，分布在河口两侧。

（4）2000～2001年，利津水文站来沙量分别为0.155亿t及0.197亿t，由于利津水文站来沙量及含沙量大量减少，河口区处于侵蚀状态，拦门沙从1999年缩小，位置由海向陆后退，主体处于口门内部，但沙体仍处于较集中的状态，表明地形在各种水动力综合作用下正在逐步调整为较成熟的状态。

六、小结

通过本节论述，对1996～2001年现行河口拦门沙可以总结出以下几点：

（1）黄河现行河口确实存在拦门沙，这一点通过3D图可以明显看出，国内某些专家“90年代没有真正意义上的拦门沙”的观点是不成立的。

（2）黄河现行河口拦门沙的形态是不断变化的，有时比较集中，有时被分割成许多小的沙体。

（3）黄河现行河口拦门沙纵向在1～6km之间，横向范围在1～4km之间。

（4）初步可以看出，现行河口拦门沙的变化与黄河径流来水、来沙量的多少有关。

第四节　黄河河口拦门沙的演变趋势分析

一、黄河现行河口拦门沙纵剖面形态的演变及趋势分析

通过对1997～2001年4年拦门沙纵向剖面进行研究（见表9-6、表9-7和图9-34），可以看出拦门沙演化的基本特点为：1997年，由于黄河刚改道，泥沙在河口大量堆积，拦门沙分布在河道内左右两侧，河水从河道中间入海。1998年，由于来水、来沙量非常大，并且含沙量较大（31.63kg/m³），拦门沙向海方向推进明显，推进了2.5km左右，高度下降，最高点−0.4m左右，面积增大。由于河水在1997年后主要从河道中间入海，所以在河道入海口门正中形成拦门沙。1999年，来水、来沙量较1998年有所减少，含沙量也减少，河口区冲蚀严重，拦门沙较1998年向河口方向移动，面积减小。2000年来水、来沙量、含沙量有所减少，拦门沙在河道内形成。2001年拦门沙向海方向移动，但没有超过1998年位置，拦门沙长度较2000年减少，高度基本保持平衡，1997年最高点水深为−0.2m，1998年、1999年、2000年、2001年分别为−0.4m、−0.4m、−0.3m、−0.3m。

表9-6　　黄河拦门沙空间基本形态特征（1997.9～2001.9）

时间（年·月）	拦门沙长度(m)	拦门沙宽度(m)	拦门沙最高点水深(m)	拦门沙最高点位置
1997.9	2 500	3 500	−0.1	(20700000，4188970)
1998.9	3 400	2 800	−0.4	(20700000，4188970)
1999.9	1 500	2 400	−0.4	(20699000，4188990)
2000.9	2 100	1 050	−0.3	(20699404，4187600)
2001.9	2 050	1 025	−0.3	(20700029，4188480)

表9-7　　利津水文站水文资料（1996.10～2001.9）

项　目	1996.10～1997.9	1997.10～1998.9	1998.10～1999.9	1999.10～2000.9	2000.10～2001.9
来水量(亿m³)	63.92	114.77	59.76	54.16	52.475
来沙量(亿t)	0.42	3.63	1.664	0.404	0.215
含沙量(kg/m³)	6.57	31.63	27.85	7.50	4.10

黄河口拦门沙在纵向上的发育于1998年达到最大，向海延伸最远，而在1999年出现了明显的后退。在此以后的年代拦门沙虽然有所前进，但始终未能前进到1998年的位置。这和来水、来沙量的变化是一致的：1998年的来沙量超过其他年份的2～12倍，导致了拦门沙发育良好；以后几年的来水、来沙量小，不足以维持在1998年拦门沙位置处海洋动力作用下的泥沙动态平衡。目前拦门沙处于微弱蚀退状态。1999～2001年3年来沙量平均为0.76亿t，由此推算，如果未来利津水文站的来沙量在1亿t左右，现行河口拦门

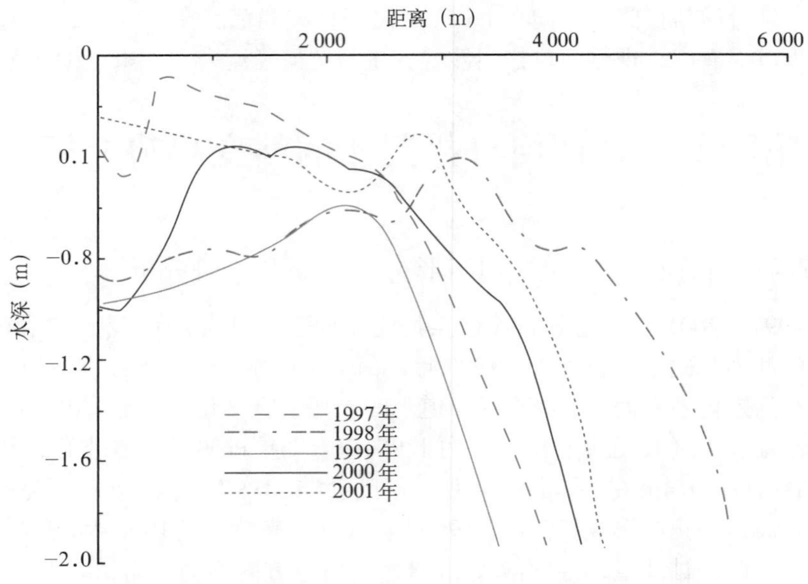

图 9−34　现行河口拦门的沙纵剖面图（1997～2001 年）

沙将保持在目前的状态。从小浪底水库运作后的来沙量看，最近几年期间河口拦门沙演变趋势有可能仍是微弱蚀退状态。

二、黄河现行拦门沙淤积体横剖面形态的演变及趋势分析

根据实测资料，绘制出1997～2001年各年度拦门沙的横剖面图（见图9−35），剖面起点坐标（20697500，4192500）、终点坐标（20702500，4187500）。从横剖面图可以看出，拦门沙的北坡坡度比较平缓，南侧坡度比较陡，从1997年到2001年趋势基本如此，主要可能和潮流不对称有关。

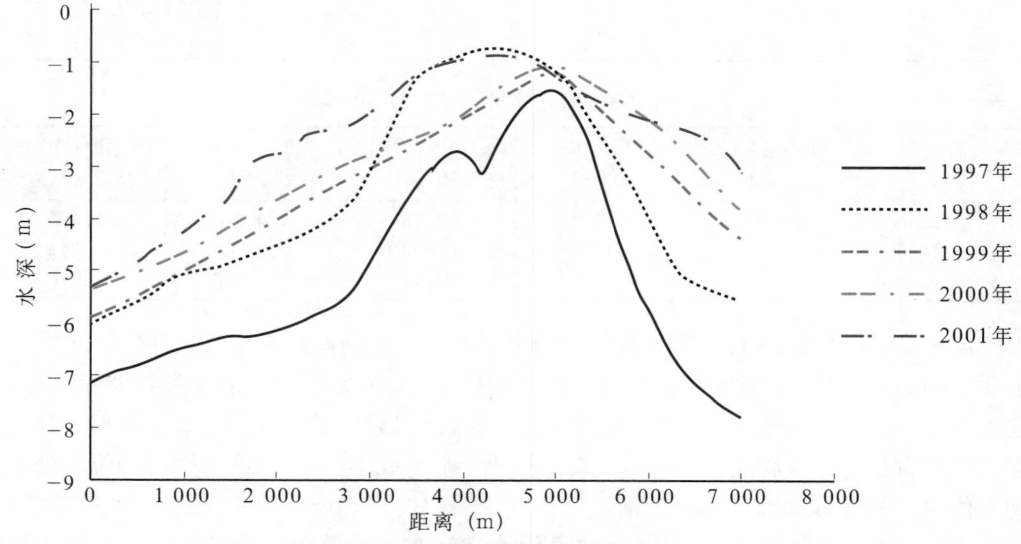

图 9−35　现行河口拦门沙的横剖面图（1997～2001 年）

从拦门沙的横剖面演变趋势看，拦门沙的横剖面自1997年以来一直在展宽，但其高度自1998年达到最高点以后有所下降。如果利津水文站的来沙量保持在目前的状态，拦门沙横剖面的演变趋势将是在潮流作用下继续向南北两侧展宽，并保持北缓南陡的形态，但其高度不会增加。

三、黄河现行河口拦门沙与老河口及其他河流河口拦门沙的比较

（一）与老河口拦门沙的比较

由于黄河近年来水、来沙量剧减，新河口拦门沙与老河口拦门沙相比，具有以下特点：

（1）规模较老河口拦门沙小，长度在1～6km，横向宽度为1～4km；

（2）横向变化小，这与黄河河口在横向上的稳定性有关。

（二）与其他河口拦门沙的比较

由于黄河是世界上输沙量最多、且来沙量集中的河流，因此黄河口拦门沙淤积形态与国内外其他河口拦门沙相比，有许多不同之处。

（1）由表9–8可知，黄河口拦门沙形态，具有长度短、顶部水深浅、前坡坡度陡三个突出特点。它们集中体现了黄河挟沙入海水流在海洋动力的顶托下，流速迅速减小，泥沙集中沉积的特征。

表9–8　黄河口拦门沙与其他河口拦门沙形态特征

河名	位置	潮差(m)	拦门沙长度(km)	顶部水深(m)	前坡(‰)	泥沙来源
黄河		1～1.5	2～10	0.5～2.0	35～40	河流
长江	南港 北港	4.62	60～70 40	6.5		双向
珠江	磨刀门 洪奇厉	0.82 1.20	11	3.6	13 13	河流
密西西比河		0.2～0.61	27	2.7	19	河流
哥伦比亚河		2.6	3.0	6.1	平缓	双向

（2）黄河口拦门沙紧堵着河口口门，向上游是缓慢加深的河道，向海则是海岸陡坡。

（3）黄河口在一定的发育阶段是多汊河口，一是潮上带河道两岸有较大汊沟，二是低潮位时拦门沙顶上有许多汊沟，从卫片上看很像大树的根系，其主要槽沟道较宽，但到拦门沙顶上则变得很窄，犹如瓶颈一般，整个拦门沙体像一个滚水坝，水流在上面漫过。显然，这种拦门沙形态对泄洪排沙具有阻碍作用。

（4）1996年以后，黄河口河道单一，河口拦门沙变小变低，发育较弱，三维形态相对变化小，对口门行洪排沙的影响已大为降低。但是，河口拦门沙的存在是一个客观的事实，其固有的作用性质并未因此而改变。

四、小结

通过以上实测资料分析，我们可以得出以下结论：

(1) 现行黄河口存在的拦门沙与20世纪90年代以前的拦门沙相比，体积与范围都有较大幅度的减少。

(2) 现行黄河口拦门沙是在径流携带大量泥沙的条件下形成的，来水来沙的年际、月际变化悬殊是拦门沙突变的物质基础。总的来说，拦门沙是向海方向延伸的，但由于每年来水、来沙量不同，向海推进的距离有所不同。

(3) 现行黄河口拦门沙是一个纵向长度为2～6km、横向宽度为1～4km、高于河口河床的泥沙沉积体，最高点在水深−0.4m左右，分布范围在河口至−2m水深线之间，其前沿为陡度，坡度在3×10^{-3}左右，后沿的倒比降在$0.3 \times 10^{-3} \sim 1.2 \times 10^{-3}$之间。

(4) 拦门沙横剖面两侧坡度不一样，北坡较缓，南坡较陡，主要是潮流作用的结果。

(5) 拦门沙的纵剖面和横剖面的演变将继续保持目前的趋势。

第十章　黄河口三维泥沙输运数值模拟和拦门沙演化机制

第一节　黄河口泥沙输运特征与数学模型分析

一、河口水动力条件

黄河口是一个河流动力占主导作用的河口，潮流作用相对较弱。但是随着黄河入海径流量的减少，河流动力与海洋动力的对比已经发生了重要变化。黄河口海域的海洋动力因素主要有潮汐、潮流、余流和波浪。

（一）潮汐特征

黄河注入渤海，渤海为半封闭的海湾，固有振动较小，潮汐主要是大洋潮汐的胁迫振动。黄河口位于渤海湾和莱州湾之间，在渤海湾口南边5号桩附近有M_2分潮的无潮点。黄河三角洲沿岸的潮差分布特点是无潮点区域低、向两侧逐渐增高的“马鞍形”(见图10–1)。平均潮差为0.73～1.77m，为弱潮河口。

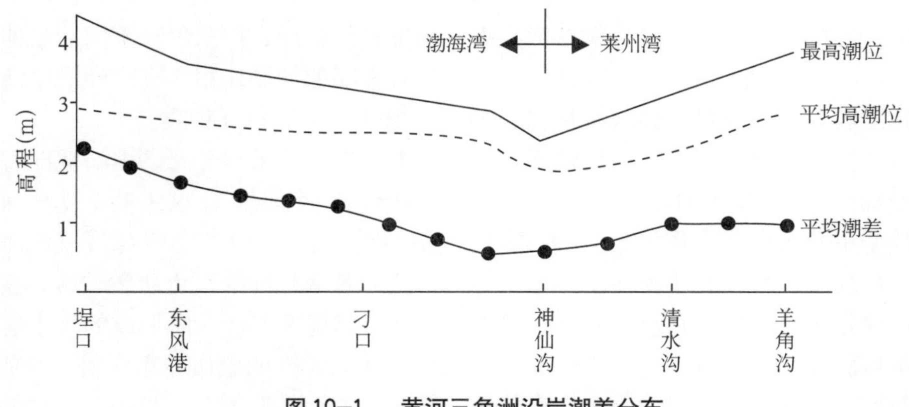

图10–1　黄河三角洲沿岸潮差分布

（二）潮流特征

黄河三角洲沿岸潮流为半日潮流，流速以M_2分潮无潮点区最大，超过120cm/s，其分布形势与潮差分布相反，流速由无潮点区域向两侧潮流逐渐减小。潮流椭圆的短长轴之比小于0.1，为平行于海岸的往复流。黄河口海域存在两个高流速中心，一个是在神仙沟口外，另一个在清水沟口外，即1976～1996年行水的老河口前缘，其沙嘴向海伸出，水下底坡较陡，使得潮流流速加大。

（三）余流

黄河三角洲的余流主要是由于风、径流、密度差、气压差等因素引起的，其大小、流向变化复杂。从整个三角洲海域来看，风生余流超过了其他因素导致的余流。春、夏季盛行的偏南季风产生的表层余流多向南流动；冬季在偏北季风的作用下，表层余流多向南运动，流速一般在20cm/s左右。在河口区，径流产生的余流较为明显，多沿河流动力轴线方向，远离河口逐渐减弱。

（四）波浪

黄河口海区的波浪主要是风浪，其大小随风速变化，强浪向为NE向，次强浪向为NNW向，常浪向为S向。寒潮形成的波浪最大，一般自十月份开始，寒潮导致的波高在3m以上。该海区台风对波浪影响也较大，但出现几率小。一般海况下的波高为1.5m。波浪进入浅水区域，在地形和水流作用下产生变形，在破碎带形成波致近岸流(Wave-induced current)，是近岸泥沙输送的重要动力因子，对岸滩的侵蚀与塑造有重要作用。

（五）水体密度差

河流携带高含沙量的淡水径流入海，与外海的高盐度、低含沙量海水所形成的密度差也是泥沙搬运的动力条件之一。当河流水体含沙量较小时，水体密度小于外海的盐水密度，即形成正浮力，河水以淡水羽状流的形式在表层向外海扩散；当河流含沙量较高时，径流的水体密度大于海水密度，即出现负浮力，河口泥沙以羽状流的形式在底部有限的范围内扩散，泥沙异重流成为底部输沙的主要形式。

二、黄河口泥沙及其运动特征

（一）水下三角洲的底质分布特征

黄河入海携带的泥沙大多是来自黄土高原的细颗粒物质，在三角洲不同叶瓣体的发育时期，对河口附近海底沉积物的类型和分布起着重要的控制作用。三角洲沿岸海域的沉积物粒度较细，主要是粉砂级沉积物，为黄河携带入海的特征物质。

不同类型的沉积物分异现象比较明显，平行于海岸呈条带状分布，由陆地向海颗粒也逐渐变细，较粗的粉砂质细砂分布在河口沙坝和0m等深线附近，这主要是受黄河入海口位置的变更及入海径流作用的影响。黏土质粉砂在黄河三角洲15m等深线以内海域分布较广。在黄河入海口的沙嘴外侧存在一片呈舌状向东南延伸的黏土质粉砂带，在黄河刁口故道的前缘也存在这种沉积物，这主要是河流径流携带泥沙入海形成的淡水射流受潮流作用偏转而形成。1996年改走汊河流路入海后尚无详细的底质分布资料，但是可以估计在新河口前缘的沉积物粒级分布有粗化的趋势，由于入海的水沙量很少，对外海的沉积物分布格局不会有太大的改变。

（二）入海泥沙的扩散和悬沙分布特征

黄河入海泥沙的扩散与入海口的位置和海洋动力因素有着密切的关系。此外，入海的水沙量、输沙量与径流量的比例关系也对入海泥沙的扩散方式有重要的影响。在河口附近，受入海泥沙的直接影响，为悬沙高浓度区。悬沙在平面上呈舌状向偏南方向扩散。在三角洲南侧的老河口区域，由于沙嘴向海伸出，且水下底坡较陡，导致该区域的流速加大，悬沙浓度也较高。在三角洲北部，也存在悬沙浓度较高的区域，这与黄河入海泥沙无直接的联系，系岸滩物质在海洋动力作用下再悬浮所形成。

三角洲入海泥沙的扩散和海域的悬沙分布受多种动力因子的控制，在不同动力条件下，其扩散机制和分布格局也不同。详细了解这种规律对于给出黄河三角洲的演变在地学上的合理解释是非常重要的。

三、泥沙输运数学模型的研究现状

从数学模型研究的发展来看，河口海岸三维数学模型具有以下几个特征：

(1) 根据流体运动的水平尺度与垂直尺度的分析，忽略了垂向的加速度，因此可以采用静压力假设。

(2) 垂直方向采用伸缩坐标系，水平坐标采用笛卡儿直角坐标系或曲线－正交坐标系或二者相结合的复合坐标系统。

(3) 考虑多种动力因子（径流、潮流、风）作用下的物质输运（泥沙、盐度、温度、污染物等）过程。

(4) 流体的运动可以由多种边界力驱动（多分潮、径流、风、波浪）。

(5) 垂直涡黏性系数和涡扩散系数的确定采用湍流封闭模式。

(6) 模型计算采用高效率的模态分离法。

国内学者近年来在河口海岸三维水动力学数学模型研究方面取得了较大的进展，但大多仅讨论均质流体的流动。易家豪、赵士清等采用与Leendertse类似的固定分层方法，建立了较简单的数值模式，对长江口南槽和口外海域的三维潮流进行了数值模拟。韩国其等采用 σ 坐标系和分裂算子法建立了三维潮流数值模型，并用 $K-\varepsilon$ 湍流模式计算涡黏性系数。窦振兴等采用 σ 坐标系和模态分裂法对渤海湾的三维潮流作了数值模拟。宋志尧等基于模态分裂法和ADI格式建立了三维潮流的计算模式，并应用于海岸辐射沙洲的潮流场分析。卢启苗和李孟国等也报道了三维潮流数学模型在工程上的成功应用。Zhan et al.应用大涡模拟技术建立了近海三维流动数学模型，较好地反映了台风过境时中国南海的风吹流流场。刘桦等建立了考虑河口密度分层效应的三维潮流、盐度数学模型，垂直方向采用 σ 坐标系，水平方向采用直角笛卡儿坐标系，经模态分离后，外模态用改进的ADI法求解，为了合理确定垂直涡黏性系数和涡扩散系数，应用非均质流体的两方程湍流封闭模式。该模型首次复演了完整的长江口三维潮流场，并对三维盐度场进行了初步模拟。

在泥沙运动的基本理论提出后，关于泥沙运动的数学模型得到了较快的发展。由于泥沙运动的早期理论采用了很多的假设，这些假设在实际的运用中存在很大的问题。泥沙运动数学模型的很多研究主要集中在结合实测资料对这些假设进行合理的修正，以期得到与实际观测符合的模拟结果。Gibbs 发现在 Chesapeak 湾观测到的絮凝体（Flocs）的粒径与沉速关系并不符合 Stokes 公式，并提出了一种新型的关系式。Burban et al. 提出剪切应力、悬沙浓度的增大会导致絮凝体中值粒径的减小，泥沙颗粒碰撞对解絮有主要的作用，并对所提出的关系式进行了验证。Leonor et al. 通过分析实测资料，对考虑絮凝作用下的泥沙沉速进行了修正，并在三维悬沙输运模型中得到运用。Nielson详细讨论了底部剪切应力的计算。Sanford et al.根据实测资料，在假定临界切应力随水深的变化率为常数且在界面处冲刷常数与悬沙浓度存在线性关系的前提下，导出了更具有普遍意义的底部冲刷方程，并在Baltimore港口得到较好的验证。Morehead et al.采用射流模型研究了陆架边缘处河流注入的泥沙运动，讨论了泥沙通过河口羽状流的初始沉积。

王尚毅等针对埕岛海区人工岛工程的可行性研究采用了平面二维潮流泥沙数学模型，对该区域的潮流及其作用下的泥沙运动进行了分析，但是研究的范围限定在6km^{2}的范围内，仅仅是一种工程应用。曾庆华等在国家“八五”重点科技攻关项目研究中，采用二维非恒定流模型和不平衡输沙模式，模拟了黄河口外潮流场、悬沙扩散和海底冲淤变化，所得的结果也与实测资料吻合。在这些研究工作的基础上，张世奇采用黄河口二维潮流和冲淤演变一维模型和二维模型的套接，并在模型中引入了动边界控制，这样岸线边界随潮相的不同而变化，更为真实地模拟水流的运动。李东风利用二维数学模型分别计算了刁口河道分洪泥沙、清水沟汊河流路入海泥沙对东营港的冲淤影响。杨作升等在国家“九五”重点科技攻关课题中分别提出了黄河口海域高浓度泥沙异重流的数学模型、泥沙运动和冲淤演变的平面二维数学模型，对黄河口泥沙异重流的产生、发育和衰减进行了研究，创造性地将潮相控制因子引入传统的泥沙异重流模型中，模拟了黄河口泥沙异重流的时空演变，并提出在河口利用异重流输沙的观点。Wang et al.对黄河口1996年改道后海域的潮流场及河口来沙的扩散进行了数值模拟，考虑了风、径流等动力因素，进而计算了海底的冲淤变化。

黄河口的数学模型研究和应用采用了平面二维数学模型，到目前为止尚未有三维数学模型在黄河口水动力、泥沙运动研究中应用的公开报道。平面二维数学模型由于采用了沿水深积分平均，不能详细反映水流和泥沙运动的三维真实结构，而且对与泥沙的絮凝、沉降有重要作用的盐水入侵问题也不能够给出令人满意的结果。另外，在感潮河段黄河河道内的水流、泥沙运动与外海的水动力场是密切相关的，而在平面二维数学模型中引入河道部分存在困难，河道宽度的限制对计算网格尺度要求较高，而且黄河口二维数学模型多采用传统的统一尺度的方形网格，在这种情况下，要么采用很小的计算网格，计算量也急剧增大；要么河道的概化较粗，往往会产生较大的误差。不考虑河道部分时，入海水沙的输入条件只是在岸边界河口入海处以点源的形式给出，这对于准确模拟口门处的流场、泥沙运动是相当困难的。

从目前的研究状况来看，黄河口区域需要建立一个多种动力因素下河口泥沙扩散输运的三维数学模型，提供黄河口三维水动力场的时空分布，揭示河口泥沙在背景动力场中的运动规律，对河口区域的动力过程、河口泥沙扩散模式、盐水入侵的结构及作用、三角洲冲淤演变作出动力学解释。

第二节　三维数学模型简介

三维数学模型采用了由美国弗吉尼亚海洋研究所（VIMS）开发的HEM-3D模型，是一个用于研究河流、湖泊、水库、湿地、河口及陆架海区的水动力、物质输运和生物地球化学过程的三维数学模型包。该模型是在早期的环境流体动力学代码（EFDC）基础上引进了黏性泥沙、非黏性泥沙运动模型以及富营养化过程、污染物的扩散输运过程模型，进一步扩展了植被阻力、岸线边界的干湿判别、波流相互作用边界层以及波浪导致的近岸泥沙输运等，是一个高度集成的河口海岸三维数学模型。

一、数学模型基本结构

HEM-3D模型在结构上可以分为水动力模块、泥沙输运模块、毒质污染物输运模块、湿地潮滩模拟和波浪导致的近岸泥沙输运模块。

HEM-3D 的水动力模型与广泛应用的POM（Princeton Ocean Model）模型是相当的。均是基于垂直静压的假定，求解自由表面、密度变化下的紊动平均的三维水体运动方程。该模型动态耦合了湍流动能输运方程，求解湍流混合长度、盐度和温度的输运过程。模型的湍流黏性系数和湍流扩散系数采用了Mellor-Yamada的2.5层湍流封闭模式进行求解。在垂直方向上采用 σ 坐标变换，水平坐标采用直角坐标或曲线－正交坐标，亦或根据研究区域的边界形状采用直角坐标与曲线－正交坐标相结合的复合坐标不动。

水动力模型考虑河口海岸区域淡水径流、气象作用力、地形和底摩擦作用等输入因素影响下的潮流动力场，求解水动力场的自由表面高程、流速、湍流混合、盐度和温度等要素的时空变化。

模型对运动方程的离散在空间上采用了二阶精度的有限差分格式和空间交错网格；对时间导数采用二阶精度和三层时间格式的有限差分，同时将外模态与内模态分离，这是目前三维数学模型为提高计算效率而广泛采用的一种计算方法。所谓模态分离(Mode-splitting procedure)是指将含自由面的三维流动问题分成表面波的传播问题(外模态)和内波的传播问题(内模态)。外模态采用半隐式格式求解二维自由表面，由此计算沿水深积分的斜压流场。差分计算的稳定性条件表明，在相同的水平网格条件下，外模态的计算要求有较小的时间步长，而内模态对时间步长的约束则相对较弱。在求解外模态的同时，内模态利用外模态得到的水位和垂线平均流速，采用隐式格式，考虑垂向扩散求解 σ 坐标系中的动量守恒方程，得到剪切应力和流速的垂向剖面，可求解三维流场。

HEM-3D模型的泥沙输运包括黏性沙和非黏性沙的输运过程，在海底边界上考虑泥沙的沉降和再悬浮过程、絮凝及悬沙浓度对泥沙沉速的影响，在水平边界上考虑随时间变化的物质输入和输出过程。

二、数学模型坐标系统

河口海岸区域往往具有不规则的边界，包括海底边界和水平面上的岸线边界。对边界的概化采用直角坐标下的方形网格，往往会降低数学模型计算的精度，甚至产生较大的误差。采用垂向 σ 坐标变换，将不同水深点的垂向尺度均变换到 0～1 的范围内，然后进行均匀分层，这样可以准确拟合海底边界，并且在岸边界条件的处理上也得到了简化。对于水平面上的不规则岸线，采用曲线－正交坐标可以拟合海岸及河流的不规则变化趋势，在重要的区域可以对网格进行加密处理，这对提高模型计算的精度非常有意义。

（一）垂向 σ 坐标变换

变换方程为：

$$\sigma = \frac{z+h}{\zeta + h} \tag{10-1}$$

式中：z为坐标变换前垂向的物理坐标变量；$-h$为坐标变换前海底垂向物理坐标；ζ为变换前自由水面的垂向物理坐标；σ为变换后的垂向物理坐标变量。经过坐标变换后，在任一水深点处，垂向的坐标尺度均统一到了0～1的范围内。在自由表面处$z=\zeta$，有$\sigma=0$；在海底边界上$z=-h$，有$\sigma=1$。这样浅水区域和深水区域可以采用相同的垂向分层，并且各层上岸边界的位置相同，这种变换使得模型对岸边界条件的处理得到了很大的简化。

（二）水平面坐标系统

由于河流海岸边界线的走向复杂，可以根据具体的地形情况采用直角坐标与曲线－正交坐标相结合的复合坐标系统。在岸线或河流变化曲折多变的部分采用曲线－正交坐标，在岸线顺直，较为规则的区域采用直角坐标。这种复合坐标系统下的计算网格既可以精确拟合海岸边界的变化，又在一定程度上降低数值计算量。首先，在岸线规则的区域生成直角坐标网格，在岸线边界采用三角形计算网格。其次利用直角坐标网格与曲线－正交网格接合处的网格节点和不规则的岸线边界共同约束曲线－正交网格的扭曲函数，生成曲线－正交网格部分。最后将两部分的网格进行空间组合，生成复合坐标网格系统。

三、数学模型方程

（一）潮流数学模型

HEM－3D 模型的控制方程是基于水平面上曲线－正交坐标变换和垂直方向上的Sigma 坐标变换得到的。

动量守恒方程

$$\begin{aligned}&\partial_t(mHu)+\partial_x(m_yHuu)+\partial_y(m_xHvu)+\partial_z(mwu)-(mf_e+v\partial_x m_y-u\partial_y m_x)Hv\\&=-m_yH\partial_x(g\zeta+p)-m_y(\partial_x h-z\partial_x H)\partial_z p+\partial_z(mH^{-1}A_v\partial_z u)\\&\quad+\partial_x\left(\frac{m_y}{m_x}HA_H\partial_x u\right)+\partial_y\left(\frac{m_x}{m_y}HA_H\partial_y u\right)+Q_u\end{aligned} \tag{10-2}$$

$$\begin{aligned}&\partial_t(mHv)+\partial_x(m_yHuv)+\partial_y(m_xHvv)+\partial_z(mwv)-(mf_e+v\partial_x m_y-u\partial_y m_x)Hu\\&=-m_xH\partial_y(g\zeta+p)-m_x(\partial_y h-z\partial_y H)\partial_z p+\partial_z(mH^{-1}A_v\partial_z v)\\&\quad+\partial_x\left(\frac{m_y}{m_x}HA_H\partial_x v\right)+\partial_y\left(\frac{m_x}{m_y}HA_H\partial_y v\right)+Q_v\end{aligned} \tag{10-3}$$

河口海岸水体流动的水平尺度远远大于垂向尺度，尺度分析表明水体运动的垂向加速度可以忽略，因此可以采用静压假设。

静压方程

$$\partial_z\rho=-gH(\rho-\rho_0)\rho_0^{-1}=-gHb \tag{10-4}$$

连续方程

$$\partial_t(m\zeta)+\partial_x(m_yHu)+\partial_y(m_xHv)+\partial_z(mw)=Q_H \tag{10-5}$$

$$\partial_t(m\zeta)+\partial_x(m_yH\int_0^1 u\mathrm{d}z)+\partial_y(m_xH\int_0^1 v\mathrm{d}z)=\overline{Q}_H \tag{10-6}$$

上述方程中，u、v分别为曲线－正交坐标x、y方向上的水平流速分量；m_x和m_y分别为x、y方向上的尺度变换因子，$m=m_xm_y$；全水深定义为水下深度h与自由表面位移ζ的代数和，即$H=h+\zeta$；g为重力加速度；p为余压力项；A_v为垂直方向上的湍流黏性系数；A_H为水平湍流黏性系数；Q_u、Q_v为动量的源汇项；Q_H为体积的源汇项，包括降雨、蒸发以及边界的入流和出流等物理过程；$\overline{Q}_H$为体积的源汇项沿水深的积分平均；f_e为有效柯氏力系数，考虑到在曲线－正交坐标系中的曲线加速度影响，有效柯氏力系数表示为：

$$f_e=f-\frac{u}{m}\partial_y m_x+\frac{v}{m}\partial_x m_y \tag{10-7}$$

ρ和ρ_0为水体的实际密度和参考密度；b为浮力项，$b=\dfrac{(\rho-\rho_0)}{\rho_0}$。

对连续方程(10－5)在垂向区间(0～1)内积分，并考虑运动学边界条件：水体不能穿越两个界面，有

$$w|_{z=0}=0 \qquad 和 \qquad w|_{z=1}=0$$

即在自由表面处和海底边界上的垂向速度分量为0，可以得到：

$$\partial_x\left(m_yH(u-\int_0^1 u\mathrm{d}z)\right)+\partial_y\left(m_xH(v-\int_0^1 v\mathrm{d}z)\right)+\partial_z(mw)=Q_H-\overline{Q}_H \tag{10-8}$$

经过坐标变换后的垂直方向的速度分量 w 与坐标变换前的流速分量 w^* 存在如下关系：

$$w=w^*-z(\partial_t\zeta+um_x^{-1}\partial_x\zeta+vm_y^{-1}\partial_y\zeta)+(1-z)(um_x^{-1}\partial_x h+vm_y^{-1}\partial_y h) \tag{10-9}$$

在垂向湍流黏性系数 A_v 和扩散系数 A_b 以及源汇项确定的情况下，上述方程构成了一个求解变量u、v、w、p、ζ、ρ、S和 T的封闭方程组。

垂直湍流黏性系数和湍流扩散系数，采用Mellor 和 Yamada提出的湍流封闭模型。湍流封闭模型将垂直湍流黏性系数和湍流扩散系数定义为湍流强度q、湍流混合长度L以及 Richardson 数 R_q 的函数：

$$A_v=\phi_v ql \tag{10-10}$$

$$A_b=\phi_b ql \tag{10-11}$$

Richardson 数定义为：

$$R_q=\frac{gh\partial_z b}{q^2}\frac{l^2}{H^2} \tag{10-12}$$

式中，ϕ_v 和ϕ_b 为稳定函数，用以确定稳定和非稳定的垂向密度分层环境的垂直混合或输运的增减，其定义分别为：

$$\phi_v = \frac{A_0(1+R_1^{-1}R_q)}{(1+R_2^{-1}R_q)(1+R_3^{-1}R_Q)} \tag{10-13}$$

$$A_0 = A_1\left(1-3C_1-\frac{6A_1}{B_1}\right) = \frac{1}{B_1^{1/3}} \tag{10-14}$$

$$\left.\begin{aligned} R_1^{-1} &= 3A_2\frac{(B_2-3A_2)\left(1-\frac{6A_1}{B_1}\right)-3C_1(B_2+6A_1)}{\left(1-3C_1-\frac{6A_1}{B_1}\right)} \\ R_2^{-1} &= 9A_1A_2 \\ R_3^{-1} &= 3A_2(6A_1+B_2) \end{aligned}\right\} \tag{10-15}$$

$$\phi_b = \left(\frac{K_0}{1+R_3^{-1}R_q}\right) \tag{10-16}$$

$$K_0 = A_2\left(1-\frac{6A_1}{B_1}\right) \tag{10-17}$$

上述方程中，A_1、A_2、B_1、B_2、C_1 为经验常数，分别取值如下：

$$A_1 = 0.92,\quad A_2 = 0.74,\quad B_1 = 16.6,\quad B_2 = 10.1,\quad C_1 = 0.08$$

湍流强度和湍流混合长度可以由下列输运方程确定：

$$\begin{aligned} &\partial_t(mHq^2)+\partial_x(m_yHuq^2)+\partial_y(m_xHvq^2)+\partial_z(mwq^2) \\ &=\partial_z(mH^{-1}A_q\partial_z q^2)+Q_q+2mH^{-1}A_v\left[(\partial_z u)^2+(\partial_z v)^2\right]+2mgA_b\partial_z b \\ &\quad -2mH(B_1l)^{-1}q^3 \end{aligned} \tag{10-18}$$

$$\begin{aligned} &\partial_t(mHq^2l)+\partial_x(m_yHuq^2l)+\partial_y(m_xHvq^2l)+\partial_z(mwq^2l) \\ &=\partial_z(mH^{-1}A_q\partial_z q^2l)+Q_l+mH^{-1}E_1lA_v\left[(\partial_z u)^2+(\partial_z v)^2\right]+mgE_1E_3lA_b\partial_z b \\ &\quad -mHB_1^{-1}q^3\left[1+E_2(\kappa L)^{-2}l^2\right] \end{aligned} \tag{10-19}$$

$$L^{-1} = H^{-1}\left[z^{-1}+(1-z)^{-1}\right] \tag{10-20}$$

式中：E_1、E_2、E_3 均为经验常数，取值为

$$E_1 = 1.8,\quad E_2 = 1.33,\quad E_3 = 0.25$$

Q_q和Q_l为附加的源汇项，如子网格的尺度耗散等，κ 为 Von Karman 常数，$\kappa = 0.4$。

（二）泥沙输运模型

HEM-3D模型对输运方程对流项的求解采用了高阶迎风差分格式，尽管对数值耗散问题进行了专门的考虑，但是水平耗散仍然存在。因此，在泥沙输运方程中忽略了水平扩散项：

$$\partial_t(mHC)+\partial_x(m_yHuC)+\partial_y(m_xHvC)+\partial_z(mwC)-\partial_z(mW_sC)$$
$$=\partial_z(m\frac{A_b}{H}\partial_zC)+Q_s^E+Q_s^I \tag{10-21}$$

其中，C为悬移质泥沙浓度，泥沙的源汇项分为两个部分，外部源汇项Q_s^E包括点源或非点源的泥沙源汇，内部源汇项Q_s^I主要包括有机悬浮物的分解，絮凝或解絮过程；W_s为泥沙的沉降速度。

垂直边界条件：

在自由表面z=0处：$-\frac{A_b}{H}\partial_zC-W_sC=J_o$

在海底边界z=1处：$-\frac{A_b}{H}\partial_zC-W_sC=0$

（1）首先计算由于对流和外部物质源汇的体积通量导致的悬沙浓度。

$$H^{n+1}C^*=H^nC^n+\frac{\theta}{m}(Q_s^E)^{n+\frac{1}{2}}-\frac{\theta}{m}\left\{\partial_x\left[m_y(Hu)^{n+\frac{1}{2}}C^n\right]+\partial_y\left[m_x(Hv)^{n+\frac{1}{2}}C^n\right]+\partial_z(mw^{n+\frac{1}{2}}C^n)\right\} \tag{10-22}$$

式中：上标n和$n+1$代表第n和第$n+1$时间层，*为不同时间层的过渡量值。为了保持连续性，泥沙输运的源汇在对流项求解中加以考虑。对流项采用Smolarkievicz et al.的反耗散格式，并对输运通量进行校正。

（2）考虑泥沙沉降的影响：

$$C^{**}=C^*+\frac{\theta}{H^{n+1}}\partial_z(W_sC^{**}) \tag{10-23}$$

方程(10−23)的求解采用全隐式迎风差分格式求解，并在各层的界面上进行反扩散校正。在临近海底的水层，方程(10−23)可以写为：

$$C^{**}=C^*+\frac{\theta}{\Delta_1H^{n+1}}(W_sC^{**})_2-\frac{\theta}{\Delta_zH^{n+1}}(W_sC^{**})_1 \tag{10-24}$$

水体与海底的通量为：

$$-\frac{A_b}{H}\partial_zC-W_sC=J_0=W_rC_r-P_dW_sC \tag{10-25}$$

式中：W_rC_r为海底泥沙再悬浮通量；P_d为泥沙的沉降几率（$P_d\leqslant 1$）。如果考虑在海底边界上的湍流扩散通量为零，方程(10−25)变为：

$$-W_sC=W_rC_r-P_dW_sC \tag{10-26}$$

代入方程(10−23)中可得：

$$\left(1+\frac{\theta P_dW_s}{\Delta_zH^{n+1}}\right)C_1^{**}=C_1^*+\frac{\theta}{\Delta_1H^{n+1}}(W_sC^{**})_2+\frac{\theta}{\Delta_zH^{n+1}}(W_rC_r) \tag{10-27}$$

（3）扩散项的求解。扩散项采用隐式差分格式求解，在自由表面和海底边界上泥沙的扩散通量为零。

$$C^{n+1} = C^{**} + \theta \partial_z \left[(\frac{A_b}{H^2})^{n+1} \partial_z C^{n+1} \right] \tag{10-28}$$

泥沙的沉降、沉积和再悬浮的物理过程参数化具体包括：

（1）沉降速度。

悬移质泥沙的沉降是一个非常复杂的过程，由于在河口区域盐水、淡水混合导致的絮凝作用使得泥沙颗粒聚集而形成絮凝体，这种絮凝体的重力沉降过程不同于单个泥沙颗粒的沉降过程。絮凝体的形成依赖于悬移质泥沙的类型和浓度、周围环境的温度盐度、剪切应力和湍流强度。

目前的研究认为，絮凝体的沉降速度与泥沙颗粒的粒径、悬沙浓度及水体的动力环境或近底的湍流强度是有关的。泥沙的有效沉降速度与这些因素存在不确定的函数关系：

$$W_{se} = f(d, C, \partial_z u, q) \tag{10-29}$$

Ariathurai et al.、Hwang et al.、Ziegler et al.讨论了絮凝体的沉降速度与泥沙粒径、浓度和水动力环境的经验关系。HEM－3D 模型泥沙沉降速度的确定采用了 Shrestha et al.提出的经验关系：

$$W_s = C^{\alpha} \exp(-4.21 + 0.147G) \tag{10-30}$$

式中，参数∂=0.11+0.039G，G定义为水平速度垂向剪切梯度的均方根：

$$G = \sqrt{(\partial_z u)^2 + (\partial_z v)^2} \tag{10-31}$$

（2）泥沙的沉积。

近底水体与海底的物质交换是受水动力环境和海底床面的特性控制的。当水动力导致的海底剪切应力降低且小于某一临界值，海底会产生净的泥沙沉积。广泛采用的一个沉积通量表达式为：

$$\begin{cases} -W_s C_d \left(\dfrac{\tau_{cd} - \tau_b}{\tau_{cd}} \right) = -W_s T_d C_d & (\tau_b < \tau_{cd}) \\ 0 & (\tau_b \geqslant \tau_{cd}) \end{cases} \tag{10-32}$$

式中：τ_b为水流对海底产生的剪切应力；τ_{cd}为泥沙沉积的临界剪切应力，一般取决于泥沙的性质和絮凝体的物理化学特性；切应力变量$T_d = \dfrac{\tau_d - \tau_b}{\tau_{cd}}$，$C_d$为近底悬浮泥沙的浓度。临界沉积剪切应力的确定主要通过实验或野外现场测量，其值在0.06～1.1N/m²的范围内。如果没有实验或现场的测量，要在如此大的范围内确定这一参数是非常困难的。

（3）海底泥沙再悬浮。

海底泥沙的再悬浮一般采用如下的表达式：

$$W_r C_r = \frac{\mathrm{d}m_e}{\mathrm{d}t} \left(\frac{\tau_b - \tau_{ce}}{\tau_{ce}} \right)^{\alpha} \quad (\tau_b \geqslant \tau_{ce}) \tag{10-33}$$

或

$$W_r C_r = \frac{\mathrm{d}m_e}{\mathrm{d}t}\exp\left(\frac{\tau_b - \tau_{ce}}{\tau_{ce}}\right)^{\gamma} \quad (\tau_b \geqslant \tau_{ce}) \tag{10-34}$$

上述方程中，$\mathrm{d}m_e/\mathrm{d}t$为海底床面单位面积上的侵蚀率，量纲为mg/(s·m²)；τ_{ce}为海底泥沙再悬浮的临界剪切应力；临界侵蚀率、再悬浮临界剪切应力以及参数α、β、r均需要实验或现场观测来确定。方程(10−33)和方程(10−34)的适用范围不同，前者适用于固结程度较高的海底类型，后者适用于部分固结的海底类型。床面的临界侵蚀率、再悬浮临界剪切应力主要取决于沉积物的类型、床面的特性。

Hwang et al.提出近底泥沙再悬浮的临界剪切应力与泥沙的体积密度的关系式：

$$\tau_{ce} = a(\rho_b - \rho_l)^b + c$$

方程中的参数分别为$a = 0.883$，$b = 0.2$，$c = 0.05$，$\rho_l = 1.065$。

床面侵蚀率的取值一般在0.005～0.1mg/(s · m²)范围内，并且随泥沙密度的增加而减小。Hwang et al.根据实验观测，得出了床面侵蚀率与泥沙体积密度的关系：

$$\lg\left(\frac{\mathrm{d}m_e}{\mathrm{d}t}\right) = 0.23\exp\left(\frac{0.198}{\rho_b - 1.002\,3}\right) \tag{10-35}$$

河口海岸区域的泥沙在水动力作用下的运动过程非常复杂，经常受到生物、化学作用的影响，建立的数学模型也存在很多难以确定的参数，这些参数分布在较大的数值范围内，对数学模型的应用造成很大的困难。在实际应用中，一般都通过数值实验选取这些参数，对数学模型进行校正。

（三）近底层湍流封闭

水动力和泥沙在边界层的参数化方程是基于近底的湍流动能平衡建立的，这种平衡是近底的湍流剪切应力、非稳定的密度分层、稳定分层的抑制及耗散等所形成的一种平衡状态。

湍流动能平衡方程为：

$$\frac{A_v}{H}\left[(\partial_z u)^2 + (\partial_z v)^2\right] + gA_b\partial_z b = \frac{Hq^3}{B_1 l} \tag{10-36}$$

将方程(10−36)两端乘以$\frac{A_v}{H}$，可以得到：

$$(\tau_{xz}^2 + \tau_{yz}^2) + g\frac{A_b A_v}{H}\partial_z b = \frac{A_v}{H}\frac{Hq^3}{B_1 l} \tag{10-37}$$

$$\left.\begin{aligned} \tau_{xz} &= \frac{A_v}{H}\partial_z u \\ \tau_{yz} &= \frac{A_v}{H}\partial_z v \end{aligned}\right\} \tag{10-38}$$

在近底边界上，浮力项的通量为零，Richardson数R_q=0，因而垂直湍流黏性系数：

$$A_v = A_0 q l = \frac{1}{B_1^{1/3}} q l$$

代入方程(10−37)可得：

$$|\tau_b|^2=\left(\tau_{xz}^2+\tau_{yz}^2\right)=\frac{ql}{B_1^{1/3}}\frac{1}{H}\frac{Hq^3}{B_1 l}=\frac{q^4}{B_1^{4/3}} \tag{10−39}$$

这与湍流封闭模型在海底边界上的边界条件是一致的。

在一般的情况下，将垂向湍流黏性系数方程代入方程(10−39)中得到：

$$q^4-B_1\left(gH\frac{l}{H}\frac{A_b}{H}\partial_z b\right)q-\frac{B_1}{\phi_A}|\tau_b|^2=0 \tag{10−40}$$

在近底层，湍流混合长度有如下的代数关系式：

$$\frac{l}{H}=\kappa z(1-z)^{\lambda} \tag{10−41}$$

方程(10−41)可以求解任一时刻水动力和泥沙边界层湍流强度。

第三节 数学模型验证

一、计算区域及网格配置

将黄河口的地形特征、动力条件、黄河入海水沙的变化以及海面风应力作为模型应用的基本输入条件，模拟黄河口海域的水动力场、盐度场、悬沙浓度场的时空分布特征。在垂直方向上采用伸缩坐标变换，水平面上采用曲线-正交坐标与直角坐标相结合的复合坐标系统。水动力模型采用以下的流场驱动力：在外海开边界上由 M_2，S_2，K_1，O_1 四个主要的分潮控制水位，在河流段采用黄河口实测入海径流量，考虑海面上随时间变化的风应力场。

模型计算采用1998年10月实测的海底地形图(见图10−2)，范围为北纬37°32′～37°51′、东经119°05′～119°25′，北起孤东油田，南至莱州湾的中部。

计算网格采用复合网格系统，在河口外的区域采用方形网格，在接近海岸线的区域根据海岸线的走向采用三角形网格，准确拟合海岸线的变化，直角坐标网格的尺度为500m × 500m，在河流段采用曲线－正交坐标网格拟合河流的弯曲走向，曲线－正交网格最小网格的宽度为180m（见图10−3）。整个区域的活动水网格为8 832个。各网格中心点的水深由实测水深通过插值的方法给出。

二、边界条件设置

(1) 外海开边界条件：在开边界上采用 M_2、S_2、K_1、O_1 四个主要分潮的调和常数来确定水位的变化。

$$\zeta_{tot}(t)=\sum_{n=1}^{4}\zeta_n\cos\left(\frac{2\pi}{T_n}(t-\tau_n)\right)+\zeta_{ser}(t) \tag{10−42}$$

式中：ζ_n、τ_n、T_n 分别为每个分潮的振幅、初相位和周期；ζ_{ser} 为余水位的时间序列。研

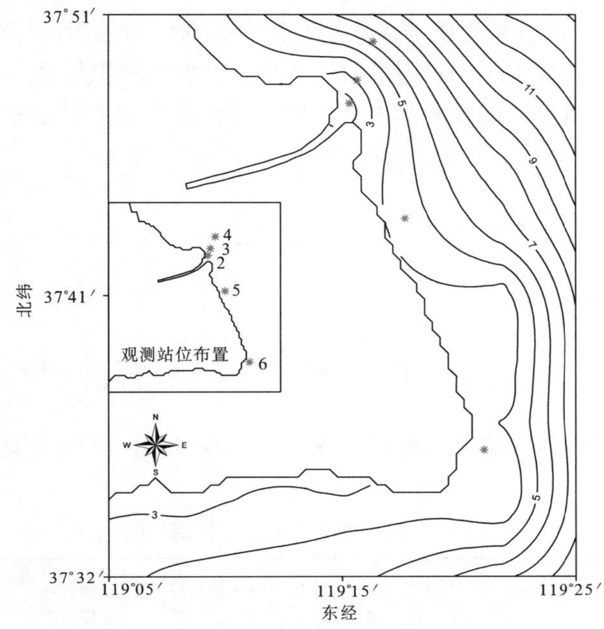

图 10–2　1998 年黄河三角洲地形图（水深：m）

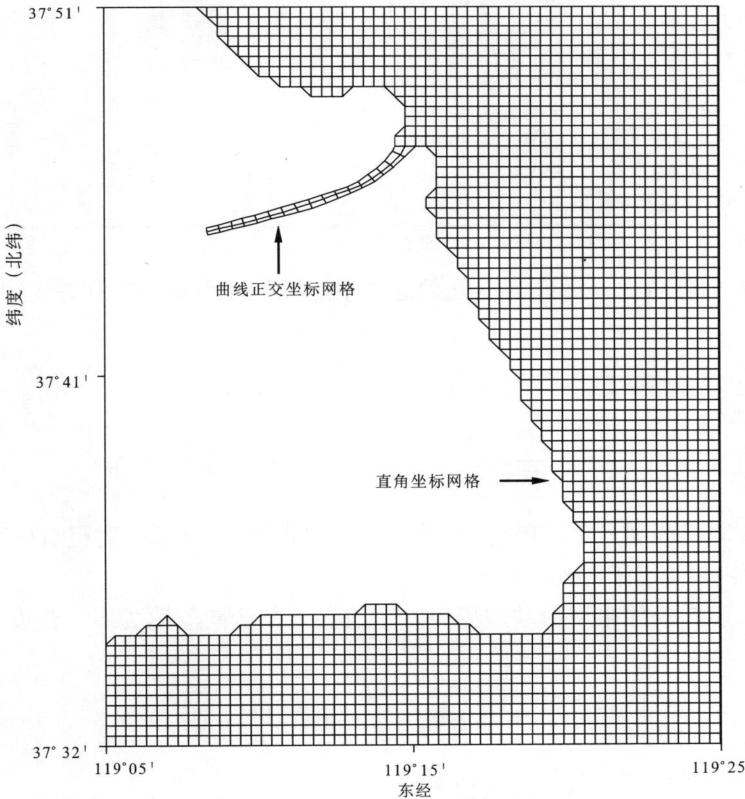

图 10–3　数学模型平面上复合网格配置

究区域边界上分潮调和常数的选取可以参见文献。

(2) 河流边界的设置考虑河流入海径流量、含沙量的时间序列。由于利津水文站测量的径流与含沙量只是一个近似的日平均值，给数值模拟带来了较大的困难，特别是对河口附近区域的流场、泥沙和盐度分布的计算会产生很大的误差。

(3) 海面边界条件。在海面 z=1 处：

运动学边界条件

$$w\big|_{z=1}=0$$

动力学边界条件

$$\rho\frac{A_v}{H}\partial_z u\Big|_{z=1}=\tau_{sx}\qquad \rho\frac{A_v}{H}\partial_z v\Big|_{z=1}=\tau_{sv}\tag{10-43}$$

黄河口海区在夏季主要以南向风为主，表10−1给出了调查期间每隔6h的海上风速、风向资料。

表 10 − 1　　1998 年 6 月调查期间海域的风况

日期	时间	风向	风速(m/s)	最大风向	最大风速(m/s)
6 月 19 日	2:00 8:00 14:00 20:00	S WS WS ES	3 3 4 5	S	4.6
6 月 20 日	2:00 8:00 14:00 20:00	S SSW SSW ES	6 5 7 5	S	7.8

注：风向符号表示风的来向；风速资料由东营气象台提供。

(4) 海底边界条件。海底 z=0 处的运动学边界条件为垂向速度等于零，

$$w\big|_{z=1}=0$$

动力学边界条件由底部剪切应力控制：

$$\rho\frac{A_v}{H}\partial_z u\Big|_{z=1}=\tau_{bx}\qquad \rho\frac{A_v}{H}\partial_z v\Big|_{z=1}=\tau_{bv}\tag{10-44}$$

底部相对粗糙高度 Z_0 很难确定，根据对于淤泥质海区，底部绝对粗糙高度在 (2～7) × 10^{-4}m 的范围内，可以采用 3.5 × 10^{-4}m。

(5) 海岸边界条件采用滑动边界条件，边界处的法向流速为零，盐度、泥沙不存在通量，即：

$$\vec{V}\cdot\vec{n}=0;\quad \frac{\partial S}{\partial n}=0;\quad \frac{\partial C}{\partial n}=0\tag{10-45}$$

$\vec{n}$ 为在海岸边界处的外法线方向单位矢量。

考虑泥沙浓度对水体密度的影响时，密度方程修正为：

$$\rho_C = \rho + C(1 - \frac{\rho}{\rho_s}) \tag{10-46}$$

式中：C为悬浮泥沙浓度；ρ_s为悬浮泥沙的干容重，一般取值为$\rho_s = 2.65\times10^3\text{kg/m}^3$；$\rho$为由国际海水状态方程确定的温度、盐度和压力条件下的水体密度。

三、计算结果验证

1998年6月青岛海洋大学河口海岸带研究所在黄河口区域进行了多船同步连续观测，观测的时间序列为25h。观测站位的布置如图10−2所示。模型验证的起始时间为1998年6月18日9:00～1998年6月19日10:00。

（1）水动力验证（见图10−4～图10−6）。由于缺乏观测站位的潮位观测，因此只

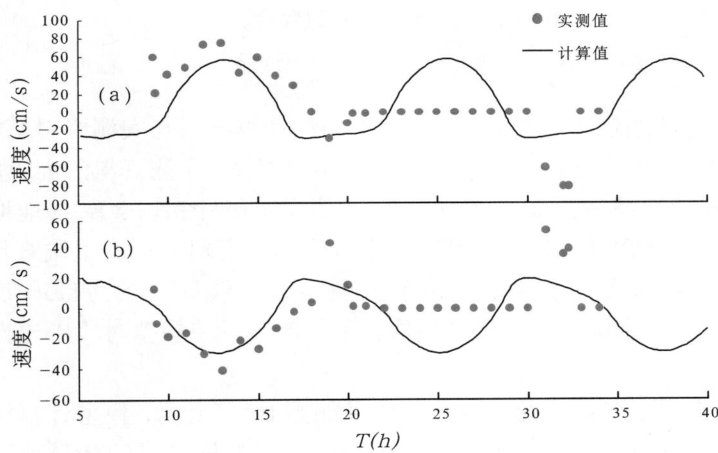

图10−4　2号站位流速过程验证

(a) 东方向流速分量；(b)北方向流速分量

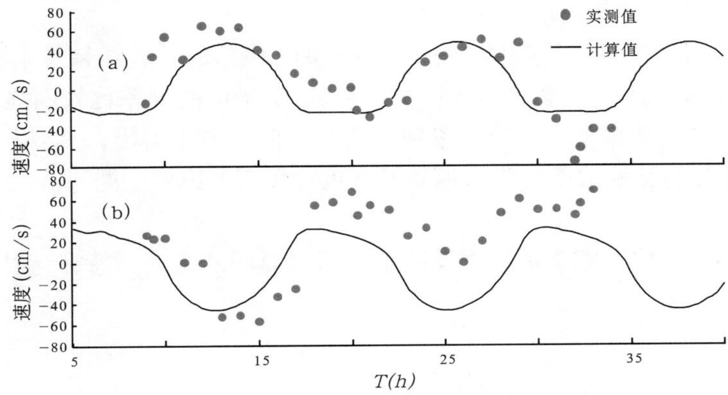

图10−5　3号站位流速过程验证

(a) 东方向流速分量；(b)北方向流速分量

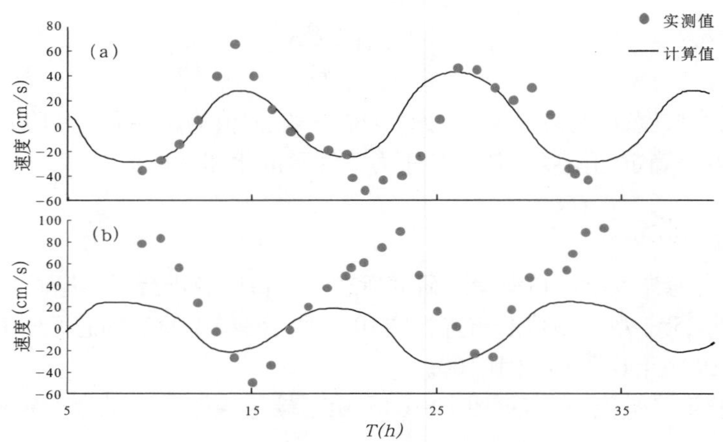

图10-6 4号站位流速过程验证

(a) 东方向流速分量；(b)北方向流速分量

能对流速进行验证。从站位的流速验证来看，模型的计算结果与实测资料基本相符，但是也存在一定的误差。产生这些误差的主要原因可能是：①实测资料的准确度不高，如2号站位在20～30h的时段内，流速资料的可信度不高（见图10-4）；②地形因素的变化，数学模型采用的1998年水下地形图为10月份测量资料，而海上调查是6月份实施，这一段时间内黄河在洪水季节入海的大量水沙可能导致黄河口地形的快速变化；③河流边界的入海流量是一个日平均值，不能准确反映模拟时段内边界流量输入的时间变化。

（2）盐度过程验证。各站位的盐度过程验证如图10-7所示，模型计算结果与实测盐度基本吻合。盐度输运计算时外海的盐度值假定为均匀分布，其取值参考6号站位的平均盐度值32‰作为标准，因为6号站位距河口较远，其盐度变化基本不受河流淡水的影响。河流边界的盐度值通过位于河口处的2号站的盐度变化进行校正。盐度计算结果的误差主要是由于流速误差的传递所产生。

（3）悬沙浓度过程验证（见图10-8～图10-10）。模型的计算结果基本反映了河口泥沙的扩散过程，在变化趋势上与实测资料一致，但是量值的偏差比较明显。产生误差的原因可能有：泥沙运动模型中的待定参数很难从实测资料中得出，只能根据文献资料进行调整；模型计算的悬沙浓度变化过程并没有包含河流上边界处泥沙输入随时间变化的精确信息。

从验证情况来看，数学模型基本上反映了黄河口海域的水动力特征、盐度及河口泥沙的变化过程。

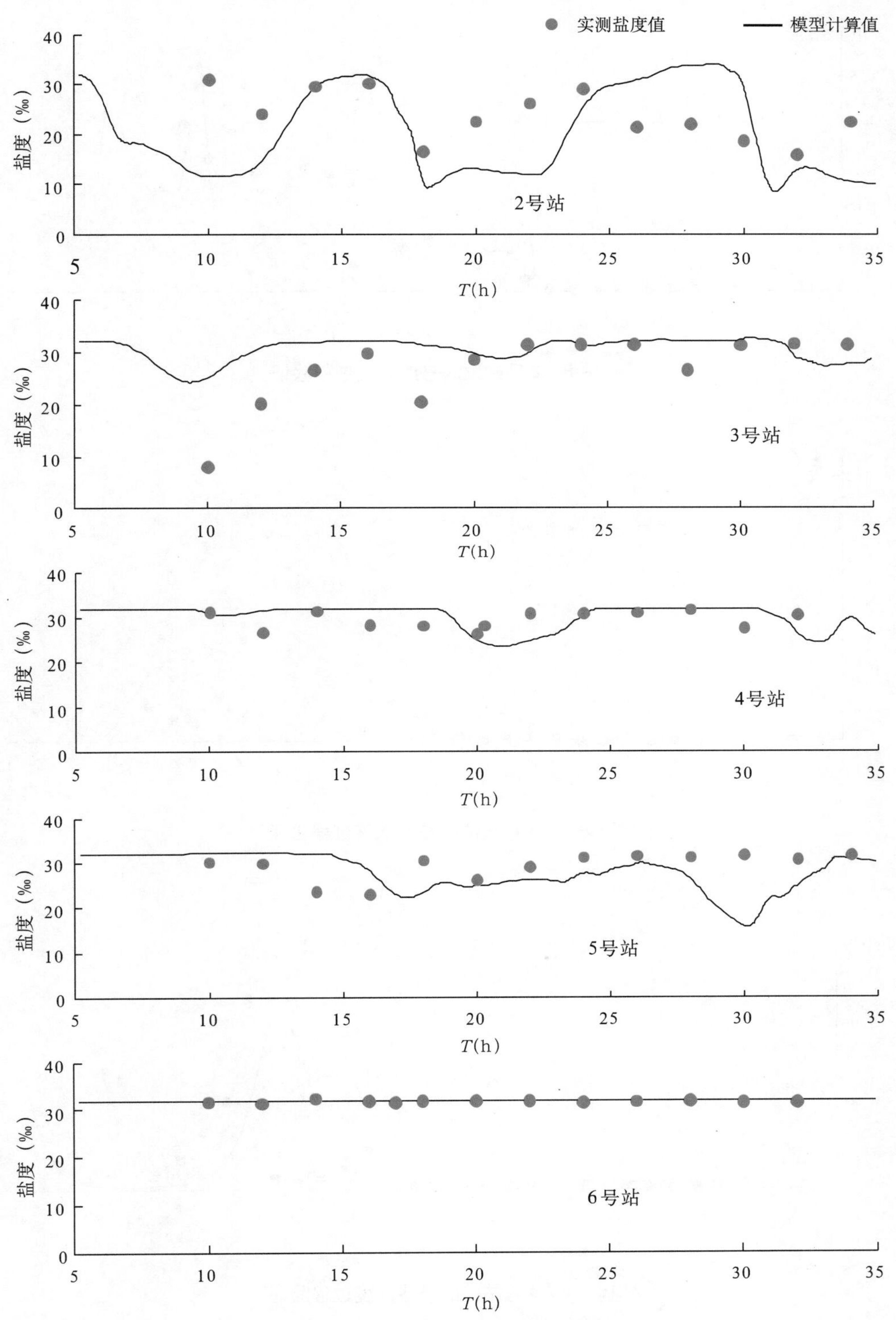

图 10–7　各站位盐度过程验证

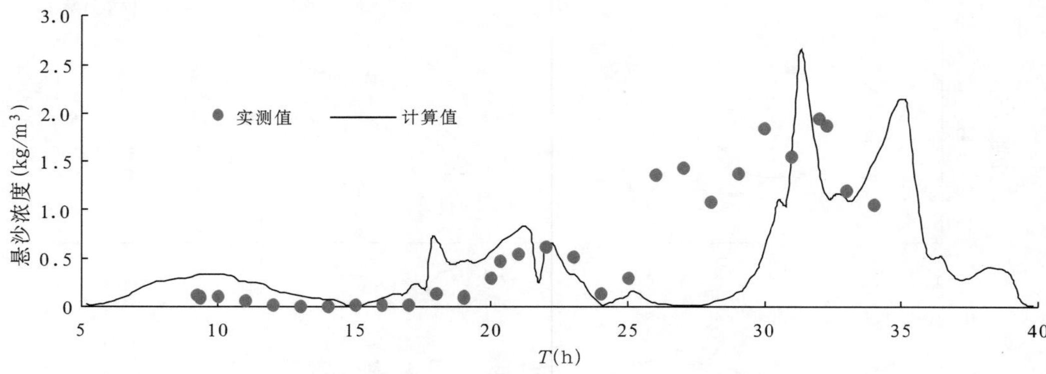

图 10-8　2 号站位的悬沙浓度过程验证

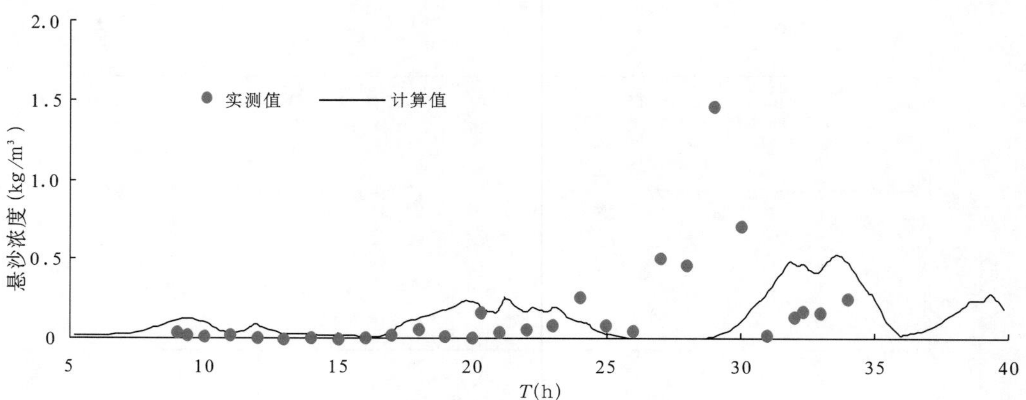

图 10-9　3 号站位的悬沙浓度过程验证

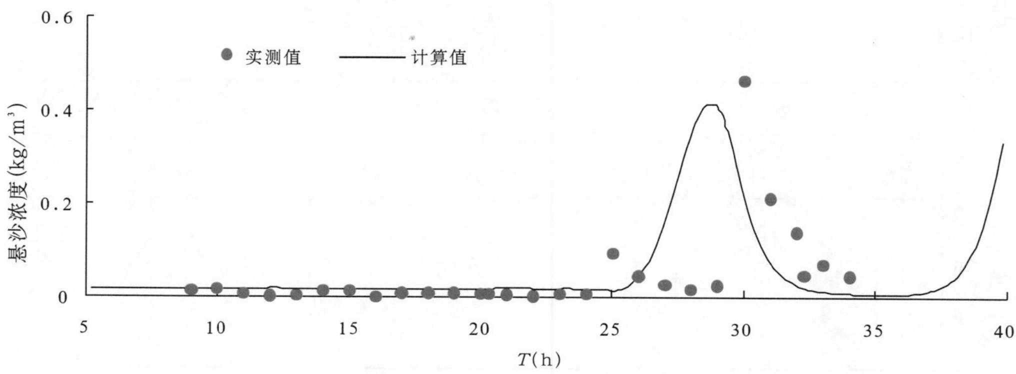

图 10-10　4 号站位的悬沙浓度过程验证

第四节　黄河口切变锋运动

一、切变锋的定义及研究现状

切变锋（shear front）是海洋锋面的一种形态，是一种速度锋，定义为两种水体由于速度不一致而产生的剪切交界面，在交界面的附近会形成低流速带，或称为切变带（shear frontal zone）。切变锋的形成是由于水体存在速度的剪切，一般有两种情况：①两种水体的流动方向一致，但是速度大小有很大差异而产生剪切；②两种水体的流动方向不同而导致剪切。一般来讲，切变锋是一个瞬时的和局部的海洋现象，与特定的海域地形和水动力条件有关。切变带是存在于切变锋附近的一个低流速带，产生在两种不同流向水体的接合部位。在切变锋的附近，各种要素如水流、盐度、温度、化学物质和悬浮泥沙浓度激烈变化，从而形成独特的水流结构和物质分布状态。切变锋、切变带的存在对于河口环流、近岸物质扩散输运、沉积物的分布等有非常重要的作用。

李广雪等首次报道了黄河口外的潮流切变锋现象，并根据野外实测资料和卫星遥感数据分析了黄河口外切变锋的基本特征，定义了切变锋的两种外观形态：内落－外涨型和内涨－外落型（见图10−11，图10−12）。黄河口潮流切变锋对河口泥沙有明显的富集作用，阻挡了河口泥沙向外海扩散，这种“水墙”的阻挡作用导致河口泥沙在三角洲前缘快速沉积。

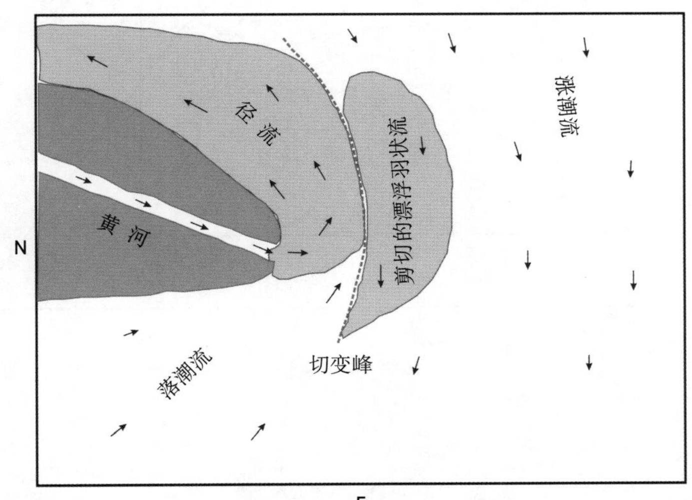

图10−11　黄河口前缘内落－外涨型潮流切变锋（据Li et al.,2001）

二、野外观测记录的黄河口切变锋

1995年9月在黄河口外的6船同步观测记录到了黄河口切变锋的存在及其变化过程。观测站位如图10−13所示。其中靠近河口口门处的浅水站位（YW3）与10m水深以外的站位（YW1）的海流记录对比，显示了河口切变锋的存在（见图10−14）。记录表明黄河

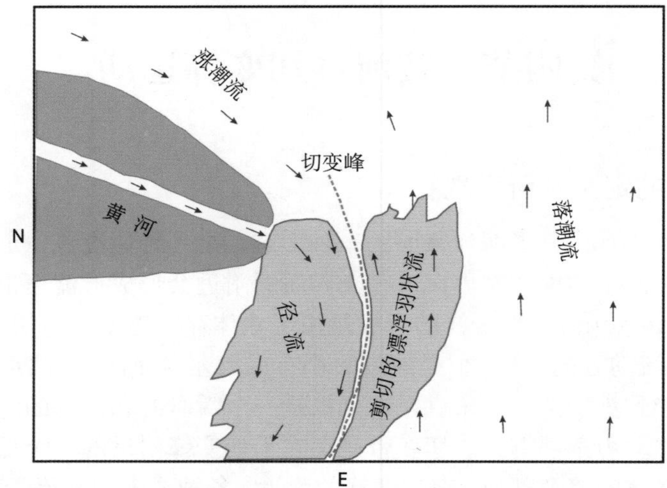

图 10-12　黄河口前缘内涨－外落型潮流切变锋（据 Li et al.,2001 ）

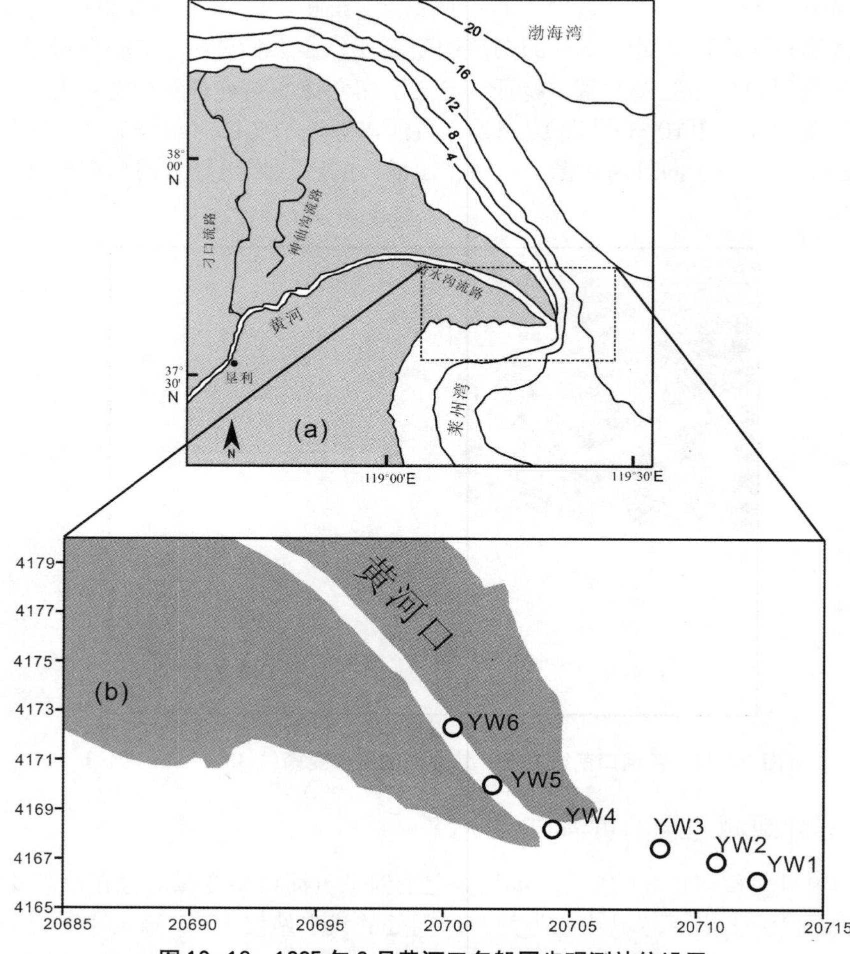

图 10-13　1995 年 9 月黄河口多船同步观测站位设置

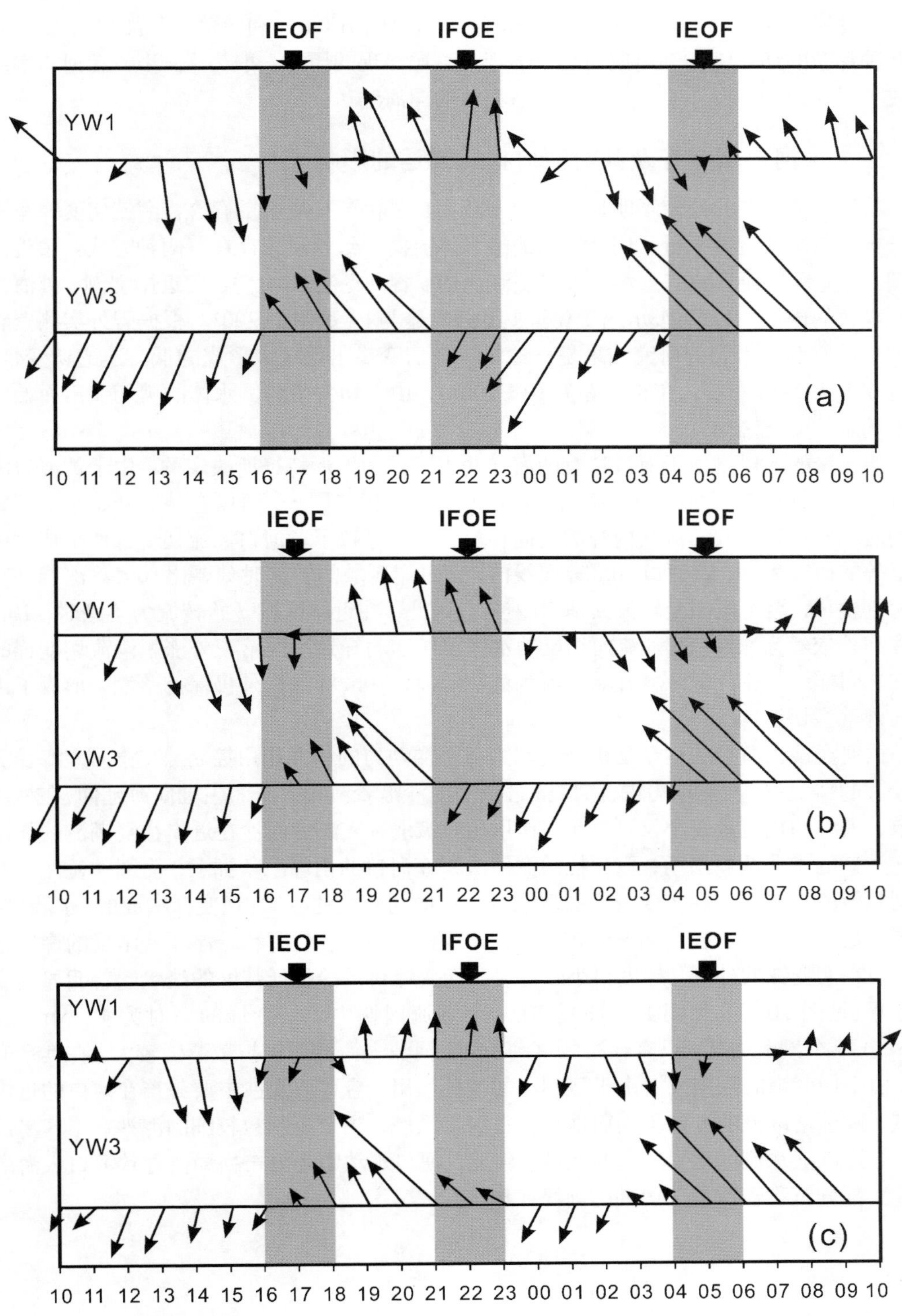

图 10–14　YW3 站与 YW1 站海流记录对比，显示黄河口两种形态外切变锋的交替出现（灰色条带）

口的切变锋存在两种不同的形态，即内涨－外落型（IFOE）和内落－外涨型（IEOF），这两种形态的切变锋在潮周期内交替出现，每次出现的历时一般为2～3h，在河口前缘形成了低流速的障壁，有效阻隔了河口泥沙的向海输送。

三、黄河口切变锋及其对河口物质输运的影响

数值模拟得到的潮流场明显地显示了黄河口外潮流切变锋的存在。潮流切变锋呈弧状分布，与岸线近似平行，切变锋两侧的水体流向大致相反，存在着两种方式：①近岸落潮、外海涨潮而导致的内落－外涨型潮流切变锋（见图10－15）；②近岸涨潮，外海落潮而导致的内涨－外落型切变锋（见图10－16,这与Li et al.(2001）根据野外实测资料和卫星遥感图片得到的研究结果是一致的。在切变锋附近区域形成的低流速的切变带，在宽度上为2km左右，在长度上为10～20km，由于切变带两侧水体的剪切作用而始终处于动态的变化之中。

切变锋的形成是由于海域特有的海洋动力特征和地形特征所决定的。由于黄河口海域10m等深线内外区域的潮流流向在转流时刻不能保持同步，所以在转流开始至全区转流的时间段内，10m等深线内外的流向相反，从而导致了黄河口潮流切变锋的形成。周长江等的研究表明，黄河口10m等深线内，即近岸区域的转流时刻要比10m等深线外转流时刻要早，至全区完全转流共需2h左右。因此，在近岸区域开始转流为落潮时，10m等深线外依然为涨潮，这种流向相反的水体剪切运动导致了内落－外涨型潮流切变锋的存在。同样地，在近岸区域开始转流为涨潮流时，10m等深线外仍保持落潮，形成了内涨－外落型切变锋。

黄河泥沙入海后的运动是由河流动力与海洋动力的相互作用控制。在黄河入海径流量较大的情况下，河流动力占优势，高含量的泥沙沿着河流入海的主轴向海延伸；在枯水季节，入海的径流量较小，河流动力作用相对减弱，入海的泥沙在近岸往复潮流的作用下向河口的南北两侧摆动，粗颗粒的泥沙沉积在河口的前缘三角洲上，而细颗粒泥沙通过羽状流的形式漂浮在密度较高的海水之上扩散到较远的区域。切变锋构成的“水墙”阻挡了河流入海的淡水径流向海的扩散，在切变锋的内侧，盐度和悬浮泥沙浓度的梯度很高，而在切变锋的外侧，梯度很小，这表明切变锋对泥沙和低盐度的淡水起着明显的富集作用(见图10－17和图10－18)。在一个潮流周期内，切变锋的历时为4～5h，占1/3～1/2个潮流周期，只有在海区落潮期间，河流入海的泥沙扩散范围较大。在其余时间，由于切变锋的阻挡或者由于涨潮流的顶托作用，悬移质泥沙主要分布在河口的近岸区域，随涨落潮流的方向不同而摆动。在深水区域，主要是颗粒较细的泥沙，不容易沉降，并可以随水流运动到较远的区域。因此，河口水动力场分布格局会导致河口入海的泥沙大部分沉积在河口三角洲的前缘底坡上。

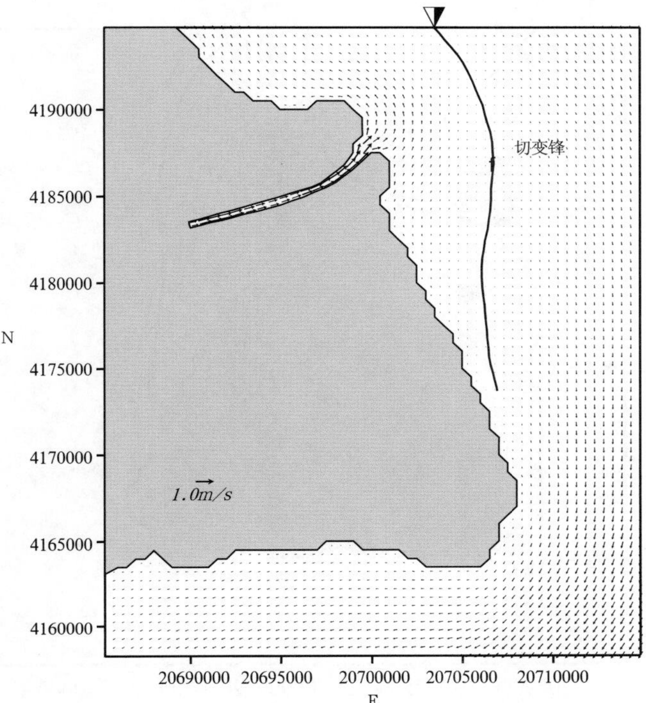

图 10–15　内落－外涨型潮流切变锋

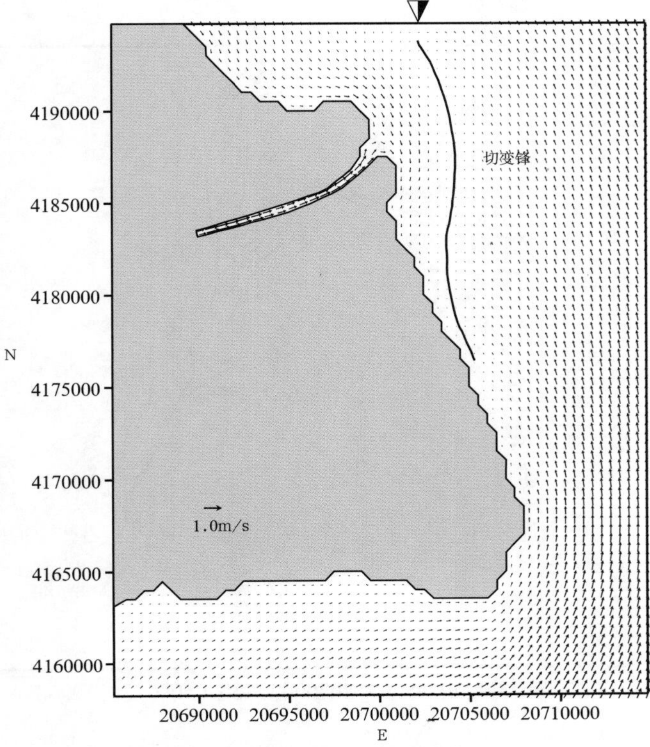

图 10–16　内涨－外落型潮流切变锋

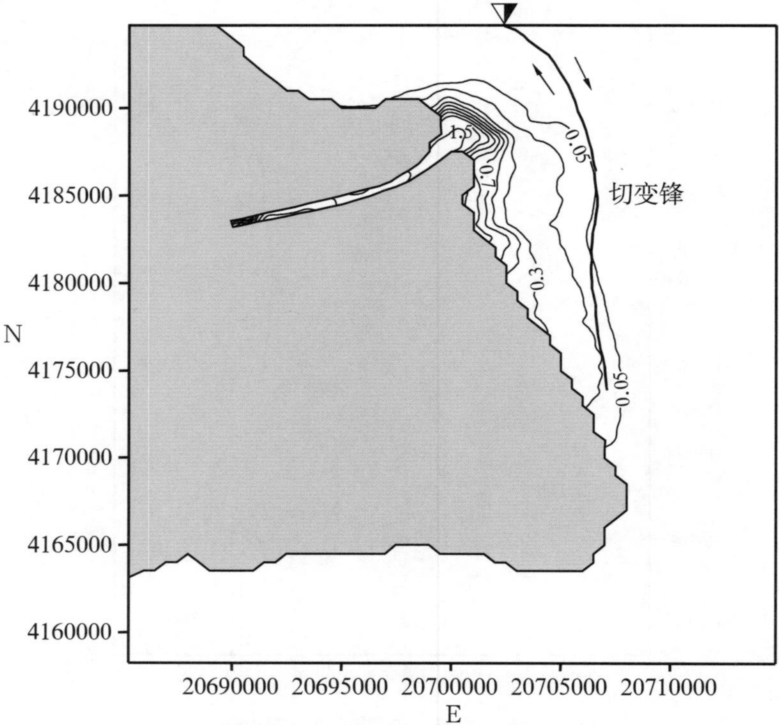

图 10−17　内落－外涨型切变锋存在时的悬沙浓度分布(单位：g/L)

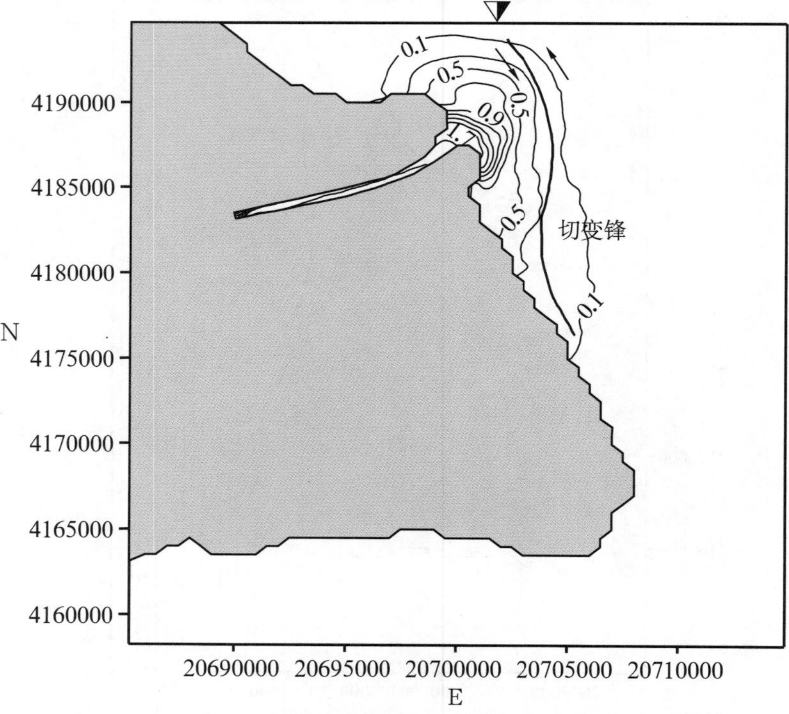

图 10−18　内涨－外落型切变锋存在时的悬沙浓度分布(单位：g/L)

第五节　黄河口羽状流

一、羽状流的定义

河口羽状流是在河口区域由于河流与海洋在动力上相互作用，携带的物质产生混合交换而形成的一种独特的河口现象，是河流物质向海洋输送的一种主要途径。河口羽状流往往伴随着特殊的河口环流结构和物质分布形态，这一重要的河口过程，对河口泥沙的输运沉积、海水入侵、河口拦门沙的形成与演变以及河口生态环境都有重要作用。

河口羽状流形成的主要原因是河流携带高含沙量的淡水径流入海，与外海的高盐度、低含沙量海水所形成的密度差。当河流水体含沙量较小时，水体密度小于周围海水密度，即形成正浮力，河水在海水上向外海扩散，形成淡水羽状流（Hypopycnal plume），又称为漂浮羽状流（Buoyant plume）；当河流含沙量高时，径流的水体密度大于周围海水密度，即出现负浮力，河口泥沙下潜，在底部有限的范围内扩散，形成异重羽状流(Hyperpycnal plume)。羽状流水体与周围水体形成的交界面成为羽状锋(Plume front)。Chao指出，海底的坡度也影响羽状流的传播距离。当水下底坡较陡时，羽状流向海延伸的距离可能会由于涡旋流的存在而缩短,而在平坡上的河口羽状流可能会延伸得更远一些。

黄河口的泥沙搬运和沉积是由多种动力机制决定的,在1985年和1995年的野外测量过程中均发现黄河口区域羽状流的存在，现场的摄影图片清晰地显示了河口三角洲前高浓度泥沙运动的锋面。这种令人感兴趣的地学现象在密西西比河和亚马孙河已经有了公开的报道。Wright et al.更进一步的研究表明，在黄河口区域形成异重羽状流的一个必要条件是河流入海悬浮泥沙的浓度需要超过25kg/m^3，这样悬浮泥沙浓度对混合水体密度的影响较为显著，使得河流水体的密度高于周围海水的密度而下潜。在黄河枯水季节，河口入海的泥沙浓度小于25kg/m^3，淡水径流主要还是以异轻羽状流的形式向外海漂移，在近岸往复潮流的作用下在河口区域摆动。野外的调查资料为这种概念模式提供了充分的证据，同时也发现在某些时刻，河口前缘存在三层水体结构，即上层为淡水异轻羽状流，中间为高盐度的海水，下层为高含沙量的异重羽状流。这种独特的水流结构和物质分布反映了在河口区域两种不同性质水体、河流动力与海洋动力的相互作用。

二、黄河口羽状流的水动力结构及物质分布特征

在河口的前缘选取一个东西方向的横断面A—B，断面的长度为15km，考察这一断面在不同时刻的流场、悬浮泥沙浓度、盐度及混合水体的密度。水体的密度σ_t定义为：

$$\sigma_t = \frac{(\rho_C - \rho_0)}{\rho_0} \times 1\ 000$$

式中：ρ_C为水体的实际密度，与水体的温度、盐度和悬浮泥沙的浓度有关；ρ_0为水体的参考密度，定义为一定温度下纯净淡水的密度，取 $\rho_0 = 1.0 \times 10^3$。由于在模型计算中假定河口区域的水体温度场为恒定场，因此σ_t为水体盐度、悬浮泥沙浓度的函数。

落潮时，潮流切变锋消失，断面上的流场分布比较复杂。在这一时刻，河流径流向海运动，而外海的高盐度水体向陆流动，这两种反向流动的水体产生辐聚现象，在距河口6km左右的位置形成剪切，海水体由于密度大而下潜，河口羽状流的密度较小而漂浮在海水之上向海运动，形成了顺时针旋转的垂向环流。这种环流结构阻挡了河流羽状流的向海运动，在环流向海一侧附近悬浮泥沙的浓度降至0.1～0.05kg/m³，并且垂向分布比较均匀；而在环流内侧，悬浮泥沙浓度梯度较高，上层为低含沙量的淡水羽状流，下层为悬沙浓度较高的异重羽状流（见图10−19）。外海高盐度水体下潜楔入河流入海的淡水水体，形成明显的盐水楔结构，盐水楔的尺度与环流的尺度基本是一致的（见图10−20）。水体密度的分布与盐度分布相似，在环流的内外两侧密度梯度差异显著，在内侧的上层存

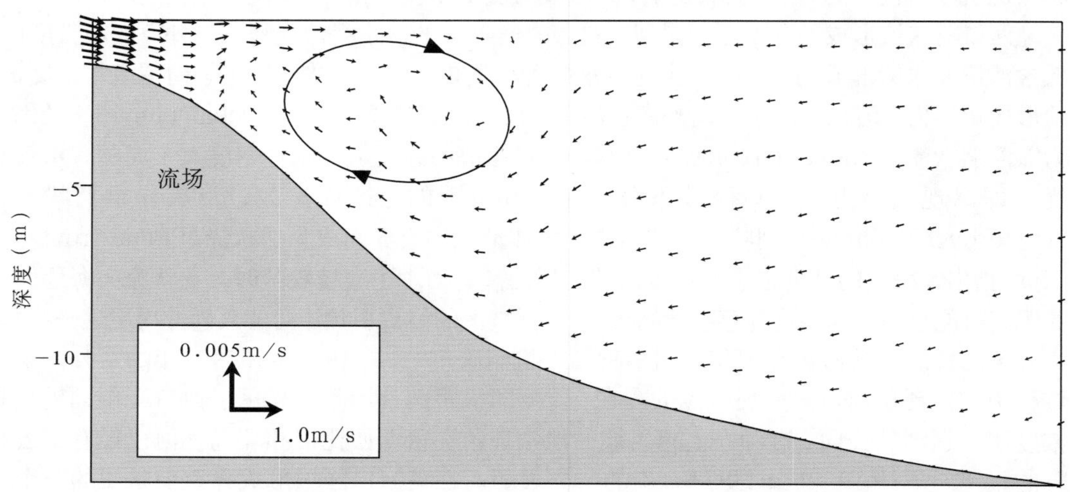

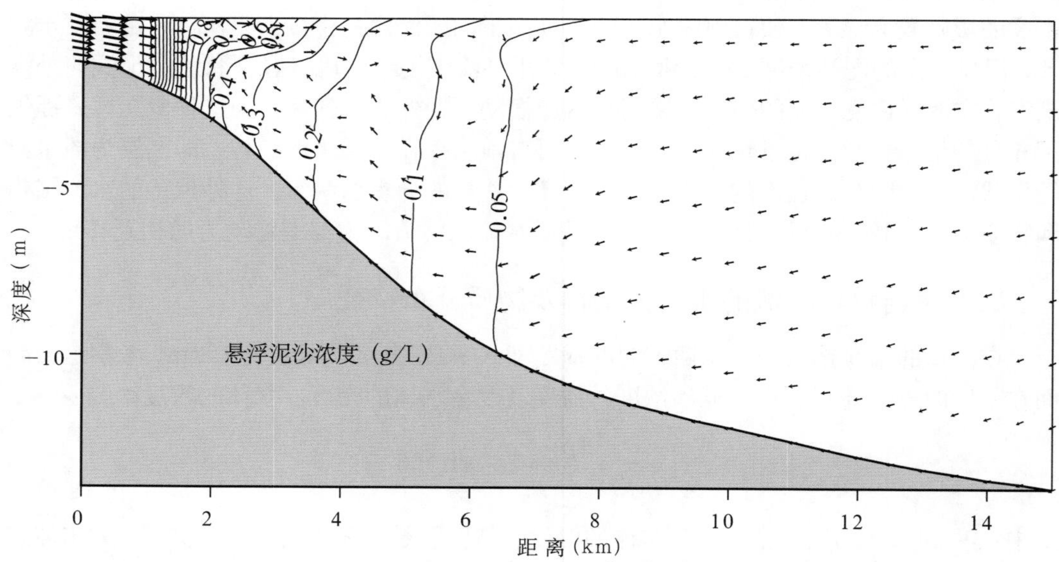

图10−19　落潮时A—B断面上的流场（上）和悬浮泥沙浓度分布（下）

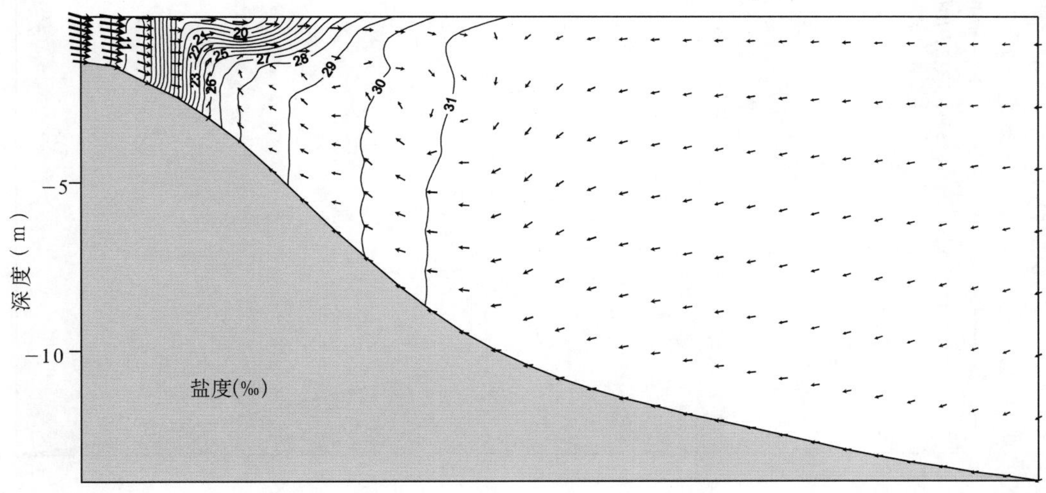

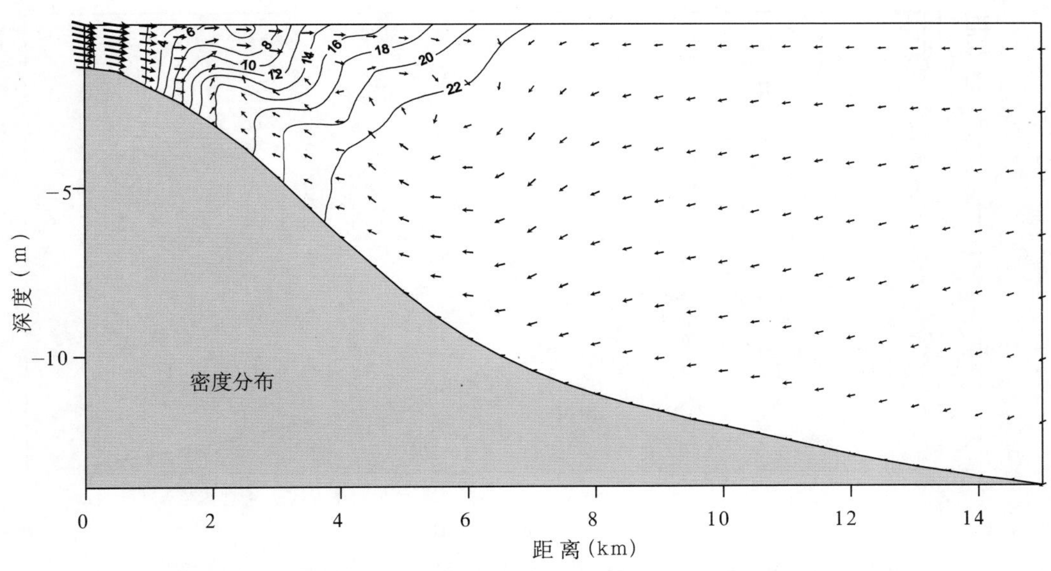

图10—20 落潮时A—B断面上的盐度（上）和密度分布（下）

在由于低盐度和低含沙量导致的低密度羽状流。Garrett et al. 指出由于盐水的楔入，增大了盐水楔水体与羽状流水体的有效接触面积,这意味着在羽状锋区的内部存在着显著的混合作用。

涨潮时断面上流场分布复杂，在河口口门处涨潮流入侵河道，而在深水处，海水向海流动，形成辐散的形态（见图10—21），悬浮泥沙向海扩散的范围最小，悬沙浓度在垂直方向上分布均匀，没有明显的层化现象，由于涨潮流的顶托作用，河口泥沙滞留在河道的内部。在断面上距起点4km左右的区域存在一个较弱的逆时针环流，在环流区域，水体的悬浮泥沙浓度、盐度及水体的密度均显示出较小的梯度变化，水体在经过环流的混合后向外

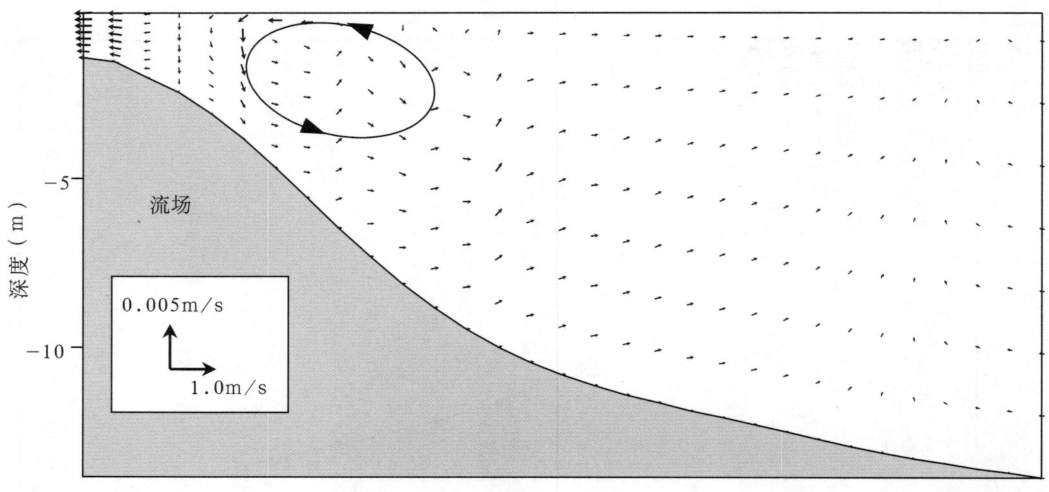

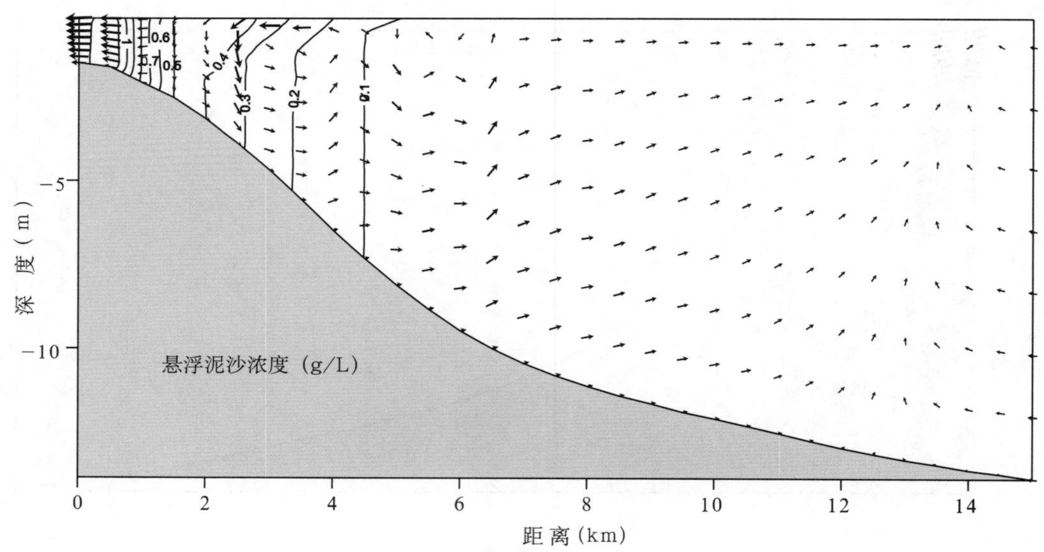

图 10-21　涨潮时 A—B 断面上的流场（上）和悬浮泥沙浓度分布（下）

海流动，由于密度较低，迅速上升到外海沿水体的上层向海运动（见图 10-22）。

三、 河口环流与拦门沙形成、演化的关系

河口动力作用主要是河流入海后的扩散及其与海水的混合过程，而河口区域的盐度分布是表征河口淡水与海水混合过程的重要物理指标。

计算结果表明，盐水楔在落潮时发育最明显，此时淡水径流与盐水产生辐聚现象，盐水楔的长度在 4km 左右，其前端终止于河口口门附近，与羽状流产生的位置相吻合（见图 10-18、图 10-20），并且环流的存在使得混合作用强烈，海水与径流的物质交换也比

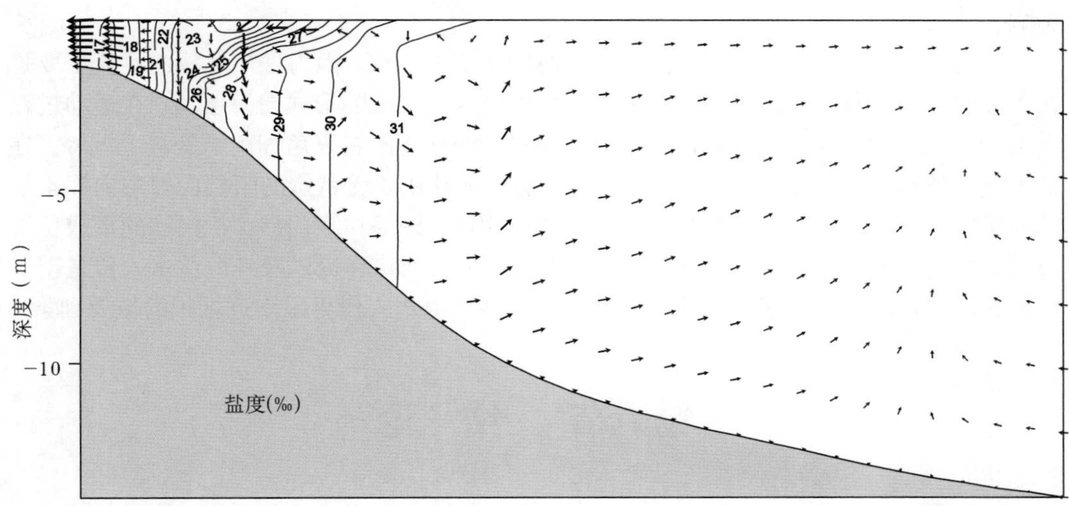

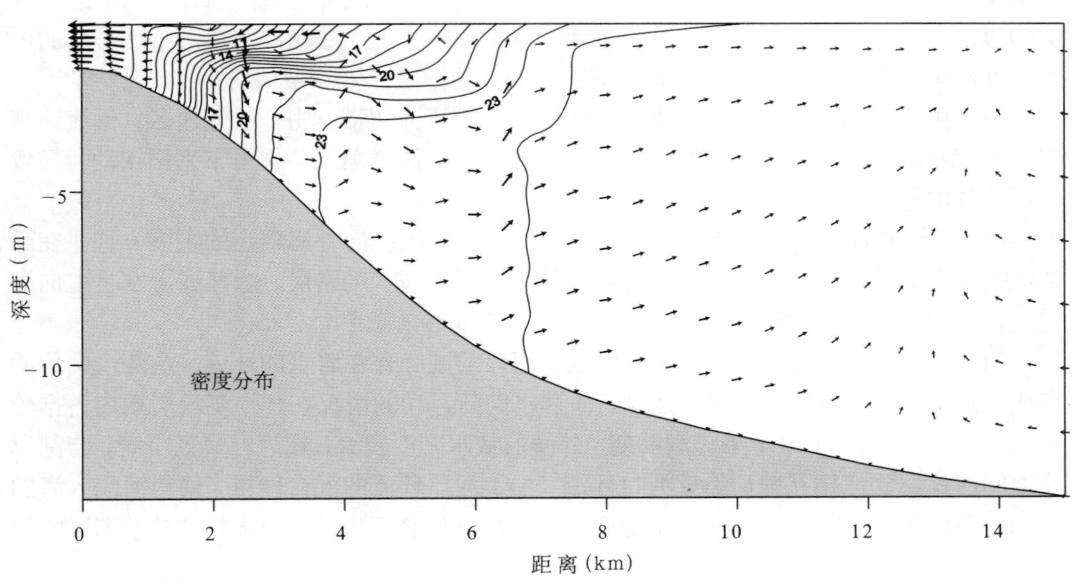

图10-22　涨潮时A—B断面上的盐度（上）和密度分布（下）

较显著，因此落潮时的混合属于部分混合。而在涨潮时，外海潮流向陆推进，其顶托作用使得径流的排放受到抑制，部分时段径流停滞在河道的内部，悬浮泥沙的浓度和盐度层化程度较低，外海盐水下潜的位置前移，盐水楔的长度缩短到2km左右，因此表明了混合作用较强。部分混合和完全混合的盐度分布特征表明在河流径流量较大时盐度的垂向分层比较显著，海水垂直向上混合，通过紊动扩散形成漂浮在盐水上的向海运动的羽状流；当河流径流较小时，盐度在垂直方向上基本无层化现象，从河口向外海盐度逐步减小，形成完全混合。在黄河口区域一个潮流周期的大部分时段，都存在着部分混合，海水和河流淡水的混合程度不是稳定的，可能受潮相、径流量、风以及波浪等混合因素的影响。

盐水分布的变化有利于河流泥沙向外海的扩散和运移，因为携带泥沙的径流主要是在落潮时段向海释放，脱离河道的限制之后以淡水羽状流的形式向海运动，在运动过程中由于盐水的楔入以及河口环流的混合和交换，泥沙逐渐在三角洲前缘底坡上沉降。在盐水楔的顶端，河口口门处底层较高浓度的悬浮泥沙由于受盐水的阻挡而很难向深水运动和扩散，因此在口门的前缘快速沉积形成堆积体，即河口拦门沙，拦门沙的形成位置与河口垂向环流是对应的。河口最大浑浊带的形成与河口环流以及外海盐水入侵是密切相关的，河口环流是影响最大浑浊带和近底泥沙在海水入侵界限附近堆积的重要因素。

第六节　结　论

（1）黄河口潮流切变锋是由于河口海区近岸区域和深水区域在部分时段水体的运动方向相反而剪切形成的一种瞬态的和局部的动力现象，表现为三角洲前缘一弧形的流速剪切界面。在一个潮流周期内切变锋以两种形态出现：近岸涨潮外海落潮剪切形成的内涨－外落型切变锋和近岸落潮外海涨潮剪切形成的内落－外涨型切变锋。

（2）在黄河口潮流切变锋的附近区域形成的潮流剪切带，为一低流速区。低流速剪切带的存在阻挡了河口泥沙、淡水向外海的输运，在往复潮流的作用下来回摆动，导致大部分的泥沙沉降在三角洲的前缘底坡上。

（3）由于径流的净输入作用，河口羽状流是河流泥沙向外海输运的主要方式。在悬浮泥沙浓度较低的情况下，径流混合水体的密度低于海水的密度，漂浮在海水之上向海运动，在羽状流向海运动的过程中悬浮泥沙的浓度逐渐减小。

（4）在完整的潮流周期内大部分时段，河口的前缘存在着垂向环流。从两个站位的东西向流速比较发现，径流向海运动，而盐水向陆运动的情况在一个潮流周期内占据较长的时段，为1/3～1/2个半日潮周期，外海的盐水密度较大，在近河口处下潜，与漂浮其上的河口羽状流相互剪切形成河口环流。由于河口环流的混合作用，使得河流入海的大部分泥沙快速沉降在三角洲的前缘底坡上，河口环流起到了河口泥沙“捕获器”的作用。

（5）混合水体的密度分布主要决定于盐度的分布。盐水与径流淡水在不同的潮流时段形成不同程度的混合，但总体来看，在当前的入海水沙情况下，是属于部分混合型，在河口前缘水体存在明显的层化现象。盐水入侵的顶端是河口最大浑浊带发育的位置。垂向环流对泥沙的捕获导致大量的河口泥沙富集在这一区域，沉积形成拦门沙。

第十一章　黄河口双导堤工程数学模型试验

第一节　前　言

黄河多年的年平均径流量约为490亿m^3，年平均输沙量为12亿t（1959～1969年）。河流径流入海后动能快速减小，受多种河口动力因素的控制，入海泥沙在河口口门处快速沉降，这是河口拦门沙的形成和发育动力过程（详见第五章、第六章部分内容）。拦门沙的存在，对河口的演变、下游河道的防洪、尾闾河道的通航等有着严重的影响，它常常导致尾闾河床抬高，行洪能力降低，因此拦门沙是黄河口治理中的关键问题。基于上述情况，国家"八五"重点科技攻关计划专题"延长黄河口清水沟流路行水年限的研究"又进一步展开了后续研究，即黄河口双导堤工程技术方案研究。

在过去的几十年里，关于河口海岸区域的泥沙输运研究取得了一系列令人鼓舞的进展，通过大量的野外实测调查取得了丰富的研究资料，人们对于河口海岸泥沙运动特征的认识正在不断地加深，并与其他海洋学科（如海洋地球化学，海洋地球生物化学，物理海洋学等）进行交叉研究，发现了诸多河口海岸动力现象及其在泥沙输运和沉积上的反映。对河口海岸区域细颗粒泥沙在水流作用下运动规律的深入研究，使得人们能够对其进行相应的数学描述，这为泥沙输运数学模型的研究提供了良好的研究基础。尽管依然存在诸多的不确定性因素，数学模型作为研究河口海岸细颗粒泥沙输运的重要研究手段，已经能够近似定量地模拟泥沙颗粒的输运过程及其在近岸区域的地貌响应过程，能够为工程可行性研究提供科学的依据。

本章采用三维河口数学模型对黄河口双导堤工程技术方案研究需要对双导堤的位置、长度进行数学模型试验，以期对不同设计方案下的河口动力、泥沙输移进行对比分析，提出最优工程方案。所采用的数学模型为美国弗吉尼亚海洋研究所（VIMS）开发的HEM-3D模型，有关模型介绍、在黄河口海域的验证以及数值模拟结果参见第六章部分内容。

第二节　黄河口双导堤工程试验方案

一、黄河口海域海洋动力环境

黄河口双导堤工程主要是利用河口潮差作用纳潮输沙、束水攻沙，河口区域潮汐的涨落作用、潮流、余流和风暴潮等对工程效果有重要影响。河流泥沙经由河口进入海洋后的输运模式主要受控于海域的动力条件。

（一）潮汐

三角洲滨海区大部分岸段为不规则半日潮型，仅神仙沟附近岸段（25km）为不规则日潮型，在五号桩附近M_2分潮潮差最小，潮位最低，由此向西和向南潮差逐渐增大，潮位逐渐增高。黄河口附近涨潮差与落潮差基本相同，均为102cm。最高高潮位为148cm，最低低潮位为−104cm，平均高潮位为67cm，平均低潮位为−24cm。

据有关资料，黄河口附近按平均潮差计感潮段为30～40km，以最高潮位为准，潮汐可影响50～60km。由于黄河口是弱潮河口，潮汐动力与河流动力接触距离短。如能强化此段的河流动力条件，并巧借海洋动力输沙入深海，将有利于尾闾稳定和拦门沙治理。

（二）潮流和余流

与潮汐涨落的垂直运动不同，潮流主要是海水在水平方向上的运移。由于河口沙嘴前突的挑流作用，可使其附近海域潮流流速增大。因此，潮流状况对于确定双导堤的入海方向和前端位置具有重要参考意义。河口水流的循环运动有多种原因，有因盐、淡水混合引起的纵向环流，也有地球自转效应引起的横向环流。余流是实测海流中减去周期性潮流的剩余部分，其方向受大风及科氏力等多种因素的影响。余流流速与其深度成反比，说明余流能量来自海表面，在传递过程中受内、底摩擦而不断消耗。在河口附近，因河水轻而浮于海水表面向外海运动，海水则潜入下层，形成以补偿流形式向岸边移动的纵向环流，洪水期则形成垂向环流。

（三）风暴潮

莱州湾是风暴潮多发区。近30年观测到的多次大风暴潮，其最高水位皆在3m（黄海基面）以上，1992年9月1日的风暴潮在羊角沟站的潮位达3.78m，潮水入侵陆地最大距离25km，淹没面积从高潮线起算为960km^2。

二、黄河口双导堤工程设计方案

根据“延长黄河口清水沟流路行水年限的研究”专题成果以及历年来潮汐水文观测结果，初步设计将河口双导堤工程与河口两侧纳潮库连为一体，形成开放式的工程体系。在纳潮库前坝中部的开口处接建双导堤，方向为东北向（NE），堤头向海延伸至－10m水深，堤距为300～500m。

根据这一设计思路，在利用数学模型进行数值试验时，采用如下6个计算方案：

（1）河口流量3 000m^3/s时泥沙通过双导堤输送过程；

（2）河口流量1 500m^3/s时泥沙通过双导堤输送过程；

（3）河口流量300m^3/s时泥沙通过双导堤输送过程；

（4）河口流量300m^3/s与东北大风过程组合条件下泥沙通过双导堤输送过程；

（5）南侧导堤长度不变，北侧导堤延伸至−5m等深线，河口流量为3 000m^3/s；

（6）仅有南侧导堤，河口流量为3 000m^3/s。

针对每个研究方案，分析一个潮流周期内的流场变化、悬浮泥沙浓度分布、沿导堤方向的断面（断面1）和导堤外垂直导堤方向的断面（断面2）上流速、泥沙浓度的比较（见图11−1）。通过比较与分析，对不同计算方案下导堤工程的输沙情况进行评价。

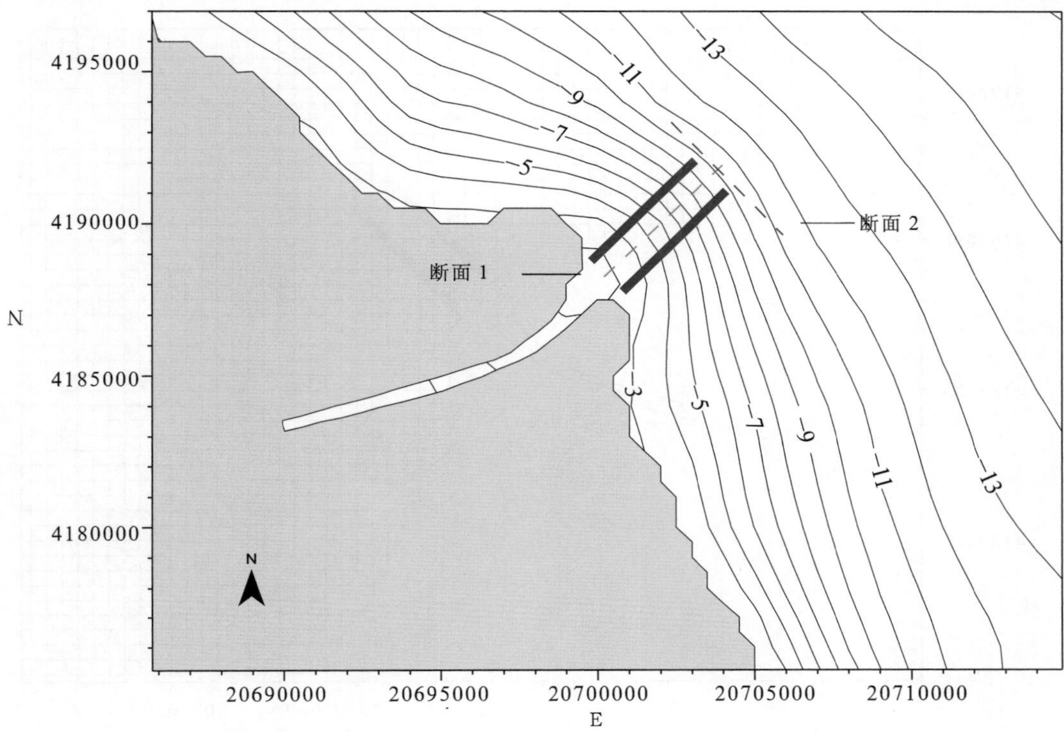

图 11-1　黄河口水深(等深线：m)与双导堤工程位置以及断面示意图

第三节　计算结果及分析

一、数值试验的基本设置

（一）网格配置

根据黄河口海域的地形变化特征，水平面的坐标系统采用了曲线－正交坐标和直角坐标相结合的复合坐标系统。在河口外的区域采用直角坐标，计算网格采用方形网格和三角形网格相结合，在接近岸线的区域根据岸线的走向采用三角形网格，以准确拟合海岸线的变化，直角坐标网格的尺度为500m × 500m，在河流段采用曲线－正交坐标拟合河流的弯曲走向，曲线－正交网格最小网格的宽度为180m（见图11-2）。各计算网格中心点的水深由实测水深通过插值的方法给出。

（二）边界条件

（1）外海开边界条件。在开边界上采用 M_2、S_2、K_1、O_1 四个主要分潮的调和常数来确定水位的变化，

$$\zeta_{tot}(t)=\sum_{n=1}^{4}\zeta_n\cos\left(\frac{2\pi}{T_n}(t-\tau_n)\right)+\zeta_{ser}(t) \tag{11-1}$$

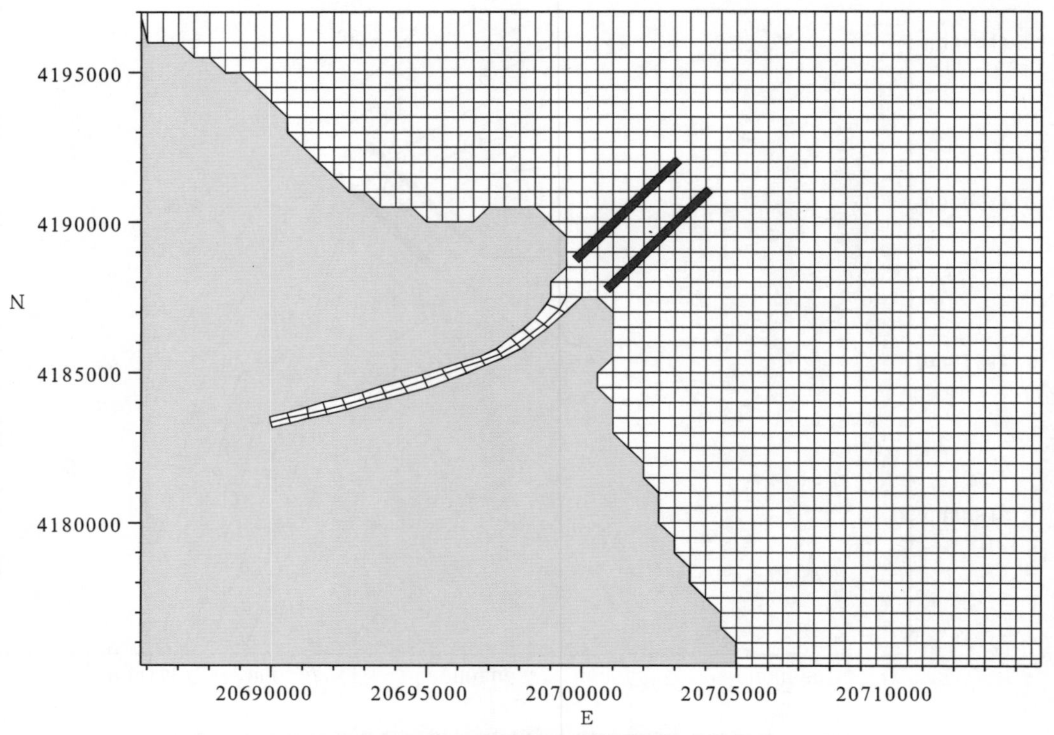

图 11—2　黄河口海域数学模型计算网格

式中：ζ_n、τ_n、T_n分别为每个分潮的振幅、初相位和周期；ζ_{ser}为余水位的时间序列。开边界上调和常数由渤海潮汐模型预测结果插值得到。

(2) 河流边界的设置考虑河流入海径流量、含沙量的时间序列。

(3) 海面边界条件。在海面 z=1 处，

运动学边界条件

$$w\big|_{z=1}=0 \tag{11-2}$$

动力学边界条件

$$\rho\frac{A_v}{H}\partial_z u\bigg|_{z=1}=\tau_{sx}$$

$$\rho\frac{A_v}{H}\partial_z v\bigg|_{z=1}=\tau_{sv} \tag{11-3}$$

海面的边界条件主要考虑风应力作用。

(4) 海底边界条件。海底 z=0 处的运动学边界条件为垂向速度为零

$$w\big|_{z=0}=0$$

动力学边界条件由底部剪切应力控制：

$$\rho \frac{A_v}{H} \partial_z u \Big|_{z=0} = \tau_{bx}$$

$$\rho \frac{A_v}{H} \partial_z v \Big|_{z=0} = \tau_{by} \tag{11-4}$$

根据Heathersaw的研究，对于淤泥质海区，底部绝对粗糙高度 z_0 在 $(2\sim7)\times10^{-4}$m 的范围内。

(5) 海岸边界条件采用滑动边界条件，边界处的法向流速为零，盐度、泥沙不存在通量，即：

$$\vec{V}\cdot\vec{n}=0;\quad \frac{\partial S}{\partial n}=0;\quad \frac{\partial C}{\partial n}=0$$

式中：$\vec{n}$为在海岸边界处的外法线方向单位矢量。

二、方案一计算结果

（一）潮流场计算结果

在3 000m³/s流量条件下，河流径流的流速增强，河口双导堤又使得河流的动能得到了进一步强化。从整个M_2分潮周期内来看，尾闾河段以及双导堤内径流都以较大的流速入海，完全控制了导堤内部的流场形态（见图11−3）。在涨潮时段内，经由双导堤入海的径流在科氏力和外海涨潮流的影响下，随同涨潮流向东南方向偏转。在双导堤的堤头由于挑流作用以及较强的径流，流速较大，但是在双导堤南侧由于导堤的遮蔽效应，在涨潮时段形成一个明显的弱流涡旋，并且随着涨潮时间的推移，涡旋的形态和中心位置在发生变化（见图11−3(a)～图11−3(e)及图11−3(l)）。这一弱流涡旋的存在使得经由双导堤入海的泥沙容易在双导堤的南侧沉降落淤，从而形成淤积区。在落潮时段，导堤内强劲的径流入海后随落潮流向西北方向流动，同时双导堤南侧的弱流涡旋消失，而导堤北侧的流场较弱，表明在落潮时段，在这一区域泥沙容易落淤沉降（见图11～3(f)～图11～3(k)）。

因此，双导堤工程可以达到束水强流的功效，河口的径流在涨潮和落潮时段都能够通畅入海。双导堤内部强大的流场容易使导堤内部受到冲刷，冲刷的泥沙随径流入海，在导堤外部随涨、落潮流扩散。

（二）悬浮泥沙浓度分布

从悬浮泥沙浓度分布的总体趋势来看，泥沙的平流输运是非常明显的。由于径流强劲，从尾闾河段至双导堤外侧，泥沙浓度的沿程变化并不明显，径流显示出很强的挟沙能力（见图11−3）。但是泥沙经由双导堤入海后，高泥沙浓度区随涨、落潮流快速转移，在水平方向上形成了明显的浓度梯度。具体来讲，在涨潮时段入海泥沙随涨潮流向东南方向输送，但是在双导堤的南侧附近，由于顺时针涡旋的存在，形成了一个高泥沙浓度区，其形态、位置基本上与涨潮流场的涡旋区相对应（见图11−3(a)～图11−3(e)）。这一部分高浓度泥沙在双导堤的南侧容易沉降落淤，形成淤积区。在沿双导堤的SW－NE方

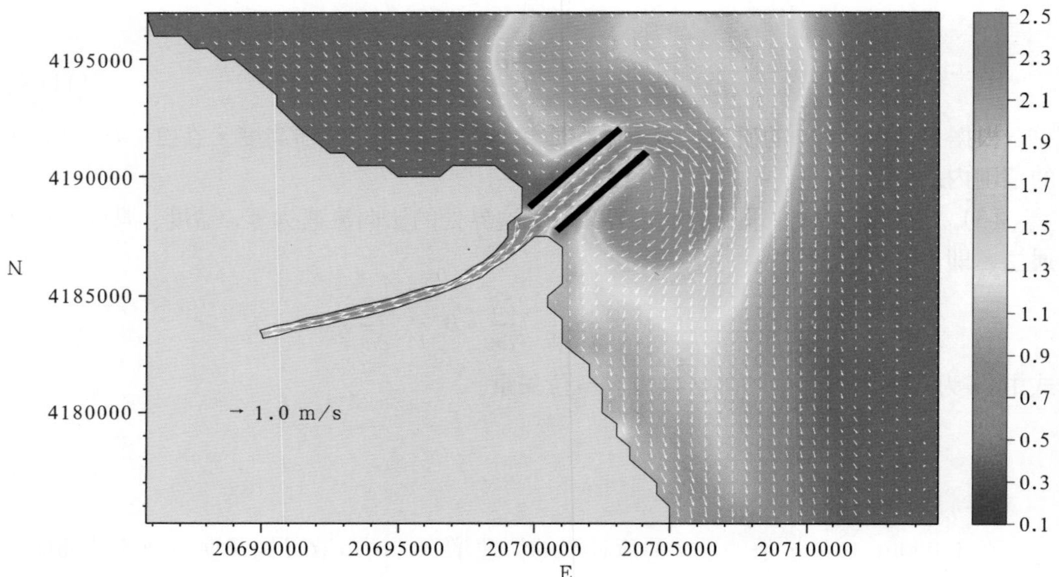

图 11-3(a)　方案一 t =1/12T 时刻潮流场和含沙量（g/L）分布

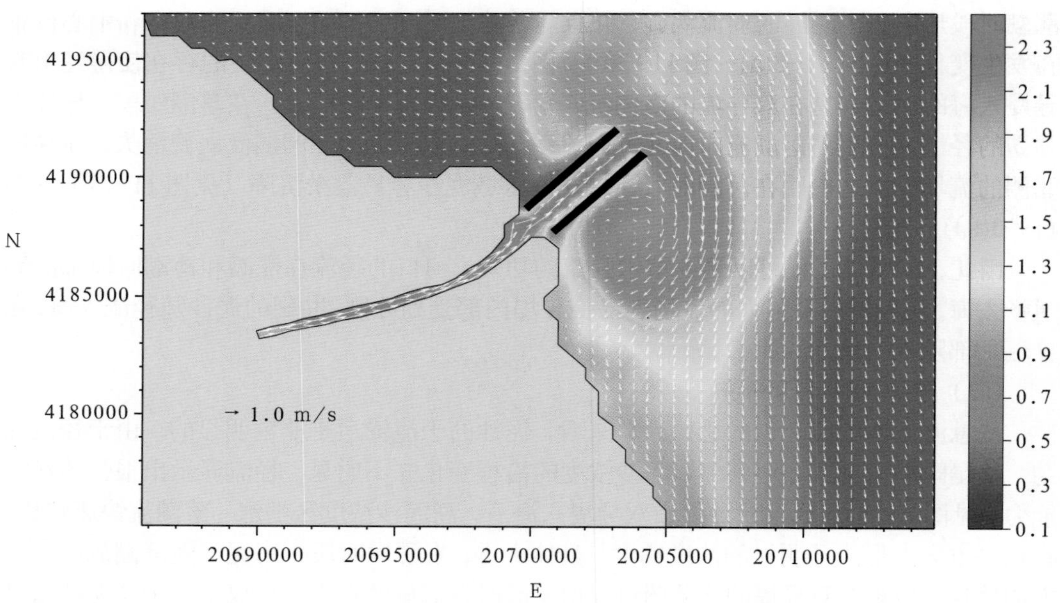

图 11-3(b) 方案一 t =2/12T 时刻潮流场和含沙量（g/L）分布

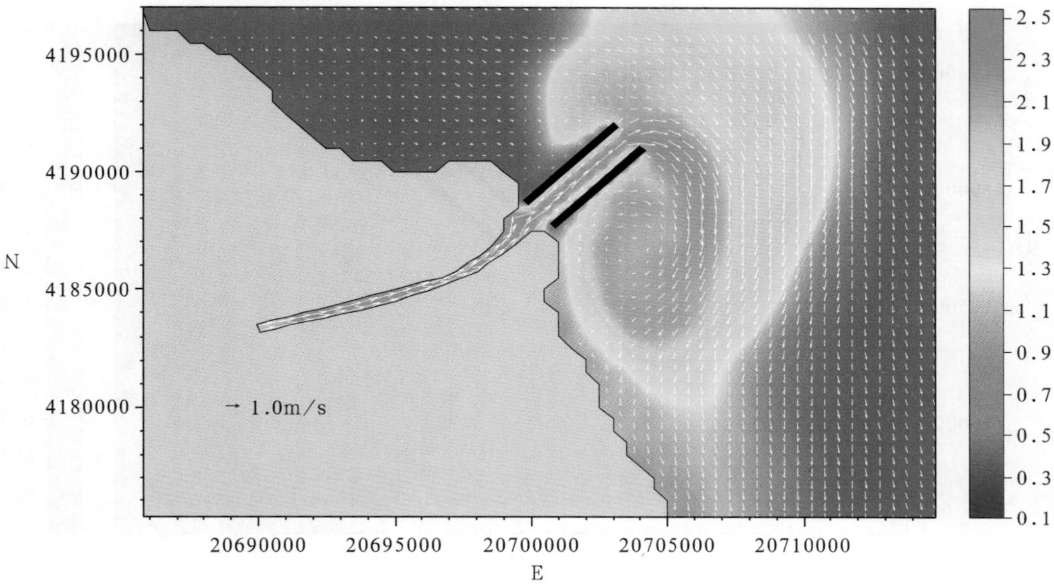

图 11-3(c)　方案一 t =3/12T 时刻潮流场和含沙量（g/L）分布

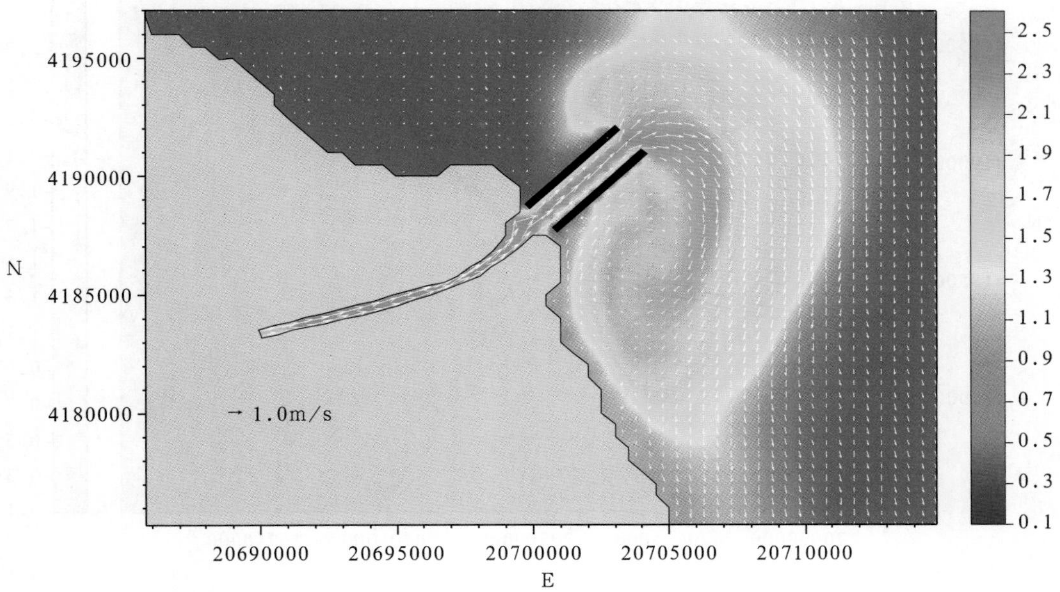

图 11-3(d)　方案一 t =4/12T 时刻潮流场和含沙量（g/L）分布

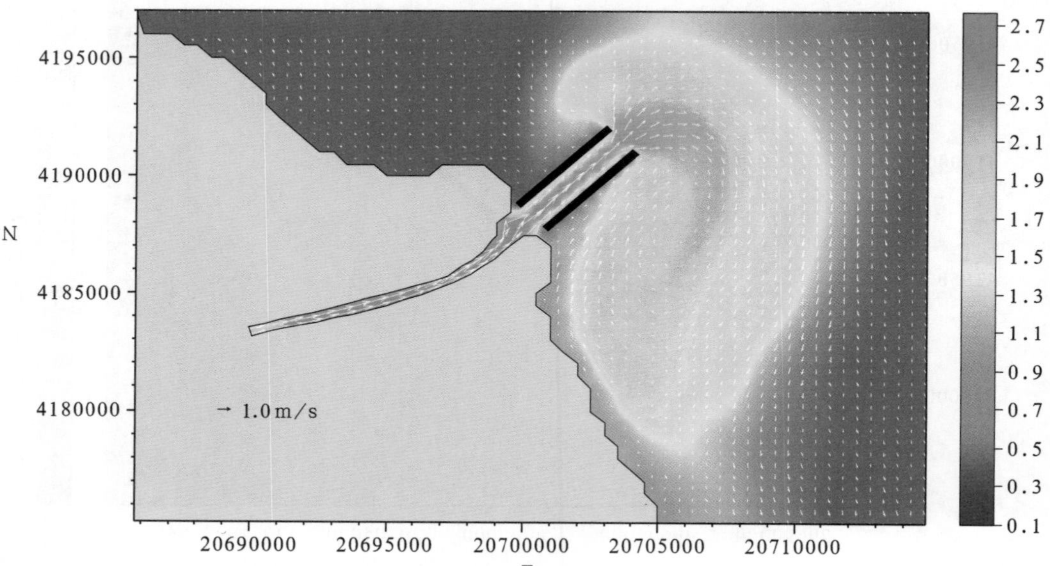

图 11-3(e) 方案一 t =5/12T 时刻潮流场和含沙量（g/L）分布

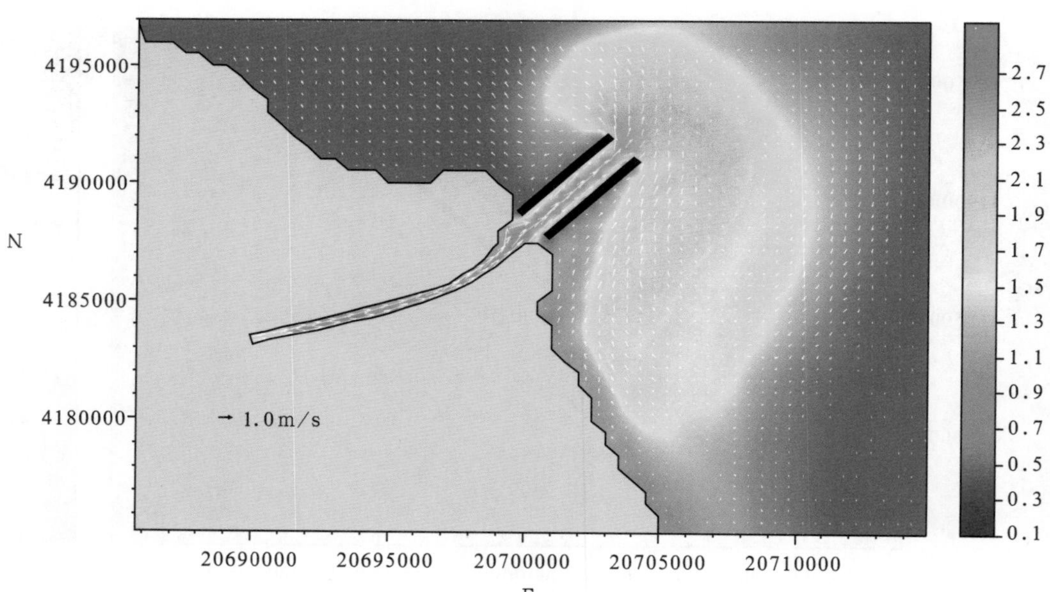

图 11-3(f) 方案一 t =6/12T 时刻潮流场和含沙量（g/L）分布

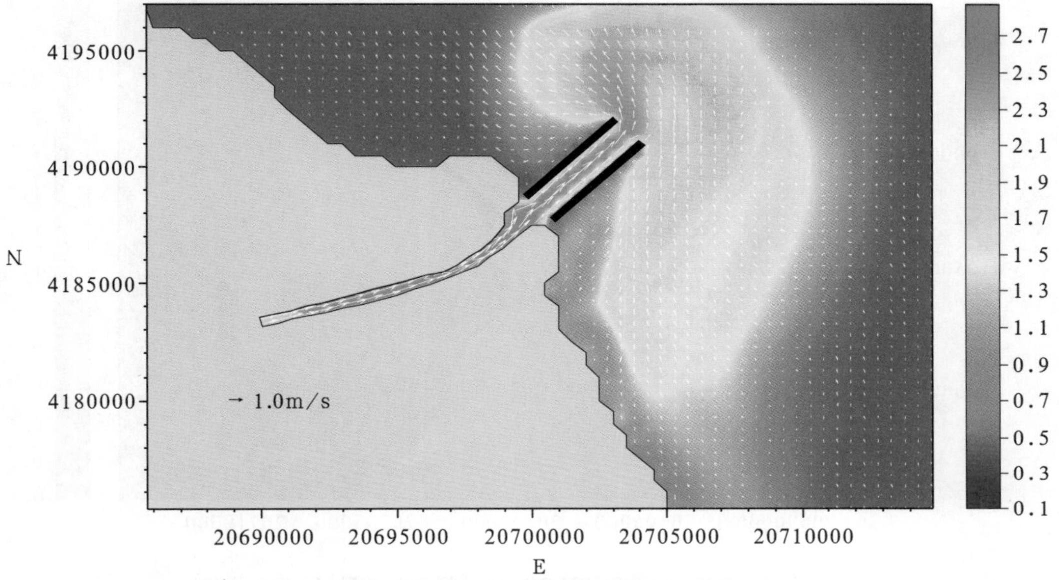

图 11-3(g)　方案一 $t=7/12T$ 时刻潮流场和含沙量（g/L）分布

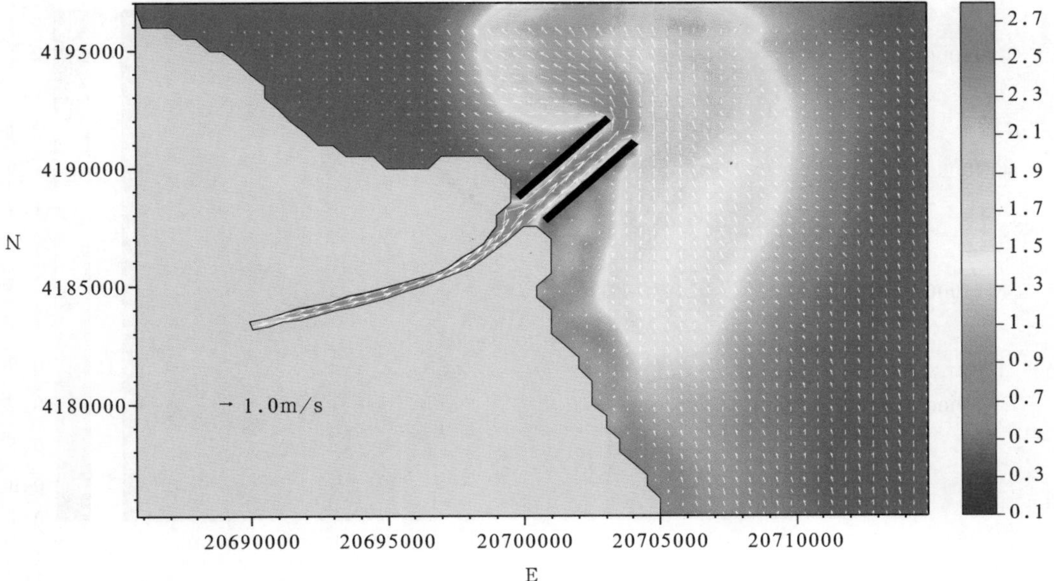

图 11-3(h)　方案一 $t=8/12T$ 时刻潮流场和含沙量（g/L）分布

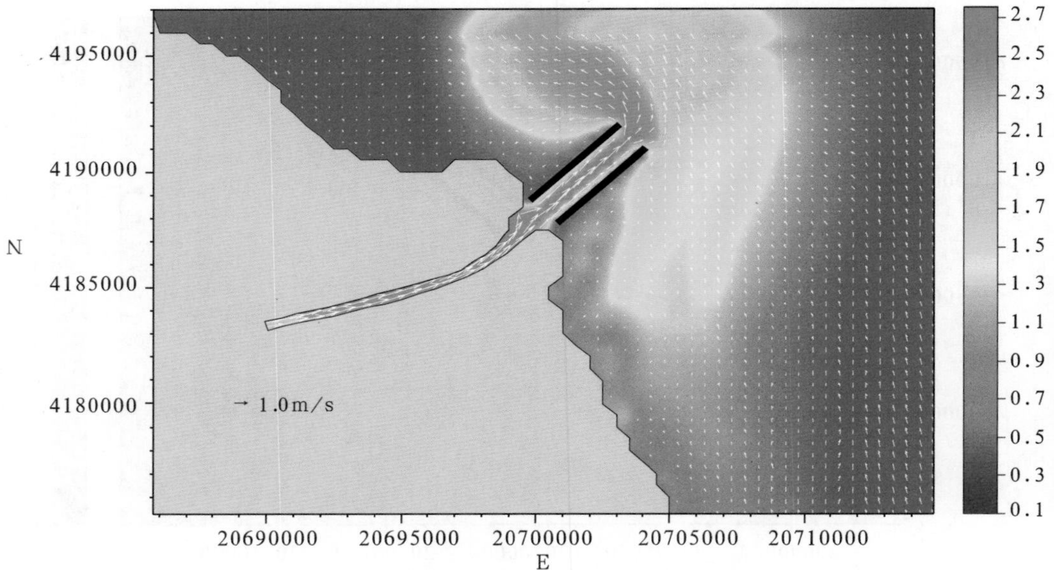

图 11-3(i)　方案一 t =9/12T 时刻潮流场和含沙量（g/L）分布

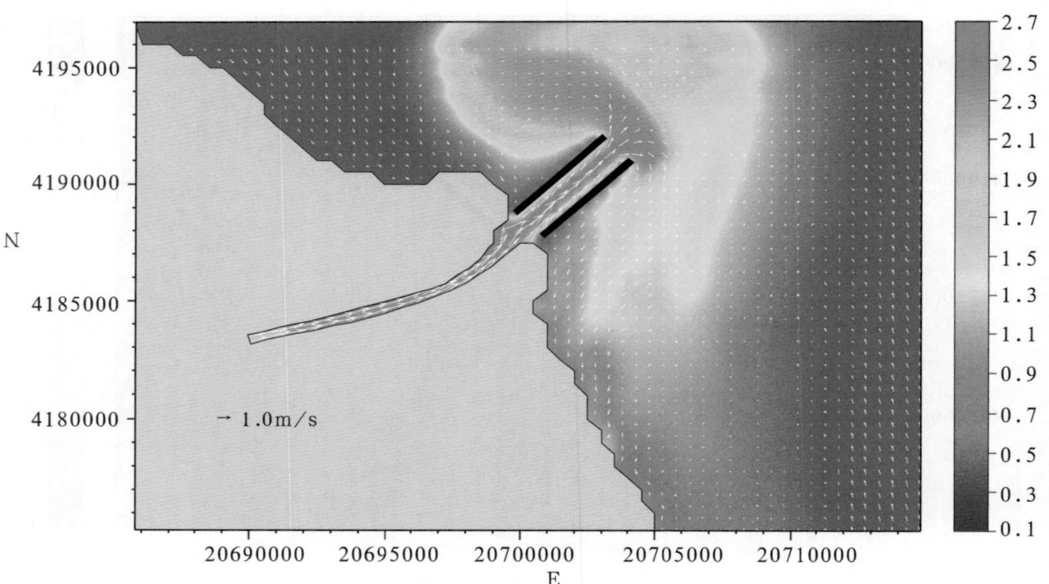

图 11-3(j)　方案一 t =10/12T 时刻潮流场和含沙量（g/L）分布

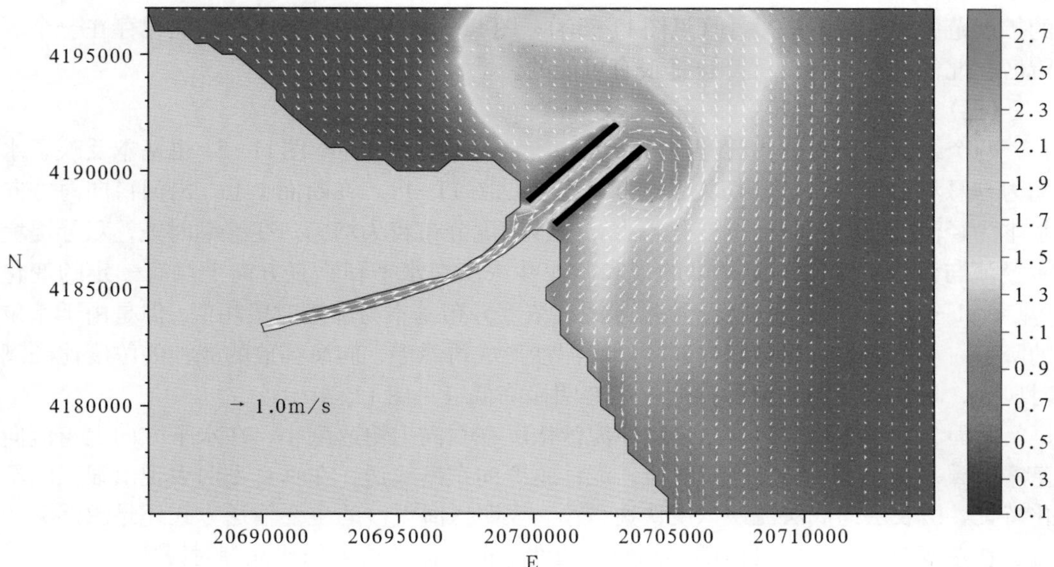

图 11-3(k)　方案一 t =11/12T 时刻潮流场和含沙量（g/L）分布

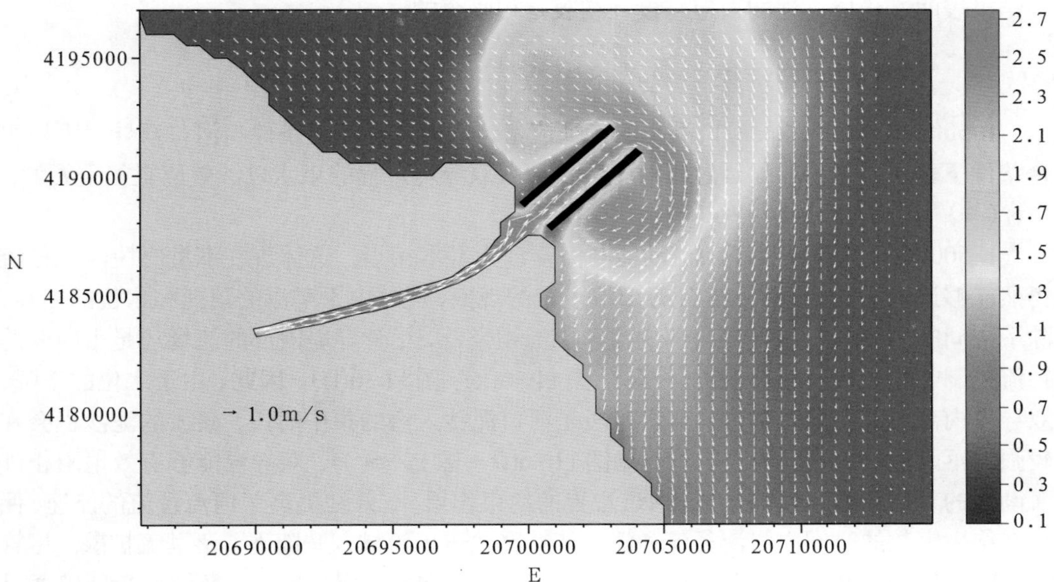

图 11-3(l)　方案一 t =12/12T 时刻潮流场和含沙量（g/L）分布

向上，泥沙浓度快速衰减，形成了较大的浓度梯度。泥沙浓度的分布在外观上呈现双导堤前缘向南北两侧延展的耳状形态；在落潮时段，入海的泥沙随落潮流向西北方向输送，由于水位的降低，入海泥沙的浓度在量值上比涨潮时段的要高，但是落潮时段入海泥沙的扩展范围比涨潮时段要小（见图11−3(f)～图11−3(l)）。在双导堤的北侧也存在一个弱流区，北侧的泥沙落淤沉降也是很有可能的。

（三）断面结构比较

两个纵横断面上的水流和泥沙浓度分布结构（见图11−4、图11−5）也基本反映了水动力与悬浮泥沙分布的密切关系（断面布置见图11−1）。在断面1上，沿河口向海方向基本为径流控制，在垂向上变化不大，泥沙浓度分布较为均匀。在涨潮时段，双导堤堤头径流与潮流存在着一定程度的混和，泥沙浓度在水平和垂直方向上均有一定的变化（见图11−4(a)）；在落潮时段，流场与泥沙浓度分布基本与涨潮时段相似，但是由于水位的降低，流速加强，双导堤内部的近底泥沙形成再悬浮，向海释放的泥沙的浓度比涨潮时段高，堤头径流与潮流的混合程度亦明显降低（见图11−4(b)）。

断面2为西北－东南方向，悬浮泥沙浓度在垂向上快速减小，在水平方向上与流向基本一致（见图11−5）。涨潮时段，泥沙主要向东南输送，在垂直方向表现出很强的层化特征，由表层向底层泥沙浓度快速减小，表明入海泥沙的主要输送方式还是漂浮羽状流。在落潮时段，高浓度区随落潮流向西北扩散，泥沙浓度相比涨潮时段要高。

从本试验方案得到的结果看，较大的河流流量与双导堤的束水冲沙效应结合，使得河流泥沙基本上能够进入海域随涨、落潮流扩散。由于双导堤堤头为强流速区，泥沙沉降困难，因此不会形成明显的淤积；而双导堤两侧的弱流区则可能是泥沙沉积的区域。这一结果表明，导堤工程的效应与设计初衷是相吻合的。

三、方案二计算结果

1 500m³/s流量是黄河口洪季的特征流量，研究这一流量条件与河口双导堤工程组合条件下黄河口泥沙的输运过程对于评价河口双导堤过程的束水攻沙效应是很重要的。

（一）潮流场计算结果

1 500m³/s流量条件下河流动能与海洋动力基本相当，这体现在涨潮时段河流径流仍然能够进入海洋，没有发生外海潮流入侵的现象，但是由于潮流的顶托和水位的抬高，除了中间的主泓线外双导堤内部的流速已经相当低，尽管导堤内部的流场还是由向海的径流控制（见图11−6(a)～图11−6(e)、图11−6(k)、图11−6(l)）。因此，由于水位的下降，双导堤内部流速会显著加强，落潮时段是河口泥沙入海的集中时段，落淤的泥沙也会在较强的落潮流作用下再悬浮入海（见图11−6(f)～图11−6(j)）。双导堤能够有效地阻止外海潮流的入侵和盐水楔的形成，通过边界的约束作用，有效地提高了河流径流的流速，保证在绝大多数的时间内河流径流和泥沙能够释放进入海域，并随涨、落潮流扩散。尽管涨潮时段导堤内部流速减弱，双导堤内会有一定的泥沙落淤，但是在落潮时段能够通过再悬浮随落潮流入海，因此短时期内双导堤内部不会有显著的淤积。另外，由于双导堤的遮蔽作用，双导堤南北两侧的弱流区仍然是河流泥沙淤积的主要可能区域。

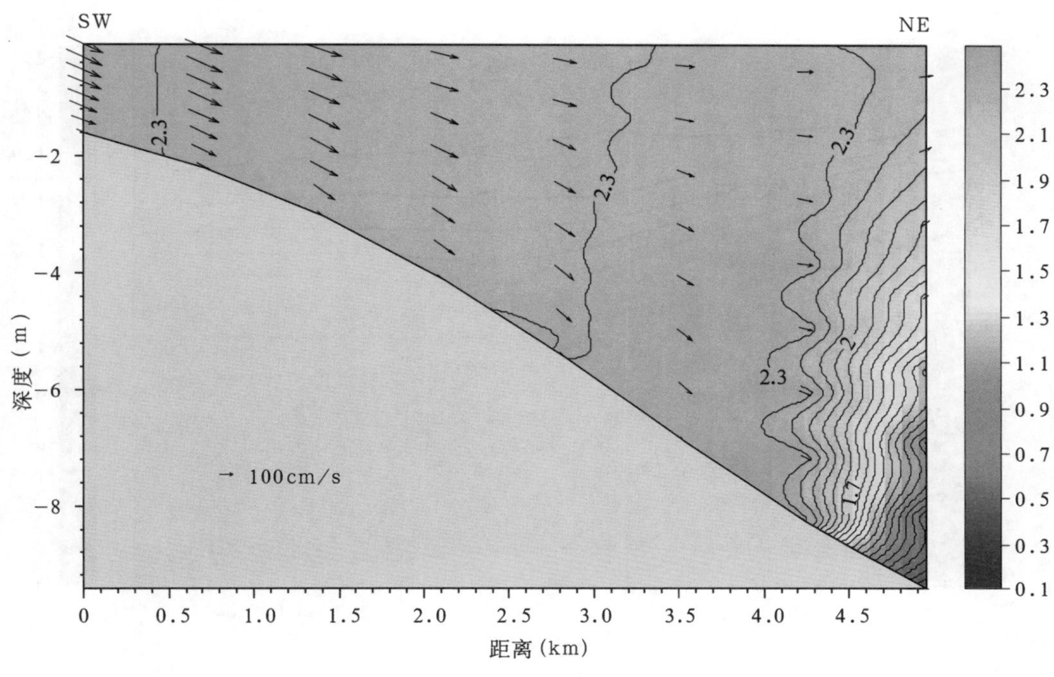

(a) 涨潮时刻流场和悬沙浓度分布

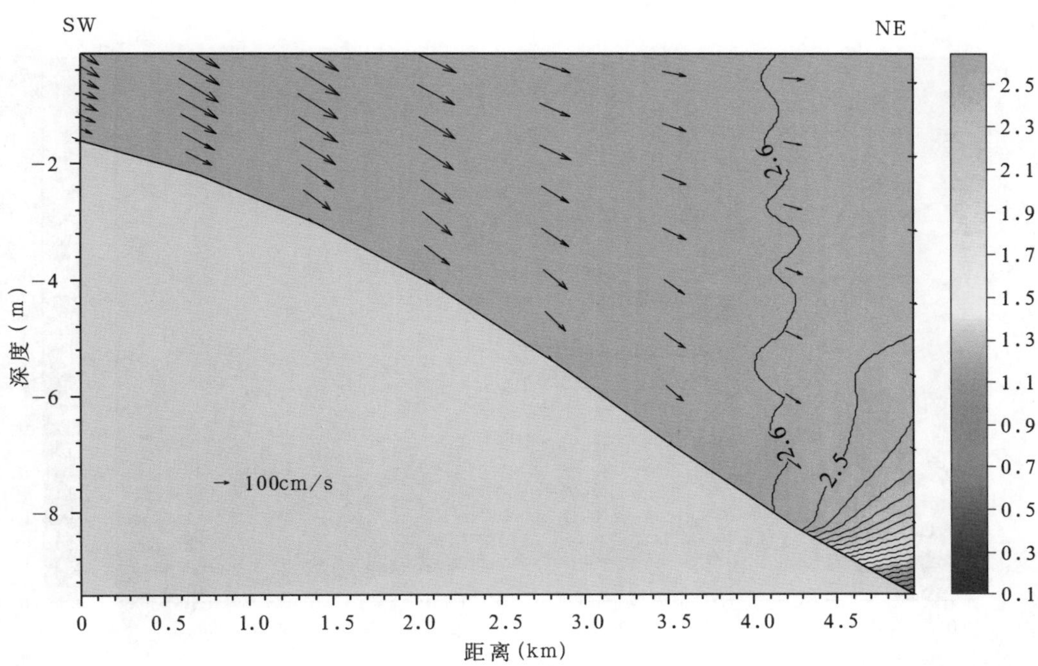

(b) 落潮时刻流场和悬沙浓度分布

图 11-4　方案一断面 1 的水流和泥沙浓度分布（单位:g/L）

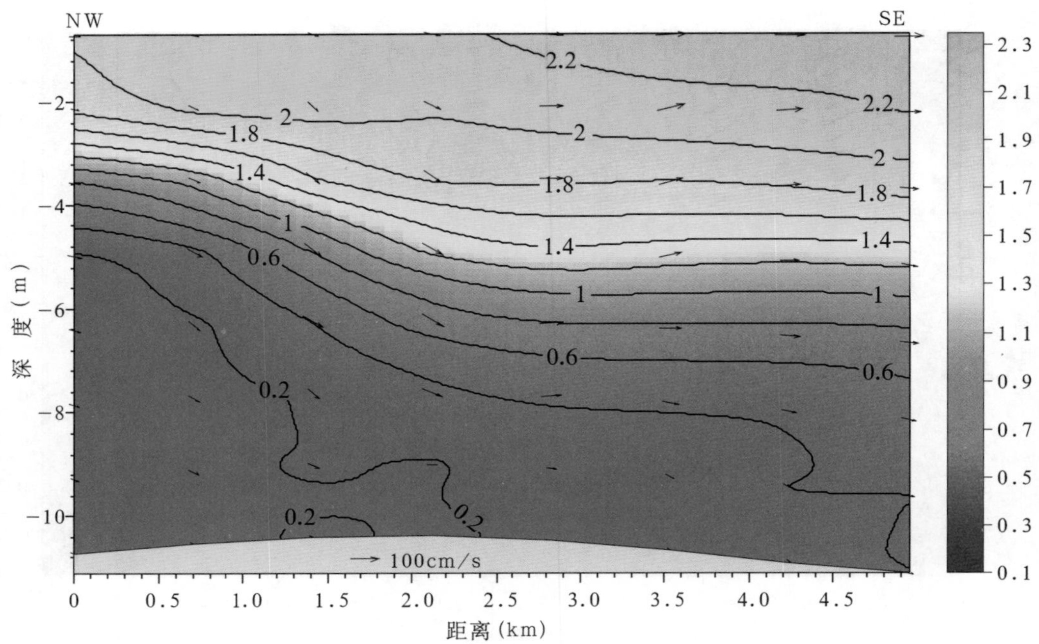

(a) 涨潮时刻流场和悬沙浓度分布

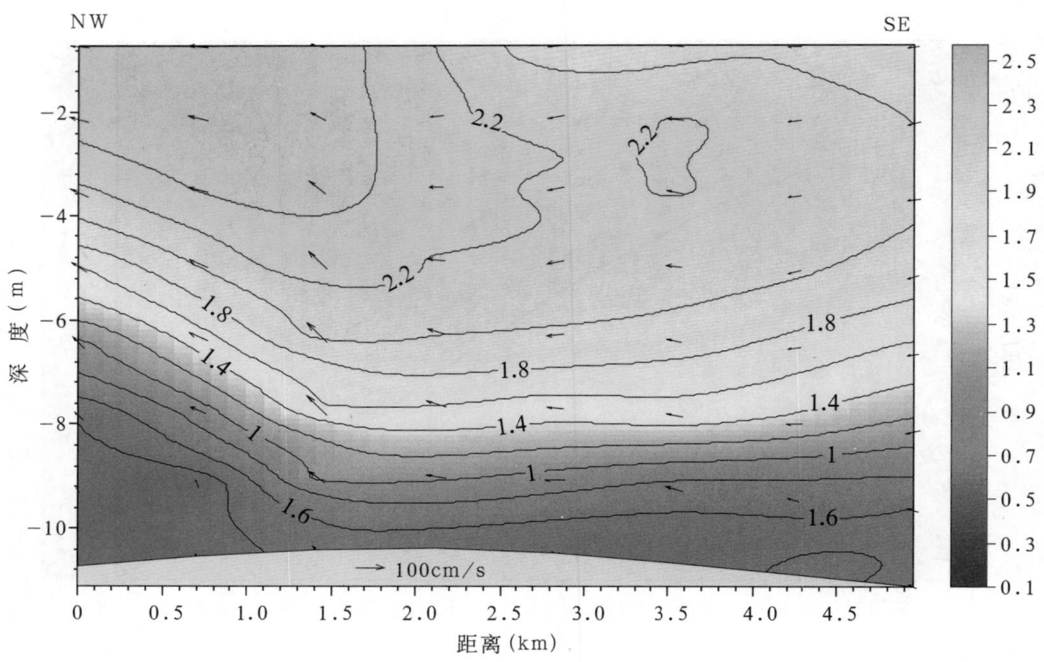

(b) 落潮时刻流场和悬沙浓度分布

图 11-5 方案一断 2 的水流和泥沙浓度分布（单位:g/L）

（二）悬浮泥沙浓度分布

与3 000m^3/s流量条件下的泥沙输运过程相比，中等流量条件下涨潮时段泥沙浓度的分布明显地显示出外海潮流的阻塞作用。由于水位抬高，双导堤内的流速减缓，河流泥沙入海受到阻碍，在双导堤堤头混水舌很难向外海延伸，海域的泥沙主要是在落潮时段入海的泥沙再随涨潮流向北输送形成的，泥沙浓度并不高，仅为1.3～1.6g/L（见图11−6(a)～图11−6(e)、图11−6(k)、图11−6(l)）。因此，在涨潮时段，由于潮流顶托作用，经由双导堤入海的泥沙量减少；在落潮时段，双导堤内部的流速得到了加强，涨潮时段落淤的泥沙受到侵蚀，进而再悬浮并随径流入海，在双导堤的外部形成了从双导堤堤头随落潮流向西北方向延伸的浑水舌（泥沙浓度超过2.0g/L，延伸的范围随落潮潮时的推移而不断增大（见图11−9(f)～图11−9(j)）。

从整个潮周期内来看，1 500m^3/s流量条件下河口泥沙输运有如下特点：泥沙入海主要集中在落潮时段，随落潮流向西北扩散；涨潮时段受涨潮流的阻塞双导堤内流速较弱，河口泥沙入海不畅，但是在落潮时段落淤的泥沙形成再悬浮随落潮流入海，这一时段有明显的向西北延伸的浑水舌，延伸范围较大，这一浑水舌在涨潮时段会随涨潮流转向东南方向移动。

（三）断面结构比较

从垂向剖面上看，断面1显示双导堤内部在涨潮时的流向仍然是沿水下底坡向海，但是流速沿程衰减很快，在堤头部位，流速方向向海，但是已经转为偏离底坡向上的方向，表明在这一位置上涨潮流对其影响已经超过地形的约束作用（见图11−7(a)）。悬浮泥沙浓度较低，在堤头部位的底层悬沙浓度进一步减小，并有明显的层化现象，这是由于海水的密度较大，河流淡水上浮所致。在落潮时，双导堤内的向海流速加强，泥沙的再悬浮增大了双导堤内的泥沙浓度，在堤头位置，河流径流携带较多的泥沙（大于2.4g/L）向海输送（见图11−7(b)）。

断面2（见图11−8(a)、图11−8(b)）显示了在双导堤外部涨、落潮时刻的断面流场和泥沙浓度分布。涨潮时刻，双导堤内部泥沙很难入海，落潮时段入海的浑水舌随涨潮流转向东南向，在导堤的堤头位置形成一高浓度区；在落潮时刻，双导堤内泥沙入海，随落潮流向西北延伸形成浑水舌。

四、方案三计算结果

300m^3/s的流量基本上是目前黄河枯水期的特征流量，研究这一流量条件下双导堤工程完成后的河口水动力场以及泥沙输运的过程对于评价双导堤工程的束水攻沙效应有重要作用。

（一）潮流场计算结果

300m^3/s的径流流量条件降低了河流径流的动能，在河流与海洋相互作用的区段，明显地显示出外海潮流的优势作用。由于河流动力与海洋动力的对比关系发生了变化，外海的盐水入侵、盐水楔的形成、盐、淡水混合的界面过程都可能在尾闾河段与双导堤工程的内部产生。除了双导堤的堤头部位，外海的潮流场并没有显著的变化。由于径流强度的削弱，尾闾河段至双导堤堤头区间的流场亦明显减弱，这使得泥沙入海过程随潮时

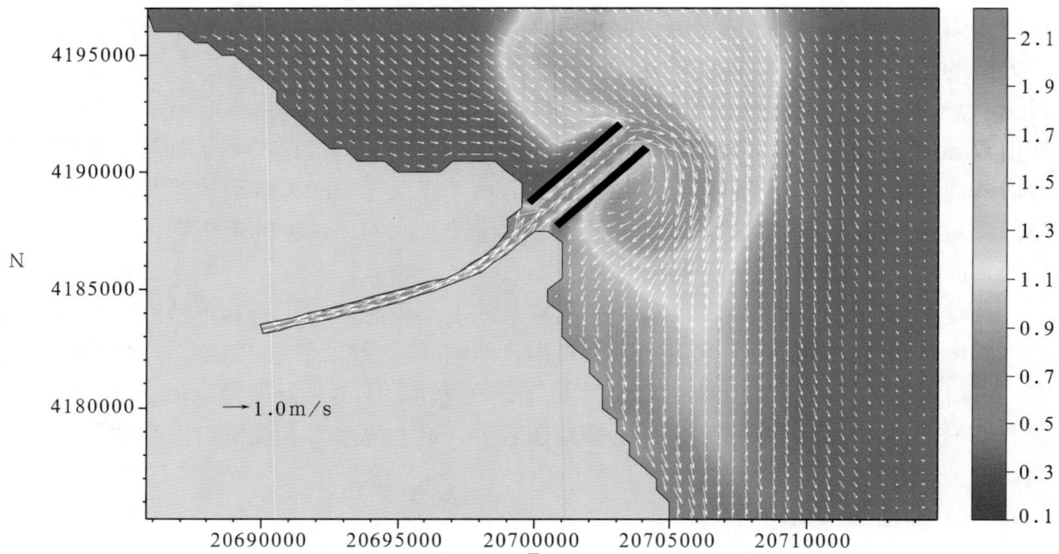

图 11-6(a)　方案二 t =1/12T 时刻潮流场和含沙量（g/L）分布

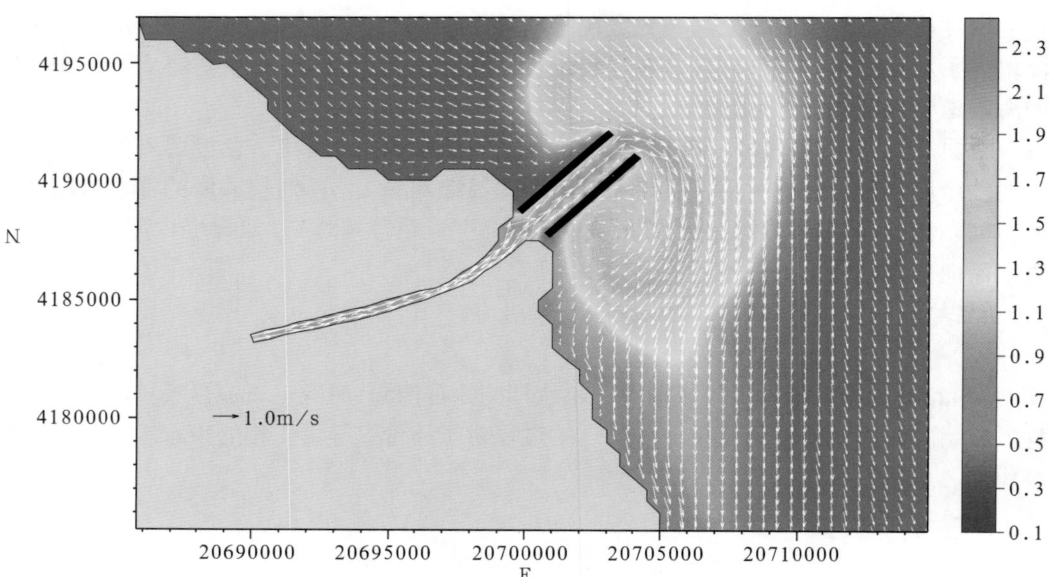

图 11-6(b)　方案二 t =2/12T 时刻潮流场和含沙量（g/L）分布

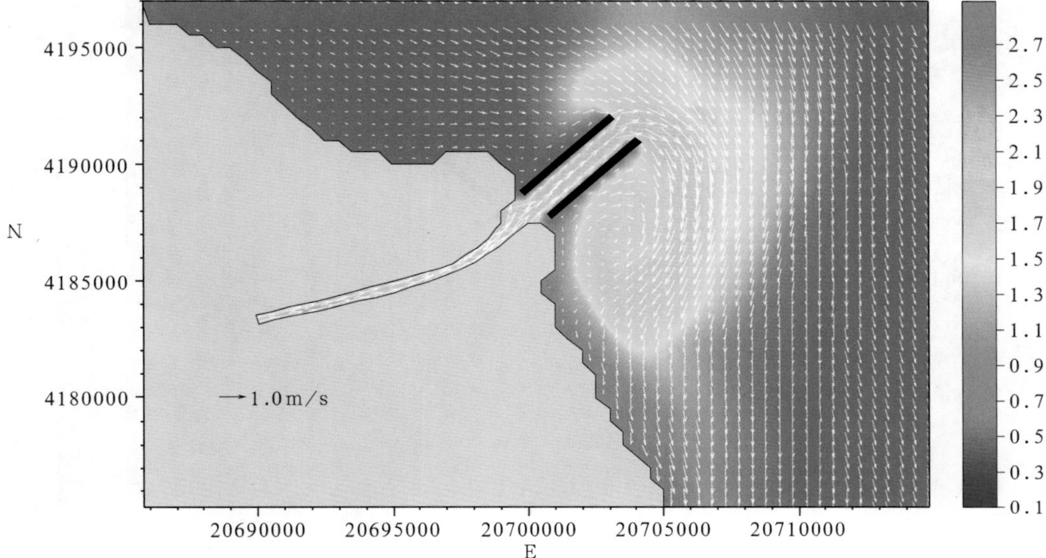

图 11-6(c)　方案二 t =3/12T 时刻潮流场和含沙量（g/L）分布

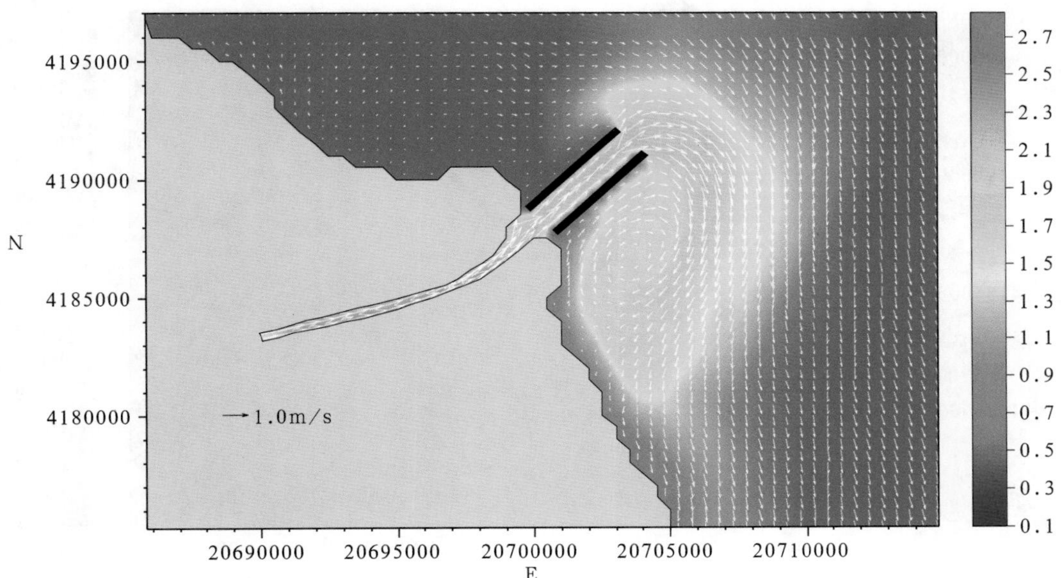

图 11-6(d)　方案二 t =4/12T 时刻潮流场和含沙量（g/L）分布

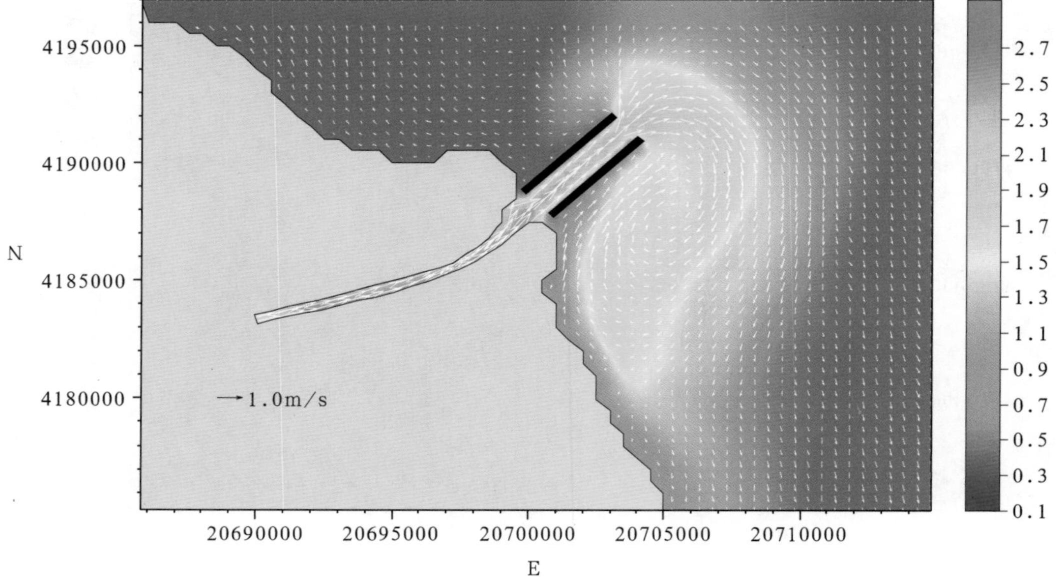

图 11−6(e)　方案二 t =5/12T 时刻潮流场和含沙量（g/L）分布

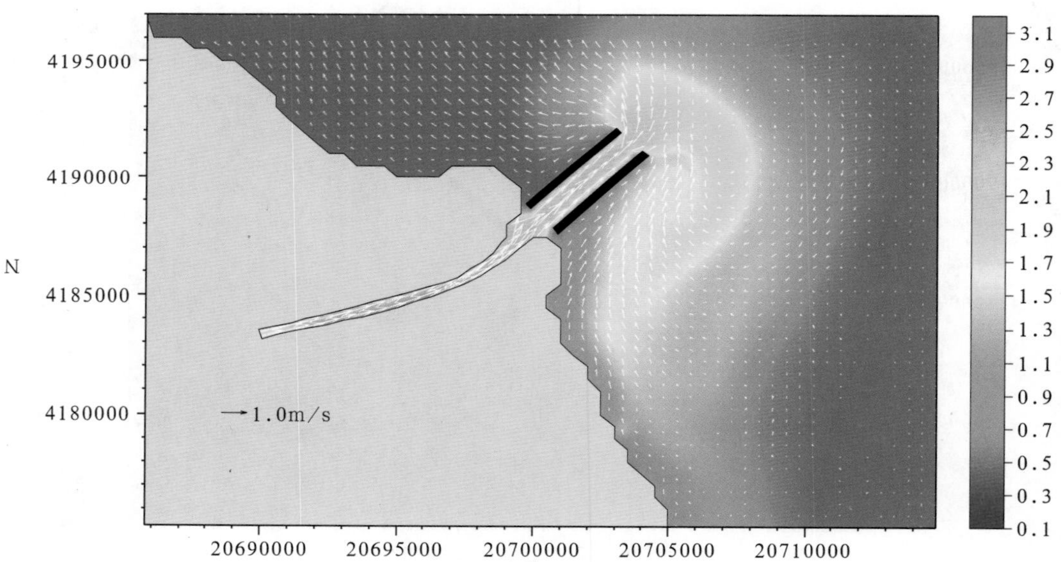

图 11−6(f)　方案二 t =6/12T 时刻潮流场和含沙量（g/L）分布

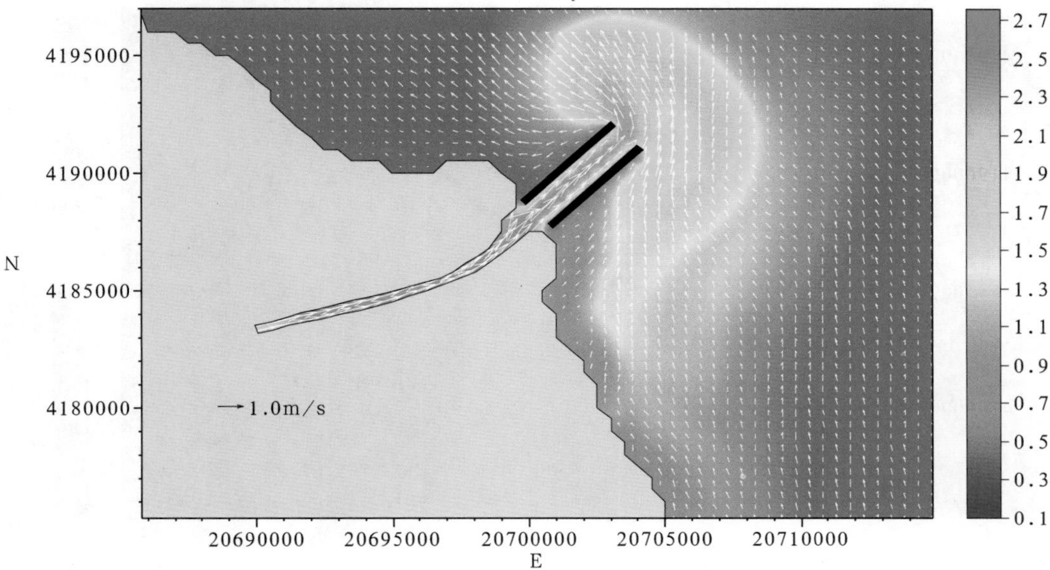

图 11-6(g)　方案二 t =7/12T 时刻潮流场和含沙量（g/L）分布

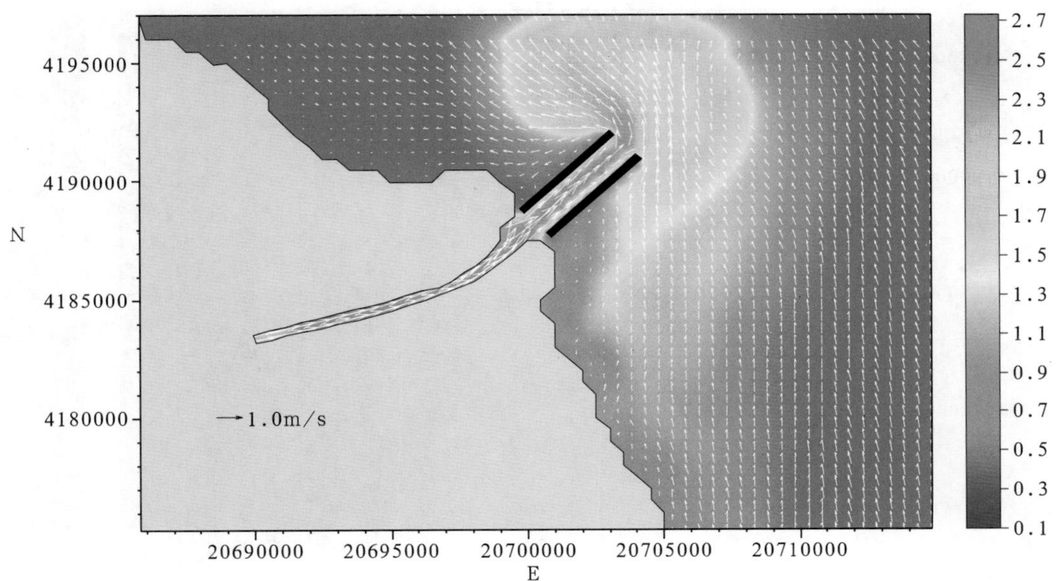

图 11-6(h)　方案二 t =8/12T 时刻潮流场和含沙量（g/L）分布

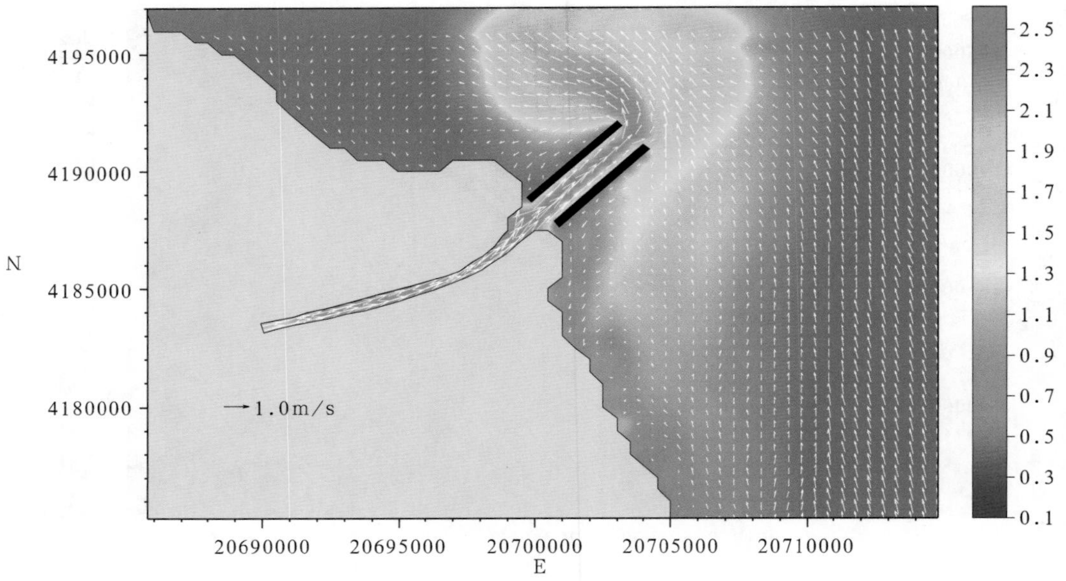

图 11-6(i) 方案二 t =9/12T 时刻潮流场和含沙量（g/L）分布

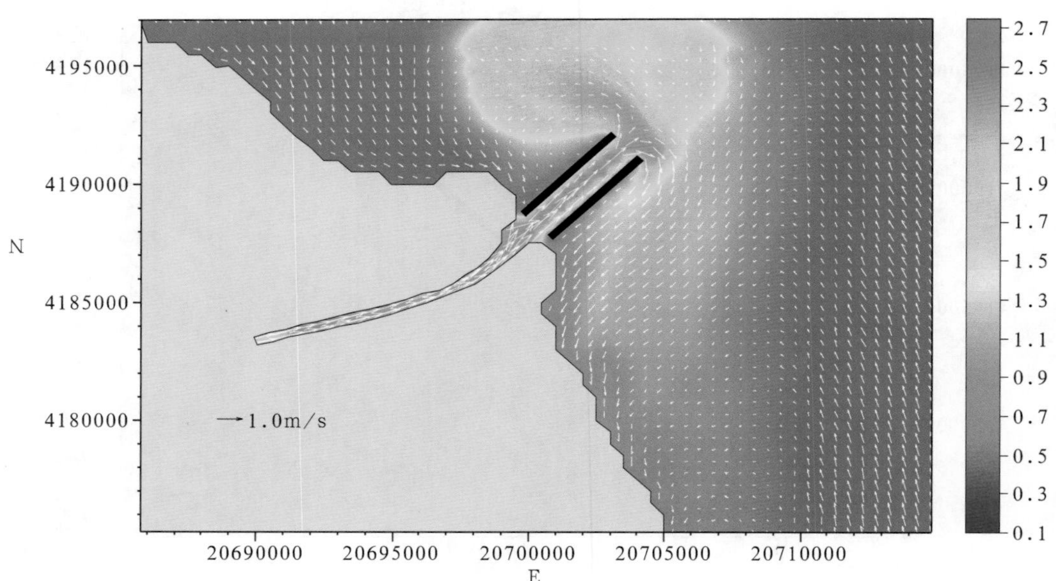

图 11-6(j) 方案二 t =10/12T 时刻潮流场和含沙量（g/L）分布

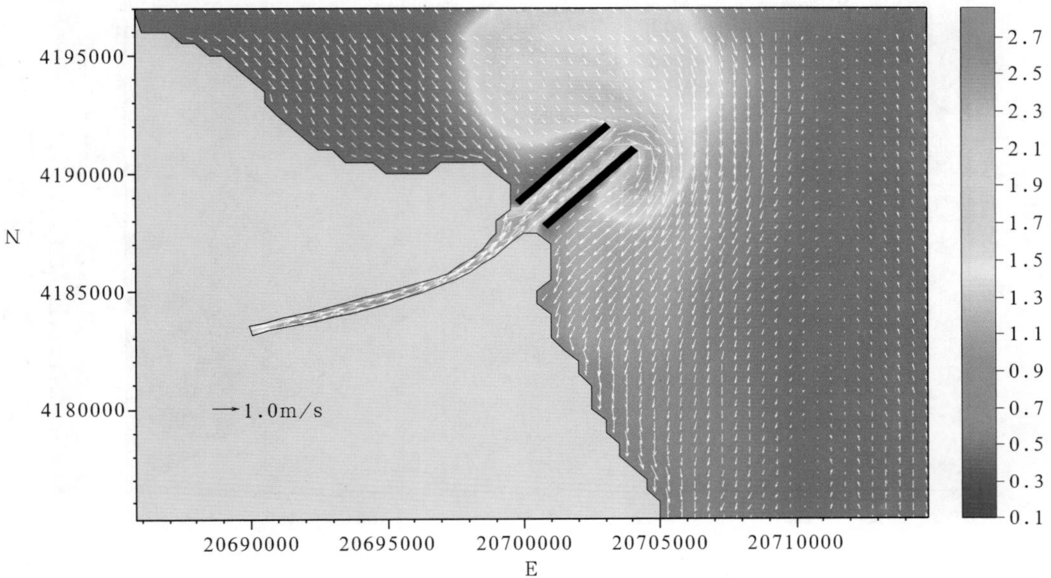

图 11-6(k)　方案二 t =11/12T 时刻潮流场和含沙量（g/L）分布

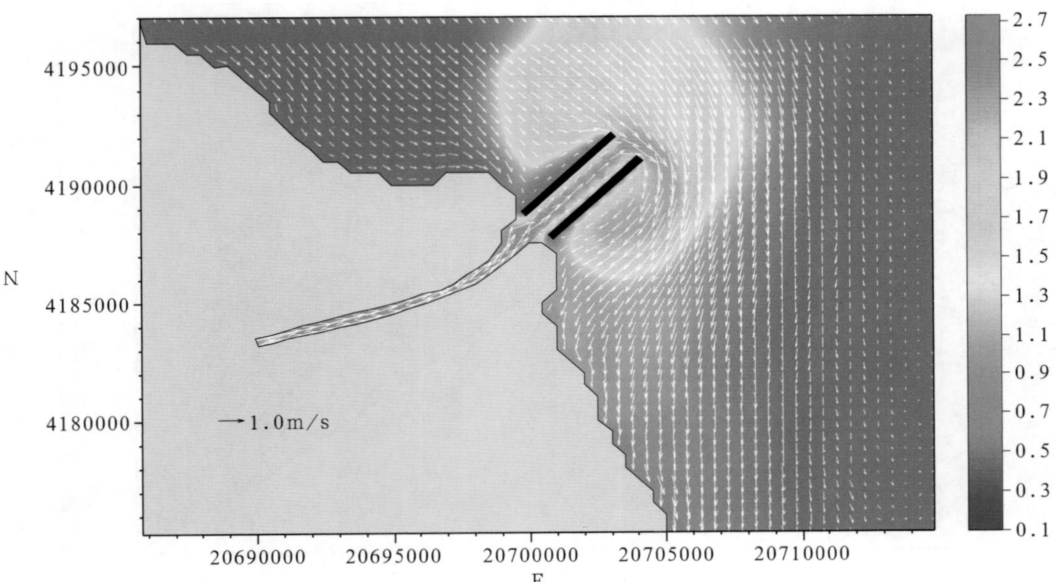

图 11-6(l)　方案二 t =12/12T 时刻潮流场和含沙量（g/L）分布

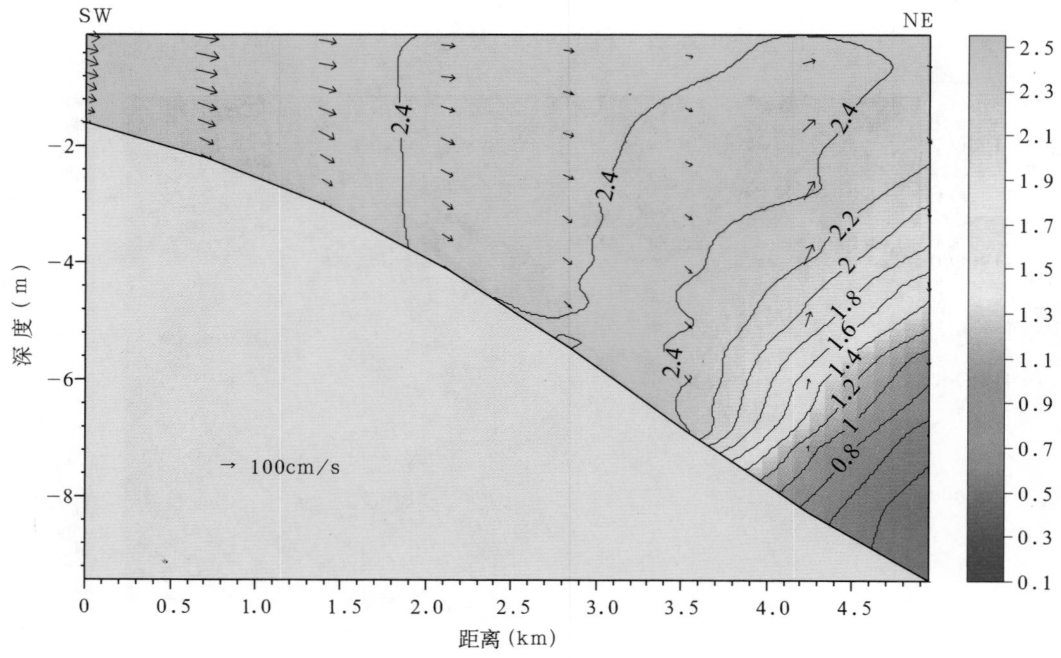

(a) 涨潮时刻流场和悬沙浓度分布

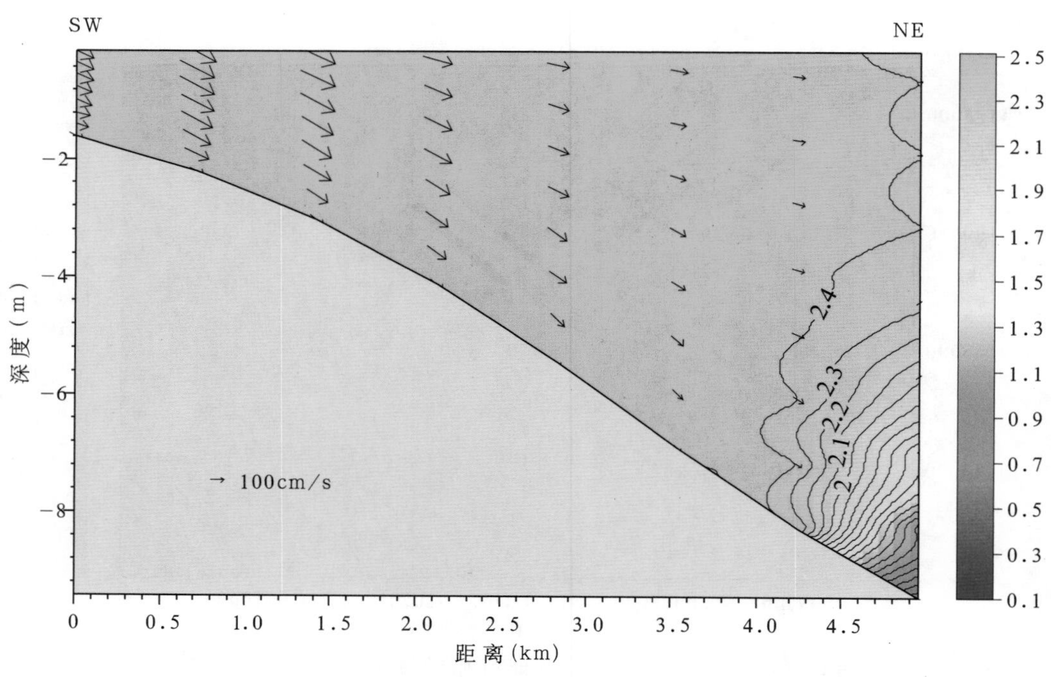

(b) 落潮时刻流场和悬沙浓度分布

图 11−7　方案二断面 1 的水流和泥沙浓度分布（单位：g/L）

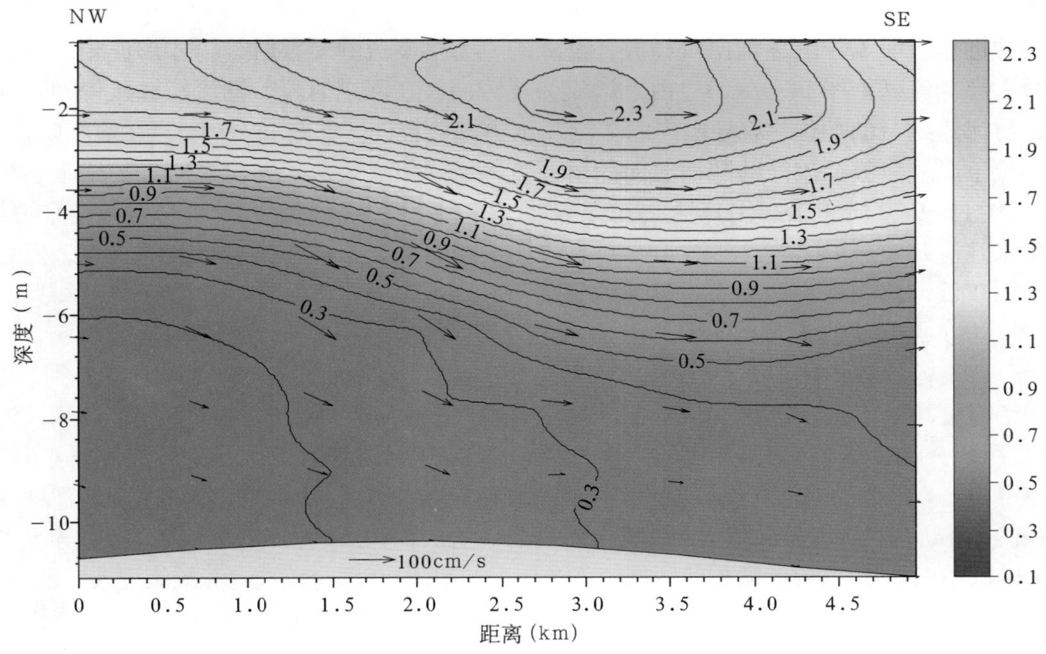

(a) 涨潮时刻流场和悬沙浓度分布

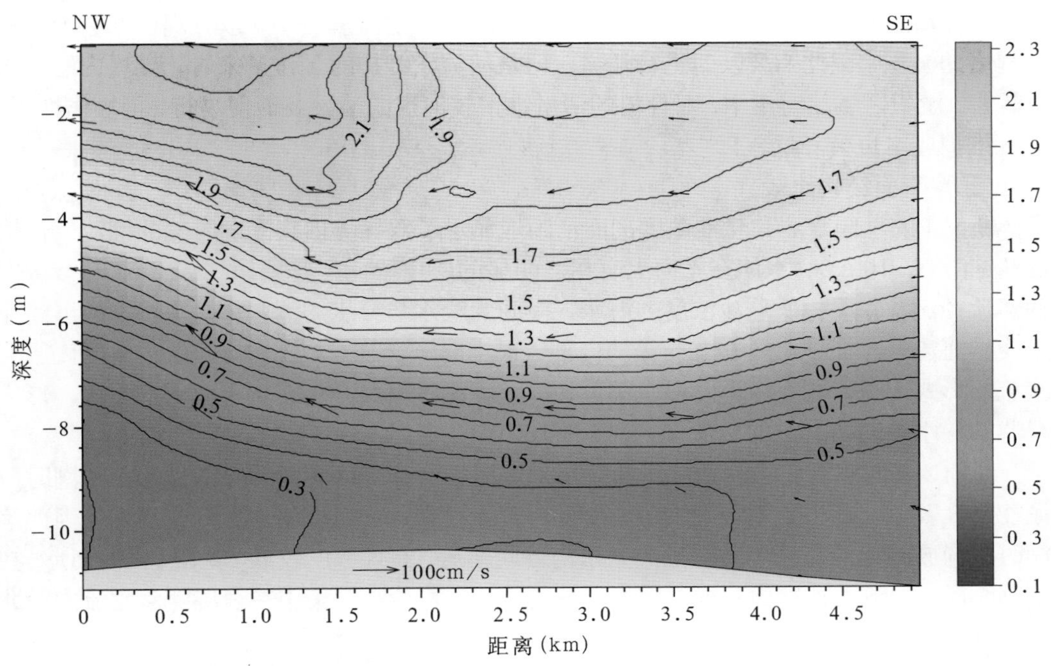

(b) 落潮时刻流场和悬沙浓度分布

图 11–8　方案二断面 2 的水流和泥沙浓度分布（单位：g/L）

变化而显示出不同的特征。在涨潮时段，在外海潮流的顶托作用下，双导堤及其以上的河段水位抬高，形成壅水，这一区间内流速变缓（见图11−9(a)～图11−9(d)）。随着潮时的推移，河流径流逐渐向海释放，至涨潮流与落潮流的转换时刻，才形成相当规模的入海径流（见图11−9(e)）。由于潮流为优势流，在涨潮时段，潮流能够入侵到双导堤与河道结合的部位，双导堤内的流场基本由潮流控制（见图11−9(l)）。在落潮阶段，水位下降，河流径流能够随西北向的落潮流入海，但堤头流速并没有明显的增强趋势（见图11−9(f)～图11−9(j)）。上述结果表明，300m³/s的径流流量条件下双导堤预期的束水强流效应难以完全体现，至少是在涨潮阶段不明显；在落潮时段能够入海，但是流速较低，这使得泥沙容易在导堤内部沉降淤积。

（二）悬浮泥沙浓度分布

与流场的结果相对应，悬浮泥沙浓度的分布在涨、落潮时段有着非常明显的差别。在涨潮时段，由于潮流的顶托作用，河流泥沙主要分布在河道和双导堤内部，不能通畅入海（见图11−9(a)，图11−9(b)），盐水入侵形成的盐水楔界面上淡水与盐水进行混合，这可能使得相当一部分的泥沙在双导堤内沉降，导致双导堤内形成淤积；在落潮时，河流泥沙随径流入海，在双导堤外部随落潮流方向向西北输送，泥沙浓度比涨潮时刻高。除了导堤内部的淤积以外，泥沙可能淤积的区域应该在导堤的南侧，涨潮时泥沙随涨潮流进入该区域，在弱流区内沉降，而在落潮时段，导堤南侧的潮流动力也相对较弱，沉降的泥沙形成再悬浮的可能性不大，因此容易形成淤积。而在导堤的北侧，落潮时段经由双导堤释放的泥沙，在较强的涨潮流作用下又继续向东南方向输运，这一区域淤积的可能性较低。

从计算的流场及悬浮泥沙输运过程来看，300m³/s的流量条件下双导堤内部会形成一定程度的淤积，因此需要及时进行清淤，但是从清淤维护的工作量来看，导堤内的淤积量较小，淤积区域相对集中，双导堤的清淤维护较河道的清淤要简便易行，可操作性高，并且维护成本也会降低。

（三）断面结构比较

断面1的垂向水流和悬沙浓度剖面清晰地显示了双导堤内在涨潮时刻的潮流入侵情况（见图11−10(a)），水体在垂向上有相当明显的层化特征。表层2m以上为高悬沙浓度的河流径流，底层为低悬沙浓度的海水，中间为淡水与海水的混合体。盐水楔的屏障作用使得河流悬浮泥沙阻塞在双导堤的内部，很难向海释放。落潮时，河流径流以表层羽状流的形式入海，在双导堤的堤头部位，高浓度泥沙仅仅分布在表层有限的范围，形成很薄的混水舌向西北方向延展（见图11−10(b)）。

断面2垂向水流和悬沙浓度剖面显示入海泥沙随涨、落潮流的扩散形态。涨潮时段泥沙浓度较低，且主要集中在表层，由于河流泥沙在这一时段集中在双导堤内，因此落潮时段释放的泥沙在涨潮时随潮流向东南方向输送，并且浓度较低（见图11−11(a)）。在落潮时段，河流泥沙经由双导堤向海释放，泥沙浓度较高，集中在表层随落潮流向西北偏转（见图11−11(b)）。

五、方案四计算结果

本计算方案设计了一个典型的东北向大风过程与河口低流量（300m³/s）组合条件下

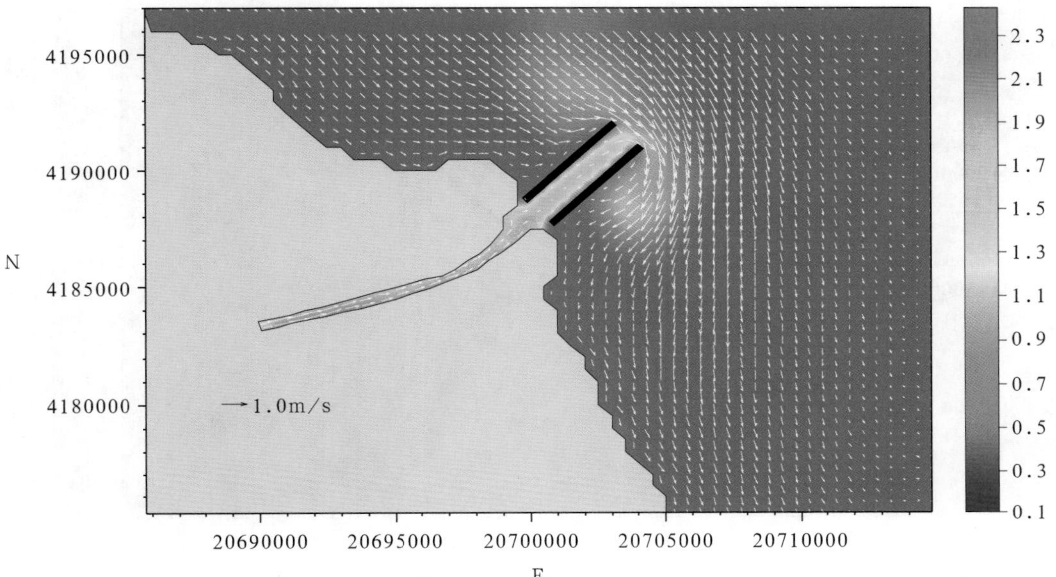

图 11-9(a)　方案三 t =1/12T 时刻潮流场和含沙量（g/L）分布

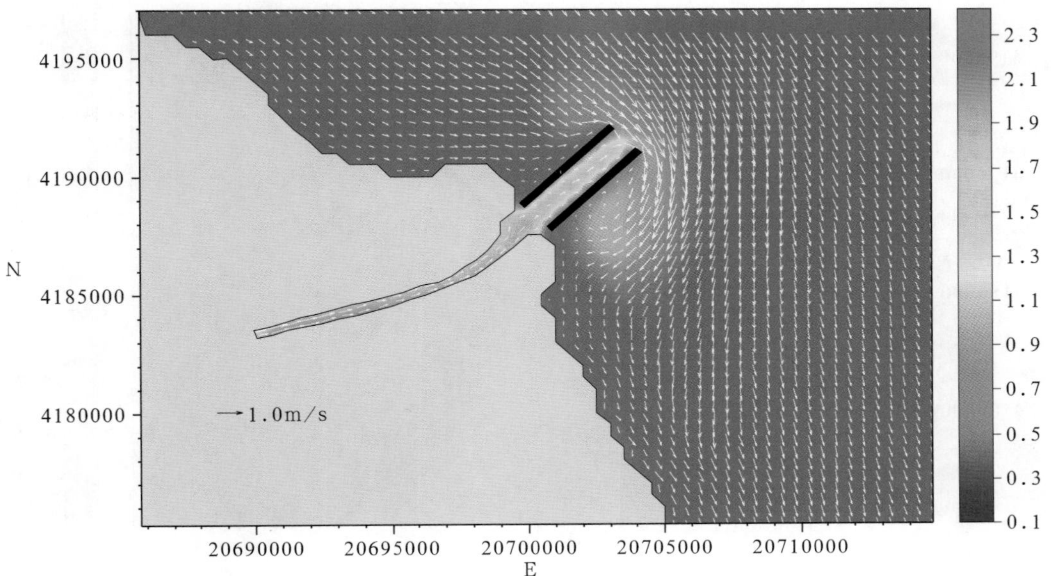

图 11-9(b) 方案三 t =2/12T 时刻潮流场和含沙量（g/L）分布

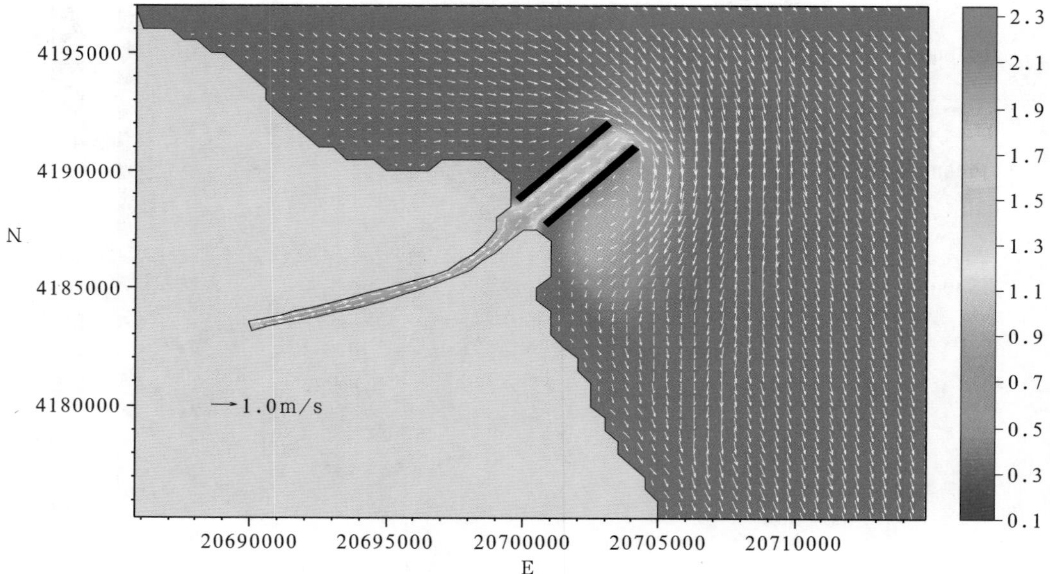

图 11-9(c)　方案三 t =3/12T 时刻潮流场和含沙量（g/L）分布

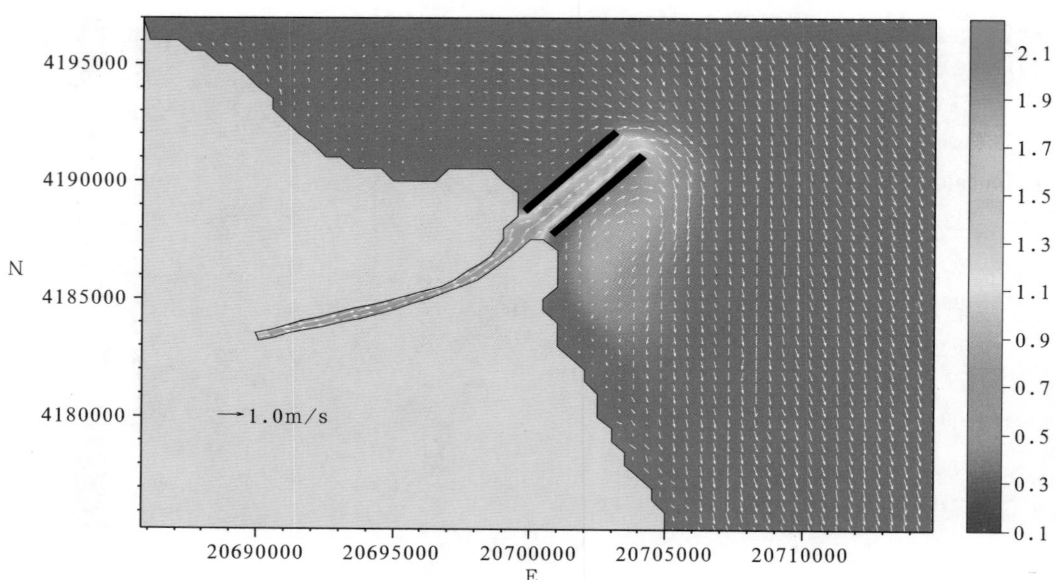

图 11-9(d)　方案三 t =4/12T 时刻潮流场和含沙量（g/L）分布

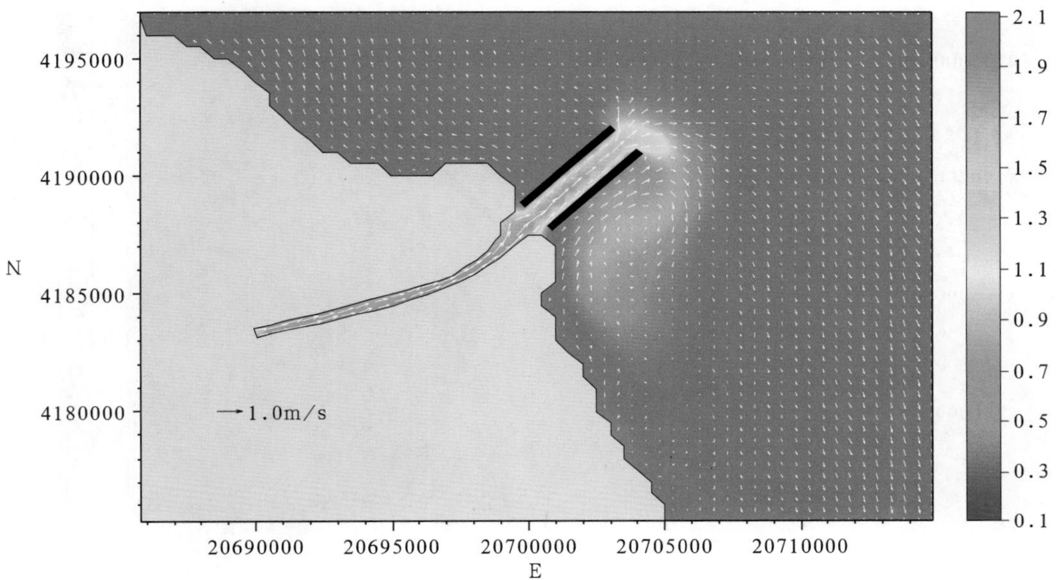

图 11-9(e)　方案三 t =5/12T 时刻潮流场和含沙量（g/L）分布

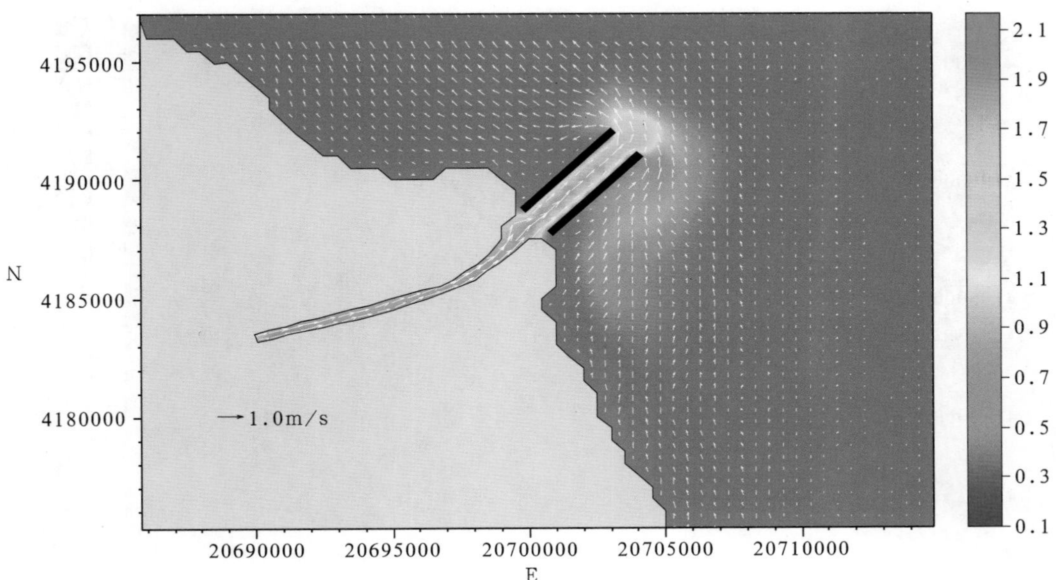

图 11-9(f)　方案三 t =6/12T 时刻潮流场和含沙量（g/L）分布

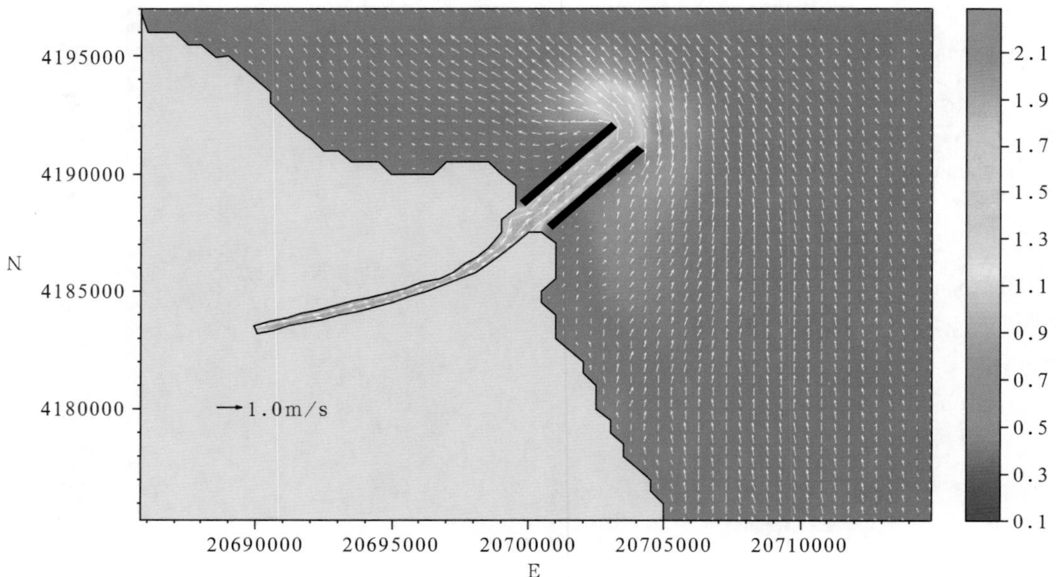

图 11-9(g)　方案三 t =7/12T 时刻潮流场和含沙量（g/L）分布

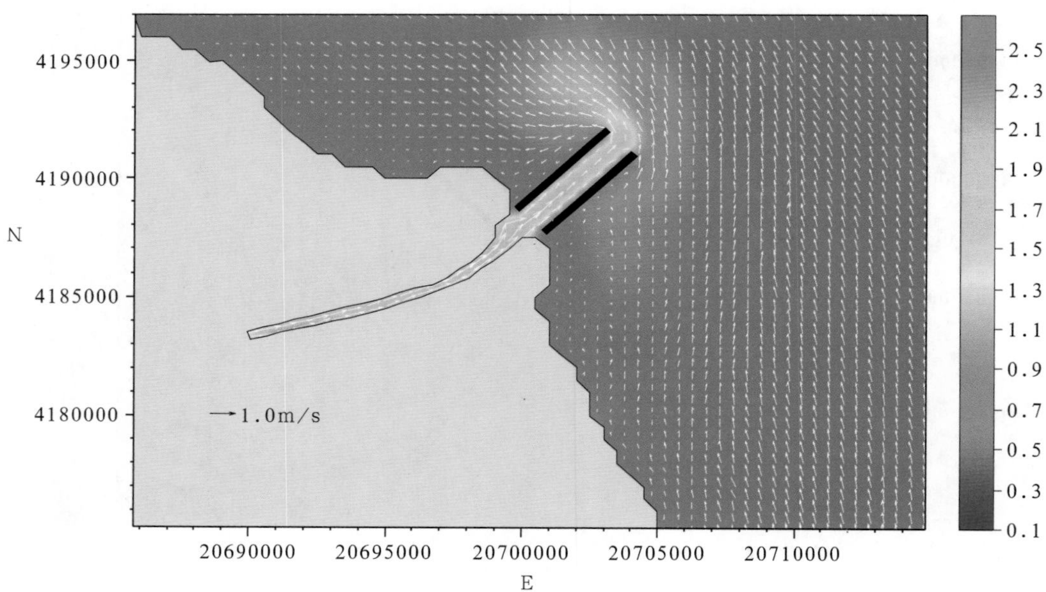

图 11-9(h)　方案三 t =8/12T 时刻潮流场和含沙量（g/L）分布

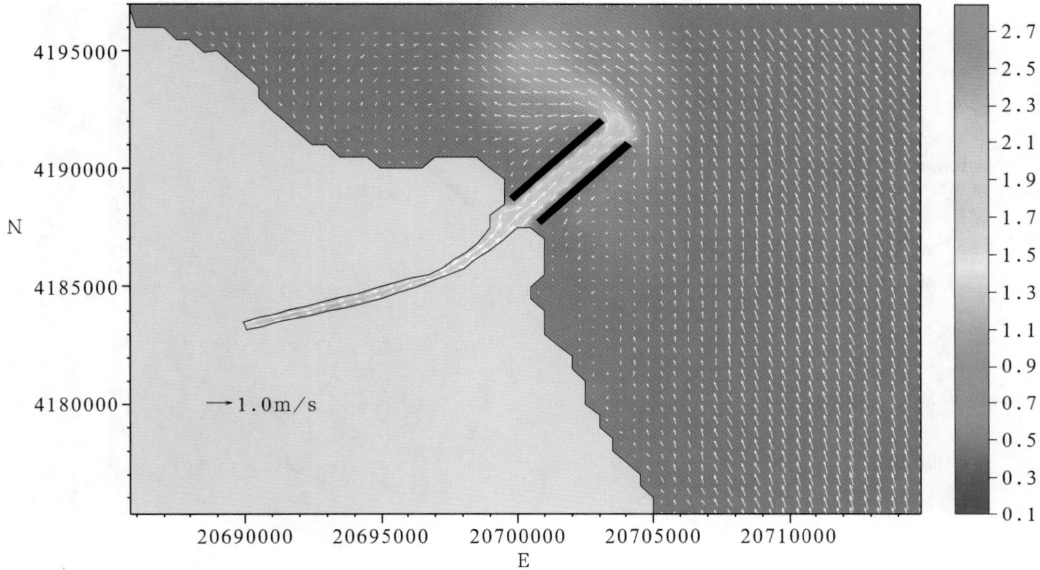

图 11-9(i)　方案三 t =9/12T 时刻潮流场和含沙量（g/L）分布

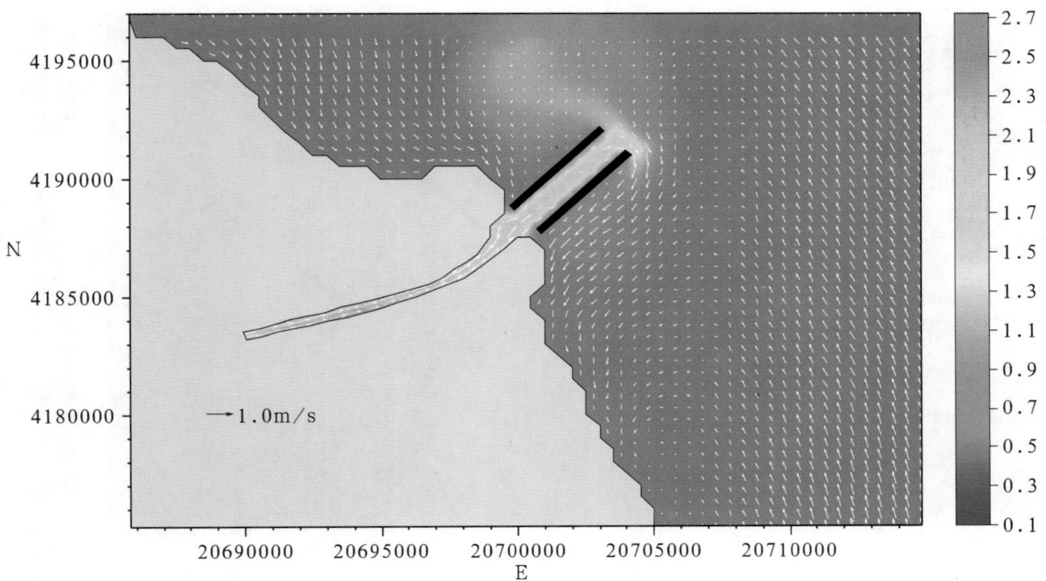

图 11-9(j)　方案三 t =10/12T 时刻潮流场和含沙量（g/L）分布

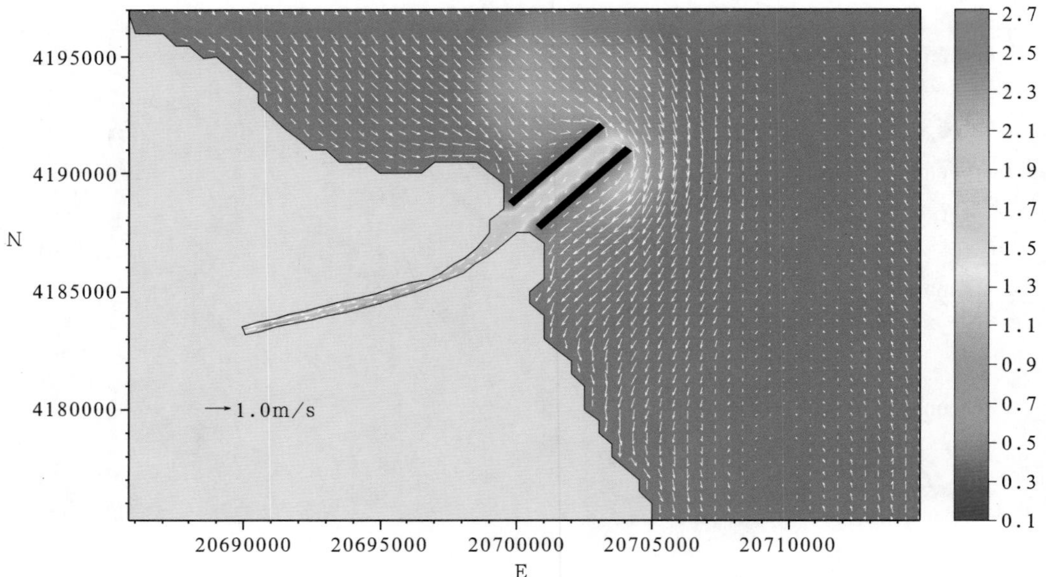

图 11-9(k) 方案三 t =11/12T 时刻潮流场和含沙量（g/L）分布

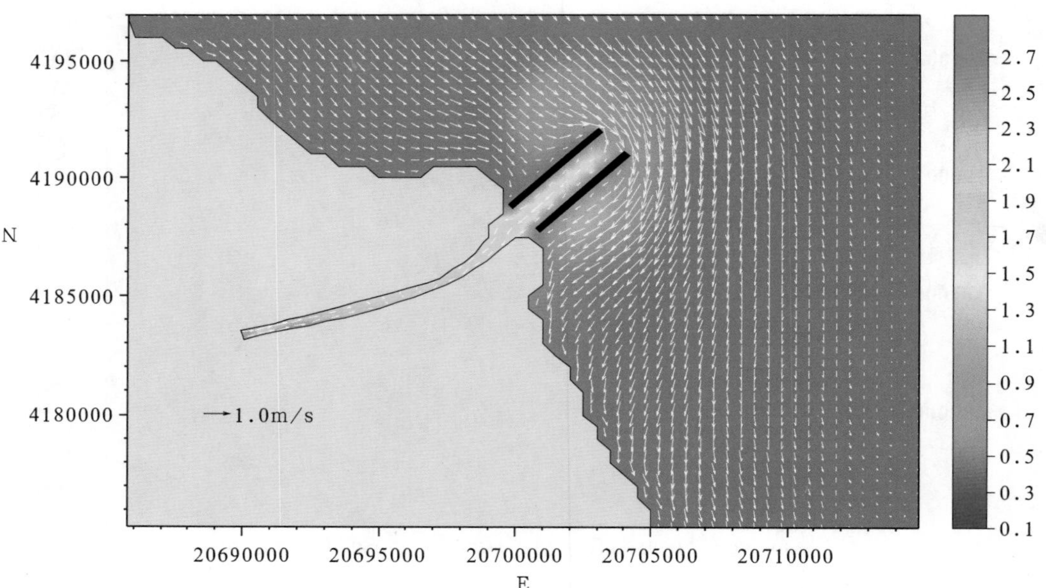

图 11-9(l) 方案三 t =12/12T 时刻潮流场和含沙量（g/L）分布

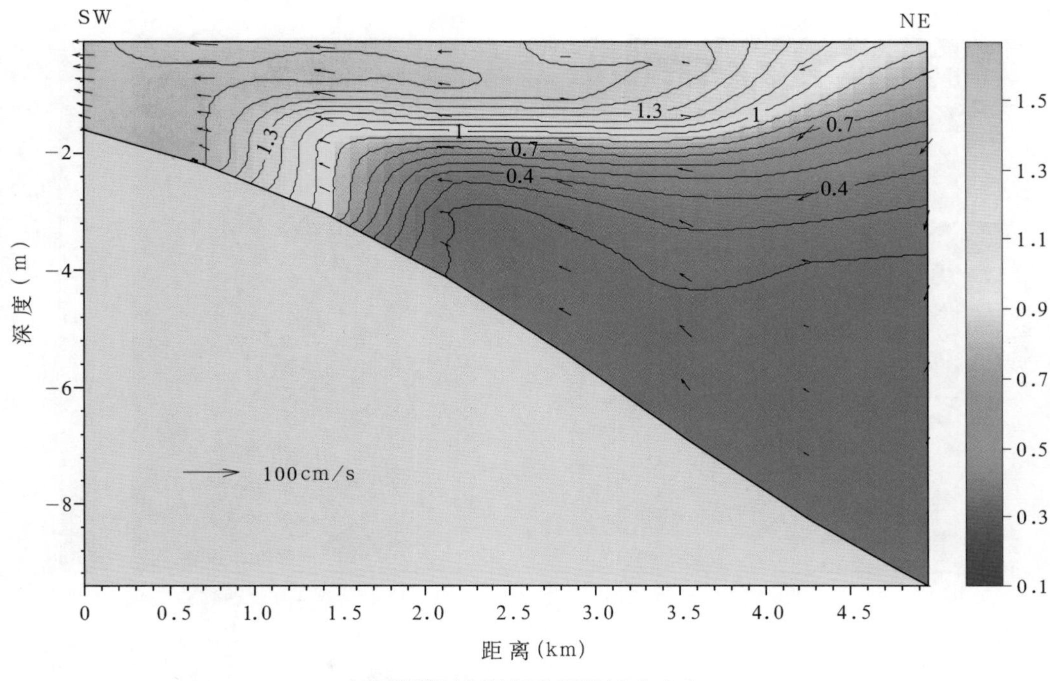

(a) 涨潮时刻流场和悬沙浓度分布

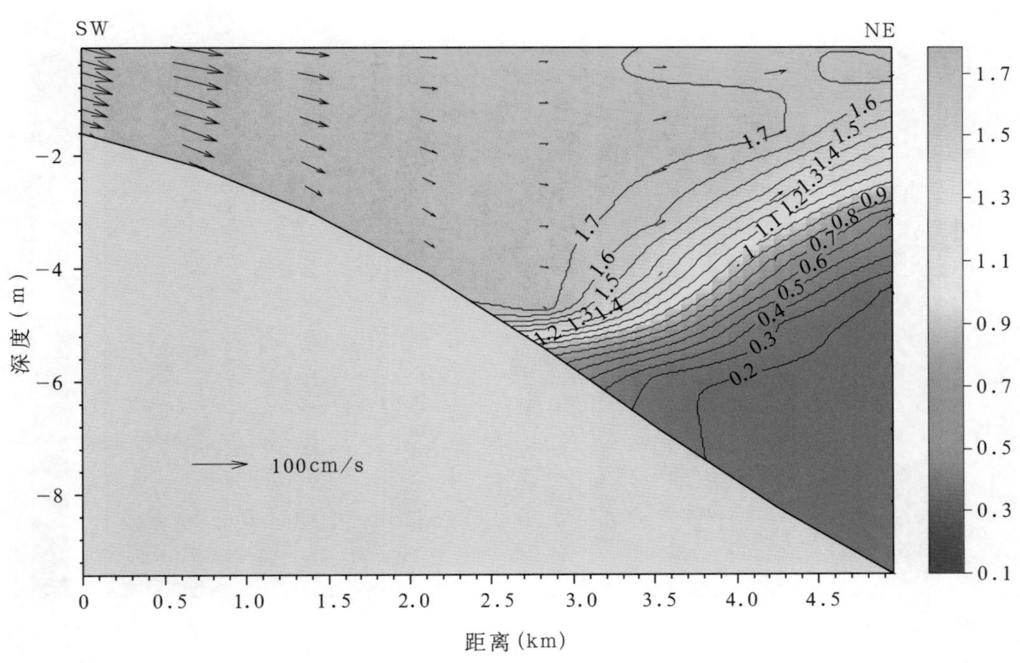

(b) 落潮时刻流场和悬沙浓度分布

图 11–10　方案三断面 1 的水流和泥沙浓度分布（单位：g/L）

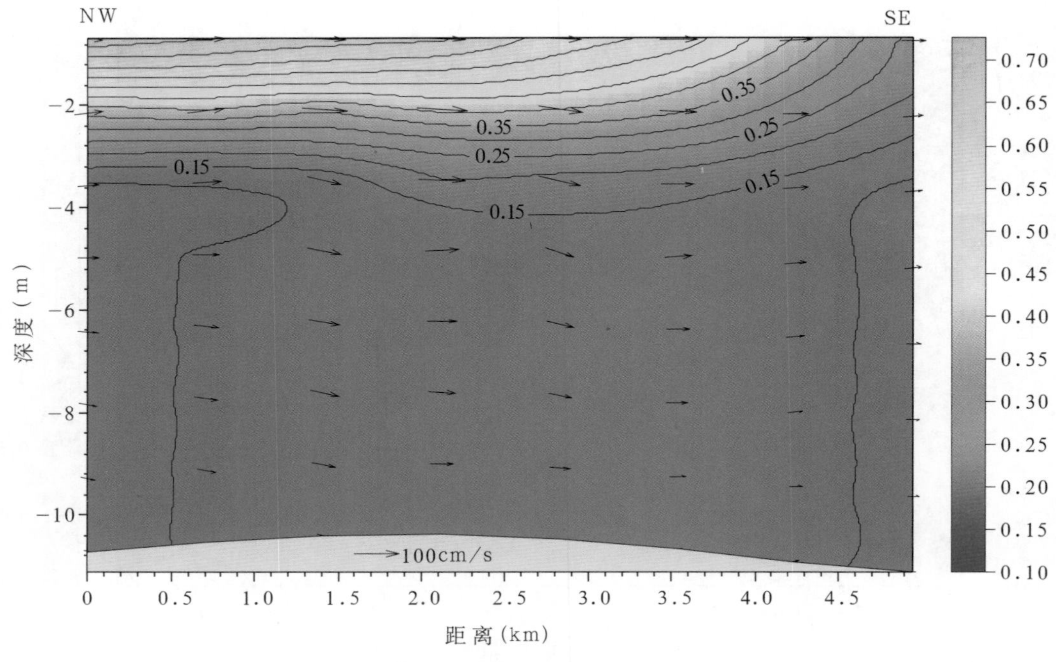

(a) 涨潮时刻流场和悬沙浓度分布

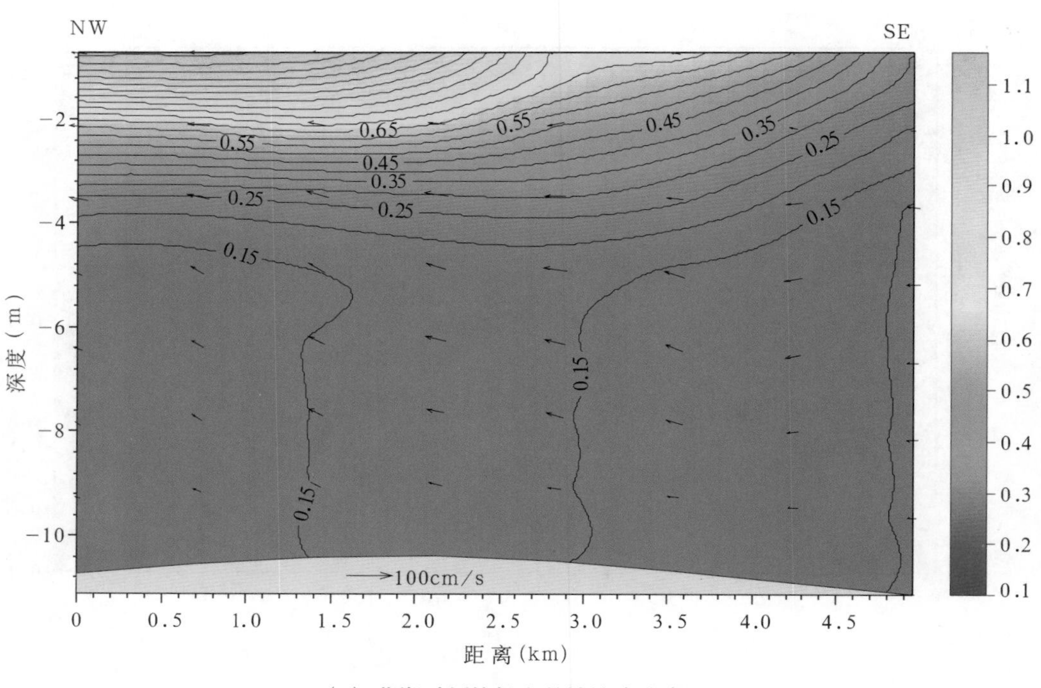

(b) 落潮时刻流场和悬沙浓度分布

图 11–11　方案三断面 2 的水流和泥沙浓度分布（单位：g/L）

河口泥沙通过双导堤工程的输送过程。整个大风过程的设计风速在六级（大于10.8m/s）至八级（小于20.7m/s），持续时间为5d（见图11－12）。黄河口海域在冬季出现六级以上东北大风的频率较高，多年统计频率为1.11%（杨作升等，1993），并且东北风风向与河口双导堤的走向相对，在这个季节河口流量较低。冬季大风过程往往伴随着显著的波浪过程，对河口区域的岸滩剖面、泥沙的再搬运、再分配和冲淤形态都有重要作用。

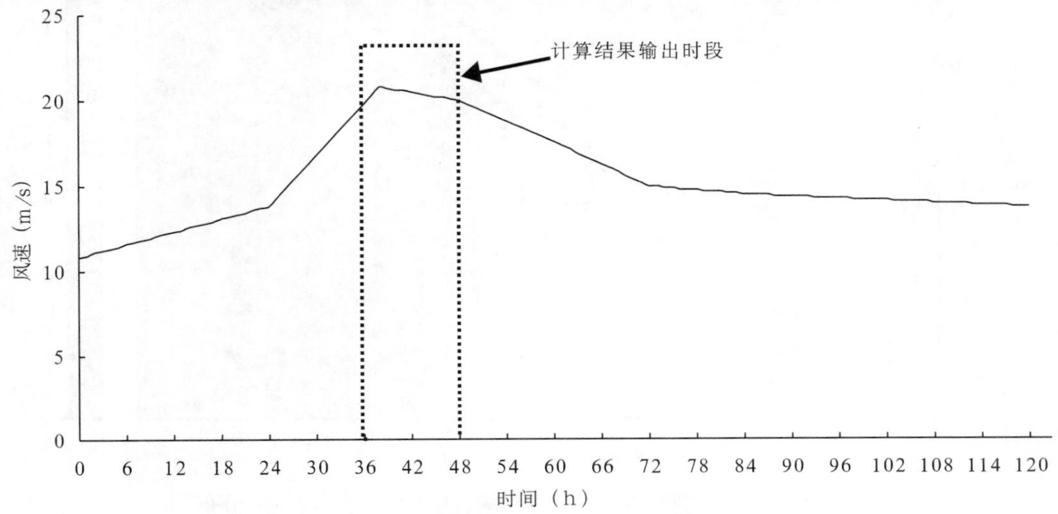

图11－12　方案四计算采用的东北向大风过程

（一）潮流场计算结果

冬季东北大风产生的风生流对黄河口海域的流场有明显的改变，包括流速流向都受到很大影响。在涨潮时段，由于河口双导堤沿东北方向向海延伸，强烈的东北风进一步抬高了双导堤内的水位，整个双导堤内的流向基本为向陆方向，潮流入侵的长度明显延长，已经到达河道内部；在双导堤外部，受东北风的控制，双导堤南侧的流场得到加强，流向沿导堤向西南方向，流场的加强会导致双导堤南侧区域发生强烈的侵蚀；同时河口沿岸地带的流速增强，岸滩的侵蚀也会相应地增强（见图11－13(a)～图11－13(e)、图11－13(k)、图11－13(l)）。在落潮时段，双导堤内的流场与正常天气状况下的流场（见图11－9）相比，变化非常明显。落潮时段河口径流沿双导堤向海，受强劲的东北风控制，即使是在落潮时段河口双导堤内部向海的流速也很低。而在双导堤的外部，东北风使得落潮流的方向发生偏转，双导堤堤头的流向由原来的西北向转为西向，并且双导堤北侧沿导堤方向的流场也得到了加强（见图11－13(f)～图11－13(j)）。因此，在落潮时段，双导堤北侧根部的冲刷强度增大。在双导堤和河道的内部，由于泥沙无法通畅入海，这一区段的淤积会加强。

（二）悬浮泥沙浓度分布

泥沙浓度的分布与流场密切相关。涨潮时段，由于潮流入侵的区段较长，河流泥沙主要集中在河道内。在双导堤内部，沿双导堤向海方向泥沙浓度沿程快速减小，至导堤的堤头部位泥沙浓度已经低于0.3g/L，这样导致大量泥沙集中在河道内以及河道与双导堤结合的部位，由于流速的减弱，会形成淤积。在双导堤的外部，泥沙主要来源于风浪引起的近底泥沙再悬浮，在双导堤的北侧泥沙浓度有一个高值区，最高泥沙浓度超过

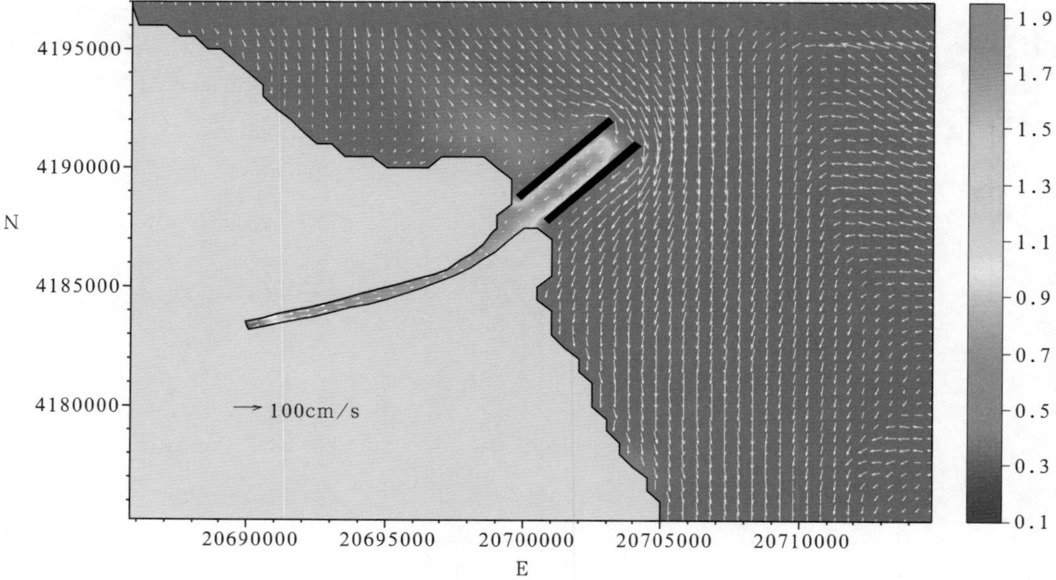

图 11-13(a)　方案四 t =1/12T 时刻潮流场和含沙量（g/L）分布

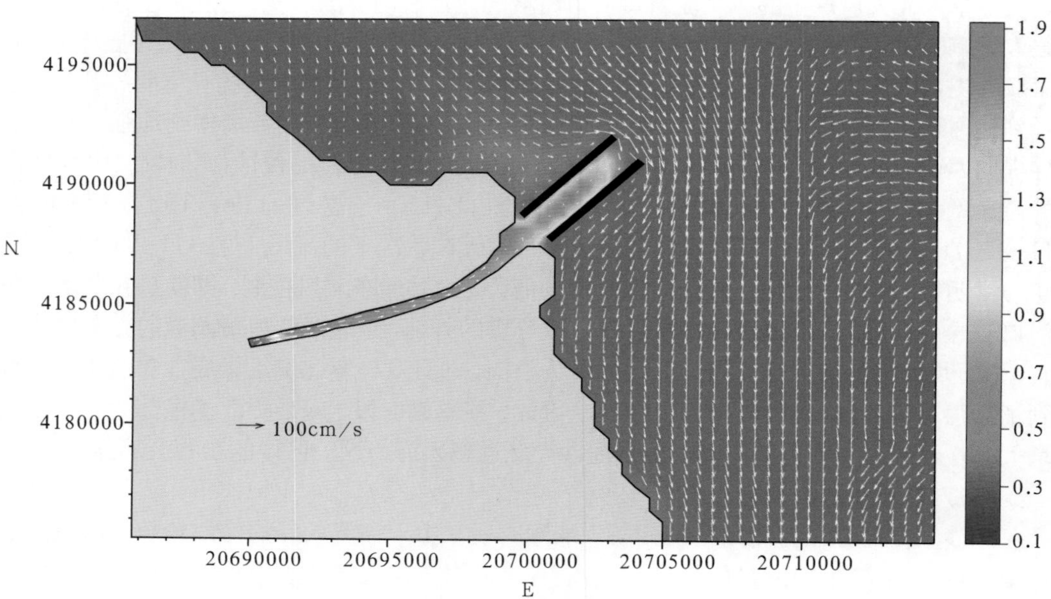

图 11-13(b)　方案四 t =2/12T 时刻潮流场和含沙量（g/L）分布

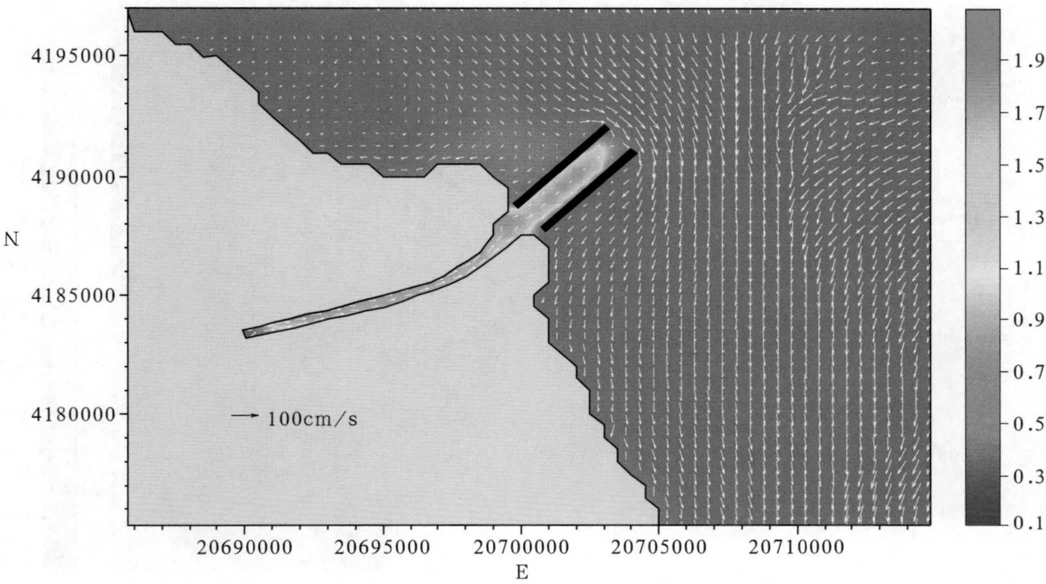

图 11-13(c)　方案四 t =3/12T 时刻潮流场和含沙量（g/L）分布

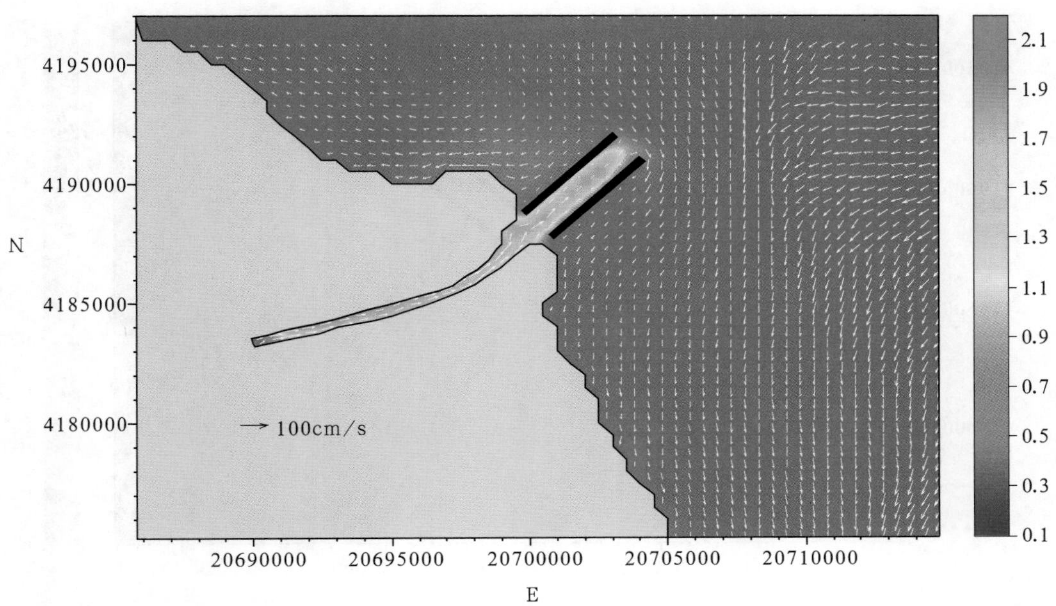

图 11-13(d)　方案四 t =4/12T 时刻潮流场和含沙量（g/L）分布

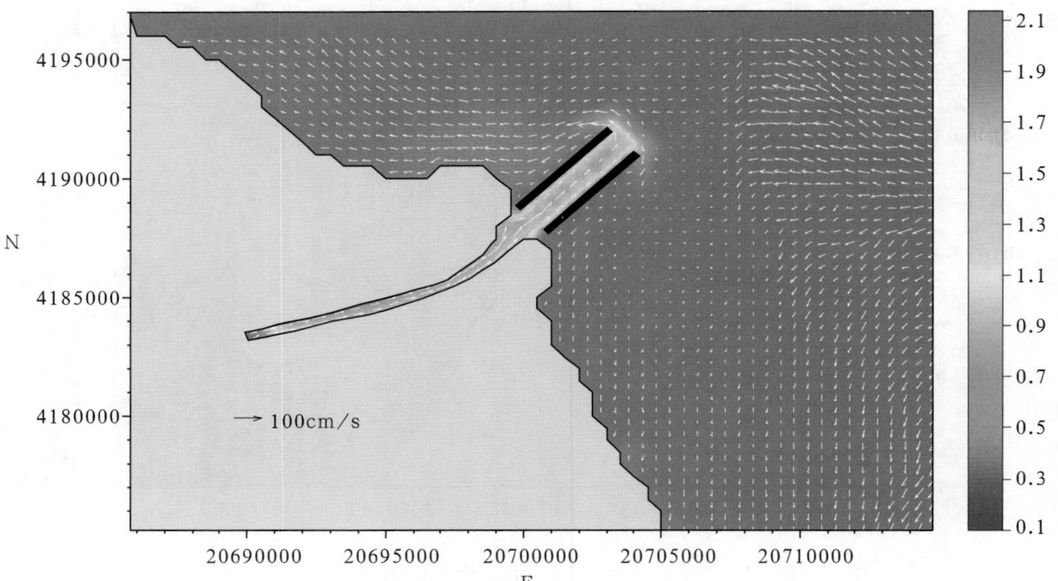

图 11-13(e) 方案四 t =5/12T 时刻潮流场和含沙量（g/L）分布

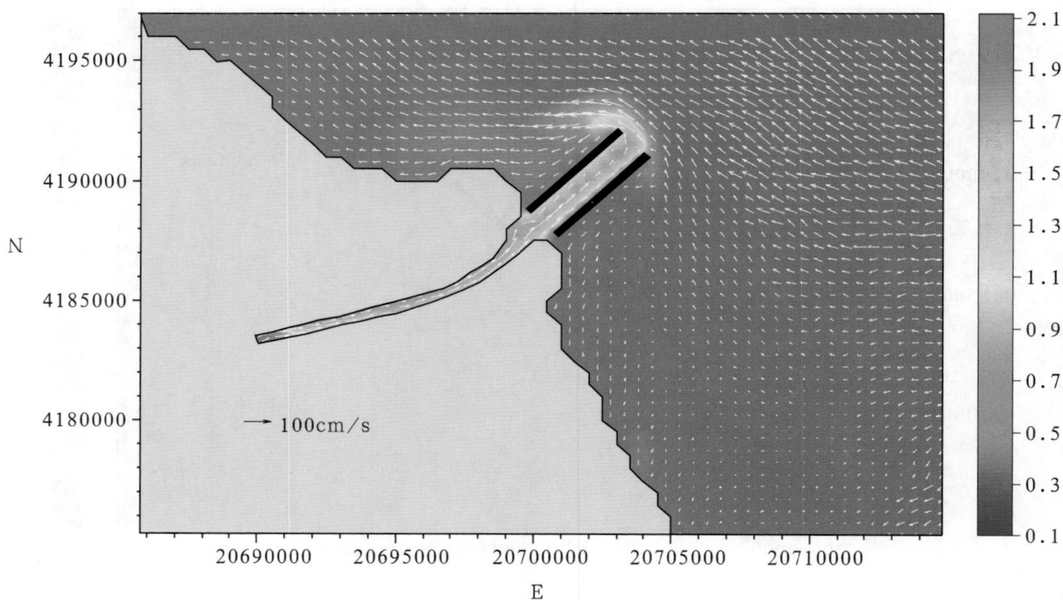

图 11-13(f) 方案四 t =6/12T 时刻潮流场和含沙量（g/L）分布

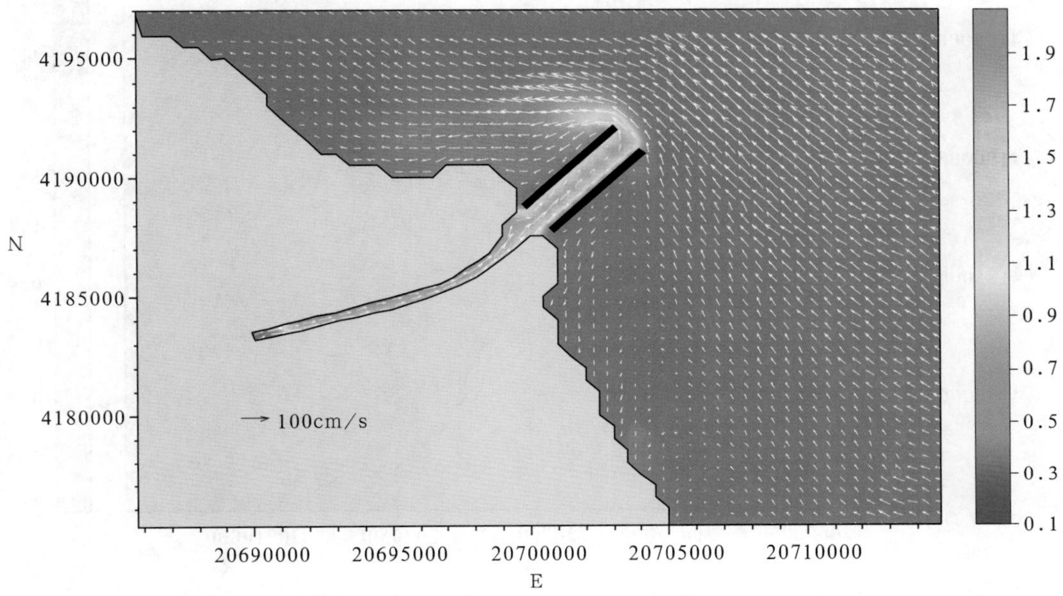

图 11-13(g)　方案四 t =7/12T 时刻潮流场和含沙量（g/L）分布

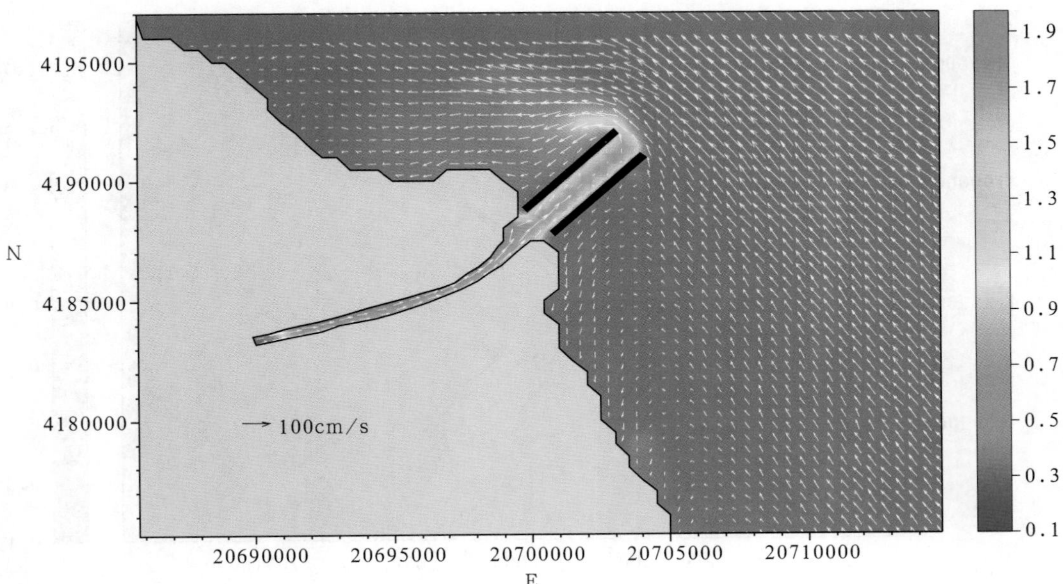

图 11-13(h)　方案四 t =8/12T 时刻潮流场和含沙量（g/L）分布

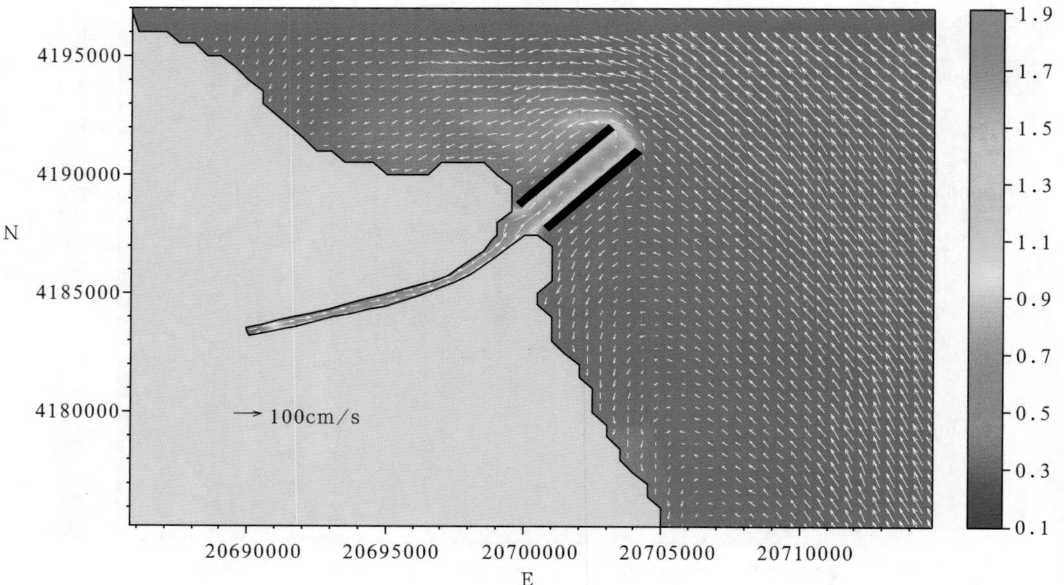

图 11-13(i)　方案四 t =9/12T 时刻潮流场和含沙量（g/L）分布

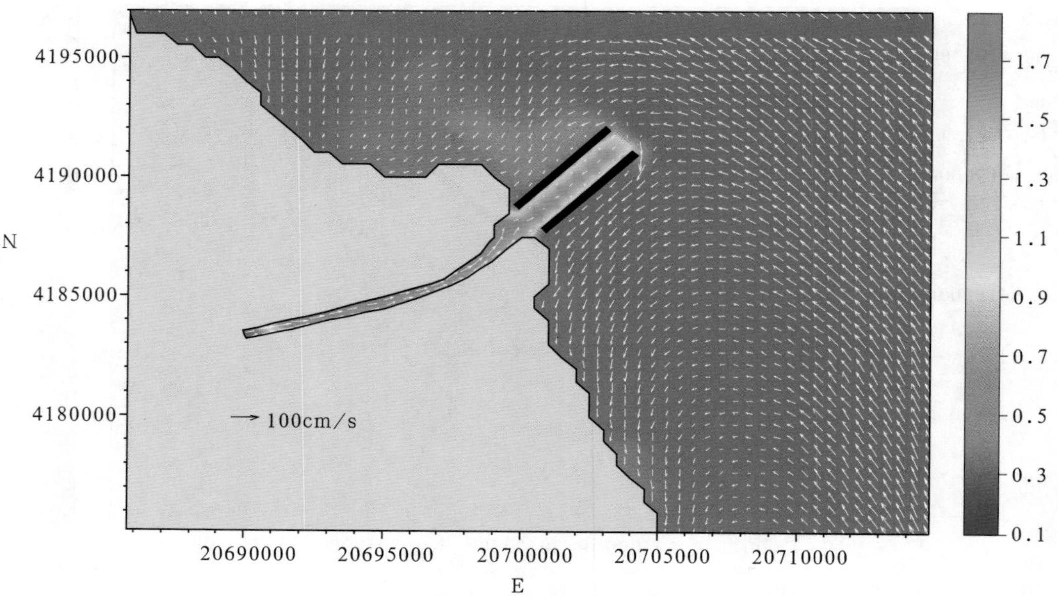

图 11-13(j)　方案四 t =10/12T 时刻潮流场和含沙量（g/L）分布

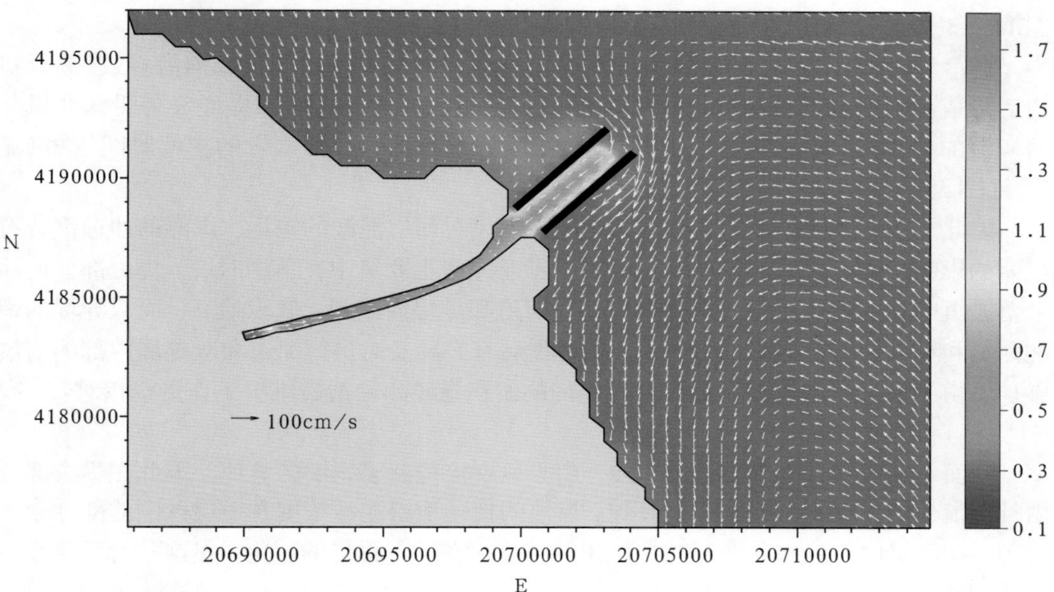

图 11-13(k)　方案四 t =11/12T 时刻潮流场和含沙量（g/L）分布

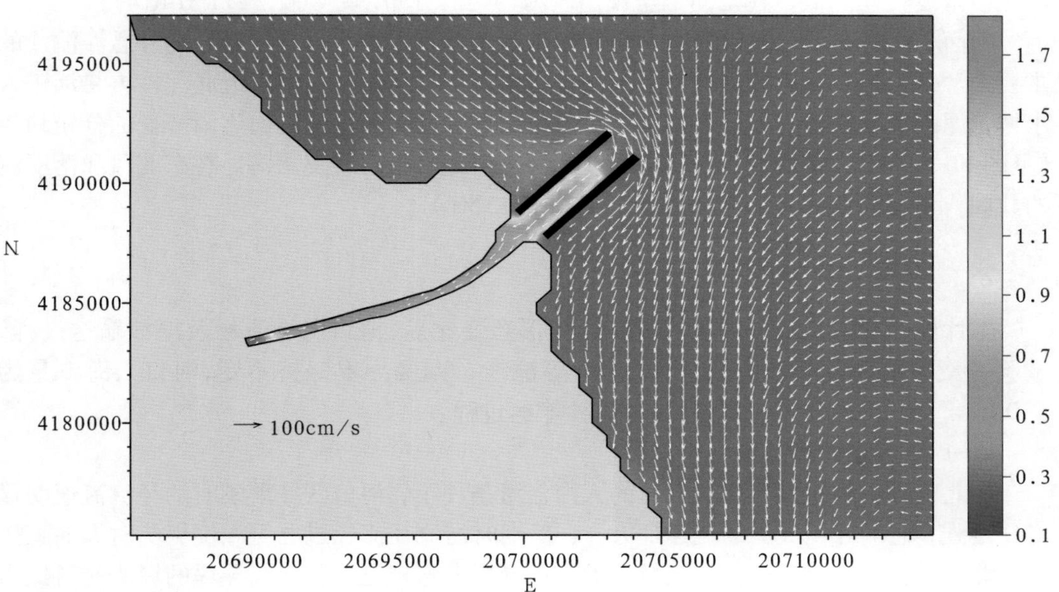

图 11-13(l)　方案四 t =12/12T 时刻潮流场和含沙量（g/L）分布

0.35g/L，这主要是东北风引起的风生流在北侧受到双导堤的约束而在导堤根部形成强烈的冲刷所致。在双导堤的堤头，由于流速明显加强，堤头的冲刷也导致了泥沙浓度的升高；在双导堤的南侧以及近岸的区域亦有相当程度的冲刷（见图11−13(a)～图11−13(e)、图11−13(k)、图11−13(l)）。

在落潮时段,河口泥沙及风浪导致的再悬浮泥沙能够经由双导堤向海释放,离开口门后形成浑水舌随落潮流向北伸展，但是范围不大，并且在双导堤堤头外受东北风与落潮流的控制,转向双导堤的北侧,泥沙浓度低于1.0g/L,浑水舌的持续时间较短(见图11−13(f)～图11−13(j))。

因此，在河口低流量的条件下，东北向大风对河口泥沙的输运、岸滩的冲蚀都会有显著的影响。河口的泥沙及风浪导致的再悬浮泥沙主要集中在落潮时段入海，部分泥沙会落淤沉降在河道和双导堤的内部，造成河道和导堤内淤积，底床抬高；而双导堤的南北两侧和堤头会受到强烈的侵蚀。大风过程后有必要及时进行河道和双导堤内部的清淤维护。由于入海流量较低，泥沙在导堤内的淤积量较小，清淤维护工作量也相对较小。

（三）断面结构比较

断面1在涨潮时段流向全部向陆，由于风吹流控制了表层的流速，因此在堤头部位由补偿流形成了一个逆时针垂向环流，风浪的搅动使得泥沙浓度在中层以上的部分分布均匀，在底层由于盐水入侵形成盐水楔的部位存在一定程度的层化。在这一时段悬浮泥沙浓度较低，高浓度的泥沙主要集中到河道的内部（见图11−14(a)）。在落潮时段，双导堤内流向向海,但是流速沿程衰减很快,在导堤堤头的中层和表层形成一个低流速区,这主要是由于东北向风对表层流影响的结果，泥沙在这个低流速区内聚集，从低流速区向海泥沙浓度快速降低，在垂向上呈现出较为均匀的分布形态（见图11−14(b)）。

断面2上的流场结构和泥沙浓度分布显示出近底泥沙的再悬浮是导堤外悬浮泥沙的主要来源。受到东北风的影响，涨潮流流向在堤头发生偏转，使得近底泥沙再悬浮进入水体，泥沙浓度在垂向上分布均匀，在堤头位置高，向两侧呈现出逐渐降低的分布趋势（见图11−15(a)）。在落潮时，河口泥沙及再悬浮泥沙沿双导堤入海，在东北风和落潮流的共同作用下向西和西南方向偏转（见图11−15(b)）。

六、方案五计算结果

本计算方案主要目的是考察试验导堤形态变化后,河口区域流场及泥沙输送过程,试验方案中北侧的导堤仅延伸至−5m等深线，南侧导堤保持不变,河口入海流量为3 000m³/s，考察流场变化及河口泥沙输运过程。

（一）潮流场计算结果

在北侧导堤缩短及3 000m³/s的入海流量条件下，河口区域落潮时的径流流速明显得到增强，北侧导堤堤头的流速加大。在落潮时河流径流经过北侧导堤堤头时流向直接转为北向。在涨潮时段内，河流径流沿南侧导堤向海推进，在南侧导堤的堤头受科氏力和外海涨潮流的影响,随同涨潮流转向东南方向,并在其南侧形成一个明显的弱流涡旋,其形态和中心位置与方案一的计算结果相差不大，但是本方案计算结果显示涡旋区的流速较大，在落潮时涡旋消失（见图11−3、图11−16(a)～图11−16(e)、图11−16(l)）。从

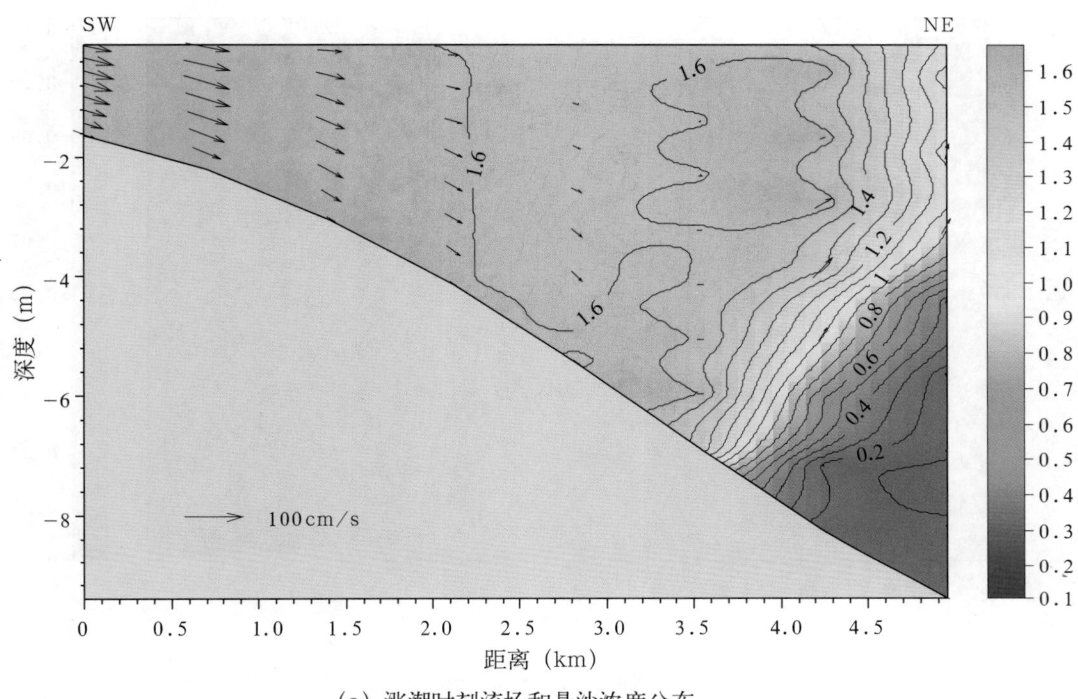

（a）涨潮时刻流场和悬沙浓度分布

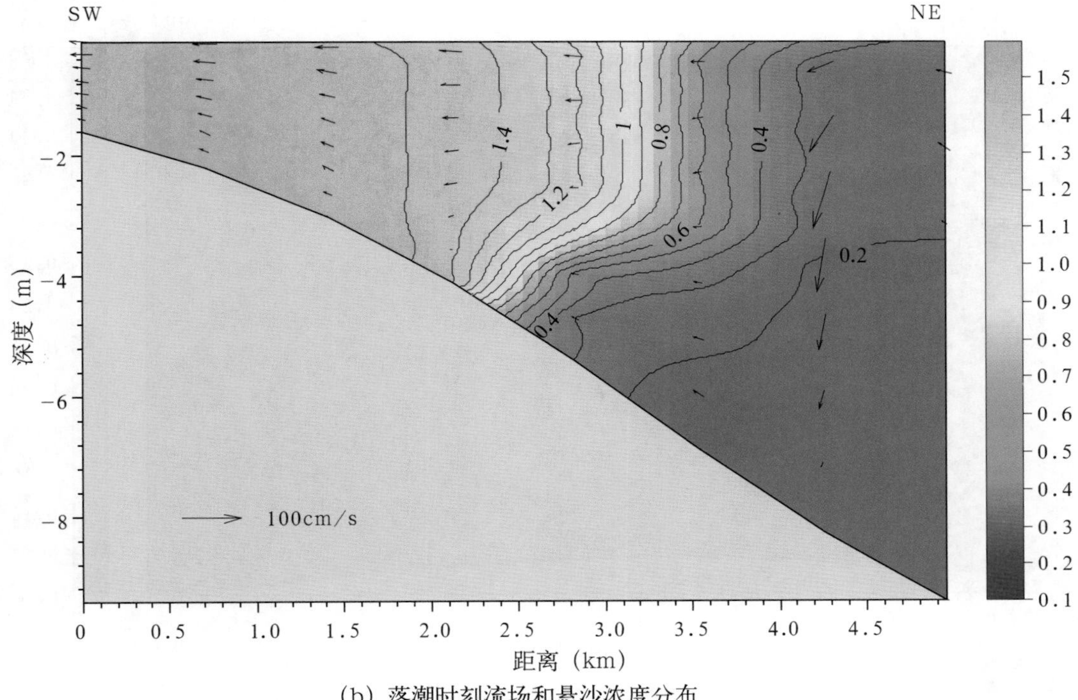

（b）落潮时刻流场和悬沙浓度分布

图 11–14　方案四断面 1 的水流和泥沙浓度分布（单位：g/L）

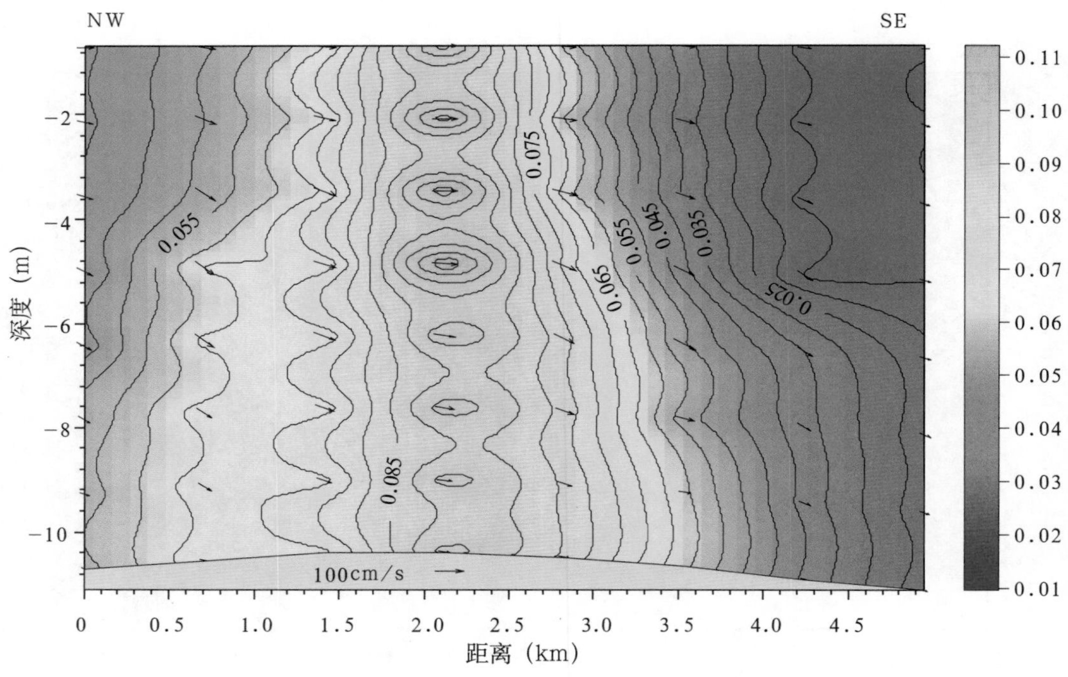

（a）涨潮时刻流场和悬沙浓度分布

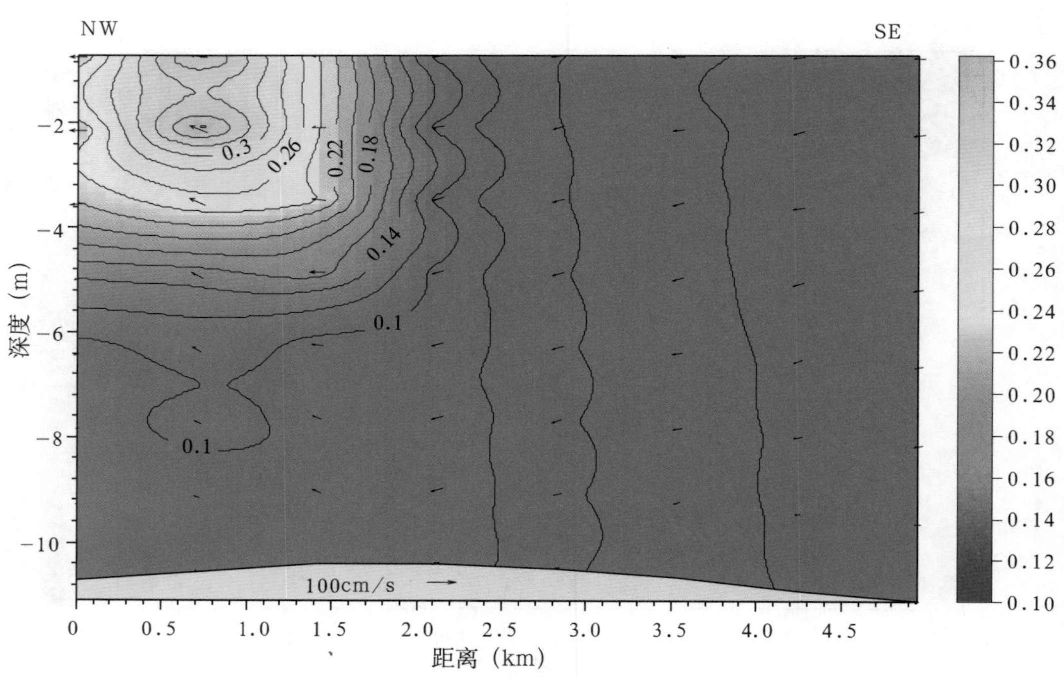

（b）落潮时刻流场和悬沙浓度分布

图 11–15 方案四断面 2 的水流和泥沙浓度分布（单位：g/L）

整个M_2分潮周期内来看，在涨、落潮时段双导堤区域的流势完全由向海的河流径流所控制，尤其在落潮时段北侧导堤的堤头流速强劲，有利于河口泥沙向孤东海堤的区域输送。

因此，从流场变化上看，这一设计方案缩短了河口径流的传输路径，使落潮时的径流在北侧导堤的堤头以较快的流速向海释放，在涨潮时沿南侧导堤向海推进，在南侧导堤的堤头随涨潮流转向东南，同时携带部分河口泥沙向东南方向输送。从整体来看，本设计方案更有利于泥沙向河口北侧运移。

（二）悬浮泥沙浓度分布

潮周期内悬浮泥沙浓度分布显示，落潮时段河口泥沙在北侧导堤的堤头向海呈现一个较大的扇面分布，含沙量高，扩散范围大，与方案一中的泥沙传输形态有很大的不同（见图11−16）。在涨潮时段内，泥沙随径流绕过南侧导堤的堤头转向东南输送，在导堤的南侧形成一个较大的泥沙含量高值区，其形态、位置基本上与涨潮流场的涡旋区相对应（见图11−16(a)～图11−16(e)），同时落潮时段入海的部分泥沙也随涨潮流向南输运，但是与方案一结果相比输运的范围有所不及（见图11−3）。同样，河口泥沙主要在落潮时段向海释放，因此落潮时刻的泥沙含量在量值上比涨潮时刻的要高，由于北侧导堤的缩短，向西北扩展范围也明显加大（见图11−16(f)～图11−16(l)）。这一设计方案明显有利于河口泥沙向西北方向输送，也有利于孤东区域的沿岸沉积，这对于减轻孤东海堤区域的海岸侵蚀是很有利的。

（三）断面结构比较

从断面1的流场结构及含沙量分布情况看，涨、落潮基本由河流径流控制，河口泥沙向海扩展（见图11−17(a)、图11−17(b)）。在涨潮时，泥沙存在较明显的沿程梯度变化，在南侧导堤的堤头，受涨潮流的顶托作用，含沙量分布呈现层化特征，泥沙含量的等值线向河口一侧弯曲，在6m以下的底层主要由海水控制，河口泥沙主要集中在5m以上向海输送；在落潮时段，径流流速加强，河口泥沙扩散范围增强，由于北侧导堤的缩短，河口的径流以及泥沙主要在北侧导堤的堤头转向西北，因此南侧堤头的流速减弱，含沙量分布与涨潮时刻相差不大，但是含沙量的等值线向海一侧弯曲，同时含沙量的垂向分布相对均匀，表明了落潮时刻径流的控制作用。在堤头的底层6m以下由海水控制，因而含沙量较低（见图11−17(b)）。

断面2上涨、落潮时刻的流场结构和泥沙浓度分布均显示在导堤外泥沙以羽状流的形态随涨、落潮流摆动，水体层化结构明显（见图11−18）。涨潮时段底层水体含沙量总体上低于落潮时段，但表层含沙量却高于落潮时段，这是由于在落潮时段河口泥沙主要在北侧导堤堤头向西北输送，在涨潮时表层泥沙又随涨潮流向东南输运，因此导致在南侧导堤堤头表层含沙量高于落潮时段，充分显示出河口泥沙输运的往复过程（见图11−18）。

七、方案六计算结果

本计算方案中北侧的导堤去掉，仅保留南侧导堤，长度不变，河口入海流量为3 000m³/s，考察流场变化及河口泥沙输送过程。

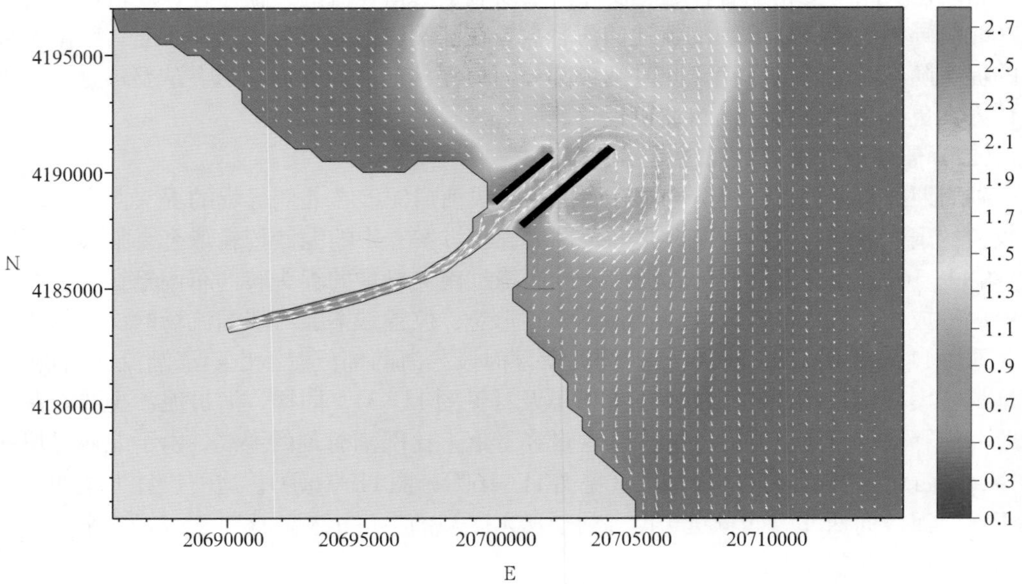

图 11-16(a)　方案五 t =1/12T 时刻潮流场和含沙量（g/L）分布

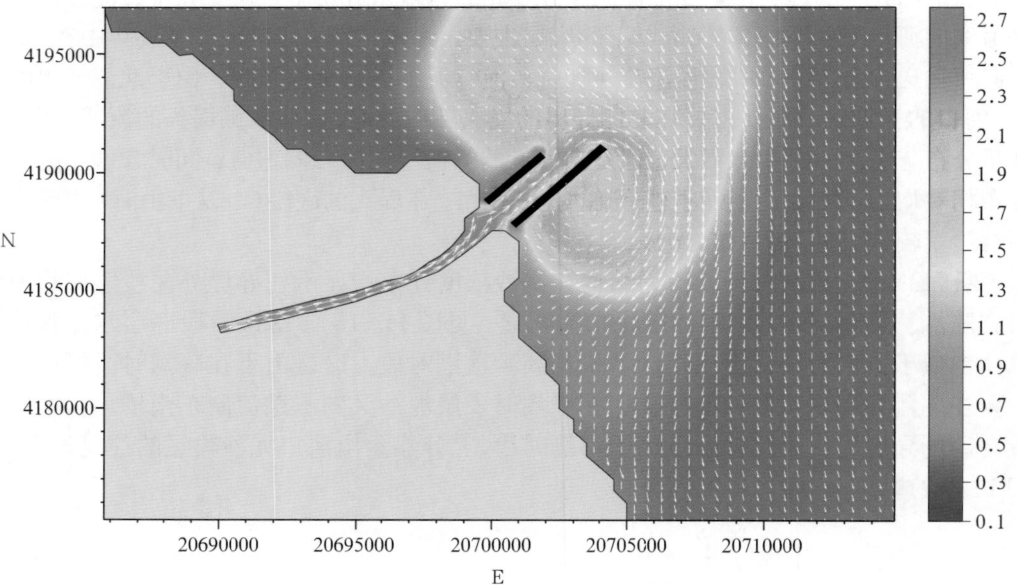

图 11-16(b)　方案五 t =2/12T 时刻潮流场和含沙量（g/L）分布

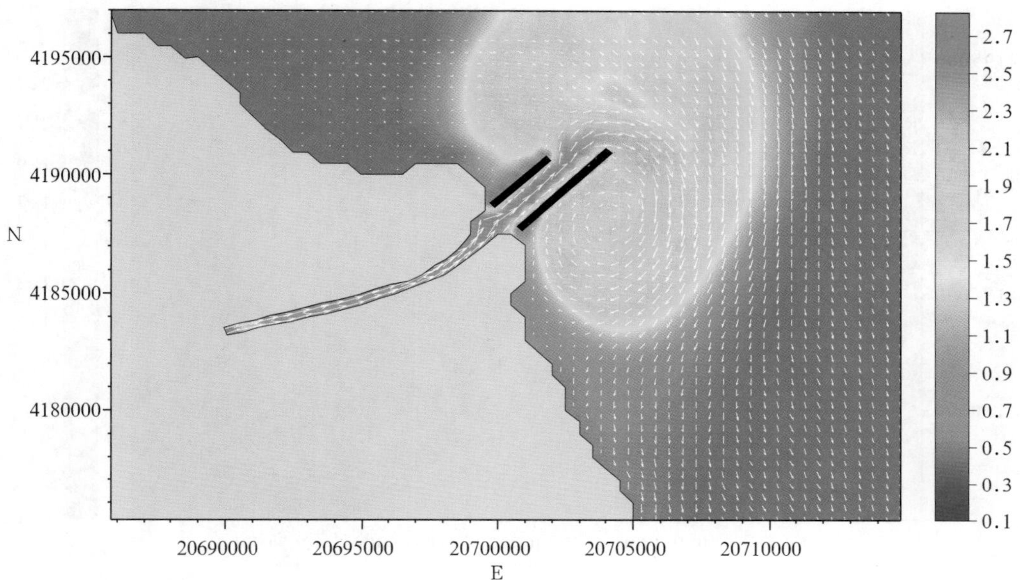

图 11-16(c)　方案五 t =3/12T 时刻潮流场和含沙量（g/L）分布

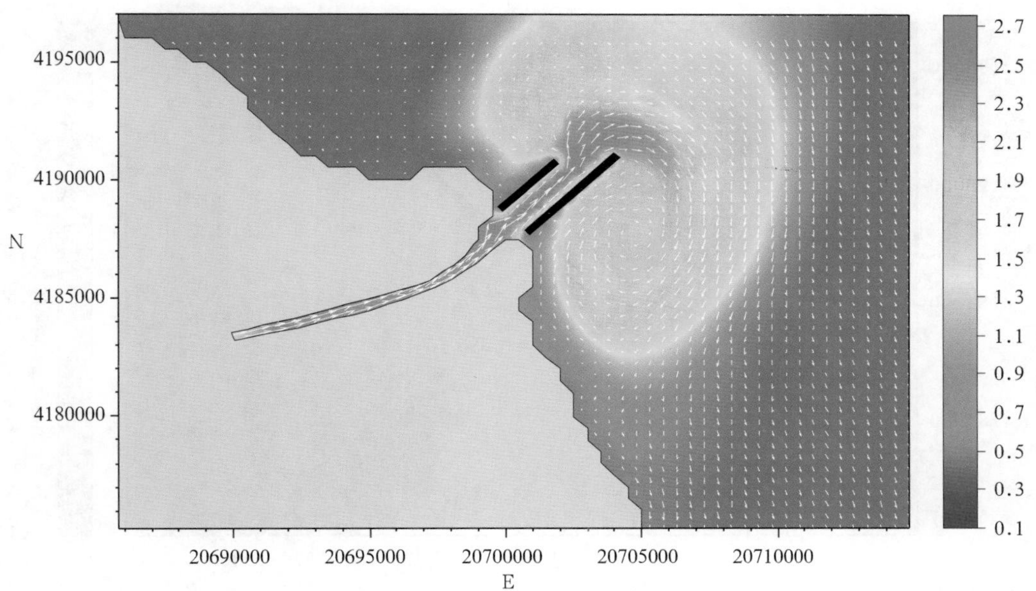

11-16(d)　方案五 t =4/12T 时刻潮流场和含沙量（g/L）分布

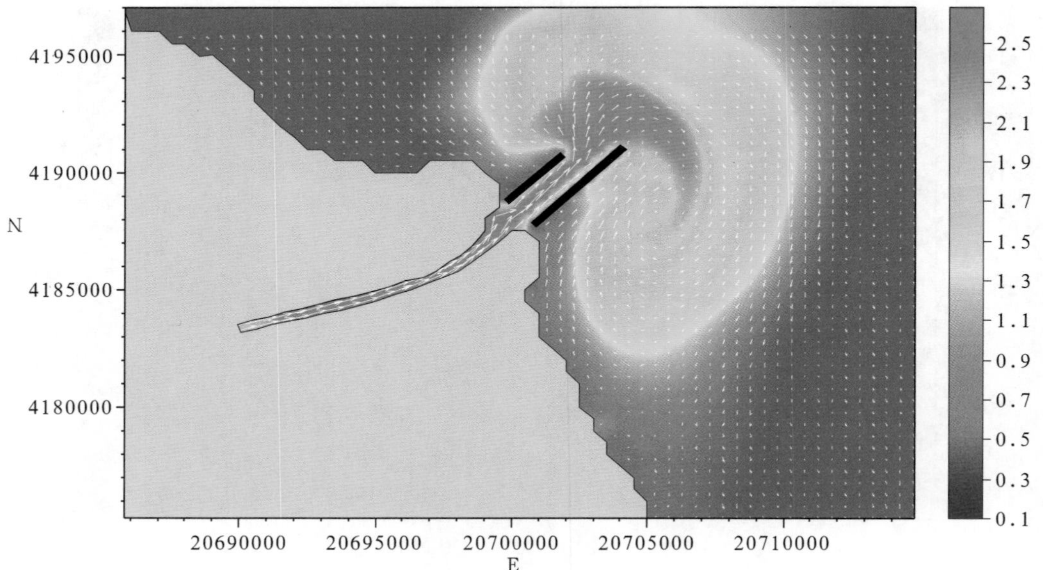

图 11-16(e) 方案五 t =5/12T 时刻潮流场和含沙量（g/L）分布

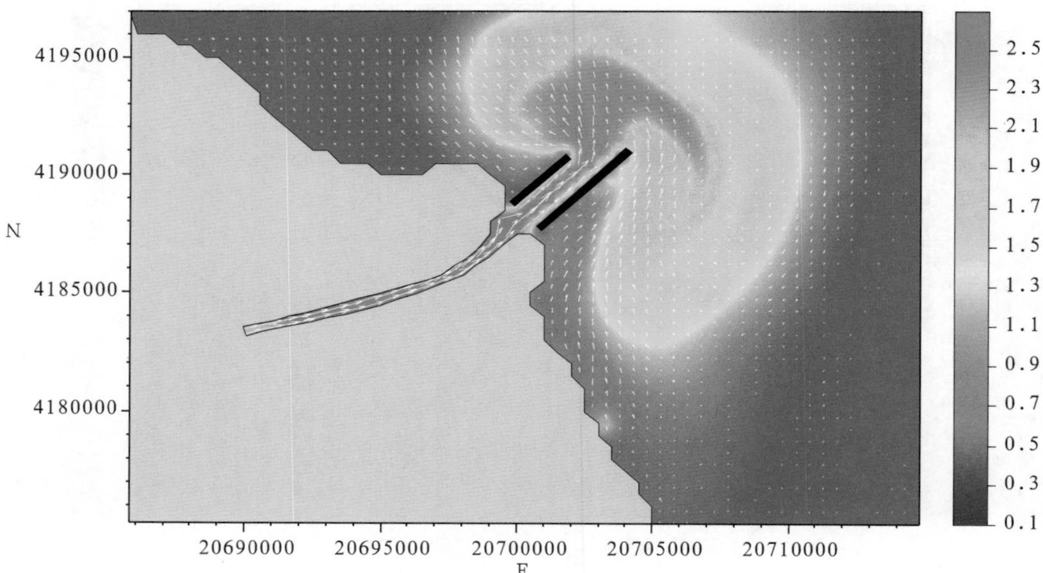

图 11-16(f) 方案五 t =6/12T 时刻潮流场和含沙量（g/L）分布

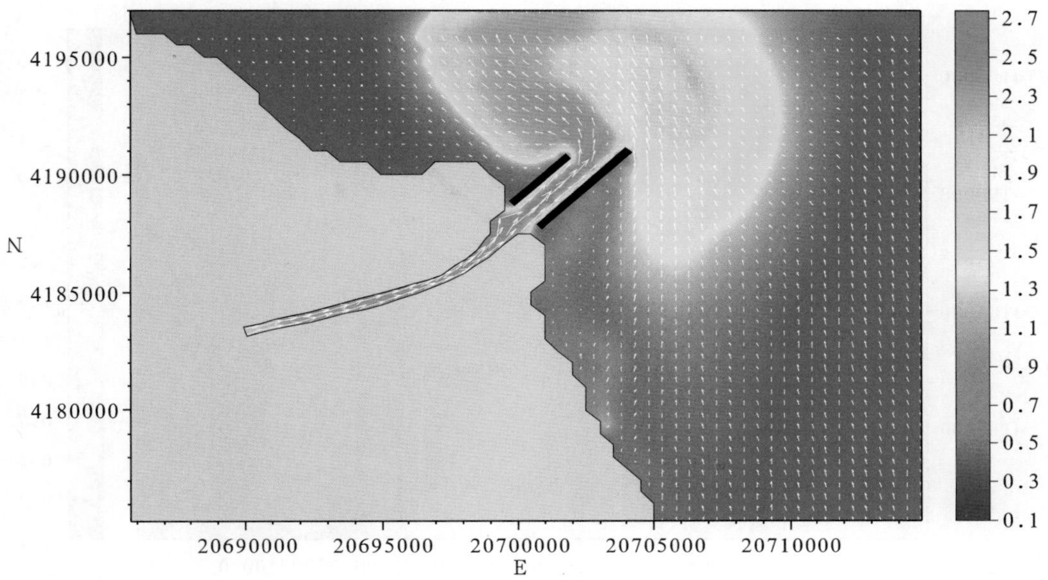

图 11-16(g)　方案五 t =7/12T 时刻潮流场和含沙量（g/L）分布

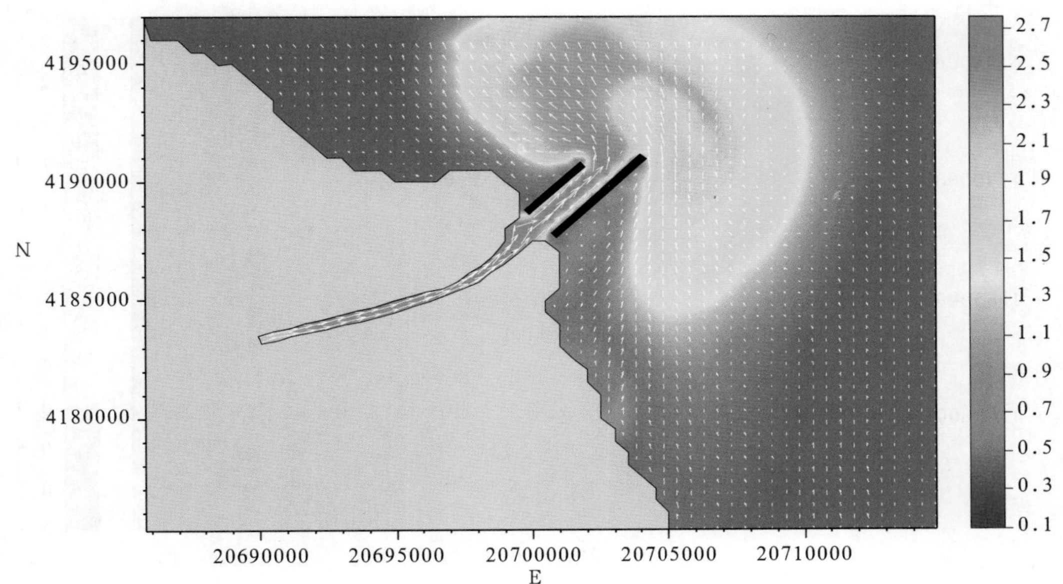

图 11-16(h)　方案五 t =8/12T 时刻潮流场和含沙量（g/L）分布

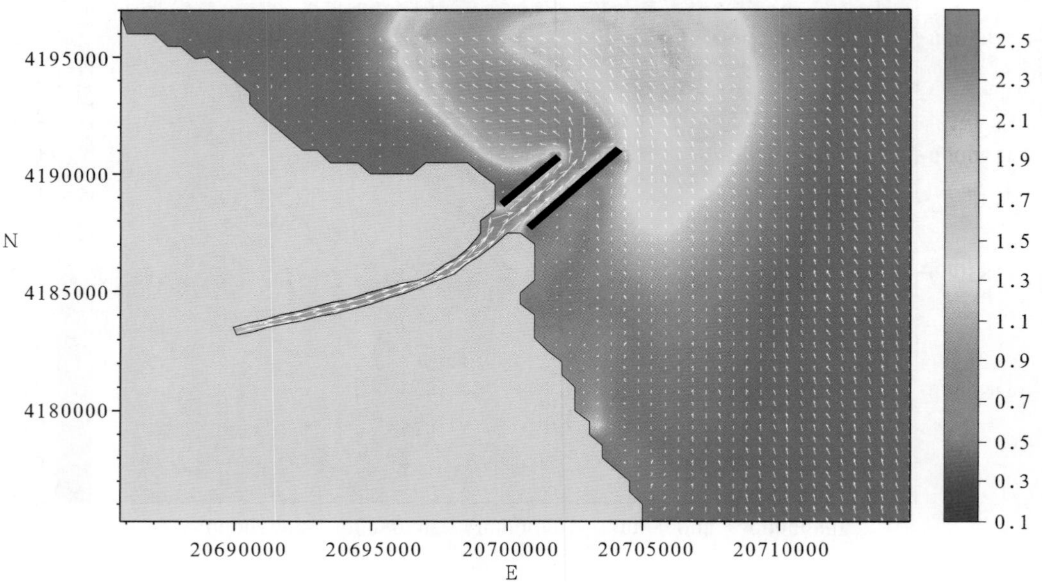

图 11–16(i)　方案五 t =9/12T 时刻潮流场和含沙量（g/L）分布

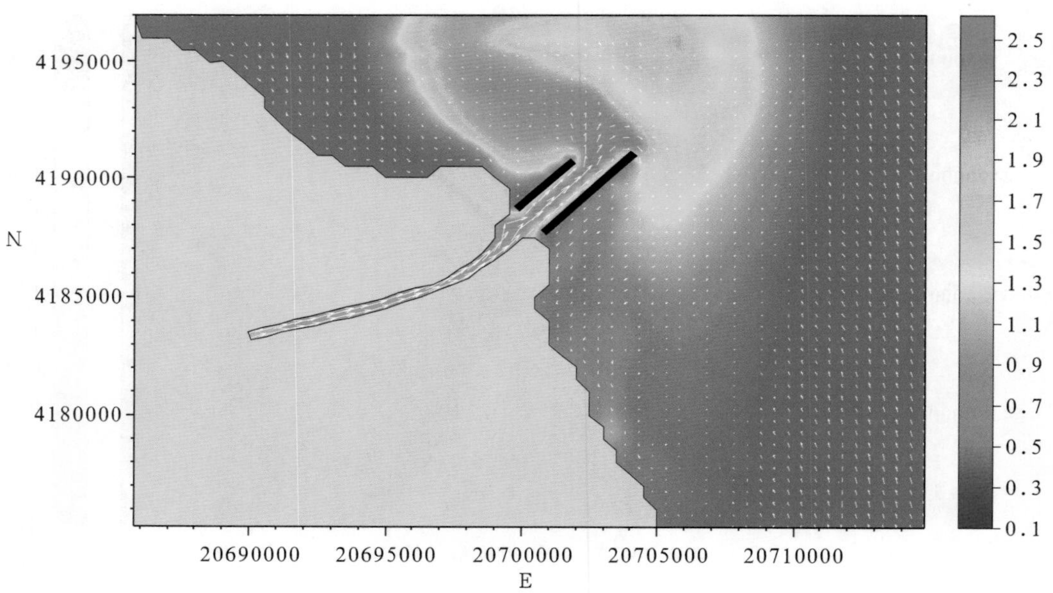

图 11–16(j)　方案五 t =10/12T 时刻潮流场和含沙量（g/L）分布

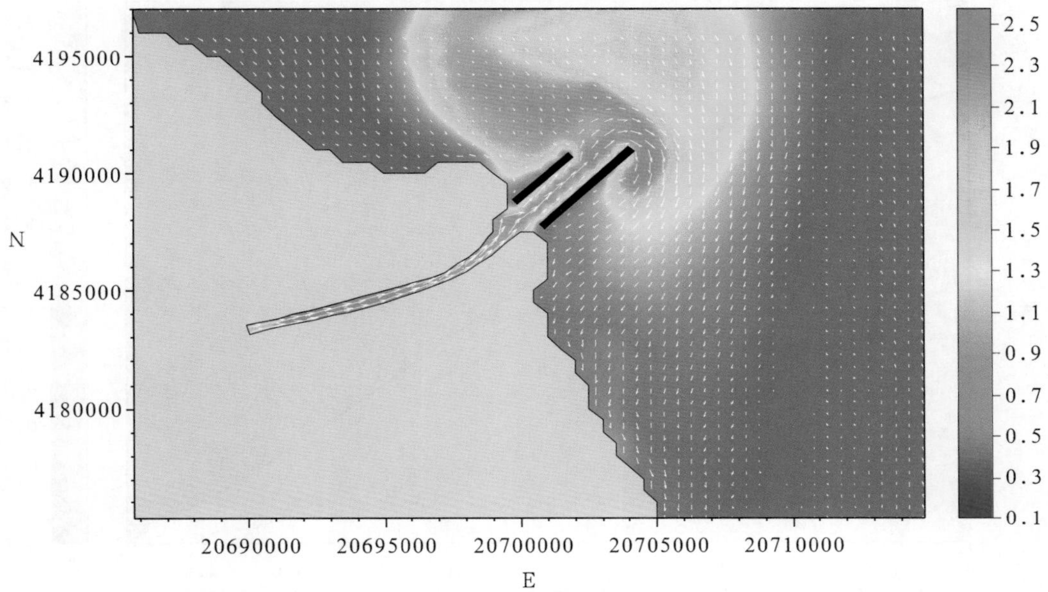

图 11-16(k)　方案五 t =11/12T 时刻潮流场和含沙量（g/L）分布

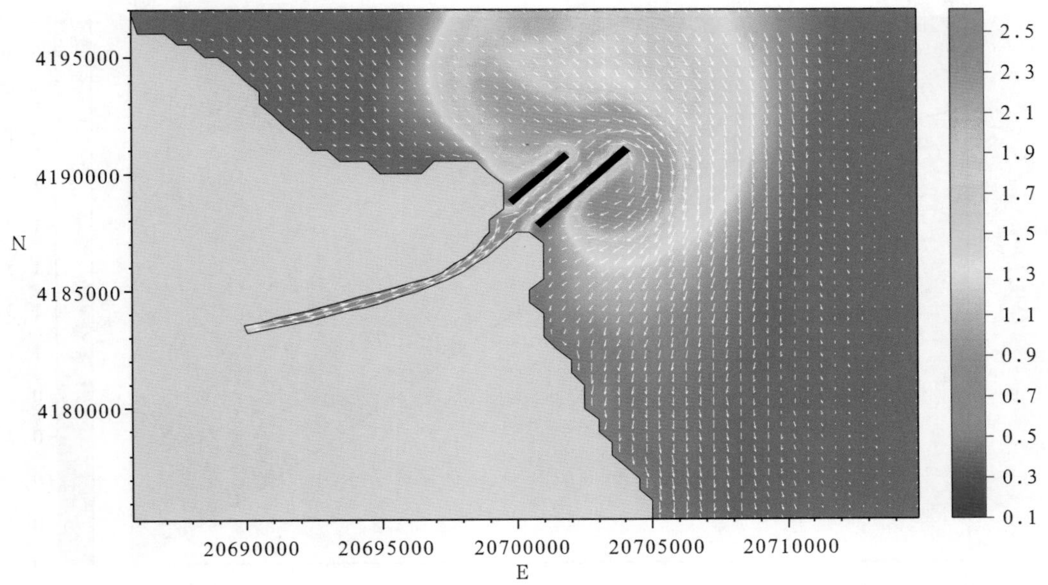

图 11-16(l)　方案五 t =12/12T 时刻潮流场和含沙量（g/L）分布

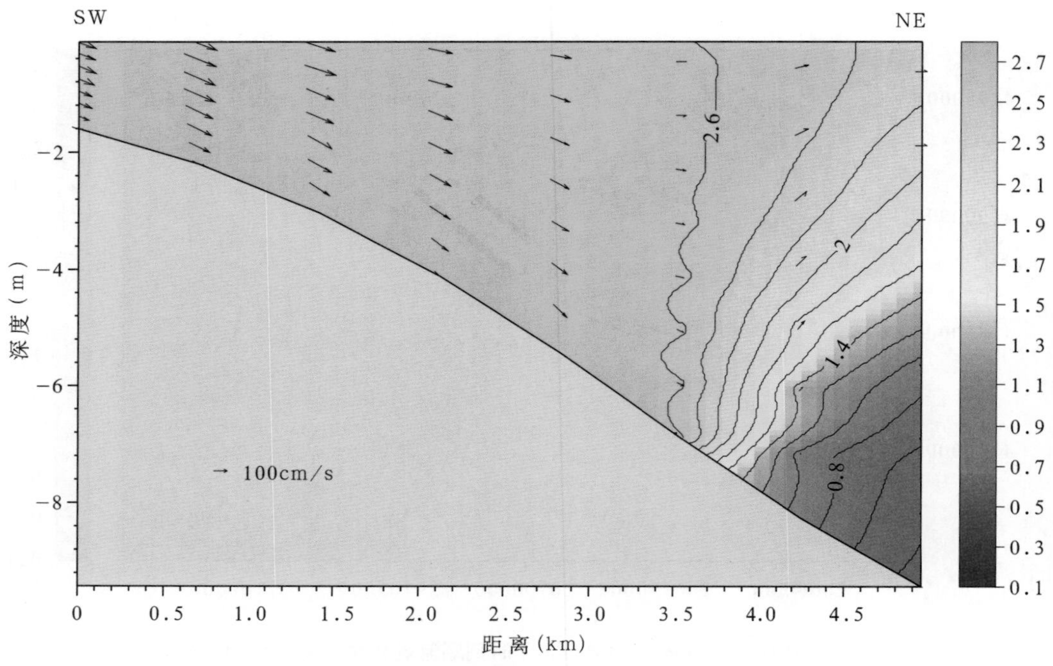

（a）涨潮时刻潮流场和悬沙浓度分布

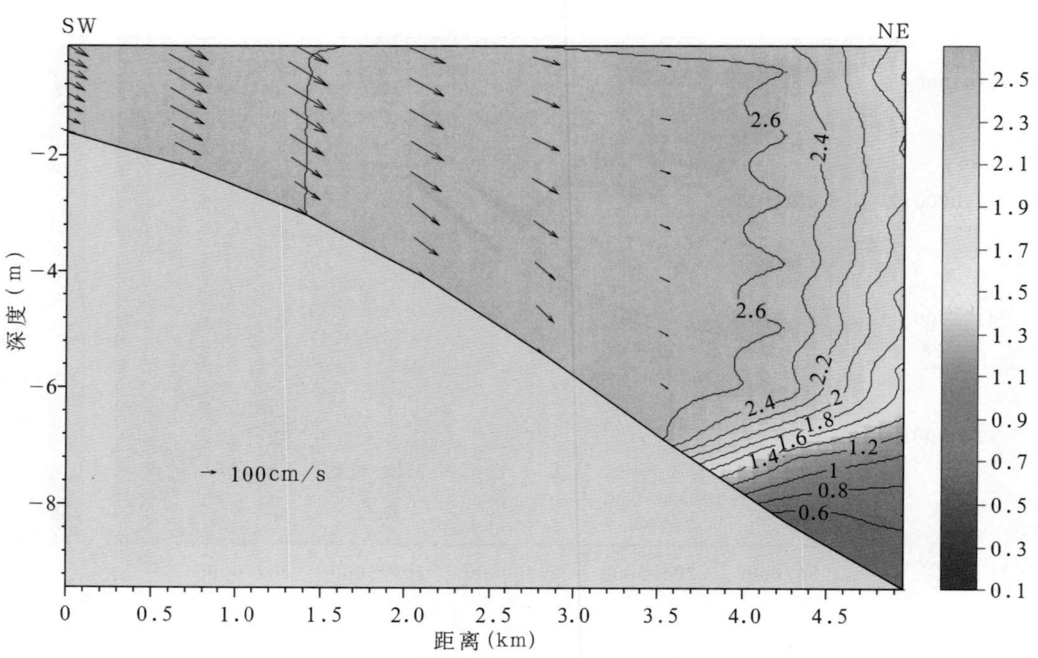

（b）落潮时刻潮流场和悬沙浓度分布

图 11–17　方案五断面 1 的水流和泥沙浓度分布（单位：g/L）

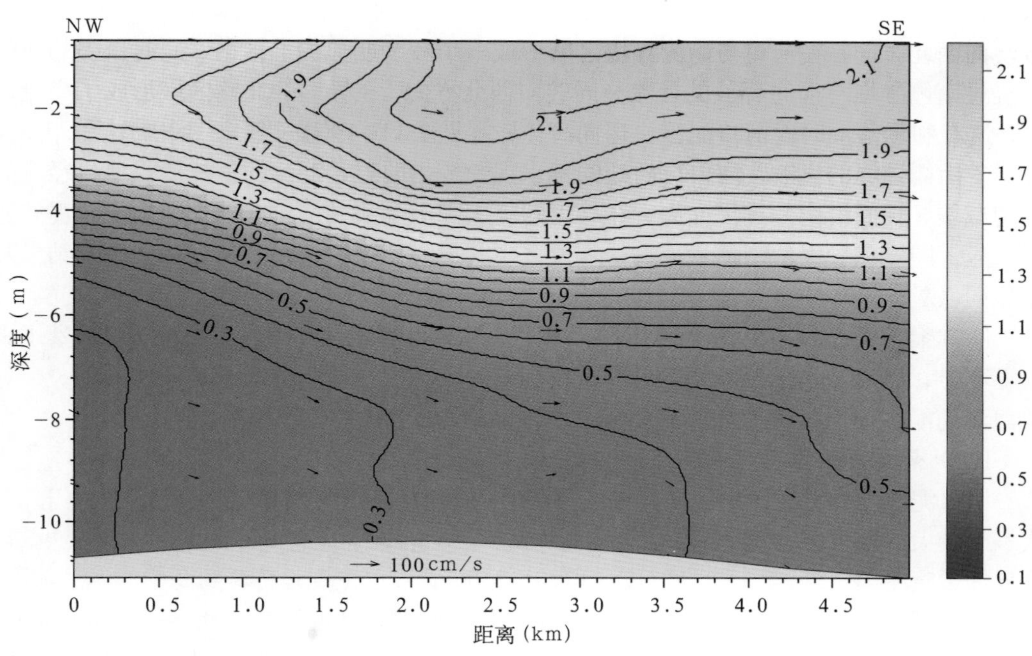

(a) 涨潮时刻潮流场和悬沙浓度分布

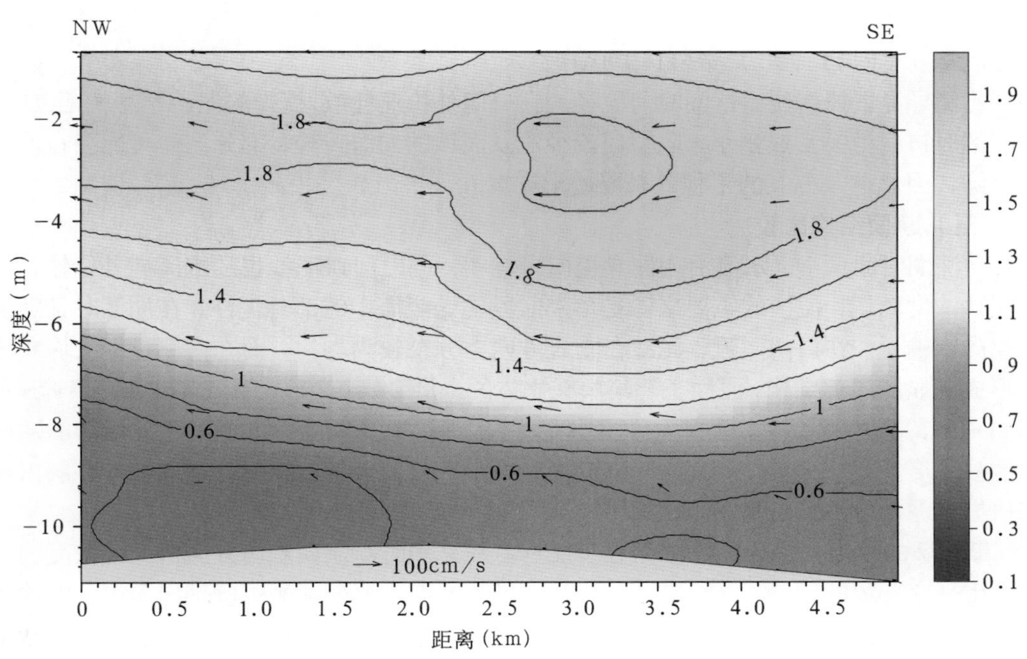

(b) 落潮时刻潮流场和悬沙浓度分布

图 11–18　方案五断面 2 的水流和泥沙浓度分布（单位：g/L）

（一）潮流场计算结果

在北侧导堤去掉及3 000m³/s的入海流量条件下，河口径流在落潮时段不受约束，直接转向西北方向，在河口与南侧导堤之间形成一个较为明显的散射区，同时口外的落潮流绕过南侧导堤与向海释放的径流一同转向西北方向，在导堤的北侧区域形成了高流速区，这有利于落潮时段河口泥沙快速向海传输（见图11－19(i)～图11－19(l)）；在涨潮时段，受南侧导堤的影响，河口口门处的壅水现象较为明显，潮流的顶托使得河口径流的流速减缓，转而沿南侧导堤向海，在导堤的堤头随涨潮流转向东南方向，由于导堤的遮蔽效应，同样在导堤的南侧形成一个涡旋区，其形态、中心位置均与方案五中的结果基本相同（见图11－19(a)～图11－19(h)）。

同方案五的计算结果相比，由于本设计方案中北侧导堤去掉，在涨潮时段的壅水现象要明显，河口泥沙排放不畅，另外，在落潮时段径流在口门处形成较大的散射，会导致河流动能在口门外快速耗散，使河口泥沙向海传输受到一定程度的影响。

（二）悬浮泥沙浓度分布

河口泥沙向海释放还是主要集中在落潮时段，随径流量向西北方向传输，在口门外形成一个较大的散射区，悬浮泥沙浓度较高（大于2.0 g/L），在高泥沙浓度的核心区外，也即导堤影响距离之外，是一个低浓度区（1.0～2.0g/L），这主要是传输到海中的泥沙随涨、落潮来回摆动所致，高浓度区与低浓度区的界面非常明显（见图11－19(i)～图11－19(l)）。在涨潮时段，由于口门处的壅水现象明显，因此河口泥沙向海排放并不顺畅，口门及导堤附近的泥沙含量降低（小于2.0g/L）；在落潮时段排放入海的泥沙又随涨潮流向河口南侧传输，但是泥沙浓度已经大为降低，并且主要集中在导堤南侧的涡旋区，随着流速减低会落淤沉降（见图11－19(a)～图11－19(h)）。

北侧导堤去掉会使得落潮时河流径流在口门外快速耗散，携带的泥沙容易就地沉降；在涨潮时口门处易形成壅水，阻塞河流径流及泥沙的向海传输，部分泥沙可能会在河道内沉降，因此这一方案的工程效果要逊于方案五。

（三）断面结构比较

在涨潮时断面1上水流沿南侧导堤向海运动，同时河口泥沙也随水流向外传输，但是泥沙浓度较低，泥沙的主要来源是落潮时段输送至海中的部分泥沙，在涨潮时又随涨潮流向南输送。在口门附近，泥沙在垂直方向上分布较为均匀，而在南侧导堤的堤头区域形成明显的层化结构，泥沙主要集中在水体的上层，由表至底，泥沙浓度快速衰减（见图11－20(a)）；在落潮时，河口泥沙主要在口门处随径流转向西北输送，因此沿导堤断面上泥沙浓度沿程快速衰减，在水平方向上形成较大的泥沙浓度梯度，在堤头的底层由海水占据，泥沙浓度低（见图11－20(b)）。

断面2的水流及悬浮泥沙浓度分布显示，在涨潮时水流向东南方向，泥沙浓度的高值区出现在导堤的南侧，泥沙浓度为2.0g/L左右，这主要是落潮时段排向海中的泥沙随涨潮流绕过导堤的堤头在其南侧形成高值区，绝大部分泥沙集中在水体的表层，悬沙浓度的层化结构非常明显（见图11－21(a)）；在落潮时，河口泥沙主要在口门处随落潮流向西北输送，从而难以到达导堤的堤头，堤头的泥沙主要是源自导堤南侧，集中在表层随落潮流向西北传输（见图11－21(b)）。

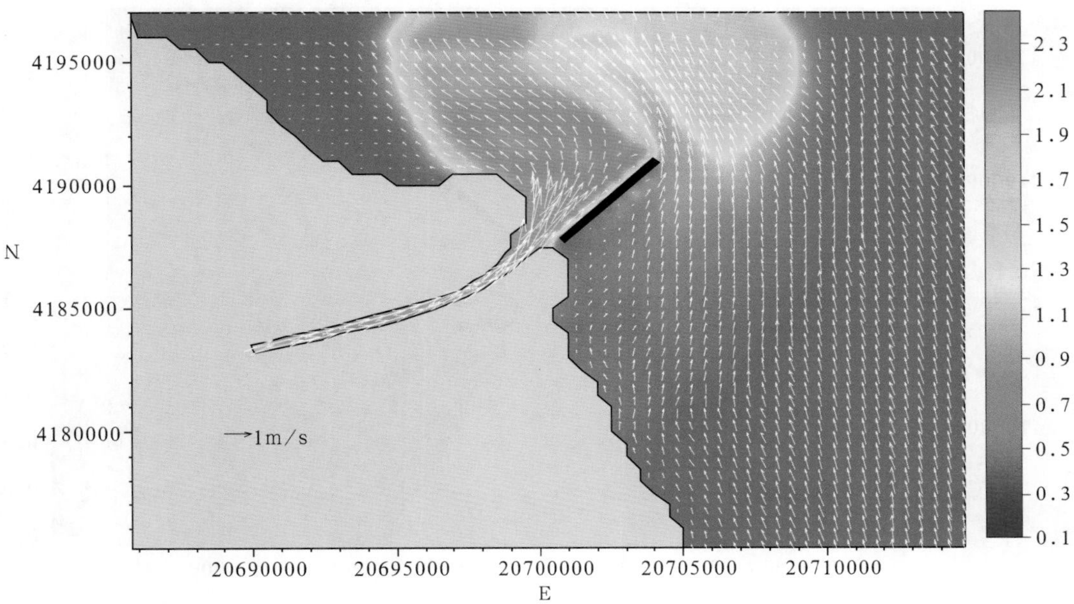

图 11-19(a) 方案六 t =1/12T 时刻潮流场和含沙量（g/L）分布

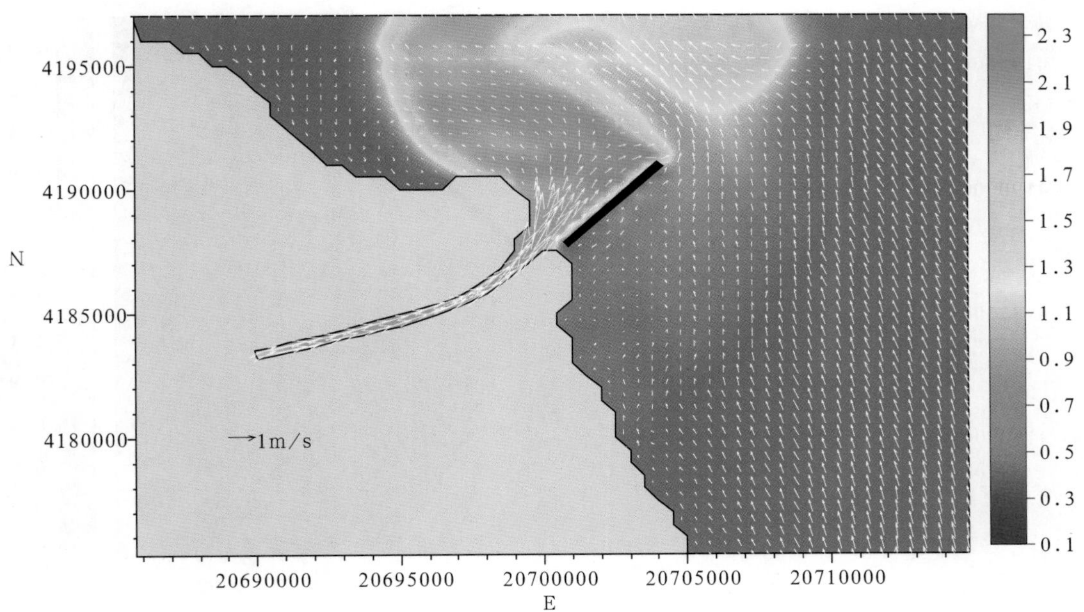

图 11-19(b) 方案六 t =2/12T 时刻潮流场和含沙量（g/L）分布

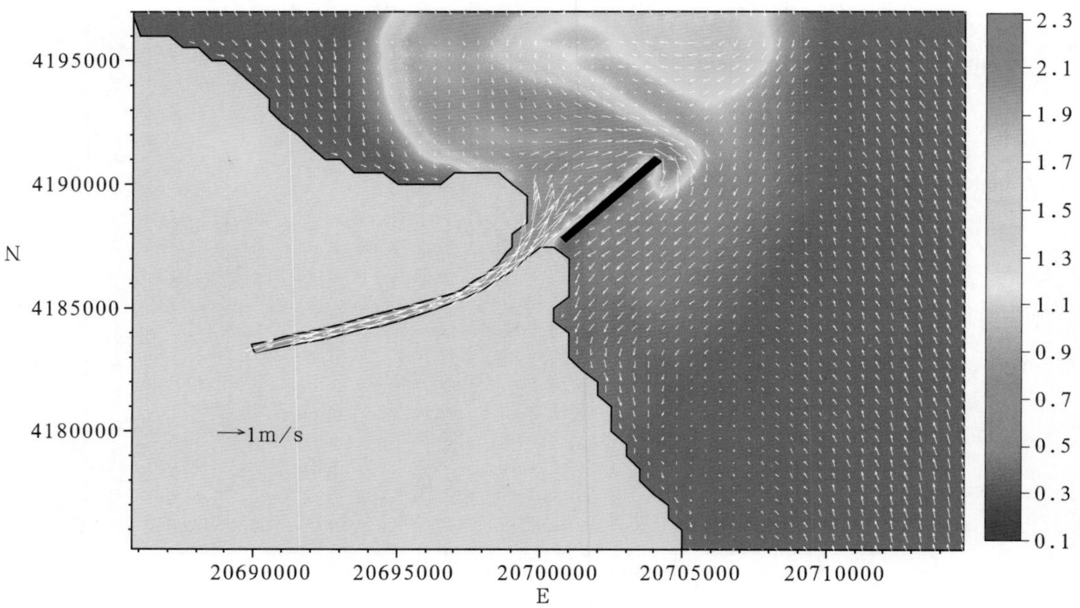

图 11-19(c)　方案六 t =3/12T 时刻潮流场和含沙量（g/L）分布

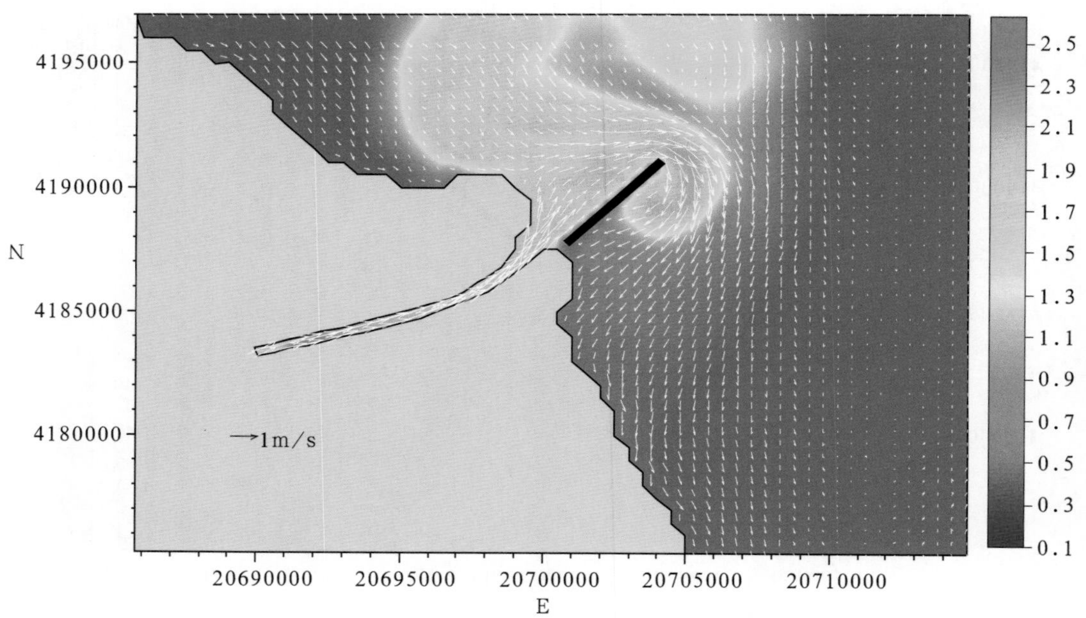

图 11-19(d)　方案六 t =4/12T 时刻潮流场和含沙量（g/L）分布

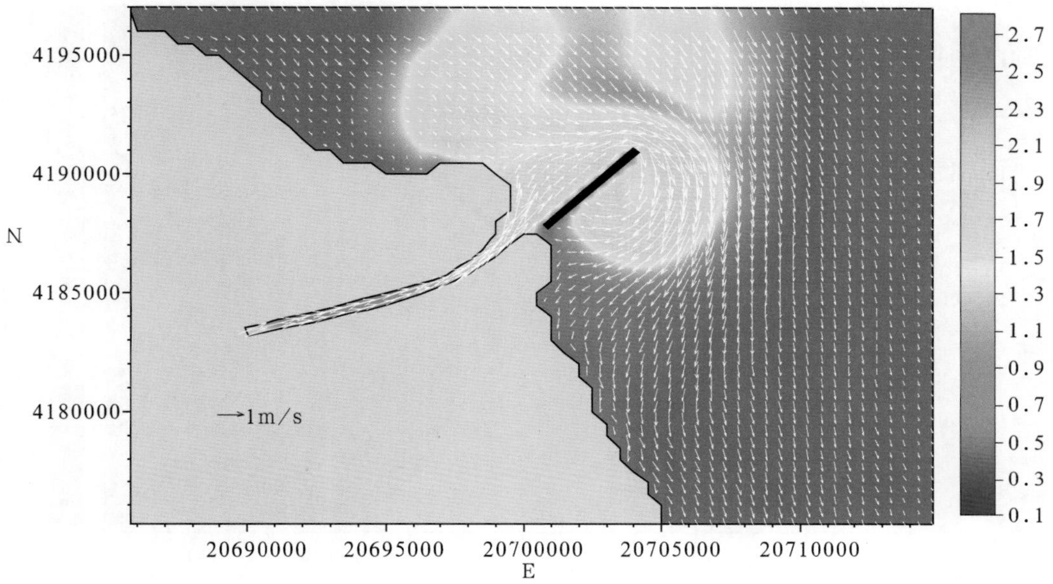

图 11-19(e)　方案六 t =5/12T 时刻潮流场和含沙量（g/L）分布

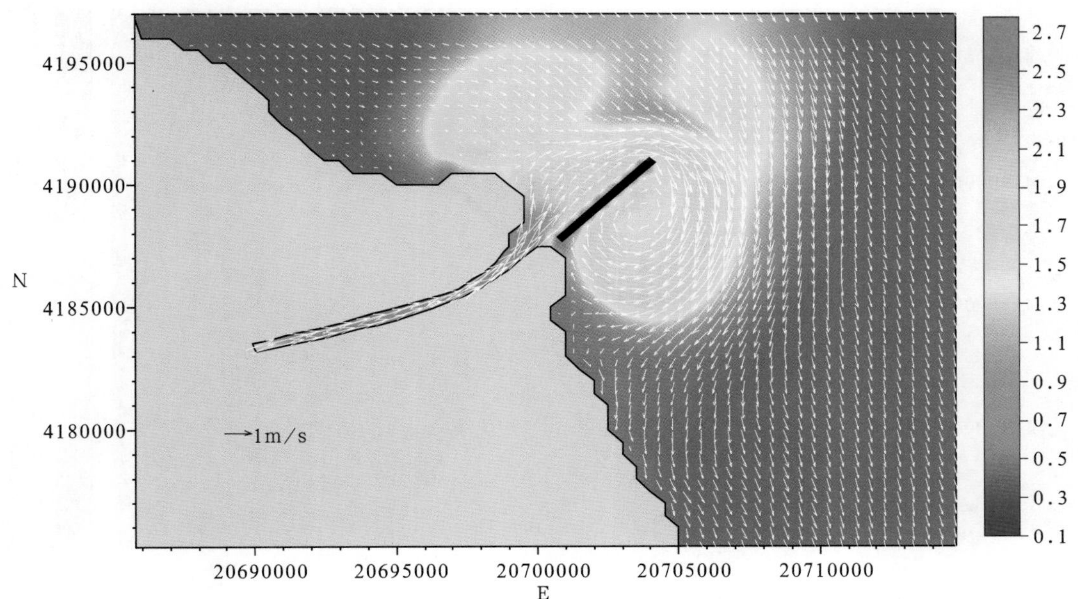

图 11-19(f)　方案六 t =6/12T 时刻潮流场和含沙量（g/L）分布

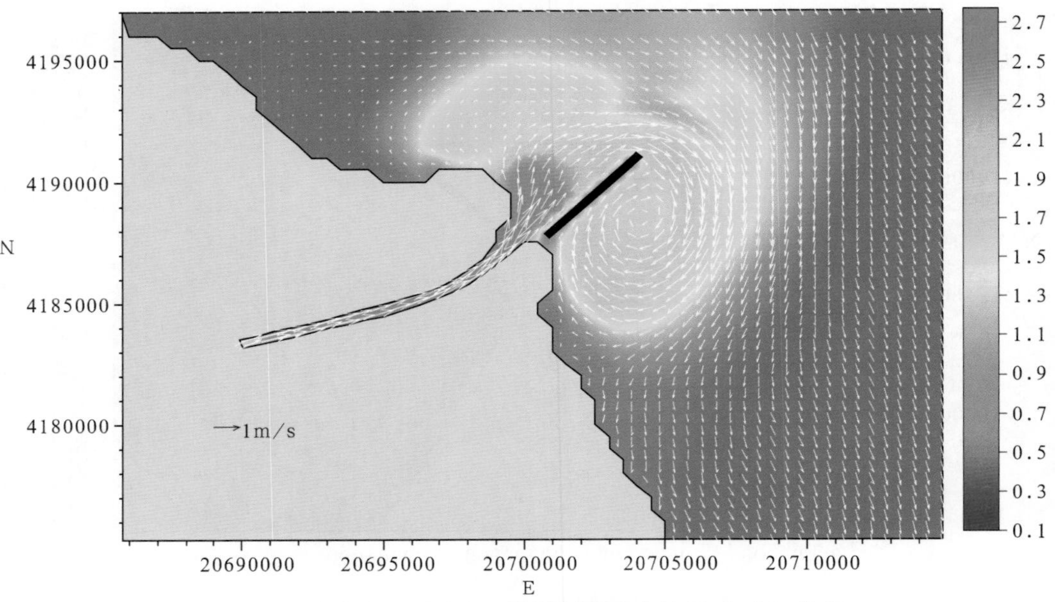

图 11-19(g)　方案六 t =7/12T 时刻潮流场和含沙量（g/L）分布

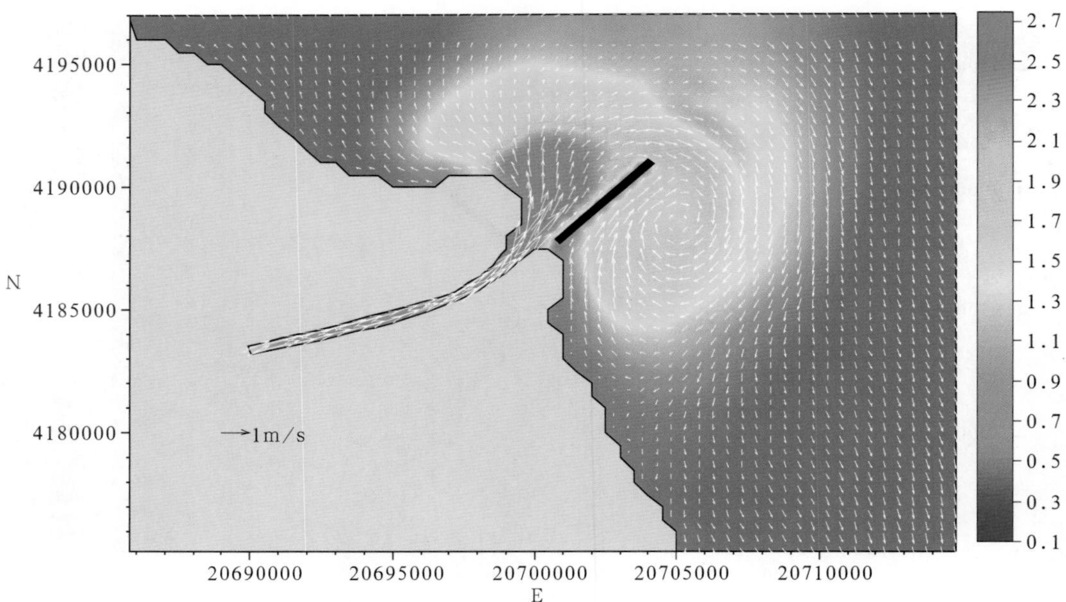

图 11-19(h)　方案六 t =8/12T 时刻潮流场和含沙量（g/L）分布

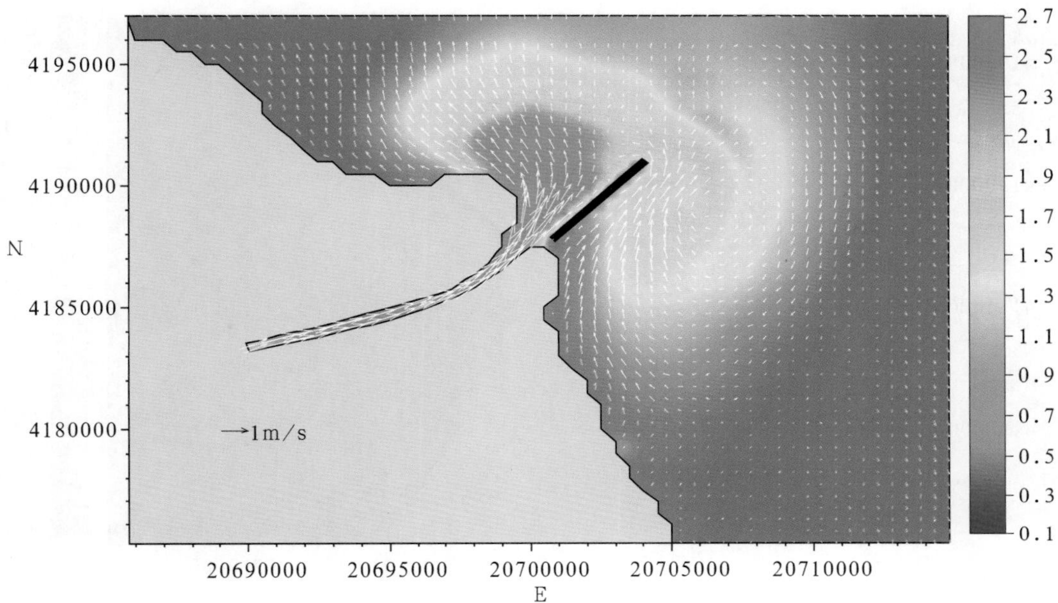

图 11-19(i)　方案六 t =9/12T 时刻潮流场和含沙量（g/L）分布

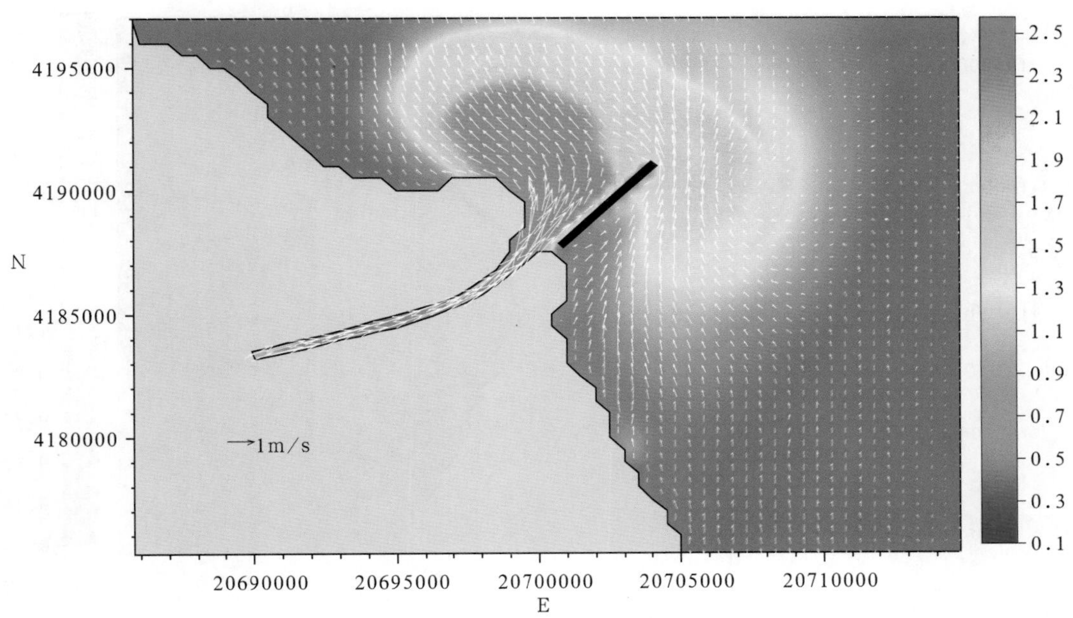

图 11-19(j)　方案六 t =10/12T 时刻潮流场和含沙量（g/L）分布

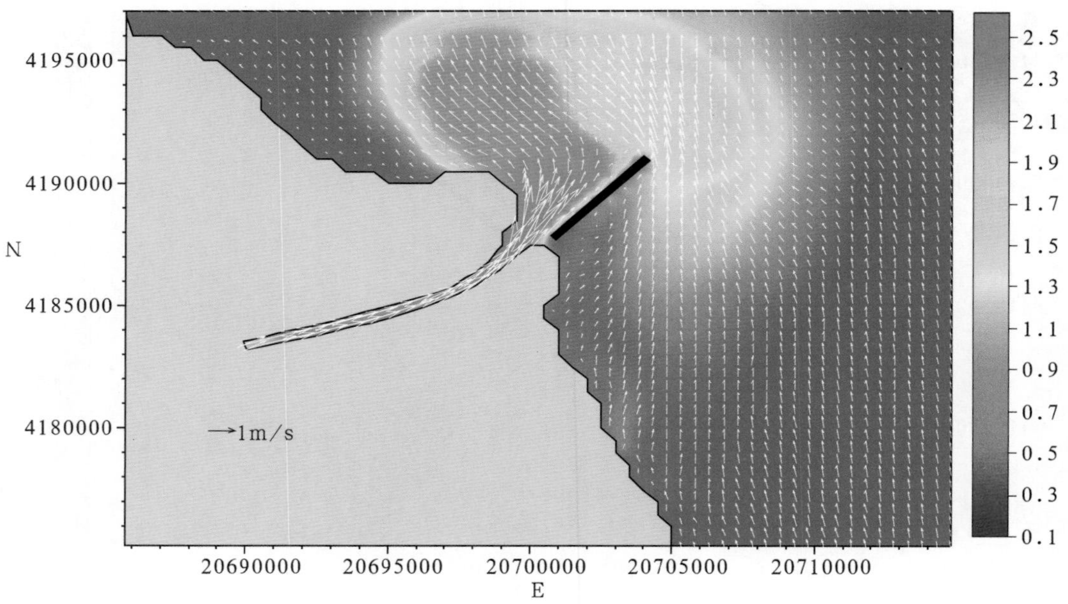

图 11-19(k)　　方案六 t =11/12T 时刻潮流场和含沙量（g/L）分布

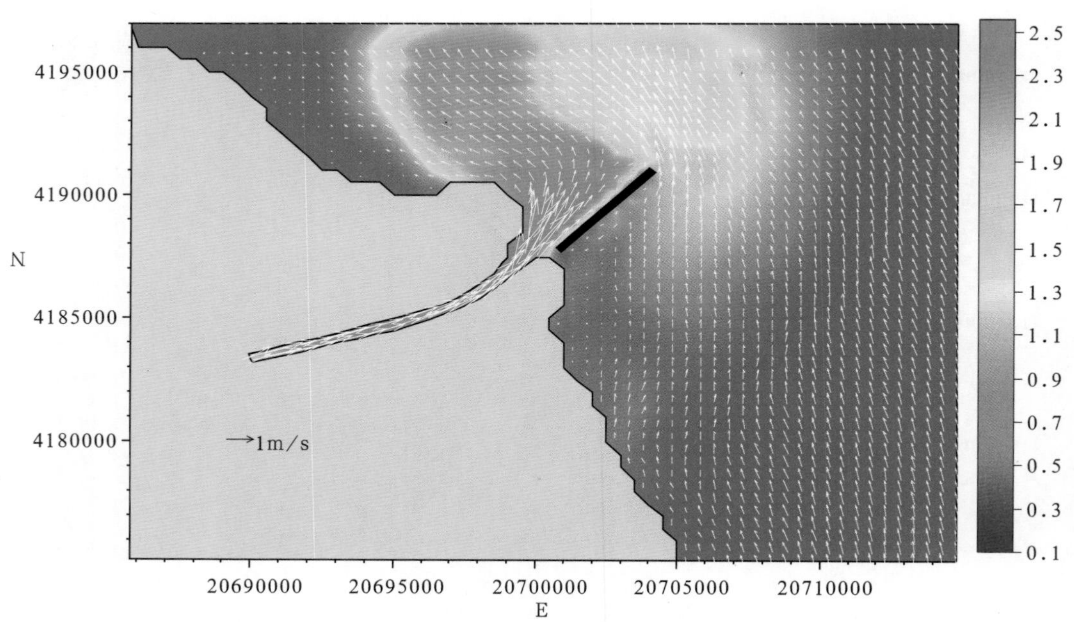

图 11-19(l)　　方案六 t =12/12T 时刻潮流场和含沙量（g/L）分布

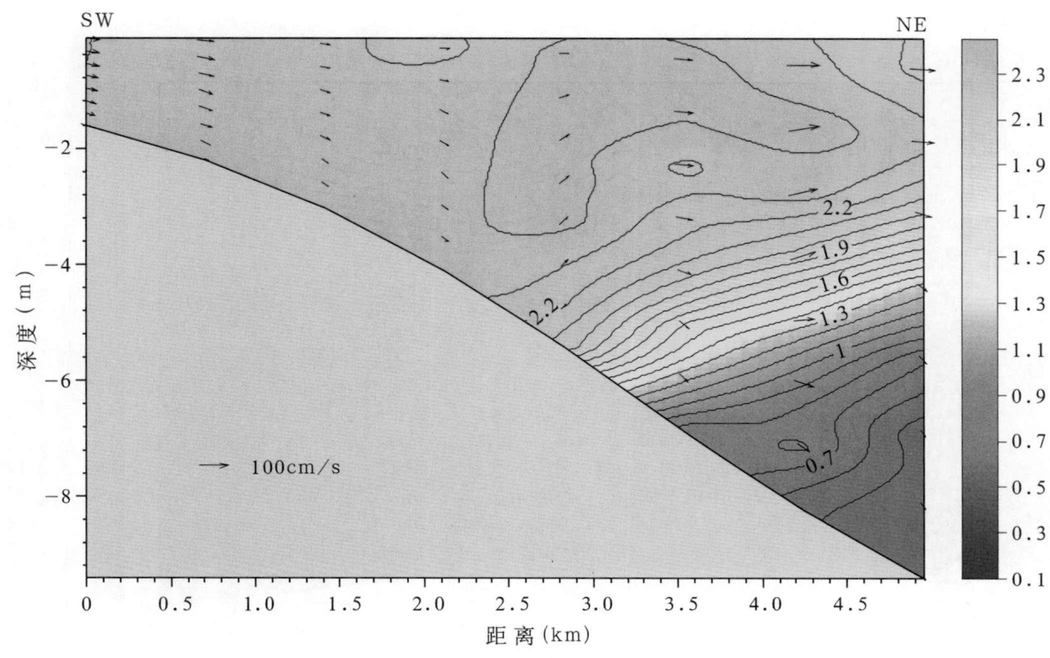

(a) 涨潮时刻流场和悬沙浓度分布

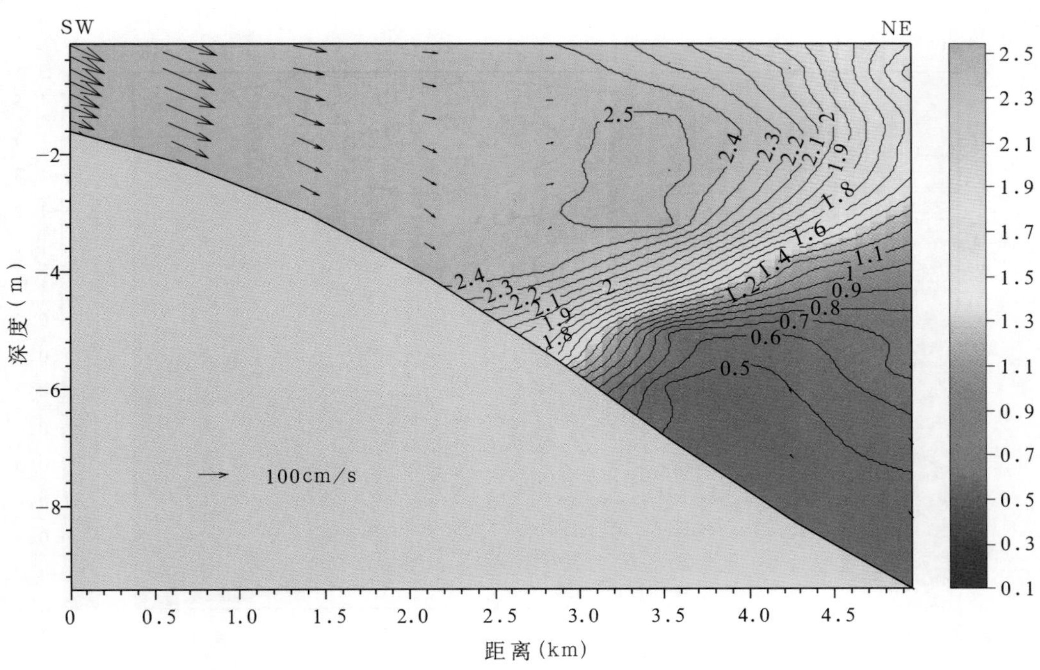

(b) 落潮时刻流场和悬沙浓度分布

图 11–20　方案六断面 1 的水流和泥沙浓度分布（单位：g/L）

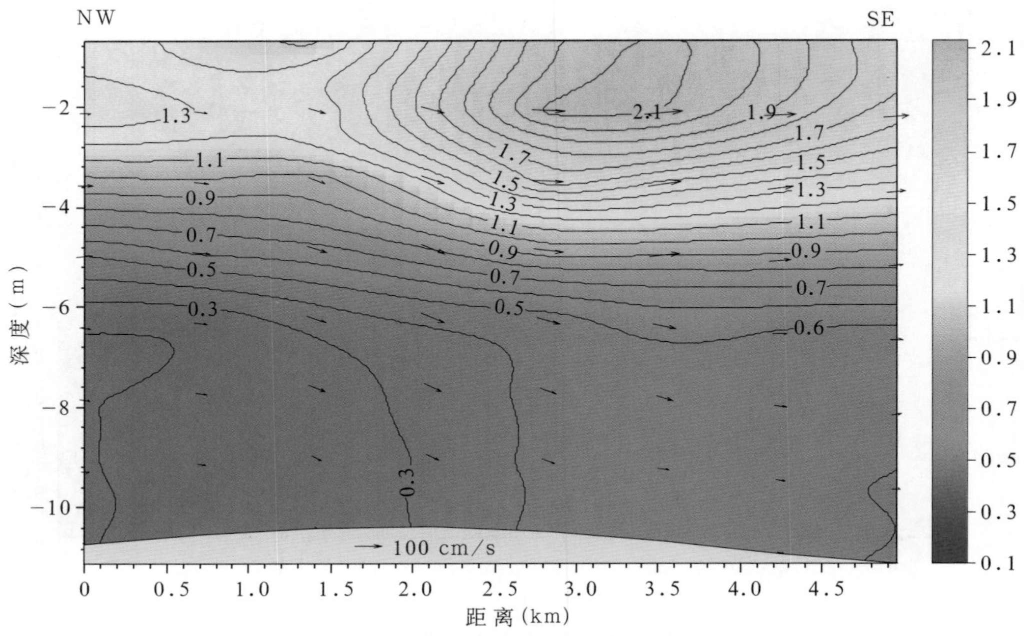

(a) 涨潮时刻流场和悬沙浓度分布

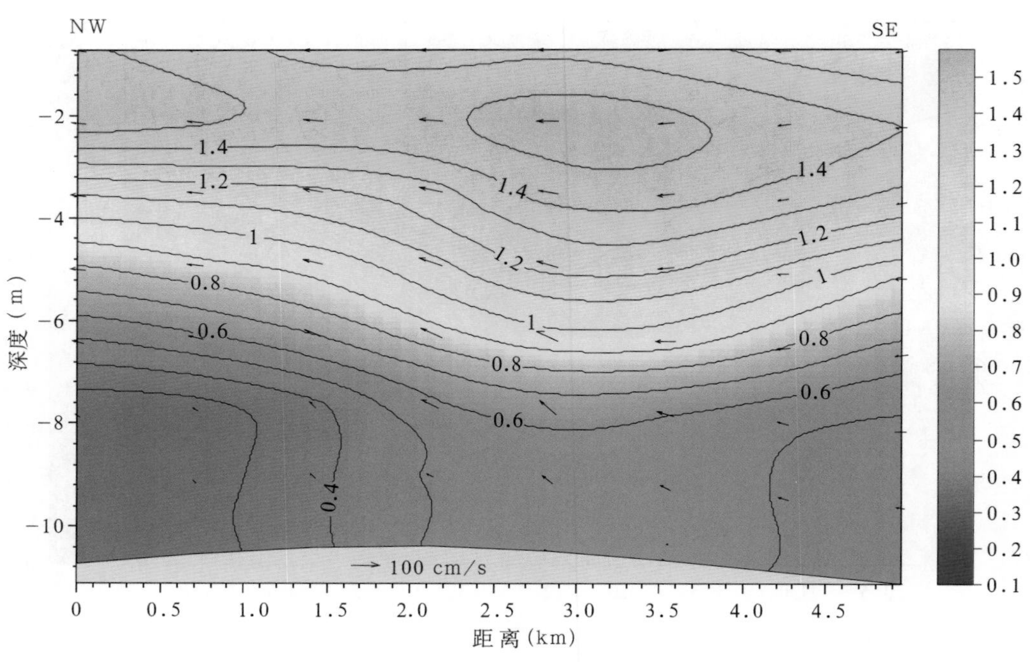

(b) 落潮时刻流场和悬沙浓度分布

图 11-21 方案六断面 2 的水流和泥沙浓度分布（单位：g/L）

第四节　结论与建议

一、结论

通过上述6种计算方案所得的结果及分析，可以得出以下主要结论：

(1) 在3 000m³/s条件下结合河口双导堤的束水强流作用，能够将河口泥沙顺利排放进入海域，双导堤的内部能够形成不同程度的冲刷；入海的泥沙随涨、落潮流输送，充分体现出双导堤束水攻沙的效应；双导堤堤头流速得到强化，很难形成有效的淤积，拦门沙在短期内无法形成。在双导堤的南北两侧由于导堤的遮蔽作用会形成弱流区，这是河口泥沙落淤沉积的可能区域，大部分的河口泥沙会随涨、落潮流输送到近岸的区域，对于岸滩的防护很有意义。

(2) 在1 500m³/s条件下，河流的动能与外海潮流动能基本相当，泥沙在整个潮流周期内都能够入海，但是在涨潮时段由于潮流的顶托，双导堤内流速明显减弱，泥沙在堤头部位的落淤也会很明显；在落潮时段，导堤内流速加强，落淤的泥沙会通过再悬浮入海。长期作用下，双导堤内部会有一定的淤积，需要对双导堤内的地形和淤积状况进行监测，定期进行清淤，保证泥沙入海的通畅。从计算的流场和泥沙浓度分布来看，河口流量应当控制在1 500m³/s以上，这样泥沙可以通畅入海，同时也可以减少双导堤内的淤积，真正实现双导堤的工程目的。

(3) 在300m³/s条件下，河流径流的动能低于外海潮流动能，在涨潮时段形成了盐水入侵和盐水楔，河流泥沙入海仅限于落潮时段，向海排放的比例降低，泥沙入海仅仅以表层羽状流的形式入海，在垂向上有很明显的层化特征。在涨潮时盐水入侵，双导堤内水位抬高，流速降低，相当一部分泥沙可能在双导堤内落淤沉降，对双导堤有不利的影响。在低流量条件下，双导堤的工程意义得不到有效的体现。

(4) 在东北大风和300m³/s流量组合条件下，河口泥沙很难向海排放。不仅在涨潮时段，在落潮时段由于东北风引起的风生流作用双导堤内的流速也很弱，向海排放泥沙的通量也很低；涨潮时段盐水入侵到河道内部，河道—双导堤区段悬沙浓度沿程快速衰减，由于风浪的搅动混合在垂向上呈现近似均匀的分布特征，这样使得河口泥沙沉积在河道和双导堤内，抬高了河道和双导堤的底床高程。在双导堤外部，其南北两侧和堤头部位都是可能的侵蚀区，形成了双导堤内部淤积、导堤外部侵蚀的形态。冬季这种气象条件与低流量的条件相结合对双导堤和河道的淤积影响很严重。

(5) 北侧导堤仅延伸至−5m等深线、河口流量为3 000m³/s的条件下，河口径流和泥沙入海路径缩短，在落潮时段北侧导堤的堤头径流流速大，随落潮流向西北偏转，携带的泥沙在口外形成一个较大的扇面扩散区，含沙量高且分布范围大，有利于泥沙向河口的北侧输运，这对于孤东区域的沿岸沉积、减轻该区域的海岸侵蚀有重要意义。在涨潮时段，泥沙随径流沿南侧导堤向海推进，在南侧导堤的堤头随涨潮流转向东南，主要集中在南侧导堤后的涡旋区内，扩散范围相对集中。此方案下河口泥沙向南传输的趋势减弱，向西北的传输加强，对于河口泥沙的向海排放以及缓解孤东海域的海岸侵蚀相当有利。

(6) 去掉北侧导堤，仅保留南侧导堤，使得河口径流向海排放过程中减少了约束，出河口口门后直接转向西北，在河口与南侧导堤之间形成径流的散射区，泥沙入海后的传输范围增大。在涨潮时段，受南侧导堤的影响，河口口门附近出现明显的壅水现象，阻塞径流及泥沙的向海传输，导致河口径流流速减缓，泥沙浓度降低，泥沙易在河道内沉降，仅有部分河口泥沙沿南侧导堤随涨潮流转向导堤的南侧在涡旋区内沉降淤积。另外，落潮期间，径流动能在散射区内快速耗散，也容易导致泥沙就地沉降，不利于将河口泥沙输送至远离河口的区域。

根据河口流场、泥沙输运过程的计算结果，综合比选上述工程方案，同时考虑工程造价因素，建议采用方案五，即南侧导堤从河口口门沿东北方向延伸至−10m等深线，而北侧导堤从河口口门沿东北方向延伸至 −5m 等深线，南北导堤间距为 500m。

在河口双导堤的工程实施过程中建议采用逐步实施的办法，即先建南侧导堤（−10m等深线），对河口区域的流场及泥沙输运过程进行监测和深入分析，合理评价其工程效应。北侧导堤（至 −5m 等深线）修建完成后进行流场及泥沙输运过程监测，综合评价工程效应，这样在一定程度上可以保证工程实施的合理性，保证工程实施能紧密围绕预期的河口治理目标。

二、建议

上述结论是根据数值模拟的结果分析得出的初步研究结果，为进一步对黄河口双导堤工程的排沙效应进行工程评价和方案设计，提出以下建议：

(1) 数学模型是基于物理过程的数学描述，由于在实际中往往存在很多不确定的因素和难以进行数学描述的过程，因此研究得出的只是趋势性的结果，建议开展室内物理模型试验，只有通过二者相互结合、相互验证才能得出更为科学的结论。

(2) 从上述模拟结果看，不同流量条件和不同季候条件下泥沙输运过程差别很大，建议加强对小浪底水库水沙调度方案的研究，对不同季节和不同流量条件下双导堤工程的输沙效应作具体评价。

(3) 基于目前收集的历史资料和观测资料得出的结论是初步的，具有一定的局限性，要深入研究利用河口双导堤输送河口泥沙的问题，建议对目前河口区域的流场、泥沙运动、地形和波浪状况进行全方位时空同步监测，分析水流、泥沙运动与双导堤内冲淤的关系，为河口双导堤工程的实施和工程效应的评价提供更为科学的依据。

参 考 文 献

1. A.F.Blumberg, B. Galperin and D.J. O′ Connor. Modeling vertical structure of open channel flow. Journal of Hydraulic Engineering, 1992, No.118, p.1119～1134

2. EFDC technical memorandum. Theoretical and computational aspects of sediment transport in the EFDC model. Tetra Tech Inc., 2000

3. B.Galperin, L.H., Kantha, S., Hassid and A., Rosati. A quasi−equilibrium turbulent energy model for geophysical fluids. Journal of Atmosphere Science, 1988, No. 45, p.55～62

4. J.M.Hamrick.User' s manual for the Environment Fluid Dynamics Code, Special Report No.331 in Applied Marine Science and Ocean Engineering, Department of Physical Science School of Marine Science, VIMS, 1996

5. A.D.Heathershaw . Sediment transport in the sea, on beaches and in the river: Part I. Journal of Naval Science, 1988, Vol.14, p.154～170

6. K.N.Hwang, and A.J. Mehta.Fine sediment erodibility in Lake Okeechobee. Coastal and Oceanographic Engineering Department of University of Florida, Report UFL/COEL−89/019, Gainsville, FL, 1989

7. G.L.Mellor, and T. Yamada. Development of a turbulence closure model for geophysical fluid problems. Review of Geophysics and Space Physics, 1982, No.20, p.851～875

8. F.J.Millero, A. Possion. International one atmosphere equation of state of sea water. Deep Sea Research, 1981, Vol.28 (6A), p.625～629

9.N.A.Phillips .A coordinate system having some special advantages for numerical forecasting. Journal of Meteorology, 1957, No.14, p.184～185

10. G.Ryskin and L. G. Leal.Orthogonal mapping. Journal of Computational Physics, 1983, No.50, p.71～100

11. P.A.Shrestha and G.T. Orlob. Multiphase distribution of cohesive sediments and heavy metals in estuarine system. Journal of Environment Engineering, 1996, No.122, p.730～740

12. J.Smagorinsky. General circulation experiments with the primitive equations, Part I: the basic experiments. Monthly Weather Review, 1963, No.91, p.99～152

13.P.K.Smolarkiewicz and T.L. Clark. The multidimensional positive definite advection transport algorithm: further development and applications. Journal of Computational Physics, 1986, No.67, p.396～438

14. J.S.Thompson, F.C. Thames and C.W. Mastin.Automatic numerical generation of body−fitted curvilinear coordinate system for field containing any number of arbitrary two−dimensional bodies. Journal of Computational Physics, 1974, 15, 299～319

15. C.K.Ziegler and B. Nesbit. Fine−grained sediment transport in Pawtuxet River, Rhode Island. Journal of Hydraulic Engineering,1994,No.120, p.561～576

16. M.J.Bowman, W.E. Esaias. Oceanic front in coastal processes, Springer (chapter 10), 1987, Berlin

17.A.D. Heathershaw . Sediment transport in the sea, on beaches and in the river: Part

I. Journal of Naval Science, 1988, Vol.14, p.154～170

18. G. Li, Z. Yang, S. Yue, K. Zhuang and H.Wei Sedimentation in the shear front off the Yellow River Mouth. Continental Shelf Research, 2001,No.21, p.607～625

19.D.L. Wright, Z.S. Yang, B.D. Bornhold, G.H. Keller, D.B. Prior, W.J. Wiseman Jr. Hyperpycnal plumes and plumes front over the Huanghe delta front. Geo-marine Letters, 1986, Vol.6, p.97～105

20.D.L. Wright, W.J. Wiseman, Jr. Yang, Z.S., B.D., Bornhold, G.H., Keller, B. D., Prior, J.N., Suhayda. Processes of marine dispersal and deposition of the suspended silts off the modern mouth of the Huanghe (Yellow River). Continental Shelf Research, Vol.10, No.1, p.1～40

21. D.L.Wright and J.M.Coleman. Effluent expansion and interfacial mixing in the presence of a salt wedge, Mississippi River Delta. Journal of Geophysiccal Research, 1971, Vol. 76, p.8649～8661

22. 陈祖军，刘朴，韦鹤平，等.长江口水动力场、浓度场数值模拟网格生成技术的研究.海洋预报，2001，18(1)：11～18

23. 华祖林.贴体边界潮汐河口热（核）电厂温排放数值计算.电力环境保护，1997，13（2）：1～7

24. 李缇来，窦希萍，黄晋鹏.长江口边界拟合坐标的三维潮流数学模型.水利水运科学研究，2000（3）：1～6

25. 刘桦，吴卫，何友声.长江口水环境数值模拟研究.水动力学研究与进展，2000，15（1）：17～30

26. 刘玉玲，张宗孝，魏文礼，等.曲线拟合坐标变换技术在三角形网格生成中的应用.陕西水利发电，2000，16(1)：13～15

27. 叶安乐，李凤岐.物理海洋学.青岛：青岛海洋大学出版社，1992

28. 河口锋研究译文集. 华东师范大学河口海岸研究所，1985

29. 李广雪，成国栋.现代黄河口区流场切变带.科学通报，1994，Vol.39，No.10，p.928～932

30. 杨作升，G.H.，Keller，陆念祖，等.现行黄河口水下三角洲海底地貌及不稳定性.青岛海洋大学学报，1990，Vol.20，No.1

31. 杨作升，沈渭铨.黄河口水下底坡不稳定性，河口沉积动力学文集（一）. 青岛：青岛海洋大学出版社，1991

32. 杨作升，王涛，等.埕岛油田勘探开发海洋环境.青岛：青岛海洋大学出版社，1993

33. 曾庆华，等.黄河口演变规律及整治研究："八五"国家重点科技攻关项目（No.85-926-02-03），1995

34. 赵建华，陈吉余.国外河口表面锋机制研究概述.水科学进展，1996,7(2):174～179

35. 周长江，申宪忠. 黄河海港海洋环境. 北京：海洋出版社，2001

36. 朱慧芳. 河口切变锋引起的滩槽泥沙交换效应.长江流域资源与环境，1995,4（2）:54～57

第四课题

黄河口海上双导堤工程设计与投资

课题承担单位 山东黄河勘测设计研究院

课 题 负 责 人 李希宁 杨春林 李洪书

主要完成人员 李希宁 杨春林 李洪书
马德龙 王永刚 廖展强
高　峰 刘卫芳 于晓龙
王小冬 杜瑞香 韩名乾
李新建 常　锋 董　伟

第十二章　黄河口海上双导堤工程的环境基础

第一节　工程区基本情况

黄河口为黄河尾闾入海河段，行政区划属东营市。

一、黄河下游河道概况

黄河按地理位置及河流特征分为上、中、下游三段。自河南孟津白鹤镇以下为下游，河道长871km，落差94m，流域面积2.3万km^2。黄河下游河道是在长期排洪输沙的过程中淤积塑造而成的，河床普遍高出两岸地面，是海河和淮河流域的分水岭。两岸引黄灌溉面积约260万hm^2，是我国目前最大的自流灌区。黄河下游洪水、沙量沿程减少，河道堤距及河槽形态具有上宽下窄的特点。黄河下游按河性可分为三段：①孟津白鹤镇至高村，河道长299km，为游荡性河段，河段弯曲系数为1.07～1.16。该河段冲淤变化剧烈，水流宽、浅、散、乱，两岸堤距5～20km，河槽宽1.2～3.3km，排洪能力20 000m^3/s，防洪保护面积大，是黄河防洪的重要河段。②高村至陶城铺，河段长156.3km，为游荡性向弯曲性过渡河段，两岸堤距2～8km，河槽宽0.6～1.3km，排洪能力11 000～20 000m^3/s。③陶城铺至利津，河道长306.7km，为弯曲性河段，两岸堤距0.5～4km，河槽宽0.3～1.0km，排洪能力仅为11 000m^3/s。利津以下为河口尾闾段，河道长109km，随着黄河入海口的淤积—延伸—摆动，入海流路相应改道变迁。

二、河道演变

（一）流路及河道演变

1. *黄河流路变迁概况*

1855年8月，黄河在河南省兰考县铜瓦厢决口，下游河道由徐淮古道北徙，经山东省大清河从利津注入渤海，利津河口称之为近代河口。黄河近代河口，流路变迁频繁，其中以宁海村附近为顶点的改道6次，渔洼村附近为顶点的改道3次，流路改道影响范围北起套尔河口，南至支脉沟口，海岸线长254.37km，三角洲扇形面积约 6 000km^2。1855年黄河入注渤海以来，到1976年改道清水沟122年间，除山东河竭年限外，实际行水87年，共9次流路改道，每条流路行河时间平均只有10年，改道之频繁实属世界罕见。

黄河近代河口流路变迁中，小改道50多次，大的流路变迁9次，从神仙沟流路以后为人工控制改道，以前6次改道，实际行水60多年，小的改道几乎每年1次。经常的改道使得三角洲地区在新中国成立前经济发展缓慢，从1961年后经济开始复苏，为使三角洲的经济持续发展，黄河河口现行入海流路——清水沟流路，就需要加强治理延长使用寿命。

2. 现行流路河道平面变化

黄河口现行流路系1976年由刁口河改道清水沟后形成的，改道初期的1976～1980年间，口门游荡散乱，出汊摆动幅度大，频率高，入海口门先是漫流，之后以清4断面为顶点流路走中部，然后南摆。到1980年，两边再无捷径可走，完成了初期填注摆动。在经历了淤滩成槽的演变之后，河势开始稳定，横向摆幅也较小，出汊摆动顶点下移到清7断面以下。清7断面以上河道单一顺直，水流集中。口门附近因地势较低，泥沙淤积较多，再加上潮汐顶托的影响，经常发生小范围的摆动。1996年汛前实施了清8人工出汊工程，从1996～2002年的河道地形资料看，清8出汊点以下河段在"96·8"洪水过后断面变化较大，1997年清8出汊点以下6.5km处河道开始向东南方向偏移，河道横向摆动100～300m，口门向东北方纵向延伸约2km。整个新口门河道表现为上窄下宽，形成小喇叭形河口，1998～2002年由于来水来沙较小，无论是汊河河道，还是口门变化甚微，一直是沿东偏北向入海(见图12-1)。

图12-1　黄河口河道现行流路图（卫星图片，摄于2004年10月28日）

3. 河道冲淤特性

1）利津—清7河道冲淤情况分析

1976年黄河改道清水沟后，河口河道一直处于游荡摆动、漫流入海的状态。至1980年，流路基本完成了淤积造床过程。1980年5月～1984年5月期间适逢连续4年大、中水水沙条件，利津以下河道全断面冲刷。1985年以后，随着河口的淤积延伸，黄河来水来沙逐渐减少，至1996年汛前，河口河道也进入持续的小水淤积阶段，且淤积大部分集中在主槽。1996年汛前实施了清8人工出汊工程，使西河口以下河长由65km缩短到49km，减小了16km，河道比降加大，产生了明显的溯源冲刷。1997年11月～1998年6月进行了挖河固堤启动工程，在朱家屋子—清6断面挖出了532万m^3的泥沙，在清6断面—清2疏通段挖出了16万m^3的泥沙，挖河段的上下游均有不同程度的冲刷，之后由于水沙条件差，利津以下河道主槽仍以淤为主。2001～2002年又在河口实施了挖河固堤工程，且2002年7月进行了小浪底调水调沙试验，利津以下河道均处于冲刷状态。因此，可以看出，利津以下河段的冲淤演变与水沙条件和河床边界条件密切相关，具有大水冲、小水淤的显著特点，并且在小水小沙的条件下，河道的淤积主要集中在主槽内，在没有适合的来水来沙以及有效的治理措施情况下，利津以下的河道从长时段来看，总体上是不断淤积的，而且淤积的部位主要发生在河道的主槽，利津以下河道冲淤情况见表12–1。

表12–1　利津—清7河段平均冲淤量横向分布　(单位：万m^3)

时间(年·月)	利津—清6			清6—清7			利津—清7			说明
	主槽	滩地	全断面	主槽	滩地	全断面	主槽	滩地	全断面	
1980.5～1984.5	−3 079	−306	−3 385	−1 665	−834	−2 499	−4 744	−1 140	−5 884	扣除了1998年和2002年两次挖河挖出的泥沙
1984.5～1986.5	80	35	115	987	18	1 005	1 067	53	1 120	
1986.5～1996.5	5 814	−1 059	4 755	7 320	1 374	8 694	13 134	315	13 449	
1996.5～1997.10	−472	969	497	−2 391	−248	−2 639	−2 863	721	−2 142	
1997.10～1998.10	649	−4	645	14	0	14	663	−4	659	
1998.10～1999.8	160	0	160	244	0	244	404	0	404	
1999.8～2001.10	672	0	672	348	0	348	1 020	0	1 020	
2001.10～2002.5	−54	0	−54	77	0	77	23	0	23	
2002.5～2002.10	−42	0	−42	−149	0	−149	−191	0	−191	
1980.5～2002.10	3 728	−365	3 363	4 785	310	5 095	8 513	−55	8 458	

注："+"为淤积(表中省略)；"−"为冲刷。

2）河道横断面冲淤变化

黄河口河槽断面形状随来水来沙情况发生相应的调整，随着河床的冲淤调整，断面形态也发生了相应变化。1996年以前淤积主要集中在主槽里，河槽趋于宽浅，河相系数较大。

1996年5月的人工出汊以及1996年8月的洪水之后，主槽经过溯源冲刷和沿程冲刷的调整，河相系数有所减小，清6断面河相系数由29.84降为6.77，其他河段减小幅度不大。虽然1996年9月后，水沙条件不利，但1998年和2001～2002年分别于朱家屋子—清6断面、义和—朱家屋子河段实施了挖河固堤工程，拓深了开挖河段的河道主槽，并对开挖河段的上下游河段起到了一定的减淤作用，河道的河相系数有所减小，形态得到改善。

（二）河口淤积延伸及其影响

黄河流域来沙量巨大，海洋动力相对较弱，绝大部分泥沙沉积在河口及浅海水域。河口海岸不断地淤积外延，是影响河口稳定、黄河下游防洪安全和三角洲经济发展的重要问题之一。

1.河口淤积延伸

黄河流域输送到河口地区的泥沙有三个归宿，即陆地上、滨海和外海。黄河泥沙淤积在陆地上，使河道和三角洲面升高；输送到外海（一般指测区以外）的泥沙，一部分扩散很远，甚至出渤海，另一部分滞留在离河口较远海区，造成海底的淤积升高；沉积在滨海，即河口和水下三角洲的泥沙，它们不断地淤积成陆，造成河口海岸外延。统计1855年以来，黄河三角洲新生陆地达2 470km^2，其中1855～1953年，实际行水64年，造陆面积1 450km^2，年均造陆面积23km^2；1953～1991年造陆面积1 020km^2，年均造陆面积26km^2。黄河口现行入海流路，清水沟流路行河以来，入海泥沙大约有20%沉积在陆地上、60%淤在滨海区、20%输往测区以外的较远海区。

黄河口淤积造陆，必然造成河口海岸外延。黄河三角洲海岸淤积外延的基本形式是河口沙嘴外延、流路变迁，黄河三角洲面积的不断扩展及延伸。

2.河口淤积延伸影响

河口淤积延伸对下游河道影响，是十分复杂的问题。因为影响因素很多，如流域来水来沙的年季与年际变化很大，干流河道治理、河口流路改道以及800km黄河下游河道的冲淤调整等因素交织在一起，单单从水位升高或河床升高数值，忽略其变化过程，往往找不到真正的原因，依据河流动力学的理论，抓住几个主导因素分析河口淤积延伸影响，得到如下一些可能对防洪治理更有现实意义的结论：

（1）1953～1991年近期三角洲淤积扩展，海岸线外延平均约13km，通过对海岸外延与水位升高关系的比较分析，近40年来河口淤积外延与黄河下游水位升高变化关系不大。

（2）黄河下游是堆积性河道，花园口近40年来沙量为16亿t/a，约四分之一的沙量沉积在下游河道内，造成黄河下游各站3 000m^3/s水位升高2m多，黄河下游河床基本上是“平行上抬”现象，但这并不是河口淤积的反馈影响，而是三门峡水库运用方式的变化、黄河下游河道淤积沿程调整造成的。

（3）清水沟流路时期，在这一时期的来水来沙变化等条件下，真正由河口变动、河口淤积延伸反馈影响范围为80～150km之间。黄河下游河道淤积升高，基本上都是沿程淤积结果，其中以枯水年份河床淤积最为严重。

三、工程位置

黄河三角洲是以宁海为扇面顶点，北起套尔河口，向东经神仙沟口，南至支脉沟口约6 000km^{2}的扇形地区，系1855年黄河铜瓦厢决口改道夺大清河入渤海以来，入海流路改道摆动曾流经的范围和所塑造的冲积平原，岸线长为254.37km。神仙沟以西为渤海湾，以南为莱州湾，这一区域位于东经118°30′～119°15′、北纬37°10′～38°05′之间。这一范围内有我国第二大油田——胜利油田，有济南军区开发局和五大国营农、牧场，是正在开发建设的工农业基地和新兴的经济区。三角洲地区地势平坦，洲面平均坡度为1/10 000～2/10 000，呈西南高、东北低，黄河故道高，故道之间为低洼起伏不平的地形。洲面高程在黄海基面0～8m之间，大部分洲面高程为3～4m。主要气候特点是季风影响显著，四季分明，利于作物成长。

四、工程缘由

黄河三角洲土地广阔，资源丰富，有蕴藏丰富的油、气、卤水等地下资源，石油远景储量80亿t；渤海沿岸储有大量的高浓度卤水，初步探明储量约74亿t，开发前景可观；有适宜发展盐田的滩涂面积12万km^2，还有大面积的适合捕捞和海水养殖条件的浅水海域和滩涂；有天然草场8万多公顷，面积宽广且分布集中，适宜大规模发展畜牧业。

我国珠江、长江、黄河三角洲中，前两大三角洲已经成为我国经济支柱地区，但土地辽阔，具有丰富的石油、天然气、卤水等资源，还有大面积的浅海海面、滩涂和草场，自然资源十分丰富的黄河三角洲却仍然发展缓慢，仍有大片土地荒芜、经济与长江三角洲和珠江三角洲相比，差距较大。究其原因在于黄河河口频繁摆动，破坏了生产要素的有效组合，只有形成诸项生产要素长期、稳定结合的条件，才能促进黄河三角洲的全面开发和长期发展。

针对黄河河口的实际情况，是通过改道来缓解淤沙压力还是固住河口治理，多少年来存在着不同的看法和争议。随着对自然规律认识的提高和科学技术的发展，对大江大河的治理和研究也有了新的理论和方法。从1988年开始的河口治理试验工程情况来看，效果还是很明显的，并引起了众多专家和各级领导的重视，要求加深研究、加强治理，最终促成了国家“八五”重大科技攻关增列项目“延长黄河口清水沟流路行水年限的研究”在国家立项。经过黄河泥沙、海洋动力、治黄多学科专家多年联合科技攻关，从宏观上分析了渤海海动力的一般规律，从微观上分析了黄河口海动力的特殊规律之后，认识到固住河口的必要性和可行性，只要使黄河口在海动力强的海域入海，并且采取正确的工程措施，延长黄河入海口，进一步强化海动力，把风暴激流这一超强的海动力转化成冲刷黄河口泥沙的动力，保持河口畅顺、固住河口，可以实现现行流路的长期稳定。

第二节　工程区气象水文

一、气象

河口地区属北温带半湿润大陆性气候，光照充足，四季分明。年平均气温12.2℃，极端最高气温41℃，极端最低气温−22℃，1月份气温最低，7月底8月初气温最高，年平均无霜期211天，最早最迟结冰期分别为11月28日和12月15日，最早和最迟融冰期为2月2日和3月3日。降水量多年平均为601mm，年最大降水量950mm、年最小降水量284.6mm。夏季降水量年平均为500mm以上，尤其集中在6～9月份，降水量占全年的60%～70%，冬季干旱少雨。雨量丰枯悬殊，春旱严重且历时长。

该地区具有冬季干冷，夏季暖湿，春季多风沙、干旱的气候特征。

二、水沙情况

黄河最下游利津水文站多年（1950～2002年）平均径流量为327.5亿m^3，输沙量为8.21亿t。最大年径流量（1964年）为973.1亿m^3，最小年径流量（1997年）为18.8亿m^3，最大值是最小值的近52倍，最小值占多年均值的5.7%。最大年输沙量（1958年）为21.0亿t，最小年输沙量（1997年）为0.15亿t，最大值是最小值的近140倍，最小值占多年均值的1.8%。

黄河自1986年以来来水来沙属枯水枯沙系列，1986～2002年利津水文站年均径流量为133.6亿m^3，输沙量为3.38亿t，分别占多年均值的40.8%、41.2%。 小浪底水库运用以后的2000～2002年，利津水文站年均径流量为45.7亿m^3、输沙量为0.34亿t，分别占多年均值的14%、4.1%。

1999～2002年利津水文站以下年均引水量为5.25亿m^3，年均入海水量约为45.55亿m^3。

2003年利津水文站进入河口的径流量为192.7亿m^3，输沙量为3.7亿t；2004年利津水文站进入河口的径流量为198.8亿m^3，输沙量为2.58亿t。

三、黄河口潮汐特征及风暴潮

（一）黄河口海岸概况

黄河三角洲地区的海岸线北起套尔河口，南至支脉沟口，包括渤海湾南岸和莱州湾西岸，岸线总长度为254.37km。三角洲地区地貌类型单一，为黄河冲积平原，地面高一般为0～8m，地势由西南向东北缓缓向海倾斜，地面坡降为1/10 000～2/10 000。现今三角洲行河岸段海岸线向海淤进，不行河岸段海岸线蚀退，但总的发展趋势是向海推进。

（二）潮汐特征

1. 潮汐的性质

潮汐类型通常按（$H_{O_1}+H_{K_1}$）/H_{M_2}比值的大小来划分，当（$H_{O_1}+H_{K_1}$）/$H_{M_2}\leqslant 0.5$时为正规半日潮，$0.5<$（$H_{O_1}+H_{K_1}$）/$H_{M_2}\leqslant 2$为不正规半日潮，$2<$（$H_{O_1}+H_{K_1}$）/$H_{M_2}<4$时为不正规全日潮，（$H_{O_1}+H_{K_1}$）/$H_{M_2}\geqslant 4$时为正规全日潮。根据实测资料分析计算的潮型指数看，五号桩、东营港以西海区为不正规半日潮，五号桩、东营港附近海区为全日潮，而五号桩、东营港以南又逐步变为不正规半日潮区，五号桩、东营港附近海区是比较特殊的日潮区，在我国是第四个全日潮区。日潮区一般情况下一个月中有20天，每天只有一次高潮和一次低潮，而且潮差很小。

2. 潮流的基本情况

潮流是潮波中水质点的运动，虽然它和潮位是同一现象的不同表现形式，但是海水在流动过程中受海岸轮廓、海底地形等影响，潮流比潮位更为复杂。河口地区的潮流有以下特点：

（1）据渤海区潮流中心矢量图，顺时序形成回转曲线，在24小时内基本上是两周，

$(W_{K1}+W_{O1})$ / $W_{K1}<0.5$，三角洲海域属于半日旋转潮流。

（2）潮流椭圆的椭率在三角洲近岸小于0.5，离开海岸椭率渐大，在渤海湾中部为0.3左右。在三角洲沿岸是往复流，离开海岸逐渐变为旋转流。椭圆长轴在渤海湾沿岸和莱州湾沿岸都与岸线平行，到海湾顶部几乎与岸线垂直。

（3）潮流的旋转方向，在渤海湾为逆时针旋转，在莱州湾大部分水域为顺时针旋转，而在莱州湾顶部附近水域为逆时针旋转。

（4）潮流速场在M_2分潮“无潮点”区最强，形成高速流辐散中心，最大流速大于120m/s，向四周递减。流速分布，在渤海湾流速梯度小，在莱州湾流速梯度大，产生这种差别的主要原因是渤海湾水深大、纵轴（东西向）长、底坡缓。

3. 关于无潮点位置的变化

不少学者对黄河三角洲地区的无潮点进行过研究，1936年日本的小仓神吉首次计算出了黄河海区无潮点的位置。中国科学院海洋研究所王涛研究员等人经过计算分析，于1995年在一份报告中提出，M_2分潮无潮点的位置是变化的，其变化趋势是向东偏南移动，同时还估计了2004年、2014年无潮点的位置，指出这种变化与三角洲水深地形变化有直接关系。由于受黄河口的不断变迁的影响，三角洲海区的地形与水深不断变化，从而引起M_2分潮无潮点的位置不断发生变化。

4. 风暴潮水位

黄河三角洲地区潮水位观测站较少，除了在几条潮水河的河口区设有潮水位站外，在海区沿岸没有一处常年潮水位站。山东水文水资源局为了海滨区水下地形测量，曾在湾湾沟、五号桩、河口南烂泥处等设立过临时潮水位站，大部分只有3～7天的观测资料。近几年曾在五号桩及河口南烂泥两处进行过一个月的连续观测。

1）潮水位站的布设情况

（1）羊角沟潮位站：位于小清河河口，该处河口开阔，直接受潮水影响。

（2）东风港潮位站：位于徒骇河河口处的东风港附近，距海较近，但该站1974年设站，1985年停止观测。

（3）埕口潮位站：位于漳卫新河河口区，距海口约20km，该站1955年设站，1987年停测。

2）潮水位站的潮水位情况

根据羊角沟、东风港、埕口三站的实测资料，分别计算了各年的最高潮水位、年平均高潮水位、年平均潮水位，计算结果见表12-2。

表12-2　实测潮位计算结果

潮位站名	年最高潮水位（m）			年平均高潮位（m）			年平均潮位（m）		
	最高值	最低值	平均	最高值	最低值	平均	最高值	最低值	平均
埕　口	3.23	1.66	2.43	1.56	0.87	1.25	1.10	0.18	0.42
东风港	2.27	1.73	1.96	1.07	0.95	1.01	0.21	0.10	0.14
羊角沟	3.88	1.94	2.43	1.01	0.65	0.80	0.43	0.13	0.20

3）历次风暴潮潮水位

新中国成立以来，黄河三角洲地区6次风暴潮的最高潮水位各地表现不一，而且真正实测到风暴潮最高潮水位的站极少（仅羊角沟一站），大部分站的风暴潮最高潮水位都是通过调查、测量风暴潮痕得到，其结果见表12–3。

表12–3 历次风暴潮最高潮水位统计成果

潮位站名	1964年4月风暴潮		1969年4月风暴潮		1980年4月风暴潮		1992年9月风暴潮	
	最高潮位（m）	发生时间	最高潮位（m）	发生时间	最高潮位（m）	发生时间	最高潮位（m）	发生时间
羊角沟	3.38	4月6日	3.88	4月23日	3.15	4月5日	3.59	9月1日
广利港							3.59	9月1日
广北盐场	3.13	4月6日	3.63	4月23日				
垦利防潮闸							3.56	9月1日
东营港							3.22	9月1日
大紊流渔堡	2.04	4月5日	2.47	4月23日				
刁口渔堡							3.5	9月1日
湾湾沟渔堡	2.81	4月5日	2.34	4月23日				
沾化海防							3.37	9月1日
东风港					1.88	4月5日	2.76	9月1日
埕口	2.83	4月6日	2.33	4月23日	2.5	4月5日		

1997年8月三角洲沿岸发生风暴潮，羊角沟站8月20日出现最高潮位2.58m，东风港出现最高潮位3.26m。

5. 设计潮水位

采用皮尔逊Ⅲ型频率曲线和耿贝尔方法进行对比分析，确定潮水位。年最高潮位频率分析对有长系列的羊角沟、埕口站分别按皮尔逊Ⅲ型频率计算及耿贝尔方法进行计算。通过比较，采用皮尔逊Ⅲ型频率曲线计算所得的成果与实测经验点拟合较好，故采用皮尔逊Ⅲ型计算成果。

另外，神仙沟口五号桩海区的设计年最高潮位由于没有常年连续观测资料，无法按频率计算的方法来确定。东营港的设计过程中，为了确定校核水位，利用组合方法计算了50年一遇高潮位为3.09m，该计算结果与1992年9月1日测得该处风暴潮位3.22m接近。因此，此次计算中五号桩海区50年一遇高潮位仍采用1992年实测的值，即3.22m。不同重现期的年最高潮位见表12–4。

表12–4 设计年最高潮位 （单位：黄海，m）

站名	计算方法	重现期（年）					
		100	50	20	10	5	2
羊角沟	皮尔逊Ⅲ型	4.28	3.98	3.60	3.06	2.88	2.34
	耿贝尔	3.93	3.68	3.36	3.08	2.82	2.36
埕　口	皮尔逊Ⅲ型	3.43	3.28	3.09	2.92	2.72	2.38
	耿贝尔	3.51	3.22	3.08	2.88	2.69	2.38
五号桩	组合方法	3.43	3.22	2.98	2.74	2.43	1.89

（三）波浪特征

1. 黄河口的风速基本情况

黄河三角洲五号桩地区及其附近海区无实测气象资料，国家海洋局北海分局在岔尖设海洋站，与五号桩在同一纬度线上，二者相距83km，同属海滨浅滩区，周围自然环境相似，基本上可代表五号桩地区情况。参考河口周边地区各气象站（河口、垦利、利津、东营、广饶、羊角沟）资料，将其与岔尖海洋站进行比较，周边地区气象站一览表及其实测最大风速值分别见表12−5和表12−6。

表12−5　周边地区气象站一览

站名	测站经纬度		黄海高程(m)		测风仪距地高度(m)	测风仪		
	北纬	东经	测站	测风仪		名称	使用年代	观测范围(m/s)
垦利	37°36′	118°32′	7.6	18	10.1	风压板 EL型 EN型	1967～1972、1973～1996、1997～	0～40 0.3～62.5 0.3～62.5
河口	37°53′	118°32′	5.6	17.2	11.6	EL型 EN型	1990～1997、1998～	0.3～62.5 0.3～62.5
利津	37°29′	118°14′	10.2	21	10.8	风压板 EL型 EN型	1962～1970、1971～1998、1999～	0～40 0.3～62.5 0.3～62.5
东营	37°26′	118°40′	6	17.9	11.9	EN型	1994～	0.3～62.5
广饶	37°03′	118°21′	15	25.8	10.8	风压板 EL型	1959～1972、1973～	0～40 0.3～62.5
羊角沟	37°16′	118°51′	4.4	18.1	13.7	风压板 EL型 EN型	1954～1971、1972～1991、1992～1993	0～40 0.3～62.5 0.3～62.5

表12−6　周边地区的实测最大风速值

气象站名	最大风速及风向			统计年份	说明
	风速(m/s)	风向	出现日期		
垦利	25 30.7	NE NNE	1969.4.23 1978.3.27	1967～1972 1973～1999	2min平均 10min平均
河口	26	NNW	1990.7.16	1990～1999	10min平均
利津	34 23	NE NW	1969.4.23 1975.5.4	1962～1970 1971～1999	2min平均 10min平均
东营	20.2	N	1995.6.24	1994～1999	10min平均
广饶	28 21	NNE NW	1969.4.23 1984.3.20	1959～1972 1973～1999	2min平均 10min平均
羊角沟	20 24.7	NNE NE WNW	1969.4.23 1962.6.3 1983.4.26	 1954～1971 1972～1999	 2min平均 10min平均

垦利县累年6级以上大风风向频率及各风向平均风速见表12–7。

表12–7　　垦利县累年6级以上大风风向频率及各风向平均风速

项目	风向							
	N	NNE	NE	ENE	E	ESE	SE	SSE
风向频率	5	14	20	16	2	2	2	7
平均最大风速(m/s)	12.1	13.7	13.2	12.5	12.7	12.4	13.7	11.9
风向	S	SSW	SW	WSW	W	WNW	NW	NNW
风向频率	2	2	1	1	2	5	6	12
平均最大风速(m/s)	12.3	12.6	12.7	11.7	14.9	12.5	12.3	12.6

垦利县气象局6级以上大风风向频率玫瑰图如图12–2所示，各风向平均风速玫瑰图如图12–3所示。

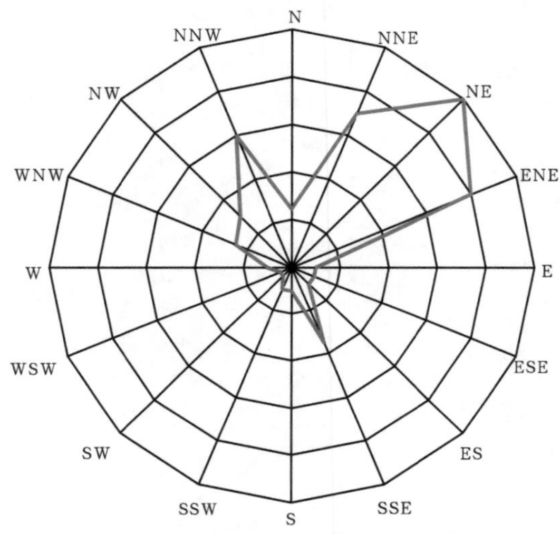

图12–2　垦利县气象局6级以上大风风向频率玫瑰图

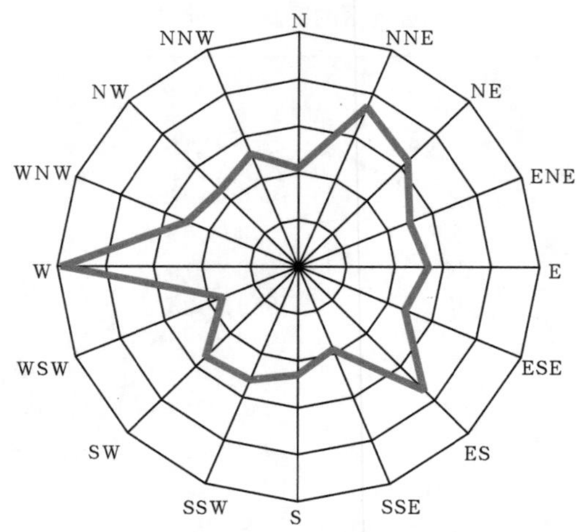

图12–3　垦利县气象局6级以上大风各风向平均风速玫瑰图

为更好地引用岔尖海洋站气象资料，1984年10月在两地曾设点对风要素进行同步观测，经资料对比和相关分析，将岔尖海洋站1962～1971年的10年资料进行处理，得到五号桩地区风要素的特征及概况如下：

由对港区影响较大的风速统计资料（见表12−8）知，>20m/s和>25m/s等速线的范围，在时间分布上主要位于1～6月和10～12月出现；>20m/s风速的月份多达11个月，仅9月份没有发生，但也十分接近达到19.3m/s。其中尤以冬季和春季较为突出，在风向的部位上主要是N—E和WNW—NNW的范围，其中以ENE、NE、N和NW四个风向最为强烈和频繁。由于W向风是自岸吹向海区，故一般掀沙作用和风浪的影响较小，相反WNW—NNW范围类的强风，由于来自海上，吹程长，风浪和增水作用强烈，故往往形成风暴潮，给黄河三角洲地区造成灾害和严重侵蚀，同样是对港区安全和航道淤积的关键所在，相对S向和W向风，不仅风力小，而且吹程短，故影响较小。

表12−8　**五号桩累年各月各向最大风速统计**　（单位：m/s）

风向	1月	2月	3月	4月	5月	6月	7月	8月	9月	10月	11月	12月
N	26.7	18.3	22.5	20.4	20.4	18.3	14.1	16.2	14.1	20.2	16.2	22.5
NNE	14.7	25.3	18.9	29.5	18.9	16.8	12.5	16.8	14.7	18.9	18.9	16.8
NE	14.7	21	25.3	29.5	23.1	18.9	16.8	21	18.9	21	18.9	12.5
ENE	16.9	29	29	29	29	29	16.9	21.7	19.3	24.1	24.1	24.1
E	14.4	22.1	24.7	24.7	19.4	30	14.1	19.4	11.4	14.1	22.1	16.7
ESE	9.4	12.5	12.5	10.4	12.5	10.4	10.4	21	10.4	7.2	10.4	10.4
SE	7.2	8.3	10.4	18.9	12.5	12.5	18.9	10.4	12.5	10.4	8.3	8.3
SSE	8.3	8.3	10.4	12.5	12.5	16.8	12.5	10.4	8.3	12.5	7.2	6.2
S	5.1	8.3	14.7	16.8	12.5	10.4	10.4	10.4	9.4	7.2	7.2	6.2
SSW	7.2	10.4	21	14.7	12.5	12.5	10.4	10.4	17.8	10.4	9.4	8.3
SW	10.4	18.9	21	21	16.8	18.9	12.5	10.4	12.5	10.4	12.5	12.5
WSW	12.5	21	18.9	14.7	16.8	12.5	9.4	8.3	10.4	10.4	12.5	10.4
W	12.5	14.7	12.5	14.7	10.4	10.4	9.4	14.7	10.4	10.4	10.4	12.5
WNW	20	11	13.3	17.9	22.5	13.3	8.7	8.7	15.6	11	20.2	15.6
NW	30	24.7	30	24.7	22.1	30	24.7	14.1	14.4	24.7	24.7	35.4
NNW	21	21	17.8	17.8	16.1	17.8	9.7	9.7	14.5	17.8	17.8	17.8

表12−9是五号桩累年各月各向平均风速统计表，由表知N—ENE的平均风速各月均大于5m/s以上，且以ENE最强 ，有3个月大于（3月、4月和11月）10m/s，其次是NNW风向，此充分表现出了北风的主导性。在时间上则以3～6月即主要是春季的风速最大，其次是秋末和冬季，此基本特征与最大风速大体相应。

2. *黄河口风浪基本特征*

黄河口的波浪资料都是基于五号桩海港、埕岛油田水域波浪观测得出的，观测资料缺乏长系列实际观测资料，而其他海域波浪观测资料甚少。基于上述材料采用相关法进行有关统计分析得到河口的波浪特性的特征认识结论如下：

（1）黄河口附近海区的波浪，主要是风浪。波浪的大小随风速大小而变化。强浪向为NE向，次强浪向为NNW，常浪向为S向。

表 12–9 五号桩累年各月各向平均风速统计 （单位：m/s）

风向	1月	2月	3月	4月	5月	6月	7月	8月	9月	10月	11月	12月
N	8.3	8.8	9.9	8.9	9.3	7.4	6.6	5.1	7.2	8.3	8.8	9.2
NNE	5.1	6.8	5.4	7.3	5.5	5.4	4.2	5.1	4.4	6.3	7.8	6.1
NE	5.2	8.5	8.3	8.9	7.3	5.8	5.5	5.7	7.1	6.3	8.2	5.4
ENE	6.2	8.7	11.2	11.6	9.9	8.8	6.5	7	6.2	9.4	10.2	8.1
E	4.4	6	7.6	7.6	7	6.6	4.9	4.5	3.4	4.4	5.4	2.9
ESE	4.3	4.6	5.3	4.6	5.1	4.9	4.2	3.7	3.5	4.1	3.6	2.5
SE	3	3.8	4.5	5.3	6.1	5.7	4.8	4	3.8	3.1	3.2	3.2
SSE	2.6	3.4	4.7	5.4	5.8	5.5	4.6	3.7	2.7	3.1	3.1	2.5
S	2.6	3.7	4.1	5.2	4.5	4.3	3.6	3.4	3.4	3.2	3	3.1
SSW	3.4	3.5	5	5.3	5.1	5.3	3.4	4.1	3.3	3.5	3.6	3.7
SW	4.4	5.7	6.1	6.6	6.9	5.9	4.7	3.7	4.7	4.5	5	4.4
WSW	5.1	5.2	6.3	5.2	7	4.9	4.3	2.6	3.2	5	5	4.8
W	4.5	4.3	4.8	5.5	4.6	4.4	4.2	4.1	4.6	4.9	4.4	4.5
WNW	5.3	4.2	5.7	5.2	5.2	4.5	3	3.4	3.3	4.5	5.4	5
NW	6.4	4.8	5.8	8.4	4.4	4.6	5.2	4.5	4.8	5.7	7.3	6.2
NNW	8.5	7.9	7.3	8.8	8.2	6.7	3	4.4	5.8	6.9	8.4	8.5

（2）该海区寒潮形成的波浪最大，实测最大波高5.7m，周期9.0s。一般每年10月份发生寒潮，7～15天出现1次，波高在3m以上。

（3）台风海浪出现率较小，渤海平均3～4年1次，最多两年1次，实测最大波高4.2m。气旋每年出现2～3次，最大波高2.1m。

（4）一般天气过程，波浪高度不超过1.5m。

（5）波浪侵入浅水区，但水深为波高的1.28倍时，波浪便发生破碎。破碎瞬时流速很大，对海岸冲刷，产生回流将泥沙带到破波带，形成沿岸流输沙。因此，波浪是黄河三角洲沿岸输沙的主要动力因素之一。

第三节 工程区地质条件

一、地质概况

东营市地质构造属渤海湾复式块断盆地内济阳坳陷的一部分，由中生代、新生代断陷——坳陷形成的，在大地构造上属华北地台型。华北地台为太古界泰山群结晶基岩上覆有早古生代地层，以海相碳酸盐为主；中奥陶纪之后，华北地台整体上升成陆；二叠纪后期的海西运动，使华北地台继续上升；中生代断陷坳陷形成陆相碎屑岩及火山岩、夹层煤，沉积厚度为1 500m，至新生代早第三纪断陷期，沉积2 000～5 000m厚的砂岩、泥岩、油页岩及生物灰岩，其中暗色生油岩厚达1 000～1 500m，聚集了极丰富的有机质；晚第三纪至第四纪渤海盆地经历了多期块断升降运动，使油气运移聚集，形成东营组油气富集地质构造。黄河三角洲是黄河淤积而成属粉砂质淤积区，与渤海的基底基本一致，地表沉积厚度500～900m之间，呈现着多次交叠砂黏相隔的层次。

二、地层岩性

黄河口地区地层岩性一般情况为：第四系全新统河流冲积层和海陆交互相沉积层、海相沉积层，按成因类型及岩性特征分为3层，现按沉积时代自上而下分述如下。

（一）第四系全新统河流冲积层（alQ_4）

①层：砂壤土，棕黄色、灰黄色、浅灰色，分布较均匀，局部含较多壤土及黏土微薄层，软塑—可塑，潮湿—饱和，具灰色条纹，含黏土和壤土透镜体或夹层。局部顶部含未腐及半腐殖物根茎，或少量腐殖物，在有些孔顶部表现为灰黑色泥炭质物，为淤泥质土。

（1—1）层：黏土，棕黄色、棕灰色，湿，软塑—可塑，均匀，含铁锈斑。

（1—2）层：壤土，棕黄色、灰黄色，湿，均匀，含铁锈斑，软塑—可塑。

（二）第四系全新统海陆交互相沉积层（mcQ_4）

② 层：壤土，黄灰色、灰黄色、棕灰色，湿，可塑，局部夹砂壤土或黏土薄层，含铁锰质斑点和铁质结核，含腐殖物及少量贝屑或螺壳。

（2—1）层：黏土，灰色—灰黑色，软塑—可塑，呈透镜体状仅354+010B孔处发现。

（三）第四系全新统海相沉积层（mQ_4）

③层：砂壤土，灰色、灰黑色、黄灰色，饱和，颗粒偏粗，含有广泛分布的粉细砂夹层，及壤土、黏土夹层或透镜体。顶部含腐殖质及较多螺壳或贝屑，稍密—中密。该层在钻探范围内未揭露。

（3—1）层：粉细砂，灰色、灰黄色，以夹层形式广泛分布于③层砂壤土中，厚度较大，局部夹黏土或壤土微薄层。含少量螺壳、贝屑及腐殖质。

（3—2）层：壤土，黄灰色、灰色、灰黑色，湿，均匀，具铁锈斑，夹砂壤土或黏土微薄层，含少量腐殖质，软塑—可塑。

（3—3）层：黏土，灰色、棕灰色、灰黑色，湿，可塑—软塑，均匀，具铁锈斑。该层主要以透镜体形式出现。

三、河床地质

依据黄河口河槽土质有关调查资料：河床表面以下3m深度范围内，土壤粒径0.005mm以下黏粒含量一般为2.9%～6.7%，平均4.1%，中数粒径平均为0.044mm，多为轻粉质壤土，少部分为粉砂或极细砂土；干密度一般为1.4～1.67t/m^3，平均1.56t/m^3；饱和密度一般为1.88～2.01t/m^3，平均1.97t/m^3；液性指数一般为1～1.1，最小0.55，最大1.55。

四、河口拦门沙上的沉积物特征

黄河口拦门沙具有明显的径流特征，粒度的沿程分布分选良好，基本上是上游粗下游细，河道内及拦门沙顶粗，陡坡以下较细。拦门沙顶部的粒度都较粗，前缘则是季节变化比较明显，枯水季节沉积物中数粒径 d_{50}=0.062～0.080mm，洪水期粒径变细 d_{50}=0.031～0.062mm，同属于砂质粉沙。

国内外河口拦门沙粒度，虽然强潮河口粒度较粗，弱潮河口粒度较细，但都是粉砂，如长江口、珠江口、密西西比河口、塞纳河等。然而，这些河口拦门沙河床都没有像黄河口拦门沙这样坚硬。黄河口拦门沙——“铁板沙”河床，可能是流域大量来沙在河口门急剧沉积的结果。另外，洪水期大量泥沙可直接输送到拦门沙前缘岸坡，与此同时推移质河床沙质推进沉积在拦门沙顶部。非汛期径流量少，拦门沙前缘受海洋动力强烈侵蚀作用，岸坡上部粒度变粗，所以黄河口拦门沙粒度的时空变化，具有洪水期强烈淤积、枯水期侵蚀的动力特征。

第十三章 黄河口海上双导堤工程的方案设计

第一节 方案设计的指导思想与标准

一、设计指导思想

河口双导堤工程设计的指导思想是：①双导堤的总体布置，能够充分利用河、海动力，提高输沙能力。②双导堤设计应根据河口口门段浅海海域的地形情况，充分考虑风浪作用和施工便利等因素，分段设计，每段提出不同方案经技术、经济分析比较推选最优化方案。③充分考虑双导堤工程的特点，尽可能节省投资。

二、工程标准

（一）设计依据

（1）设计主要依据：

《堤防工程设计规范》（GB50286—98）；

《堤防工程施工规范》（SL260—98）；

《黄河下游河道整治设计暂行规定》；

《海港水文规范》（JTJ213—98）；

《水利水电工程土工合成材料应用技术规范》（SL/T225—98）。

（2）其他相关规定，参照的主要技术文件：

《黄河口演变规律及整治》，黄河水利出版社出版；

《黄河河口治理规划报告》；

《黄河口治理与“三约束”理论》，李殿魁；

《水力插板桩堤坝工程》；

《黄河河口治理开发与管理存在的主要问题及建议》，山东水利学会；

《长江口治理措施》；

《巧用海动力治理黄河口工程技术研究——专题三：黄河口动力与双导堤工程技术研究报告》。

（二）主要设计参数和设计指标

1．工程标准

工程等级：参照Ⅲ级。

2. 主要设计指标

1)设计流量

北导堤按照河道过流能力2 000m³/s设计,南导堤按照河道最大过流能力3 000m³/s设计。

2)河道设计水位

3 000m³/s流量时一号坝的水位10.59m。一号坝到清7的距离为56km,清7到高潮线的距离约为15km,高潮线到低潮线的距离约为5km,低潮线到-2m海深等高线的距离约为2.5km,-2m海深等高线到-10m海深等高线的距离为2.63km,-10m海深等高线到海平面的距离为5km,海平面的高程为0.3m。据此推算高潮线的河道水位为2.11m,低潮线的河道水位为1.51m, -2m海深等高线的河道水位为1.21m,-10m海深等高线的河道水位为0.90m。

2 000m³/s流量时一号坝的水位10.18m。据此推算高潮线的河道水位为2.04m,低潮线的河道水位为1.46m,-2m等深线的河道水位为1.18m,-10m海深等高线的河道水位为0.87m。

3 000m³/s流量与2 000m³/s流量时的河道水位推算成果见表13-1。

表13-1 河道水位推算成果 (单位:m)

流量	一号坝	清7	高潮线	低潮线	-2m 等深线	-10m 等深线	海平面
3 000m³/s	10.59	3.90	2.11	1.51	1.21	0.90	0.3
2 000m³/s	10.18	3.77	2.04	1.46	1.18	0.87	0.3
水位差	0.41	0.14	0.07	0.05	0.03	0.03	0

由上述分析可知,2 000m³/s流量与3 000m³/s流量河道水位在高潮线以下相差最大只有7cm,按此设计北导堤,与南导堤高差相差太小,难以体现南高北低、南强北弱的格局。因此,综合考虑各方面因素,确定在低潮线以上南北导流堤高程均参照3 000m³/s流量河道水位标准确定,低潮线以下南北导堤高差为0.10m,即高潮线以后,北导流堤低于南导流堤0.10m。

3)设计潮水位

按照《海港水文规范》(TJT213—98)(简称《规范》),设计潮位包括设计高水位、设计低水位、极端高水位、极端低水位。设计高水位采用高潮累积频率10%的潮位,即高潮10%;设计低水位采用低潮累积频率90%的潮位,即低潮90%。《规范》要求需要一年或多年的实测潮位资料方可进行设计潮位的统计与计算分析。

由于目前缺少黄河口长系列实测潮水位资料,同时考虑双导堤工程的目的是巧用海动力治理黄河口,使得河口地区的泥沙在潮汐、风浪以及河道水流的共同作用下将其带入深海,藉以增加河道的输沙能力,理顺河势,从而减缓河口拦门沙的淤积速度,以达到减弱主槽的淤积抬升的速度。根据清8改汉后的1999年7月24日8:00开始至7月25日8:00两个潮周期(25个小时)的同步连续观测显示,清8口门海域高潮潮位约为1m。HL01站位于口门左侧,从潮位图可以看出涨潮时为7小时20分,落潮时为6小时40分,一个周期历时14h,潮差为0.92m,另一个潮周期不明显历时8h,潮差为0.3m。按照此次实测资料确定设计高潮位1m,设计低潮位0.3m。

4）导流堤顶高程的确定

潮间带与浅水区的导流堤顶高程按以下公式计算：

设计导流堤顶高程＝河道水位＋设计高潮位＋安全超高

安全超高参照堤防规范按照三级堤防允许越浪确定，为0.4m。

深水区的导流堤顶高程按以下公式计算：

导流堤设计顶高程＝河道水位（3 000m^3/s）＋设计高潮位

由于河口地带的环流作用，为了体现南高北低、南强北弱的格局，为了充分利用河口环流和海洋潮动力对淤沙的影响，在高潮线至低潮线间，确定南北导流堤高程一致，低潮线以下导流堤高程按照以下公式计算：

北导流堤设计顶高程＝南导流堤设计顶高程－0.10m

经计算确定的南导流堤顶高程为：高潮线位置3.51m，低潮线位置2.91m，－2m等深线位置2.61m，－10m等深线位置1.9m；北导流堤顶高程为：高潮线位置3.51m，低潮线位置2.81m，－2m等深线位置2.51m，－10m等深线位置1.8m。

5）设计波浪高度的确定

设计波浪的标准包括设计波浪的重现期和设计波浪的波列累积频率。按照《规范》中第4.1.2条设计波浪的重现期应该采用25年，第4.1.3条设计波浪的波列累积频率应该采用F为1%。

《规范》中第4.3.4条规定在进行波高和波周期的频率分析时，连续的资料年数不宜少于20年。需要确定的波浪要素有波高、波长、波周期，这三个波浪要素中如果其中任意一个要素确定就可以按照《规范》规定的设计波浪的确定计算出其他两个要素，从而设计波浪的波浪要素及其特征也就确定。

考虑到双导堤工程的作用，选用一般天气过程中的波浪情况作设计计算。因此，设计波浪的波高取1.5m作为设计计算指标，进行设计计算。设计波高只在导流堤稳定计算时，考虑其力的作用，在设计导流堤高程时没有考虑波浪高度。因河口近岸水域水流含沙量自上往下增大，表层水含沙量小，在风浪作用下表层水流进入导流堤河道，大部分水流通过河口口门流出，有利于冲刷口门拦门沙。

6）土的物理力学性质指标

土的物理力学性质指标包括：土的黏聚力0.5t/m^2、内摩擦角20°、干密度1.4t/m^3、饱和密度1.88t/m^3。

第二节　导流堤工程布置与方案比选

一、工程总布置

（一）原导流堤基本特征

在现行清水沟流路两岸设有导流堤，左岸自清7断面开始向下至汊3断面，向上与顺河路相接。这段导流堤长约10km，距主河槽滩唇100～500m。右岸自三分场围堤起向下至清10断面以下5km处，右岸导流堤距现行河槽最近处仅为250m左右，其中清8断面以下右岸导流堤为原流路左岸导流堤，与现行流路方向不一致，最远处距离达到10km。导流堤堤顶高程5.1～3.2m，导流堤标准为堤顶宽度12m，堤高2m左右，临背边坡1:3。

（二）双导流堤间距确定

根据双导堤建设的目的、任务和设计指导思想，本次双导堤建设要充分利用海洋动力，因此双导堤布置起点为海水高潮水位与陆地的交线即高潮线处。由于黄河入海河道水面与海平面相交处大约在－10m等深线位置，同时拦门沙临海陡坡段坡脚在－10m等深线，也就是沙嘴前缘在－10m等深线处，因此双导堤末端布置在－10m等深线位置。

本次双导堤内河槽设计过流能力按在高潮位时过流3 000m^3/s考虑，即小浪底水库调水调沙运用控制下，下游滩区不漫滩流量。该区域河道主槽宽度为500～600m，根据其他河段观测相应3 000m^3/s流量的河槽一般在600m左右，考虑双导堤需束水攻沙，应选择较小些的过流宽度，如遇大洪水超过3 000m^3/s时，洪水可漫溢导流堤，不影响行洪，因此选取500m作为双导堤间距。

为利用潮流落潮冲刷带走泥沙，导流堤的方向主要考虑与潮流（往复潮）方向一致或夹角尽可能小，河口位置最强风向为ENE向，潮流也是同一方向，因此双导堤方向应为东北向。目前入海流路方向恰为东北向，因此双导堤沿现行河槽主流方向布置。

（三）双导流堤工程布置

由于原导流堤以下没有交通道路，为方便施工，同时考虑工程的完整性，将原有导流堤按原标准向下延伸与高潮线以下的导流堤相衔接，在总体上呈一喇叭口形，从原导堤河道宽1～2km过渡到新修导堤河道宽0.5km，有利于在高潮时纳潮蓄水，落潮时集中水流冲刷拦门沙，在一定意义上起到一个纳潮水库的作用。左岸从汊3断面开始向下修筑，修筑长度为5km左右；右岸自汊2断面向下修筑，修筑长度为6km左右。左岸导流堤总长度约为15.13km，右岸导堤总长度约为16.13km。为防止在河道内侧的原导流堤延伸工程被淘刷，在下段2km采用干砌石或预制混凝土块护坡。

二、方案拟定

根据不同水深和河口实际情况确定不同的方案和施工工艺。

（一）高潮线—低潮线之间

区间长度5km左右，潮差0.3m，滩面平坦，高潮线以上为原导流堤，交通便利，土、石方施工条件较好，可用土、石结构。初步拟定以下两个方案：

（1）土袋枕修做围堰壤土回填方案。

（2）土工格栅加筋土方案。

（二）低潮线—－2m海深等高线之间

区间长度2.5km，属浅水区，传统方案的施工方式很难适应该段的实际情况，需采用修筑围堰或水中进占的方式施工，经分析拟定以下方案：

（1）水力充沙长管袋方案。

（2）乱石坝方案。

（3）面板堆石坝方案。

(4) 安快坝方案。

(三) −2m 海深等高线— −10m 等高线之间

区间长度2.63km，水深从−2～−10m，施工相应增加了难度，考虑海域情况、施工技术等选择以下三种方案进行比选：

(1) 插板桩方案。

(2) 浮运沉井方案。

(3) 半圆体直立式混合堤方案。

导流堤工程总体布置详见附件一中的附图一。

第三节　导流堤结构设计

一、高潮线—低潮线

(一) 土袋枕修做围堰，壤土回填

堤顶宽度：考虑工程管理、施工及观测要求，堤顶应具备交通条件，确定堤顶宽度为5m。

堤顶高程：3.51～2.91m。

导流堤边坡按《堤防工程设计规范》要求，应满足渗流稳定和整体抗滑稳定要求，并要兼顾施工条件及方便工程的正常运行和管理，综合考虑本次导流堤边坡拟定为1∶2.5。

由于堤顶高程确定时，没有考虑风浪爬高，因此该导流堤允许越浪，为防止揭顶，堤顶采用与边坡同样材料进行砌护。为防止风浪淘刷致使土料流失，护坡与土坝体间铺设针刺无纺土工布一层。

为防止水流淘刷堤脚，导致护坡、堤身发生坍塌、滑坡，临河水流侧用大块石或铅丝石笼修做压脚根石台，顶宽1.5m，边坡1∶3，高度1m。

该段水深虽然较浅，但是波浪仍然有一定的淘刷破坏性，为方便壤土回填施工，所以在两侧用土袋枕来修做围堰，土袋枕外边坡根据导流堤边坡坡度，定为1∶2.5。断面形式见附件一中的附图二。

(二) 土工格栅加筋土

堤顶宽度：考虑工程管理、施工及观测要求，堤顶应具备交通条件，确定堤顶宽度为5m。

堤顶高程：3.51～2.91m。

导流堤边坡：1∶2.5。

护根石台：为防止水流淘刷堤脚，导致护坡、堤身发生坍塌、滑坡，临河水流侧用大块石或铅丝石笼修做压脚根石台，顶宽1.5m，边坡1∶3，高度1m。

堤身材料：为加强堤身抵御变形能力，土体中间自与地面结合处布置土工格栅，土工格栅共3层，格栅与格栅间距分别为0.5m。堤身采用就近取壤土回填。断面形式见附件一中的附图三。

二、低潮线—－2m 等深线

（一）水力充沙长管袋

堤顶宽度：考虑工程管理、施工及观测要求，堤顶应具备交通条件，确定堤顶宽度为5m。

堤顶高程：右岸2.91～2.61m，左岸2.81～2.51m。

导流堤边坡：按《堤防工程设计规范》要求，应满足渗流稳定和整体抗滑稳定要求，并要兼顾施工条件及方便工程的正常运行和管理。综合考虑本次导流堤边坡拟定为1∶2.5。

由于堤顶高程确定时，没有考虑风浪爬高，因此该导流堤允许越浪。为防止揭顶，堤顶采用与边坡同样材料进行砌护；为防止风浪淘刷致使土料流失，护坡与土坝体间设针刺无纺土工布一层。

护根石台：为防止水流淘刷堤脚，导致护坡、堤身发生坍塌、滑坡，临河水流侧利用铅丝笼或大块石修做压脚根石台，顶宽1.5m，边坡1∶3，高度1m。

堤身材料：堤身底部由充沙长管袋建筑，长管袋直径为0.8m，管袋与管袋之间用绳索相连，两端留有充填袖口和溢水袖口，长度各1m，直径0.2m。为满足抗掀起、抗悬浮的稳定要求，管内充填泥浆浓度控制在1 100～1 300kg/m^{3}范围内，在设计高潮位以上部分采用壤土回填。导堤断面及充沙长管袋形式见附件一中的附图四至附图六。

（二）乱石坝方案

堤顶宽度：考虑工程管理、施工及观测要求，堤顶应具备交通条件，确定堤顶宽度为5m。

堤顶高程：右岸2.91～2.61m，左岸2.81～2.51m。

导流堤坡：按《土石坝设计规范》要求。综合考虑坝高、风浪、稳定等因素，本次坝坡拟定为1∶2。

护根石台：为防止水流淘刷堤脚，导致护坡、堤身石块发生坍塌、滑坡，临河水流侧用大块石或铅丝石笼修做压脚根石台，顶宽1.5m，边坡1∶3，高度1m。

堤身材料：采用乱石堆筑。

（三）面板堆石坝方案

1. 布置方案

堤顶宽度：在该段导堤上，需要考虑工程管理、施工及观测等要求，所以堤顶应具备交通条件，现确定堤顶宽度为5m。

堤顶高程：右岸2.91～2.61m，左岸2.81～2.51m。

导流堤坡：按《面板堆石坝设计规范》坝坡设计要求。综合考虑坝高、风浪、稳定等因素，本次坝坡拟定为1∶1.6；由于该坝属于低坝，所以混凝土面板采用0.3m厚的等厚面板。

由于堤顶高程确定时，没有考虑风浪爬高，因此该导流堤允许越浪，为防止揭顶，堤顶采用与边坡同样的0.3m厚混凝土面板进行砌护。

护根石台：为防止水流淘刷堤脚及掀拱面板，导致护坡面板发生断裂、堤身石块发生坍塌、滑坡，临河水流侧用大块石或铅丝石笼修做压脚根石台，顶宽1.5m，边坡1∶3，高度1m。

堤身材料：采用块石堆筑。

2. 块石粒径计算

对块石入水后的运动进行分析，块石下沉时所受到的阻力主要是形状阻力，1726年牛顿提出球体下沉时所受到的绕流阻力的一般规律是：

$$F=C_dA\ \rho\ \omega^2/2=C_d\ \pi\ d^2/4\ \rho\ \omega^2/2 \qquad (13-1)$$

式中：C_d为无因次数值，通过试验来决定；ω为沉降速度，经过试验和归纳，在紊流状态，雷诺数Re>500时，$\omega=42.4d^{1/2}$（见泥沙进修班教材《河流泥沙》上册），d是平均粒径，以cm计。块石$\gamma=2.3\mathrm{m^3/s}$，如简化为球体，50kg以上大块石：$\pi\ d^{2/4}\cdot\gamma=0.05$，$d=[4\times0.05/(2.3\times\pi)]^{1/2}=0.166(\mathrm{m})=16.6\mathrm{cm}$，$\omega=42.4\times16.6^{1/2}=172.75(\mathrm{cm/s})$。

块石入水前靠自卸汽车抛投，一般从高度1.5m以上的卡车上被抛到水面。从安全计，如不计算抛投速度，只计算自由落体，即大块石到海底的速度$v=v_0+\omega$，块石入水前初始速度由下式计算：

$h=1/(2gt^2)$

$t=(2h/g)^{1/2}=(2\times1.5/9.8)^{1/2}=0.553(\mathrm{s})$

$v_0=gt=9.8\times0.553=5.42(\mathrm{m/s})$

水深h，块石从水面被抛到海底需要的时间为：$t=h/v$。

实测顺流流速为v_1，则块石在抛落入水后被冲离的距离为：$x=v_1t$，因此抛石在此范围内都为有效石。

抛石究竟采用多大粒径才合适，是否在抛投过程中被水流冲走，为此查阅了很多资料，其中《河流泥沙》教材列出了河底组成物的不冲流速（起动流速），见表13-2。

表13-2　河底组成物的不冲流速

河床组成	土质粒径（mm）	不冲流速v（m/s）
淤泥		0.25～0.45
粉沙		0.25～0.40
极细沙	0.1～0.05	0.35～0.45
中等沙	0.5～0.25	0.45～0.60
粗沙	2～0.5	0.60～0.75
小砾	5～2	0.75～0.90
中砾	20～5	0.90～1.1
大砾	60～20	1.1～1.3
沙壤土		0.4～0.7
轻黏壤土		0.55～0.80
中黏壤土		0.65～0.90
重黏壤土		0.7～1.0
黏土		0.65～1.15

用自卸汽车每10～15min向筑坝体范围抛投大块石，等于瞬时在不同高度内抛铺了以大块石组成的防护物，从最不安全计，即不考虑块石之间的压茬、摩擦、互相限制作用，计算单块块石在斜土坡上的起动被冲粒径，块石走失与水流速度、水深、块石粒径

及块石所处的断面形态等有关。原武汉水利电力大学张瑞瑾教授根据沙莫夫公式导出的斜坡上块石的起动流速公式（见黄委会《减少抢险的丁坝结构及施工技术研究》）：

$$v_0=5.45kh^{0.14}d^{0.36} \tag{13-2}$$

式中：v_0 为块石的起动流速，m/s；h 为水深，m；d 为块石粒径，m；$k=[(m^2-m_0^2)/(1+m^2)]^{0.25}$。

式(13-2)说明：流速越大，块石越容易走失；边坡系数越大，单个块石的稳定性越好。考虑黄河水流流速、流向和潮流流速、流向等的不稳定性和施工进占逼水增加流速等因素，参考河道整治工程、海岸防潮堤等建设经验，为安全计，使用70kg、粒径0.4m以上的大块石作为堆砌石料。

（四）安快坝

安快坝是美国近年来使用比较多的一种新型坝体，因其在作为临时工程时具有使用简单、方便、可重复利用等优点而被大量使用。安快坝体由柔韧的防渗材料作为载体，里面充水组成，其建设不需要动用大量机械和劳动力，且可以适应任何地形，该方案是用“水”作为水坝的增重内充物，注满水后就可以成为导流堤，所以只需根据工程需要，定制符合工程地形和尺寸的坝体，放到预先设定的导流堤位置，然后安装若干个水泵充水即可完成。水坝之间由套管连接，其与地表之间的空间也将用增加水的重量和使用附加防渗材料的方法尽量达到密封。本方案使用在低潮线—−2m等深线之间的浅水区，足可以隔断黄河侧水流，达到作为导流堤的功能和效果。

(1) 堤顶宽度：根据需要可以定制任何形状和直径的安快坝，因为安快坝充水载体为柔韧的防渗材料，充水与地面接触后成为半椭圆形，宽度增加，高度降低，同时还要考虑增加高程的需要，因为以上这些情况，所以本方案考虑安快坝直径留有一定的富裕，定为5m。

(2) 堤顶高程：安快坝用动态水作为内充物，为了便于检修或不使用时排放充填到里面的水，必须保证该结构25%的高度高于周围水面，以确保水坝安全，所以安快坝顶高程应根据水面高程注水加以调整，保证顶高程相对于四周水面有坝体1/4的超高，即充水调整后的坝顶高程为3.05m。

三、−2m等深线—−10m等深线

（一）插板桩（板桩墙）

板桩墙是一种用板桩组成的挡土或挡水结构。永久性板桩墙常用于港湾工程及河道工程，如码头、防护堤、堤岸等。板桩墙特别适合在水中或地下水位以下采用，同其他施工方法比较，具有施工简便、快速、安全可靠、工期较短、造价相对较低等优势。按受力条件可以分为悬臂式板桩墙及锚定式板桩墙。悬臂式板桩墙主要靠埋入土中的足够深度，以保持墙的稳定；锚定式板桩墙是在板桩墙顶部设置支撑或拉锚，以帮助维持墙的稳定。由于该地段处于深水区，设置锚杆不容易实现，所以选择悬臂式板桩墙。

参考一些已建工程并结合区域环境情况综合考虑，故拟定插板桩结构如下：插板桩的起点在−2m等深线位置，并与上段导流堤交叉搭接，拟定插板桩宽度1m、厚度0.3m，每块插板桩的一端设导向滑槽、另一端预埋导向安装螺栓，以便施工时相互咬合，纵向钢筋顶部预留0.25m。在插板桩中心预埋 ϕ 89 充水管，顶端伸出0.3m，底部焊接横向喷水管，管有开孔，梅花型布置，孔间距为13cm。插板桩采用C30混凝土预制。

插板桩墙导流堤考虑两种结构形式：

(1) 单墙形式。插板桩顺水流向单板连接成墙，利用顶部预留钢筋现浇0.3m高的连梁，增加纵向刚度，使板桩墙成为一整体。

堤顶宽度：由于该段导流堤位于深水区，该形式不作交通要求，所以堤顶宽度满足插板桩构造要求即可，设计现浇帽梁宽度为0.5m。

(2) 双墙形式。顺水流向按导堤拟定位置，间隔3m（净间距）插双排板桩，每排板桩墙形式同单墙。两排板桩顶部用钢筋混凝土顶板连接，利用顶部预留钢筋锚固，形成Π型结构，增加稳定性。顶部面板两侧设钢栏杆，高1.1m。

堤顶宽度：该段导流堤虽然位于深水区，但考虑工程、水文观测要求以及观光的可能性，交通只考虑行人和小型设备通行，所以堤顶宽度为3.6m。

插板桩墙导流堤两种结构形式堤顶高程为：2.61～1.9m。插板桩布置及断面形式见附件一中的附图七。

（二）浮运沉井

沉井是地下工程和深埋基础施工的一种方法，其特点是：将位于地下一定深度的建筑物或建筑物基础，先在地面以上制作，形成一个井状结构，然后在井内不断挖土，借助井体自重而逐步下沉，下沉到预定设计标高后，进行封底，构筑井内底板、梁等构件，最终形成一个地下建筑物或建筑物基础。沉井广泛应用于桥梁墩台基础、墩状拼装井、地下构筑物的围壁等。

沉井的类型按两方面分类：①按平面形状分为圆形、方形、矩形、椭圆形等；②按竖向剖面形状分为圆柱形、阶梯形及锥形等。

本次根据区域环境功能、运输条件及施工要求拟定采用浮运沉井，沉井直径5m、壁厚0.5m。为了保持在风浪作用力下的稳定，除在井内充填沙石用来增加自重外，沉井底部留有0.6m长，能插入海底地面下的刃角。每一个沉井高度都为十多米，在运输和安装时很不方便，所以在预制时以1m为单位高度进行制作。同时，为了方便沉井与沉井定位后之间相连，在沉井两侧留有锁扣，相连后用混凝土将相连沉井浇筑为一体，以增加抗风浪能力。

为使沉井能顺利稳定下沉，应验算沉井自重是否能满足克服下沉时土的摩阻力，即：

$$G > R_{\mathrm{f}} = \sum f_i h_i u_i \tag{13-3}$$

式中：G为沉井自重，如不排水下沉则扣除水的浮力，kN；R_f为土对沉井外壁的总摩阻力，kN；h_i为沉井穿过的第i层土的厚度，m；u_i为该段沉井的外周长，m；f_i为第i层土对井壁单位面积的摩阻力，kN/m²。

由于沉井长期在水中浸泡，故应该做沉井的抗浮验算，常用以下两种方法。

(1) 不计井壁侧面反摩擦力时，按下式验算

$$K = \frac{G}{F_{\mathrm{f}}} \tag{13-4}$$

式中：K为沉井抗浮安全系数，沉井结构及其影响范围内建筑物安全等级为二、三级时，

取K=1.05；安全等级为一级时，取K=1.1；G为沉井及其封底的重量，kN；F_f为水对沉井结构的浮力，即整个沉井结构的排水量，kN。

(2) 考虑井壁侧面反摩擦力时，按下式演算

$$K_f = \frac{G + R_f'}{F_f} \tag{13-5}$$

$$R_f' = \sum f_i h_i u_i \gamma_f \tag{13-6}$$

式中：K_f为沉井抗浮安全系数，沉井结构及其影响范围内建筑物安全等级为二、三级时，取K=1.2；安全等级为一级时，取K=1.3；R_f'为沉井侧壁与土的总反摩阻力，kN；h_i、u_i、f_i分别为第i层土的厚度（m）与土接触的沉井壁周长（m）和井壁与第i层土的反摩擦力（kN/m²）；γ_f为井壁与土的摩擦力折减系数。

堤顶高程：2.05～1.3m。沉井布置及断面形式见附件一中的附图八。

（三）半圆顶直立式混合坝

参照长江口深水航道治理工程的二期北导堤深水堤段方案，采用半圆体直立式混合坝，在−2m水深处，坝上部为直径5m、壁厚0.3m、底座厚0.5m的半圆体，两侧及底部留有0.05m直径通气孔的混凝土预制件，下部用混凝土连锁块软体排、基床块石做基础，两侧辅以护肩块石；沿水深的变化，半圆体直立式混合坝的坝型也在变化，顶上部依然为直径5m、壁厚0.3m的半圆体，下接壁厚0.3m的直立段，底座厚0.5m。同样因为其体积庞大，为方便运输和定位安装，在预制直立段时以1m长度为单位进行制作。

堤顶高程：2.61～1.9m。半圆体直立式混合坝布置及断面形式见附件一中的附图九。

四、方案比选

（一）高潮线—低潮线段落

该段的两方案从技术上都是可行的，工程投资及施工难易程度差别不大，土袋枕方案估算投资为0.18万元/m，土工格栅方案估算投资为0.13万元/m。但是比较后发现，两方案虽均能实现导流堤所要求的功能，而就目前工程实际情况来看，在水深并不大的前提下，土工格栅能较好地与土体结合，适应滩面的变形，且施工比较方便；土袋枕相比较而言施工工序多，周期长，技术复杂。因此，推荐土工格栅方案。

（二）低潮线— −2m等深线

该段四个方案进行比较：

(1) 安快坝作为临时工程，在经济上有一定的优势，投资少并能重复利用，而且施工也比较方便，不需要动用大量的施工机械，工期短，只需要把定制完成的坝体安装后，充水即可。但是本次设计方案是将安快坝作为一种永久坝型考虑，不能重复利用，经济优势也就不存在了，并且到目前为止，国内还没有安快坝相关成熟的施工经验，加之建成后还需要不间断的维护维修，需要建设维护站点，双导堤位置距离城镇比较远，维护人员生活不方便，不符合实际情况。

(2) 充沙长管袋施工有施工简单、投资少、坝体稳定性好、适应水下变形能力强、水

下施工较方便等特点；并经过黄河大量工程运用，有了比较成熟的经验，效果不错。

(3) 乱石坝有以下优点：①振动碾压导致的高密实度堆石体变形小，整体稳定有了保证；②坝体填筑对气候要求较小，基本可以全年施工；③坝体对防渗要求小，基本上没有防渗要求。但是由于乱石坝的坝体对基础沉陷很敏感，对抗漂浮物冲击、抗寒冰冻和抗震方面性能比较差。

(4) 面板堆石坝不仅兼有乱石坝的优点，还有以下的优点：①面板设于堆石体面，整个坝体都是受力结构，水压力在坝面的铅直分力有利于坝的稳定；②面板兼起护坡防浪作用，经济合理；③面板的设置，便于检查维修；④坝体填筑施工干扰小，气候影响也小，基本可以全年施工。但是和乱石坝一样，面板堆石坝的面板及坝体也对基础沉陷很敏感，同时在对漂浮物、抗严寒冰冻以及环境水侵蚀作用方面性能较差，对抗地震要求也比较高。并且黄河口地处缺少石料场的东营，最近的石料场位于离河口200多公里的青州，石料运距较远，所以乱石坝及面板堆石坝方案的工程造价高。

综合以上分析，该段推荐充沙长管袋方案。

(三) −2m 等深线—−10m 等深线

对该段三个大方案进行综合比较：

(1) 浮运沉井相对其他施工工艺来说，具有以下优点：①承载能力大，刚度大；②开挖量小；③施工设备简单、操作方便。

但是浮运沉井在其下水前，必须进行水压及水密性试验，合格后方可入水；对基床要求平整，此要求比较高；浮运沉井是采用预制件就位下沉，该预制件需要从工厂运出，运输不便，施工要求高，并且预制件每延米单位工程造价较高。

(2) 半圆体直立式混合堤预制工艺复杂，运输不方便，施工难度比较大，而且造价高。

(3) 水力插板桩技术在河口地区运用较多，如一些黄河护岸堤、险工挑流堤。

插板桩设计施工已经有了一定的经验，而且经过多年的努力，形成配套的施工机具和技术，能够在一定水深的海域进行正常的施工作业。应用水力插板桩技术，省掉了传统施工过程中修筑围堰、开挖基坑构筑坝体等大量的工程量，具有预制化程度高、施工速度快、工程造价低、维修少等优点，所以该段推荐方案为双墙形式的水力插板桩导流堤。

对上述确定的方案进行主要投资估算，结果见表13−3。

由以上比较可以看出：高潮线—低潮线段落中，土工格栅方案比土袋枕方案节省投资为24.24万元；低潮线—−2m等深线段落对充沙长管袋和堆石坝的投资进行估算，比较得出堆石坝方案投资远远大于充沙长管袋方案；−2m等深线—−10m等深线段落，分别计算出插板桩、浮运沉井和半圆体混合堤的工程量，得出单墙插板桩方案工程量为26 668m^3，双墙插板桩方案工程量为56 800m^3，浮运沉井工程量为98 228m^3，半圆体混合堤混凝土工程量为61 530m^3、石方工程量为82 688m^3。通过以上分析比较，发现后两种方案的工程量远大于插板桩方案，投资较大。插板桩方案的两种形式，双墙板桩投资明显大于单墙，但双墙板桩结构形式较好，具有交通功能，有利于观测、观光，工程管理维护，因此推荐双墙板桩方案。

黄河护岸堤

小垦利 2# 挑流堤

八连险工挑流堤

表 13–3　　各方案投资估算结果　　（单位：万元）

<table>
<tr><th rowspan="2">护坡</th><th colspan="2">高潮线—低潮线</th><th colspan="2">低潮线—–2m 等深线</th><th colspan="3">–2m 等深线—–10m 等深线</th></tr>
<tr><th>土袋枕</th><th>土工格栅</th><th>充沙长管袋</th><th>乱石坝</th><th>插板桩</th><th>浮运沉井</th><th>半圆混合堤</th></tr>
<tr><td>混凝土预制块护坡</td><td>4 380.86</td><td>4 356.62</td><td>2 933.44</td><td></td><td></td><td></td><td></td></tr>
<tr><td>块石护坡</td><td>5 294.4</td><td>5 270.16</td><td>3 452.27</td><td></td><td></td><td></td><td></td></tr>
<tr><td>模袋混凝土护坡</td><td></td><td></td><td>4 597.36</td><td></td><td></td><td></td><td></td></tr>
<tr><td>其他</td><td></td><td></td><td></td><td>6 191.11</td><td>13 334.00（单墙）
30 870.40（双墙）</td><td>52 285.53</td><td>35 094.88</td></tr>
</table>

通过以上经济分析可见，所选的方案在技术上都是可行的、经济上是比较节省的。

第四节　工程稳定分析

根据拟定的断面形式经过技术、经济初步比较推荐了各段落的导流堤方案。各段落的导流堤是否满足稳定要求，需进行稳定分析。

一、土石坝抗滑稳定分析

根据以上确定的导流堤方案，进行稳定分析计算。

（一）计算方法

依据《堤防设计规范》（GB50286—98）要求，本次抗滑稳定计算方法选用瑞典圆弧滑动法，计算采用北京理正软件设计研究所编制的《土石坝边坡稳定分析程序》。其中，稳定渗流期采用有效应力法，施工期采用总应力法。瑞典圆弧滑动法是条分法中最古老而又最简单的方法。它是假定滑动面为圆柱面及滑动土体为不变的刚体，同时还假定不考虑土条两侧面上的作用力，然后利用土条底面法向力的平衡和整个滑动土体力距平衡两个条件求出各土条法向力 N_i 的大小和抗滑稳定安全系数 F_s。

总应力法计算公式：

$$F_s = \frac{\sum (cl_i + \gamma b_i h_i \cos\theta_i \tan\varphi)}{\sum \gamma b_i h_i \sin\theta_i} \tag{13–7}$$

式中：c、φ分别为土条底面土层的黏聚力和内摩擦角，γ为土的容重；l_i为土条滑弧长度；b_i为土条宽度；h_i为土条平均高度；θ_i为土条底面中点的法线与竖直线的交角。

有效应力法计算公式：

$$F_s = \frac{\sum [c' l_i + (\gamma b_i h_i \cos\theta_i - u_i l_i)\tan\varphi']}{\sum \gamma b_i h_i \sin\theta_i} \tag{13–8}$$

式中：c'、φ'为土的有效应力强度指标；u_i为土条底面中点处的空隙水压力。

在计算公式中，没有考虑土工格栅及土工布长管袋实际起到的加筋，有利导流堤稳定的作用。

（二）计算参数

坝基土料指标：凝聚力为0、内摩擦角30°、渗透系数1×10^{3}cm/s、干密度1.45g/cm^3、饱和密度1.91g/cm^3。

（三）计算工况

依据《堤防设计规范》(GB50286—98)，结合黄河下游堤防的情况，抗滑稳定分析包括正常情况和非正常情况，规范规定抗滑稳定的允许安全系数见表13-4。各计算工况情况如下：

（1）正常运用情况：①设计流量水位下的稳定渗流期背河侧堤坡；②设计流量水位骤降期的临河侧堤坡。

表13-4 抗滑稳定计算成果

断面位置	计算工况	圆心位置	滑弧半径	计算部位	最小稳定安全系数	允许安全系数
传统土石坝工程的开始位置断面	设计流量水位下的稳定渗流期	(2.867，5.018)	6.991	背河侧	1.468	1.3
	设计流量水位下的骤降期	(2.868，3.585)	5.970	临河侧	1.675	1.3
	多年平均水位遭遇地震	(2.868，5.019)	6.732	临河侧	2.499	1.2
		(2.866，5.735)	5.442	背河侧	1.546	1.2

（2）非正常运用情况：多年平均水位遭遇地震的临河、背河侧堤坡。

（四）抗滑稳定计算成果及分析

抗滑稳定计算成果及分析：从计算结果看，各计算情况下的抗滑稳定安全系数均满足抗滑稳定要求。其计算结果见表13-4。抗滑稳定计算简图见附件二。

二、插板桩坝稳定分析

（一）计算理论的分析说明

插板桩计算分析就是为了确定板桩结构尺寸与受力情况，作配筋计算。本次计算按承受水平荷载和垂直荷载时板桩稳定要求计算板桩长和入土深度。波浪力的计算参照《海港水文规范》8.3条波浪对桩基和墩柱建筑物的作用计算方法，主动土压力与被动土压力按朗肯理论计算，板桩长和入土深度按悬臂式板桩墙计算。

（二）波浪力的计算

设计波浪要素的确定。波长按下式计算：

$$L=\frac{gT^2}{2\pi}\text{th}\frac{2\pi d}{L} \tag{13-9}$$

式中：L为波长，m；T为平均周期，s；g为重力加速度，m/s^2；d为水深，m。

有效波周期按下式计算：

$$T_s = 1.15T \tag{13-10}$$

式中：T_s为有效波周期。

同时也可以按照《海港水文规范》4.3.2条确定设计波高对应的周期。

波浪力的计算：波浪力的计算参照《海港水文规范》8.3条波浪对桩基和墩柱建筑物的作用计算。在柱体全断面上与波向平行的正向力由速度分力和惯性分力组成。最大正向力速度分力(P_{Dmax})和惯性分力(P_{Imax})分别是在ωt=0° 和ωt=270° 的计算。

(1) 作用在柱体断面Z_1与Z_2之间，该段上的P_{Dmax}和 P_{Imax}分别按下列式计算。

$$P_{D\max} = \frac{\gamma D H^2}{2} C_D K_1 \alpha \tag{13-11}$$

$$P_{I\max} = \frac{\gamma A H}{2} C_M K_2 \gamma_p \tag{13-12}$$

其中：

$$K_1 = \frac{\frac{4\pi Z_2}{L} - \frac{4\pi Z_1}{L} + \mathrm{sh}\frac{4\pi Z_2}{L} - \mathrm{sh}\frac{4\pi Z_2}{L}}{8\,\mathrm{sh}\frac{4\pi d}{L}}$$

$$K_2 = \frac{\mathrm{sh}\frac{2\pi Z_2}{L} - \mathrm{sh}\frac{2\pi Z_1}{L}}{\mathrm{ch}\frac{2\pi d}{L}}$$

式中：α、γ_p分别为P_{Dmax}、P_{Imax} 的系数；a、b分别为矩形柱体断面上垂直和平行于波向的宽度，m；D为柱体的直径，当为矩形断面时，D改为b，m；A为柱体的断面积，m^2；C_D为速度力系数，对圆形断面取1.2，对方形或$a/b \leqslant 1.5$的矩形断面取2.0；C_M为惯性力系数，对圆形断面取2.0，对方形或$a/b \leqslant 1.5$的矩形断面取2.2。

(2) P_{Dmax}和 P_{Imax}对Z_1断面的力矩M_{Dmax}和 M_{Imax}的计算。

$$M_{Dmax} = \frac{\gamma b H^2 L}{2\pi} C_D K_3 \beta \tag{13-13}$$

$$M_{I\max} = \frac{\gamma A H L}{2\pi} C_M K_4 \gamma_M \tag{13-14}$$

其中：

$$K_3=\frac{1}{\mathrm{sh}\frac{4\pi d}{L}}\left[\frac{\pi^2(Z_2-Z_1)^2}{4L^2}+\frac{\pi(Z_2-Z_1)}{8L}\mathrm{sh}\frac{4\pi Z_2}{L}-\frac{1}{32}\left(\mathrm{ch}\frac{4\pi Z_2}{L}-\mathrm{ch}\frac{4\pi Z_1}{L}\right)\right]$$

$$K_4=\frac{1}{\mathrm{ch}\frac{2\pi d}{L}}\left[\frac{2\pi(Z_2-Z_1)}{L}\mathrm{sh}\frac{2\pi Z_2}{L}-\left(\mathrm{ch}\frac{2\pi Z_2}{L}-\mathrm{ch}\frac{2\pi Z_1}{L}\right)\right]$$

式中：β、γ_M分别为M_{Dmax}、M_{Imax}的系数；γ为水的容重。

（3）正向水平最大总波浪力及力矩$P_{\max}$、$M_{\max}$按下相关式计算。

①当$P_{\mathrm{Dmax}} \leqslant 0.5P_{\mathrm{Imax}}$时，正向水平最大总波浪力$P_{\max}$按下式计算：

$$P_{\max} = P_{\mathrm{Imax}}$$

对水底面的最大波浪力矩$M_{\max}$按下式计算：

$$M_{\max} = M_{\mathrm{Imax}}$$

②当$P_{\mathrm{Dmax}}>0.5P_{\mathrm{Imax}}$时，正向水平最大总波浪力$P_{\max}$按下式计算：

$$P_{\max}=P_{\mathrm{Dmax}}\left(1+0.25\frac{P_{\mathrm{Imax}}^2}{P_{\mathrm{Dmax}}^2}\right)$$

对水底面的最大波浪力矩$M_{\max}$按下式计算：

$$M_{\max}=M_{\mathrm{Dmax}}\left(1+0.25\frac{M_{\mathrm{Imax}}^2}{M_{\mathrm{Dmax}}^2}\right)$$

（三）土压力的计算

1. 主动土压力的计算

主动土压力根据朗肯理论按下式计算：

$$E=\frac{1}{2}\gamma K_a H^2 \tag{13-15}$$

式中：γ为土的容重；H为计算土层深度；K_a为主动土压力系数，$K_a=\tan^2\left(45^\circ-\frac{\phi}{2}\right)$。

2. 被动土压力的计算

被动土压力根据朗肯理论按下式计算：

$$E=\frac{1}{2}\gamma K_{\mathrm{p}} H^2 \tag{13-16}$$

式中：γ为土的容重；H为计算土层深度；K_{p}为被动土压力系数，$K_{\mathrm{p}}=\tan^2\left(45^\circ+\frac{\phi}{2}\right)$。

计算中有效被动土压力按照（1/2～2/3）倍的朗肯理论计算的被动土压力来考虑。

（四）插板桩计算

对−2m等深线—−10m等深线之间插板桩方案的分析计算按照《岩土工程治理手册》板桩墙的计算方法，按悬臂式板桩墙进行计算。

1. 插板桩的受力图

插板桩的受力示意图如图13−1所示。

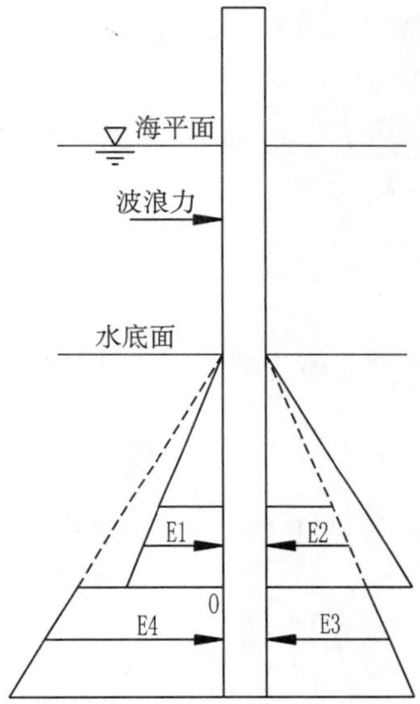

2. 插板桩计算

由于缺乏风浪要素的长系列实测资料，因此无法按照规范要求进行频率统计分析确定设计波高。为了对比分析按照现有资料取两个不同的波高进行计算。

1）工况一：一般天气状况，计算波高取1.5m

插板桩稳定计算分别选取−2m、−5m、−10m三处位置作为典型情况进行分析计算。

（1）计算情况一：选取−2m等深线位置处插板桩进行分析计算，临河侧水位高程为0.65，背河侧水位高程为0.3m。

计算结果：板桩总长为8m，入土深度为5m，最大弯矩为27.18kN·m。

（2）计算情况二：选取−5m等深线位置处插板桩进行分析计算，临河侧水位高程为0.50m，背河侧水位高程为0.3m。

海平面
波浪力
水底面
E1
E2
0
E4
E3

图13−1　插板桩的受力示意图

计算结果：板桩总长为11.4m，入土深度为5.4m，最大弯矩为18.10kN · m。

（3）计算情况三：选取−10m等深线位置处插板桩进行分析计算，左右两侧水位高程为海平面水位高程，即0.3m。

计算结果：板桩总长为17m，入土深度为6m，最大弯矩为64.468kN · m。

2）工况二：大风或台风情况，波高取3.8m（考虑强风方向的影响取折减系数0.7）

（1）计算情况一：选取−2m等深线位置处插板桩进行分析计算，临河侧水位高程为0.65m，背河侧水位高程为0.3m。

计算结果：板桩总长为13m，入土深度为8m，最大弯矩为98.48kN · m。

（2）计算情况二：选取−5m等深线位置处插板桩进行分析计算，临河侧水位高程为0.50m，背河侧水位高程为0.3m。

计算结果：板桩总长为14.5m，入土深度为7.5m，最大弯矩为88.18kN · m。

（3）计算情况三：选取−10m等深线位置处插板桩进行分析计算，左右两侧水位高程为海平面水位高程，即0.3m。

计算结果：板桩总长为19.5m，入土深度为7.5m，最大弯矩为79.80kN · m。

（五）插板桩的计算结果分析说明

通过以上的分析计算可以看出，风浪对计算结果的影响比较大。工况二的计算结果插板桩长度明显大于工况一，其工程投资也会大幅度增加。虽然考虑双导堤内河道中的泥沙不断淤积，沙嘴不断向前延伸，插板桩河道侧埋深加大，所受压力不断变化，可能出现有利于板桩稳定的情况，但由于因素复杂，不能直接作为稳定的措施考虑，只能作为一种安全储备。同时，本次插板桩的计算中只考虑了波浪力，潮水位和波浪情况都缺少长系列实测资料，为此选择了实测一日的波浪因素作为计算资料，潮流及其他的外力因素都因为资料缺乏而没有考虑，所以插板桩的计算和分析还需要进一步深入研究。双导堤作为河口治理探索的尝试，工程设计应考虑各种不利因素，尽可能地按照有关规范、规程设计，且应有必要的安全度。综合考虑以上各种因素，本次研究选取工况二即大风或台风天气情况的计算成果作为推荐方案。

第五节　护坡计算

护坡厚度应满足稳定要求，现对护坡进行厚度验算。

一、干砌石护坡

干砌石护坡是国内最常见的一种护坡型式，消浪作用较好，但其整体性较差。图13−2为采用土工织物垫层的干砌石护坡构造。

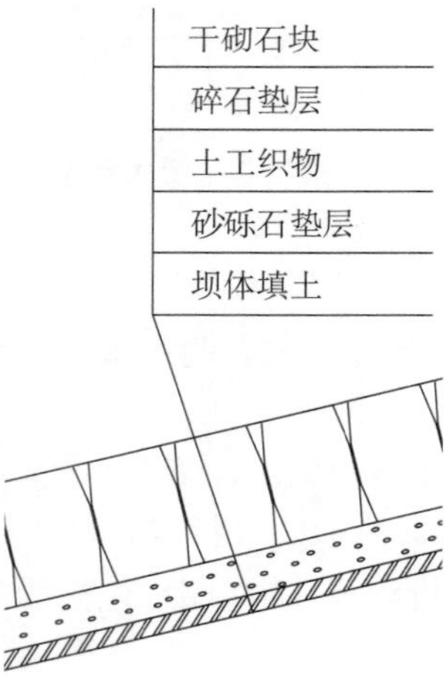

干砌石块
碎石垫层
土工织物
砂砾石垫层
坝体填土

图 13−2　干砌石护坡

干砌石护坡采用土工织物封闭砂砾垫层，从根本上堵塞了垫层流失的通道，改善了面石的工作条件，减少了因为护坡石沉陷和垫层流失导致面石翻倒脱落的可能性。

在波浪作用下，满足稳定要求的斜坡堤干砌石护坡护面厚度 t（m）可以按下式计算：

$$t = K_1 \frac{\gamma}{\gamma_b - \gamma} \frac{H}{\sqrt{m}} \sqrt[3]{\frac{L}{H}} \tag{13-17}$$

式中：K_1 为系数，对一般干砌石可取0.266，对砌方石、条石取0.225；γ_b为块石的密度，kN/m^3；γ为水的容重，kN/m^3；H为计算波高，m，当 $d/L \geqslant 0.125$ 时，取 $H_{4\%}$；当 $d/L < 0.125$ 时，取 $H_{13\%}$。其中 d 为堤前水深 m；L 为波长，m；m 为斜坡坡率，$m=\cot\alpha$，α 为斜坡坡角。

经计算可得出以下结论：t =0.4m，即可以满足稳定要求。

二、混凝土砌块护坡

混凝土砌块护坡是以人工预制混凝土砌块作为护面层的一种铺砌式保护结构，虽然本质上属散体护坡，但规则的块型和一定的铺砌方式，使相邻砌块可以相互作用共同抵御波浪和水流的作用。因此，从结构上讲，砌块护坡介于散体护坡（抛石、干砌石）和整体护坡（现浇混凝土）之间，因而有一定的柔性。

护坡用砌块平面尺寸较小，厚度在0.1～0.5m。

满足混凝土板整体稳定所需要的护面板厚度t按下式计算：

$$t=\eta H\sqrt{\frac{\gamma}{\gamma_{b}-\gamma}\frac{L}{Bm}} \tag{13-18}$$

式中：η为系数，对开缝板可取0.075,对上部为开缝板，下部为闭缝板可取0.1；H为计算波高，m，取$H_{1\%}$；γ_{b}为混凝土板的密度，采用23.52,kN/m³；γ为水的容重，采用9.81，kN/m³；L为波长，m；B为沿斜坡方向（垂直于水边线）的护面板长度，m，B取1.2m；m为斜坡坡率，$m=\cot\alpha$，α为斜坡的坡角（°）。

经计算可得出以下结论：t=0.14m，即可以满足稳定要求；考虑冻涨等因素也可加厚取t=0.20m。

三、模袋混凝土护坡

模袋具有较高的抗拉强度及耐酸、耐碱、抗腐蚀等优点。按其充填材料不同分为充填砂浆型和充填混凝土型两种。前者适用于一般坡面、渠道、江河和水库的护坡以及码头工程等，后者适用于有较强水流和波浪作用的岸坡、海堤等。

对于抗漂浮所需的模袋厚度按下式计算：

$$\delta=0.07cH_{w}\sqrt[3]{\left(\frac{L_{w}}{L_{r}}\right)}\cdot\frac{\gamma_{w}}{\gamma_{c}-\gamma_{w}}\cdot\frac{\sqrt{1+m^{2}}}{m} \tag{13-19}$$

式中：c为面板系数，大块混凝土护面取1，护面上有滤水点取1.5；H_{w}、L_{w}为波浪高度与长度,m；m为坡角的余切；γ_{c}为砂浆或混凝土有效容重,kN/m³；γ_{w}为水容重，采用9.81kN/m³。

经计算得：t=0.12m，即可以满足抗漂浮要求。

由于黄河下游的结冰厚度一般年份为0.1～0.15m，最大年份可达0.3～0.4m，护面与坡面间摩擦系数根据试验及经验可取0.5,所以满足能抵抗水体水平冻胀力推动的所需厚度小于零，即表明土体本身能够承受冰推力的作用，模袋厚度按抗漂浮所需厚度确定，但由于黄河入海口水流流态复杂、冲刷力强、自然条件恶劣等因素，模袋厚度取0.20m。

高潮线—低潮线区间，从经济和施工技术两方面进行分析护坡方案。①投资比较：采用预制混凝土护坡的工程估算单价为662.97元/m³，而采用干砌块石护坡的工程估算单价为357.15元/m³。虽然从单价上干砌块石护坡的工程估算单价要比预制混凝土护坡的工程估算单价低，但是工程量却是预制混凝土护坡的2.85倍，因此采用预制混凝土护坡投资为1 706.48万元，采用干砌块石护坡投资为2 620.02万元。所以干砌石护坡投资比预制混凝土块护坡投资大，且由于当地石料缺乏，施工石料需从青州调运，运距较远。②施工技术方面：石块护坡施工难度大，质量不容易控制，一旦质量控制不好，易发生破坏。相对而言，混凝土块施工时铺装简便，施工质量易控制。综合以上因素，在高潮线—低潮线区间之间护坡方案设计推荐混凝土块护坡的方案。

在低潮线—－2m等深线区间，由于上一段已经对干砌块石护坡及预制混凝土块护坡进行比较，所以该段只对预制混凝土块护坡及模袋混凝土护坡进行比较：首先，由于该段工程处于一定水深处，预制混凝土块施工水下铺设具有较大的难度，而模袋混凝土护坡具有整体性好，地形适应性强，施工速度快，允许在水下铺设并具有较强的抗侵蚀性，土工模袋护坡具有较好的整体性和柔性，能防止其下部土壤被水流带走；其上部粗糙能够有效抵御水流的冲刷。其次，由于土工模袋护坡施工简便，机械化程度高，管理维修费用少。因此，从方便工程施工角度上选择，该段护坡形式应采用模袋混凝土护坡。

第六节　工程施工组织

一、施工条件

本工程所在位置为黄河口两侧近海滩涂区域，有导流堤与外界相连，地势平坦，交通方便；施工期间用电采用柴油发电机供电；施工用水可抽取黄河水经沉淀后使用；工程建设需要的油料、水泥、钢材等就近到当地物资部门采购。

二、施工总布置

根据工程区段的特点及交通情况，施工总布置分为左右岸两部分。左岸工程在左岸原有导流堤末端位置，即汊3断面位置的滩地上建设施工管理及生活设施、机械停放保养场等附属设施。石料倒运及堆放场可以考虑交通及堆放便利等因素后在左岸的原有导流堤外滩地处。右岸工程的建设施工管理及生活设施、机械停放保养场等附属设施布置在右岸垦东29油田处，石料倒运及堆放场参照交通及堆放便利等原则后布置在右岸滩地上。

在施工安排上分为左右两岸分别施工，施工顺序是：先右岸，后左岸。在修筑导流堤的时候，先修筑右岸导流堤，利用环流作用，先将淤沙堆积在导流堤以北，在修筑左岸导流堤时，利用导流堤的束水强流作用，可以将导流堤内的淤沙冲走；同时，也将原来堆积的淤沙隔绝在导流堤外，再利用河口地区的环流及潮流动力，将淤沙往深海区输送。

在施工布置上按照分期施工安排，先将右岸导流堤修筑至－5m处，左岸导流堤修筑至－2m处，随着淤沙的逐步堆积，两岸导流堤也逐步修筑延伸，直至左岸导流堤的终点－5m，右岸导流堤的－10m，分期施工减少了后期工程的工程量，缩减工程投资。

三、施工方法

（一）高潮线—低潮线土工格栅方案

土工格栅方案坝体修筑：坝体土方一方面考虑从高潮线以上土场调土，这样可以保证含水量比较低，也可以保证土质；另一方面考虑在导流堤临河侧用反铲挖掘机挖取，这样比较经济，只是土的含水量比较高。施工时分段施工，分层填筑，自最低处水平逐层向上填筑，除第一批土厚度按0.5m控制外，以后分层厚度按0.20～0.25m控制，铺土要均匀平整，土块直径不超过50～100mm，填筑到铺设土工格栅设计高度后，进行土工格栅的铺设。土方压实采用履带拖拉机和推土机碾压为主，压实干密度均不小于1.5t/m^3。

土工反滤布施工：在导流堤土体和混凝土预制块之间有一层无纺土工反滤布。反滤布铺设时应松紧适度，不得绷拉过紧，滤布应于土面密贴，不留空隙，为防止褶皱，滤布拼接采用缝接。反滤布铺设后应立即铺设垫层保护，严禁暴晒。施工现场的硬物容易对反滤布造成损害,需注意。

混凝土预制块施工：导流堤坡面和顶部用混凝土预制块护坡封顶，混凝土预制块长、宽各1m，厚0.14m。块与块之间接触要严丝合缝。

石方工程施工：临水侧压脚石内侧用粗排乱石，面石用较大石块排砌，丁向使用，上下层层压茬、结合平稳，口面接触严密，坡面平顺。石料运输采用抛石排从导流堤顶滑运至堤脚，因该段水深较浅，用人工依次排整。

（二）低潮线— –2m 等深线充沙长管袋方案

充沙长管袋方案坝体修筑：长管袋加工完毕后，应抽检各项指标，管袋与管袋之间的缝合强度应不低于管袋布强度的70%。施工时首先以层为单位将长管袋展开铺放，铺放位置一定要准确，施工时从开始端进行充填。长管袋充填之前将长管袋一端的袖口扎死，然后利用泥浆泵从另一个袖口充填泥浆，泥浆泵出水口的含沙量一般在300～700kg/m^3，设计要求长管袋内的最终含沙量要达到1 300kg/m^3，因此在施工中，要求多次充填，每冲完一遍，间隔一段时间后，再进行下一次充填，一般充填3～5遍即可满足设计要求。管袋内充填的压力，目前还无准确的测压技术，只是采用直观的观察，一般是看到管袋上面有小水柱喷出为宜。充填后饱满度应达到80%左右，杜绝出现过饱或欠饱现象。段与段之间应保证有必要的搭接措施。

模袋混凝土施工：首先，铺设反滤布，铺设时按照先旱地后水中的原则，当水深大于1.5m时，需用浮排布设定位桩双向锚固。接着，铺设模袋布。在水中铺设模袋布时，靠岸边采用钢管固定在岸上，并布设调整模袋压力用的手拉葫芦，末端与布设定位桩锚固，但是勿须拉紧，并要充分考虑模袋布在充填过程中的纵向和横向收缩。充填混凝土首先必须做到均衡充填，以防止模袋布发生不均匀收缩，确保混凝土饱满密实；在充填时，必须严格控制混凝土坍落度；由于模袋内混凝土通道较细，易受阻，为此在每个通道口都要踩压到位；插入灌注口的喷管应做左右移动，使混凝土冲填均匀、密实，厚度饱满；随时调整充填压力及放松控制模袋布压力的手拉葫芦，防止充填压力过大而造成模袋布爆裂。

石方工程施工：因该段水已经有了一定深度，临河侧压脚石用铅丝笼抛护，采用抛石排从导流堤顶滑运至堤脚的施工方式。

（三）–2m 等深线— –10m 等深线水力插板桩方案

插板桩方案坝体修筑。首先，在预制件场根据设计要求做出预制件，通过已经建好的导流堤运输吊装至水力插板桩施工专用船只，到达设计施工位置后，用水上起吊设备将水力插板桩预制件吊至预定位置，放入水中，加压通水，利用高压水流，冲击切割海地面土层，将插板桩插入土中，直至设计深度为止。然后，依次进行下面的工序。插板桩板块之间用灌浆设备进行注浆固缝和注浆固板。待全部完成后，绑扎预留钢筋、现浇帽梁。施工方式如下图片所示。

水力喷射切开地层

利用水力插板吊机在水中施工

四、施工进度安排

本工程施工分为三期实施。第一期为高潮线以上兼作交通道路的原有导流堤延伸工程建设；建设期一年。第二期为实施高潮线至−2m等深线范围的土工格栅加筋土导流堤及水力充沙长管袋导流堤；计划工期一年。第三期为−2m等深线—−10m等深线范围的插板桩导堤。插板桩施工应在第二期工程实施后，导堤内泥沙淤积向前延伸后实施。实施时先做右岸，根据淤积延伸情况适时建设左岸。工期应选择在非汛期的春、秋季，并且应密切注意天气变化，避开大风尤其是风暴潮天气，确保施工安全。

第十四章　黄河口海上双导堤工程的投资估算

第一节　工程投资估算依据与定额

一、工程投资估算编制依据

（1）水利部“关于发布《水利建筑工程预算定额》、《水利建筑工程概算定额》、《水利工程施工机械台时费定额》及《水利工程设计概（估）算编制规定》的通知”（水总[2002]116号）。

（2）水利水电规划设计总院“关于颁发试行水利水电工程设计工程量计算规定的通知”（[88]水规设字第8号）。

（3）胜利石油管理局“关于发布《水冲混凝土板桩插板、水泥灌浆缝、设计进（出）场、预制混凝土板现场运输补充单位估价表》的通知”（胜油定字[1998]24号）。

二、采用定额

（1）水利部“关于发布《水利建筑工程预算定额》、《水利建筑工程概算定额》、《水利工程施工机械台时费定额》及《水利工程设计概（估）算编制规定》的通知”（水总[2002]116号）。

其中采用了《水利建筑工程概算定额》乘以10%的扩大系数及《水利工程施工机械台时费定额》。

（2）胜利油田补充定额。

三、工程量计算

根据水利电力部、水利水电规划设计总院“关于颁发试行水利水电工程设计工程量计算规定的通知”（[88]水规设字第8号）的规定，永久建筑物和主要的临时工程的工程量，根据建筑物或工程的设计几何轮廓尺寸进行计算，工程量均以成品立方量计。

四、主要材料估算价格

（1）材料原价采用2005年第二季度当地价格及就近市场的价格。

（2）材料预算价格由原价加运杂费和3%的采购保管费组成。

（3）主材：砂石料及汽油、柴油等价格，分别以预算价进入建安工程单价中。根据2005年第二季度市场调查价格测算，汽油预算价按4 800元/t计算，柴油预算价按4 200元/t计算。

（4）施工用电、用水、用风均按规定计算：

电价为1.62元/kW·h、水价为0.47元/m^3、风价为0.19元/m^3。

五、主要工程单价计算

（1）人工单价按专业队伍施工计算，包括基本工资、辅助工资、工资附加费。

其中：①人工工资标准分别为工长取385元/月、高级工取350取元/月、中级工取280元/月、初级工取190元/月；②计算后人工工资预算价分别为工长4.91元/工日、高级工4.56元/工日、中级工3.87元/工日、初级工2.11元/工日。

（2）其他直接费按直接费的百分率计算，建筑工程2.0%。

（3）现场经费包括临时设施费和现场管理费，其计算基础和费率见表14-1。

表14-1　现场经费费率

序号	工程类别	计算基础	现场经费费率（%）			说　明
			合计	临时设施费	现场管理费	
一	建筑工程					
1	土方工程	直接费	4.0	2.0	2.0	
2	石方工程	直接费	6.0	2.0	4.0	
3	混凝土工程	直接费	6.0	3.0	3.0	
4	疏浚工程	直接费	5.0	2.0	3.0	
二	其他工程	直接费	5.0	2.0	3.0	

（4）间接费费率见表14-2。

表14-2　间接费费率

序号	工程类别	计算基础	间接费费率（%）	说　明
一	建筑工程			
1	土方工程	直接工程费	4.0	
2	石方工程	直接工程费	6.0	
3	混凝土工程	直接工程费	4.0	
4	疏浚工程	直接工程费	5.0	
二	其他工程	直接工程费	5.0	

（5）计划利润按直接工程费和间接费之和的7%计算。

（6）税金按直接工程费、间接费和计划利润三项之和的3.22%计算。

（7）根据编制估算的有关规定，采用概算定额编制估算，定额扩大10%。

（8）由于编制估算均采用水利部的有关规定、定额，主要为陆地施工，而海上施工条件恶劣、复杂，因此工程单价考虑1.1的难度系数。

第二节　主要工程量及投资

双导堤工程主要工程量：高潮线以上导流堤建设土方量为51.48万m^3；高潮线—低潮线土方工程量为48.75万m^3，混凝土护坡工程量2.57万m^3，根石护坡固脚工程量2.28万m^3；低潮线—-2m等深线土方工程量为7.35万m^3，模袋混凝土护坡混凝土工程量为2.07万m^3；根石护脚工程量为1.14万m^3；-2m—-10m等深线双墙混凝土插板桩工程量为5.68万m^3。工程总投资为57 692.23万元。工程投资估算表详见附件三。工程估算单价汇总表见附件四。

附件一

工程附图

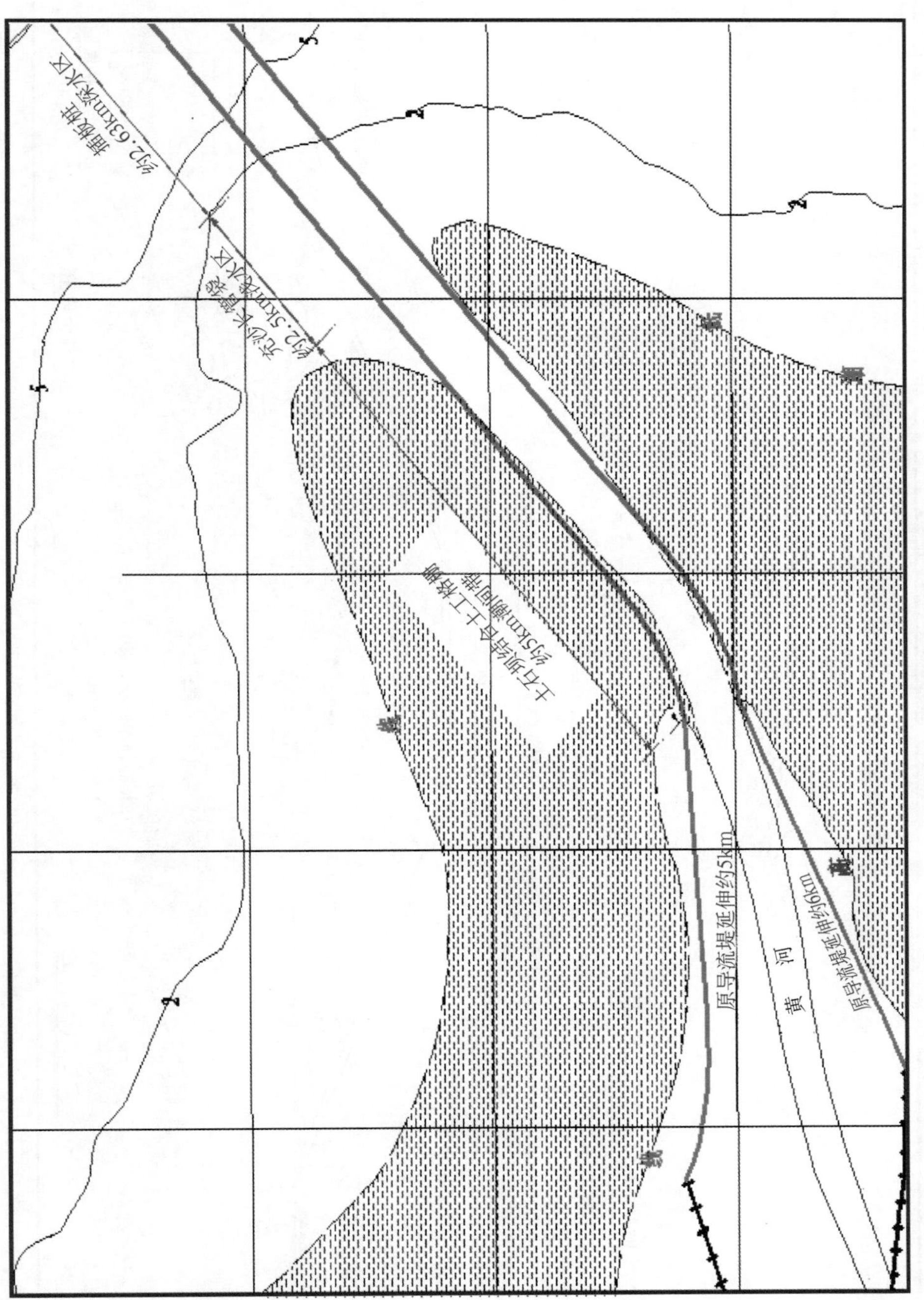

附图一　双导堤总平面布置图

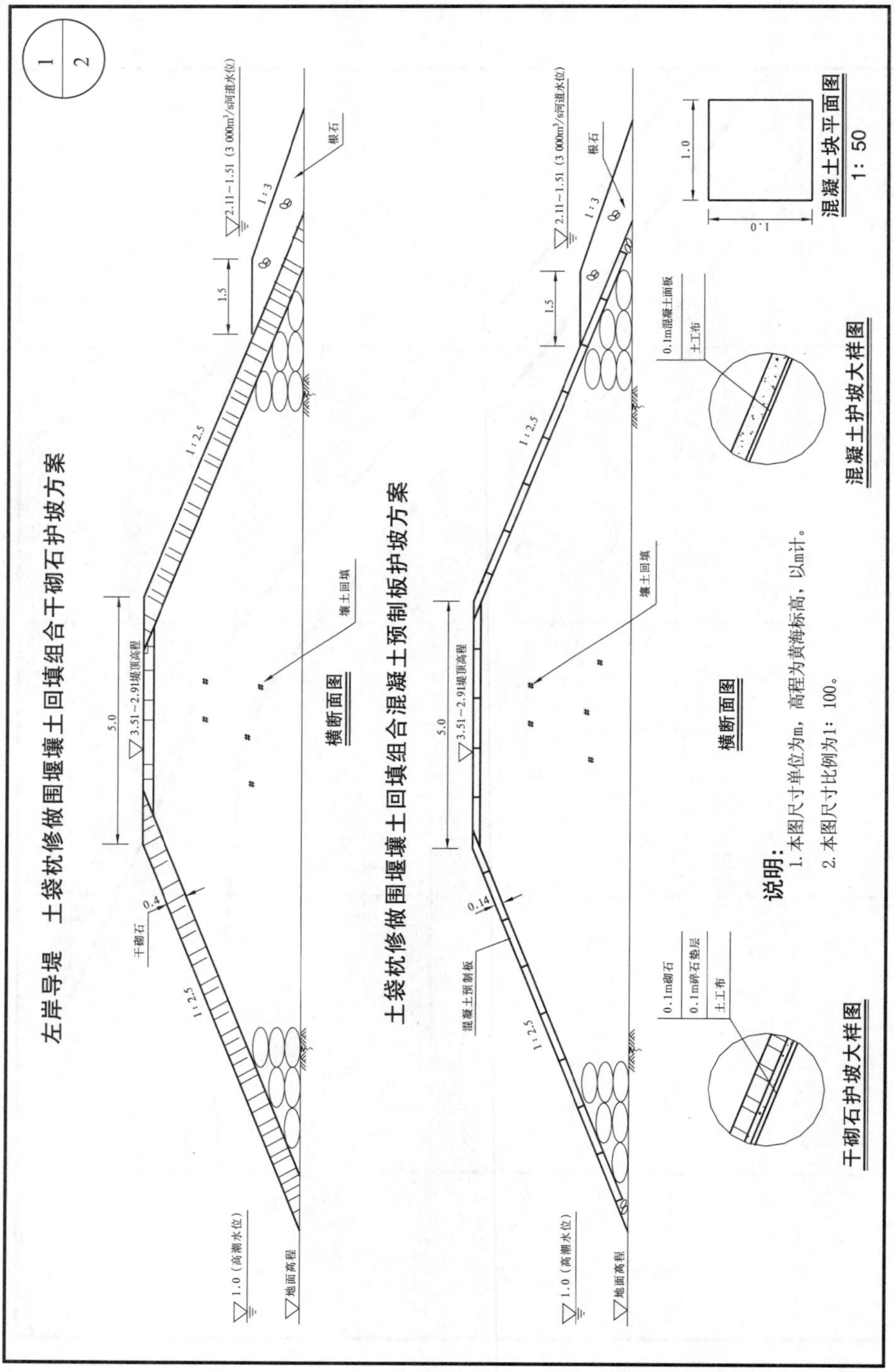

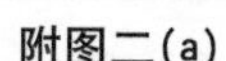
左岸导堤　土袋枕修做围堰壤土回填组合干砌石护坡方案
1
2
5.0
3.51~2.91堤顶高程
干砌石
0.4
1∶2.5
1∶2.5
1.5
2.11~1.51（3 000m³/s河道水位）
1.0（高潮水位）
1∶3
地面高程
横断面图
壤土回填
根石
土袋枕修做围堰壤土回填组合混凝土预制板护坡方案
5.0
3.51~2.91堤顶高程
混凝土预制板
0.14
1∶2.5
1∶2.5
1.5
2.11~1.51（3 000m³/s河道水位）
1.0（高潮水位）
1∶3
根石
地面高程
壤土回填
0.1m砌石
0.1m碎石垫层
土工布
横断面图
0.1m混凝土面板
土工布
1.0
1.0
说明：
1. 本图尺寸单位为m，高程为黄海标高，以m计。
2. 本图尺寸比例为1∶100。
干砌石护坡大样图
混凝土护坡大样图
混凝土块平面图
1∶50

附图二(a)

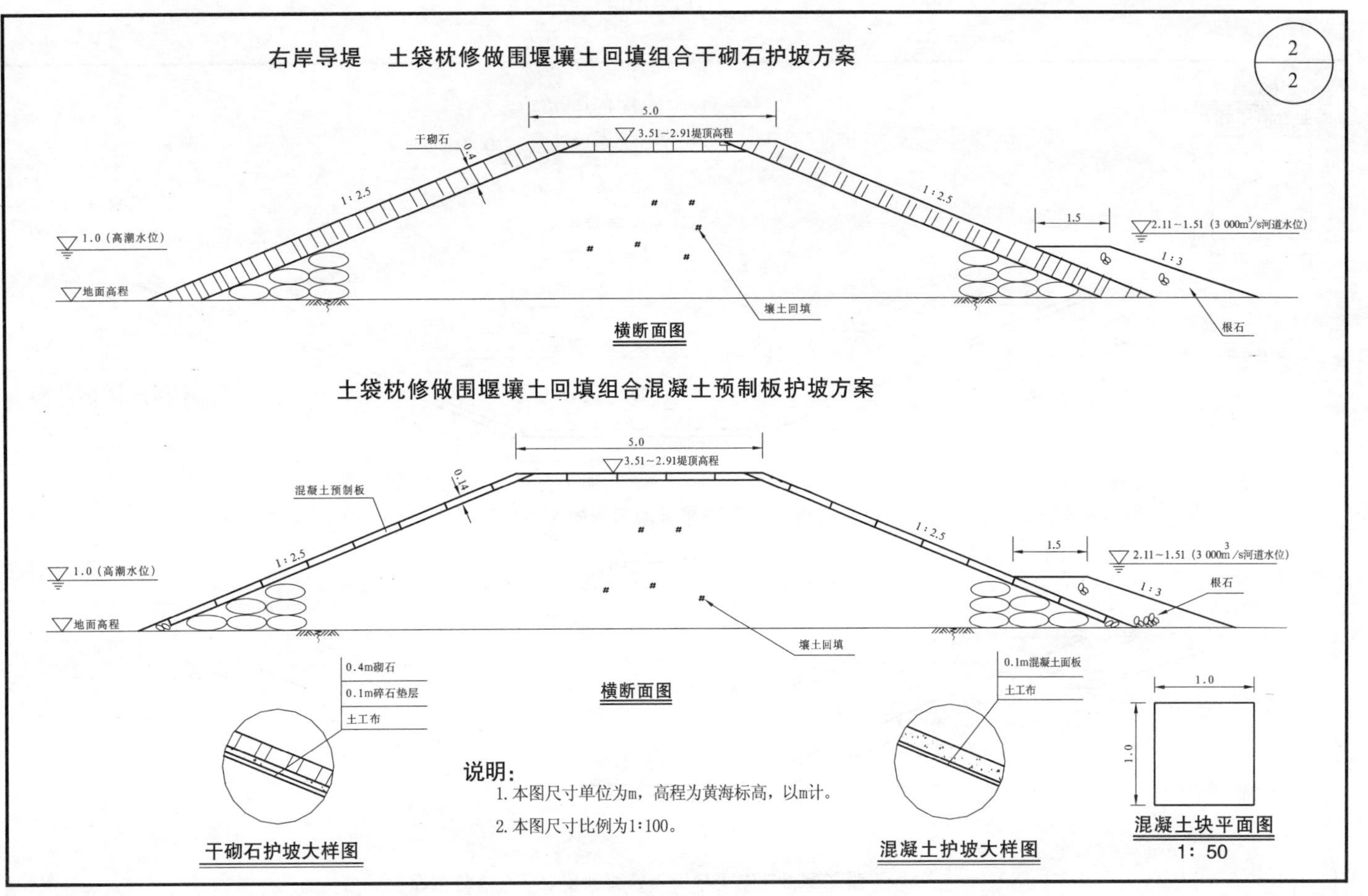
右岸导堤　土袋枕修做围堰壤土回填组合干砌石护坡方案
2
2
5.0
3.51~2.91堤顶高程
干砌石
0.4
1:2.5
1:2.5
1.5
2.11~1.51（3 000m³/s河道水位）
1:3
1.0（高潮水位）
地面高程
壤土回填
根石
横断面图
土袋枕修做围堰壤土回填组合混凝土预制板护坡方案
5.0
3.51~2.91堤顶高程
0.14
混凝土预制板
1:2.5
1:2.5
1.5
2.11~1.51（3 000m³/s河道水位）
1:3
根石
1.0（高潮水位）
地面高程
壤土回填
0.4m砌石
0.1m碎石垫层
土工布
横断面图
0.1m混凝土面板
土工布
1.0
1.0
说明：
1. 本图尺寸单位为m，高程为黄海标高，以m计。
2. 本图尺寸比例为1:100。
干砌石护坡大样图
混凝土护坡大样图
混凝土块平面图
1: 50

附图二(b)

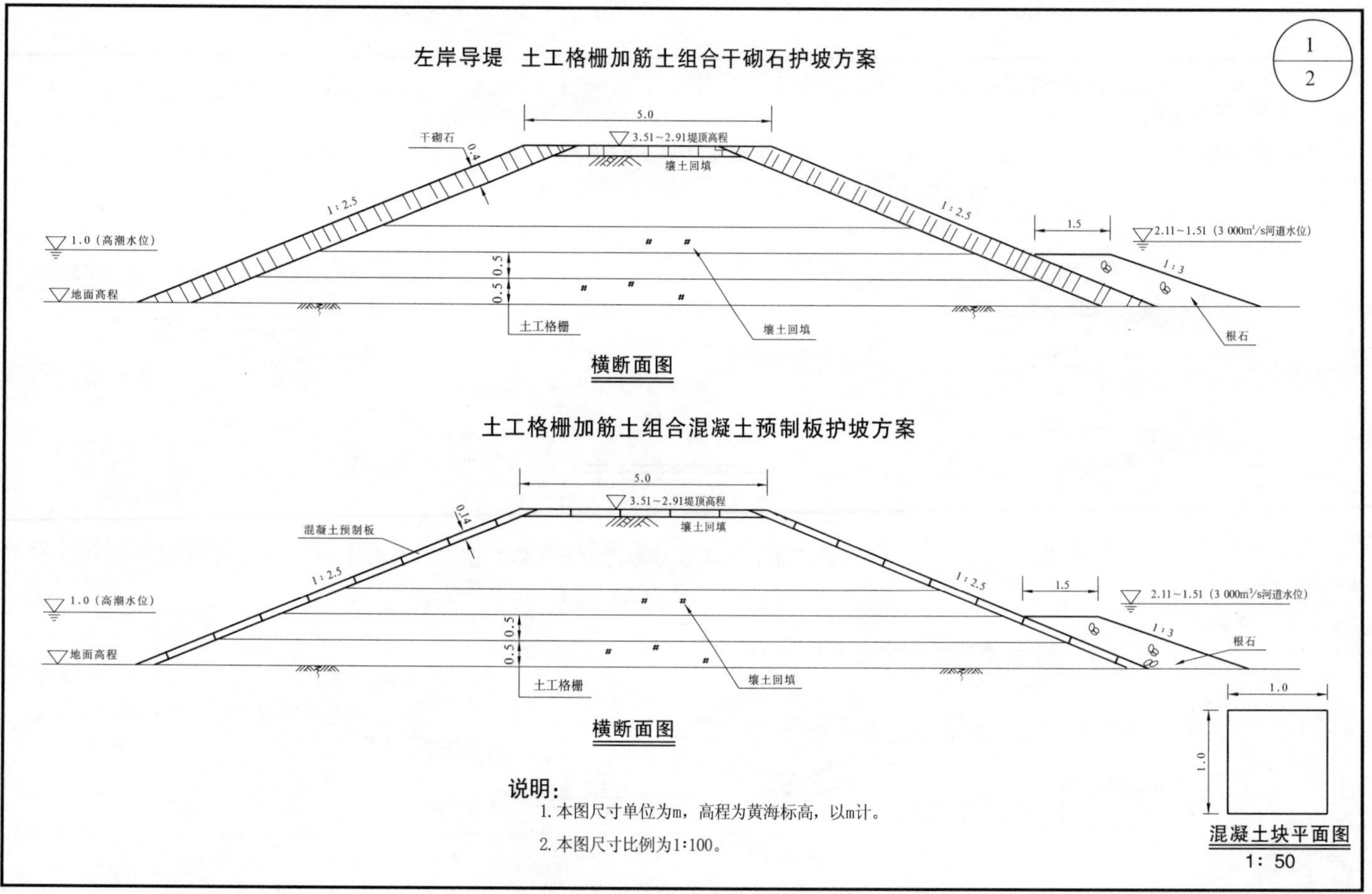
左岸导堤 土工格栅加筋土组合干砌石护坡方案
1
2
5.0
3.51~2.91堤顶高程
壤土回填
干砌石
0.4
1：2.5
1：2.5
1.5
2.11~1.51（3 000m³/s河道水位）
1：3
1.0（高潮水位）
地面高程
0.5
0.5
土工格栅
壤土回填
根石
横断面图
土工格栅加筋土组合混凝土预制板护坡方案
5.0
3.51~2.91堤顶高程
壤土回填
0.14
混凝土预制板
1：2.5
1：2.5
1.5
2.11~1.51（3 000m³/s河道水位）
1：3
根石
1.0（高潮水位）
地面高程
0.5
0.5
土工格栅
壤土回填
横断面图
1.0
1.0
说明：
1. 本图尺寸单位为m，高程为黄海标高，以m计。
2. 本图尺寸比例为1:100。
混凝土块平面图
1：50

附图三(a)

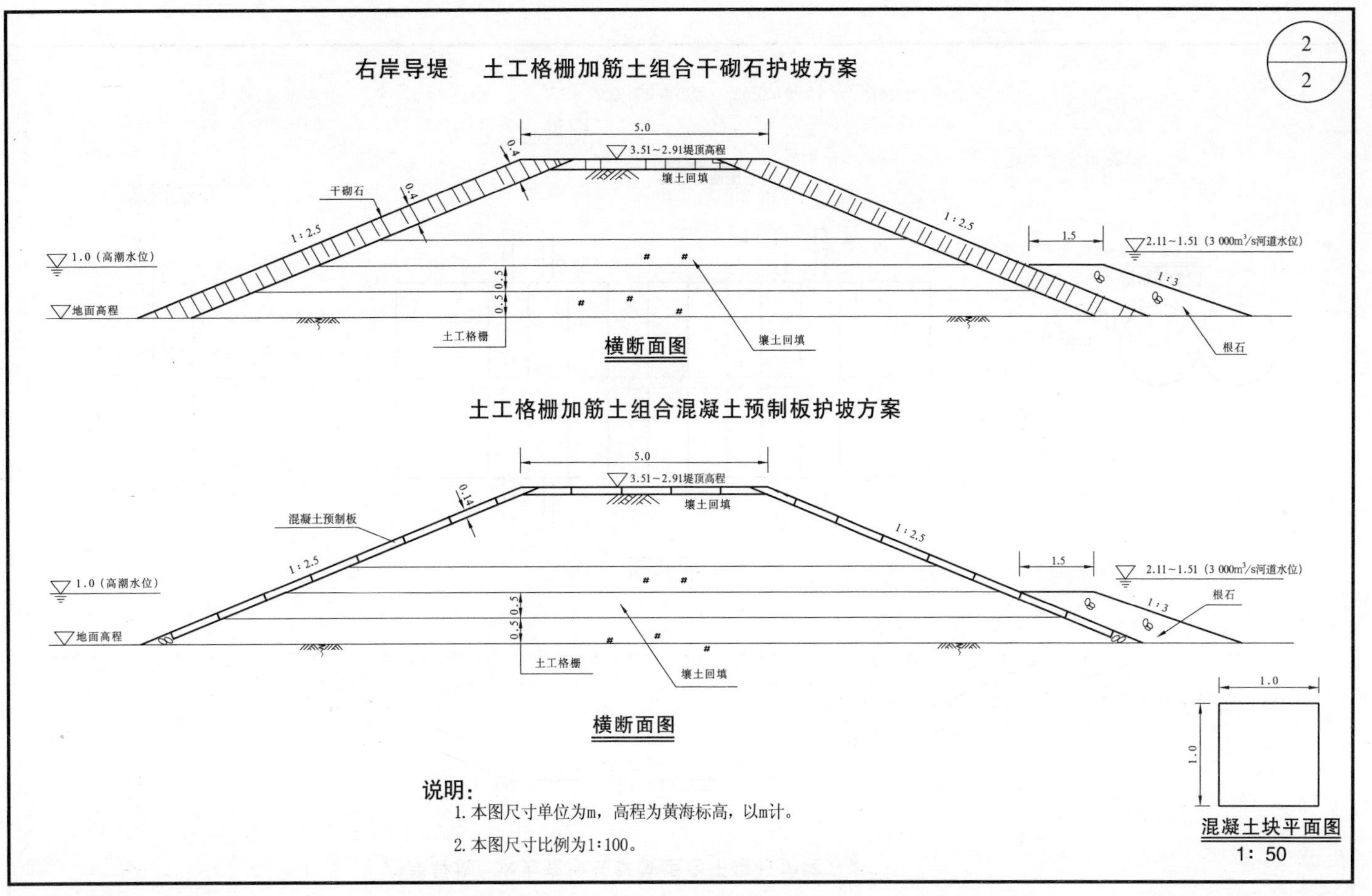
2
2
右岸导堤　土工格栅加筋土组合干砌石护坡方案
5.0
0.4
3.51~2.91堤顶高程
壤土回填
干砌石
0.4
1:2.5
1:2.5
1.5
2.11~1.51（3 000m³/s河道水位）
1.0（高潮水位）
1:3
0.5
0.5
地面高程
土工格栅
横断面图
壤土回填
根石
土工格栅加筋土组合混凝土预制板护坡方案
5.0
3.51~2.91堤顶高程
0.14
壤土回填
混凝土预制板
1:2.5
1:2.5
1.5
2.11~1.51（3 000m³/s河道水位）
1.0（高潮水位）
根石
1:3
0.5
0.5
地面高程
土工格栅
壤土回填
横断面图
1.0
1.0
说明：
1. 本图尺寸单位为m，高程为黄海标高，以m计。
2. 本图尺寸比例为1:100。
混凝土块平面图
1: 50

附图三(b)

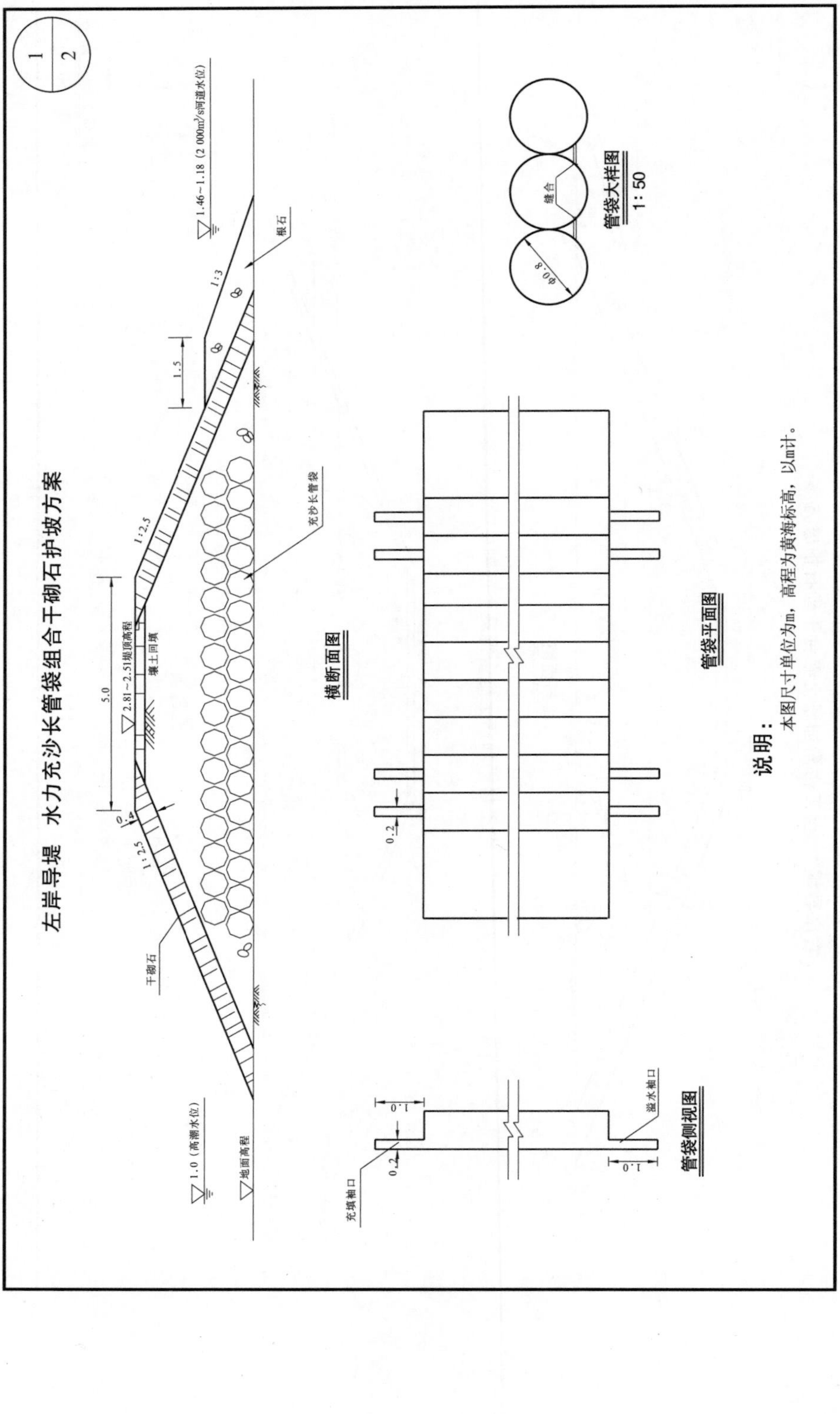

左岸导堤 水力充沙长管袋组合干砌石护坡方案

1
2

5.0
2.81～2.51堤顶高程
0.4
1∶2.5
1∶2.5
干砌石
壤土回填
1.5
1.0（高潮水位）
1.46～1.18（2 000m³/s河道水位）
1∶3
地面高程
根石
充沙长管袋

横断面图

充填袖口
0.2
1.0
1.0
溢水袖口

管袋侧视图

0.2

管袋平面图

φ0.8
缝合

管袋大样图
1∶50

说明：
本图尺寸单位为m，高程为黄海标高，以m计。

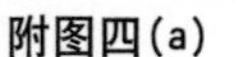

附图四(a)

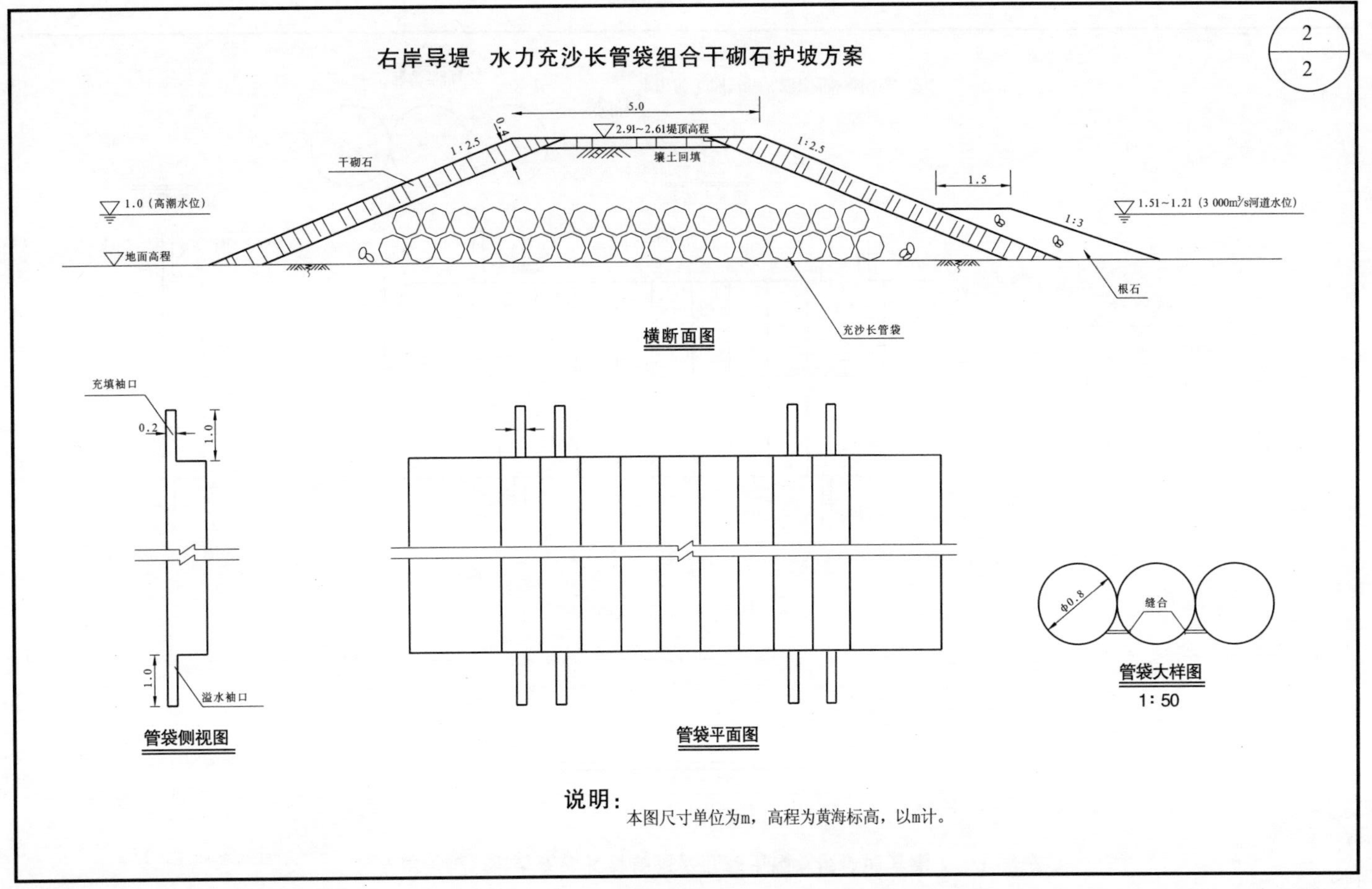

说明：
本图尺寸单位为m，高程为黄海标高，以m计。

附图四(b)

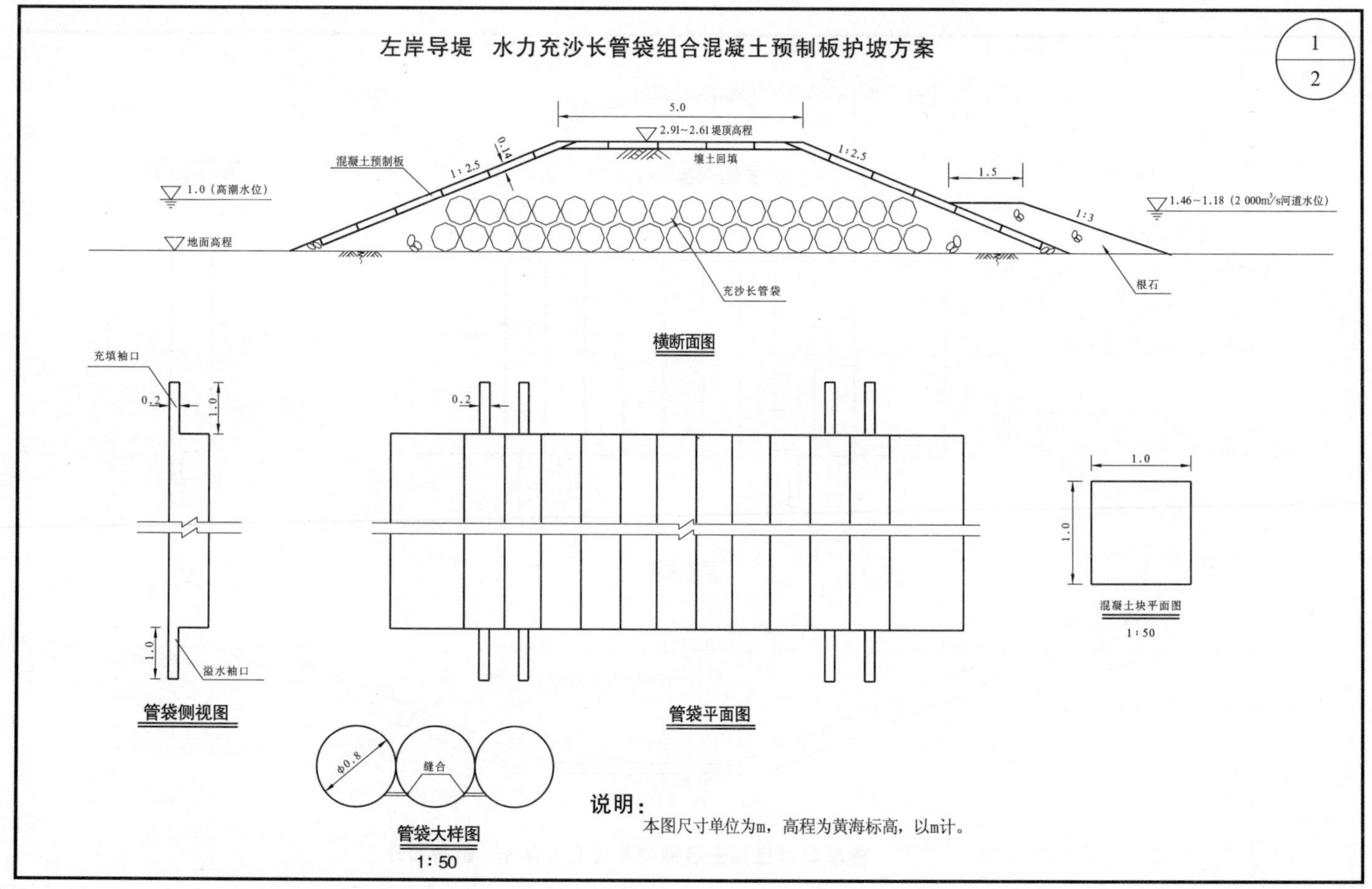
左岸导堤 水力充沙长管袋组合混凝土预制板护坡方案
1
2
5.0
2.91~2.61堤顶高程
壤土回填
0.14
1:2.5
混凝土预制板
1:2.5
1.5
1.0（高潮水位）
1.46~1.18（2 000m³/s河道水位）
1:3
地面高程
充沙长管袋
根石
横断面图
充填袖口
0.2
1.0
0.2
1.0
1.0
1.0
溢水袖口
管袋侧视图
管袋平面图
混凝土块平面图
1:50
φ0.8
缝合
管袋大样图
1:50
说明：
本图尺寸单位为m，高程为黄海标高，以m计。

附图五(a)

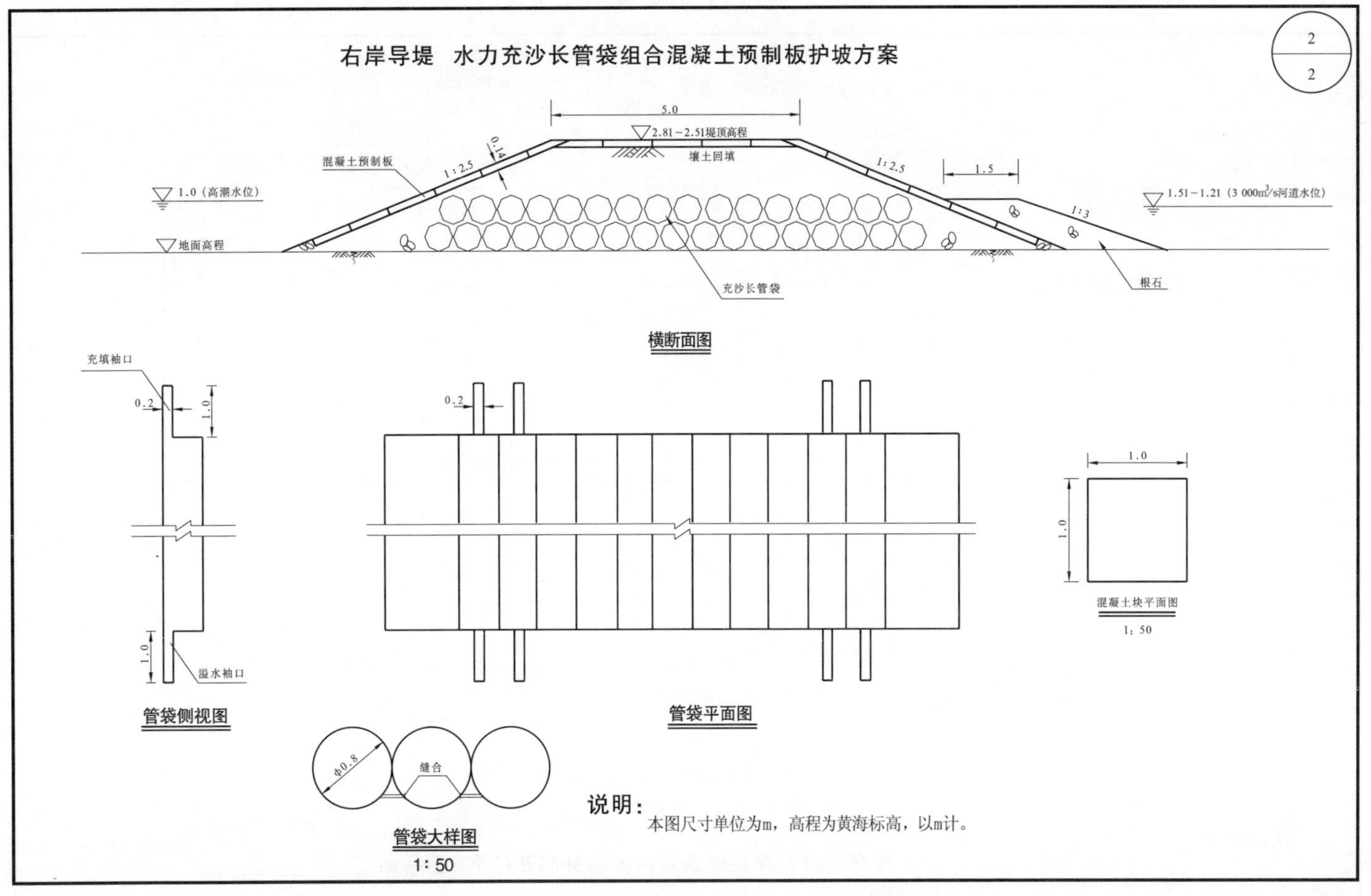
右岸导堤　水力充沙长管袋组合混凝土预制板护坡方案
2
2
5.0
2.81~2.51堤顶高程
0.14
混凝土预制板
1:2.5
壤土回填
1:2.5
1.5
1.0（高潮水位）
1.51~1.21（3 000m³/s河道水位）
1:3
地面高程
充沙长管袋
根石
横断面图
充填袖口
0.2
1.0
0.2
1.0
1.0
1.0
溢水袖口
混凝土块平面图
1: 50
管袋侧视图
管袋平面图
φ0.8
缝合
管袋大样图
1: 50
说明：
本图尺寸单位为m，高程为黄海标高，以m计。

附图五(b)

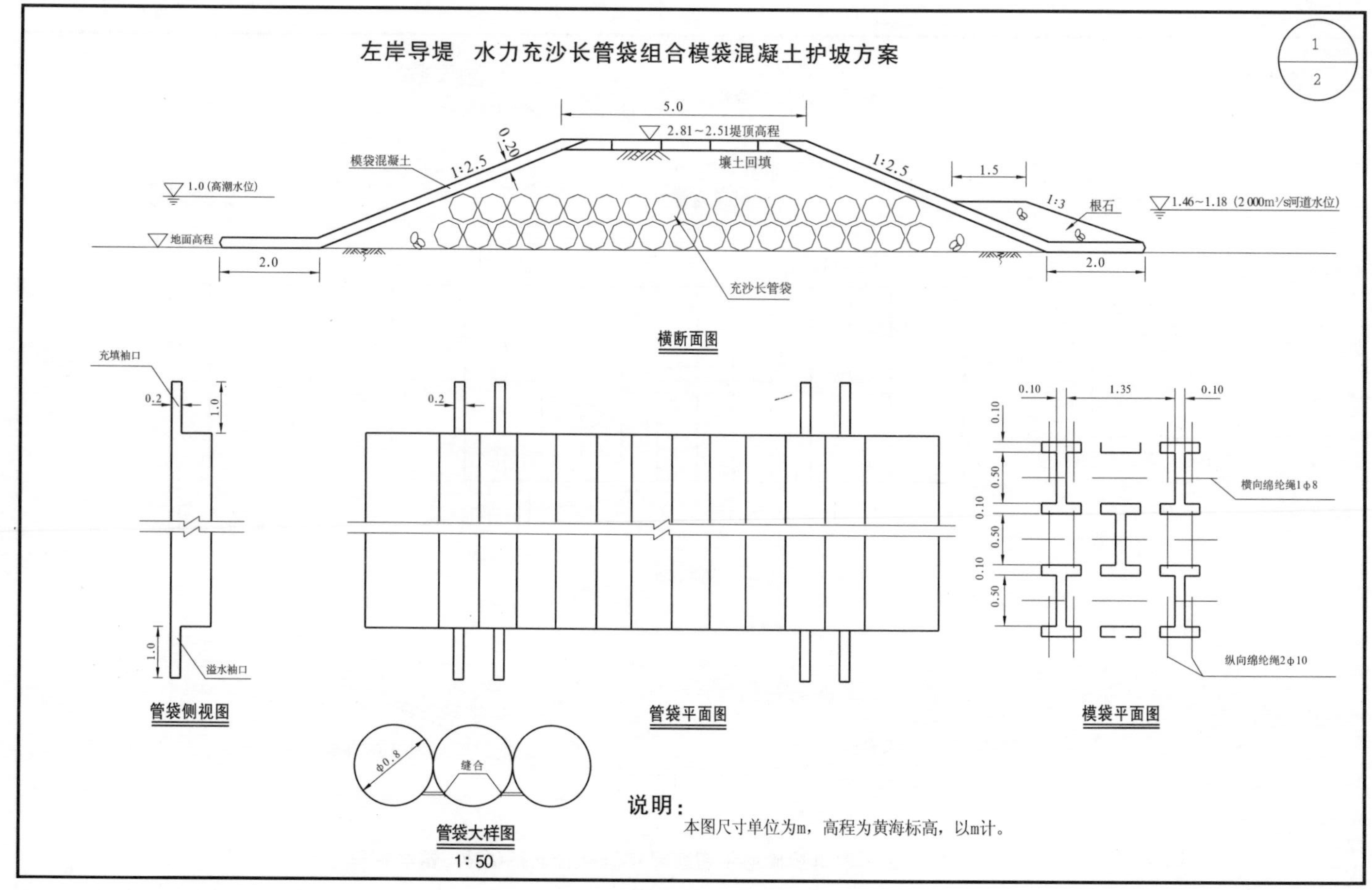
左岸导堤　水力充沙长管袋组合模袋混凝土护坡方案
1
2
5.0
2.81~2.51堤顶高程
0.20
模袋混凝土
1:2.5
壤土回填
1:2.5
1.5
1.0 (高潮水位)
1:3
根石
1.46~1.18 (2 000m³/s河道水位)
地面高程
2.0
2.0
充沙长管袋
横断面图
充填袖口
0.2
1.0
1.0
溢水袖口
管袋侧视图
0.2
管袋平面图
0.10
1.35
0.10
0.50
横向绵纶绳1φ8
纵向绵纶绳2φ10
模袋平面图
φ0.8
缝合
管袋大样图
1: 50
说明：
本图尺寸单位为m，高程为黄海标高，以m计。

附图六(a)

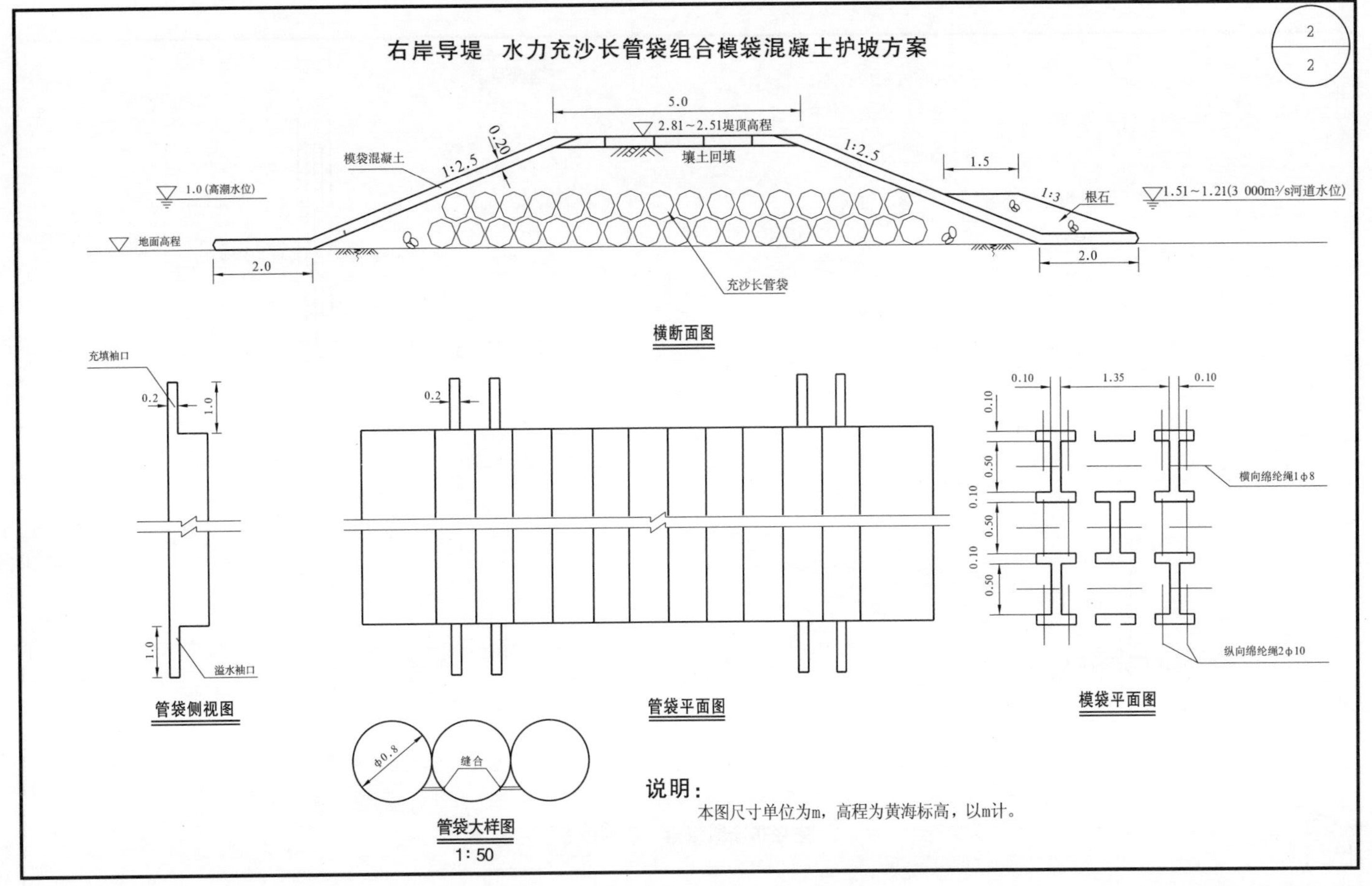
右岸导堤　水力充沙长管袋组合模袋混凝土护坡方案
2
2
5.0
▽2.81～2.51堤顶高程
0.20
模袋混凝土
1:2.5
壤土回填
1:2.5
1.5
1:3
根石
▽1.0(高潮水位)
▽1.51～1.21(3 000m³/s河道水位)
▽地面高程
2.0
2.0
充沙长管袋
横断面图
充填袖口
0.2
1.0
1.0
溢水袖口
管袋侧视图
0.2
管袋平面图
0.10
1.35
0.10
0.10
0.50
0.10
0.50
0.10
0.50
横向绵纶绳1Φ8
纵向绵纶绳2Φ10
模袋平面图
Φ0.8
缝合
管袋大样图
1:50
说明：
本图尺寸单位为m，高程为黄海标高，以m计。

附图六(b)

左岸导堤　单排插板桩方案

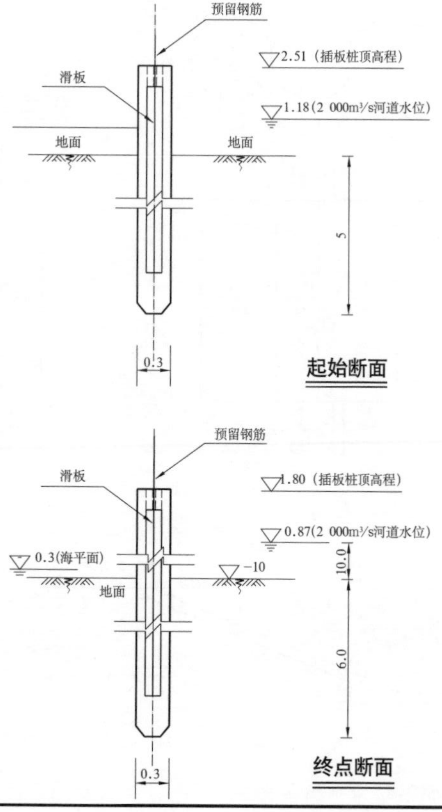

1/4

预留钢筋
滑板
∇2.51（插板桩顶高程）
∇1.18（2 000m³/s河道水位）
地面
地面
5
0.3

起始断面

预留钢筋
滑板
∇1.80（插板桩顶高程）
∇0.87（2 000m³/s河道水位）
∇0.3（海平面）
∇−10
地面
10.0
6.0
0.3

终点断面

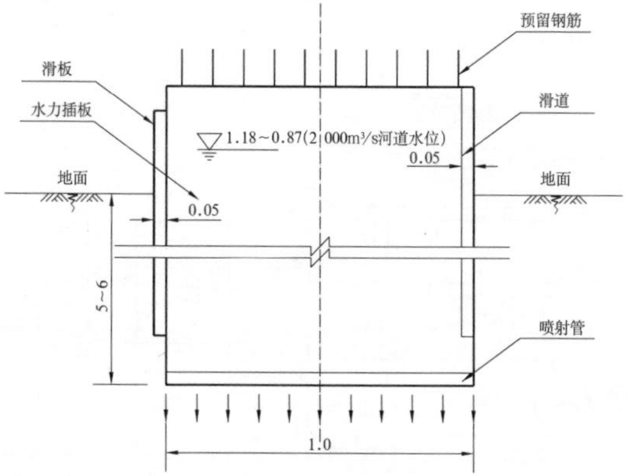

预留钢筋
滑板
水力插板
滑道
∇1.18～0.87（2 000m³/s河道水位）
0.05
0.05
地面
地面
5～6
喷射管
1.0

说明：

本图尺寸单位为m，高程为黄海标高，以m计。

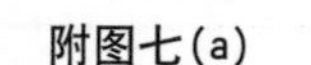

附图七(a)

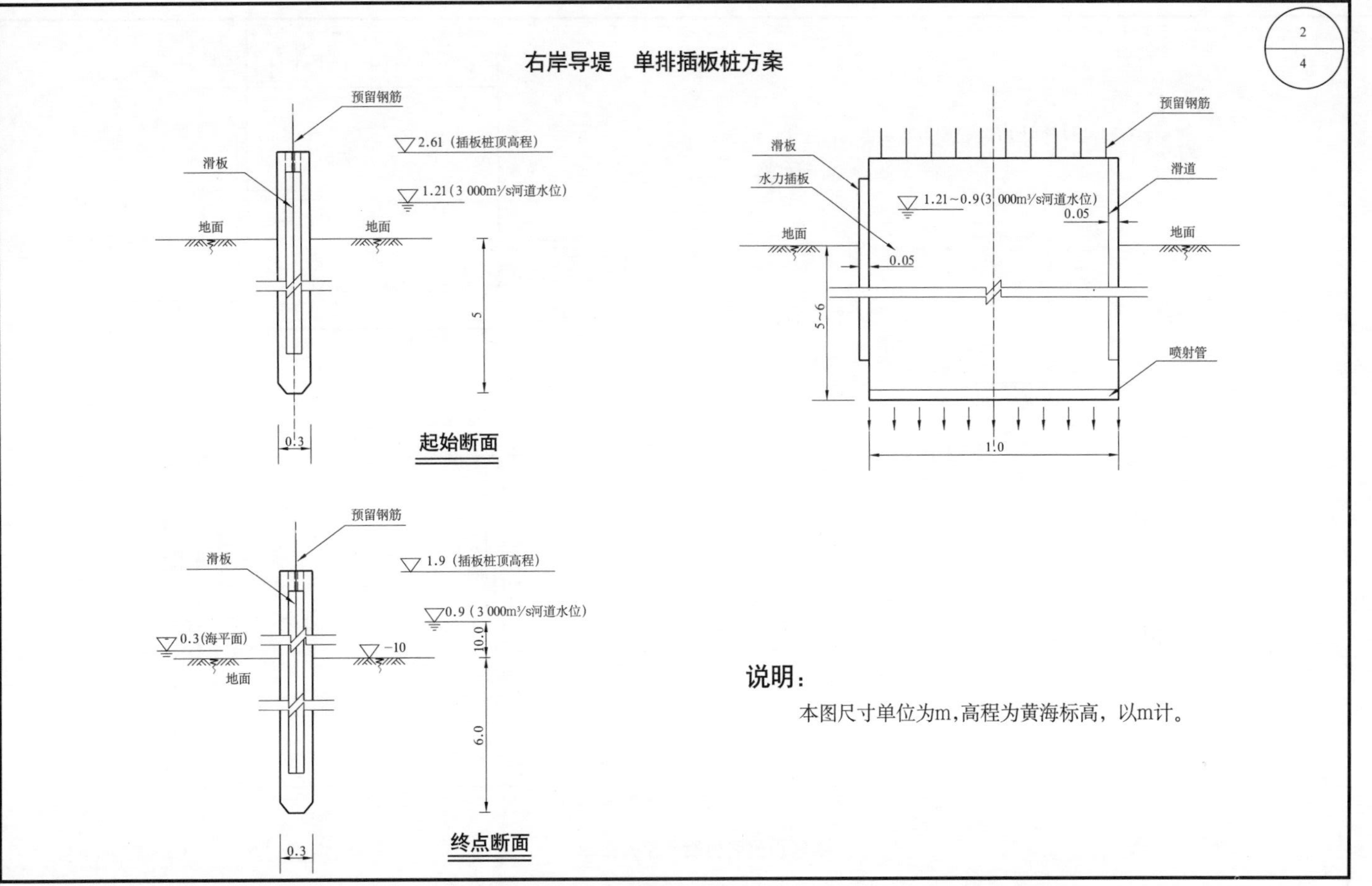
2
4
右岸导堤 单排插板桩方案
预留钢筋
2.61（插板桩顶高程）
滑板
1.21（3 000m³/s河道水位）
地面
地面
5
0.3
起始断面
预留钢筋
1.9（插板桩顶高程）
滑板
0.9（3 000m³/s河道水位）
0.3(海平面)
-10
地面
10.0
6.0
0.3
终点断面
预留钢筋
滑板
水力插板
滑道
1.21~0.9(3 000m³/s河道水位)
0.05
地面
地面
0.05
5~6
喷射管
1.0
说明：
本图尺寸单位为m,高程为黄海标高，以m计。

附图七(b)

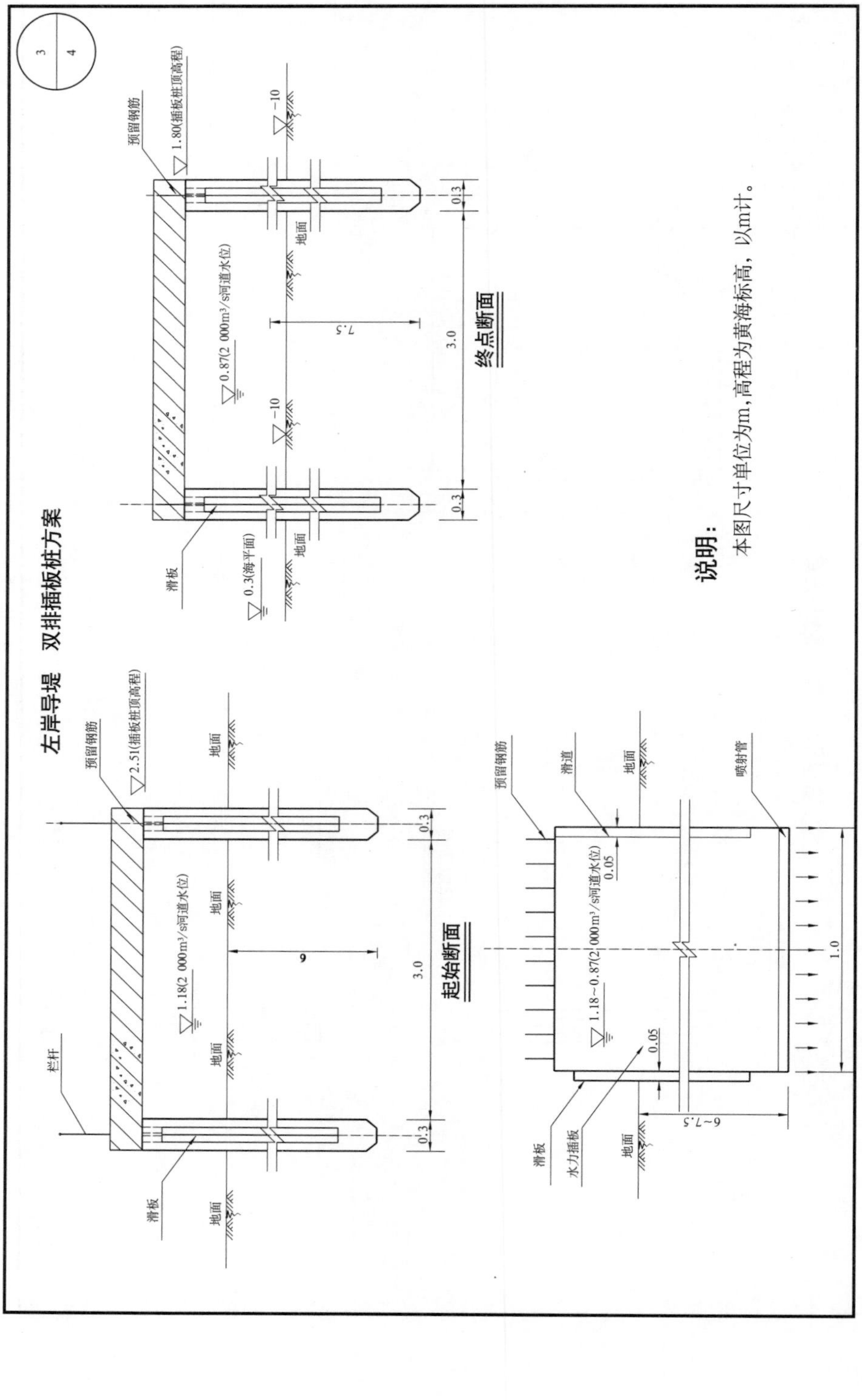

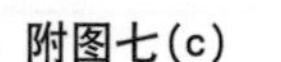

说明：

本图尺寸单位为m，高程为黄海标高，以m计。

附图七(c)

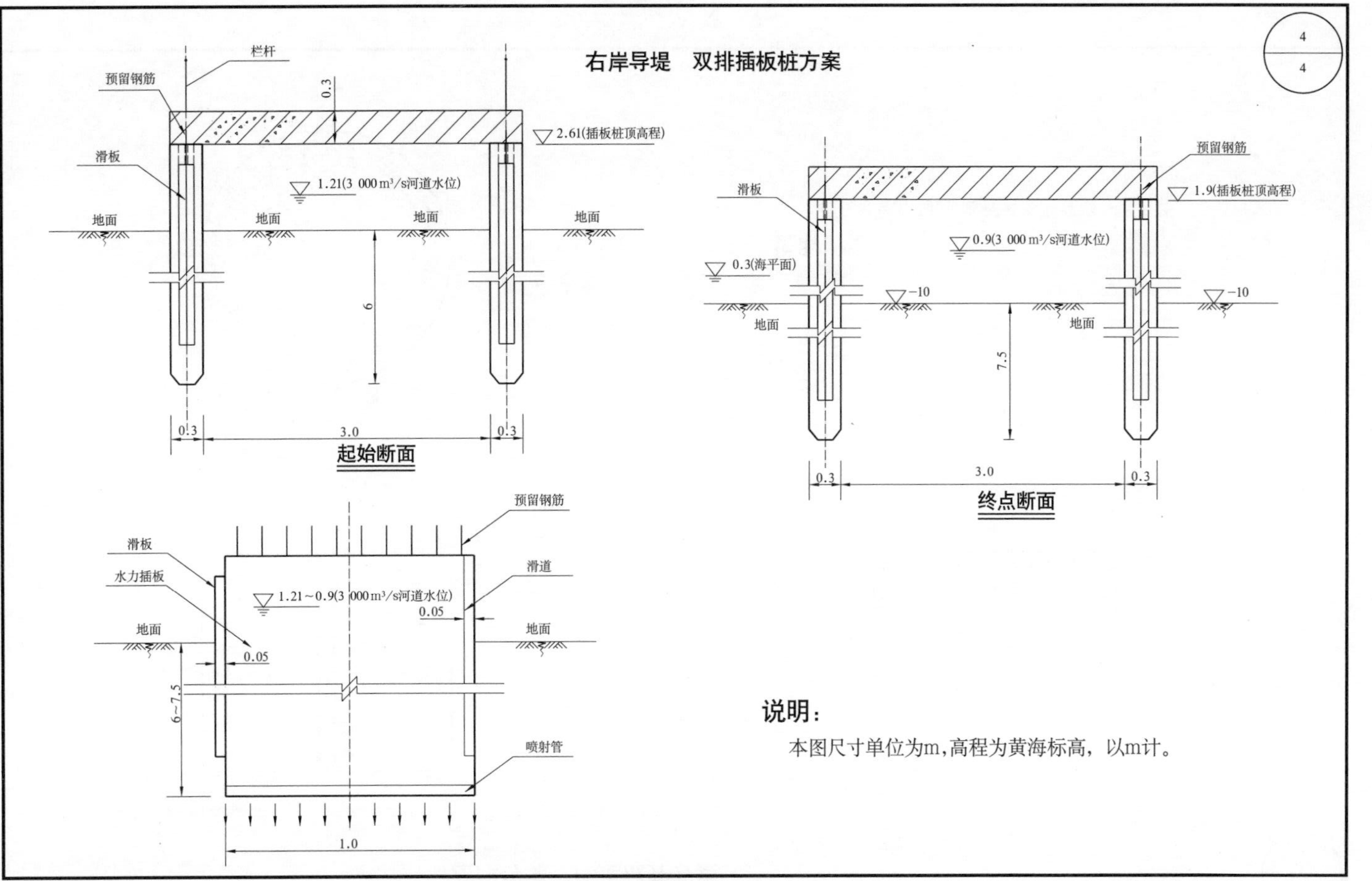
右岸导堤 双排插板桩方案
栏杆
预留钢筋
滑板
2.61(插板桩顶高程)
1.21(3 000 m³/s河道水位)
地面
0.3
6
3.0
起始断面
1.9(插板桩顶高程)
0.9(3 000 m³/s河道水位)
0.3(海平面)
-10
7.5
终点断面
滑道
水力插板
1.21~0.9(3 000 m³/s河道水位)
0.05
6~7.5
喷射管
1.0
说明：
本图尺寸单位为m,高程为黄海标高，以m计。

附图七(d)

左岸导堤　浮运沉井方案

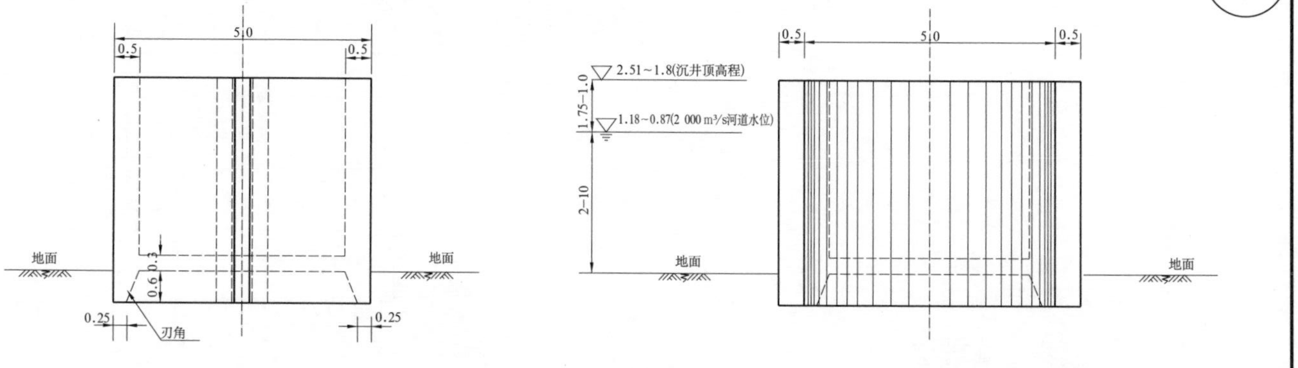

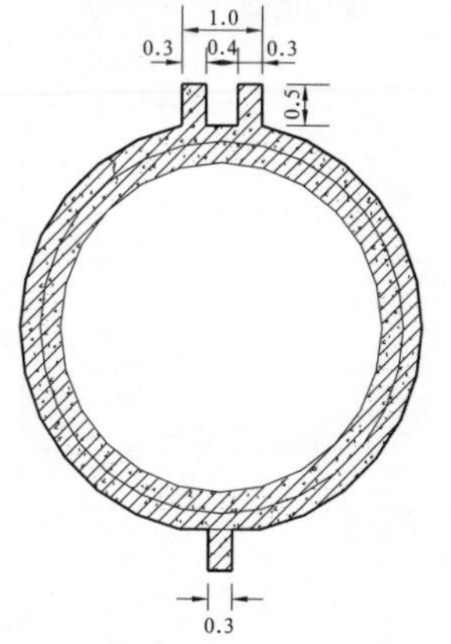

说明：

本图尺寸单位为m，高程为黄海标高，以m计。

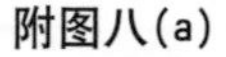

附图八(a)

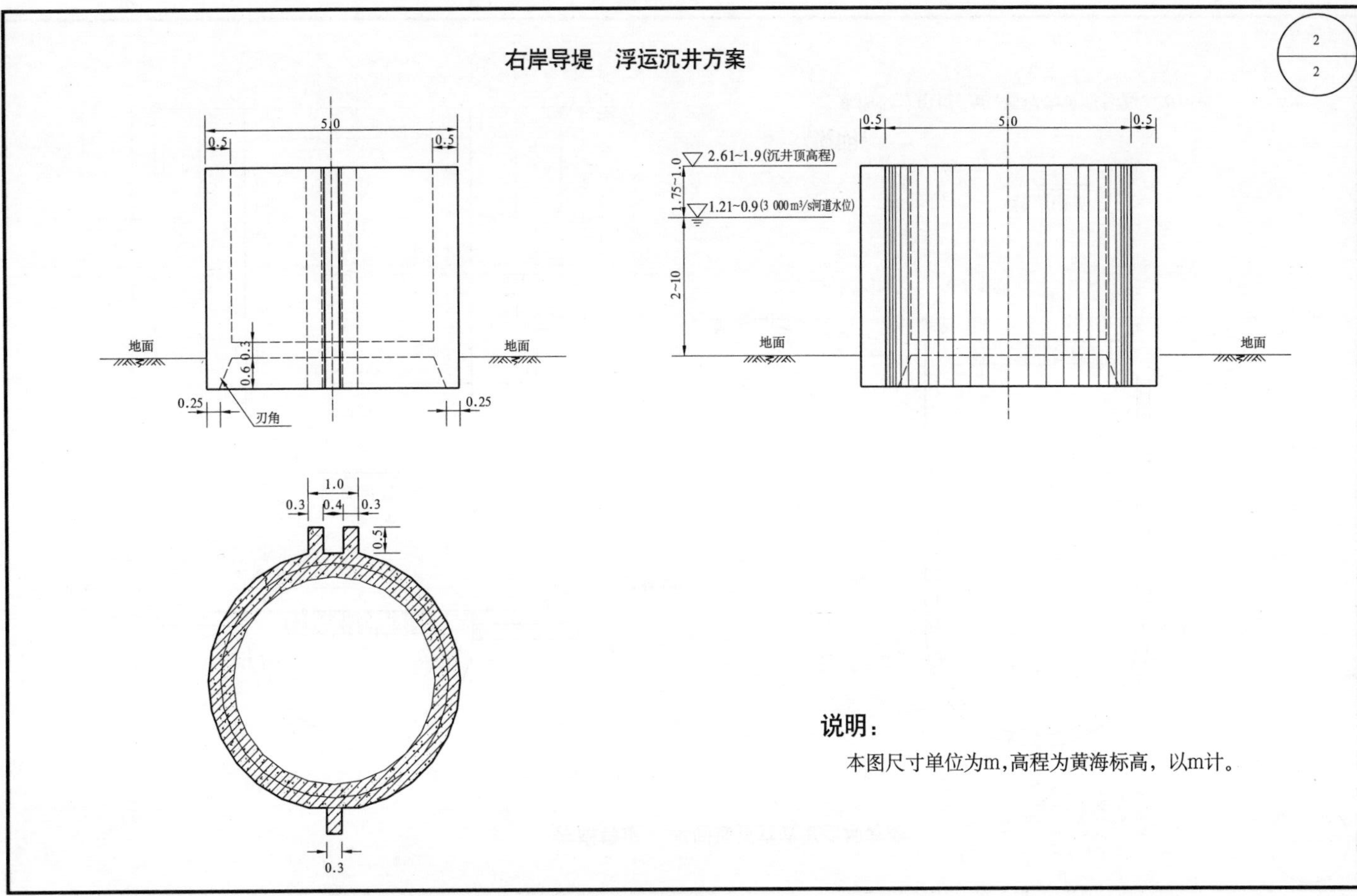

右岸导堤　浮运沉井方案
2
2
5.0
0.5
0.5
地面
地面
0.3
0.6
0.25
刃角
0.25
0.5
5.0
0.5
2.61~1.9(沉井顶高程)
1.75~1.0
1.21~0.9(3 000 m³/s河道水位)
2~10
地面
地面
1.0
0.3
0.4
0.3
0.5
0.3
说明：
本图尺寸单位为m,高程为黄海标高，以m计。

附图八(b)

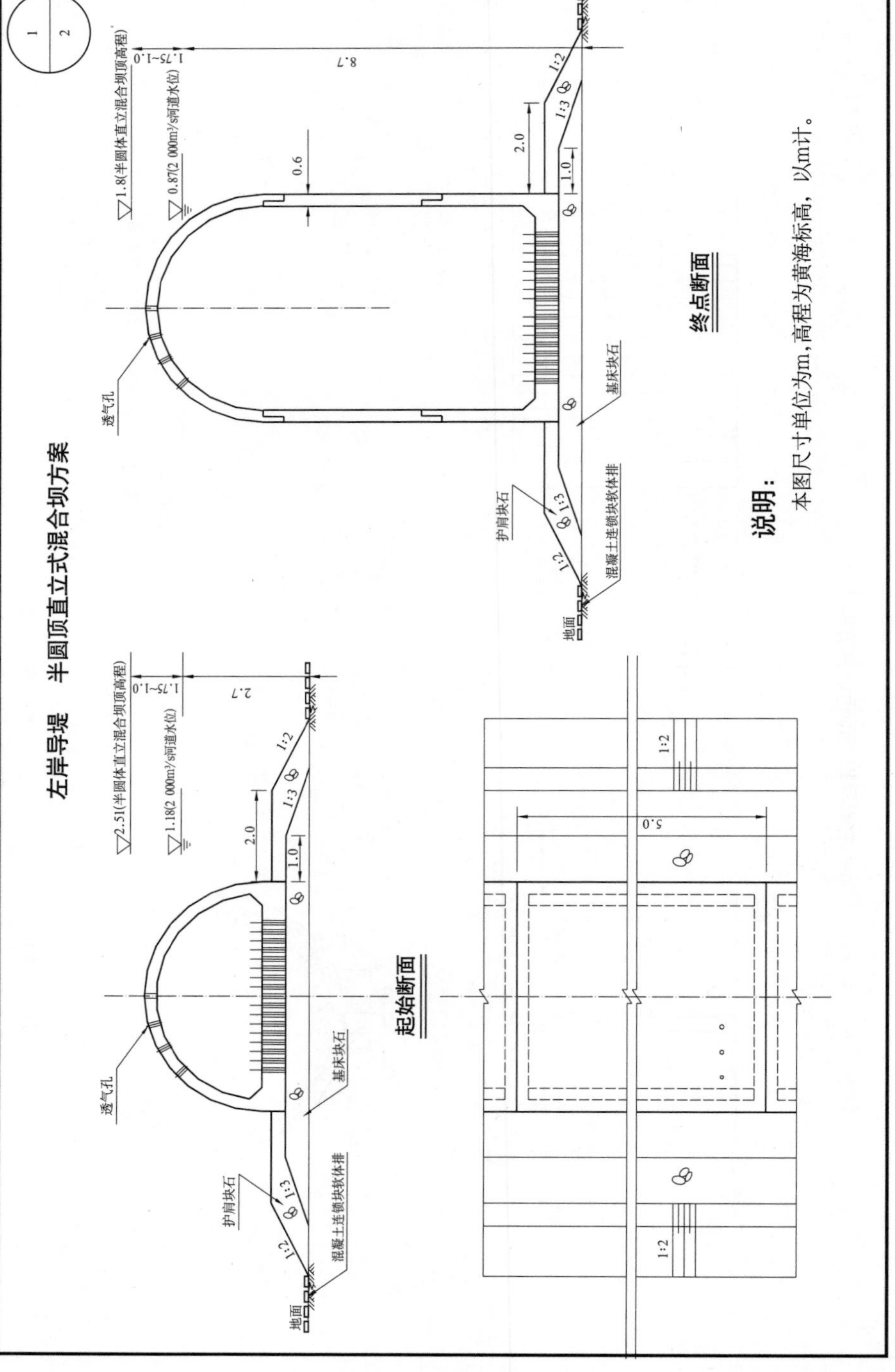
左岸导堤 半圆顶直立式混合坝方案
1
2
起始断面
终点断面
透气孔
护肩块石
基床块石
混凝土连锁块软体排
地面
1:2
1:3
2.0
1.0
0.6
▽2.51(半圆体直立混合坝顶高程)
▽1.18(2 000m³/s河道水位)
▽1.8(半圆体直立混合坝顶高程)
▽0.87(2 000m³/s河道水位)
1.75~1.0
2.7
8.7
5.0
说明：
本图尺寸单位为m，高程为黄海标高，以m计。

附图九(a)

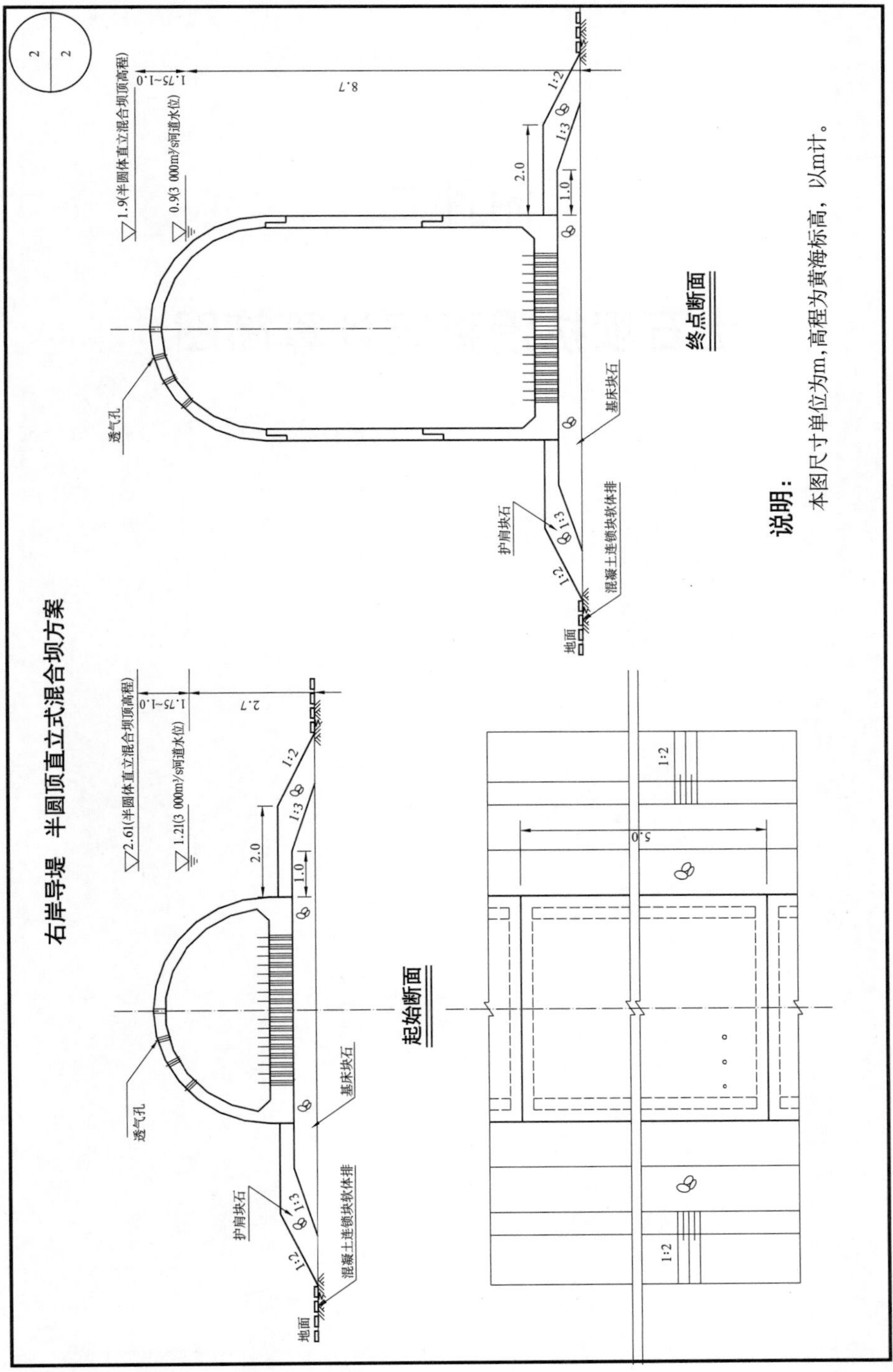

右岸导堤　半圆顶直立式混合坝方案

2
2

透气孔
▽2.61(半圆体直立混合坝顶高程)
▽1.21(3 000m³/s河道水位)
1.75~1.0
2.7
2.0
1.0
护肩块石
1:2
1:3
1:3
1:2
地面
混凝土连锁块软体排
基床块石

起始断面

1:2
1:2
5.0

透气孔
▽1.9(半圆体直立混合坝顶高程)
▽0.9(3 000m³/s河道水位)
1.75~1.0
8.7
2.0
1.0
护肩块石
1:2
1:3
1:3
1:2
地面
混凝土连锁块软体排
基床块石

终点断面

说明：

本图尺寸单位为m,高程为黄海标高，以m计。

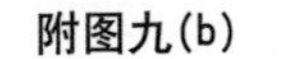

附图九(b)

附件二

土石坝抗滑稳定计算简图

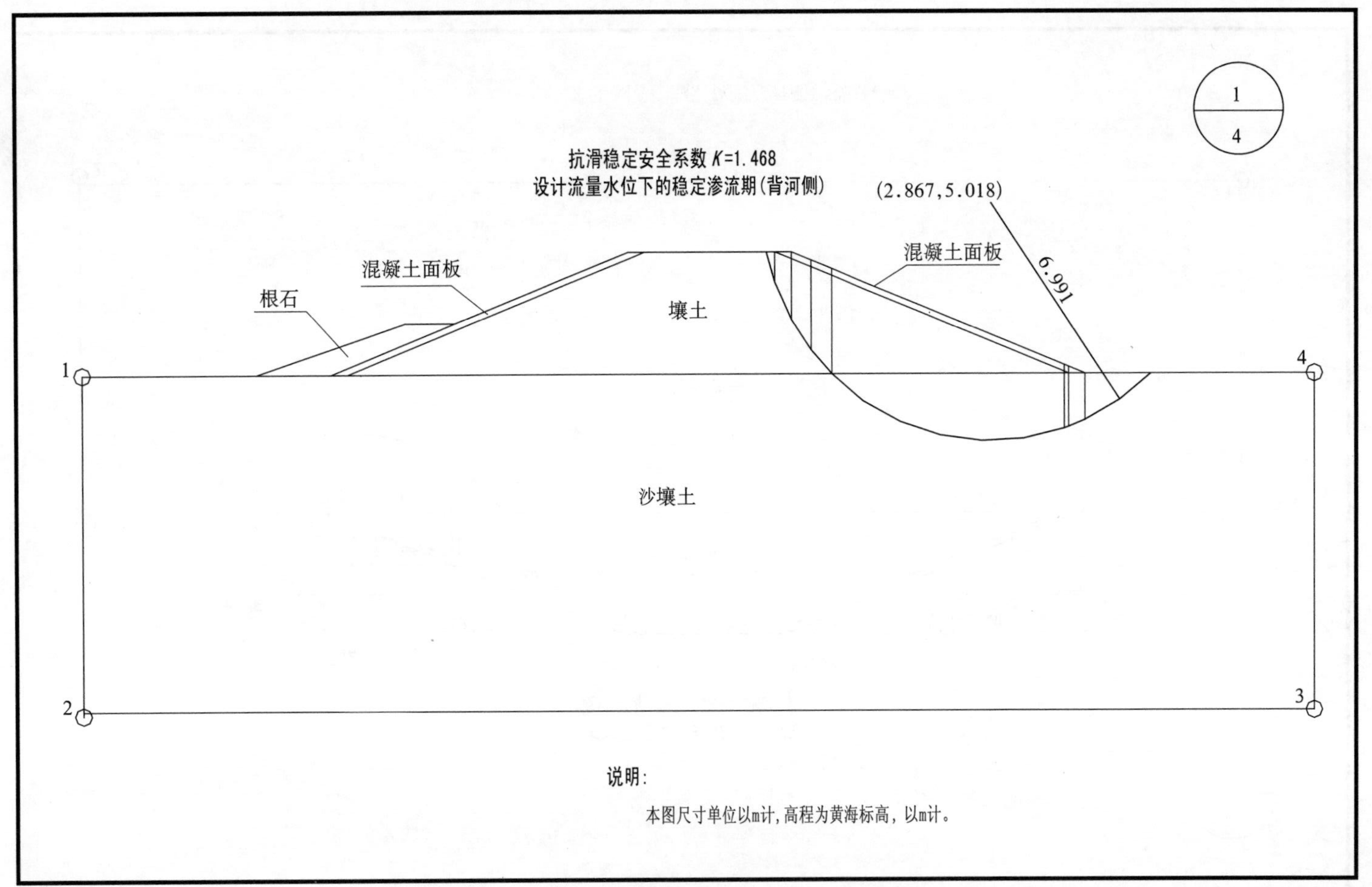

土石坝抗滑稳定计算简图（一）

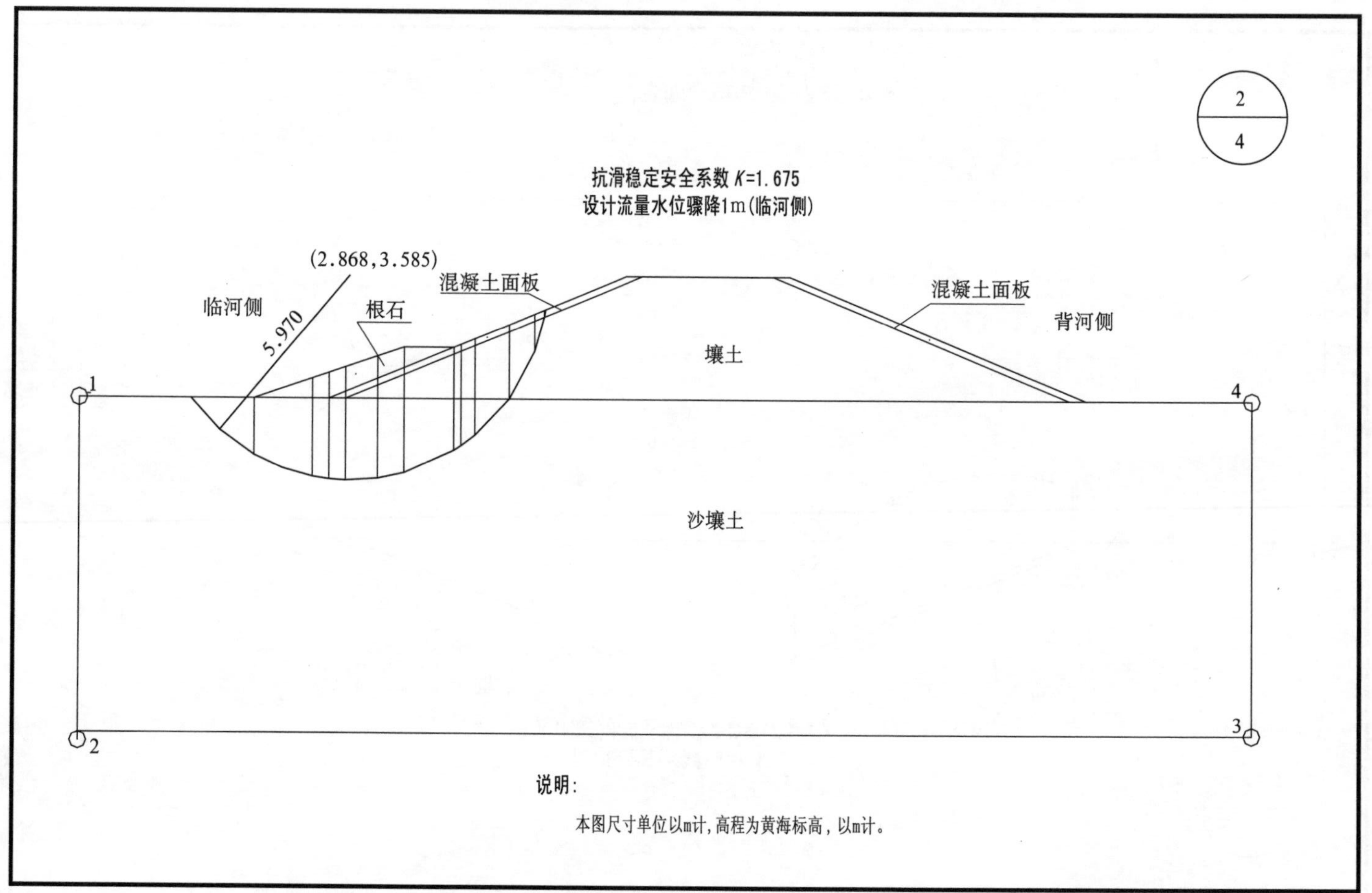

土石坝抗滑稳定计算简图（二）

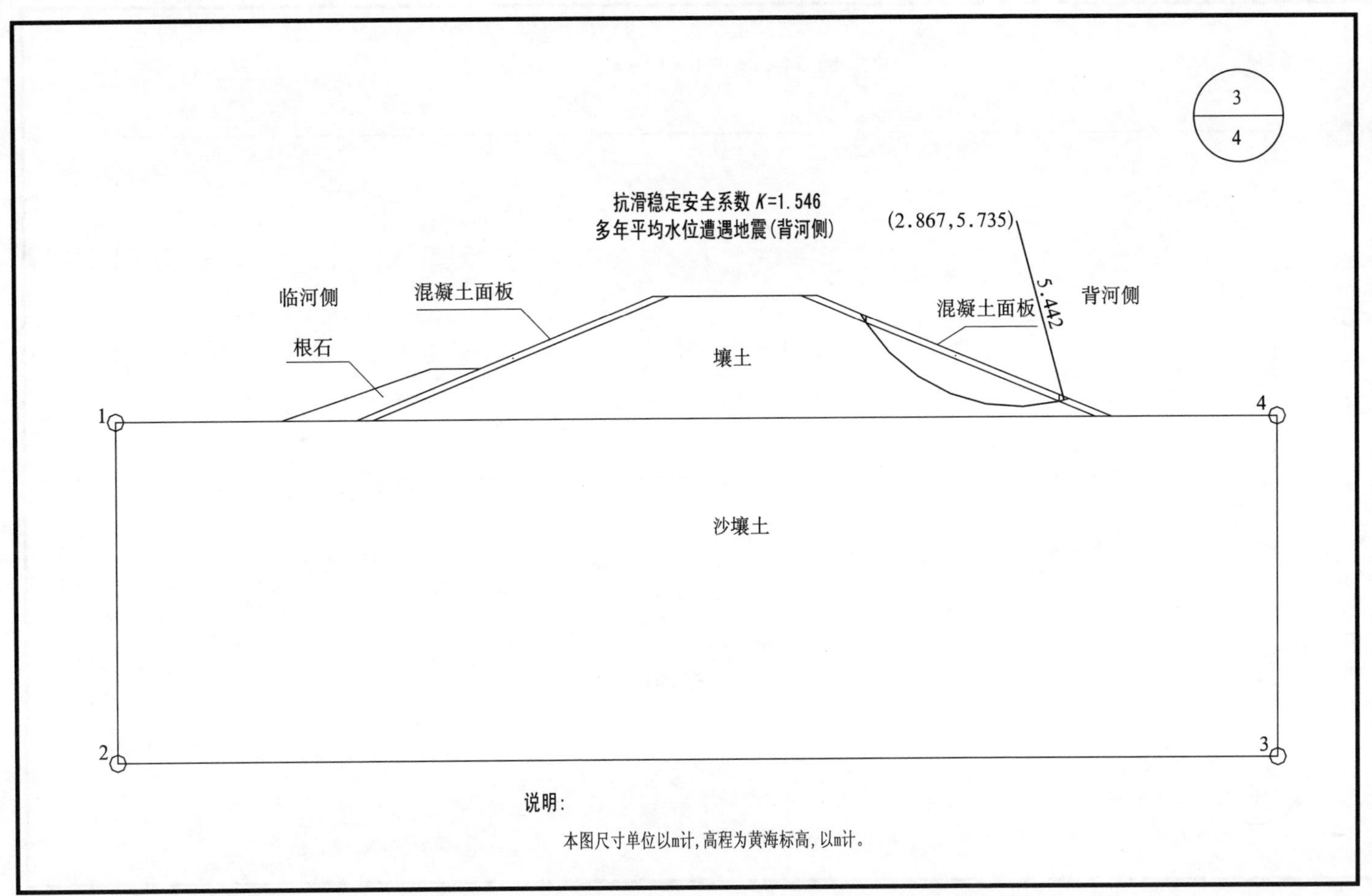

土石坝抗滑稳定计算简图（三）

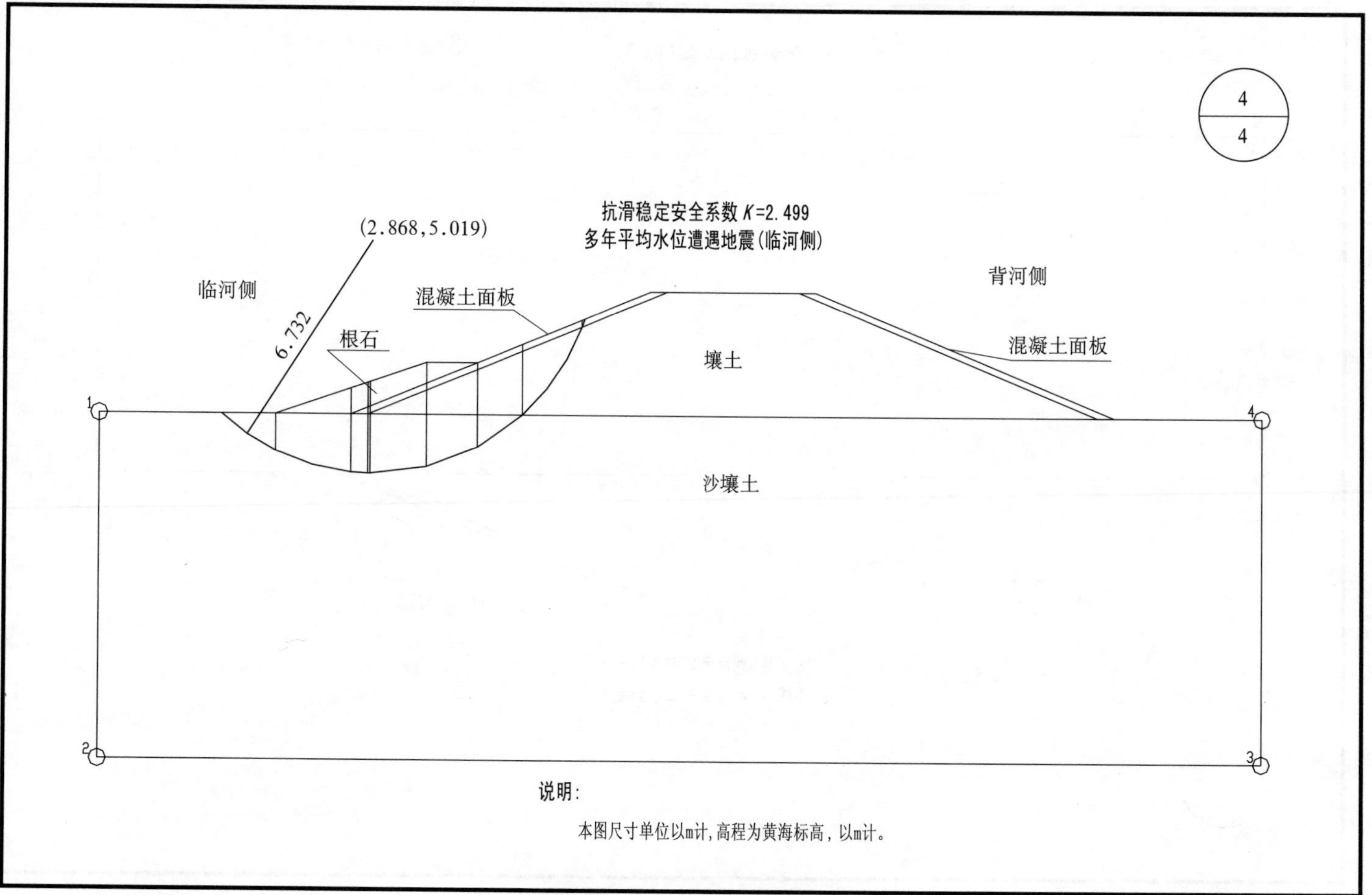

土石坝抗滑稳定计算简图（四）

附件三

工程投资估算表

表 1

投资估算表

(单位:万元)

编号	工程或费用名称	建安工程费	设备购置费	其他费用	合计	占一至五部分合计(%)
	第一部分　建筑工程	41 376.16			41 376.16	79.35
	第二部分　机电设备及安装工程	0			0	0
	第三部分　金属结构及安装工程	400.00			400.00	0.77
	第四部分　临时工程	3 769.91			3 769.91	7.23
	第五部分　独立费用			6 595.84	6 595.84	12.65
一	建设管理费			830.69	830.69	1.60
二	科研勘测设计费			3 665.85	3 665.85	7.03
三	其他			2 099.30	2 099.30	4.03
	第一至第五部分合计	45 546.07		6 595.84	52 141.94	100.00
	基本预备费				5 214.19	10.00
	海上施工风险费、机械人工停滞费				776.13	1.49
	静态总投资				57 692.23	110.64
	总投资					57 692.23

表 2

建筑工程估算表

编号	工程或费用名称	单位	工程量	单价(元)	难度系数	合计(万元)
	第一部分　建筑工程					41 376.16
一	高潮线—低潮线					4 824.99
1	堤身土方	m^3	487 500			1 297.73
(1)	堤身回填（运距 5.5km）	m^3	487 500	24.20	1.10	1 297.73
2	混凝土护坡(C25)	m^3	25 740			1 896.64
(1)	0.14m 厚混凝土	m^3	25 740	669.86	1.10	1 896.64
3	抛石护底	m^3	22 800			633.52
(1)	抛石护底	m^3	22 800	252.60	1.10	633.52
4	土工格栅	m^2	650 000			997.10
(1)	土工格栅铺设	m^2	650 000	15.34	1.10	997.10
二	低潮线—−2m 等深线					5 215.83
1	堤身土方	m^3	73 515			216.56
(1)	堤身回填（运距 7.0km）	m^3	73 515	26.78	1.10	216.56
2	模袋混凝土护坡	m^2	103 675			3 033.42
(1)	0.20m 厚模袋混凝土	m^2	103 675	265.99	1.10	3 033.42
3	抛石护根	m^3	11 400			316.76
(1)	抛石护根	m^3	11 400	252.60	1.10	316.76
4	充沙长管袋	m^3	132 600			1 649.09
(1)	充沙长管袋	m^3	132 600	113.06	1.10	1 649.09
三	−2m 等深线—−10m 等深线					26 053.91
1	插板桩工程	m^3	56 808			6 536.24
(1)	插板桩(C30 混凝土)	m^3	55 615	1 106.39	1.10	6 153.19
(2)	插板桩顶联系桥(C30 混凝土)	m^3	6 249	612.98	1.10	383.05
2	钢筋	t	30 932			19 280.32
(1)	钢筋制作及安装	t	30 932	6 233.13		19 280.32
3	插板桩运至深水区(船运)	t	179 406	13.23		237.35
四	原导流堤延伸工程					1 591.45
1	堤身土方	m^3	514 800			1 370.40
(1)	堤身回填（运距 5.5km）	m^3	514 800	24.20	1.10	1 370.40
2	混凝土护坡(C25)	m^3	3 300			221.05
(1)	0.14m 厚混凝土	m^3	3 300	669.86		221.05
五	其他					675.09
1	通讯与应急救护	项	1	478.92		478.92
2	后勤供应	项	1	196.17		196.17
六	其他建筑工程					3 014.89

注：由于单价分析均按照水利部有关定额、规定，而海上施工条件恶劣，因此工程单价统一考虑 1.1 的难度系数。

表 3　临时工程估算表

编号	工程或费用名称	单位	工程量	单价（元）	合计（万元）
	第四部分　临时工程				3 769.91
一	临时交通				250.71
1	临时垫道（自卸汽车 3km）	m^3	128 700	19.48	250.71
二	插板桩施工平台				66.74
1	插板桩施工平台搭设	项	1	66.74	66.74
三	施工设备调遣				100.00
1	施工设备调遣费	项	1	1 000 000	100.00
四	临时房屋建筑				1 210.59
1	临时仓库	m^2	2 032	200.00	40.64
2	施工生活用船租赁	艘	20	165 000	330.00
3	办公、生活及文化福利建筑		2.00%	41 997.51	839.95
五	其他临时工程		5.00%	42 837.46	2 141.87

表 4　独立费用估算表

编号	工程或费用名称	单 位	工程量	单价（元）	合计（万元）
	第五部分　独立费用				6 595.84
一	建设管理费				830.69
1	建设单位经常费		0.60%	45 146.07	270.88
2	工程监理费		1.00%	45 146.07	451.46
3	项目建设管理费		15%	722.34	108.35
二	科研勘测设计费				3 665.85
1	科学研究试验费		0.20%	45 146.07	90.29
2	规划统筹费		10%	3 250.51	325.05
3	勘测设计费				3 250.51
(1)	设计费			45 146.07	1 805.84
(2)	勘测费				1 444.67
三	其他				2 099.30
1	技术装备补贴费		3%	45 146.07	1 354.38
2	定额编制管理费		0.15%	45 146.07	67.72
3	工程质量监督费		0.25%	45 146.07	112.87
4	栏杆等管理设施		1.25%	45 146.07	564.33

表 5　　单位估价汇总表

编号	名称及规格	单位	单价(元)
1	水力冲挖机组	m^3	3.42
2	土工布铺设	m^2	11.70
3	土工格栅铺设	m^2	15.34
4	土袋枕	m^3	101.75
5	坝身壤土回填(运距 3.0km)	m^3	19.48
6	坝身壤土回填(运距 5.5km)	m^3	24.20
7	坝身壤土回填（运距 7km）	m^3	26.78
8	拖拉机压实	m^3	4.78
9	混凝土板预制及砌筑(C25 混凝土)	m^3	623.15
10	汽车运预制混凝土构件 3km	m^3	46.71
11	搅拌机搅拌混凝土	m^3	20.66
12	人工抛石护底	m^3	220.94
13	石料运输 3km	m^3	31.66
14	干砌块石护坡	m^3	328.03
15	填充长管袋	m^3	113.06
16	预制混凝土插板桩(C30 混凝土)	m^3	496.02
17	水冲混凝土板桩插板	m^3	424.11
18	钢筋制作及安装	t	6 233.13
19	汽车运预制混凝土构件 8km	m^3	65.97
20	预制混凝土构件安装	m^3	50.99
21	水泥浆灌缝	m	120.29
22	壤土调运(运距 300m)	m^3	6.38
23	模袋混凝土护坡	m^2	265.99
24	沉井安装	m^3	594.58

表 6　　插板桩施工后勤供应费分析表

编号	项目	单位	数量	单价(元)	复价(万元)	说明
一	生活船租赁	天	660	1 500	99.00	工期 330 天
二	生活车租赁	天	660	400	26.40	工期 330 天
三	油驳	艘时	10 560	67.02	70.77	台时 =330 × 8=2 640
合计						196.17

注：1. 施工台时费＝台时费＋间接费＋计划利润＋税金＝台时费 × 1.05 × 1.07 × 1.032 2。
2. 油驳台时费 =52.54 × 1.05 × 1.07 × 1.032 2=60.93（元／台时）。

表 7

插板桩施工通讯与应急救护费用计算表

编号	项目	单位	数量	单价（元）	复价（万元）	说明
一	通讯费				405.48	
1	海事卫星电话购置	部	5	5.5	27.50	
2	通信费	分	99 000	38.18	377.98	通话费用 4.6 美元 /min，每天通话 2h
二	应急救护				73.44	
1	人员工资	人·天	330	40	1.32	人工 =5 × 66=330（共 5 人，66 天）
2	拖轮（515kW）台时费				22.62	2 艘
	撤退施工台时费	台时	64	704.17	4.51	台时 =8 × 8=64（工作 8 天）
	停滞台时费	台时	704	257.25	18.11	台时 =（48+40）× 8=704（工作 88 天）
3	渔船租赁	天	330	1 500	49.50	48 天、1 艘
合　计						478.92

注：1. 施工台时费 = 台时费 + 间接费 + 计划利润 + 税金 = 台时费 × 1.05 × 1.07 × 1.032 2。
2. 停滞台时费未计燃料动力费。
3. 拖轮施工台时费 =552.01 × 1.05 × 1.07 × 1.032 2=640.15（元 / 台时）。
4. 拖轮停滞台时费 =233.86（元 / 台时）。

表 8

插板桩设备托运及施工平台搭设费用计算表

编号	项目	单位	数量	单价(元)	复价(万元)	说明
一	插板吊机托运				3.74	
1	插板吊机托运	部	48	779.40	3.741	
二	临时施工平台搭设				63.00	
1	材料	项	1	400 000	40.00	人工 =10 × 90=240（共 10 人，90 天）
2	人工	项	300	100	3.00	2 艘
3	设备	项	1	200 000	20.00	台时 =20 × 8=160（工作 20 天）
合　计						66.74

注：1. 施工台时费 = 台时费 + 间接费 + 计划利润 + 税金 = 台时费 × 1.05 × 1.07 × 1.032 2。
2. 停滞台时费未计燃料动力费。
3. 拖轮施工台时费 =448.06 × 1.05 × 1.07 × 1.032 2=519.6（元 / 台时）。
4. 拖轮停滞台时费 =233.86（元 / 台时）。

表 9　　**施工机械台时费汇总表**　　(单位：元)

序号	定额编号	名称及规格	台时费	其中				
				折旧费	修理及替换设备费	安装拆卸费	人工费	动力燃料费
1	1009	$1m^3$ 液压挖掘机	148.97	35.63	25.46	2.18	10.45	75.25
2	1042	推土机 59kW	76.02	10.80	13.02	0.49	9.29	42.42
3	1043	推土机 74kW	105.49	19.00	22.81	0.86	9.29	53.53
4	1062	拖拉机 74kW	80.86	9.65	11.38	0.54	9.29	50.00
5	1094	刨毛机	66.28	8.36	10.87	0.39	9.29	37.37
6	1095	蛙式打夯机 2.8kW	13.62	0.17	1.01	0.00	7.74	4.70
7	1066	铲运机 $2.75m^3$	10.53	4.35	5.61	0.57	0.00	0.00
8	2049	平板振动器　2.2kW	5.60	0.54	1.86	0.00	0.00	3.20
9	1060	拖拉机 55kW	55.24	3.80	4.56	0.22	9.29	37.37
10	1040	推土机 55kW	69.27	7.14	12.50	0.44	9.29	39.90
11	3004	载重汽车 5t	62.54	7.77	10.86	0.00	5.03	38.88
12	3007	载重汽车 10t	91.75	20.95	20.82	0.00	5.03	44.95
13	4075	履带式起重机 15t	133.49	37.88	22.29	1.41	9.29	62.62
14	4085	汽车起重机 5t	67.11	12.92	12.42	0.00	10.45	31.32
15	4090	汽车起重机 16t	130.30	37.62	26.17	0.00	10.45	56.06
16	3013	自卸汽车 8t	92.68	22.59	13.55	0.00	5.03	51.51
17	3015	自卸汽车 10t	108.36	30.49	18.30	0.00	5.03	54.54
18	3074	胶轮车	0.90	0.26	0.64	0.00	0.00	0.00
19	8032	柴油发电机　85kW	115.66	3.79	7.51	1.14	9.29	93.93
20	8033	柴油发电机　160kW	203.23	6.53	9.70	1.72	15.09	170.19
21	2002	混凝土搅拌机 $0.4m^3$	30.90	3.29	5.34	1.07	5.03	16.17
22		水利冲挖机组	97.10	4.43	6.84	1.04	13.16	71.63
23	7065	高压水泵 22kW	44.72	0.90	2.14	0.43	2.71	38.54
24	7066	水枪 Φ 65mm	10.80	1.02	2.04		7.74	
25	7067	泥浆泵 22kW	40.12	1.28	2.43	0.61	2.71	33.09
26	7068	排水管 Φ 150mm 长 100m	1.46	1.23	0.23			
27	9040	34kW 潜水泵	69.00	1.80	5.07	2.20	5.03	54.90
28	2032	混凝土输送泵（m^3/h）	112.70	30.48	20.63	2.10	9.29	50.20
29	7207	钢质趸船 35t	28.94	5.28	5.94		15.09	2.63

表 10　　**电价、水价计算表**　（单位：电价，元/(kW·h)；水价，元/m^3）

项　目	采用设备	台时费（元）	计算公式	单价
电价（计算）	160kW 发电机	203.23	电价＝台时费/[160 × 0.8 ×（1−5%）×（1−7%）]+0.05+0.03	1.88
水价（计算）	34kW 水泵	69.00	水价＝台时费/[200 × 0.75 ×（1−8%）]+0.03	0.53

表 11　**人工预算单价计算**

序号	项目	计算公式	金额（元／工日）
一	工长		
1	基本工资	385(元／月)× 12 月 ÷ 251(工日／年)× 1.068	19.658
	小计		
2	辅助工资		
(1)	地区津贴		
(2)	施工津贴	3.5(元／天)× 365 天× 95% ÷ 251(工日／年)× 1.068	5.164
(3)	夜餐津贴	(4.5 元／夜＋ 3.5 元／中班)÷ 2 × 20%	0.800
(4)	节日加班津贴	19.685(元／工日)× 3 × 10 ÷ 251(工日／年)× 35%	0.822
	小计		6.786
3	工资附加费		
(1)	职工福利基金	[19.658(元／工日)＋ 6.786(元／工日)] × 14%	3.702
(2)	工会经费	[19.658(元／工日)＋ 6.786(元／工日)] × 2%	0.529
(3)	养老保险费	[19.658(元／工日)＋ 6.786(元／工日)] × 20%	5.289
(4)	医疗保险费	[19.658(元／工日)＋ 6.786(元／工日)] × 4%	1.058
(5)	工伤保险费	[19.658(元／工日)＋ 6.786(元／工日)] × 1.5%	0.397
(6)	职工失业保险基金	[19.658(元／工日)＋ 6.786(元／工日)] × 2%	0.529
(7)	住房公积金	[19.658(元／工日)＋ 6.786(元／工日)] × 5%	1.322
	小计		12.826
4	人工工日预算单价	[1+2+3](元／工日)	39.270
5	人工工时预算单价	39.270(元／工日)÷ 8(工时／工日)	4.91
二	高级工		
1	基本工资	350(元／月)× 12 月 ÷ 251(工日／年)× 1.068	17.871
	小计		
2	辅助工资		
(1)	地区津贴		
(2)	施工津贴	3.5(元／天)× 365 天× 95% ÷ 251(工日／年)× 1.068	5.164
(3)	夜餐津贴	(4.5 元／夜＋ 3.5 元／中班)÷ 2 × 20%	0.800
(4)	节日加班津贴	17.871(元／工日)× 3 × 10 ÷ 251(工日／年)× 35%	0.748
	小计		6.712
3	工资附加费		
(1)	职工福利基金	[17.871(元／工日)＋ 6.712(元／工日)] × 14%	3.442
(2)	工会经费	[17.871(元／工日)＋ 6.712(元／工日)] × 2%	0.492
(3)	养老保险费	[17.871(元／工日)＋ 6.712(元／工日)] × 20%	4.917
(4)	医疗保险费	[17.871(元／工日)＋ 6.712(元／工日)] × 4%	0.983
(5)	工伤保险费	[17.871(元／工日)＋ 6.712(元／工日)] × 1.5%	0.369
(6)	职工失业保险基金	[17.871(元／工日)＋ 6.712(元／工日)] × 2%	0.492
(7)	住房公积金	[17.871(元／工日)＋ 6.712(元／工日)] × 5%	1.229
	小计		11.924
4	人工工日预算单价	[1+2+3](元／工日)	36.507
5	人工工时预算单价	[36.507(元／工日)÷ 8(工时／工日)](元／工时)	4.56

续表 11

序号	项目	计算公式	金额(元/工日)
三	中级工		
1	基本工资	280(元/月)×12月÷251(工日/年)×1.068	14.297
	小计		
2	辅助工资		
(1)	地区津贴		
(2)	施工津贴	3.5(元/天)×365天×95%÷251(工日/年)×1.068	5.164
(3)	夜餐津贴	(4.5元/夜+3.5元/中班)÷2×20%	0.800
(4)	节日加班津贴	14.297(元/工日)×3×10÷251(工日/年)×35%	0.598
	小计		6.562
3	工资附加费		
(1)	职工福利基金	[14.297(元/工日)+6.562(元/工日)]×14%	2.920
(2)	工会经费	[14.297(元/工日)+6.562(元/工日)]×2%	0.417
(3)	养老保险费	[14.297(元/工日)+6.562(元/工日)]×20%	4.172
(4)	医疗保险费	[14.297(元/工日)+6.562(元/工日)]×4%	0.834
(5)	工伤保险费	[14.297(元/工日)+6.562(元/工日)]×1.5%	0.313
(6)	职工失业保险基金	[14.297(元/工日)+6.562(元/工日)]×2%	0.417
(7)	住房公积金	[14.297(元/工日)+6.562(元/工日)]×5%	1.043
	小计		10.116
4	人工工日预算单价	[1+2+3](元/工日)	30.975
5	人工工时预算单价	[30.975(元/工日)÷8(工时/工日)](元/工时)	3.87
四	初级工		
1	基本工资	190(元/月)×12月÷251(工日/年)×1.068	9.701
	小计		
2	辅助工资		
(1)	地区津贴		
(2)	施工津贴	3.5(元/天)×50%×365天×95%÷251(工日/年)×1.068	2.582
(3)	夜餐津贴	(4.5元/夜+3.5元/中班)÷2×20%	0.800
(4)	节日加班津贴	9.701(元/工日)×3×10÷251(工日/年)×35%	0.406
	小计		3.788
3	工资附加费		
(1)	职工福利基金	[9.701(元/工日)+3.788(元/工日)]×7%	0.944
(2)	工会经费	[9.701(元/工日)+3.788(元/工日)]×1%	0.135
(3)	养老保险费	[9.701(元/工日)+3.788(元/工日)]×10%	1.349
(4)	医疗保险费	[9.701(元/工日)+3.788(元/工日)]×2%	0.270
(5)	工伤保险费	[9.701(元/工日)+3.788(元/工日)]×1.5%	0.202
(6)	职工失业保险基金	[9.701(元/工日)+3.788(元/工日)]×1%	0.135
(7)	住房公积金	[9.701(元/工日)+3.788(元/工日)]×2.5%	0.337
	小计		3.372
4	人工工日预算单价	[1+2+3](元/工日)	16.861
5	人工工时预算单价	[16.861(元/工日)÷8(工时/工日)](元/工时)	2.11

表 12　主要材料预算价格计算表　（单位：元）

材料名称	单位	发货地点	原价(元)	运距(km)	折算重(t/m³)	运输方式	运费(元)	杂项(元)				运杂费合计(元)	运到工地仓库价格	采购保管费		运输保险费	材料预算价(元)	备注
								装卸费	过磅费	压堤费	过桥费			费率(%)	费用(元)			
钢筋	t	河口区	3 200	55	1	汽车	20.35	2.50	0.50	1.50		24.85	3 224.9	3	96.75		3 321.65	
钢板	t	河口区	4 000	55	1	汽车	20.35	2.50	0.50	1.50		24.85	4 024.9	3	120.75		4 145.65	
型钢	t	河口区	3 500	55	1	汽车	20.35	2.50	0.50	1.50		24.85	3 524.9	3	105.75		3 630.65	
原木	m^3	河口区	1 350	55	1.05	汽车	21.37	2.63	0.53	1.58		26.11	1 376.1	3	41.28		1 417.38	
板枋材	m^3	河口区	1 929	55	0.85	汽车	17.30	2.13	0.43	1.28		21.14	1 949.7	3	58.49		2 008.19	
水泥	t	张店	275	208	1.0	汽车	76.96	2.50	0.50	1.50	2.00	83.46	358.46	3	10.75		3 69.21	0.37 元/(t·km)
砂子	m^3	蒋峪	20	254	1.45	汽车	136.27	3.63	0.73	2.18	2.90	145.71	165.71	3	4.97		170.68	
块石	m^3	邵庄	60	194	1.9	汽车	136.38	4.75	0.95	2.85	3.80	148.73	208.73	3	6.26		214.99	
乱石	m^3	邵庄	28	194	1.7	汽车	122.03	4.25	0.85	2.55	3.40	133.08	161.08	3	4.83		165.91	
碎石	m^3	邵庄	25	194	1.55	汽车	111.26	3.88	0.78	2.33	3.10	121.35	146.35	3	4.39		150.74	
柴油																	5 050.0	
汽油																	5 400.0	

表 13　**主要材料预算价格汇总表**　(单位：元)

序号	名称及规格	单位	预算价格	其中			
				原价	运杂费	运输保险费	采购及保管费
1	块石	m^3	214.99	60	148.73	0	6.26
2	乱石	m^3	165.91	28	133.08	0	4.83
3	碎石	m^3	150.74	25	121.35	0	4.39
4	柴油	t	5 050.00	0	0.00	0	0.00
5	汽油	t	5 400.00	0	0.00	0	0.00
6	水泥	t	369.21	275	83.46	0	10.75
7	砂子	m^3	170.68	20	145.71	0	4.97

表 14　**混凝土及砂浆单价计算表**

砂浆及混凝土强度等级	级配	水泥			砂子		石子		水		添加剂		砂浆及混凝土单价(元/m^3)
		标号	数量(t)	合价(元)	数量(m^3)	合价(元)	数量(m^3)	合价(元)	数量(m^3)	合价(元)	数量(m^3)	合价(元)	
砂浆 M7.5		32.5	0.261	96.36	1.11	77.70	0	0.00	0.157	0.08	0	0.00	174.14
C20泵用混凝土	1	32.5	0.394	145.47	0.66	46.20	0.70	49.00	0.227	0.00	0	0.00	240.67
C25混凝土	1	42.5	0.378	139.56	0.58	40.60	0.75	52.50	0.200	0.11	0	0.00	232.77
C25混凝土	2	42.5	0.340	125.53	0.53	37.10	0.84	58.80	0.177	0.09			221.52
C30混凝土	2	42.5	0.365	134.76	0.51	35.70	0.84	58.80	0.177	0.09			229.35

附件四

估算单价汇总表

沉井安装工程

定额编号:参[胜补98-24]　　定额单位：$10m^3$

施工方法：

编号	名称	单位	数量	单价(元)	合计(元)
一	直接工程费				4 617.02
(一)	直接费				4 275.02
1	人工费				619.32
	高级工	工时	160.03	3.87	619.32
2	材料费				0.00
3	机械使用费				3 655.70
	汽车起重机(16t)	台时	26.72	130.30	3 481.62
	其他机械费		5.00%	3 481.62	174.08
(二)	其他直接费		2.00%		85.50
(三)	现场经费		6.00%		256.50
二	间接费		6.00%		277.02
三	企业利润		7.00%		342.58
四	三税税金		3.22%		168.62
	合　计× 1.1				5 945.76

土工布铺设工程

定额编号:概[90071]　　定额单位：$100m^2$

施工方法:场内运输、铺设、接缝（针缝）。

编号	名称	单位	数量	单价(元)	合计(元)
一	直接工程费				917.30
(一)	直接费				857.29
1	人工费				46.06
	工长	工时	1.00	4.91	4.91
	中级工	工时	3.00	3.87	11.61
	初级工	工时	14.00	2.11	29.54
2	材料费				795.63
	土工布	m^2	107.0	7.29	780.03
	其他材料费		2.00%	780.03	15.60
(二)	其他直接费		2.00%		17.15
(三)	现场经费		5.00%		42.86
二	间接费		5.00%		45.87
三	企业利润		7.00%		67.42
四	三税税金		3.22%		33.18
	合　计× 1.1				1 170.15

预制混凝土构件安装工程

定额编号:参[3-276]　　定额单位：100m³

施工方法:护坡，预制板厚0.14m。					
编号	名称	单位	数量	单价(元)	合计(元)
一	直接工程费				3 686.26
(一)	直接费				3 413.21
1	人工费				1 654.93
	工长	工时	48.56	4.91	238.43
	高级工	工时	97.12	4.56	442.87
	中级工	工时	145.68	3.87	563.78
	初级工	工时	194.24	2.11	409.85
2	材料费				1 606.87
	枋材	m^3	0.19	2 008.19	381.56
	圆木	m^3	0.62	1 417.38	878.78
	铁丝	kg	13.00	4	52.00
	水泥砂浆	m^3	1.60	174.14	278.62
	其他材料费		1.00%	1 590.96	15.91
3	机械使用费				151.41
	履带式起重机（15t）	台时	1.06	133.49	141.50
	其他机械费		7.00%	141.50	9.91
(二)	其他直接费		2.00%		68.26
(三)	现场经费		6.00%		204.79
二	间接费		6.00%		221.18
三	企业利润		7.00%		273.52
四	材料差价				178.80
	水泥砂浆		1.60	111.75	178.80
五	三税税金		3.22%		140.38
	合　计× 1.1				4 950.15

4pl—250 水力冲挖机组冲挖排泥管 100m

定额编号:黄河定额　　定额单位: 10 000m³

施工方法:排距 100m，Ⅱ类土。

编号	名称及规格	单位	数量	单价(元)	合计(元)
一	直接工程费				26 007.87
(一)	直接费				24 306.42
1	人工费				277.24
	工长	工时			
	高级工	工时			
	中级工	工时	12.10	3.87	46.83
	初级工	工时	109.20	2.11	230.41
2	材料费				476.60
	零星材料费		2.00%	23 829.82	476.60
3	机械使用费				23 552.58
	高压水泵 22kW	台时	242.56	44.72	10 847.28
	水枪 Φ 65mm 两支	组时	242.56	10.80	2 619.65
	泥浆泵 22kW	台时	242.56	40.12	9 731.51
	排泥管 Φ 150mm	百米时	242.56	1.46	354.14
(二)	其他直接费		2.00%		486.13
(三)	现场经费		5.00%		1 215.32
二	间接费		5.00%		1 300.39
三	计划利润		7.00%		1 911.58
四	三税税金		3.22%		940.88
	合　计 × 1.03 × 1.1				34 172.10

土工格栅铺设工程

定额编号:[施工实测定额]　　定额单位: 100m²

施工方法:土工格栅铺设采用人工平铺方式，在压实的土层上平铺格栅，然后再铺土压实。

编号	名称及规格	单位	数量	单价(元)	合计(元)
一	直接工程费				1 202.80
(一)	直接费				1 124.11
1	人工费				32.71
	工长	工时	1.00	4.91	4.91
	高级工	工时		4.56	0.00
	中级工	工时	3.00	3.87	11.61
	初级工	工时	10.00	2.11	21.10
2	材料费				1 091.40
	土工格栅	m²	107	10.00	1 070.00
	其他材料费		2.00%	1 070.00	21.40
(二)	其他直接费		2.00%		22.48
(三)	现场经费		5.00%		56.21
二	间接费		5.00%		60.14
三	企业利润		7.00%		88.41
四	三税税金		3.22%		43.51
	合　计 × 1.1				1 534.35

土袋枕工程

定额编号:概[90002]　　定额单位：100m³

施工方法:装土、封包、堆筑。					
编号	名称及规格	单位	数量	单价(元)	合计(元)
一	直接工程费				7 976.51
(一)	直接费				7 454.69
1	人工费				2 103.20
	工长	工时	88.00	4.91	432.08
	初级工	工时	792.00	2.11	1 671.12
2	材料费				5 351.49
	黏土	m^3	118	18.07	2 132.26
	编织袋	m^2	1 200	2.44	2 928.00
	尼龙绳	kg	13.75	17.50	240.63
	其他材料费		1.00%	5 060.3	50.60
(二)	其他直接费		2.00%		149.09
(三)	现场经费		5.00%		372.73
二	间接费		5.00%		398.83
三	企业利润		7.00%		586.27
四	三税税金		3.22%		288.56
	合　计× 1.1				10 175.19

坝身壤土回填（300m）工程

定额编号:概[10567]　　定额单位：100m³

施工方法:铲装、运输、卸除、空回、转向、土场道路平整、洒水、卸土推平等，Ⅱ类土运输300m。					
编号	名称及规格	单位	数量	单价(元)	合计(元)
一	直接工程费				504.71
(一)	直接费				476.14
1	人工费				15.19
	初级工	工时	7.20	2.11	15.19
2	零星材料费		10.00%	432.85	43.29
3	机械使用费				417.66
	铲运机（2.75m^3）	台时	5.75	10.53	60.55
	拖拉机(55kW)	台时	5.75	55.24	317.63
	推土机(55kW)	台时	0.57	69.27	39.48
(二)	其他直接费		2.00%		9.52
(三)	现场经费		4.00%		19.05
二	间接费		4.00%		20.19
三	企业利润		7.00%		36.74
四	三税税金		3.22%		18.08
	合　计× 1.1				637.69

壤土回填（含压实）（运距3.0km）工程

定额编号：概[10618]× 1.176 概[30075]　　定额单位：100m^3实方

施工方法:1m^3挖掘机挖土、10t自卸汽车运输。Ⅱ类土。					
编号	名称及规格	单位	数量	单价(元)	合计(元)
一	直接工程费				1 541.97
(一)	直接费				1 454.69
1	人工费				61.63
	初级工	工时	29.21	2.11	61.63
2	零星材料费	元			71.71
	调土		4.00%	1 109.92	44.40
	压实		10.0%	273.06	27.31
3	机械使用费				1 321.35
	挖掘机液压(1m^3)	台时	1.12	124.38	139.31
	推土机(59kW)	台时	0.55	62.16	34.19
	自卸汽车(10t)	台时	10.17	90.54	920.79
	拖拉机(74kW)	台时	2.06	64.52	132.91
	推土机(74kW)	台时	0.55	88.00	48.40
	蛙式打夯机(2.8kW)	台时	1.09	12.62	13.76
	刨毛机	台时	0.55	54.07	29.74
	其他机械费	台时	1.00%	224.81	2.25
(二)	其他直接费		2.00%		29.09
(三)	现场经费		4.00%		58.19
二	间接费		4.00%	1 541.97	61.68
三	企业利润		7.00%	1 603.65	112.26
四	三税税金		3.22%	1 715.91	55.25
	合　计× 1.1				1 948.28

壤土回填（含压实）（运距5.5km）工程

定额编号：概[10620][10621] × 1.176 概[30075]　　　定额单位：100m³实方

施工方法：1m³挖掘机挖土、10t自卸汽车运输。Ⅱ类土。

编号	名称及规格	单位	数量	单价(元)	合计(元)
一	直接工程费				1 915.26
(一)	直接费				1 806.85
1	人工费				61.63
	初级工	工时	29.21	2.11	61.63
2	零星材料费	元			85.25
	调土		4.00%	1 448.54	57.94
	压实		10.0%	273.06	27.31
3	机械使用费				1 659.97
	挖掘机液压(1m³)	台时	1.12	124.38	139.31
	推土机(59kW)	台时	0.55	62.16	34.19
	自卸汽车(10t)	台时	13.91	90.54	1 259.41
	拖拉机(74kW)	台时	2.06	64.52	132.91
	推土机(74kW)	台时	0.55	88.00	48.40
	蛙式打夯机(2.8kW)	台时	1.09	12.62	13.76
	刨毛机	台时	0.55	54.07	29.74
	其他机械费	台时	1.00%	224.81	2.25
(二)	其他直接费		2.00%		36.14
(三)	现场经费		4.00%		72.27
二	间接费		4.00%	1 915.26	76.61
三	企业利润		7.00%	1 991.87	139.43
四	三税税金		3.22%	2 131.30	68.63
	合　计 × 1.1				2 419.92

壤土回填（含压实）（运距 7.0km）工程

定额编号：概[10620][10621] × 1.176 概[30075]　　　　定额单位：100m³ 实方

施工方法：1m³ 挖掘机挖土、10t 自卸汽车运输。Ⅱ类土。					
编号	名称及规格	单位	数量	单价(元)	合计(元)
一	直接工程费				2 119.89
(一)	直接费				1 999.89
1	人工费				61.63
	初级工	工时	29.21	2.11	61.63
2	零星材料费	元			92.68
	调土		4.00%	1 634.15	65.37
	压实		10.0%	273.06	27.31
3	机械使用费				1 845.58
	挖掘机液压（1m³）	台时	1.12	124.38	139.31
	推土机（59kW）	台时	0.55	62.16	34.19
	自卸汽车（10t）	台时	15.96	90.54	1 445.02
	拖拉机（74kW）	台时	2.06	64.52	132.91
	推土机（74kW）	台时	0.55	88.00	48.40
	蛙式打夯机（2.8kW）	台时	1.09	12.62	13.76
	刨毛机	台时	0.55	54.07	29.74
	其他机械费	台时	1.00%	224.81	2.25
(二)	其他直接费		2.00%		40.00
(三)	现场经费		4.00%		80.00
二	间接费		4.00%	2 119.89	84.80
三	企业利润		7.00%	2 204.69	154.33
四	三税税金		3.22%	2 359.02	75.96
	合　计 × 1.1				2 678.48

混凝土板预制及砌筑(C25混凝土　一级配)工程

定额编号:概[40111]　　定额单位：100m³

施工方法:护坡，预制板厚0.14m。

编号	名称	单位	数量	单价(元)	合计(元)
一	直接工程费				36 868.30
(一)	直接费				34 137.31
1	人工费				7 785.48
	工长	工时	91.10	4.91	447.30
	高级工	工时	295.90	4.56	1 349.30
	中级工	工时	1 138.00	3.87	4 404.06
	初级工	工时	751.10	2.11	1 584.82
2	材料费				25 471.02
	钢模板	kg	75.00	4.15	311.25
	铁件	kg	14.00	4.82	67.48
	C25混凝土 一级配	m³	92.00	232.77	21 414.84
	水泥砂浆	m³	19.00	174.14	3 308.66
	水	m³	220.00	0.53	116.60
	其他材料费		1.00%	25 218.83	252.19
3	机械使用费				880.81
	搅拌机 (0.4m³)	台时	17.35	30.90	536.12
	胶轮车	台时	87.70	0.90	78.93
	载重汽车(5t)	台时	1.06	62.54	66.29
	平板振动器(2.2kW)	台时	25.33	5.60	141.85
	其他机械费		7.00%	823.19	57.62
(二)	其他直接费		2.00%		682.75
(三)	现场经费		6.00%		2 048.24
二	间接费		6.00%		2 212.10
三	企业利润		7.00%		2 735.63
四	材料差价				13 066.59
	C25混凝土 一级配		92.00	118.949 4	10 943.34
	水泥砂浆		19.00	111.75	2 123.25
五	三税税金		3.22%		1 767.22
	合　计×1.1				62 314.82

拖拉机压实工程

定额编号:概[30075] 定额单位: 100m³实方

施工方法:推平、刨毛、压实，削坡、洒水、补边夯及坝面各种辅助工作。

编号	名称	单位	数量	单价(元)	合计(元)
一	直接工程费				378.54
(一)	直接费				357.12
1	人工费				46.00
	初级工	工时	21.80	2.11	46.00
2	材料费				32.47
	零星材料费		10.00%	324.65	32.47
3	机械使用费				278.65
	拖拉机(74kW)	台时	2.06	80.86	166.57
	推土机 (74kW)	台时	0.55	105.49	58.02
	蛙式打夯机 (2.8kW)	台时	1.09	13.62	14.85
	刨毛机	台时	0.55	66.28	36.45
	其他机械费		1.00%	275.89	2.76
(二)	其他直接费		2.00%		7.14
(三)	现场经费		4.00%		14.28
二	间接费		4.00%		15.14
三	企业利润		7.00%		27.56
四	三税税金		3.22%		13.56
	合 计× 1.1				478.28

汽车运预制混凝土构件工程

定额编号:概[40272] 定额单位: 100m³

施工方法:汽车起重机吊装，载重汽车运输 8km。

编号	名称	单位	数量	单价(元)	合计(元)
一	直接工程费				5 123.04
(一)	直接费				4 743.56
1	人工费				266.33
	中级工	工时	44.50	3.87	172.22
	初级工	工时	44.60	2.11	94.11
2	材料费				266.42
	锯材	m³	0.10	2 008.19	200.82
	铁件	kg	12.00	4.82	57.84
	其他材料费		3.00%	258.66	7.76
3	机械使用费				4 210.81
	载重汽车 (10t)	台时	45.44	91.75	4 169.12
	其他机械费		1.00%	4 169.12	41.69
(二)	其他直接费		2.00%		94.87
(三)	现场经费		6.00%		284.61
二	间接费		6.00%		307.38
三	企业利润		7.00%		380.13
四	三税税金		3.22%		187.10
	合 计× 1.1				6 597.42

汽车运预制混凝土构件工程

定额编号:概[40272]　　　　定额单位：100m³

施工方法:汽车起重机吊装，载重汽车运输3km。

编号	名称	单位	数量	单价(元)	合计(元)
一	直接工程费				3 626.83
(一)	直接费				3 358.18
1	人工费				266.33
	中级工	工时	44.50	3.87	172.22
	初级工	工时	44.60	2.11	94.11
2	材料费				266.42
	锯材	m³	0.10	2 008.19	200.82
	铁件	kg	12.00	4.82	57.84
	其他材料费		3.00%	258.66	7.76
3	机械使用费				2 825.43
	载重汽车（10t）	台时	30.49	91.75	2 797.46
	其他机械费		1.00%	2 797.46	27.97
(二)	其他直接费		2.00%		67.16
(三)	现场经费		6.00%		201.49
二	间接费		6.00%		217.61
三	企业利润		7.00%		269.11
四	三税税金		3.22%		132.46
	合　计× 1.1				4 670.61

人工抛石护底工程

定额编号:概[30003]　　　　定额单位：100m³抛投方

施工方法:石料运输、抛石、整平。

编号	名称	单位	数量	单价(元)	合计(元)
一	直接工程费				8 446.51
(一)	直接费				7 820.84
1	人工费				477.36
	工长	工时	4.40	4.91	21.60
	中级工	工时		3.87	0.00
	初级工	工时	216.00	2.11	455.76
2	材料费				7 282.10
	乱石	m³	103.00	70.00	7 210.00
	其他材料费		1.00%	7 210.00	72.10
3	机械使用费				61.38
	胶轮车	台时	68.2	0.9	61.38
(二)	其他直接费		2.00%		156.42
(三)	现场经费		6.00%		469.25
二	间接费		6.00%		506.79
三	企业利润		7.00%		626.73
四	材料差价		103.00	95.91	9 878.73
五	三税税金		3.22%		626.57
	合　计× 1.1				22 093.86

搅拌机搅拌混凝土工程

定额编号:概[40171]　　定额单位: $100m^3$

施工方法:各种级配常态混凝土，$0.4m^3$ 搅拌机。					
编号	名称	单位	数量	单价(元)	合计(元)
一	直接工程费				1 604.18
(一)	直接费				1 485.35
1	人工费				841.18
	中级工	工时	126.20	3.87	488.39
	初级工	工时	167.20	2.11	352.79
2	零星材料费		2.00%	1 456.23	29.12
3	机械使用费				615.05
	搅拌机（$0.4m^3$）	台时	17.35	30.90	536.12
	胶轮车	台时	87.70	0.90	78.93
(二)	其他直接费		2.00%		29.71
(三)	现场经费		6.00%		89.12
二	间接费		6.00%		96.25
三	企业利润		7.00%		119.03
四	三税税金		3.22%		58.59
	合　计× 1.1				2 065.86

干砌块石护坡工程

定额编号:概[30017]　　定额单位: $100m^3$砌体方

施工方法:选石、修石、砌筑、填缝、找平。					
编号	名称	单位	数量	单价(元)	合计(元)
一	直接工程费				10 643.58
(一)	直接费				9 855.17
1	人工费				1 581.42
	工长	工时	11.60	4.91	56.96
	中级工	工时	179.10	3.87	693.12
	初级工	工时	394.00	2.11	831.34
2	材料费				8 201.20
	块石	m^3	116.00	70.00	8 120.00
	其他材料费		1.00%	8 120.00	81.20
3	机械使用费				72.55
	胶轮车	台时	80.61	0.90	72.55
(二)	其他直接费		2.00%		197.10
(三)	现场经费		6.00%		591.31
二	间接费		6.00%		638.61
三	企业利润		7.00%		789.75
四	材料差价		116.00	144.99	16 818.84
五	三税税金		3.22%		930.28
	合　计× 1.1				32 803.17

混凝土模袋护坡工程

定额编号:参山东水利定额[80026]　　定额单位：100m²

施工方法:混凝土模袋厚20cm。

编号	名称	单位	数量	单价(元)	合计(元)
一	直接工程费				18 506.30
(一)	直接费				17 135.46
1	人工费				1 308.67
	工长	工时	38.40	4.91	188.54
	高级工	工时	76.80	4.56	350.21
	中级工	工时	115.20	3.87	445.82
	初级工	工时	153.60	2.11	324.10
2	材料费				10 206.71
	砂	m^3	7.48	70.00	523.60
	石子	m^3	7.04	70.00	492.80
	普通硅酸盐水泥425号	t	5.81	369.21	2 145.11
	绞链式模袋	m^2	114	60.00	6 840.00
	其他材料费		3%	6 840.00	205.20
3	机械使用费				5 620.08
	混凝土搅拌机（0.4m³）	台时	60.00	30.90	1 854.00
	混凝土输送泵（30m³/h）	台时	30.00	112.70	3 381.00
	钢质趸船（35t）	台时	7.65	28.94	221.39
	其他机械费		3%	5 456.39	163.69
(二)	其他直接费		2.00%		342.71
(三)	现场经费		6.00%		1 028.13
二	间接费		6.00%		1 110.38
三	企业利润		7.00%		1 373.17
四	材料差价				1 321.50
	砂	m^3	7.48	100.68	753.09
	石子	m^3	7.04	80.74	568.41
五	三税税金		3.22%		718.43
	合　计× 1.1				25 332.76

填充长管袋工程

定额编号:[黄河定额]　　定额单位：100m³

施工方法:长管袋制作，水利冲挖机组充填。

编号	名称	单位	数量	单价(元)	合计(元)
一	直接工程费				8 862.95
(一)	直接费				8 283.13
1	人工费				668.74
	工长	工时		4.91	0.00
	中级工	工时	172.80	3.87	668.74
2	材料费				7 078.40
	管袋布、反滤布	m^2	880.00	8.00	7 040.00
	化纤绳	m	76.80	0.50	38.40
3	机械使用费				535.99
	水利冲挖机组	台时	5.52	97.10	535.99
(二)	其他直接费		2.00%		165.66
(三)	现场经费		5.00%		414.16
二	间接费		5.00%		443.15
三	企业利润		7.00%		651.43
四	三税税金		3.22%		320.63
	合　计× 1.1				11 305.98

石料运输工程

定额编号:概[60438]　　定额单位：100m³ 成品堆方

施工方法:装料、运输 3km、卸除、堆存、空回。

编号	名称	单位	数量	单价(元)	合计(元)
一	直接工程费				2 458.31
(一)	直接费				2 276.22
1	人工费				319.45
	初级工	工时	151.40	2.11	319.45
2	零星材料费		1.00%	2 253.68	22.54
3	机械使用费				1 934.23
	自卸汽车（8t）	台时	20.87	92.68	1 934.23
(二)	其他直接费		2.00%	9 159	45.52
(三)	现场经费		6.00%		136.57
二	间接费		6.00%		147.50
三	企业利润		7.00%		182.41
四	三税税金		3.22%		89.78
	合　计× 1.1				3 165.80

C30 混凝土预制板工程

定额编号:参预[40110] 概 [40111]　　定额单位：100m³

施工方法:预制混凝土板，搅拌机拌制混凝土，人工推胶轮车运。

编号	名称	单位	数量	单价(元)	合计(元)
一	直接工程费				28 850.94
(一)	直接费				26 713.83
1	人工费				4 169.99
	工长	工时	48.80	4.91	239.61
	高级工	工时	158.50	4.56	722.76
	中级工	工时	609.50	3.87	2 358.77
	初级工	工时	402.30	2.11	848.85
2	材料费				21 776.60
	钢模板	kg	69.00	4.15	286.35
	铁件	kg	12.00	4.82	57.84
	C30 混凝土 二级配	m³	92.00	229.35	21 100.20
	水泥砂浆	m³			0.00
	水	m³	220.00	0.53	116.60
	其他材料费		1.00%	21 560.99	215.61
3	机械使用费				767.24
	搅拌机（0.4m³）	台时	17.35	27.46	476.43
	胶轮车	台时	87.70	0.90	78.93
	载重汽车（5t）	台时	0.98	51.38	50.35
	平板振动器（2.2kW）	台时	22.63	4.92	111.34
	其他机械费		7.00%	717.05	50.19
(二)	其他直接费		2.00%		534.28
(三)	现场经费		6.00%		1 602.83
二	间接费		6.00%		1 731.06
三	企业利润		7.00%		2 140.74
四	材料差价				10 963.49
	C30 混凝土 二级配		92.00	119.168 4	10 963.49
五	三税税金		3.22%		1 406.70
	合　计 × 1.1				49 602.22

预制板运输工程

定额编号:概[40270]　　定额单位：100m³

施工方法:汽车起重机吊装。运输1km。

编号	名称	单位	数量	单价(元)	合计(元)
一	直接工程费				2 605.35
(一)	直接费				2 412.36
1	人工费				266.33
	中级工	工时	44.50	3.87	172.22
	初级工	工时	44.60	2.11	94.11
2	材料费				266.42
	锯材	m³	0.10	2 008.19	200.82
	铁件	kg	12.00	4.82	57.84
	其他材料费		3.00%	258.66	7.76
3	机械使用费				1 879.61
	载重汽车(10t)	台时	24.15	77.06	1 861.00
	其他材料费		1.00	1 861.00	18.61
(二)	其他直接费		2.00%		48.25
(三)	现场经费		6.00%		144.74
二	间接费		6.00%		156.32
三	企业利润		7.00%		193.32
四	三税税金		3.22%		95.15
	合　计 × 1.1				3 355.15

水冲混凝土板桩插板工程

定额编号:[胜补 98-24]　　定额单位：10m³

施工方法:汽车起重机吊装、下沉，离心泵通水加压冲击。

编号	名称	单位	数量	单价(元)	合计(元)
一	直接工程费				3 293.30
(一)	直接费				3 049.35
1	人工费				516.10
	高级工	工时	133.36	3.87	516.10
2	材料费				0.00
3	机械使用费				2 533.25
	汽车起重机（16t）	台时	13.36	130.30	1 740.81
	离心水泵（单级 7kW）	台时	33.44	20.09	671.81
	其他机械费		5.00%	2 412.62	120.63
(二)	其他直接费		2.00%		60.99
(三)	现场经费		6.00%		182.96
二	间接费		6.00%		197.60
三	企业利润		7.00%		244.36
四	三税税金		3.22%		120.28
	合计 × 1.1				4 241.09

预钢筋制作与安装工程

定额编号:概[40123]　　定额单位:1t

施工方法:回直、除锈、切断、弯制、焊接、绑扎及加工场至施工场地运输。

编号	名称	单位	数量	单价(元)	合计(元)
一	直接工程费				4 840.16
(一)	直接费				4 481.63
1	人工费				391.41
	工长	工时	10.60	4.91	52.05
	高级工	工时	29.70	4.56	135.43
	中级工	工时	37.10	3.87	143.58
	初级工	工时	28.60	2.11	60.35
2	材料费				3 645.85
	钢筋	t	1.07	3 321.65	3 554.17
	铁丝	kg	4.00	4.51	18.04
	电焊条	kg	7.36	5.10	37.54
	其他材料费		1.00%	3 609.75	36.10
3	机械使用费				444.37
	钢筋调直机(14kW)	台时	0.63	20.42	12.86
	风　砂　枪	台时	1.58	40.98	64.75
	钢筋切断机（20kW)	台时	0.42	33.66	14.14
	钢筋弯曲机Φ6～40	台时	1.10	16.13	17.74
	电焊机 25kVA	台时	10.50	22.18	232.89
	电弧对焊机(150 型)	台时	0.42	131.57	55.26
	载重汽车(5t)	台时	0.47	51.38	24.15
	塔式起重机（10t)	台时	0.11	126.13	13.87
	其他机械费		2.00%	435.66	8.71
(二)	其他直接费		2.00%		89.63
(三)	现场经费		6.00%		268.90
二	间接费		6.00%		290.41
三	企业利润		7.00%		359.14
四	三税税金		3.22%		176.77
	合　计× 1.1				6 233.13

水泥浆灌缝工程

定额编号:胜补[98-25]　　定额单位:100m

施工方法:潜水泵供水，搅拌机拌和，渣浆泵输送泥沙。					
编号	名称	单位	数量	单价(元)	合计(元)
一	直接工程费				9 341.17
(一)	直接费				8 649.24
1	人工费				364.80
	高级工	工时	80.00	4.56	364.80
2	材料费				1 550.68
	水泥	t	4.20	369.21	1 550.68
3	机械使用费				6 733.76
	潜水泵	台时	21.36	18.42	393.45
	渣浆泵	台时	30.72	126.82	3 895.91
	搅拌机	台时	66.72	27.46	1 832.13
	小型拖拉机	台时	13.36	18.46	246.63
	其他机具费	台时	1.00	135.75	135.75
	电费及机械费	台时	1.00	229.89	229.89
(二)	其他直接费		2.00%		172.98
(三)	现场经费		6.00%		518.95
二	间接费		6.00%		560.47
三	企业利润		7.00%		693.11
四	三税税金		3.22%		341.15
	合　计× 1.1				12 029.49

参 考 文 献

1.黄河水利委员会黄河河口管理局.东营市黄河志.济南:齐鲁出版社,1995

2.曾庆华,张世奇,等.黄河口演变规律及整治.郑州：黄河水利出版社，1997

3.杨玉珍,王延亮.黄河三角洲可持续发展实验区可行性研究.东营:石油大学出版社,2001

4.徐又建,李希宁,等.水利工程土工合成材料应用技术.郑州:黄河水利出版社,2000

5.水利部水利水电规划设计总院.堤防工程设计规范（GB50286—98).北京：中国计划出版社，1998

6.水利部淮河水利委员会.堤防工程施工规范（SL260—98).北京：中国水利水电出版社,1998

7.交通部第一航务工程勘察设计院.海港水文规范（JTJ213—98).北京：人民交通出版社,1998

8.华北水利水电学院北京研究生部.水利水电工程土工合成材料应用技术规范（SL/T225—98).北京：中国水利水电出版社,1998

后 记

本课题是“八五”国家科技攻关计划项目增列专题《延长黄河口清水沟流路行水年限的研究》的继续，参加项目研究的专家和工程技术人员经过5年的艰苦努力，通过考察当代典型河口的治理工程和疏理黄河自上古至当代的变迁史料，以巨幅时空跨度展示了黄河流路的长期稳定对经济社会发展所发挥的重要历史作用；系统总结、运用了1996年黄河口清8导向工程治理经验和大量实测数据；对黄河口区域进行了多次实地考察并在口门以外海域数次组织多船同步观测活动，运用三维水动力数学模型对预设的6种双导堤工程方案进行了模拟试验；对海上双导堤工程的方向和结构、堤长及间距、过流能力、河槽形态、坝体应力等进行了精密计算与设计等。

2006年10月15日，山东省科技厅在济南组织召开了成果鉴定会。以中国工程院院士韩其为、中国科学院院士胡敦欣为首的鉴定委员会专家听取了项目组研究成果汇报，审阅了成果材料，经认真讨论和质疑，提出如下鉴定意见：

(1) 该项目深入分析世界大河河口治理及其三角洲发展的历史经验，系统总结了黄河口清水沟流路一期治理工程、清8导向工程、口门疏浚试验工程的治理效果和成功经验，从实践上证明陆上导流堤可发挥截支强干、束水归槽、提高水流挟沙能力，增加入海沙量等作用。在此基础上，首次提出在黄河口潮流界以下河段建设向海延伸的双导流堤工程方案。

(2) 采用三维水动力泥沙输运数学模型，针对黄河口高浓度泥沙特点，考虑泥沙对水体密度以及流场的反馈效应，首次模拟了黄河口泥沙输运过程及双导堤不同方案影响下外海域潮流场及沉积动力学过程。

(3) 通过现场观测和数值模拟，揭示了黄河口切变锋和羽状流的时空演变过程，分析了河口拦门沙形成的动力机制。黄河口切变锋在涨潮、落潮时段存在两种不同的形态，其时空运动过程对河口泥沙的向海传输有重要的阻隔作用，对河口的淤积和侵蚀分区有重要作用。河口沉积动力学研究成果为双导堤设计方案的优选提供了重要的理论依据和技术支撑。

(4) 根据黄河口外海域地质、水文、气象等条件，通过多个方案比选，并进行海动力冲击试验，首次提出了利用已获多项专利的水力插板桩组合坝技术建设黄河口海上双导堤工程的方案，以此技术建成可靠的海上新结构坝。

该项目研究意义重大，技术路线正确，资料翔实，图表清晰，结论可靠，可行性强，其成果可用于黄河口治理开发，同时为东营市建设、油田勘探开发、防灾减灾等方面工程决策提供重要技术支撑，对全面推动黄河三角洲的经济发展和维持黄河健康生命都具有重要的应用价值。鉴定委员会委员认为，该项目在黄河口治理研究方面作出了重大贡献，研究成果总体上达到国际领先水平。鉴于黄河口治理的重要性和紧迫性，建议继续深化研究，进一步完善方案，以推动海上双导堤工程尽快实施。

在项目的立项与实施过程中，山东省委、省政府、省人大、省政协都给予了很多的关注、鼓励和支持；山东省科技厅、财政厅在山东省“十五”科技计划中予以立项并拨付了科研经费；东营市政府、胜利石油管理局、山东黄河河务局及黄河河口管理局等给予了配套资金及多方面的支持。

同时，黄河水利委员会也非常重视黄河口入海流路的防洪安全与工程建设，2002年将河口治理列入《黄河近期重点治理开发规划》。

在此，本项目组向所有关心、支持并为这一工程技术研究付出辛勤劳动的领导、专家和工作人员致以崇高敬意和深切感谢！

编著者

2006年10月